はじめに

所得税は、私たちにとって最も身近で関係の深い税ですが、毎年税制改正が行われることに加え、租税特別措置法、国税通則法など多くの法令や通達が関連することから、複雑で理解しづらいと言われています。

そこで、本書は、初めて手にされる方にも理解しやすいよう、所得税に関する身近な事例を「問答式」で解説しています。

今年度は、NISA制度の抜本的拡充・恒久化、スタートアップへの再投資に係る非課税措置の適用開始に伴い、問答を整備したほか、ストックオプション税制の拡充や子育て対応改修工事等に係る住宅特定改修特別税額控除の創設など、令和６年度の税制改正に対応した改訂を行いました。

皆様方にとって、本書が所得税を理解される上で、少しでもお役に立てば幸いです。

なお、本書は、大阪国税局課税第一部個人課税課に勤務する者が体日等に執筆したものであり、本文中、意見にわたる部分は、執筆者の個人的見解であることを予めお断りしておきます。

令和６年11月

太　田　真　規

目　　　次

第１章　総　　　説

第２章　納税義務者

第３章　納　税　地

第４章　非課税所得

第３節　給　与　所　得

第４節　退　職　所　得

第５節　山　林　所　得

第６節　譲　渡　所　得

第７節　一　時　所　得

第８節　雑　　所　　得

第７章　金　融　所　得

第１節　利　子　所　得

第2節　配　当　所　得

第3節　その他の金融所得

第4節　株式等の譲渡益課税

第５節　先物取引の課税

第8章　組　合　課　税

第9章　収　入　金　額

第10章　必　要　経　費

第1節　棚卸資産の評価

第2節　租　税　公　課

第3節　旅　費　交　通　費

第4節　資本的支出と修繕費

第5節　減　価　償　却　費

第11節　引　当　金

第12節　リース取引に係る所得税の取扱い

第13節　消費税等に係る所得税の取扱い

第14節　その他の必要経費

第11章　青色申告特別控除

第12章　損益通算と損失の繰越し・繰戻し

第４節　寄 附 金 控 除

第５節　障害者控除・寡婦控除

第６節　配偶者控除・配偶者特別控除・扶養控除

第14章　税 額 の 計 算

第15章　税 額 控 除

第１節　配 当 控 除

第２節　投 資 税 額 控 除

第３節　住宅借入金等特別控除

第４節　特定増改築等住宅借入金等特別控除

第５節　住宅特定改修特別税額控除

第23章　災　害　減　免

第24章　東日本大震災の被災者等に係る臨時特例措置（所得税関係）

<凡　　例>

文中の法令、通達等については、下記の略語を用いています。

所法74②七……………………………所得税法第74条第２項第７号

（以下、略語の用い方は同じです。）

所令………所得税法施行令
所規………所得税法施行規則
措法………租税特別措置法
措令………租税特別措置法施行令
措規………租税特別措置法施行規則
法法………法人税法
法令………法人税法施行令
法規………法人税法施行規則
基通………所得税基本通達
措通………租税特別措置法関係通達
法基通……法人税基本通達
消法………消費税法
相法………相続税法
相令………相続税法施行令
相基通……相続税法基本通達
地法………地方税法
耐用年数省令……減価償却資産の耐用年数等に関する省令
耐通………耐用年数の適用等に関する取扱通達
令６改所法等……所得税法等の一部を改正する法律
国外送金法……内国税の適正な課税の確保を図るための国外送金等に係る調書の提出等に関する法律
国外送金令……内国税の適正な課税の確保を図るための国外送金等に係る調書の提出等に関する法律施行令
国外送金規……内国税の適正な課税の確保を図るための国外送金等に係る調書の提出等に関する法律施行規則
昭45．１．30直所４－１、昭45直審（源）２「3－2」…所得税関係の個別通達
財確法……社会保障の安定財源の確保等を図る税制の抜本的な改革を行うための消費税法等の一部を改正する法律
負担軽減法………経済社会の変化等に対応して早急に講ずべき所得税及び法人税の負担軽減措置に関する法律
特例法………東日本大震災の被災者等に係る国税関係法律の臨時特例に関する法律
特例令………東日本大震災の被災者等に係る国税関係法律の臨時特例に関する法律施行令

災免法………災害被害者に対する租税の減免、徴収猶予等に関する法律

災免令………災害被害者に対する租税の減免、徴収猶予等に関する法律の施行に関する政令

復興財確法……東日本大震災からの復興のための施策を実施するために必要な財源の確保に関する特別措置法

昭27直所1－101………災害被害者に対する租税の減免、徴収猶予等に関する法律（所得税関係）の取扱い（通達）

通則法………国税通則法

通則令………国税通則法施行令

通基通………国税通則法基本通達

審査法………行政不服審査法

オン化省令……国税関係法令に係る情報通信技術を活用した行政の推進等に関する省令

労働施策総合推進法……労働施策の総合的な推進並びに労働者の雇用の安定及び職業生活の充実等に関する法律

電帳法………電子計算機を使用して作成する国税関係帳簿書類の保存方法等の特例に関する法律

電帳規………電子計算機を使用して作成する国税関係帳簿書類の保存方法等の特例に関する法律施行規則

（注）　令和６年10月１日現在の法令等による

第1章　総　　　　　説

所得の概念

【問1－1】　所得税法でいう所得とは、どのようなものですか。

【答】　所得税法上の所得とは、所得の生ずる原因や態様を限定せず、個人が得た経済的利得（社会通念上の判断によります。）の全てをいいます。すなわち、会社等に勤めて得た給与、商売をして得た利益、財産を投資して得た配当や利子、財産を貸したり、売ったりしたことによる利益など様々な経済的利得や債務免除益など消極財産の減少又は消滅も所得税法上の所得となります。

また、各種所得の金額の計算上、「収入金額とすべき金額」又は「総収入金額に算入すべき金額」は、その収入の基因となった行為が適法であるかどうかを問わない（基通36－１）とされています。

なお、これらの所得は、経済的利得の発生形態によって課税の対象とならないものと、課税の対象となるものとに分けられ、課税の対象となるものは、更に所得の内容によって10種類に区分され、その区分された所得ごとに所得金額を計算することとされています。

住所の意義

【問1－2】　住所とは、どのような所をいうのですか。

【答】　所得税法に規定する住所とは各人の生活の本拠をいい、生活の本拠であるかどうかは客観的事実によって判定するとされており（基通２－１）、本人の住民登録の有無にかかわらず判断することになっています。　例えば、店舗を多数所有し、数か所に転々と宿泊するような人については、親族の住んでいる所には１か月のうち10日程度しか居住していない場合であっても、その親族が住んでいる所を生活の本拠地、すなわち住所と判断することになります。

第2章　納税義務者

納税義務者の区分

【問2－1】　所得税は、年齢、性別、国籍のいかんを問わず、日本に住んでいる人であれば、全て納税の義務があると聞いていますが、その仕組みはどのようになっているのですか。

【答】　所得税の課税関係を定めている所得税法の施行地は日本国内とされています。このことは、日本国内で生活している個人であれば、国籍のいかんを問わず、所得税法の適用を受け、反対に、たとえ日本国籍を有する個人であっても、外国で生活している場合には、原則として、所得税法の適用を受けないことを意味しています。

しかしながら、外国で生活しながら日本国内において所有する資産から収益を得たり、日本国内において経済活動を行うこともあります。そこで、日本国内で生活していない場合でも、その所得の源泉が日本国内にあれば、所得税を課すこととされています。

このように、人、物、取引などと、日本国内との一定の結びつきにより納税義務の範囲が決まり、その範囲内において納税義務を負う人を納税義務者ということができます。

この納税義務者は、所得税法上、次のように分類され、その分類ごとに所得税の課税を受ける範囲が定められています。

(1)　非永住者以外の居住者

国内に住所を有し、又は現在まで引き続いて1年以上居所を有する個人を「居住者」といいます（所法2①三）。

居住者は、(2)の非永住者に該当しない限り、国内国外を問わず、その経済活動から生ずる所得の全てについて納税義務を負うものとされています（所法５①、７①一）。

　このように、居住者は納税義務の範囲に全く制限がないところから、一般に「無制限納税義務者」ともいわれています。

(2)　非永住者

　居住者のうち、日本の国籍を有しておらず、かつ、過去10年以内において国内に住所又は居所を有していた期間の合計が５年以下である個人を「非永住者」といいます（所法２①四）。

　非永住者は、国外源泉所得以外の所得及び国外源泉所得で国内において支払われ、又は国外から送金されたものについて納税義務を負うものとされています（所法７①二）。

(3)　非居住者

　国内に住所がなく、かつ現在まで引き続いて居所を有する期間が１年未満である個人を「非居住者」といいます（所法２①五）。

　非居住者は、国内に源泉がある所得を有するときのほか、その引受けを行う法人課税信託の信託財産に帰せられる内国法人課税所得の支払を国内において受ける場合又は当該信託財産に帰せられる外国法人課税所得の支払を国内において受ける場合に納税義務を負うものとされています（所法５②、７①三）。

　このように、納税義務を負うべき所得の範囲に一定の制限が設けられている非居住者及び非永住者は、一般に「制限納税義務者」ともいわれています。

(注)「国内に源泉がある所得」については【問20-１】参照。

法人の納税義務

【問２-２】　所得税は、個人だけでなく、法人も納税義務者になる場合があると聞いていますが、それはどのような場合でしょうか。

【答】　所得税の納税義務は、原則として個人が負うべきものとされています。

しかしながら、所得税の源泉徴収の制度を実施する上において、源泉徴収の対象となる所得の支払の都度、個人、法人の区別を行うことは徴税上極めて困難であるところから、便宜上、法人に対しても所得税の納税義務が課されています。

法人の納税義務の範囲は、法人の態様に応じ、次のとおりとなっていますが、法人が源泉徴収の方法で納付した所得税の額は、その性質が法人税の一種の前払であるところから、その法人の納付すべき法人税の額から控除し（法法68①）、その控除不足額は還付されます（法法78①）。

もっとも、日本国内で事業を行っていない外国法人に対しては、法人税に代えて所得税の源泉徴収だけで課税関係を済ませることとされています。

(1) 内国法人

国内に本店又は主たる事務所を有する法人を「内国法人」といいます（所法２①六）。

内国法人は、国内において内国法人課税所得の支払を受ける場合又はその引受けを行う法人課税信託の信託財産に帰せられる外国法人課税所得の支払を受ける場合に所得税の納税義務を負うものとされています（所法５③、７①四）。

なお、「内国法人課税所得」とは、所得税法174条各号に掲げる利子等、配当等、給付補填金、利息、利益、差益、利益の分配又は賞金をいい、「外国法人課税所得」とは、所得税法161条１項４号から11号まで又は13号から16号までに掲げるものをいいます（(2)の外国法人についても同じです。所法５②二）。

また、内国法人が国外において発行された公社債等の利子等及び国外で発行された株式等の配当等を国内の支払の取扱者を通じて受け取る場合には、所得税の納税義務を負うものとされています（措法３の３②、９の２①）。

(2) 外国法人

国内に本店も主たる事務所も有しない法人を「外国法人」といいます（所法２①七）。

外国法人は、外国法人課税所得の支払を受ける場合又はその引受けを行う法人課税信託の信託財産に帰せられる内国法人課税所得の支払を国内で受ける場合に所得税の納税義務を負うものとされています（所法５④、７①五）。

(3)　人格のない社団等

法人としての登記をしていない社団又は財団で代表者又は管理人の定めがあるものを「人格のない社団等」といいます（所法２①八）。

人格のない社団等は、法人とみなして、所得税法の法人に関する規定が適用されます（所法４）ので、所得税の納税義務の範囲も、それぞれ内国法人又は外国法人の場合と同様です。

第3章　納　　税　　地

事業開始と納税地

【問3－1】　市内で新規に個人事業を開始しました。住所は郊外にあり、住所地と事業所の所在地の所轄税務署はそれぞれ異なっています。この場合、事業所の所在地を所轄する税務署で申告等の手続きを行うことは可能でしょうか。

【答】　所得税の申告書等は、納税者の現在の納税地を所轄する税務署に提出することとなっています（通法21①）。ここで納税地とは、納税者が申告、申請、届出及び納税などをする基準となる場所又は税務署が更正、決定及び却下などの処分を行う場合の所轄を定める基準となる場所をいいます。

国内に住所又は居所を有する納税者の納税地は、その場合に応じ、それぞれ次のように定められています（所法15、16）。

(1) 国内に住所を有する場合……その住所地

ただし、国内に住所のほか居所も有する場合は、住所地に代えて居所地を納税地とすることもできます。

(2) 国内に住所を有せず、居所を有する場合……その居所地

(3) 国内に住所又は居所を有し、かつ、それ以外の場所に事業場等を有する場合……住所地又は居所地に代えて、事業場等の所在地を納税地とすることができます。

あなたの場合は、国内に住所の他に事業場等を有するという(3)の場合に該当しますから、あなたのご希望どおり、事業所の所在地を納税地とし、その事業所の所在地を所轄とする税務署に所得税の申告書等を提出することができます。

死亡した人の納税地

【問３-２】　死亡した人（被相続人）の確定申告書は、相続人の代表者の納税地に提出すればよろしいでしょうか。

【答】　死亡した人（被相続人）の所得税の確定申告書は、原則として相続人の連名（確定申告書付表によります。）により、その死亡した人の死亡当時の納税地の所轄税務署長に提出することとされています（所法16③、所令263②）。

なお、確定申告書付表には、一緒に申告するかどうかにかかわらず、全ての相続人や包括受遺者（相続を放棄した人を除きます。）の住所、氏名、相続人等の代表者の氏名及び相続分、相続財産の価額などを記載することとなっています（所規49）。

納税管理人を定めた場合の納税地

【問３-３】　海外に勤務することとなった個人Ａが、その直前まで居住していた家屋の処分を友人Ｂに依頼し、その譲渡所得の申告に関して友人Ｂを納税管理人に指定しました。

この場合の確定申告書の提出先（納税地）はＡの従前の住所地の所轄税務署ですか、それともＢの現在の住所地の所轄税務署ですか。

【答】　納税管理人の届出が受理された場合には、税務署が発する所得税に関する書類は、納税管理人の住所又は居所に送達され、申告や納税は納税管理人が代行することになります。

しかしながら、その場合にも納税管理人（Ｂ）の住所又は居所地が、納税者（Ａ）の納税地になるわけではありません。

御質問の場合のように、Ａの従前の住所地とＢの住所地の所轄税務署が異なるときは、Ａの従前の住所地の所轄税務署が確定申告書の提出先（納税地）となります。

このように、国内に住所又は居所及び事業所を有しなくなった個人の納税地は、次の順序によって定められることになっています（所法15四～六、所令53、54）。

①　直前に納税地とされていた場所に、その個人の親族等が引き続き居住している場合には、その場所

②　①に該当しない場合で、不動産又は不動産上の権利の貸付けの対価がある場合には、その不動産等の所在地

③　①、②に該当しない場合には、直前に納税地とされていた場所

（注）　納税管理人の届出書の提出先は、納税管理人に係る国税の納税地（御質問の場合は納税者Ａの従前の住所地の所轄税務署長）とされています（通則法117②）。

第4章　非課税所得

非課税所得の分類

【問4－1】　所得税のかからない、いわゆる非課税所得は種類も多く、所得税法以外の法律の規定による場合もあると聞いていますが、これらはどのように分類整理されますか。

【答】　所得税は、暦年を単位とする全ての所得を対象として課税するのが建前となっています。しかしながら、所得の中には、社会政策上、課税技術上又は国民感情等からみて、所得税の課税の対象とするのが適当でないものがあり、これらの所得をまとめて「非課税所得」とし、原則として何らの申告手続を要することなく、課税の対象から除外しています。

このような非課税所得は、所得税法だけでなくほかの法令にも数多く規定されており、また、その一つ一つが個別の非課税理由を持つものもあり、これらの所得の全てをまとめて手際よく分類することは大変困難なため、所得税法に規定されているものの全部とその他の法令の規定に基づく主要なものを、一応次のように分類して列挙することにします。

(1)　少額の預金利子等

イ　当座預金の利子(年１％を超える利子を除く。)(所法９①一、所令18)

ロ　児童又は生徒の預貯金（いわゆるこども銀行の預貯金）の利子等（所法９①二）

ハ　障害者等の少額預金（元本350万円以下のもの）の利子等(注)(所法10、措法３の４）

ニ　障害者等の少額公債（額面350万円以下のもの）の利子(注)(措法４）

ホ　勤労者財産形成住宅貯蓄（元本550万円以下のもの）の利子等（措法４の２）

ヘ　勤労者財産形成年金貯蓄（ホを含めて元本550万円以下、生命保険等に係るものについては385万円以下のもの）の利子等（措法４の３）

ト　納税準備預金の利子（措法５）

チ　納税貯蓄組合預金の利子（納税貯蓄組合法８）

（注）１　ハ、ニの少額貯蓄非課税制度は、平成18年１月１日をもって、老人等の少額貯蓄非課税制度から障害者等の少額貯蓄非課税制度に改組されました。

なお、平成17年12月31日まで老人等の少額貯蓄非課税制度の適用対象とされていた預貯金等については、平成18年１月１日以後に支払を受けるべき利子等のうち、当該利子等の計算期間の初日から平成17年12月31日までの期間に対応する部分の金額については従来どおり非課税とされます。

２　ハの障害者等の少額預金の利子所得等の非課税制度の対象となる有価証券の範囲から公社債等投資信託以外の公募証券投資信託の受益証券（平成16年１月１日以後に購入した公社債等投資信託以外の公募証券投資信託の受益証券の収益の分配に限ります。）は除外されています。

(2)　給与所得者が勤務先から受ける経済的利益

イ　出張、転任に伴う転居等の旅費（所法９①四）

ロ　通勤手当（１月当たり最高150,000円）（所法９①五、所令20の２）

ハ　制服、食料等で職務の性質上欠くことのできない現物給与（所法９①六、所令21）

ニ　外国勤務による在外手当等（所法９①七、所令22）

(3)　担税力の乏しい所得

イ　生活に通常必要な家庭用動産の譲渡による所得（所法９①九、所令25）

ロ　強制換価手続等による資産の譲渡に係る所得（所法９①十）

ハ　学資給付金、扶養義務者相互間における扶養義務履行のための給付金（所法９①十五）

ニ　傷害保険金、損害保険金及び損害賠償金で心身に加えられた損害又は突発的な事故により資産に加えられた損害に基因して取得するもの

（所法９①十八、所令30）

ホ　国などに財産を寄附した場合の譲渡所得等（措法40）

ヘ　物納により生ずる譲渡所得等（措法40の３）

(4) 社会政策上の配慮によるもの

イ　増加恩給、傷病賜金、遺族年金及び地方公共団体実施の障害者年金など（所法９①三）

ロ　国又は地方公共団体が行う保育・子育て助成事業により、保育・子育てに係る施設・サービスの利用に要する費用に充てるために支給される金品（所法９①十六）

ハ　失業等給付（雇用保険法12）

ニ　生活保護のための給付（生活保護法57）

ホ　児童福祉のための支給金品（児童福祉法57の５）

ヘ　健康保険などの保険給付（健康保険法62など）

ト　犯罪被害者等給付金などの給付（犯罪被害者等給付金の支給等による犯罪被害者等の支援に関する法律18など）

チ　児童手当（児童手当法16）

(5) 公社債等の譲渡による所得

特定の割引債、長期信用銀行債等、貸付信託の受益権の譲渡及び農林債による所得（措法37の15①、措令25の14の３）

(6) その他

イ　外国政府、国際機関等に勤務する外国政府職員等の受ける給与等（所法９①八）

ロ　オープン型の証券投資信託の収益の分配のうち、信託財産の元本の払戻しに相当する部分（収益調整金のみに係る収益として分配される特別分配金）（所法９①十一、所令27）

ハ　内廷費、皇族費（所法９①十二）

ニ　文化功労者年金、ノーベル基金からノーベル賞として交付される金品（所法９①十三）

ホ　相続、遺贈又は個人からの贈与により取得するもの（相法21の３①一に規定する公益信託から給付を受けた財産に該当するものを除く）（所法９①十七）

ヘ　法人から受ける選挙費用の寄附（所法９①十九）

ト　国、地方公共団体等に対して重要文化財等（土地を除きます。）を譲渡した場合の譲渡所得（措法40の２①）

チ　オリンピック競技大会又はパラリンピック競技大会における成績優秀者を表彰するものとして財団法人日本オリンピック委員会（JOC）、財団法人日本障害者スポーツ協会その他これらの法人に加盟している一定の団体から交付される金品で財務大臣が指定するもの（所法９①十四）

リ　住民基本台帳に記録されている者等のうち、市町村民税が課されていない者その他一定の者に対して臨時福祉給付金給付事業費補助金を財源として市町村又は特別区から給付される給付金（措法41の８①一）

ヌ　児童手当等を受ける者その他一定の者に対して子育て世帯臨時特例給付金給付事業費補助金を財源として市町村又は特別区から給付される給付金（措法41の８①二）

ル　子どもの貧困対策の推進等の観点から給付される児童扶養手当法による児童扶養手当給付金（措法41の８①四）

学資金の取扱い

【問４－２】 学資金の取扱いについて、教えてください。

【答】 学資に充てるため給付される金品は非課税とされていますが、「給与その他対価の性質を有するもの」は非課税の対象から除かれています（所法９①十五）。

ただし、平成28年４月１日以後に受ける学資金について、「給与その他対価の性質を有するもの」のうち給与所得を有する者がその使用者から通常の給与に加算して受けるもの（使用者からの奨学金に係る債務免除益もこれに含まれます。）であって、次に掲げる場合に該当するもの以外のものは、課税対象から除外されます（所法９①十五）。

① 法人である使用者からその法人の役員の学資に充てるため給付する場合

② 法人である使用者からその法人の使用人（その法人の役員を含みます。）と特別の関係のある者の学資に充てるため給付する場合

③ 個人である使用者からその個人の営む事業に従事するその個人の配偶者その他の親族（その個人と生計を一にする者を除きます。）の学資に充てるため給付する場合

④ 個人である使用者からその個人の使用人（その個人の営む事業に従事するその個人の配偶者その他の親族を含みます。）と特別の関係のある者（その個人と生計を一にするその個人の配偶者その他の親族に該当する者を除きます。）の学資に充てるため給付する場合

上記の①から④に該当しない給付であっても、通常の給付に代えて給付されるものは、非課税となりません（基通９－14）。

つまり、給与所得者が使用者から受ける学資金で非課税とされるものは、通常の給与に加算して給付されるものに限定されることから、本来受けるべき給与の額を減額された上で、それに相当する額を学資金として給付を受けるものなどは、非課税となりません。

また、学資金の給付を受ける者が、上記の②又は④の特別の関係がある者であり、かつ、その給付をする者の使用人（一定の役員又は親族を除きます。）である場合には、その給付がその特別の関係がある者のみを対象としているときを除き、その給付は上記の②又は④の給付には該当しないものとして取り扱って差し支えありません（基通９－16）。

なお、学資金のうち、上記の①から④に該当する給付は、原則として、給与所得を有する者に対する給与に該当しますので、給与等（所法28①）として課税することとなります（基通９－15）。

（注）新型コロナウイルス感染症の影響による学生支援策として大学等から支給される助成金等の取扱いについては次のとおりとなります。

１　学費を賄うために支給された支援金

非課税所得となる「学資金」（所法９①十五）に該当しますので、所得税の課税対象になりません。ただし、その支援金の使途が特に限定されていないと認められる場合には、下記２と同様の取扱いになります。

２　生活費を賄うために支給された支援金

一時所得として収入金額に計上する必要があります。

ただし、その年の他の一時所得とされる金額との合計額が50万円を超えない限り、所得税の課税対象にはなりません。

３　感染症に感染した学生に対する見舞金

非課税所得となる「心身又は資産に加えられた損害について支給を受ける相当の見舞金」（所法９①十八）に該当しますので、所得税の課税対象になりません。

４　遠隔授業を受けるために供与された機械（パソコン等）

非課税所得となる「学資金」（所法９①十五）に該当しますので、所得税の課税対象になりません。

自宅でのベビーシッターの利用料について国や地方公共団体から受給した補助金

【問４－３】　私には未就学の子どもがいますが、夫婦共働きで多忙のため、自宅においてベビーシッターのサービスを利用しました。このベビーシッターの利用料について、地方公共団体から補助金を受給しましたが、当該補助金の課税関係はどうなりますか。

【答】　次に掲げる国又は地方公共団体が保育その他子育てに対する助成を行う事業その他これに類する一定の事業により、その業務を利用する者の居宅その他一定の場所において保育その他の日常生活を営むのに必要な便宜の供与を行う業務又は認可外保育施設その他の一定の施設の利用に要する費用に充てるため支給される金品については、所得税を課さないこととされています（所法９①十六、所規３の２）。

(1)　非課税とされる金品を支給する事業は、次に掲げる事業とされています（所法９①十六、所規３の２①）

①　国又は地方公共団体が、保育その他の子育てに対する助成を行う事業

②　国又は地方公共団体が行う事業で、妊娠中の者に対し、子育てに関する指導、相談、下記(2)①に掲げる業務その他の援助の利用に対する助成を行うもの

(2)　非課税とされる金品は、上記(1)の事業により支給されるもので、かつ、次に掲げる業務又は施設の利用に要する費用に充てるため支給されるものとされています（所法９①十六、所規３の２②③）。

①　その業務を利用する者の居宅その他次に掲げる場所において保育その他の日常生活を営むのに必要な便宜の供与を行う業務（いわゆるベビーシッターや生活援助・家事支援のサービス）

イ　便宜を供与する者の居宅

ロ　上記イに掲げる場所のほか、便宜を適切に供与することができる場所

②　認可外保育施設のほか、次に掲げる施設

イ　児童福祉法に規定する放課後児童健全育成事業、子育て短期支

援事業、一時預かり事業、家庭的保育事業、小規模保育事業、居宅訪問型保育事業、事業所内保育事業、病児保育事業又は子育て援助活動支援事業又は親子関係形成支援事業に係る施設

ロ　児童福祉法に規定する地域子育て支援拠点事業に係る施設及びその施設に類する施設

ハ　保育所

ニ　児童福祉法第59条の２第１項（認可外保育施設の届出）に規定する施設

ホ　母子保健法に規定する産後ケア事業に係る施設及びその施設に類する施設

ヘ　認定こども園

ト　子ども・子育て支援法第７条10項第５号に掲げる事業（預かり保育）、同法第59条第２号に掲げる事業（延長保育事業）又は同条第３号に掲げる事業（実費徴収に係る補足給付事業）に係る施設

チ　子ども・子育て支援法第30条第１項第４号に規定する特例保育を行う施設

リ　子ども・子育て支援法第59条第４号に掲げる事業（小学校就学前の子どもを対象とした多様な集団活動事業に係る施設の利用に要する費用の助成を行うものに限ります。）に係る施設及びその施設に類する施設（認可外保育施設を除きます。）

ヌ　保育その他の子育てについての指導、相談、情報の提供又は助言を行う事業に係る施設

あなたが受給した補助金は、上記⑴①及び⑵①に記載のとおり、国又は地方公共団体が、保育その他の子育てに対する助成を行う事業で、居宅においてベビーシッターのサービスを利用するために要する費用に充てるために支給された補助金であると認められますので、非課税となります。

従業員の相続人が受け取った死亡保険金

【問４-４】　サラリーマンの夫は在職中に死亡しましたが、雇主が亡夫を被保険者及び保険金受取人とする生命保険契約をしていましたので、その生命保険金の受取手続をするよう連絡がありました。

この保険料は亡夫の雇主が支払っていたとのことですが、保険金に対する課税関係はどうなりますか。

【答】　勤務先が契約した被保険者及び保険金受取人を従業員とする生命保険契約の利益は、従業員が享受することとなります。そこで、勤務先が支払った保険料は、従業員が勤務先から受ける経済的利益即ち現物給与（満期返戻金等のない掛け捨ての保険料は除きます。）とされ、また、保険金の課税関係を定めるに当たっても、従業員自身が保険料を支払ったものとして取り扱うこととされています。

したがって、御質問の場合については被相続人（夫）が、保険料を支払っていた生命保険契約について、相続人（妻）が受け取った生命保険金として取り扱うこととなりますから、みなし相続財産として相続税が課税され、所得税の課税関係は生じないこととなります（相法３①一、相基通３−17、所法９①十七）。

また、掛け捨ての保険料として雇主が福利厚生費に算入している場合であっても保険金受取人である相続人（妻）が受け取った保険金は、被相続人（夫）が保険料を負担していたものとみなされて、上記と同様、みなし相続財産として相続税が課税され所得税の課税関係は生じません（相法３①一、相基通３−17）。

なお、被保険者及び保険金受取人を従業員として雇主が結んだ生命保険契約により従業員が受け取る満期保険金は、一時所得となります。この場合、その一時所得の金額の計算に当たり雇主が支払った保険料で給与として課税対象とされた保険料は、控除されます（基通34−４参照）。

災害死亡保険金

【問４－５】 長男が、本年９月、交通事故に遭い、事故後４時間で死亡しました。私は、長男の死亡後、生命保険会社に対し死亡診断書を提出して、高度障害保険事故による請求をしましたところ、災害死亡保険金として3,000万円の支払を受けました。

この保険金は、事故から死亡までの４時間の高度障害状態に対する保険金ですから、非課税所得であると考えますがどうでしょうか。

なお、被保険者は長男で、保険料負担者及び保険金受取人は私です。

【答】 所得税法上非課税とされる傷害保険金等は、身体の障害又は疾病を基因として支払われるもの及び疾病により高度障害の状態になったことなどに基因して支払われるものをいうこととされています（所令30、基通９－21）。

保険会社では、上記のような高度障害による保険金請求に対する査定に当たっては、被保険者の生存を前提としています。しかしながら、事例のように死亡後に死亡診断書により保険金を請求しているものについては、事故から死亡までに若干の時間があったとしても、災害死亡保険事故による死亡保険金の請求として取り扱っています。

したがって、本人の請求の意図がどうであったかにかかわらず、受け取った保険金は、死亡診断書によるものであり死亡保険金として一時所得となり、非課税所得とはなりません。

死亡後に確定した賞与

【問４-６】　Ａ社で営業課長をしていた夫が、この11月30日死亡退職しましたが、この度Ａ社から11月分給与、年末賞与及び退職金が送金されてきました。

その内訳等は次のとおりですが、これは亡夫の準確定申告に当たり、亡夫の所得に含めなければなりませんか。

①	11月分給与	35万円	（支給日11月25日）
②	年末賞与	80万円	（　〃　12月20日）
③	死亡退職金	1,000万円	（　〃　11月30日）

【答】　死亡した者の勤務に係る給与、賞与等及び退職手当金等で、その者の死亡後に支給期の到来するものが、本来その死亡した者に帰属するものなのか、又はその支給を受ける遺族等に帰属するかについては問題のあるところですが、所得税法では、相続税の取扱いとの調整をし、死亡後に支給期の到来するもののうち、相続税法の規定により相続税の課税価格計算の基礎に算入されるものについては、所得税を課税しないこととされています（所法９①十七、基通９－17）。

この結果、例えば、死亡後に支給の確定するベースアップの差額や死亡後に支払決議が行われた役員賞与なども本来の相続財産として相続税が課税される関係上、所得税の課税関係は生じないこととして取り扱われています。

ところで、御質問の①の11月分給与については、亡夫が死亡する前に支給期（11月25日）が到来していますから、亡夫の給与所得として課税されることになります（基通36－９）ので、準確定申告に含める必要があります。

次に②の年末賞与については、支給日に既に死亡していますので、本来の相続財産として相続税が課税されます（相基通３－32）。したがって、所得税は課税されません。

また、③の死亡退職金についても死亡後３年以内に確定したものは相続財産とみなされます（相法３①二）から、②と同様に所得税は非課税とされます。

なお、死亡後３年経過してから確定した退職手当等のように、相続税の課税価格の計算の基礎に算入されないものは、その支払を受ける相続人等の一時所得として取り扱うこととされます（基通34－２）。

交通事故により受けた損害賠償金

【問４-７】　サラリーマンである私は、先日、歩行中に自動車に追突されて傷害を受け、加害者から治療費と併せて休職期間中の給料に相当する金銭を受け取りました。

また、私が契約し被保険者となっている損害保険契約に基づき、傷害保険金も受け取りましたが、これらの金額には所得税が課税されるでしょうか。

【答】　心身に加えられた損害に基づいて加害者から受ける慰謝料その他の損害賠償金には、所得税は課税されないこととなっています（所法９①十八、所令30一）。

一方、心身に加えられた損害の程度によっては、相当期間にわたり、休職を余儀なくされる場合も生じ、加害者からその休職期間中の収入に見合う金銭を損害賠償金の一部として受領することも考えられます。

例えば、店舗の前の道路工事などで余儀なく休業した場合に、その休業期間中の収益を補塡するために受け取る補償金等は、その経済的成果の実質から、課税の対象として取り扱われています（所令94①二）。

しかしながら、同様な経済的成果を伴う補償金等であっても、心身の損害に基因して支払を受ける場合には、その事由の程度等により、課税の対象からは除外されることとなっています（所令30一かっこ書）。

したがって、あなたの場合は、治療費はもとより休職期間中の給与に相当する金銭も課税の対象とはなりません。

ただし、休職期間中であっても、あなたの勤務先から引き続き給与の支払を受けている場合には、その支給された給与は課税の対象となります。

また、身体の傷害に基づいてあなたが受けた損害保険契約の保険金についても、先の損害賠償金と同様、課税の対象とはなりません（所令30一）。

親族が受領した傷害保険金

【問４－８】　妻が交通事故に遭い、入院しました。加害者は無財産でしたが、私は妻を被保険者とした傷害特約付生命保険の契約を締結していましたので、生命保険会社から入院給付金を受け取りました。ところで、この入院給付金の課税関係はどのようになりますか。

なお、保険料は私が負担しています。

【答】　身体の傷害に基因して支払を受ける損害保険金や給付金は、自己の身体の傷害に基づくものは非課税（所令30一）とされていますが、身体に傷害を受けた者と保険金等を受ける者が異なる場合には、非課税の規定の適用がありません。

しかしながら、世帯主が妻や子供を被保険者とする保険契約を締結し、その保険料を負担している場合に、妻や子供が傷害を受けたことにより受ける保険金については、同一世帯の誰が受け取っても、その保険金を傷害の治療費等に充てられる場合が多く、自己の身体の傷害による場合と大差がないところから、保険金の支払を受ける者と、身体に傷害を受けた者とが異なる場合であっても、身体に傷害を受けた者の配偶者又は生計を一にする親族が支払を受ける者であるときは、その保険金は非課税として取り扱うこととされています（基通９－20）。

したがって、御質問の場合は、身体に傷害を受けた者の配偶者が支払を受けておられますから、非課税となります。

なお、あなたが、奥さんの入院費用について医療費控除の適用を受けるときには、支払った医療費から、その補塡される保険金等を控除しなければなりません（所法73①、基通73－８）。

所得補償保険契約に基づく保険金

【問４－９】 私は、虫垂炎の手術で個人タクシーの業務を約１か月休みましたが、このたび、Ａ損害保険会社からこの１月に締結した所得補償保険契約に基づき保険金の支払を受けました。

この保険金は、業務を休んだ１か月の所得に相当するものですが、個人タクシーの事業所得に加えることになるのでしょうか。

【答】 個人事業主を対象とした所得補償保険は、疾病、傷害により就業不能となったときに、その就業不能期間に応じて計算した保険金額（その金額が過去の平均所得を基礎として計算した就業不能期間中の所得よりも多いときは、その所得の金額が限度とされます。）を被保険者に支払う契約のものとなっています。

したがって、事業主自身が、自己を被保険者及び保険金受取人とした所得補償保険契約により支払いを受けた保険金は、疾病又は傷害に基因して受けたものであり、身体の傷害に基因して支払を受ける損害保険金として、非課税所得とされますので、事業所得に加える必要はありません（所令30一、基通９－22）。

一方、支払った保険料は、事業主自身を被保険者とする保険契約ですので、「業務について生じた費用」には該当しないことになり、事業所得の金額の計算上、必要経費に算入できません（所法37①、基通９－22(注)）。

借家人が負担した火災保険契約により受け取った保険金

【問４-10】　私はサラリーマンですが、父所有の建物に無償で住んでいました。建物について、父の承諾を得て火災保険契約を結んでいましたところ、台所からの失火により全焼して保険金2,000万円の支払を受けました。

この保険金に対する課税はどうなりますか。

なお、この保険金で私名義の建物を新築する計画です。

【答】　まず、受け取った保険金があなたに帰属するのか、建物の所有者であるお父さんに帰属するのかが問題となります。火災保険契約では、火災等により保険金が支払われる場合は、契約者ではなく保険の目的となる資産の所有権者に支払われることとされています。

そうしますと、保険金2,000万円はお父さんが受け取るべきことになります。所得税法では、資産の損害に基因して支払を受けた保険金については非課税とされていますので、お父さんの受け取った保険金については課税関係は生じません（所法９①十八、所令30二）。

また、この受け取った保険金で建物を新築した場合、お父さん名義であれば問題はありませんが、あなた名義の建物ということになりますと、お父さんからあなたに建物の建築資金2,000万円の贈与があったものとみなされ贈与税が課されることになります。

日照の妨害に基づく補償金

【問４-11】　１年前、自宅の南隣に建設された高層マンションによって１日の日照が、冬至で約３時間となりました。そのために家屋の損耗や光熱費などが目立って増加してきたので、マンションの所有者と交渉をした結果、その損害に対する補償金として80万円を受け取りました。

私の住居は第１種低層住居専用地域の中にあり、日照、通風、採光の回復は移転以外に望めそうもありません。

マンションの所有者は、日照の妨害に基づく補償金には課税されないといっていますが、本当でしょうか。

【答】　日照権の侵害の問題は、建物の高層化に伴って発生する生活妨害の典型的なタイプといえましょう。

日照妨害は、大気汚染、騒音、臭気などの生活妨害に比し、日照という自然の恩恵を享受できなくなるといった点で消極的ではありますが、その侵害の程度が社会通念上一般に受忍されるべき限度を超える場合には不法行為があったものとされ、加害者に対し慰謝料の支払を命じた判例等もあります（最高裁昭47.６.27ほか）。

相手の不法行為によって個人が取得する損害賠償金や慰謝料などは、次の範囲を定めて所得税は非課税とされています（所法９①十八、所令30）。

(1)　心身に加えられた損害につき支払を受ける慰謝料その他の損害賠償金（その損害に基因して勤務又は業務に従事することができなかったことによる給与又は収益の補償として受けるものを含みます。）

(2)　不法行為その他突発的事故により資産に加えられた損害につき支払を受ける損害賠償金

(3)　心身又は資産に加えられた損害につき支払を受ける相当の見舞金

日照妨害により取得する金銭等がこれらの規定に該当するかどうかは、その実情に沿って個別に判断しなければなりませんので、損害賠償金の名目だけでは、にわかに判断しがたいものと思われます。現在までの判例などを参酌すれば、おおむね次のような点を総合的に考慮して、受認限度の判断を行い、その日照妨害に対する損害賠償請求に理由があるかどうかが判断されているものと考えられます。

(1)　被害の内容・程度

(2)　加害・被害の回避可能性

(3)　地域性

(4)　先住性

(5)　規制基準違反の有無

(6)　交渉経過等の諸事情

ところで、あなたの場合は、金額が当事者間の話合いによって決められているので、はっきりした結論は得がたいものと思われますが、冬至の日照が１日４時間未満で、光熱費なども増加していること、移転によるほか被害を回避する方法が見当たらないこと、住居の位置が住宅地域にあることなどの事情からみれば、その日照妨害は社会通念上の受忍の範囲を超えているものと考えられます。

また、あなたが受領した80万円は特に高額であるともいえませんので、あなたが日照妨害を事由として取得した補償金は、その名称のいかんにかかわらず、心身に加えられた損害につき支払を受けた慰謝料等に類するものとして、おおむね非課税の取扱いが受けられるものと思われます。

なお、日照妨害名目の慰謝料等につき、先に述べた判断要素を検討しても実態が伴わず、不測の事態が生じても補償の要求はしないといういわば断念料とみられる場合や、現に営む事業の収益減少を補償する性質を持っているような場合などについては、非課税とはならず、一時所得や事業所得などとして課税されることになります。

相続等により取得した年金受給権

【問４-12】　私は、亡くなった夫から年金を相続しましたが、この場合の課税関係について教えてください。

【答】　年金には、国民年金、企業年金、その他の個人年金契約に基づく年金など様々な種類があります。

あなたのように、亡くなったご主人から遺族の方が取得する年金受給権については、年金の種類などによって相続税の課税対象となるケースがあります。

主なケースについて説明しますと、一つは、在職中に死亡し、死亡退職となったため、会社の規約等に基づき、会社が運営を委託していた機関から遺族の方に退職金として支払われることとなった年金です。この年金は、死亡した人の退職手当金等として相続税の課税対象となります（相法３①二、相令１の３五）。

もう一つは、保険料負担者、被保険者及び年金受取人が同一の個人年金保険契約で、その年金支払保証期間内にその人が死亡したため、遺族の方が残りの期間について年金を受け取ることとなった場合です。この年金は、死亡した人から年金受給権を相続により取得したものとみなされ、相続税の課税対象となります（相法３①五）。

また、死亡したときに支給されていなかった年金を遺族の方が請求し、受給することとなった場合は、その遺族の方の一時所得又は雑所得となりますが、相続税の課税対象とされた部分については、所得税は非課税とされます（所法34、基通34－２。【問４-13】参照）。

なお、厚生年金や国民年金などを受給していた人が死亡したときに遺族の方に対して支給される遺族年金は、原則として所得税及び相続税が課されません（所法９①三ロ、基通９－２、相基通３－46）。

相続等に係る生命保険契約等に基づく年金（その１）

【問４-13】 私は、本年、夫を亡くし、夫が生前加入していた個人年金保険を生命保険会社から受け取っています。
相続により受け取る年金については、所得税が非課税となると聞きましたが、制度の概略を教えてください。

【答】　相続、遺贈又は贈与（以下「相続等」といいます。）により取得した年金受給権に係る生命保険契約や損害保険契約等に基づく年金の支払を受けている方が支払を受ける年金の雑所得の金額の計算は、課税部分と非課税部分とに振り分けた上で計算します（所法35、所令185、186）。

具体的には、支払を受けた年金について、年金支給初年は全額非課税とし、２年目以後は、課税部分が階段状に増加する方法により所得税の課税対象となる年金収入金額を計算します。

なお、雑所得の金額は、課税部分の年金収入金額から、その収入に対応する保険料又は掛金の額を控除して計算します。

１　対象となる方

相続税の対象となる生命保険契約や損害保険契約等に基づく年金（以下「保険年金」といいます。）を受給している方で、次のいずれかに該当し、保険契約等に係る保険料等の負担者でない方が対象となります。

(1) 死亡保険金を年金形式で受給している方

(2) 学資保険の保険契約者が死亡したことに伴い、養育年金を受給している方

(3) 個人年金保険契約に基づく年金を受給している方

（注）１　実際に相続税や贈与税の納税額が生じなかった方も対象となります。

２　相続等により取得した年金受給権に係る生命保険契約等に基づく年金の受給開始前に、年金給付の総額に代えて一時金で支払を受けた場合、所得税は非課税となります（基通９－18）。

３　国民年金、厚生年金、共済年金などの遺族年金は非課税とされて

います（国民年金法25、厚生年金保険法41②等）。

２　計算例

(1) 旧相続税法対象年金

確定年金（支払期間10年、年間支払額100万円（定額）、支払保険料総額200万円）を相続した方の支払年数５年目の雑所得金額の計算

イ　１マス（課税単位）当たりの金額：

100万円×10年 × 40%（課税部分） ÷ 45マス（課税単位数） ＝ 8.8万円
｛10年×（10年－１年）÷２｝

ロ　課税部分の年金収入額：8.8万円 × 4（経過年数）支払開始日からその支払を受ける日までの年数 ＝ 35.2万円

ハ　必要経費額：35.2万円 ×〔200万円（支払保険料総額） ÷ 1,000万円（支払総額）〕＝ ７万円

ニ　雑所得金額：35.2万円 － ７万円 ＝ 28.2万円

（注）「旧相続税法対象年金」とは、年金に係る権利について所得税法等の一部を改正する法律（平成22年法律第６号）第３条の規定による改正前の相続税法第24条（定期金に関する権利の評価）の規定の適用があるものをいいます。

《参考》課税・非課税部分の振り分け

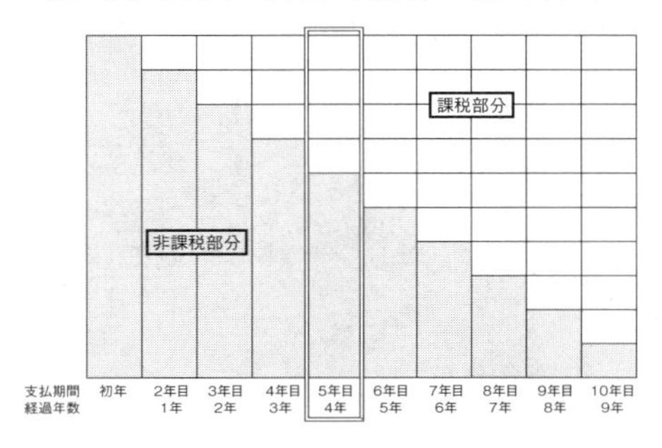

①　支給期間10年の場合、網かけ部分は60%（旧相法24）。

②　したがって、課税部分は40%。

③　支払期間に対応して、１マス（課税単位）当たりの課税部分を算出し、これを基に各年の雑所得金額を計算する。

(2)　新相続税法対象年金

確定年金（支払期間10年、年間支払額100万円（定額）、支払保険料総額200万円、新相続税法による評価額900万円）を相続した方の支払年数６年目の雑所得金額の計算

イ　相続税評価額割合：900万円（相続税評価額）÷ 1,000万円（支払総額）＝ 90％

ロ　課税部分（収入金額）の合計額：

1,000万円（支払総額）× 8％（相続税評価割合90％の時の課税割合）＝ 80万円

ハ　１マス（課税単位）当たりの金額：

80万円 ÷ 45単位（課税単位数）＝ 1.8万円
{10年×（10年－１年）÷２}

ニ　課税部分の年金収入額：1.8万円×5（経過年数）支払開始日からその支払を受ける日までの年数＝９万円

ホ　必要経費額：９万円×（200万円（保険料総額）÷1,000万円（支払総額））＝1.8万円

ヘ　課税部分に係る所得金額：９万円－1.8万円＝7.2万円（雑所得の金額）

(注)　「新相続税法対象年金」とは、「旧相続税法対象年金」以外のものをいいます。

《参考》課税・非課税部分の振り分け

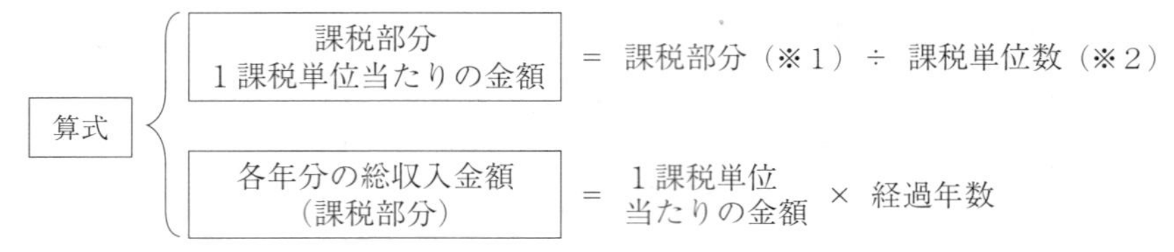

※1　課税部分の金額＝支払金額×課税割合
課税割合は、相続税評価割合に応じ、それぞれ次のとおりです。

［算式］相続税評価割合 ＝ 相続税評価額 ÷ 年金の支払総額又は支払総額見込額

相続税評価割合	課税割合	相続税評価割合	課税割合
50％超　55％以下	45％	83％超　86％以下	14％
55％超　60％以下	40％	86％超　89％以下	11％
60％超　65％以下	35％	89％超　92％以下	8％
65％超　70％以下	30％	92％超　95％以下	5％
70％超　75％以下	25％	95％超　98％以下	2％
75％超　80％以下	20％	98％超	0
80％超　83％以下	17％	－	－

※2　課税単位数＝残存期間年数×（残存期間年数－1年）÷2

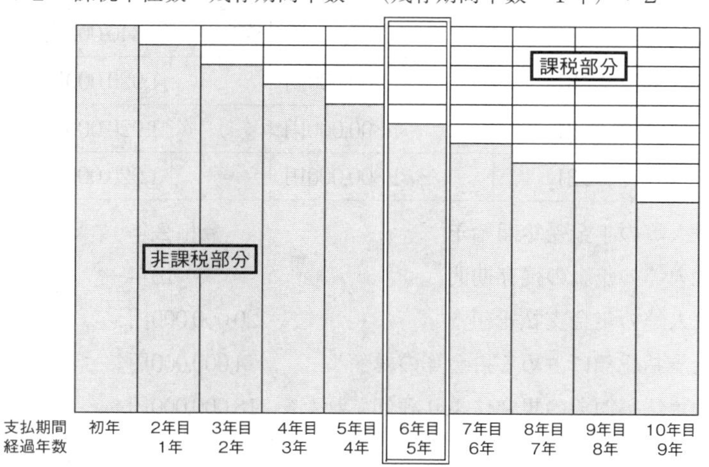

相続等に係る生命保険契約等に基づく年金（その２）

【問４-14】　私は、令和２年中に相続した確定年金（支払期間10年）をA生命保険会社から受けとっています。

私の各年の年金の受取額などは次のとおりですが、各年の雑所得の金額はいくらになりますか。

なお、私は、令和４年分から令和６年分までの年間受取額を10％減額し（200万円⇒180万円）、減額分（60万円）を同３年に上乗せして、支払を受けています。

《A生命保険会社からの通知内容》

年金受取時期	年金受取額	支払額対応保険料
R２.1.1～R２.12.31	2,000,000円	1,800,000円
R３.1.1～R３.12.31	2,600,000円	2,340,000円
R４.1.1～R４.12.31	1,800,000円	1,920,000円
R５.1.1～R５.12.31	1,800,000円	1,920,000円
R６.1.1～R６.12.31	1,800,000円	1,920,000円

・相続人等の年金受給開始年　令和２年
・相続人等の年金の残存期間　10年
・相続人等の年金支払総額　20,000,000円
・年金支払総額に占める掛金等の総額　4,000,000円
・相続税法第24条の規定により評価された額　18,000,000円

【答】　相続、遺贈又は贈与により取得した年金受給権に係る生命保険契約や損害保険契約等に基づく年金に係る雑所得の金額の計算は、課税部分と非課税部分とに振り分けた上で計算することとされ、年金支給初年は全額非課税とし、２年目以後は課税部分が階段状に増加していく方法により計算します（所法35、所令185、186。【問４-13】参照）。

仮に、あなたが毎年200万円ずつA生命保険会社から年金を受け取ったとすると、令和２年分から令和６年分までの雑所得の計算は、別表「各年分の雑所得の金額の計算」のとおりとなりますが、御質問のように、年金の受取額を変更した場合の雑所得の計算は、次のとおりとなります。

１　令和２年分

年金支給初年であり、雑所得は生じません。

２　令和３年分

令和４年分から令和６年分までの年間受取額を10％減額し、同３年に上乗せして支払を受けていますので、雑所得の計算は次のとおりとなります。

総収入金額　67,555円（35,555円＋71,110円×10％＋106,665円×10％＋142,220円×10％）

必要経費　13,513円（7,111円＋14,222円×10％＋21,333円×10％＋28,444円×10％）

雑所得の金額　54,042円（67,555円－13,513円）となります。

３　令和４年分

年間受取額を10％減額し、令和３年に上乗せしていますので、雑所得の計算は、次のとおりとなります。

総収入金額　63,999円（71,110円×90％）

必要経費　12,800円（14,222円×90％）

雑所得の金額　51,199円（63,999円－12,800円）

４　令和５年分

令和４年分と同様、年間受取額を10％減額し、令和３年に上乗せしていますので、雑所得の計算は、次のとおりとなります。

総収入金額　95,998円（106,665円×90％）

必要経費　19,200円（21,333円×90％）

雑所得の金額　76,798円（95,998円－19,200円）

５　令和６年分

令和４年分及び同５年分と同様、年間受取額を10％減額し、令和３年に上乗せしていますので、雑所得の計算は、次のとおりとなります。

総収入金額　　127,998円（142,220円×90％）

必要経費　　25,600円（28,444円×90％）

雑所得の金額　　102,398円（127,998円－25,600円）

※　計算の詳細は、参考「相続等に係る生命保険契約等に基づく年金の雑所得の金額の計算書（所得税法施行令第185条第２項又は第186条第２項に基づき計算する場合）」を参照してください。

別表　各年分の雑所得の金額の計算

１　保険契約等に関する事項

(1) 相続人等の年金受給開始年	令和２年
(2) 相続人等の年金の残存期間	10年
(3) 相続人等の年金支払総額	20,000,000円
(4) 年金支払総額に占める掛金等の総額	4,000,000円
(5) 相続税法第24条の規定により評価された額	18,000,000円
(6) 相続税評価割合	90％
(7) 相続税評価割合に応じた割合	８％
(8) 課税部分（収入金額）の合計額	20,000,000円×８％＝1,600,000円
(9) 課税単位数	45単位
(10) １単位当たりの金額	1,600,000円÷45＝35,555円

申告を行う年分	(11)	令和２年分	令和３年分	令和４年分	令和５年分	令和６年分
(11)－(1)＋１	(12)	1	2	3	4	5
単位数((12)－１)	(13)	単位 0	単位 1	単位 2	単位 3	単位 4
支払年金対応額 ((10)×(13))	(14)	円 0	円 35,555	円 71,110	円 106,665	円 142,220
年金が月払等の場合	(15)					
剰余金等の金額	(16)					
総収入金額 (((14)又は(15))＋(16))	(17)	0	35,555	71,110	106,665	142,220
必要経費の額 (((14)又は(15))×(4)÷(3))	(18)	0	7,111	14,222	21,333	28,444
雑所得の金額 ((17)－(18))	(19)	0	28,444	56,888	85,332	113,776

参考１　「相続等に係る生命保険契約等に基づく年金の雑所得の金額の計算書（本表）」

相続等に係る生命保険契約等に基づく
年金の雑所得の金額の計算書（本表）

住　所		フリガナ 氏　名	

1　保険契約等に関する事項

年金の支払開始年	①	＿＿年	年金の残存期間等 （別表１により求めた年数）	②	＿＿年
年金の支払総額（見込額） （別表１により計算した金額）	③	円	年金の支払総額（見込額）に占める保険料又は掛金の総額の割合	④	％

2　所得金額の計算の基礎となる事項

年金の残存期間等に応じた割合 （右表により求めた割合）	⑤	％
（③×⑤）	⑥	円
年金の残存期間等に応じた単位数 （別表４により計算した単位数）	⑦	単位
１単位当たりの金額 （⑥÷⑦）	⑧	円

（表）年金の残存期間等に応じた割合

②の年数	⑤の割合
5年以下	30%
6年以上10年以下	40%
11年以上	100%

3　各年分の雑所得の金額の計算

申告又は更正の請求を行う年分	⑨	年分	年分	年分	年分	年分
（⑨－①＋１） （注１）	⑩					
単位数　（⑩－１） （注２）	⑪	単位	単位	単位	単位	単位
支払年金対応額（⑧×⑪）	⑫	円	円	円	円	円
年金が月払等の場合	⑬					
剰余金等の金額	⑭					
総収入金額 （（⑫又は⑬）＋⑭）	⑮					
必要経費の額 （（⑫又は⑬）×④）（注３）	⑯					
雑所得の金額 （⑮－⑯）	⑰					

（注）１　【⑨の年号が「平成」の場合】
　①の年号が「昭和」のときは、「⑨＋64－①」を書きます。
【⑨の年号が「令和」の場合】
　①の年号が「平成」のときは、「⑨＋31－①」を、「昭和」のときは、「⑨＋94－①」を書きます。
また、「⑨－①＋１」（又は、「⑨＋64－①」、「⑨＋31－①」若しくは「⑨＋94－①」）が、②の年数を超える場合は、②の年数を書きます。

２　「⑩－１」が、②の年数に応じた次の上限を超える場合は、その上限を書きます。

②の年数	上限	②の年数	上限	②の年数	上限
11年から15年	②－2	26年から35年	②－14	56年から80年	26
16年から25年	②－6	36年から55年	②－29	－	－

３　「⑨－①＋１」（又は、「⑨＋64－①」、「⑨＋31－①」若しくは「⑨＋94－①」）が、②の年数を超える場合は、「０」と書きます。また、⑬の金額の記載がある場合には、別紙の書き方を参照してください。

【別表１】　本表②及び本表③の年数等

		年　数
年金の残存期間	a	＿＿年
相続等の時(年金の支払開始日)の年齢に応じた別表２により求めた年数	b	(＿＿歳) ⇒ ＿＿年
保証残存期間	c	＿＿年

○　上のａからｃの記載の状況に応じ、下記の表に当てはめて本表②及び③に記載する年数等を求めます。

		本表②に記載する年数	本表③に記載する金額
ａのみ記載がある場合		ａの年数	年金の支払総額（見込額）
ｂのみ記載がある場合		ｂの年数	
ａとｂに記載がある場合		ａとｂのいずれか短い年数	
ｂとｃに記載がある場合		ｂとｃのいずれか長い年数 ※　ただし、ｂとｃの年数が別表３に掲げる組合せに該当するときは、ｂとｃのいずれか短い年数	年金の支払総額（見込額） ※　ただし書に該当するときは、以下の算式で計算した金額
ａ・ｂ・ｃのいずれにも記載がある場合	ｂがａより短いとき		
	ｂがａより長いとき	ａの年数	年金の支払総額（見込額）

〔算式〕

年金の支払総額（見込額）		ｂとｃのいずれか長い年数		ｂとｃのいずれか短い年数		本表③に記載する金額	
	÷		×		＝		（小数点以下切捨て）

【別表２】　ｂの年数

ｂの年齢	ｂの年齢に応じた年数 男	ｂの年齢に応じた年数 女	ｂの年齢	ｂの年齢に応じた年数 男	ｂの年齢に応じた年数 女	ｂの年齢	ｂの年齢に応じた年数 男	ｂの年齢に応じた年数 女
36	40	45	51	26	31	66	14	18
37	39	44	52	25	30	67	14	17
38	38	43	53	25	29	68	13	16
39	37	42	54	24	28	69	12	15
40	36	41	55	23	27	70	12	14
41	35	40	56	22	26	71	11	14
42	34	39	57	21	25	72	10	13
43	33	38	58	20	25	73	10	12
44	32	37	59	20	24	74	9	11
45	32	36	60	19	23	75	8	11
46	31	36	61	18	22	76	8	10
47	30	35	62	17	21	77	7	9
48	29	34	63	17	20	78	7	9
49	28	33	64	16	19	79	6	8
50	27	32	65	15	18	80	6	8

【別表３】　ｂとｃの組合せ

ｂとｃのいずれか一方がイの年数で他方がロの年数のとき（イの年数を本表②に記載します。）	
イ	ロ
10年	11年
13年	16年
14年	16・17年
15年	16～18年
20年	26・36～38年
21年	26・27・36～39年
22年	26～28・36～41年
23年	26～30・36～42年
24年	26～31・36～44年
25年	26～32・36～45年
26年	36年
27年	36～38年
28年	36～40年
29年	36～41年
30年	36～42年

【別表４】本表⑦の単位数

○　本表②の年数が10年以下の場合

本表②の年数	単位数（本表⑦に記載）	本表②の年数	単位数（本表⑦に記載）
1年	0	6年	15
2年	1	7年	21
3年	3	8年	28
4年	6	9年	36
5年	10	10年	45

○　本表②の年数が11年以上の場合

②の年数		②の年数		【調整年数】		単位数
年	×（	年	－	年	）＝	

【調整年数】

本表②の年数	調整年数	本表②の年数	調整年数
11年から15年	1年	26年から35年	13年
16年から25年	5年	36年から55年	28年

【別表５】本表⑫の金額（申告又は更正の請求を行う年分ごとに計算します。）

各年の年金支払額		１単位当たりの金額（本表⑧の金額）		単位数（Ａ÷Ｂ）（注）		本表⑫に記載する金額（Ｂ×Ｃ）
Ａ		Ｂ		Ｃ		円

（注）小数点以下切捨て。
小数点以下の端数が生じないときは、「Ａ÷Ｂ－１」を記載します。

書　き　方

1　この計算書は、相続等に係る生命保険契約等に基づく年金に係る雑所得のある方が、所得税法施行令第185条第1項又は第186条第1項に基づき、「旧相続税法対象年金」に係る雑所得の金額を計算し、確定申告書を提出する場合に使用します。
　※　「旧相続税法対象年金」とは、その年金に係る権利につき平成22年度改正前の旧相続税法第24条の規定の適用があるものをいいます。

2　この計算書の本表及び別表は、次により記載してください。
　また、相続等に係る生命保険契約等に基づく年金の支払を複数受けている方は、その年金ごとにこの計算書を作成してください。

【計算書（本表）】

⑴　「１　保険契約等に関する事項」欄

イ　「①」欄は、あなたが最初に年金の支払を受けた日の属する年を和暦で書きます。
ロ　「②」欄は、別表１により求めた年金の残存期間等を書きます。
ハ　「③」欄は、別表１により計算した年金の支払総額（見込額）を書きます。
ニ　「④」欄は、年金支払総額(注)に占める保険料又は掛金の総額の割合を書きます。
　なお、小数点以下を切り上げます。
　(注)　年金支払総額は、すでに被相続人等の方が支払を受けた年金の額も含まれます。したがって、被相続人の方が支払を受けていた年金をあなたが継続して支払を受ける場合には、③の金額と異なることとなります。

⑵　「２　所得金額の計算の基礎となる事項」欄

イ　「⑤」欄は、「(表)年金の残存期間等に応じた割合」により求めた割合を書きます。
ロ　「⑦」欄は、別表４により計算した単位数を書きます。
ハ　「⑧」欄は、小数点以下を切り捨てます。

⑶　「３　各年分の雑所得の金額の計算」欄

イ　「⑨」欄は、あなたが申告又は更正の請求を行う年分を和暦で書きます。
ロ　「⑫」欄は、⑧×⑪を書きます。
　ただし、その金額が、各年に支払を受ける年金額以上となる場合は、別表５により計算した金額を書きます。
ハ　「⑬」欄は、年金の支払が月払等で行われている場合にのみ使用します。
　具体的には、②の年数に応じ、次により計算した金額を書きます。
　(ⅰ)　②の年数が、10 年以下である場合
　　・　年金の受給が終了する年以外の年 ……「⑫－⑧×（１年間の支払回数－最初に年金の支払を受けた年の支払回数）／１年間の支払回数」
　　　ただし、「⑨－①＋１」（又は「⑨＋64－①」、「⑨＋31－①」若しくは「⑨＋94－①」）が②の年数を超える年以後、年金の受給が終了する年の前年までは、「⑫の金額」を書きます。
　　・　年金の受給が終了した年 ……「⑫×（その年の支払回数／１年間の支払回数）」
　(ⅱ)　②の年数が、11 年以上である場合
　　・　⑪の単位数が最初に本表(注２)の上限と同じになる年(「特定期間終了年」)までの年 ……「(ⅰ)で計算した金額」
　　・　特定期間終了年後、年金の受給が終了する年の前年まで ……「⑫の金額」
　　・　年金の受給が終了した年 ……「⑫×（その年の支払回数／１年間の支払回数）」
ニ　「⑯」欄は、⑬に金額の記載がある場合には、次により計算した金額を書きます。
　・　「⑨－①」（又は、「⑨＋64－①－1」、「⑨＋31－①－1」若しくは「⑨＋94－①－1」）が、②に満たない年 ……「⑬×④」
　・　「⑨－①」（又は、「⑨＋64－①－1」、「⑨＋31－①－1」若しくは「⑨＋94－①－1」）が、②と同じで、かつ、その後も継続して年金の支払を受けることとなる年 ……「⑬×④×（１年間の支払回数－最初に年金の支払を受けた年の支払回数）／１年間の支払回数」
　・　「⑨－①」（又は、「⑨＋64－①－1」、「⑨＋31－①－1」若しくは「⑨＋94－①－1」）が、②と同じで、かつ、年金の支払が終了した年 ……「⑬×④」
　・　「⑨－①」（又は、「⑨＋64－①－1」、「⑨＋31－①－1」若しくは「⑨＋94－①－1」）が、②を超える年 ……「０」
ホ　「⑮」欄及び「⑯」欄は、「⑫」欄と「⑬」欄の両方に記載がある場合には、「⑬」欄の金額を基に計算を行います。
　なお、「⑯」欄の金額に小数点以下の端数が生じたときは、これを切り上げます。
　(注)　年金の支払開始日以後に分配を受ける剰余金又は割戻しを受ける割戻金(以下「剰余金等」といいます。)の額は、年金の額とは別に各種の計算をすることとされていますが、各年に支払を受ける金額について、年金の額と剰余金等の額を区分できないときは、年金の額に剰余金等の額を含めて各種の計算をして差し支えありません。
　　なお、この場合、「⑭」欄の記載は省略します。

【計算書（別表）】

⑴　「別表１　本表②及び本表③の年数等」

イ　年金の種類に応じ次を記載します。
　確定年金又は確定型年金 …… 年金の残存期間
　終身年金 …… 相続等の時の年齢に応じた年数(※)
　特定終身年金 …… 相続等の時の年齢に応じた年数(※)、保証残存期間
　有期年金 …… 年金の残存期間、相続等の時の年齢に応じた年数(※)
　特定有期年金又は特定有期型年金 …… 年金の残存期間、相続等の時の年齢に応じた年数(※)、保証残存期間
　※　相続等の時（年金の支払開始日）の年齢を別表２に当てはめて男女の別により求めた年数
ロ　下段の表中で、ｂとｃの年数を比較する場合において、別表３の組合せに当てはまるときは、表の下の算式により計算をした金額を計算書（本表）の③欄に書きます。
　なお、別表３の年数が30年を超える場合の組合せについては、税務署におたずねください。

⑵　「別表５　本表⑫の金額」

「各年の年金支払額」には、各年において実際に支払を受けた年金額を書きます。

参考２　「相続等に係る生命保険契約等に基づく年金の雑所得の金額の計算書（所得税法施行令第185条第２項又は第186条第２項に基づき計算する場合）」

相続等に係る生命保険契約等に基づく年金の雑所得の金額の計算書
（所得税法施行令第 185 条第２項又は第 186 条第２項に基づき計算する場合）

住　所		フリガナ 氏　名	

1　保険契約等に関する事項

年金の支払開始年	①	年	年金の支払総額（見込額）に占める保険料又は掛金の総額の割合	④	%
年金の残存期間等 （別表１により求めた年数）	②	年	当該年金に係る権利について相続税法第24条の規定により評価された額	⑤	
年金の支払総額（見込額） （別表１により計算した金額）	③		相続税評価割合 （⑤ ÷ ③）	⑥	%

2　所得金額の計算の基礎となる事項

相続税評価割合に応じた割合 （右表により求めた割合）	⑦	%
（③ × ⑦）	⑧	円
別表３により計算した単位数	⑨	単位
１単位当たりの金額 （⑧ ÷ ⑨）	⑩	円

（表）相続税評価割合（⑥の割合）に応じた割合

相続税評価割合	⑦の割合	相続税評価割合	⑦の割合
50%以下	100%	80%超～83%	17%
50%超～55%	45%	83%超～86%	14%
55%超～60%	40%	86%超～89%	11%
60%超～65%	35%	89%超～92%	8%
65%超～70%	30%	92%超～95%	5%
70%超～75%	25%	95%超～98%	2%
75%超～80%	20%	98%超	0%

3　各年分の雑所得の金額の計算

区　分		⑥が 50%超の場合	⑥が 50%以下の場合
申告を行う年分	⑪		
(⑪ － ① ＋１) (注１)	⑫		
単位数　(⑫ －１) (注２)	⑬	単位	単位
支払年金対応額(⑩×⑬)	⑭	円	円
(注３)　年金が月払等の場合	⑮		
剰余金等の金額	⑯		
総 収 入 金 額 ((⑭又は⑮) ＋ ⑯)	⑰		
必 要 経 費 の 額 ((⑭又は⑮)×④)(注４)	⑱		
雑 所 得 の 金 額 (⑰ － ⑱)	⑲		

(注) 1
⑪の年号が「令和」の場合は、「⑪＋31－①」を書きます。
また、「⑪－①＋1」(又は「⑪＋31－①」) が②の年数を超える場合は、②の年数を書きます。

2
「⑫－1」が、別表３の「特定期間年数」を超える場合には、別表３の「特定期間年数」を書きます。

3
⑥が 50%以下の場合で、「⑫－1」が、別表３の「特定期間年数」を超える場合には、⑩×⑬で計算した金額から１円を控除した金額を書きます。
⑭の金額が、各年に支払いを受ける年金額を超える場合は、別表４により計算した金額を書きます。

4
「⑪－①＋1」(又は「⑪＋31－①」) が、②の年数を超える場合は、「0」と書きます。
また、⑮の金額の記載がある場合には、別紙の書き方を参照してください。

【別表１】　本表②及び本表③の年数等

		年　数
年金の残存期間	a	＿＿＿年
相続等の時（年金の支払開始日）の年齢に応じた別表２により求めた年数	b	（＿＿歳）⇒＿＿＿年
保証残存期間	c	＿＿＿年

○　上のａからｃの記載の状況に応じ、下記の表に当てはめて本表②及び③に記載する年数等を求めます。

		本表②に記載する年数	本表③に記載する金額
ａのみ記載がある場合（確定年金）		ａの年数	年金の支払総額（見込額）
ｂのみ記載がある場合（終身年金）		ｂの年数	
ａとｂに記載がある場合（有期年金）		ａとｂのいずれか短い年数	
ｂとｃに記載がある場合（特定終身年金）		ｂとｃのいずれか長い年数	年金の支払総額（見込額）
ａ・ｂ・ｃのいずれにも記載がある場合（特定有期年金）	ｂがａより短いとき		
	ｂがａより長いとき	ａの年数	年金の支払総額（見込額）

【別表２】　ｂの年数

ｂの年齢	ｂの年齢に応じた年数		ｂの年齢	ｂの年齢に応じた年数		ｂの年齢	ｂの年齢に応じた年数		ｂの年齢	ｂの年齢に応じた年数		ｂの年齢	ｂの年齢に応じた年数	
	男	女		男	女		男	女		男	女		男	女
21	54	60	36	40	45	51	26	31	66	14	18	81	6	7
22	53	59	37	39	44	52	25	30	67	14	17	82	5	7
23	52	58	38	38	43	53	25	29	68	13	16	83	5	6
24	51	57	39	37	42	54	24	28	69	12	15	84	4	6
25	50	56	40	36	41	55	23	27	70	12	14	85	4	5
26	50	55	41	35	40	56	22	26	71	11	14	86	4	5
27	49	54	42	34	39	57	21	25	72	10	13	87	4	4
28	48	53	43	33	38	58	20	25	73	10	12	88	3	4
29	47	52	44	32	37	59	20	24	74	9	11	89	3	4
30	46	51	45	32	36	60	19	23	75	8	11	90	3	3
31	45	50	46	31	36	61	18	22	76	8	10	91	3	3
32	44	49	47	30	35	62	17	21	77	7	9	92	2	3
33	43	48	48	29	34	63	17	20	78	7	9	93	2	3
34	42	47	49	28	33	64	16	19	79	6	8	94	2	2
35	41	46	50	27	32	65	15	18	80	6	8	95	2	2

【別表３】本表⑨の単位数

○　本表⑥が50％超である場合

②の年数　②の年数　単位数

○　本表⑥が50％以下である場合

②の年数　【特定期間算出割合】　特定期間年数

［　　年］×［　　％］－１＝［　　］

②の年数　特定期間年数　単位数

［　　年］×［　　年］＝［　　］

【特定期間算出割合】

相続税評価割合（本表⑥）	特定期間算出割合
～10％	20％
10％超～20％	40％
20％超～30％	60％
30％超～40％	80％
40％超～50％	100％

【別表４】本表⑭の金額

各年の年金支払額		１単位当たりの金額（本表⑩の金額）		単位数（Ａ÷Ｂ）（注）		本表⑭に記載する金額（Ｂ×Ｃ）
Ａ		Ｂ		Ｃ		円

（注）小数点以下切捨て。
　小数点以下の端数が生じないときは、「Ａ÷Ｂ－１」を記載します。

書　き　方

1　この計算書は、次の相続等に係る生命保険契約等に基づく年金（旧相続税法対象年金を除く。）に係る雑所得のある方が、所得税法施行令第185条第2項又は第186条第2項に基づき、平成23年分以後の雑所得の金額を計算し、確定申告書を提出する場合に使用します。

イ 相続等の時において年金の支払事由が発生しているもの

(イ)　平成23年4月1日以後の相続等により取得したもの

(ロ)　平成22年4月1日から平成23年3月31日までの間に締結された生命保険契約等で、平成23年3月31日までの間に相続等により取得したもの

ロ 相続等の時において年金の支払事由が発生していないもの

平成22年4月1日以後の相続等により取得したもの

※　「旧相続税法対象年金」とは、その年金に係る権利につき平成22年度改正前の旧相続税法第24条の規定の適用があるものをいいます。

2　この計算書の本表及び別表は、次により記載してください。

また、相続等に係る生命保険契約等に基づく年金の支払を複数受けている方は、その年金ごとにこの計算書を作成してください。

【計算書（本表）】

(1)　**「1　保険契約等に関する事項」欄**

イ　「①」欄は、あなたが最初に年金の支払を受けた日の属する年を和暦で書きます。

ロ　「②」欄は、別表1により求めた年金の残存期間等を書きます。

ハ　「③」欄は、別表1により計算した年金の支払総額（見込額）を書きます。

ニ　「④」欄は、年金支払総額(注)に占める保険料又は掛金の総額の割合を書きます。

なお、小数点以下を切り上げます。

(注)　年金支払総額は、すでに被相続人等の方が支払を受けた年金の額も含まれます。したがって、被相続人の方が支払を受けていた年金をあなたが継続して支払を受ける場合には、③の金額と異なることとなります。

ホ　「⑤」欄は、当該年金に係る権利について相続税法第24条の規定により評価された額を書きます。

ヘ　「⑥」欄は、③欄の年金支払総額(見込額)の金額に占める⑤欄の割合を書きます。

なお、小数点以下2位まで算出し、3位以下を切り上げます。

(2)　**「2　所得金額の計算の基礎となる事項」欄**

イ　「⑦」欄は、「(表)相続税評価割合（⑥の割合）に応じた割合」により求めた割合を書きます。

ロ　「⑨」欄は、別表3により計算した単位数を書きます。

ハ　「⑩」欄は、小数点以下を切り捨てます。

(3)　**「3　各年分の雑所得の金額の計算」欄**

イ　「⑪」欄は、あなたが申告を行う年分を和暦で書きます。

ロ　「⑮」欄は、年金の支払が月払等で行われている場合にのみ使用します。

具体的には、⑥の割合に応じ、次により計算した金額を書きます。

（ⅰ）　⑥の割合が、50%超である場合

・　年金の受給が終了する年以外の年　……「⑭－⑩×（1年間の支払回数－最初に年金の支払を受けた年の支払回数）／1年間の支払回数」

ただし、「⑪－①＋1」(又は「⑪+31－①」)が②の年数を超える年以後、年金の受給が終了する年の前年までは、「⑭の金額」を書きます。

・　年金の受給が終了した年　……「⑭×（その年の支払回数／1年間の支払回数）」

（ⅱ）　⑥の割合が、50%以下である場合

・　⑬の単位数が最初に本表(注2)の上限と同じになる年(「特定期間終了年」)までの年　……「（ⅰ）で計算した金額」

・　特定期間終了年後、年金の受給が終了する年の前年まで　……「⑭の金額」

・　年金の受給が終了した年　……「⑭×（その年の支払回数／1年間の支払回数）」

ハ　「⑱」欄は、⑮に金額の記載がある場合には、次により計算した金額を書きます。

・「⑪－①」(又は「⑪+30－①」)が、②に満たない年　……「⑮×④」

・「⑪－①」(又は「⑪+30－①」)が、②と同じで、かつ、その後も継続して年金の支払を受けることとなる年　……「⑮×④×（1年間の支払回数－最初に年金の支払を受けた年の支払回数）／1年間の支払回数」

・「⑪－①」(又は「⑪+30－①」)が、②と同じで、かつ、年金の支払が終了した年　……「⑮×④」

・「⑪－①」(又は「⑪+30－①」)が、②を超える年　……「0」

ニ　「⑰」欄及び「⑱」欄は、「⑭」欄と「⑮」欄の両方に記載がある場合には、「⑮」欄の金額を基に計算を行います。

なお、「⑱」欄の金額に小数点以下の端数が生じたときは、これを切り上げます。

(注)　年金の支払開始日以後に分配を受ける剰余金又は割戻しを受ける割戻金(以下「剰余金等」といいます。)の額は、年金の額とは別に各種の計算をすることとされていますが、各年に支払を受ける金額について、年金の額と剰余金等の額を区分できないときは、年金の額に剰余金等の額を含めて各種の計算をして差し支えありません。

【計算書（別表）】

(1)　**「別表1　本表②及び本表③の年数等」**

年金の種類に応じ次を記載します。

確定年金又は確定型年金	…… 年金の残存期間
終身年金	…… 相続等の時の年齢に応じた年数(※)
特定終身年金	…… 相続等の時の年齢に応じた年数(※)、保証残存期間
有期年金	…… 年金の残存期間、相続等の時の年齢に応じた年数(※)
特定有期年金又は特定有期型年金	…… 年金の残存期間、相続等の時の年齢に応じた年数(※)、保証残存期間

※　相続等の時（年金の支払開始日）の年齢を別表2に当てはめて男女の別により求めた年数

(2)　**「別表4　本表⑭の金額」**

「各年の年金支払額」には、各年において実際に支払を受けた年金額を書きます。

定期金に関する権利の評価明細書

被相続人氏名	

（平成二十二年度改正法適用分）

定期金又は契約の名称			
定期金の給付者	氏名又は名称	住所又は所在地	
定期金に関する権利を取得した者			
定期金給付契約に関する権利の取得年月日	平成 令和　年　月　日		

1　定期金の給付事由が発生しているもの

(1) 有期定期金	解約返戻金の金額	一時金の金額	⑨の金額	評価額（①、②又は③のいずれか多い金額）		
	① 円	② 円	③ 円	④ 円		
	③の計算	定期金給付契約に基づく定期金の給付が終了する年月日	平成 令和　年　月　日			
		1年当たりの平均額	予定利率	給付期間の年数	複利年金現価率	⑤×⑧の金額
		⑤ 円	⑥ %	⑦ 年	⑧	⑨ 円
(2) 無期定期金	解約返戻金の金額	一時金の金額	⑯の金額	評価額（⑩、⑪又は⑫のいずれか多い金額）		
	⑩ 円	⑪ 円	⑫ 円	⑬ 円		
	⑫の計算	1年当たりの平均額	予定利率	⑭÷⑮の金額		
		⑭ 円	⑮ %	⑯ 円		
(3) 終身定期金	解約返戻金の金額	一時金の金額	㉕の金額	評価額（⑰、⑱又は⑲のいずれか多い金額）		
	⑰ 円	⑱ 円	⑲ 円	⑳ 円		
	⑲の計算	定期金給付契約の目的とされた者の生年月日及び性別	年　月　日（男・女）			
		1年当たりの平均額	予定利率	余命年数	複利年金現価率	㉑×㉔の金額
		㉑ 円	㉒ %	㉓ 年	㉔	㉕ 円
(4) 権利者に対し、一定期間、かつ、定期金給付契約の目的とされた者の生存中定期金を給付する契約に基づくもの	④の金額	⑳の金額	評価額（㉖又は㉗のいずれか少ない金額）			
	㉖ 円	㉗ 円	㉘ 円			
(5) 定期金給付契約の目的とされた者の生存中定期金を給付し、かつ、その者が死亡したときは権利者又は遺族等に定期金を給付する契約に基づくもの	④の金額	⑳の金額	評価額（㉙又は㉚のいずれか多い金額）			
	㉙ 円	㉚ 円	㉛ 円			

2　定期金の給付事由が発生していないもの

(1) 契約に解約返戻金を支払う定めがない場合	定期金給付契約に基づく掛金又は保険料の払込開始年月日		昭和 平成 令和　年　月　日				
	イ 掛金又は保険料が一時に払い込まれた場合	払込金額	予定利率	経過期間の年数	複利終価率	㋑×㋥の金額	評価額（㋭×90/100）
		㋑ 円	㋺ %	㋩ 年	㋥	㋭ 円	㋬ 円
	ロ イ以外の場合	1年当たりの平均額	予定利率	払込済期間の年数	複利年金終価率	㋣×㋦の金額	評価額（㋸×90/100）
		㋣ 円	㋠ %	㋷ 年	㋦	㋸ 円	㋾ 円
(2) (1)以外の場合						評価額（解約返戻金の金額）	
						㋻ 円	

（資4－34－A4統一）

（裏）

記載方法等

この評価明細書（平成22年度改正法適用分）は、次の定期金給付契約に関する権利を評価する場合に使用します。
1　定期金の給付事由が発生しているもの
(1)　平成23年４月１日以後の相続若しくは遺贈又は贈与（以下「相続等」といいます。）により取得したもの
(2)　平成22年４月１日から平成23年３月31日までの間に締結された定期金給付契約に関する権利（確定給付企業年金など一定のものを除きます。）で、平成23年３月31日までの間に相続等により取得したもの
2　定期金の給付事由が発生していないもの
平成22年４月１日以後の相続等により取得したもの
なお、この評価明細書の各欄の「金額」及び「評価額」に１円未満の端数があるときは、これを切り捨てて記載します。

1　定期金の給付事由が発生しているもの

(1)　①、⑩及び⑰の「解約返戻金の金額」欄は、定期金給付契約を解約するとした場合に支払われることとなる解約返戻金に、前納保険料の金額、剰余金の分配額等がある場合にはこれらの金額を加算し、解約返戻金の金額につき源泉徴収されるべき所得税額に相当する金額がある場合にはその金額を減算した金額を記載します。
(2)　②、⑪及び⑱の「一時金の金額」欄は、定期金に代えて一時金の給付を受けることができる場合の、その一時金の金額を記載します。
(3)　⑤、⑭及び㉑の「１年当たりの平均額」欄は、定期金の種類に応じて、それぞれ次に掲げる金額を記載します。
イ　有期定期金
毎年一定の金額が年１回給付される場合（年金方式の場合）には、その金額を記載します。
それ以外の場合には、定期金給付契約に関する権利の取得年月日から定期金の給付が終了する年月日までの期間に給付を受けるべき金額の合計額を、⑦の「給付期間の年数」欄に記載した年数で除して計算した金額を記載します。
ロ　無期定期金
定期金給付契約に基づき給付を受けるべき金額の１年当たりの平均額を記載します。
ハ　終身定期金
毎年一定の金額が給付される場合には、その金額を記載します。
それ以外の場合には、定期金給付契約に関する権利の取得年月日から㉓の「余命年数」欄に記載した年数の間に給付を受ける金額の合計額を、その「余命年数」で除して計算した金額を記載します。
(4)　⑥、⑮及び㉒の「予定利率」欄は、定期金給付契約に関する権利を取得した時における当該契約に係る予定利率を記載します。
(5)　⑦の「給付期間の年数」欄は、定期金給付契約に関する権利を取得した時におけるその契約に基づき定期金の給付を受けるべき残りの期間に係る年数（１年未満の端数があるときは、これを切り上げた年数）を記載します。
(6)　㉓の「余命年数」欄は、厚生労働省の作成に係る完全生命表（定期金給付契約に関する権利を取得した時の属する年の１月１日現在に公表されている最新の完全生命表）に掲げる年齢及び性別に応じた平均余命の年数（１年未満の端数があるときは、これを切り捨てた年数）を記載します。
(7)　⑧及び㉔の「複利年金現価率」欄は、次の算式で計算し、小数点以下第３位未満の端数があるときは、これを四捨五入して記載します。

$$\left\{1-\frac{1}{(1+r)^{n}}\right\}\Big/ r$$

n：有期定期金の場合は「給付期間の年数」、
　　終身定期金の場合は「余命年数」
r：予定利率

2　定期金の給付事由が発生していないもの

(1)　㋺及び㋠の「予定利率」欄は、定期金給付契約に関する権利を取得した時における当該契約に係る予定利率を記載します。
(2)　㋩の「経過期間の年数」欄は、定期金給付契約に基づく掛金又は保険料の払込開始の時からその契約に関する権利を取得した時までの期間の年数（１年未満の端数があるときは、これを切り捨てた年数）を記載します。
(3)　㋥の「複利終価率」の欄は、次の算式で計算し、小数点以下第３位未満の端数があるときは、これを四捨五入して記載します。

$$(1+r)^{n}$$

n：経過期間の年数　　r：予定利率

(4)　㋣の「１年当たりの平均額」欄は、定期金給付契約に係る掛金又は保険料の払込開始の時から当該契約に関する権利を取得した時までの期間に払い込まれた掛金又は保険料の額の合計額を、㋷の「払込済期間の年数」欄に記載した年数で除して計算した金額を記載します。
ただし、年１回一定の金額の掛金又は保険料が払い込まれる契約の場合は、１年間に払い込まれた掛金又は保険料の金額を記載します。
(5)　㋷の「払込済期間の年数」欄は、定期金給付契約に基づく掛金又は保険料の払込開始の日からその契約に関する権利を取得した日までの年数（１年未満の端数があるときは、これを切り上げた年数）を記載します。
(6)　㋦の「複利年金終価率」欄は、次の算式で計算し、小数点以下第３位未満の端数があるときは、これを四捨五入して記載します。

$$\{(1+r)^{n}-1\}\Big/ r$$

n：払込済期間の年数　　r：予定利率

(7)　㋻の「解約返戻金の金額」欄は、定期金給付契約を解約するとした場合に支払われることとなる解約返戻金に、前納保険料の金額、剰余金の分配額等がある場合にはこれらの金額を加算し、解約返戻金の金額につき源泉徴収されるべき所得税額に相当する金額がある場合にはその金額を減算した金額を記載します。

第5章　所 得 の 帰 属

不動産所得の帰属者

【問5－1】 夫の所有する土地に妻が建物を建設し、これを夫が代表者である法人に貸し付けている場合、法人が妻に支払う賃借料のうち地代は夫の所得とし、家賃は妻の所得として所得税の申告をすることが認められますか。

【答】 法人が借り受けた建物の所有者が妻であれば、その建物の賃貸により生ずる所得は、原則として妻に帰属することになります（所法12、基通12－1）。この場合、建物の賃貸料の中に、その敷地の使用料も包含されるかどうかですが、元来建物の所有権はその敷地利用権と一体となって財産権としての価値を有するもので、御質問の場合にも土地の利用権は、あなたがその土地の上に建物を建てたことによってその支配下に置かれたものと考えるのが妥当と思われます。

したがって、あなたが支払を受ける建物の賃貸料の中には敷地利用権の貸付けの対価も包含されるものと考えられ、法人が支払う地代名義の賃借料は、あなたの建物の賃借料と併せてあなたの不動産所得として申告すべきものとなります。

この場合、妻が法人から支払を受ける賃貸料の中から、夫に地代を支払っていても、その支払地代は妻の不動産所得の金額の計算上必要経費への算入は認められず、夫の不動産所得の金額の計算上も妻からの地代収入はなかったものとされます。その代わり、妻が建物の敷地として利用している夫の土地に係る租税公課などは、妻の不動産所得の金額の計算上必要経費に算入します（所法56）。

医師とその妻である薬剤師の所得の帰属

【問５-２】　私は内科医ですが、このほど私の妻が薬局の開設許可を得て私が従来から営んでいた医院の敷地内の別棟の建物で薬局を開業しました。私と妻は生計を一にしていますが、薬局に係る所得を妻の所得として申告することが認められますか。

①　薬局、病棟、診療所はそれぞれ別棟であり、妻は私に５万円の家賃を支払っています。

②　薬局への備品流用は計量器程度であり、電話は個別に架設しています。

③　薬局には市販の商品はなく、私の作った処方せんの調剤だけを行っています。

④　医院と薬局の経理を明確にするため、妻の開業前に私の医院にあった薬品は一度返品したこととし、それを妻が薬局用に再仕入れした形式をとりました。

⑤　薬局と医院の取引銀行は異なり、社会保険診療報酬も個別の預金口座に振り込まれています。

【答】　最初に結論を述べますと、御質問の場合は薬局経営の事業主は妻ではなくあなたであると認められますので、薬局経営から生ずる所得はあなたの所得として申告する必要があると考えられます。

その根拠は、おおむね次のとおりです。

まず、二つの前提条件を述べておきます。

第一は、所得税法における実質所得者課税の原則です。これは所得税法第12条に規定されており、事業から生ずる収益の法律上の帰属者が単なる名義人である場合は、その収益を実質的に享受すると認められる者にその所得が帰属するものとして課税するという原則です。

そして、事業から生ずる収益を享受する者がだれであるかは、その事業を経営していると認められる者、つまり事業主がだれであるかにより判断することとしています（基通12－２）。

第二は、親族間においては事業から生ずる収益の帰属者たる事業主がだれであるかをどのようにして判定するかということです。これについては、次のような判定の基準が示されています（基通12－５）。

(1)　親族間において、事業の事業主がだれであるかは、その事業の経営方針の決定につき、支配的影響力を持つのはだれであるかにより判定する。

(2)　(1)の支配的影響力を持つのがだれであるかが不明の場合には、次のいずれかの場合に該当するときは、それぞれに掲げるところにより判定し、その他の場合には、生計を主宰している者を事業主と推定する。

イ　生計を主宰する者が一の店舗における事業を経営し、他の親族が他の店舗における事業に従事している場合、又は生計を主宰する者が会社、官庁等に勤務し、他の親族が事業に従事している場合において当該他の親族が、事業用資産の所有者又は賃借権者であり、かつ、その事業の取引名義人である場合……当該他の親族をその従事している事業の事業主とする。

ロ　生計を主宰している者以外の親族が医師、歯科医師、薬剤師、税理士その他の自由職業者として、生計を主宰している者と共に事業に従事している場合において、両者の収支が区別されており、かつ、当該他の親族が、生計を主宰している者に従属して事業に従事していると認められない場合……当該他の親族の収支として区別された部分の事業の事業主は、当該他の親族とする。

ハ　生計を主宰する者が遠隔地において勤務している場合のように、生計を主宰する者と事業に従事する他の親族とが、日常の起居を共にしていない場合……当該他の親族をその従事している事業の事業主とする。

以上に述べた二つの前提条件に基づいて考えますと、

１．薬局経営について経営支配力を持つ者はだれであるか

２．薬局経営について医院の経営とは独立した経営支配力を必要とするか

どうか（医院の患者以外の顧客を対象とするなどの独立した店舗としての実質を備えているかどうか）

ということが問題になります。

御質問にある説明事項の③によると、薬局の仕事は、医院において作成した処方せんに従って薬剤を調製することだけが仕事であり、市販の薬品は置いていないとのことですから、薬局経営は、医院の経営に従属していると認められ、前述の事業主の判定基準の(2)のロには該当しないと考えられます。

したがって、薬局の経営支配力がだれにあるかにより判定することになりますが、薬局経営が独立したものでなく医院経営に従属している限り、その経営支配力は医院の経営者であるあなたが有することになろうかと思います。もしその判定に争いがあるとしても、(2)のイ～ハに掲げる特段の事情がない限り、事業主は生計を主宰する者であると推定されますので、結果は同じことになります。

未分割の遺産から生ずる不動産所得の帰属

【問５-３】　相続分に不服があるとして、相続人である兄弟４人が訴訟を提起し、現在係争中です（遺言による相続分の指定はありません。）。

ところが、係争中の遺産から不動産収入が生じていますが、そのすべてが供託されているので、各相続人はその所得を申告していません。

この場合の所得は、相続人の所得として課税されるそうですが、各相続人に帰属する所得の金額は、法定相続分で計算するのでしょうか。

なお、確定申告をした後に、法定相続分と異なる相続分で協議分割が行われた場合にはどのように処理するのでしょうか。

【答】　未分割の遺産は、各相続人の共有に属するもの（民法898）とされており、その共有割合は、「法定相続分」（代襲相続分を含みます。）（民法899、900、901）とされています。

したがって、各相続人に帰属する不動産所得の金額は、「法定相続分」で計算し、それぞれ申告すればよいこととなります。

なお、判決又は和解により分割された相続分が、申告の基礎となった相続分と異なる場合には相続時点までさかのぼって修正申告又は更正の請求をするのではなく、判決又は和解のあった日からその相続分に応じて申告することになります。

賃借人が受領した立退料の所得の帰属

【問５－４】 借家の立退料を、借家の住居者であった夫婦が折半して各人の所得として申告することは認められますか。

なお、賃貸借契約は家主と夫の間で締結されています。

【答】 借家人が支払を受ける立退料は、通常、賃貸借契約の解約に基づく借家権消滅の対価や立ち退く際の実費弁償等として支払われているようです。

ところで、資産から生ずる所得はその資産の所有権者に帰属するものとしています（所法12、基通12－１）ので、立退料収入は、借家権を有していた者に帰属するものと考えられます。

したがって、御質問の場合は、賃貸借契約の当事者である夫が借家権を有していたことになりますから、立退料の収入は夫の所得として申告しなければなりません。

また、賃貸借契約の当事者が死亡した場合の借家権は、その建物を引き続き使用する相続人によって承継されるものと考えられますから、その相続人が複数のときは、契約の更改により名義人を変更しない限り、課税関係も相続分に応じて分割されることになります（民法896、899）。

なお、立退料収入の所得区分については【問６-51】を参照してください。

信託財産に係る所得の帰属

【問５－５】 私は、死亡した次男の子供（孫）の養育費とするため、受益者を孫として、私が保有していたＡ電力会社の株式をＢ信託会社に信託しました。

Ｂ信託会社は、Ａ電力会社の株式に係る配当金から手数料を差し引いた残りを孫に直接支払うこととなっていますが、当該配当所得は私の所得となりますか。

【答】 信託とは、受託者（信託会社）をして、一定の目的に従って財産の管理又は処分をさせるために、その受託者に財産を移転することを意味し（信託法２）、財産の所有者は受託者とされることから、利益を受ける人（受益者）は財産の所有権を有しないことになります。

ところが税法上は、財産を信託会社に信託し、信託会社がその財産の管理又は処分などの運用による利益を受益者に分配することとした場合において、信託会社が所有するその信託財産については、原則として、信託の受益者（受益者としての権利を現に有するものに限ります。）がその信託財産に属する資産及び負債を有するものとみなし、かつ、信託財産に帰せられる収益及び費用は、信託の受益者の収益及び費用とみなして所得税法を適用することになっています（所法13①）。

したがって、御質問のＡ電力会社の株式をＢ信託会社に信託して、受益者（孫）に対して利益の分配がされた場合には、受益者（孫）が、その株式を所有しているものとみなされますから、信託会社がＡ電力会社から分配を受けた配当は配当所得として、お孫さんに対して課税されることになります。また、信託会社に対し支払った信託手数料は配当所得の計算上負債利子には当たりませんので、控除することはできないことになります。

なお、信託の効力が生じた場合において適正な対価を負担せずに信託の受益者となった場合には、その信託の効力が生じた時において、受益者がその信託に関する権利を委託者から贈与により取得したものとみなされ、贈与税が課税されることになります（相法９の２①）。

第６章　各種所得(金融所得を除く)

第１節　不動産所得

不動産貸付けの規模（その１）

【問６-１】　私はビルを５棟所有し、いずれも事務所や店舗として貸し付けています。したがって、相当多額の家賃収入がありますが、このように大規模な不動産の貸付けによる所得は、不動産所得にはならないのでしょうか。
また、規模の大小によって所得の計算方法に相違がありますか。

【答】　不動産所得とは、①不動産、②不動産の上に存する権利、③船舶又は航空機の貸付けによる所得をいいます。また、これらの貸付けには、地上権や永小作権の設定その他他人に不動産を使用させる行為も含まれます（所法26）。ここで、「不動産」とは、土地及びその定着物（建物、構築物、井戸、溝渠等）をいうものとされています（民法86）。

そして、「不動産の上に存する権利」とは、地上権、永小作権、地役権、借地権、その他不動産の上に存する一切の権利が含まれます。

これに対して、例えば、鉱業権、租鉱権、漁業権は、いずれも不動産の上に存する権利ではありませんから、その使用権の設定その他他人に使用させることによる所得は、不動産所得にはなりません。

次に、「船舶」とは、船舶法第４条ないし第19条の規定の適用を受けて登記登録等を要する総トン数20トン以上の船舶をいいますから、同法第20条に規定する船舶及び舟は含まれないこととなります。すなわち、総トン数20トン未満の船舶及び端舟その他ろかいのみで運転し、又は主としてろかいで運転する舟は不動産所得の基因となる船舶に含まれないこととなります。したがって、これらの舟等の貸付けによる取得は、継続的に行い事業と認められる場合は事業所得となり、そうでない場合は雑所得となります（基通26－１）。

このように、不動産所得となる不動産、不動産の上に存する権利、船舶又は航空機の貸付けの定義を考えれば、これらの貸付けを事業として行っている場合においても、また、その貸付けの規模がいくら大きくても、その事業から生ずる所得は不動産所得であって、事業所得には該当しないことになります。

したがって、御質問のビルの貸付けによる所得は、事業所得とはならずに不動産所得となります。

ところで、不動産等の貸付けによる所得については、その貸付けが事業と称するに至る程度の規模で行われているかどうかにより、税法上の取扱いに差異が設けられています。つまり、貸付けが事業として行われている場合には、その不動産の取壊し、滅失、除却等の損失金額が全額必要経費となります（所法51①）。これに対して事業として行われていない場合には、①その不動産の取壊し、滅失、除却等の損失がないとした場合に計算される不動産所得の金額が、損失金額の必要経費算入限度となって、その損失金額が不動産所得の金額を超えるときは、その超える部分の金額は必要経費算入が認められないこと（所法51④）、②事業専従者控除（青色事業専従者給与）の必要経費算入が認められないこと（所法57）、③延納に係る利子税の必要経費算入が認められないこと（所法45①二）等とされています。

また、青色申告特別控除のうち、55万円及び65万円（注）の青色申告特別控除については、事業所得を併有する場合を除き、不動産の貸付けが事業としての規模で営まれる場合に限り、適用されます（措法25の２③。【問11－１】参照）。

そこで、不動産等の貸付けが事業として行われているかどうかの判定が問題となりますが、建物の貸付けが不動産所得を生ずべき事業として行われているかどうかは、所得税基本通達26－９において、社会通念上事業と称するに至る程度の規模で建物の貸付けを行っているかどうかにより判定するべきものですが、次に掲げる事実のいずれか一に該当する場合又は賃貸料の収入の状況、賃貸資産の管理の状況等からみてこれらの場合に準ずる事情があると認められる場合には、特に反証がない限り、事業として行われているものとして取り扱うこととしています。

(1) 貸間、アパート等については、貸与することができる独立した室数がおおむね10以上であること

(2) 独立家屋の貸付けについては、おおむね５棟以上であること

したがって、あなたの場合には、ビル５棟を貸し付けているということですから、事業として行われているものとして取り扱われ、例えば、その建物が古くなり、取壊しを行うこととなった場合に生じた損失は、その全額を必要経費に算入することができます。その結果、その年分の不動産所得の金額に損失が生じたときは、その損失（土地等の取得に要した借入金の利子の額に相当する部分の金額を除きます。）を他の各種所得の金額から控除することができ、建物の貸付けが事業として行われていない場合の計算とは異なる取扱いになります。

（注）　令和２年分以後、取引を正規の簿記の原則に従って記録している者の青色申告特別控除額は55万円（改正前：65万円）に引き下げられ、取引を正規の簿記の原則に従って記録している者であって、次に掲げる要件のいずれかを満たすものに係る青色申告特別控除額は65万円となります（措法25の２③④、措規９の６②～⑥、平30改所法等附１六ホ、70①）。
次の【問６-２】についても同じです。

①　その年分の事業に係る仕訳帳及び総勘定元帳について、電子計算機を使用して作成する国税関係帳簿書類の保存方法等の特例に関する法律に定めるところにより「電磁的記録の備付け及び保存」又は「電磁的記録の備付け及びその電磁的記録の電子計算機出力マイクロフィルムによる保存」を行っていること。（※）

②　その年分の所得税の確定申告書、貸借対照表及び損益計算書等の提

出を、その提出期限までに電子情報処理組織（e-Tax）を使用して行うこと。

（※）　令和４年分以降の青色申告特別控除（65万円）の適用を受けるためには、その年分の事業における仕訳帳及び総勘定元帳について優良な電子帳簿の要件を満たして電子データによる備付け及び保存を行い、一定の事項を記載した届出書を提出する必要があります。なお、既に電子帳簿保存の要件を満たして青色申告特別控除（65万円）の適用を受けていた方が、令和４年分以後も引き続き当該要件を満たしている場合には、一定の事項を記載した届出書を提出する必要はありません。

不動産貸付けの規模（その２）

【問６-２】　私はサラリーマンですが、アパートの貸室が８件ありますので、青色申告により、確定申告しています。

このたび、相続により取得した土地を青空駐車場として整備し、30件を貸し付けることとしました。

このアパートや、青空駐車場の賃貸料の集金や管理、契約書等の作成や記帳などの事務については、私の配偶者が従事しています。

この場合、私の配偶者を青色事業専従者として届け出た上、青色事業専従者給与を必要経費に算入できますか。

また、記帳については、正規の簿記の原則に従い記帳していますが、青色申告特別控除として55万円を差し引くことが認められますか。

【答】　不動産所得に係る青色事業専従者給与の必要経費算入や、55万円の青色申告特別控除の適用については、【問６-１】で説明したとおり、その不動産の貸付けが、事業と称するに至る程度の規模で行われているかどうかにより取扱いが異なります。

建物の貸付けが事業として行われているかどうかの判定については、社会通念上事業と称するに至る程度の規模で建物の貸付けを行っているかどうかにより判定すべきものですが、次に掲げる事実のいずれか一つに該当する場合又は賃貸料の収入の状況、賃貸資産の管理状況等からみてこれらの場合に準ずる事情があると認められる場合には、特に反証がない限り事業として行われているものとして取り扱うこととしています(基通26－９)。

(1) 貸間、アパート等については、貸与することができる独立した室数がおおむね10以上であること

(2) 独立家屋の貸付けについては、おおむね５棟以上であること

御質問の場合は、建物だけでなく、土地についても青空駐車場として貸し付けているということですが、この場合も、まず不動産所得の貸付けが社会通念上事業と称するに至る程度の規模として貸付けが行われているかどうかにより判断することになります。

しかしながら、その判定が困難な場合には、①貸室１室及び貸地１件当たりのそれぞれの平均賃貸料の比、②貸室１室及び貸地１件当たりの維持・管理及び債権管理に要する役務の提供の程度を考慮し、地域の事情及び個々の実態等に応じ、１室の貸付けに相当する土地の貸付件数を「おおむね５」として判定して差し支えないと考えられています。

御質問の場合、その貸し付けている土地の地域の実情等について詳しく検討する必要がありますが、上記により判定した場合、14室（８室＋(30件÷５)＝14室）相当の貸付けを行っていると判定されますので事業的な規模で不動産の貸付けを行っていると考えて差し支えないと思われます。

したがって、配偶者に支払う給与が青色事業専従者給与の届出の範囲内でその金額が相当であるなど、青色事業専従者給与の規定に該当すれば、認められるものと思われます（青色事業専従者給与については、第10章第10節参照)。

また、青色申告特別控除についても、その他の要件に該当すれば、適用されます（青色申告特別控除については、第11章参照)。

返還を要しない敷金

【問６-３】 敷金の返還条件に関し、次のような約定がある場合に、返還を要しない部分の金額が確定するのは、契約終了の時であると考えてよいでしょうか。

第ｎ１条　貸主に正当な事由が生じて賃貸借契約を解除する場合には、貸主は敷金の全額を返還する。

第ｎ２条　前条以外の場合には契約終了の際、敷金の90％を返還する。

【答】　御質問の約定のうち、ｎ１条は、貸主の方から解除を申し入れた場合に生ずる借家人の損害をあらかじめ予定したものと考えられ、また、期間の満了のように必ず到来する終了原因と異なり、極めて偶発的、不確定なものであるといえます。

このように極めて不確定な原因の発生を停止条件として起こる所得金額の変動は、その原因が発生したときの所得金額の変動としてとらえるのが妥当であり、あらかじめそのような不確定要因を所得金額の計算要素に組み入れることはできず、また、不確定要因が確定するまで課税標準の確定を待つこともできません。

そこで、御質問のような事例においては、現段階で確定し得る返還を要しない敷金は、ｎ２条によって、敷金10％相当額であるというべきですので、その金額を契約年分の不動産所得の収入金額に算入することになり、貸主の方から契約を解除する事態が起きた場合には、そのときに敷金の10％相当額を借家人の損害賠償金として貸主から改めて支払ったものと考え、他の立退料とともに貸主の不動産所得の金額の計算上必要経費に算入することとなります（基通36－７）。

また、貸主によほどの事情がない以上、貸主の側から立退きを要求する場合は、借家人に相当の立退料を支払うのが普通ですから、ｎ１条で返還する10％は立退きの際に支払う立退料の予約ということもできます。

土地信託に基づく分配金の所得区分

【問６-４】　私は、1,500㎡の遊休土地を所有しています。このたび、Ａ信託銀行と土地信託契約を結びました。

その内容は、私所有の土地をＡ信託銀行に提供し、Ａ信託銀行はその上に貸ビルを建てて賃貸し、その賃貸料収入から、手数料等を差し引いた残額を私に分配金として支払うというものです。

この場合、私が支払を受ける分配金の所得区分は、何所得となるのでしょうか。

【答】　受益者等課税信託においては、信託の受益者が信託財産に属する資産及び負債を有するものとみなし、信託財産に帰せられる収益及び費用は受益者の収益及び費用とみなして所得税法の規定を適用することとされています（所法13①）。

御質問の場合、土地信託契約によりあなたの土地及びその上に建設された貸ビル（以下「信託不動産」といいます。）の私法上の所有権は受託者であるＡ信託銀行にありますが、土地信託の委託者かつ受益者があなたであることから、所得税法上は、あなたが信託不動産を所有するものとみなし、かつ、信託不動産に帰せられる収益及び費用である賃貸料収入及び手数料はあなたの収益及び費用とみなして課税されることとなります。

そして、あなたが支払を受ける分配金は、信託不動産の賃貸により生じた所得であることから、不動産所得となります。

なお、通常の土地信託の場合、信託財産上の建物は、信託財産に属することとなるため、不動産所得の金額の計算上、減価償却費や借入金利子、公租公課等を必要経費に算入することができます。

不動産の所有をめぐる紛争の解決により受けた損害賠償金

【問６-５】 私の所有している土地を数年前から叔父が無断で使用し、更に私の知らない間に、その土地は叔父の名義に切り換えられていることが分かりました。

そのため、その土地の所有権が私にあることの確認訴訟を提起しましたが、このほど和解によって、叔父はこの土地を明け渡し、その間の損害賠償金として100万円を受領しました。この損害賠償金は何所得になるのでしょうか。

【答】 損害賠償金については、【問４－７】で述べましたが、心身に加えられた損害に基づいて加害者から受ける慰謝料その他の損害賠償金には、所得税が課税されないこととなっています。また、突発的な事故や不法行為により資産に加えられた損害につき支払を受ける損害賠償金についても非課税とされています。したがって、次のような事実があれば、非課税になると考えてよいでしょう（所法９①十八、所令30一、二）。

⑴ 不法行為によって、その不動産に著しい損害を受けたこと

⑵ 不法行為の結果無理に立ち退かされ、心身に著しい損害を受けたこと

しかしながら、御質問のように土地を数年間にわたり叔父に不法占有されたことにより受け取る損害賠償金は、その土地をもし利用していれば得られたはずの収益、すなわち、失われたその不動産の使用収益対価の回復としての損害賠償金と考えられますから、御質問の場合は、不動産所得の収入金額に算入することが相当です（所令94①二）。

また、数年間という期間は不明ですが、その金額の計算の基礎とされた期間が３年以上である場合には、臨時所得に該当し「平均課税」の規定の適用が受けられます（所法90、所令８四、基通２－37）。

なお、不動産に係る権利の侵害があっても、侵害者の側がその不動産を全く使用していなかった場合に受けた損害賠償金は、使用の対価とはいえないので、一時所得となる場合もあります。

不動産売買業者の有する不動産の一時的貸付け

【問６-６】 不動産売買業を営む私は、マンション経営者から入居者がいるマンションを購入し、新たな買手を求めていますが、その間に入居者からの家賃収入があります。
　この家賃収入は、不動産所得として取り扱われますか。

【答】　不動産の貸付けに係る所得は、貸付けを事業として行っている場合であっても、その所得は不動産所得となり、事業所得とはなりません（【問６-１】参照)。

　しかしながら、御質問のように不動産売買業者が取り扱う土地建物は、販売の対象となる棚卸資産であり、その棚卸資産から短期間に生じた一時的な賃貸料の収入については、不動産売買業の付随収入として事業所得の総収入金額に算入することになります（基通26－７)。

　ただし、不動産売買業者が所有する不動産については、すべてが事業所得になるのではなく、販売の目的を持たず、貸家として貸しているものについてはもちろん不動産所得となります。

　これらの区分は、あなたがその不動産を棚卸資産として所有していたかどうかで判断することになりますから、実際上、その不動産について、①販売広告していること、②賃貸借契約について一時的な契約としていること、③帳簿上棚卸資産に計上されていること、④貸付けの規模からも一時的なものであることなどのいずれかの事情があれば事業所得の付随収入と考えられます。

　この場合において、その貸し付けた不動産が建物その他使用又は時の経過により減価する資産であるときは、その資産につき減価償却資産に準じて計算した償却費の額に相当する金額をその事業所得の金額の計算上必要経費に算入することができます。

　また、事業所得を生ずべき事業を営む者が、その事業に従事している使用人に寄宿舎等を利用させることにより受ける使用料に係る所得も、従業員の宿舎は、事業遂行上必要であり、賃貸料も事業の一環として生ずる所得といえますので、事業所得に該当することとされています（基通26－８）。

不動産賃貸料の収入金計上時期

【問６-７】 貸文化住宅を20戸持っていますが、賃貸料は前月末日払いのものと翌月５日払いのものなど、契約はいろいろです。

この場合、先払いを受けるものだけを貸付期間対応で収入金に計上し、後払いのものは、支払日基準で収入金に計上しても認められますか。

また、権利金についても、３年の契約期間を定めていますので貸付期間対応の収益計上が認められますか。

【答】 不動産等（土地、建物、土地の上に存する権利、船舶、航空機をいいます。）の賃貸料に係る収入金額は、原則として、契約上の支払日の属する年分の総収入金額に算入することになっています（いわゆる支払日基準といわれているものです。）（基通36－５(1)）。

しかしながら、不動産等の賃貸借契約において、賃貸料を前払いとする事例が多く、支払日基準による計上方法が必ずしも実情に即したものとはいえないので、次のように取り扱うことも認められています（昭48.11.6直所２－78）。

不動産等の貸付けが事業的規模であり、次に掲げる条件のすべてに該当するときは、現金主義の規定（所法67）の適用を受ける場合を除き、その年の貸付期間に対応するものを、その年分の不動産所得の総収入金額に算入することができます。

① 帳簿書類を備えて継続的に記帳し、その記帳に基づいて不動産所得の金額を計算していること

② 不動産等の賃貸料に係る収入金額の全部について、継続的にその年中の貸付期間に対応する部分の金額を、その年分の総収入金額に算入する

方法により所得金額を計算しており、かつ、帳簿上当該賃貸料に係る前受収益及び未収収益の経理が行われていること

③　１年を超える期間に係る賃貸料収入については、その前受収益又は未収収益についての明細書を確定申告書に添付していること

この会計処理は、賃貸料収入のすべてについて、貸付期間対応で計上しないと認められませんので、御質問の先払いのものだけを貸付期間対応で計上し、後払いのものについては支払日基準で計上するといった使い分けはできないことになります。

次に、上記③において、１年を超える期間に係る賃貸料収入についても貸付期間対応で不動産所得の計算が認められるわけですが、この場合の「不動産等の賃貸料」には、不動産等の貸付けに伴い一時に受ける頭金、権利金、名義書換料、更新料、礼金等は含まれないことになっており、御質問の権利金は文化住宅を引き渡した日又は貸付契約の効力発生の日に収益として計上しなければなりません（基通36－６）。

（注）　不動産等の貸付けが事業的規模で行われていない場合には、上記①及び②の要件に該当していれば、同様に１年以内の賃貸料のすべてについて貸付期間対応による収入金計上が認められますが、１年を超える期間の賃貸料を受け取った場合には、貸付期間対応による収入金計上は認められません。

供託された家賃

【問６－８】　借家人に対し家賃の値上げの要求をしましたが断られ、現在係争中です。その期間の家賃の受領は拒否していますので、借家人は係争前の家賃30,000円に5,000円を積み上げ、合計35,000円を各月の約定支払日に供託しています。

このように供託されたものであっても、私の不動産所得になるのでしょうか。

【答】　不動産等の貸付けに係る不動産所得の金額は、その年中の不動産所

得に係る総収入金額から必要経費を控除して計算します（所法26②）。

ここで、不動産所得の総収入金額の収入すべき時期は、それぞれ次の日とする取扱いになっています（基通36－５、36－６）。

(1) 賃貸料については、契約又は慣習により支払の日が定められているものについてはその支払日、支払日の定められていないものについてはその賃貸料の支払を受けた日（請求があった時に支払うべきものとされているものについては、その請求日）

賃貸借契約の存否について係争等になっている場合（未払賃貸料の請求に関する係争を除きます。）に係る判決、和解等による既往の期間に対応する賃貸料相当額（供託されているもの、供託されていないもの及び遅延利息その他損害賠償金を含みます。）については、原則としてその判決、和解等のあった日

(2) 不動産の貸付けにより一時に受け取る頭金、権利金、名義書換料、更新料等については、その貸付契約において資産の引渡しを要するものはその引渡しの日（又は貸付契約の効力発生の日）、引渡しを要しないものは貸付契約の効力発生の日

しかしながら、御質問の家賃の値上げについての係争の場合には、借主が供託している家賃の部分については、もはや争いのない金額の部分であるといえますから、たとえその供託中の家賃を受け取っていなくても、その供託中の金額（35,000円）については収入金額に計上しなければなりません。

そして、判決、和解等があった日において、値上げされた部分の金額及び遅延利息その他損害賠償金を含めた合計額から、既に供託されていた家賃で収入金額に計上されている金額を控除した残額を、不動産所得の総収入金額に計上することとなります。

工事用車両の通行を承諾した謝礼金

【問６-９】　私は郊外に工場を建設し、製造業を営む青色申告者です。
このたび、工場の隣接地が宅地造成されることになり、隣地の地主から工場敷地内の私道への工事用車両の通行の承諾を求められました。
そこで、私の工場への原材料の搬入や製品の搬出に支障を来す心配もないので通行を承諾することにしました。
その謝礼として隣地の地主から200万円の支払を受けましたが、対価性のない一時所得として申告してはいけないでしょうか。

【答】　御質問によれば、工事用車両の通行を認めてもあなた自身の道路の使用には何ら影響がないとのことですが、道路の所有権は、あなたのものであり他人はあなたが使用していない間も無断で使用することはできません。

このことから、あなた自身の道路使用に影響がない場合であっても、その通行を承諾することにより受け取った金額は道路を使用させる対価と解するのが相当です。

したがって、土地そのもの又は土地の定着物としての道路を使用させることによる所得として不動産所得となります（所法26①）。なお、使用させる期間が３年以上である場合には臨時所得として、所定の要件【問14-2】参照）に該当すれば平均課税の適用を受けることができます（所令８二)。

第2節　事業所得

有料駐車場の所得

【問6-10】 私の所有する土地を有料駐車場として利用することとし、このほど施設も完備したので近日中に開業するつもりです。

この有料駐車場には管理者を置き、使用時間の長短、自動車の大きさに応じた料金をとる方法で経営するつもりですが、一部月極の契約も結んでいます。

この場合は、いずれも事業所得になりますか。

【答】 有料駐車場などのように、専ら土地などの不動産の利用によって収益を得ている場合は、それが不動産を単に貸し付けているにすぎない状態であれば不動産所得、また、その不動産がそこで営まれる業務に投下された資本とみられるときは、その業務の規模に応じ事業所得又は雑所得として、それぞれ課税関係が生ずることとなります。

有料駐車場から生ずる所得がいずれの所得になるかは、この考え方に従い、有料駐車場に利用されている土地の上に新たな「自動車預かり」というサービス業務が営まれているかどうかで見分ければよく、一口に言って、そこに駐車している自動車の管理責任を全面的に負っているかどうかが判定の基準になります（基通27－２）。

つまり、そこに駐車している自動車に破損、盗難等の事故が生じた場合に自動車の持主が被った損害を有料駐車場の経営者が負わなければならない仕組みになっていれば、それはもはや土地（場所）の貸付けではなく、「自動車預かり業」が営まれていると見られるからです。

保管責任を全うするためには、御質問のように、①管理者を置く　②自動車の出入りを規制する　③周囲を塀、フェンスなどで囲む　④夜間は施錠する、などの処置が当然講じられるでしょうから、外観上、このような処置の施してある有料駐車場から得られる収益はもはや不動産所得でなく、通常は事業所得として課税されるものと思われます。

このような形態の有料駐車場であれば、料金の徴収がたとえ月極で行われ、あたかも、地代収入のように見えていても、不動産所得であるとはいえません。

公共事業により受けた収益補償金

【問６-11】 都市計画事業により店舗と敷地が買い取られることとなり、申出があってから３か月後にこれを受諾し、次の補償金を受け取りました。

(1) 敷地の買取補償金	2,500万円
(2) 建物（木造）の移転補償金	325万円
(3) 事業休止期間中の収益補償金	300万円
(4) 事業休止期間中の経費補償金	35万円

このうち、建物の移転補償金は、店舗を取り壊すことにしていますので、敷地の買取補償金と併せて譲渡所得として計算され5,000万円の特別控除が受けられるものと考えています。

しかしながら、事業休止期間中の収益補償金や経費補償金は申出を受諾した年の事業所得としてその全額が課税されると聞いています。

これについて何か特別な取扱いは認められていませんか。

なお、事業休止期間は１年間と算定されており、また、店舗を取り壊して実際に立ち退くのは翌年の１月の予定です。

【答】 公共事業の施行のために、所有する土地や建物を収用されたり、やむを得ず事業等を休止又は廃止したような場合は、それが公益の要請によって所有者等の意思に関係なく行われるところから、事業施行者から交付される各種補償金についていくつかの課税上の特例が設けられています。

まず、御質問の買取りは都市計画法の規定による収用又は都市計画法第

59条の規定による事業の認可を得た都市計画事業のための買取り（応じなければ収用できることとなっている場合に限られます。）のいずれかに該当していると考えられますので、敷地の買取補償金2,500万円はもとより、移転補償金として受けた325万円についても、その建物を取り壊すことによって対価補償金として取り扱うことができるとされ（措通33－14）、買取りの受諾が６か月以内になされているところから、これらの譲渡所得の計算に当たっては5,000万円の特別控除が適用できることとなります（措法33の４）。

次に、収益補償金及び経費補償金は、いずれも事業の休止又は廃止等に伴って受けるものであるところから、原則として、事業所得の収入金額に算入すべきものとして取り扱われます（所令94①二）。したがって、あなたの場合も、対価補償金に係る譲渡所得の確定申告が行われる本年分の事業所得として計算するのが原則的な取扱いといえましょう。

しかしながら、収用等に伴って受けたこれらの補償金についても、次のような課税上の特例が示されています。

(1)　収益補償金名義の補償金を対価補償金として取り扱うことができる場合

建物の収用等に伴い収益補償金名義で補償金の交付を受けた場合において、その建物の対価補償金として交付を受けた金額がその収用等をされた建物の再取得価額（その建物と同一の建物を新築するものと仮定した場合の取得価額をいいます。）に満たないときは、収益補償金の名義で交付を受けた補償金のうちその満たない金額に相当する金額（その金額がその補償金の額を超えるときは、その補償金の額）を対価補償金として取り扱うことが認められます（措通33－11）。

この場合の再取得価額は次に掲げる金額によるものとされています。

イ　建物の買取り契約の場合は、起業者が買取り対価の算定基礎として計算したその建物の再取得価額によるものとし、その額が明らかでないときは、その建物について適正に算定した再取得価額によります。

ロ　建物の取壊し契約の場合は、次によります。

(イ) 起業者が補償金の算定基礎としたその建物の再取得価額が明らかであるときは、その再取得価額

(ロ) (イ)以外のときは、その建物の対価補償金として交付を受けた金額に次の区分に応じた割合をそれぞれ乗じた金額

（A）木造又は木骨モルタル造の建物……$\frac{100}{65}$

（B）（A）以外の構造の建物……$\frac{100}{95}$

（注）御質問の場合は、その他の事情が判明しませんが、ロの（ロ）に該当するものとした場合には収益補償金のうち175万円（325万円×$\frac{100}{65}$－325万円）を対価補償金に加えて譲渡所得の金額を計算することができます。

(2) 収益補償金の課税延期

収用等に伴い交付を受ける収益補償金のうち(1)の取扱いを受けない部分の金額については、その収用等があった日の属する年分の事業所得等の総収入金額に算入しないで、収用等をされた土地又は建物から立ち退くべき日として定められている日（その日前に立ち退いたときは、その立ち退いた日）の属する年分の事業所得等の総収入金額に算入したい旨を書面をもって所轄の税務署長に申し出れば、その取扱いが認められます。また、収用等があった日の属する年の末日までに支払を受けていない場合も同様の取扱いを受けることができます（措通33－32）。

（注）　御質問の場合は、収益補償金のうち(1)の取扱いを受けなかった部分の金額125万円（300万円－175万円）について、本年の事業所得に算入せず、実際に立ち退く翌年分の事業所得に算入する旨を書面で申し出ることによって、その課税を延期することができることになります。

(3) 経費補償金等の課税延期

経費補償金若しくは移転補償金（対価補償金として取り扱うものは除かれます。）又は移転補償金に準ずるものとみなされた残地保全経費の補償金（措通33－18）のうち、収用等のあった日の属する年の翌年１月１日から収用等のあった日以後２年（地下鉄工事のためいったん建物を取り壊し、工事完成後従前の場所に建築する場合などのように租税特別

措置法施行令第22条第19項各号に掲げる場合に該当するときは、当該各号に掲げる期間）を経過する日までに交付の目的に従って支出することが確実と認められる部分の金額については、同日とその交付の目的に従って支出する日とのいずれか早い日の属する年分の各種所得の総収入金額に算入したい旨をその収用等のあった日の属する年分の確定申告書を提出する際に、書面で申し出れば、その取扱いが認められます（措通33－33)。

（注） あなたが受けた経費補償金35万円についても、営業休止に伴う従業員の退職金の支払等、その支出が翌年以降にわたることが確実な部分の金額は、上記に定める期間の範囲内において、書面提出を条件とし、その課税を延期することができるものと考えられます。

労働施策総合推進法により支給される職業転換給付金

【問６-12】 労働施策総合推進法に基づき、中高年齢者又は身体障害者を雇用する目的で、試験的に数名を仕事に従事させていますが、これに対し地方公共団体から、事業主あてに補助金が支払われています。

ところで、この補助金は法律に基づいて社会福祉事業として給付されるものであり、非課税所得になるのではありませんか。

【答】 労働施策総合推進法によれば、国及び都道府県は、所定の求職者(例えば、中高年齢者）を雇用しようとする事業主等に対して、一定の要件のもとに職業転換給付金が支給できることになっています（労働施策総合推進法18)。

ところで、この職業転換給付金のうち、被用者が受けるものは、非課税となっています（労働施策総合推進法22）が、事業主に対する給付金は課税対象となり、事業の遂行に付随して生じた収入として事業所得の総収入金額に算入することになります。

労働施策総合推進法の規定に基づく給付金（職業転換給付金）の種類等

事業主が支給を受けるもの	被用者が支給を受けるもの
○職場適応訓練費 ○特定求職者雇用開発助成金	○就職促進手当 ○訓練手当 ○広域求職活動費 ○移転費 ○就職支度金

（注）労働施策総合推進法第22条《公課の禁止》
租税その他の公課は、職業転換給付金（事業主に対して支給するものを除く。）を標準として、課することができない。

雇用保険法により支給される「特定求職者雇用開発助成金」

【問６-13】 公共職業安定所の紹介により高年齢者、心身障害者その他就職が特に困難なものを雇用した事業主は、雇用保険法の規定に基づいて「特定求職者雇用開発助成金」の支給を受けることができます。

この助成金は、事業所得の金額の計算上総収入金額に算入しなければなりませんか。また、その計上時期はいつですか。

【答】 雇用保険法第62条《雇用安定事業》の規定に基づく「特定求職者雇用開発助成金」とは、公共職業安定所の紹介により、高年齢者、心身障害者その他就職が特に困難な者を雇用した場合に、賃金の補塡として、事業主に対し国から支給されるものです（この助成金の支給を受けるためには、事業主が支給申請書を公共職業安定所へ提出することとされています。）。

したがって、この助成金は、高年齢者等に支払った賃金で事業所得の金額の計算上必要経費に算入される金額を補塡するための経費補償金のような性格のものですから、事業所得の金額の計算上総収入金額に算入しなければなりません。

なお、この助成金の総収入金額への計上の時期は、助成金の支給の原因となる賃金を支払った日の属する年分であり、その年の12月31日までに支給を受けるべき金額が確定していないときは、その支給金額を見積もり、その年分に計上しなければなりません。

（注）　定年の延長、高齢者及び身体障害者の雇用等の雇用の改善を図ったことなどにより雇用保険法等の規定等に基づき交付を受ける奨励金等の額については、その支給決定があった日の属する年分の事業所得の金額の計算上、総収入金額に算入することとされています（基通36・37共－49）。

また、雇用保険法、労働施策総合推進法、障害者の雇用の促進等に関する法律等の法令の規定等に基づき休業手当、賃金、職業訓練費等の経費を補填するために交付を受ける給付金等については、その給付の原因となった休業、就業、職業訓練等の事実があった日の属する年分の事業所得の金額の計算上、総収入金額に算入することとされています（基通36・37共－48）。

なお、現在これらの給付金のうち事業主が支給を受けるものについては、全て事業所得の総収入金額に算入することになります。

中小企業倒産防止共済契約の解約手当金

【問６-14】　私は、10年前から中小企業倒産防止共済契約に係る掛金を納付していましたが、このほど、この共済契約を解約して解約手当金をもらいました。

この中小企業倒産防止共済契約に係る掛金は、これまで、支払った年分の事業所得の金額の計算上、必要経費に算入してきていますが、このたびの共済契約を任意解約したことにより受け取った解約手当金は、10年間もの長期にわたって負担した掛金ですので、一時所得となるのではないでしょうか。

【答】　中小企業倒産防止共済制度は、中小企業者が取引先企業の倒産の影響を受けて連鎖倒産することを防止するため、中小企業者相互で救済することを目的とした貸付制度です。この目的を達成するために、中小企業者は、中小企業倒産防止共済法第２条第２項に規定する共済契約に係る掛金を納付し、それを独立行政法人中小企業基盤整備機構が行う中小企業倒産防止共済事業に係る基金に充てることとされています。

この中小企業倒産防止共済契約に係る掛金は、その支払った日の属する年分の事業所得の金額の計算上、必要経費に算入することとされています（措法28①二、措通28－２）。

この共済掛金は、12か月以上納付している場合には、任意に解約した場合であっても、解約手当金が支給されることになっていますが、この解約手当金は、事業所得の金額の計算上、必要経費に算入した共済掛金に係るものですので、一時所得とするのではなく、事業所得の金額の計算上、総収入金額に算入すべきものとなります。

固定資産税の前納報奨金

【問６-15】　固定資産税を前納すると、市町村から前納報奨金を交付されることがあります。

この場合、事業用固定資産に係る前納報奨金は、各種所得の金額の計算上、必要経費に算入する固定資産税の額から控除するのでしょうか。それとも雑収入に算入すべきものでしょうか。

【答】　前納報奨金は、道府県民税、市町村民税、固定資産税について設けられている制度で、これらの地方税を納期前に納付したときに交付されるものです。

事業用固定資産に係る固定資産税は、事業所得の金額の計算上必要経費に算入していますので、その固定資産に係る前納報奨金は、事業所得を生ずべき事業の遂行により生じた付随収入として事業所得の金額の計算上総収入金額に算入しなければなりません（基通27－５(6)）。

なお、業務用以外の固定資産に係る前納報奨金については還付加算金等とは異なり、利息としての性格もなくその他の対価性もないところから、一時所得の収入金額として取り扱われます（基通34－１(12)）。

私立保育所が地方公共団体から収受する措置費

【問６-16】　私はＴ市で保育所を経営している者ですが、Ｔ市から保育の委託を受けた幼児については、Ｔ市から児童福祉法第51条《市町村の支弁》の規定に基づく措置費の支給を受けています。

この措置費は、児童福祉法第57条の５《課税除外及び差押えの禁止》の規定から、所得税は課税されないようにも思われますが、どうでしょうか。

【答】　児童福祉法第57条の５《課税除外及び差押えの禁止》の規定は、乳児又は幼児等が、児童福祉法の規定により各種の給付を受ける金品に対しての非課税規定であって、児童福祉法の規定により乳児又は幼児等が保育所等に入所した後に、地方公共団体等が保育所等に対してその措置費として支給するものについては適用がないものと考えられます。

つまり、措置費は、保育機関としての私立保育所に対して地方公共団体から、委託された幼児の入所後の費用を補塡するために支給されるものであり、幼児が支給を受けるものではないからです（児童福祉法51）。したがって、同法に基づく非課税所得には該当しないものです。

なお、措置費の収入金額計上時期については、地方公共団体から通知された日に計上すべきこととなりますが、その通知が12月になされるなどにより、年末までに費用として使用されずに残る場合もあるところから、支給の目的からみて翌年３月末日までに支出される経費相当額であることが明らかなもので、その受け入れた年に支出されなかった部分については、仮受金経理により、支出と対応して翌年分の総収入金額に算入することができることとされています。

私立幼稚園の入学金の収益計上時期

【問６-17】　幼稚園を個人経営しておりますが、毎年12月中旬までに翌年の園児の入園手続をとっており、入学金も12月中に受け取っております。

この場合の入学金は受け取った年分に計上しなければならないのですか。また、保育料については、２期に分けて３月と９月に受け取りますが、９月分は翌年３月までのものですから、その部分は前受金で処理してもよいのですか。

【答】　私立幼稚園は、通常、園児の募集を前年の12月末までに行い、入学金もその入園の確定した12月末までに受領している例が多いようです。

ところで、これらの入学金に対する園児の保育などの役務提供は翌年の新園児が入園してからであり、費用などの支出と収益が対応していないことになっているところから、前受金又は預り金として処理することが認められています（昭43.12.27直所３－37）。

したがって、御質問の入学金については、翌年の園児の入園した年の総収入金額として計上することが認められます。

また、その入園児のＰＴＡを通じて寄附金等を入園児から募集する場合にあっては、その寄附金等で施設、設備等の改善が完了するまでは、ＰＴＡ等からの預り金として処理し、その完了年分の総収入金額として計上することも認められます。

次に、保育料については、約款等により支払日が定められ、その内容に従って定型的に収入があることから、たとえ３月と９月の２回に分けて受け取っている場合であっても、翌年分に対応する３か月分については翌年分に繰り延べることは認められていませんので、受け取った年分の総収入金額に計上しなければなりません。

不動産仲介料の収入金計上時期

【問６-18】 不動産仲介業を営むＡは、年末に売買契約を１件成立させて、仲介報酬40万円を収受しました。しかしながら、Ａは、仲介業務は物件の登記完了によって完結するという考え方のもとに、仲介報酬40万円を前受金として経理し、登記の終わった翌年分の収入金額に計上しています。このような処理は認められますか。

【答】 不動産仲介業者は、仲介により売買契約等を成立させることによってその役務の提供は完了し、報酬請求権も発生するものと考えられます（商法550、宅地建物取引業法46）。したがって、登記手続は、売買あっせんが終了した後のアフターサービスと考えられ、登記の完了を待たなくとも、仲介報酬の収入すべき権利は確定しているものと認められます。

以上により御質問のＡの仲介報酬40万円は、売買契約を成立させて、報酬を収受した年分の収入とすべきであり、登記完了の年分の収入とすることは認められません。

なお、仲介報酬のような役務の提供による収入金額の計上時期は、一応その役務の提供が完了したときとされていますが、期間の経過又は役務の提供の程度等に応じて収入する特約又は慣習がある場合には、その特約又は慣習により収入すべき事由の生じた日が収入金額の計上時期とされます（基通36－８(5)）。

したがって、御質問からははずれますが、不動産の仲介手数料についても契約終了時に何パーセント、登記完了時に何パーセントというような形で収入する特約や慣習がある場合には、それぞれの時期を収入金額の計上時期とみるべきことになります。

弁護士報酬の収入時期

【問６-19】　弁護士業務のうち訴訟事件は、相当長期間を要しますが、それらの事件の着手金や成功報酬は、所得金額の計算上、収入金額の確定する時期はいつでしょうか。

【答】　弁護士業務の報酬は、原則的には、その仕事の完了した日によりますが、訴訟事件等は普通その完結までに相当長期間を要しますので、事業所得の計算上、それらの収入金額は現実に受領した金額だけでなく、既に請求し得る状態に至った金額についても総収入金額に算入することとなっています（基通36－８(5))。具体的には次によります。

(1) 毎月受ける顧問料、料金のようにあらかじめ支払日の定められているもの……その支払日

(2) 着手金のように着手時に支払われるのが慣習となっているもの……その時

(3) 成功報酬のように一定の事実が収入の要件となるもの……その要件を満たした日

医師の診療報酬の帰属する時期

【問６-20】　私は開業医ですが、保険診療報酬を毎月、支払基金又はその他の保険機関に対して、その月分の診療報酬を取りまとめて、翌月の10日ごろの一定の日までに請求しています。したがって、12月分は翌年１月に請求することになりますが、本年の収入に加えなければなりませんか。また、交通事故による被害者の診療報酬について加害者を相手とする債権者代位調停がまだ成立していないものについては、本年の収入に加えなくてもよいでしょうか。

【答】　医師の診療報酬債権は、原則として医師が診療契約に基づいて患者に対する診療行為を行うことによって、直ちに行使できる権利ですから、

診療報酬は医師が患者に対して診療を行った日の属する年分の総収入金額に計上することになります（所法36①、基通36－８(5)）。具体的には、現金入金の時や支払基金への請求時期ではなく、診療が個々に行われた時期ということになります。

したがって、12月分の場合、翌年１月に請求しても、12月分の収入に計上することになります。また、交通事故による被害者の診療報酬についても、加害者を相手とする債権者代位調停がまだ成立していないことは、診療報酬請求権の存否及び範囲に何ら影響を及ぼすものではありませんから、診療を行った時期の属する年分の収入金額として計上します。

損益の帰属時期の特例

【問６-21】　製造業を営む青色申告者ですが、製品の販売による売上げの計上については、通常、製品を出荷した日に記帳しています。

しかしながら、特別な受注製品については、いったん納入しても相手方の検収を経た後でなければ値段の決まらない場合があり、記帳がしにくいので、このような場合には、検収を受けた日に売上げを計上する方法がとれないものでしょうか。

【答】　製造業による事業所得の計算上、収入に計上する時期は、製品を相手方に引き渡した日によるのが原則です（基通36－８(1)）。この原則に従う限り、取引の条件にかかわらず、すべての製品の納入時に売上げとして計上しなければならないこととなります。

ところで、この場合において棚卸資産の引渡しの日がいつであるかについては、例えば、出荷した日、船積みをした日、相手方に着荷した日、相手方が検収した日、相手方において使用収益ができることとなった日、検針等により販売数量を確認した日等でその棚卸資産の種類及び性質、その販売に係る契約の内容等に応じその引渡しの日として合理的であると認められる日のうち、その人が継続して収入金額に計上することとしている日によるものとしてもよいことになっています（基通36－８の２）。

したがって、御質問の場合も継続して経理することを条件として検収を受けた日に売上げを計上することが認められます。

（注）　必要経費に関する計上時期の特例については【問10-１】【問10-136】を参照してください。

帳端分の処理

> **【問６-22】**　事業所得の金額の計算上、収入金額及び必要経費の計上時期に関していくつかの特例が定められていますが、いわゆる帳端分を翌年分に繰り越すことは認められますか。
>
> 例えば、毎月20日を帳簿の締切日としている場合に、12月21日から12月31日までの売上げ、仕入れを翌年分に繰り越して計上することも、法人税では認められているようですが、所得税ではどうですか。

【答】　所得税においては、課税標準の計算が年分計算によっており、しかも、累進税率を採用していますので、いかに計算の便宜を考えても、御質問のような特例を認めることは、課税上のバランスを失い、課税上の弊害が多いところから、現在のところ帳端分を翌年に繰り越すことは認められていません。

なお、法人税においては、一定の条件のもとに、事業年度終了前において決算締切日を設け、損益を確定することを定めていますが、この場合でも無条件に認められているわけではなく、その法人の商慣習その他相当の理由により、各事業年度に係る収入及び支出の計算の基礎となる決算締切日を継続してその事業年度終了の日以前おおむね10日以内の一定の日としている場合に限り認められるものであることに注意してください（法基通２－６－１）。

現金主義による経理

【問６-23】　小規模の青色申告者は、現金主義によって所得の計算ができることとされているようですが、この現金主義とは具体的にどのような方法をいうのですか。

また、この方法によって計算することができる場合の要件などについても教示してください。

【答】　所得税法においては、各種所得の金額を現金主義で計算することは原則として認められていません。しかしながら、個人にあっては、発生主義による所得計算になじまない小規模事業者もあり、また、記帳の簡素化を意図する簡易帳簿についても、記帳時間の不足や経理の知識不足などで、その記帳になじめない青色申告者もあるところから、このような小規模の青色申告者については、特例として、不動産所得と事業所得（山林の伐採又は譲渡によるものは除かれます。）の計算に限り、総収入金額と必要経費の金額をそれぞれ次の金額とする、いわゆる現金主義による経理が認められています（所法67①、所令196）。

(1)　総収入金額

その年において現実に収入した金額（金銭以外の物又は権利その他経済的利益をもって収入した場合は、その金銭以外の物又は権利その他経済的利益の価額）と、棚卸資産の家事消費や贈与した場合の価額との合計額となります。

(2)　必要経費

その年において、(1)の総収入金額を得るために現実に支出した費用の額と、償却費及び資産損失の額との合計額となります。

したがって、現金主義の特例の適用があるときは、所得計算上、なかでも必要経費の計算について、通常に比し、次のような相違点がみられます。

①　年末に棚卸しをして売上原価を計算する必要はありません。

②　売掛債権の発生時に収入金額に算入されていないので、貸倒損失、売掛金の値引き等については必要経費に算入されないこととなります。

③　貸倒引当金や準備金の設定はできません。

現金主義による所得計算のできる小規模事業者は、次のいずれの要件にも該当する者とされています（所法67①、所令195）。

イ　青色申告者で不動産所得又は事業所得を生ずべき業務を行うものであること

ロ　現金主義による所得計算によろうとする年の前々年分の不動産所得及び事業所得（事業専従者控除又は青色専従者給与額の控除前）の金額の合計額が300万円以下であること

ハ　既にこの特例の適用を受けたことがあり、かつ、その後この特例の適用を受けないこととなった者である場合は、再びこの特例の適用を受けることにつき、納税地の税務署長の承認を受けていること

この特例の適用を受けるためには、その適用を受けようとする年の３月15日（その年１月16日以後に新たに開業した場合には、開業してから２か月以内）までに届出書を納税地の所轄税務署長に提出しなければなりません（所令197①、所規40の２①）。

なお、かつてこの特例の適用を受けたことのある人が、再びこの特例の適用を受けようとするときは、その年の１月末日までにその旨の承認申請書を提出しなければなりません（所規39の２①）。

また、この特例の適用を受けることをやめようとする場合にも、その年の３月15日までにその旨を届け出なければなりません（所令197②）。

おって、令和４年分以後、上記の現金主義による所得計算のできる小規模事業者に①雑所得を生ずべき業務を行う居住者である者で、②その年の前々年分の雑所得を生ずべき業務に係る収入金額が300万円以下である事業者が追加されました（所法67②、所令196の２、令２改所法等附１四、５）。

現金主義による会計処理から発生主義への切替え

【問６-24】　経営規模が大きくなり掛け売りや掛け仕入れが増え、手形取引もありますので、現金主義による経理では正確な経営内容もつかめず、この際、発生主義による所得の計算に改めたいと思いますが、発生主義に切り替えた年初の売掛金や買掛金等の処理はどうするのですか。

例えば、次のような場合について教示してください。

	（発生主義に切り替えた年の１月１日現在）	（現金主義の適用を受けた年の前年12月31日現在）
売掛金	200万円	20万円
受取手形	200万円	—
買掛金	180万円	30万円
支払手形	150万円	20万円

【答】　現金主義による経理を発生主義に切り替える場合には、まず、所得の計算上まだ収入にしていない金額や、まだ支払っていない金額の処理をどうするかという問題があります。

例えば、発生主義の記帳に切り替えた場合、年初の売掛金や買掛金については、前年の現金主義経理の上において総収入金額又は必要経費に計上されていないものが、発生主義経理では、売掛金の発生した時に総収入金額に算入されることから、売掛金が入金した時には総収入金額に算入しないことになり、結局、前年から繰り越した売掛金や買掛金は宙に浮いてしまいます。

このため、これらの金額は、発生主義経理に切り替えた年分の所得金額の計算上において調整することになっています（所規40①一）。

これを算式で示すと、次のとおりです。

⑴　発生主義に切り替えた年の1.1現在の売掛金等の額 － 現金主義の適用を受けることとなった年の前年12.31現在における売掛金等の額

＝発生主義に切り替えた年分の総収入金額に加算又は減算する金額

（注）売掛金等とは、売掛金、受取手形、未収収益その他これらに類する資産をいいます。

(2) 発生主義に切り替えた年の1.1現在の買掛金等の額 － 現金主義の適用を受けることとなった年の前年12.31現在における買掛金等の額

＝発生主義に切り替えた年分の必要経費に加算又は減算する金額

（注）買掛金等とは、買掛金、支払手形、未払費用その他これらに類する負債をいいます。

これらはもちろん、勘定科目の異なるごとに計算することになります。

また、貸倒引当金や、各種の準備金などが現金主義の適用を受けることとなった年の前年の12月31日に設けられていた場合には、発生主義に切り替えた年に前年から繰り越されたものとみなして総収入金額及び必要経費の計算をすることになっています（所規40①二)。

上記の算式により、御質問の調整金額の計算をすれば、発生主義に切り替えた年分の総収入金額に加算する額は、380万円（＝売掛金増加分180万円＋受取手形増加分200万円）となり、必要経費に加算する額は、280万円（＝買掛金増加分150万円＋支払手形増加分130万円）となります。

造成団地の分譲による所得計算

【問６-25】 傾斜地を造成し、これを一団地として逐次分譲しています。

造成は、主要道路に最も近い平地のほうから着手し、完成の都度売却する方法をとっていますが、奥の高地の方へ造成が進むほど費用がかさむ反面、かえって分譲価格は安くなるので、採算は悪くなることが予想されます。

この分譲は２年にわたって行う予定ですが、適当な計算方法を教示してください。

【答】 一団地の宅地の造成が２以上の年にまたがって行われ、造成完了を待たずにその都度分譲をしている場合には、収入金額に対して原価をどのように配分するかが問題となります。

造成のために投下される費用は区画ごとに異なっているのが普通で、たいていは、後期になるほど追加費用が増加して採算が悪くなり、そのために一団地の造成分譲による所得が前期と後期で極端にバランスを欠くことにもなりかねません。

この原価配分を平準化するために継続的に適用することを条件として、例えば下記のような計算方法が認められています（基通36・37共－６）。

この算式により工事原価は、分譲面積に応じ、平均して配分されることになります。

＜原価配分の平準化の計算方法＞

①　分譲完了年の前年までの各年分

$$\left(\text{工事原価の見積額} - \text{前年までに必要経費に算入した工事原価の合計額}\right) \times \frac{\text{その年において譲渡した分譲地の面積}}{\text{分譲総予定面積} - \text{前年までに分譲した面積の合計}}$$

（注）「工事原価の見積額」は、その年12月31日の現況で見積もった工事原価の額により、「分譲総予定面積」には自己が使用する土地の面積を含めます。

②　分譲完了年分

工事原価の額－前年までに必要経費に算入した工事原価の合計額

（注）「工事原価の額」からは、自己が使用する土地の工事原価の額を除きます。

しかしながら、あなたの場合は、分譲する場所によって分譲価額に相当開きがあるようですから、上記の算式のように工事原価を分譲面積の比であん分する方法では所得を完全に平均化したことになりません。

このように、分譲価額が単位ごとに著しく異なる場合には、一団地の分譲予定総額を見積もり、上記算式中の「面積」をすべて「価額」に置き換えて計算する方法が考えられます。

この方法を採用すれば、あなたの一団地の造成分譲による所得は、分譲面積に応じ、平準化されることになりますが、そのためには自己の使用する土地についても他に販売する場合の価額を見積もって分譲予定総額に算入しておかねばならず、分譲価額の見積りそのものも、分譲期間中の価額の変動を考慮に入れて、合理的に計算しておく必要があります。

また、分譲価額に応じた計算方法を途中から分譲面積に応じた計算方式に変更するなど、一貫性を欠いた所得計算の方法は認められていません。

なお、団地経営に必要な道路、公園、緑地、水道、排水路、街灯、汚水処理施設等の施設（その敷地に係る土地を含みます。）については、たとえその者が将来にわたってこれらの施設を名目的に所有し、又はこれらの施設を公共団体等に寄附することが予定されていても、これらの施設の取得に要した費用の額（その者の所有名義とする施設については、これを処分した場合に得られるであろう価額に相当する金額を控除した金額とします。）は、分譲原価に算入して必要経費とすることができるものとされています（基通36・37共－７）。

事業用資金の預金利子

【問６-26】　化粧品の小売業を営む青色申告者ですが、営業上の経費や小口仕入れのために普通預金の口座を持ち、その出入りを通帳に記入しています。

この預金から生ずる利子は雑収入として経理していますが、決算の際に修正仕訳を行う必要がありますか。

【答】　小売業やサービス業などの事業所得を生ずべき事業を行う場合に、その資金を一時的に普通預金や通知預金に入金し、また、借入金の担保などに供するために定期預金に入金したような場合のこれらの預金から生じる利子は、たとえ事業に関連して生じたものであっても、全て利子所得として取り扱われることとなっています（所法23①）。

したがって、いったん事業上の雑収入として経理されたこれらの利子は決算に際し、雑収入勘定から事業主借勘定への修正仕訳を行う必要があります（【問11-５】参照）。

なお、利子所得として扱われるものには、預貯金の利子のほか、公社債の利子、合同運用信託、公社債投資信託及び公募公社債等運用投資信託の収益の分配などがあります。

競走馬の保有による所得

【問６-27】　私は、３年前から競走馬を３頭保有し、いずれも登録して中央競馬に出走させています。

これまで賞金などによる所得を雑所得として申告してきましたが、競走馬を２頭以上保有していれば事業所得として申告することが認められる場合もあると聞きました。それはどのような場合でしょうか。

【答】　競走馬の保有に係る所得は、その規模、収益の状況その他の事情を総合勘案して、事業所得か、雑所得かを判断することとされますが、形式的な基準として、次の(1)又は(2)のいずれかに該当すれば、事業所得とされます（基通27－７）。

(1)　その年において、競馬法第14条《馬の登録》（同法第22条《準用規定》において準用する場合を含みます。）の規定による登録を受けている競走馬（以下「登録馬」といいます。）でその年における登録期間が６か月以上であるものを５頭以上保有している場合

(2)　次のイ及びロの事実のいずれにも該当する場合

イ　その年以前３年以内の各年において、登録馬（その年における登録期間が６か月以上のものに限ります。）を２頭以上保有していること。

ロ　その年の前年以前３年以内の各年のうちに、競走馬の保有に係る所得の金額が黒字である年が１年以上あること。

なお、この場合において、登録馬が６か月以上登録されていたかどうか又は、２頭以上保有しているかどうかは、日本中央競馬会、地方競馬全国協会及び都道府県等地方競馬主催者が馬主の申請により「競走馬の登録、出走回数及び競馬賞金収入等証明書」などを発行することとなっており、

その証明書を確定申告の際に必ず添付することとなっています。

ところで、御質問の場合は、競走馬を３年前から３頭保有し、登録しておられますから、このうち２頭以上の登録期間が６か月以上で、かつ、前年以前３年内の各年のいずれかの年に競走馬の保有による所得が黒字の年があれば、上記の「証明書」を添付して確定申告をすれば、たとえ本年分の競走馬の保有に係る所得が赤字であっても、本年分は事業所得となり、その赤字の金額は、他の所得と損益通算できることとなります。

少額の減価償却資産の譲渡収入

【問６-28】　事業所得等の金額の計算上消耗品費として必要経費に算入している取得価額が10万円未満の少額減価償却資産を譲渡した場合の収入は何所得となりますか。

【答】　事業所得等を生ずべき事業の用に供している少額な減価償却資産で、既にその取得価額が必要経費に算入されているものや、一括償却資産として、取得価額の３分の１ずつの金額を必要経費に算入することとされているものは、準棚卸資産として譲渡所得の基因となる資産からは除かれています（所法33②一）。ただし、そのような準棚卸資産であってもその事業の性質上基本的に重要であると認められる資産（いわゆる少額重要資産）は譲渡所得の基因となる資産に含まれます（所令81二、三）。なお、少額重要資産であっても貸衣装業における衣装類、パチンコ店におけるパチンコ器、養豚業における繁殖用や種付用の豚のように、事業用として使われた後に反復継続して譲渡することがその事業の性質上通常である資産の譲渡による所得は、事業所得とされます（基通27－１、33－１の２）。

少額重要資産以外の少額な減価償却資産の譲渡収入については、準棚卸資産を家事消費した場合の所得区分（基通39－３）と同様の考え方により、事業所得又は雑所得の収入金額とすることになります。

この場合、その準棚卸資産が事業所得を生ずべき事業の用に供されていたものであるときは、事業所得の収入金額となり、不動産所得、山林所得又は雑所得を生ずべき業務の用に供されていたものであるときは、雑所得の収入金額とされることになります。

第３節　給与所得

所得金額調整控除

【問６-29】　私には扶養親族である18歳の子が一人いて、今年、給与等の収入金額が1,000万円、公的年金等に係る雑所得が50万円ありました。配偶者も給与収入が1,200万円ありましたが所得金額調整控除は夫婦ともに受けられますか。

【答】　所得金額調整控除とは、一定の給与所得者の総所得金額を計算する場合に、一定の金額を給与所得の金額から控除するというものです。

所得金額調整控除には、次の１及び２のとおり、二種類の控除があります。このうち１の控除は年末調整において適用することができます。

1　その年の給与等の収入金額が850万円を超える給与所得者で、(1) のイ～ハのいずれかに該当する給与所得者の総所得金額を計算する場合に、(2) の所得金額調整控除額を給与所得から控除するものです。

(1)　適用対象者

イ　本人が特別障害者に該当する者

ロ　年齢23歳未満の扶養親族を有する者

ハ　特別障害者である同一生計配偶者又は扶養親族を有する者

(2)　所得金額調整控除額

｛給与等の収入金額（1,000万円超の場合は1,000万円）－850万円｝×10％＝控除額※

※　１円未満の端数があるときは、その端数を切り上げます。

なお、この控除は扶養控除と異なり、同一生計内のいずれか一方のみの所得者に適用するという制限がありません。したがって御質問の場合、夫婦双方がこの控除の適用を受けることができます。

２　その年において、次の（1）に該当する者の総所得金額を計算する場合に、(2) の所得金額調整控除額を給与所得から控除するものです（注)。

（1）　適用対象者

その年分の給与所得控除後の給与等の金額と公的年金等に係る雑所得の金額がある給与所得者で、その合計額が10万円を超える者

（2）　所得金額調整控除額

｛給与所得控除後の給与等の金額（10万円超の場合は10万円）＋公的年金等に係る雑所得の金額（10万円超の場合は10万円）｝－10万円＝控除額（注）

（注）　上記１の所得金額調整控除の適用がある場合はその適用後の給与所得の金額から控除します。

したがって、ご質問の場合、上記１の控除の適用後の給与所得の金額から10万円を控除することとなります。

以上から計算するとあなたの給与所得は以下のとおりです。

１　所得金額調整控除額（1,000万円－850万円）×10％＝15万円

２　所得金額調整控除額　10万円＋10万円－10万円＝10万円

給与所得の金額　1,000万円－195万円－15万円－10万円＝780万円

（措法41の３の11、41の３の12、措令26の５、措通41の３の11－１）

給与所得者の特定支出

【問６-30】　私はサラリーマンですが、サラリーマンにも自営業者などと同様に確定申告をして、実際にかかった経費を控除することができると聞きました。

その制度について教えてください。

【答】　給与所得については、給与収入から、給与収入に応じた給与所得控除額を差し引いて計算するという方法がとられています（所法28②③)。

しかしながら、サラリーマンについても、勤務に伴う特定支出金につい

ては実額控除を認め、確定申告を通じて自らの所得税の課税標準及び税額を確定させることができるという「給与所得者の特定支出控除制度」が設けられています（所法57の２）。

つまり、サラリーマンなどの給与所得者が「特定支出」をした場合に、その年の特定支出の額の合計が「その年中の給与所得控除額×１／２」を超える場合は、その超える部分の金額を給与所得控除後の所得金額から差し引くことができることとなります（所法57の２①）。

（注）　平成27年分以前については、「その年中の給与所得控除額×１／２」は、次の表の区分に応じ、「特定支出控除額の適用判定の基準となる金額」となります。

その年中の給与等の収入金額	特定支出控除額の適用判定の基準となる金額
1,500万円以下	その年中の給与所得控除額×１／２
1,500万円超	125万円

この、「特定支出の金額」とは、次に掲げる支出をいいます（所法57の２②、所令167の３）。

ただし、①その支出について給与等の支払者により補塡される部分があり、かつ、その補塡される部分につき所得税が課されない場合におけるその補塡される部分、②その支出について雇用保険法による教育訓練給付金や母子及び父子並びに寡婦福祉法による母子（父子）家庭自立支援教育訓練給付金が支給される部分がある場合におけるその支給される部分は、特定支出には含まれません（所法57の２②）。

(1)　通勤費

通勤のために必要な交通機関の利用又は交通用具の使用のための支出で、その通勤の経路及び方法がその者の通勤に係る運賃、時間、距離その他の事情に照らして最も経済的かつ合理的であることにつき給与等の支払者により証明がされたもののうち、一般の通勤者につき通常必要であると認められる部分の支出

(2)　職務上の旅費

勤務する場所を離れて職務を遂行するために直接必要な旅行であることにつき給与等の支払者によって証明がされたもので、その旅行に係る運賃、時間、距離その他の事情に照らして最も経済的かつ合理的と認められる通常の経路及び方法によるものに要する次に掲げる支出

①　その旅行に要する運賃及び料金（特別車両料金等及び航空機の客室の特別の設備の利用についての料金を除きます。）

②　その旅行に要する自動車その他の交通用具の使用に係る燃料費及び有料の道路の料金

③　②の交通用具の修理のための支出（その旅行に係る部分に限り、資本的支出に相当する部分及びその方の故意又は重大な過失により生じた事故に係るものを除きます。）

(3) 転居費

転任に伴うものであることにつき給与等の支払者により証明がされた転居のために通常必要であると認められる支出

(4) 研修費

職務の遂行に直接必要な技術又は知識を習得することを目的として受講する研修（人の資格を取得するためのものを除きます。）であることにつき給与等の支払者により証明がされたもののための支出又はキャリアコンサルタントにより証明がされたもののための支出（キャリアコンサルタントが証明することで特定支出の対象となるのは、令和５年以後の支出で、教育訓練に係る部分に限る。）

(5) 資格取得費

人の資格（弁護士、公認会計士、税理士などの人の資格で法令の規定に基づきその資格を有する者に限り特定の業務を営むことができることとされるものを含みます。）を取得するための支出で、その支出がその者の職務の遂行に直接必要なものとして給与等の支払者により証明がされたもの又はキャリアコンサルタントにより証明がされたもの（キャリアコンサルタントが証明することで特定支出の対象となるのは、令和５

年以後の支出で、教育訓練に係る部分に限る)

(6) 帰宅旅費

転任に伴い生計を一にする配偶者と別居を常況とすることとなった場合などに該当することにつき給与等の支払者により証明がされた場合におけるその者の勤務する場所又は居所と配偶者等が居住する場所との間のその者の旅行に通常要する支出で、その旅行に係る運賃、時間、距離その他の事情に照らし最も経済的かつ合理的と認められる通常の経路及び方法によるものに要する運賃及び料金（特別車両料金等は除きます。）又は自動車等のガソリン代及び高速代

(7) 勤務必要経費

次に掲げる支出(その支出の合計額が65万円を超える場合には、65万円までの支出に限ります。)で、その支出がその者の職務の遂行に直接必要なものとして給与等の支払者より証明がされたもの

イ　図書費

書籍、定期刊行物その他の図書で職務に関連するものを購入するための支出

ロ　衣服費

制服、事務服、作業服その他の勤務場所において着用することが必要とされる衣服を購入するための支出

ハ　交際費等

交際費、接待費その他の費用で、給与等の支払者の得意先、仕入先その他職務上関係のある者に対する接待、供応、贈答その他これらに類する行為のための支出

なお、この制度の適用を受けるには、確定申告書、修正申告書又は更正の請求書（以下「申告書等」といいます。）に適用を受ける旨及び特定支出の額の合計額を記載し、かつ、特定支出に関する明細書及び給与等の支払者又はキャリアコンサルタント（キャリアコンサルタントが証明することで特定支出の対象となるのは、令和５年以後の支出で、研修費及び資格

取得費に限る）の証明書を添付しなければなりません（所法57の２②③、所規36の５①②）。

また、特定支出の支出の事実及び金額を証する書類を申告書等に添付するか、又は申告書等の提出の際に提示しなければならないこととされています（所法57の２④）。

特定支出（交際費）

【問６-31】　職場の同僚が結婚することになったため、お祝いの会合を行いました。

この会合のための支出は、特定支出となりますか。

【答】　交際費、接待費その他の費用で、給与等の支払者の得意先、仕入先その他職務上関係のある者に対する接待、供応、贈答その他これらに類する行為（以下「接待等」といいます。）のための支出（以下「交際費等」といいます。）で、その支出がその方の職務の遂行に直接必要なものとして給与等の支払者により証明がされたものは、特定支出となります（所法57の２②七ロ、所令167の４一・二チ、所規36の５①九）。

なお、特定支出となる交際費等とは、次に掲げるような性格を有する支出をいいます。

①　「接待等の相手方」が給与等の支払者の得意先、仕入先その他職務上関係のある者であること

②　「支出の目的」が給与等の支払者の得意先、仕入先その他職務上関係のある者との間の親睦等を密にして取引関係の円滑化を図るものであること

③　「支出の基因となる行為の形態」が、接待、供応、贈答その他これらに類するものであること

したがって、職場における同僚との親睦会や同僚の慶弔のための支出は、特定支出とはなりません。

特定支出（衣服費）

【問６-32】 私の勤務先は、社内規定により、職場では背広を着用することとされています。
この場合、背広を購入するための支出は、特定支出となりますか。

【答】 制服、事務服その他の勤務場所において着用することが必要とされる衣服を購入するための支出で、その支出がその方の職務の遂行に直接必要なものとして給与等の支払者により証明がされたものは、特定支出となります（所法57の２②七イ、所令167の３⑦四、所規36の５①八）。

御質問の場合、給与等の支払者により勤務場所において背広を着用することが社内規定により定められていることから、その背広の購入のための支出がその方の職務の遂行に直接必要なものとして給与等の支払者により証明がされたものは、特定支出となります。

なお、明確な社内規定がない場合であっても、勤務場所においては背広などの特定の衣服を着用することが必要であることについて就職時における研修などで説明を受けているときや、勤務場所における背広などの特定の衣服の着用が慣行であるときなどは、その背広など特定の衣服を購入するための支出は、特定支出となります。

また、背広については、出勤・退勤の途上や他用で着用する場合があるとしても、給与等の支払者により勤務場所において背広を着用することが求められており、その背広の購入がその方の職務の遂行に直接必要なものとして給与等の支払者により証明がされたものについては、特定支出となります。

成人祝金品

【問６-33】 今年、成人を迎えた従業員に、１万円程度の万年筆セットを成人祝の記念品として支給しました。
この場合、この万年筆セットは、現物給与として課税する必要がありますか。

【答】 雇用契約等に基づいて使用者から支給される成人祝等のための金品は使用者側の一方的な給付ないし贈与ではなく、使用人たる地位に基づき支給されるものと認められますので、原則としてその支給を受ける使用人の給与等の収入金額として課税の対象となります（所法36①）。

しかしながら、成人を祝う慣行は一般化されており、御質問の成人祝記念品も、いわば、使用者と使用人という関係のもとで交付されるものとは一概には言えないものと考えられますし、その金額が支給を受ける者の地位等に照らし、社会通念上相当と認められるものについては、強いて課税しなくても差し支えないものとして取り扱われています（基通28－５）。

医師の嘱託手当

【問６-34】 私は内科の診療所を経営する医師ですが、Ａ社の委嘱によって、Ａ社の医務室で毎週１回、１日４時間程度、健康相談又は診療等に従事し、月額５万円の謝礼金を受けています。
この収入は、私の事業所得に加算しなければなりませんか。

【答】 医師、弁護士など自由職業者がその役務の提供者の対価として受けるものは、それが雇用契約に基づくものである場合には給与所得、委任契約に基づくものである場合には事業所得として取り扱うのが原則と考えられます。

しかしながら、実際には、書面による契約が交わされていても、いずれの契約に当たるか判別が困難であったり、また契約そのものが書面で行われていなかったりするのが実情であろうとも考えられます。

このような場合には、現に実施されている役務の提供の外観が、雇用契約の実態と委任契約の実態とのいずれに最もふさわしいかを見極めた上で、いずれの所得かを判定することとなります。

ただ、自由職業者はもともと委任契約によって役務提供を行うのが本来の姿といえますから、このような問題が起こるのは、その自由職業者本来の業務の流れから少しはずれたところで生ずる所得に関するものと思われます。

したがって、このような所得については、その役務の提供に雇用契約に近い拘束（例えば、役務の内容や時間などに相当の拘束があることなど）があり、かつ、手当等の支払時期や金額があらかじめ一定しているいわゆる固定給の性格が強いものは給与所得とし、それ以外は事業所得として取り扱うのが最も合理的な判定方法と考えられます。

また、収入が事業に付随するものかどうかの一つの判断基準として、その診療等に係る報酬がその医師又は歯科医師に帰属するかどうかという点から判断する方法が考えられます。

例えば、診療等の対価として患者又は保険者が支払う報酬がその医師又は歯科医師に帰属する場合は、その委嘱料等も事業所得の収入とすべきことになります（基通27－５(5)）。

ところで、御質問の場合は、役務の提供の拘束度につきなお判然としないところはありますが、謝礼金の支払状況からみて、雇用契約としての実態が強いと考えられることから、給与所得として取り扱うのが妥当です（基通28－９の２、28－９の３)。

保険外交員の所得

【問６-35】 私は保険の外交員をしているのですが、固定給と歩合給とをもらっています。所得の種類はどのようになりますか。

【答】 外交員が保険会社と締結する契約には、雇用契約と委任契約の２通りの契約があり、その形式に従う限り、雇用契約の場合は給与所得、委任契約の場合は事業所得とするのが原則です。

しかしながら、現実には、契約の形式は異なっていても支給の実態は全く同じである場合も多くみられ、形式にこだわることによってかえって課税のバランスが失われることも予想されますので、税法上は、支給の実態に応じ、それぞれ次のように所得の種類を定めることとしています（基通204－22）。

(1) 報酬又は料金が職務の遂行に必要な旅費とそれ以外の部分とに明らかに区分されている場合

① 職務の遂行に必要な旅費……非課税

② ①以外のもの……給与所得

(2) (1)以外の場合で、報酬又は料金が固定給とそれ以外とに明らかに区分されている場合

① 固定給（これを基準として臨時に支給されるものを含みます。）……給与所得

② ①以外のもの……事業所得

（注） 固定給でも、一定期間の募集成績等によって自動的にその額が定まるもの及び一定期間の募集成績等によって自動的に格付される資格に応じてその額が定まるものは、その名目にかかわらず、事業所得として取り扱われます。

(3) (1)及び(2)以外の場合

報酬又は料金の基となる役務を提供するために要する旅費等の費用の多寡その他の事情を総合勘案した上で、給与所得又は事業所得の区分を

判定するものとされています。

給与等の受領を辞退した場合

【問６-36】 私は会社の役員をしておりますが、事業不振により、役員賞与を辞退しようと考えております。辞退した場合には、債務免除したこととなり、その役員賞与相当額についても課税を受けることとなりますか。

【答】 給与等の支払を受けるべき者が、給与等の支給期前に辞退の意思を明示し、辞退した場合に限り、給与所得の課税をしないこととされています（基通28－10)。

また、役員が、支給期後においても次のような理由により、一般債権者の損失を軽減するためその立場上やむを得ず未払役員賞与等を辞退した場合には、辞退することにより支払われなくなった部分については、収入がなかったものとして源泉徴収されないこととなり、給与等としての課税も受けないこととなります（基通181～223共－３)。

(1) その法人が特別清算の開始の命令を受けたこと
(2) その法人が破産手続開始の決定を受けたこと
(3) その法人が再生手続開始の決定を受けたこと
(4) その法人が更生手続の開始決定を受けたこと
(5) その法人が事業不振のため会社整理の状態に陥り、債権者集会等の協議決定により債務の切捨てを行ったこと

勤務先から受けた献策等の報償金

【問６-37】 私は勤務する会社の担当事務に関し、その事務合理化のためのアイデアが会社に採用されたことから、社内規定に従って報償金を受けることになりました。これは何所得になりますか。

【答】 業務上有益な発明、考案などをした役員又は使用人が使用者から支払を受ける報償金、表彰金、賞金などの所得は、次のように区分されています（基通23～35共－１）。

(1) 業務上有益な発明、考案又は創作をした使用人等がその発明、考案又は創作に係る特許を受ける権利、実用新案登録を受ける権利若しくは意匠登録を受ける権利又は特許権、実用新案権若しくは意匠権を使用者に承継させたことにより支払を受けるもの

イ　これらの権利の承継、登録又は実施に際し一時に支払を受けるもの……………………………………………………………………譲渡所得

ロ　これらの権利の承継後において支払を受けるもの……………雑所得

(2) 使用人等が取得した特許権、実用新案権又は意匠権について使用者が通常実施権又は専用実施権を取得したことにより支払を受けるもの……………………………………………………………………………雑所得

(3) 事務若しくは作業の合理化、製品の品質改善又は経費の節約等に寄与する工夫、考案等をしたことについて支払を受けるもの

イ　通常の職務の範囲内の行為によるものであるとき…………給与所得

ロ　その他のもの……… 一時所得（その工夫、考案等の実施後の成績等に応じ継続的に支払を受けるときは雑所得）

(4) 災害等の防止又は発生した災害等による損害の防止等の功績により支払を受けるもの

イ　通常の職務の範囲内の行為によるものであるとき…………給与所得

ロ　その他のもの…………………………………………………………一時所得

(5) 篤行者として社会的に顕彰され使用者に栄誉を与えたことにより一時

に支払を受けるもの……………………………………………………一時所得

御質問の場合、あなたは、社員として事務の合理化のためのアイデアを会社に提出し、報償金を受け取られたのですから、あなたの職務の範囲内の行為と考えられ、その報償金は給与所得として取り扱われます。

転勤中に受ける自宅借上げ家賃

【問６-38】　私の勤務している会社では、自宅として使用する家屋を取得する場合には低利による融資を受けることができる制度が設けられています。

この度、転勤により５年前に購入した自宅に居住することができなくなったため、この低利融資が受けられなくなりましたが、その負担増加部分に相当する金額で、会社が自宅を借り上げてくれることとなりました。

私の場合、借上げの対価は、月1,500円程度となりますが、これは一種の家賃と思われますので、不動産所得として申告できますか。

【答】　所得税法では、不動産、不動産の上に存する権利、船舶又は航空機の貸付けによる所得は不動産所得とされています（所法26）。

しかしながら、御質問の借上げの対価は、実質的には不動産の貸付けの対価ではなく、転勤のため低利融資を受けることができなくなったことによる利子補給であるとのことですので、不動産所得には該当しないものと思われます。

したがって、その収入から、不動産所得の計算上必要経費となる減価償却費等の金額を差し引いて申告することはできません。

なお、給与の支払者から支払われる利子補給は給与所得に加算されることになります。

第４節　退職所得

死亡退職金

【問６-39】　会社役員をしていた配偶者が死亡してから３か月後に、相続人である私は、会社から配偶者の退職金として500万円を受け取ることになりました。
　この退職金には所得税が課税されますか。また、相続税との関係はどのようになりますか。

【答】　役員に支払われる退職手当等の収入すべき時期は、その支給について株主総会その他正当な権限を有する機関の決議を要するものについてはその役員の退職後その決議があった日とされています。ただし、その決議が退職手当等を支給することだけを定めるにとどまり、具体的な支給金額を定めていない場合には、その金額が具体的に定められた日とされています（基通36－10(1)）。

　しかしながら、退職の原因が死亡によるものである場合には、いずれにしても退職手当等の収入の時期はその死亡の日以後に到来することとなり、その死亡した役員に対する所得税の課税関係は生じないことになります。

　一方、相続税法では、被相続人の死亡によって取得した被相続人に支給されるべきであった退職手当金等で、被相続人の死亡後３年以内に支給額が確定したものについては、その支給を受ける者が相続又は遺贈によって取得したものとみなされて相続税が課税されることとなっています（相法３①二）。

　したがって、相続人であるあなたの相続税の申告に当たり、その退職金を相続財産に含めて計算する必要があります。

　この場合、その退職金の収入時期は配偶者の死亡後に到来しているのですから、その退職金を受け取ったあなたの所得となりますが、相続税法の規定によって相続税の課税価格計算の基礎に算入される退職手当等については所得税を課税しないものとして取り扱われています（基通９－17）から、あなたについても所得税の課税関係は生じないこととなります。

使用人から役員になった場合の退職金

【問６-40】　私は、このたびＡ社の取締役に就任することとなりましたが、その際、これまで20数年間同社の使用人として勤務していた期間の退職金として2,000万円を支給されました。
この場合、受け取った2,000万円は退職所得となりますか。

【答】　退職所得は、給与所得者が退職により一時に受ける給与であって、永年の勤務に対する報酬の性格を持つとともに、退職後の生活の支えとなるものであることから、担税力を考慮して給与所得と区分しています（所法30①②）。

ところで、御質問の場合、使用人であった勤続期間に対応して打切支給される給与は、退職に伴って支給されるものではありませんが、使用人から役員になった者に対し、その使用人であった期間の退職手当等として支払われる給与については、その後の退職に際して支払われることになる退職手当等の計算において、使用人であった勤続期間を一切加味しない条件がある場合に限って、退職所得とすることとされています（基通30－２(2)）。

したがって、支給された2,000万円が退職金として相当な金額であり、かつ、将来支給されることとなる退職手当の計算に際し、今回の退職金の計算基礎となった勤続期間が一切加味されないこととなっている場合には、退職所得に該当することとなります。

解雇予告手当

【問６-41】　私は、会社の業績不振のため、このたび突然解雇されました。その際に会社から予告手当として30万円の支払を受けました。

この予告手当30万円は、給与所得の収入金額となるのですか。

なお、私は、この会社から毎月30万円程度の給与を受け取っていました。

【答】　労働基準法第20条第１項では、原則として「使用者は、労働者を解雇しようとする場合においては、少なくとも30日前にその予告をしなければならない。30日前に予告をしない使用者は、30日分以上の平均賃金を支払わなければならない。」こととされています。

この規定により使用者から労働者に支払われるものが「解雇予告手当」と呼ばれるものです。

解雇予告手当は、平均賃金を基準として支払われますが、解雇、すなわち、退職を原因として一時に支払われるものであるため、その金額の多寡にかかわらず退職所得に該当することとされています（基通30－５）。

したがって、御質問の場合の予告手当30万円は退職所得として取り扱うこととなります。

退職金に代えて生命保険契約の名義を変更した場合

【問６-42】　株式会社Ａ社は、各役員を被保険者とする生命保険契約に加入しています（保険金受取人――法人）。

このたび、役員Ｂの退職に当たり、A社契約の生命保険契約を解約して退職金を支払うこととしましたが、Ｂからの申入れにより、退職金の支払に代えて契約の保険金受取人名義をＢに変更することにしました。

名義変更に伴う役員Ｂの課税関係はどのようになるのですか。

【答】　法人が契約者及び保険金受取人である生命保険契約を、被保険者である役員の退職に際し、名義をその役員に変更した場合には、その「保険契約に関する権利」が退職金とされます。

この場合の「保険契約に関する権利」は、その支給時において契約を解除したとした場合に支払われることとなる解約返戻金の額（解約返戻金のほかに支払われることとなる前納保険料の金額、剰余金の分配額等がある場合には、これらの金額との合計額）により評価することとされています（基通36－37）。

つまり、名義変更時において契約を解除したとした場合の解約返戻金相当額が退職所得の収入金額となります。

企業内退職金制度の改廃等に伴い支払われる一時金

【問６-43】　企業内退職金制度の改廃等によって打切支給が実施された場合、引き続き勤務する従業員に対して支払われる一時金は、どのように取り扱われますか。

【答】　退職所得とは、退職手当、一時恩給、その他の退職により一時に受ける給与及びこれらの性質を有する給与に係る所得をいいます（所法30①）。

これらの退職手当等は、本来退職しなかったとしたならば支払われなかったもので、退職したことに基因して一時に支払われることとなった給与をいいます。

したがって、退職に際し又は退職後に使用者等から支払われる給与で、その支払金額の計算基準等からみて、他の引き続き勤務している者に支払われる賞与等と同性質であるものは、退職手当等に該当しませんので、給与所得となります（基通30－１）。

ところで、引き続き勤務する役員又は使用人に対して退職手当等として一時に支払われる給与のうち、新たに退職給与規程を制定し、又は中小企業退職金共済制度若しくは確定拠出年金制度への移行等相当の理由により従来の退職給与規程を改正した場合において、使用人に対しその制定又は改正前の勤続期間に係る退職手当等として支払われる給与で、その後の退職に際して支払われることになる退職手当等の計算において、この給与の計算の基礎となった勤続期間を一切加味しない条件がある場合に限って、退職所得として取り扱われます（基通30－２(1)）。

したがって、企業内退職金制度の改廃等によって引き続き勤務する従業員に支払われる一時金が、上記の所得税基本通達30－２(1)の要件を満たす場合には、その従業員に退職の事実がない場合であっても、退職所得として取り扱われることになります。

退職することを権利行使の要件とするストックオプションの所得区分

【問６-44】　当社は、このたび、役員退職慰労金制度を廃止し、以後これに代えて当社の新株予約権を無償で付与することとしました（株主総会に付議し、旧商法第280条の21第１項に定める特別決議の承認を得ています。）。これは、実質的には退職金の代わりとなる性格のもので、以下の要件を付していることもあり、退職所得として取り扱ってよろしいでしょうか。

(要件)

・新株予約権の付与については、雇用契約又はこれに類する関係に基因し、過去の勤務実績に基づく在職役員に対して行われる。

・権利行使期間については、発行日から30年以内において退職を基因とし、かつ退職後１月以内に一括して行使することとなっている。

・新株予約権については、譲渡制限を付している。

・権利行使時の権利行使価額は、１株当たり１円とする。

【答】　役員等が発行法人との雇用契約又はこれに類する関係に基因して新株予約権を付与され、これを行使した場合の所得区分は、給与所得に該当することになります（基通23～35共－６(1)イ）。

ただし、退職後に当該権利の行使が行われた場合において、例えば、権利付与後短期間のうちに退職を予定している者に付与され、かつ、退職後長期間にわたって生じた株式の値上がり益に相当するものが主として供与されているなど、主として職務の遂行に関連を有しない利益が供与されていると認められるときは、雑所得とするとされています（基通23～35共－6(1)イただし書）。

ところで、退職手当等とは、本来退職しなかったとしたならば支払われなかったもので、退職したことに基因して一時に支払われることとなった給与をいうものとして取り扱われています（基通30－１）から、新株予約権の権利行使益が退職所得として取り扱われるためには、所得税法第30条第１項に規定する「退職により一時に受ける給与」として認められる必要があります。

御質問の場合、この新株予約権は、現実に役員を退任しなければ権利行使をすることができず、また、退任後１月以内という極めて短い期間に一括して権利行使をしなければなりません。譲渡についても制限があり付与者の恣意的判断も除かれていますので、上記に掲げる給与所得や雑所得に当たらず、退職所得として課税して差し支えないと思われます。

短期勤続年数に係る短期退職手当等

【問６-45】　私は、令和６年１月末に会社を退職しましたが、退職の際に、会社から退職手当の支払いを受けました。勤務した期間は４年間で、役員等ではありませんでした。この場合の退職所得金額の計算方法について教えてください。

【答】　退職所得とは、退職手当、一時恩給その他の退職により一時に受ける給与及びこれらの性質を有する給与（以下「退職手当等」といいます。）に係る所得をいいます（所法30①）。

退職所得の金額は、原則として、その年中の退職手当等の収入金額から退職所得控除額を控除した残額の２分の１に相当する金額ですが、退職手当等が「短期退職手当等」に該当する場合は、次の区分に応じてそれぞれ次に定める金額となります（所法30②）。

① 「退職手当等の収入金額－退職所得控除額」≦300万円の場合……当該残額の２分の１に相当する額

② 「退職手当等の収入金額－退職所得控除額」＞300万円の場合……150万円＋〔収入金額－（300万円＋退職所得控除額）〕

つまり、短期退職手当等について、①の場合は、従来どおり２分の１課税が適用されますが、②の場合は、300万円までの部分の金額の２分の１に相当する金額である150万円に、300万円を超える部分を加算した金額が退職所得の金額となりますので、300万円超の部分について２分の１課税の適用がなくなることとなります。

御質問の場合、あなたが退職に基因して会社から支払を受けた退職手当は、短期勤続年数に対応する退職手当であり、短期退職手当等に該当するため、退職手当等の収入金額から退職所得控除額を控除した残額が300万円以下になる場合は①で、残額が300万円を超える場合は②で計算することになります。

（注）　上記の「短期退職手当等」とは、退職手当等のうち、退職手当等の支払をする者から短期勤続年数（勤続年数のうち、役員等以外の者としての勤続年数が５年以下であるものをいいます。）に対応する退職手当等として支払を受けるものであって、特定役員退職手当等に該当しないものをいいます（所法30④、所令69の２①）。

「役員等」とは、次の者をいいます（所法30⑤）。

①　法人の取締役、執行役、会計参与、監査役、理事、監事及び清算人並びにこれら以外の者で法人の経営に従事している一定の者

②　国会議員及び地方公共団体の議会の議員

③　国家公務員及び地方公務員

第５節　山林所得

素材業による所得

【問６-46】　私は、山林所有者から伐採期の立木を買い入れ、これを伐採して製材業者等に販売するいわゆる素材業を営んでいます。

私は、毎年、素材業による所得を事業所得として申告していますが私の先代が30年前に植林して、現在山林地とも私の所有となっている立木が伐採期となりましたので、これを伐採し、販売しました。

この場合の所得も事業所得となるのでしょうか。

【答】　山林の伐採又は譲渡による所得は、通常、植林から伐採等による所得の実現に至る期間が非常に長く暦年ごとに計算する所得になじまないところから、これを山林所得とし、所得税の計算に当たっては５分５乗方式による有利な取扱いが認められています（所法32①、89①）。

しかしながら、山林を取得して伐採又は譲渡に至る期間が短い場合は趣旨にそわないことになりますから、所得税法上、山林の保有期間が５年以内に生じた所得は山林所得から除外されています（所法32②）。

あなたの営む素材業（造材業）は、他人の立木を買い入れ、伐木、造材から販売までが経営の一サイクルであり、山林の保有期間が短いので山林所得ではなく、事業所得として申告されていることは適法と考えられます。

ところで、あなたが相続した山林を伐採して販売したことによって生じた所得は、植林から販売までの全所得がその販売した時の素材業の所得となりますが、植林から伐採までの所得は山林所得とし、造材から販売までの所得は事業所得として差し支えありません。この場合、山林所得の金額は、伐採した原木を製材業者の原木貯蔵場等に運搬した時のその原木貯蔵場等における価額を基に計算し、事業所得の金額は、その価額を原木の取得価額として計算します。（基通23～35共－12）。

なお、所得税法では、相続によって取得した山林はその相続人が引き続き所有していたものとみなされ（所法60①一）、御質問の山林は相続人であるあなたが30年前から引き続き保有していたことになりますから、山林所得となるべき「５年を超える保有期間」の要件を満たしているといえます。

分収造林による所得

【問６-47】　私は土地の所有者として、知人Ａがその土地に造林することを認め、その山林の伐採又は譲渡による利益は一定の割合で分割収受することとし、その代わり、育成期間中は土地の使用料は受け取らない旨の契約をＡとの間に締結しています。

この契約に従えば、私の土地の賃貸による所得はその山林の伐採等によって一時に生ずることとなり、課税上不利な取扱いを受ける結果になりますが、何か特別な取扱いは認められないでしょうか。

【答】　土地の所有者、土地の所有者以外の者でその土地につき造林を行う者（造林者）の二者又はこれに造林の費用を負担する者（費用負担者）を加えた三者が、その山林の伐採又は譲渡による収益を一定の割合により分収することを約して締結する契約を分収造林契約といいます。

通常は、土地の所有者が造林者に土地を提供することは不動産の賃貸に相当してその所得は不動産所得となり、また費用負担者がその費用に充てるために金銭を提供することは金銭の貸付けに相当して、その所得は事業所得又は雑所得となります。

しかしながら、分収造林契約は、収益が一定の割合に従って分配され、植栽した樹木は各契約当事者の共有であることが要件とされています（分収林特別措置法２①）ので、その実質は山林の共同経営に等しいことになります。しかも、この経営に基づく所得はいずれもその山林の伐採又は譲渡のときにしか実現しないところから、このような分収造林契約に基づいてその契約の目的となった山林の伐採又は譲渡による収益をその契約において定めている一定の割合によって分収する金額は、山林所得の収入金額に算入するものと定められています（所令78の２①②）。

御質問の契約もおそらく分収造林契約に相当するものと思われますので、その山林が５年以内に伐採又は譲渡したり、契約期間中に対価の支払を受けるなどの場合（所令78の２③）を除き、この契約に基づく所得は、あなたが土地の提供者であっても、山林所得として取り扱われ、不動産所得に比べて課税上有利な計算ができることになります。

山林所得の概算経費控除

【問６-48】 20年前に植林した山林を、本年、伐採して譲渡しました。
保有期間中の育成費や管理費などの記録が残っていませんので、山林所得の計算が非常に面倒ですが、簡便な計算方法があれば教えてください。

【答】 山林所得は、山林を長期間にわたり育成することに基づいて生ずる所得であり、このような長期間の必要経費の計算には、御質問のように明確にできない部分も生ずることが予想されます。

したがって、個人が、その年の15年前の12月31日以前から引き続き所有していた山林を伐採又は譲渡した場合には、その個人の選択により、その山林所得の金額の計算上、総収入金額から控除すべき必要経費は、その伐採又は譲渡による収入金額（その伐採又は譲渡に関し、伐採費、運搬費、仲介手数料その他の費用を要したときは、その収入金額からそれらの費用の金額を控除した金額）に概算経費率を乗じて算出した金額（収入金額から控除した伐採費等の金額又はその年に生じた被災事業用資産の損失の金額があるときは、これらの金額を加算した金額）とすることができることとされています（措法30①、措規12①）。

この場合に適用する概算経費率は、財務省令により50％と定められています（措法30④、措規12②）。

御質問の場合も、この適用がありますから、その定められた概算経費率によって必要経費の計算ができることとなります。

なお、この適用を受けるためには、確定申告書にその旨を記載することが要件とされていますから、注意してください（措法30③）。

（注）概算経費控除による山林所得の金額の計算式は、次のとおりです（措通30－２）。

総収入金額－｛(総収入金額－伐採費・運搬費・譲渡費用)×概算経費率＋伐採費・運搬費・譲渡費用＋被災事業用資産の損失｝－山林所得の特別控除＝山林所得

第６節　譲渡所得

借地権の譲渡

【問６-49】　借地の上に店舗を建築し、15年前から喫茶店を経営してきましたが、事業の都合で他へ移転することになり、地主の承諾を得て、この建物をレストランを経営する人に譲渡することとしています。

私の受領する金額は、建物の代価と借地の権利に相当する代価とを併せたものですが、借地の権利の売却による所得も譲渡所得になりますか。

【答】　譲渡所得の基因となる資産は、立木や販売目的で所有する資産、金銭債権などを除く一切の資産をいうものとされています（所法33②、基通33－１）から、事業の用に供する土地、建物、船舶、機械器具等の固定資産、販売以外の目的で飼育する生物はもとより、借地権、地上権、工業所有権等の無体財産権も含まれ、更に、書画骨とう、貴金属、宝石類その他の価値保存を目的とした動産も対象となります。

したがって、御質問の場合も当然、借地権の売却による譲渡所得として計算します。

なお、土地建物等に係る譲渡所得の税額の計算は他の所得と分離した上で一定の税率を乗じて行うこととされており、この土地建物等の範囲には借地権等の土地の上に存する権利も含まれているところから、あなたの建物及び借地権に係る譲渡所得もこの分離課税の方式で計算することになります（措法31、32）。

また、分離課税の対象となる譲渡所得は、その基因となった資産がその年１月１日において所有期間が５年を超えるものの譲渡をした場合には長期譲渡所得、それ以外の場合を短期譲渡所得として区分し、それぞれ異なる計算方法によって税額を計算します。

御質問の場合は長期譲渡所得に該当しますので、次に掲げる算式により、課税長期譲渡所得金額を算出します。

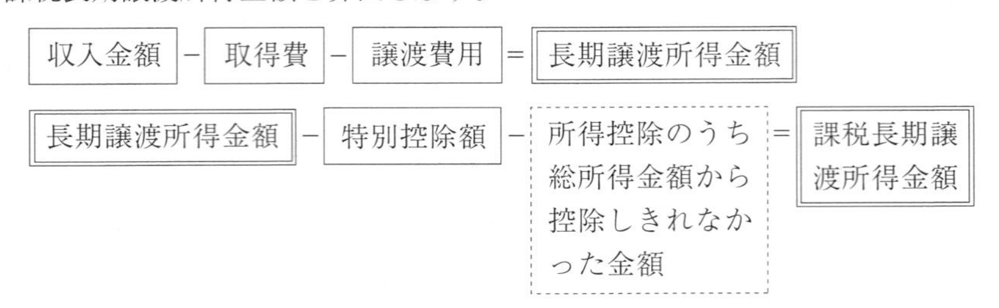

借地権の更新料としての貸地の一部返還

【問６-50】　150坪の土地を貸しておりますが、このほど、契約期限が満了となり、借主に更新料として300万円請求したところ、資金繰りの都合で支払えないから、土地の一部（50坪、借地権価額200万円）の返還を受けました。

この場合にも、返還を受けた部分について課税されますか。

【答】　借地権の更新料は不動産を使用させる対価ですから金銭によって収受する場合はもちろん、物又は権利その他の経済的利益によって収受する場合も、課税の対象となります（所法36）。

また、その金銭以外の物又は権利その他の経済的利益は、収受する時の時価をもって収入金額とすることは【問９－２】で述べるとおりです。

したがって、借地権の契約更新の対価として受け取ることになる借地権設定の一部解除による利益相当額、すなわち返還を受ける借地権の時価相当額200万円は、返還を受けた年分の不動産所得の収入金額とされるわけです。

ところで、更新料の対価として受け取る額が相当多額になっている場合で収受される金銭等の額が引き続き貸し付ける土地の更地価額の２分の１を超えるときは、所得税法施行令第79条に規定する権利金の収受があったものと同様にみて譲渡所得として課税されることになっています（基通26－６）。

なお、更新料として支払った借地権者の課税関係は、その土地がいかなる業務の用に供されているかの区分により、次の算式により計算した額が、その業務に係る各種所得の金額の計算上必要経費に算入されることになります（所令182①）。

$$当該借地権の取得費 \times \frac{更新料の額}{更新時における当該借地権の時価}$$

更に、返還した借地権部分については、借地人に対して更新料相当額を基として譲渡所得の課税が行われることになります。

借家の明渡しによる立退料

【問６-51】　家主の都合により住居として10年間使用してきた借家を明け渡すこととなり、その際、家主から立退料を受け取りましたが、交渉の過程ではその立退料がどのような内容の補償であるかを特に明らかにして要求したわけではありませんので、これを何所得とするか迷っています。その判定方法を教えてください。

【答】　借家を明け渡すことによって受け取る立退料の性質は、おおむね①立退きのための費用の弁償　②借家権の消滅の対価　③事業者の場合の営業補償とに区分することができますが、通常はこれらの性質の２以上が混在することが多く、所得計算に当たっては、その実質に従って立退料の金額を区分しなければならない場合が生じます。

仮に、これらの区分が形式、内容とも明確になったとした場合は、①については一時所得、②については譲渡所得、③については事業所得となり、それぞれ定められた計算方法によって所得金額を計算することになり、その区分の方法について、所得税基本通達では、立退料の全額から②に相当する金額及び③に相当する金額を控除した残額をもって①に相当する金額とし、これを一時所得として課税対象とする考え方が示されています（所令95、基通33－６、34－１(7)）。

御質問のように、立退料の金額のうち借家権の対価に相当する金額がどうしても明らかに区分できない場合には、実務上、立退料の全額から、立ち退くために実際に要した費用を控除した残額を借家権の対価とする方法をとることもやむを得ないものと考えられます。

しかしながら、借家権については、借家権の取引慣行がある地域においてはその立退料のうち借家権の消滅の対価に該当する金額は譲渡所得に該当しますが、借家権の取引慣行がない地域においては、その金額は一時所得に該当することとなります。

なお、借家権の対価に係る譲渡所得は、土地建物等の譲渡に該当しませんから、総合課税の長期譲渡所得（保有期間５年以下の場合は短期譲渡所得とされます。）として計算することになります。

総合課税の長期譲渡所得は、総収入金額から取得費、譲渡費用を差し引いた残額（譲渡益）に、更に特別控除（50万円又は譲渡益のいずれか少ないほうの金額）を控除して算出します。また、他の所得と総合するときは、この金額に２分の１を乗じて総所得金額を計算することとなっていますが、短期譲渡所得の場合には、この２分の１課税は認められません（所法33③～⑤、22②二）。

砂利の採取をさせたことにより得た所得

【問６-52】 砂利採取業者から、砂利の採取をするために私の所有する農地（水田）を１年間貸してほしいという強い要請があり、仕方なく1,000㎡だけ貸し付ける契約をして、賃貸料50万円と稲作補償金20万円を受け取りましたが、これらの収入は何所得となりますか。

なお、地中の砂利を掘削した後は砂利採取業者がその穴を埋め戻し、水田として利用できるように原状に復して返還することとしています。

【答】 土地の所有者が、自己の土地の地表又は地中の土石、砂利などを他に譲渡した場合に生ずる所得については譲渡所得となります。

ただし、その土石等の譲渡が棚卸資産の譲渡その他営利を目的として継続的に行われていると認められるときは、事業所得又は雑所得となります（基通33－６の５）。

また、土地の所有者から土石等の地下採掘権を譲り受けた者が、採掘した土石等を譲渡した場合の所得については、棚卸資産又は棚卸資産に準ずる資産の譲渡による所得に該当するものと認められますから、事業所得又は雑所得に該当します。

したがって、御質問の場合は、形式的には土地を貸し付けた契約をされていますが、実質は砂利採取業者に対して地中に埋蔵されている砂利を譲渡した対価として支払を受けたものであり、譲渡所得となります。

また、稲作補償金20万円は、砂利採取業者が砂利を採取するため１年間は農耕を休止しなければならないため支払を受けるものであり、農業所得の補償として事業所得となります（所令94①二）。

不動産売買業の廃業後に譲渡した土地の所得

【問６－53】　昨年、個人で営んでいた不動産売買業を法人経営に組織変更し、個人事業を廃止する旨を所轄の税務署に届け出ました。

その際、個人事業当時に棚卸資産として所有していた土地の一部を将来、居宅の敷地に利用するつもりでその法人に引き継いでいませんでしたが、今年になって、その土地の買手が現れたので売却することにしました。

私は既に廃業しているので、この土地の譲渡による所得は譲渡所得として申告すればよいのですか。

【答】　個人事業の廃止は、法人事業の廃止のように、解散から清算へ移り最後に登記抹消といった一連の手続が踏まれませんから、けじめのつかない場合が多くみられます。

事業の廃止を実質に即して考えてみれば、これまで続けられてきた事業活動を一切廃止することにほかならず、ここで、事業活動を廃止することは、販売業の場合は、その有する棚卸資産の一切を処分することをもって一応の区切りと考えることができます。

したがって、販売活動が終了してもまだ売掛金や受取手形の債権が残存している場合に、その回収を行うのは廃業後における一種の清算事務ということができ、一方、廃業届を提出しても、残存している棚卸資産をその後に処分した場合は、本来の廃業がその時点で行われたとみるのが実質に即していると考えられます。

この場合、「棚卸資産の一切の処分」とは、必ずしも一品残さず販売することだけをいうのではなく、例えば、残品を家事に使用したり、残品の処分に当たり、家事のために使用する予定の商品を除いて他を販売したような場合には、いずれもその棚卸資産を家事に使用したことをもってその事業活動が終了したものといえます。

ところで、あなたの場合は、棚卸資産として有していた土地を家事に使用しないまま他に販売したわけですから、通常は、事業活動がこの時点で終了したとみることが相当であり、その販売による利益は、譲渡所得ではなく、事業所得として課税されるものと考えられます（所法33②一）。

土地の造成販売による所得

【問６-54】　都市近郊の農家ですが、戦前から所有していた３ヘクタールの農地を整地し、宅地に造成した上で分譲しています。

私は不動産売買業の資格がないので、造成販売はいずれも業者に依頼していますが、この所得は譲渡所得になるのでしょうか。

【答】　土地の譲渡によって生じた所得は、通常、譲渡所得として課税され、その土地が譲渡した年の１月１日において所有期間が５年を超えていた場合には、長期間にわたり自然に醸成された値上がり益が一挙に課税されることによる過重な税負担を軽減する目的から、比較的軽い税率が適用されるなど、その軽減措置が図られています（【問６-49】参照）。

しかしながら、販売目的で棚卸資産として保有している土地を譲渡したり、営利を目的として継続的に土地の譲渡を行ったような場合の所得には、もはや課税の上で考慮されるべき要素が失われていますから、これらの所得は譲渡所得としては取り扱われず（所法33②）、その販売の規模等に応じ、事業所得又は雑所得として課税されることになっています。

ここで販売目的で棚卸資産として保有している土地とは、通常、不動産売買業者や建売業者が販売目的で保有する土地をいいますが、固定資産として保有している林地その他の土地であっても、相当規模（おおむね3,000㎡超）にわたり、これらの土地に区画形質の変更を加えたり、水道その他の施設を設け宅地等として譲渡した場合、又は、その土地に建物を建設して譲渡した場合には、その譲渡による所得は、棚卸資産又は棚卸資産に準ずる資産の譲渡による所得として取り扱われ、その全部が事業所得又は雑所得として課税されることになります（基通33－４）。

しかしながら、その区画形質の変更等をした土地が極めて長期間にわたって保有されていたものであるときには、その土地の譲渡による所得のうち、区画形質の変更等によって生じた値上がり益に対応する部分だけを事業所得又は雑所得とし、その他の部分を譲渡所得とする取扱いが認められています。この場合の譲渡所得の収入金額は、その区画形質の変更等に着手する直前の時価とし、更に、その譲渡に要した費用はすべて事業所得又は雑所得の必要経費として計算することになっています（基通33－５）。

御質問の場合は、その区画形質の変更の規模も相当大きいところからその全てを譲渡所得として申告することは認められず、その土地の保有期間の長短に応じ、上記に従って所得の種類を判定することになります。

タクシー営業権の譲渡による所得

【問６-55】　個人タクシー業者ですが、近く廃業するに際し、自動車と個人タクシーの権利を、一括して他人に譲渡しようと思います。

譲渡価格は次のとおりですが、この譲渡による所得は何所得になりますか。

(1) 自動車　１台　60万円　　(2) 個人タクシーの権利　150万円

【答】　譲渡所得の基因となる資産には、棚卸資産、棚卸資産に準ずる資産（貯蔵品、作業くずなど）及び金銭債権を除く一切の資産が含まれ、行政官庁の許可、認可、割当て等により発生した事実上の権利も含まれるものとされています（基通33－１）。

個人タクシーの権利は、個人タクシーを営業することの許可を受けることによって事実上発生した権利であり、その譲渡による所得は、譲渡所得の収入金額となります。

また、自動車の譲渡収入も譲渡所得の収入金額となりますから、この場合、その自動車の未償却残額が、取得費として収入金額から差し引かれます（所法38②）。

なお、いずれも保有期間５年を超えていれば、総合課税の長期譲渡所得として２分の１課税となります（所法22②二）。

譲渡所得の収入金額の計上時期

【問６-56】 私は本年、農地の譲渡契約をし、代金の全額を受領しましたが、契約上農地法第５条による転用許可の日を引渡日としており、その許可の日は、現在のところいつになるか分かりません。

転用許可がなかった場合、農地の譲渡を本年のものとして申告することができますか。

【答】 譲渡所得の収入金額の計上時期は、原則として、その基因となった資産を引き渡した日とされています（基通36－12）。

しかしながら、棚卸資産のように反復継続して取引される場合と異なり、引渡しの日をもって収入すべき日として画一的に取り扱うこととしなくても課税上さしたる弊害もないことから、納税者が契約の効力発生日により計上して申告している場合には、これを認めることとされています（基通36－12ただし書）。

また、譲渡するには、農地法第３条又は第５条による許可又は届出を必要とする農地等の譲渡所得の収入金額は、納税者が、当該農地等の譲渡に関する契約が締結された日により計上して申告しているときは、これを認めることとされています（基通36－12ただし書）。

したがって、御質問の場合には、農地法による許可等又は引渡しがなくても農地の売渡契約を締結した本年分の譲渡として申告することができます。

固定資産の交換の場合の譲渡所得の特例

【問６-57】　甲と乙は、農地法第３条及び第５条による許可を得ましたので、それぞれ10年来耕作していた畑と田を交換しました。甲は、交換によって取得した田を、取得後水田として使用していますが、乙は、取得した畑にアパートを建てています。

この場合、交換による取得資産の用途と交換による譲渡資産の用途とは、完全に同一とはいえませんが、固定資産の交換の場合の譲渡所得の特例の適用は認められますか。

なお、交換した畑と田は、いずれも時価が同程度であったため交換差金の授受はありません。

【答】　資産を交換した場合には、交換により取得した資産（以下「交換取得資産」といいます。）の価額（交換差金を受け取り又は支払っている場合は、それぞれの金額を加減した金額）を交換により譲渡した資産（以下「交換譲渡資産」といいます。）に係る譲渡所得の収入金額として計算することになっています。

しかしながら、１年以上所有していた次の種類の固定資産を他の人が１年以上所有していた同種の固定資産（交換のために取得したものは除かれます。）と交換し、交換取得資産を交換譲渡資産の譲渡直前の用途と同一の用途に供した場合で、交換差金の額が、交換譲渡資産の価額と交換取得資産の価額のいずれか多い価額の20％以下である場合には、資産の同一性が損なわれている面が少ない点、固定資産の性質及び担税力等を考慮して、納税者の選択により、譲渡（収受した交換差金に対応する部分は除かれます。）は、なかったことにすることとされています（所法58）。

(1)　土地（建物又は構築物の所有を目的とする地上権及び賃借権、農地法に規定する農地の上に存する耕作権を含む。）

(2)　建物（建物に附属する設備及び構築物を含む。）

(3)　機械及び装置

(4) 船　舶

(5) 鉱業権（租鉱権及び採石権、その他土石を採掘し又は採取する権利を含む。)

ところで、交換取得資産を交換譲渡資産の譲渡直前の用途と同一の用途に供したかどうかは、交換資産が土地の場合、その用途を宅地、田畑、鉱泉地、池沼、山林、牧場又は原野、その他に区分し、交換譲渡資産の交換直前の用途と交換取得資産の用途がいずれも同一の区分に属するかどうかによって判定することとされています（基通58－６(1))。

これによれば甲、乙の交換譲渡資産の交換直前の用途及び甲の交換取得資産の用途は田畑の区分に属しますが、乙の交換取得資産はアパートの敷地として使用されていますから、宅地の区分に属します。

したがって、甲は、交換取得資産を交換譲渡資産の交換直前の用途（田畑）と同一の用途に供したことになりますから、この特例の適用が認められますが、乙は、交換取得資産を交換譲渡資産の交換直前の用途（田畑）と同一の用途に供したことになりませんから、この特例の適用は認められず、交換取得資産の時価を収入金額として譲渡所得の申告が必要になります。

保証債務を履行するための資産の譲渡

【問６-58】 友人Ａの債務保証をしていたところ、Ａが事業に失敗し、借入金の返済が不能となったため、債権者から私に返済請求がありました。

急なことでしたので、いったん銀行から借入れをして友人Ａの債務を返済し、銀行へは、後日私所有の土地を譲渡して返済しました。

この場合、保証債務を履行するための資産の譲渡に該当しますか。

【答】 保証債務を履行するため資産の譲渡（譲渡所得の対象となる借地権の設定を含みます。）があった場合において、その履行に伴う求償権の全部又は一部を行使することができないこととなったとき、その行使することができないこととなった金額に対応する部分の金額は、譲渡所得の金額の計算上譲渡がなかったものとみなされます（所法64②）。

この保証債務を履行するために資産の譲渡があった場合とは、原則として、資産を譲渡した後、その譲渡代金により保証債務の履行がなされる場合をいい、履行後に資産を譲渡した場合はこれに該当しません。

しかしながら、資産の買手がなかなか見つからない場合等のように、資産の譲渡により保証債務の履行が先行する場合も少なくありません。

そこで、借入金を返済するための資産の譲渡が、保証債務を履行した日からおおむね１年以内に行われている等、実質的に保証債務を履行するためのものであると認められるときは、保証債務を履行するために資産の譲渡があった場合に該当するものとして取り扱われています（基通64－５）。

したがって、御質問の場合も友人Ａに対する求償権の行使ができないとすれば、保証債務を履行するための資産の譲渡に該当します。なお、銀行からの借入金についての利息は、資金調達のための費用ですから、保証債務の履行の金額には含まれません。

収用交換等の特別控除の順序

【問６-59】　10年前に父から相続により取得した農地とこれに隣接する宅地及びその宅地上の居住用建物が、収用によって市に買収され、補償金を取得した個人が、収用等の場合の譲渡所得に係る5,000万円控除の適用を受ける場合、農地、宅地、居住用建物の各々の譲渡所得からどのような順序で控除されますか（譲渡所得の合計は、7,000万円になります。）。

【答】　収用交換等の場合の譲渡所得等の5,000万円の特別控除の適用に関し、その対象となる資産の譲渡が２以上ある場合は、5,000万円に至るまで、次の順序で、それぞれに掲げる金額の計算上控除することとされています（措通36－１）。

(1)　分離課税の短期譲渡所得の金額

(2)　総合課税の短期譲渡所得の金額

(3)　総合課税の長期譲渡所得の金額

(4)　山林所得の金額

(5)　分離課税の長期譲渡所得の金額

また、分離課税の長期譲渡所得のうちに、優良住宅地の造成等のために土地等を譲渡した場合の長期譲渡所得の課税の特例又は居住用財産を譲渡した場合の長期譲渡所得の課税の特例の適用があるものと、それらの適用がないものとがある場合には、まず、それらの適用がないものから控除し、次に優良住宅地の造成等のために土地等を譲渡した場合の長期譲渡所得の課税の特例又は居住用財産を譲渡した場合の長期譲渡所得の課税の特例を受けるものから順次控除することとされています。

ただし、納税者がこの取扱いと異なる計算をしたときは、その計算を認めることとされています（措通31－１）。

ところで、御質問の場合には、収用による買収を受けていますので、その譲渡所得の譲渡益は、居住用財産に係るものと優良住宅地の造成等のために譲渡した土地等に係るものから成るものとされます。

これらの譲渡については、税率に関する特例の取扱いがありますが、これらを比較しますと、居住用財産を譲渡した場合の長期譲渡所得の課税の特例（措法31の３）（税率：課税長期譲渡所得が6,000万円までの部分は10％、6,000万円を超える部分は15％）のほうが、優良住宅地の造成等のために土地等を譲渡した場合の長期譲渡所得の課税の特例（措法31の２）（税率：課税長期譲渡所得が2,000万円までの部分は10％、2,000万円を超える部分は15％）よりも低率となっていますので、御質問の場合の特別控除は、まず、農地に係る譲渡益から控除し、その譲渡益が5,000万円に満たないときは、その満たない金額の範囲で宅地と居住用建物の譲渡益から控除するのがよいでしょう。

家屋の所有者と敷地の所有者が異なる場合の居住用財産の特別控除

【問６－60】　ＡはＢの土地に住居を建て、父とともに住んでいましたが、このたび、この土地建物を一括して譲渡しました。

この譲渡による譲渡代金は、建物1,500万円、土地3,000万円で、譲渡益は、建物500万円、土地2,500万円となりました。

この場合、居住用財産の3,000万円の特別控除は、どのような順序でいくら認められますか。

【答】　土地に対する居住用財産の3,000万円の特別控除は、個人が居住の用に供している家屋とその敷地の用に供している土地又は借地権（以下「土地等」といいます。）のいずれも所有し、かつ、これを一体として譲渡した場合に適用されることとされていますから、家屋の所有者と土地の所有者が異なる場合の土地の譲渡については、原則として適用されません。

しかしながら、その家屋の譲渡益が3,000万円に満たず、かつ、次の要件の全てに該当する場合に限り、その満たない金額の範囲内で、その家屋の所有者以外の者が所有する敷地の譲渡所得の計算上、その残額を控除することとされています（措通35－４）。

(1) その家屋とともにその敷地の用に供されている土地等の譲渡があったこと

(2) その家屋の所有者とその土地等の所有者とが親族関係を有し、かつ、生計を一にしていること

(3) その土地等の所有者は、その家屋の所有者とともにその家屋を居住の用に供していること

なお、(2)及び(3)の要件に該当するかどうかは、その家屋の譲渡の時の状況により判定します。ただし、その家屋がその所有者の居住の用に供されなくなった日から同日以後３年を経過する日の属する年の12月31日までの間に譲渡されたものについて、(2)の要件に該当するかどうかは、その家屋がその所有者の居住の用に供されなくなった時からその家屋の譲渡の時までの間の状況により、(3)の要件に該当するかどうかは、その家屋がその所有者の居住の用に供されなくなったときの直前の状況により判定します。

したがって、御質問の場合には、まず、Ａの建物の譲渡益500万円について居住用財産の3,000万円の特別控除を適用し、次に、Ｂはその家屋の所有者ではありませんが、Ａの譲渡益が3,000万円に満たず、かつ、上記の要件の全てに該当しますからＡの譲渡益から控除しきれなかった2,500万円をＢの譲渡益2,500万円から控除することとなります。

同一年中における２以上の居住用財産の譲渡

【問６-61】　私は、本年３月に20年来居住していた家屋とその敷地を3,000万円で譲渡し、その譲渡代金に銀行借入金を加えて、４月に新たに分譲住宅を4,000万円で取得し居住しました。

ところが、個人事業が不振に陥り、運転資金が必要となったため、この土地建物を処分しなければならなくなり、本年９月に4,500万円で譲渡しました。

この場合、私は同一年中に２度にわたって居住用財産を譲渡していますが、居住用財産の3,000万円の特別控除の計算はどのようになるのでしょうか。

【答】　居住用財産を譲渡した場合の3,000万円控除の特例は、居住用財産を譲渡した場合又は居住用財産で、その居住の用に供さなくなったものをその居住の用に供さなくなった日以後３年を経過する日の属する年の12月31日までの間に譲渡した場合で、その譲渡した日の属する年の前年又は前々年において、既にこの特例又は特定の居住用財産の買換えの場合の長期譲渡所得の課税の特例（措法36の２）、特定の居住用財産を交換した場合の長期譲渡所得の課税の特例（措法36の５）、居住用財産の買換え等の場合の譲渡損失の損益通算及び繰越控除（措法41の５）若しくは特定居住用財産の譲渡損失の損益通算及び繰越控除（措法41の５の２）の適用を受けていない場合に限り適用が受けられることになっています（措法35①、②）。

この特例は、特定の居住用財産について認めるものではなく、その年分において譲渡された居住用財産について認められるものです。

したがって、あなたの場合、同一年中に２度にわたって居住用財産を譲渡されていますから、双方にこの適用があることになります。この場合の特別控除額は3,000万円を限度とし、まず、９月に譲渡された家屋の短期譲渡益から控除し、残余の特別控除額を３月に譲渡された家屋の長期譲渡益から控除します（措通36－１）。

２棟の家屋を居住の用に供していた場合の譲渡

【問６-62】　私は、15年前に家屋Ａを建築し、その後引き続き居住の用に供してきましたが、子供も大きくなり手狭になりましたので、３年前に、同一敷地内に隣接して家屋Ｂを新築し、子供（高校生、中学生）の勉強部屋及び寝室として使ってきました。

今回、この家屋Ａ及びＢを同時に譲渡しましたが、双方について、「居住用財産の譲渡所得の特別控除」の適用を受けることができますか。

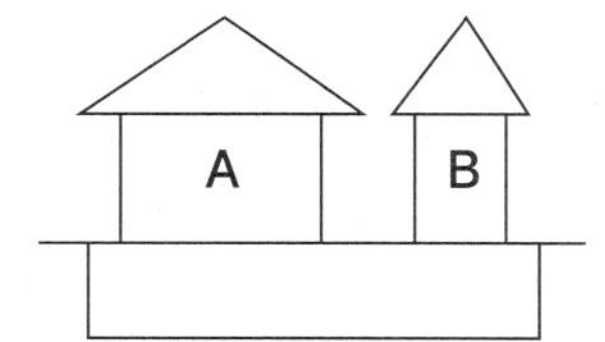

【答】　住居用家屋を２以上有する場合には、これらの家屋のうち、その者が「主としてその居住の用に供していると認められる一の家屋」のみが、特別控除の適用対象となる家屋に該当します（措令23①、20の３②）。

ところで、その者が２以上の家屋を有するかどうかは、物理的に２棟の建物を有しているかどうかにより判定するものではありません。

その有する２棟以上の建物が隣接しており、かつ、これらの建物の構造、設備若しくは規模、家族の構成若しくはその生計の状況又はこれらの建物の使用状況その他の状況からみて、その２棟以上の建物が一体としての機能を有する一構えの家屋と認められる場合には、その２棟以上の建物は「一の家屋」として取り扱うことが相当です。

したがって、御質問の場合、家屋Ａ及び家屋Ｂは、一体としての機能を有する一構えの家屋と認められますので、双方について「居住用財産の譲渡所得の特別控除」の適用を受けることができます。

一時的に貸し付けた住宅と居宅用財産の特別控除

【問６-63】　今年の５月から生活環境の整った郊外に、住宅を取得し住んでいます。それまで住んでいた住宅については、適当な買手がないため、勤務先に一時的に貸し付けていますが、２年以内には売却したいと思っています。

いったん貸し付けた後に売却した場合には、貸付けの期間が短くても、居住用財産の3,000万円の特別控除の適用はできませんか。

【答】　居住用財産の譲渡所得の3,000万円の特別控除は、次に掲げる譲渡が行われた場合に適用されることになっています（措法35②）。

(1)　個人が、現に自己の居住の用に供している家屋を譲渡し又はその家屋とともにその敷地の用に供されている土地や土地の上に存する権利（以下「土地等」といいます。）の譲渡（譲渡所得の基因となる不動産等の貸付けを含みます。以下同じ。）をした場合（措法35②一）

(2)　㋑災害により滅失した自己の居住の用に供している家屋の敷地の用に供されていた土地等の譲渡、㋺その居住の用に供している家屋でその居住の用に供されなくなったものの譲渡又は㋩その家屋とともにその家屋の敷地の用に供されている土地等の譲渡が、これらの家屋を自己の居住の用に供されなくなった日から同日以後３年を経過する日の属する年の12月31日までの間に行われている場合（措法35②二）

なお、(2)の場合においては、自己の居住の用に供されなくなった日以後貸し付けるなど他の用途に供されている場合であっても特別控除の適用があることとなっていますし（措通31の３－14、35－５）、自己の居住の用に供している家屋（その家屋で居住の用に供されなくなったものを含みます。）を取り壊して、その敷地の用に供されていた土地等を譲渡した場合においても、その取壊し後その土地等の上にその土地等の所有者が建物等を建築しその建物等とともに土地等を譲渡する場合を除き、その土地等の譲渡が次の①及び②の要件をすべて満たすときは、その土地等の譲渡についてこの特別控除の適用があることになっています（措通35－２）。

①　その土地等の譲渡に関する契約が、その家屋を取り壊した日から１年以内に締結され、かつ、その家屋を居住の用に供さなくなった日以後３年を経過する日の属する年の12月31日までに譲渡したものであること

②　その家屋を取り壊した後譲渡に関する契約を締結した日まで貸付けその他の用に供していない土地等の譲渡であること

ただし、その居住の用に供している家屋の敷地の用に供されている土地等のみの譲渡であっても、その家屋を引き家してその土地等を譲渡する場合には、その譲渡には3,000万円の特別控除の適用はありません。

以上のことから、御質問の場合は、取壊しをするかどうかは明らかではありませんが、居住用の家屋を居住の用に供さなくなった日から３年を経過する日の属する年の末日までに取り壊さずに譲渡した場合には、その家屋をその間貸家として使用していても3,000万円の特別控除の適用が受けられることになります。

ただし、その年の前年又は前々年において既にこの特別控除や特定の居住用財産の買換え・交換の特例等を受けている場合は、適用が受けられません。

店舗併用住宅を譲渡した場合の特別控除

【問６-64】　私は今年店舗併用住宅とその敷地を譲渡しました。譲渡による所得金額は、次のとおりです。

この場合、居住用財産の3,000万円の特別控除はどのように適用されますか。

分離課税の長期譲渡所得金額	4,000万円
うち住宅部分に対応する金額	2,000万円
うち店舗部分に対応する金額	2,000万円

【答】　居住用財産の3,000万円の特別控除は、店舗併用住宅とその敷地を

譲渡した場合には、建物の住宅部分とその敷地のうちの住宅部分に対応する部分についてだけ適用されることとされています（措法35②一、措令23①、20の３②）。

また、その年中の資産の譲渡について、２以上の特別控除の適用があるときは、5,000万円を限度として、それぞれ次に掲げる順序により特別控除を適用することとされています（措法36①、措令24）。

(1)　収用交換等の5,000万円控除（措法33の４①）

(2)　居住用財産の3,000万円控除（措法35①）

(3)　特定土地区画整理事業等の2,000万円控除（措法34①）

(4)　特定住宅地造成事業等の1,500万円控除（措法34の２①）

(5)　平成21年及び平成22年に取得した土地等の1,000万円控除（措法35の２①）

(6)　農地保有合理化等の800万円控除（措法34の３①）

(7)　低未利用土地等の100万円控除（措法35の３①）

したがって、御質問の場合は、まず居住用財産の3,000万円の特別控除を適用することとなりますが、居住用財産の特別控除として控除する金額は、3,000万円と居住用財産に係る譲渡所得の金額とのいずれか少ない金額とされていますから、住宅部分の譲渡所得金額の2,000万円となります。

この結果、居住用財産の特別控除として2,000万円を控除しますから、店舗部分の課税長期譲渡所得金額は2,000万円となります。

低未利用土地等を譲渡した場合の長期譲渡所得の特別控除

【問６－65】 都市計画区域内にある土地基本法第13条第４項に規定する低未利用土地を売却したので、低未利用土地等を譲渡した場合の長期譲渡所得の特別控除を受けようと思っています。この控除の適用を受けるためには、その土地等の売却の金額が500万円以下である必要があると聞きましたが、私はその年中に２か所の低未利用土地について、それぞれ300万円の計600万円で売却しています。

この場合、売却の金額が年間で500万円を超えていますので、この控除の適用を受けることはできないのでしょうか。

なお、それ以外の要件は満たしています。

【答】　低未利用土地等を譲渡した場合の長期譲渡所得の特別控除は、令和２年７月１日から令和７年12月31日までの間において、都市計画区域内にある一定の低未利用土地等を500万円以下で売った場合に、その年の低未利用土地等の譲渡に係る譲渡所得の金額から100万円を控除することができる制度です（その譲渡所得の金額が100万円に満たない場合には、その譲渡所得の金額が控除額になります）（措法35の３①、措令23の３）。

この控除を受けるためには次の要件をすべて満たす必要があります。

(1) 売った土地等が、都市計画区域内にある低未利用土地等（注）であること

(2) 売った年の１月１日において、所有期間が５年を超えること

(3) 売手と買手が、親子や夫婦など特別な関係でないこと

なお、特別な関係には、生計を一にする親族、内縁関係にある人、特殊な関係のある法人なども含まれます。

(4) 売った金額が、低未利用土地等の上にある建物等の対価を含めて500万円以下であること

※　令和５年１月１日以後に行う低未利用土地等の譲渡においては、その低未利用土地等が次の区域内に所在する譲渡の場合は、対価の額の要件

が800万円以下であること（措法35の３②、措令23の３②）。

① 市街化区域又は区域区分に関する都市計画が定められていない都市計画区域のうち、用途地域が定められている区域

② 所有者不明土地対策計画を作成した市町村の区域

(5) 売った後に、その低未利用土地等の利用がされること

(6) この特例の適用を受けようとする低未利用土地等と一筆であった土地から前年又は前々年に分筆された土地又はその土地の上に存する権利について、前年又は前々年にこの特例を受けていないこと

(7) 売った土地等について、収用等の場合の特別控除や事業用資産を買い換えた場合の課税の繰延べなど、他の譲渡所得の課税の特例を受けないこと

（注） 低未利用土地等とは、居住の用、事業の用その他の用途に利用されておらず、又はその利用の程度がその周辺の地域における同一の用途若しくはこれに類する用途に利用されている土地の利用の程度に比し、著しく劣っている土地や当該低未利用土地の上に存する権利のことをいいます。

（4）の売った金額が、500万円以下であることの判定については、次により行うこととされています（措通35の３－２）。

イ　低未利用土地等が共有である場合は、所有者ごとの譲渡対価により判定します。

ロ　低未利用土地等とその低未利用土地等の譲渡とともにしたその低未利用土地の上にある資産の所有者が異なる場合は、低未利用土地等の譲渡対価により判定します。

ハ　低未利用土地とその低未利用土地の上に存する権利の所有者が異なる場合は、所有者ごとの譲渡対価により判定します。

ニ　同一年中に措置法第35条の３第１項の規定の適用を受けようとする低未利用土地等が２以上ある場合は、その低未利用土地等ごとの譲渡対価により判定します。

御質問の場合、その低未利用土地等の年間の売却金額でみますと600万

円ですが、前記（4）の売却の金額が500万円以下であることの判定については、前記ニのとおり、低未利用土地等ごとの売却の金額で行うこととされています。

したがって、それぞれの低未利用土地等の売却金額（300万円）でみますと、500万円以下であること、また、それ以外の要件についても満たしているとのことですので、低未利用土地等を譲渡した場合の長期譲渡所得の特別控除を受けることができます。

第７節　一時所得

不動産売買契約の解除に伴う違約金の所得

【問６-66】 小売業を営むかたわらアパートの経営をするつもりで、敷地として予定した土地を購入する売買契約を結んでいましたが、売主の都合でその契約が破棄され、先に支払っていた手付金の返還を受けるとともに同額の違約金を受け取りました。これは何所得として課税されますか。

【答】 売買契約の際には、その契約の履行を確保し、より安全なものにするために、通常、売主は買主から手付金を受領しますが、その契約が履行されれば、この手付金は代金の一部に充当されることになりますから、その契約が履行される限り内金の性格に近いものと考えられ、これを受領したからといって、売主の所得になるものではありません。

しかしながら、この手付金については、契約の履行に着手する前であれば、買主はその手付金を放棄することによって（手付流し）、売主は受領していた手付金にそれと同額の金額をそえて返還することによって（手付倍返し）、その契約を一方的に解除することが認められています（民法557）。

もっとも、当事者の一方が契約の履行に着手した後において、もう一方の当事者が解約を申し出た場合は、履行に着手していた側は、手付金のほか、その着手したことによって費消された経済的損失の賠償も要求できることとなり、これは違約金として受領することになりますが、この違約金の額を契約の上であらかじめ定めている場合は、その性質から損害賠償額の予定と推定されています（民法420③）。

御質問の場合、これらのどちらに当たるかが判然としませんが、仮に①民法557条の規定に基づく手付流し又は手付倍返しの金額として受け取った場合には、不動産売買業者が受けるものや商品、原材料などの売買に関して受けるものなど現に営む業務に関連して受けたもので事業所得等として課税されるものを除き、一時所得として取り扱われることになります（基通34－１(8)）。②また、損害賠償相当のものと考えても、心身に加えられた損害又は突発的な事故によって資産に加えられた損害（所法９①十八）のいずれにも該当しませんから、あなたの所得として課税されることとなります。

前述の取扱いは、違約金の場合にも同様と考えられ、あなたの場合は、現に営む小売業の事業に関連して受け取ったものではありませんから、一時所得として計算することになります。

立退料の収入金額の計上時期

【問６-67】　私は、家主から立退きを要求されたので立ち退くことを承諾し、家主と次のとおり借家の立退料（一時所得とされるもの）について契約しました。

(1) 契約日	令和６年６月30日	
(2) 立ち退くべき日	令和７年１月31日	
(3) 立退料決済年月日及び立退料	令和６年６月30日	100万円
	令和７年１月31日	100万円

この場合、立退料はいつの年分の所得となりますか。

【答】　借家人が賃貸借の目的とされている家屋の立退きに際して受ける、いわゆる立退料については、次のように取り扱われています。

①　立退きに伴う業務の休止等により減少することとなる借家人の収入金額を補塡するための金額、又は業務の休止期間中に使用人に支払う給与等借家人の各種所得の金額の計算上、必要経費に算入される金額を補塡するための金額については、各種所得の収入金額に計上することになります（基通34－１(7)(注)１）。

② 借家権の消滅の対価に相当する金額は、総合課税に係る譲渡所得の収入金額とされます（基通33－６）。

③ ①、②に該当しないものは一時所得となります（基通34－１(7)）。

ところで、一時所得は臨時的、偶発的な所得で、しかも労務その他の役務又は資産の譲渡の対価としての性質を有しないものとされています（所法34①）。

したがって、一時所得の収入金額は、その支払があってはじめて収入のあったことを認識する場合が多いものと考えられるところから、一時所得の収入金額の計上時期は、一般的にはその支払を受けた日によることとされています（基通36－13）。

しかしながら、御質問のように、立退料の総額とその支払日を契約の上で定めている場合にあっては、その契約の効力の発生した日（通常は契約を締結した日となります。）にその立退料を収入する債権を取得して、その反対に借家を立ち退くという債務を負うことになりますので、令和６年６月30日に支払を受けた100万円及び令和７年１月31日に支払を受けた100万円いずれについても、立退料の支払を受ける権利の生じた日、つまり契約をした日の属する令和６年分の一時所得の収入金額として計上することになります。

店舗に係る損害保険契約の満期返戻金

【問６-68】 私は衣料品小売業を営んでいます。店舗に掛けていた長期保険約款に基づく損害保険契約が本年６月に満期となり、300万円の満期返戻金を受け取りました。

この満期返戻金は、事業所得の金額の計算上総収入金額に算入するのでしょうか。

なお、毎月の掛金については積立部分を除いて、事業所得の金額の計算上必要経費に算入しています。

【答】　損害保険契約に基づき受け取る満期返戻金は、被保険物が事業用資産であるものについても一時所得に該当するものとして取り扱われています（基通34－１(4)）。

したがって、御質問のように店舗に掛けていた損害保険契約に係る満期返戻金については、事業所得に係る総収入金額に算入するのではなく、一時所得に係る総収入金額に算入することになります。

なお、一時所得の金額の計算上、既に事業所得の金額の計算上必要経費に算入されていた掛金の金額は、控除できません。言い換えれば、積立保険料部分だけを、一時所得の金額の計算上その収入を得るために支出した金額として、控除することとなります（基通36・37共－18の６）。

＜計算式＞（所令184）

満期返戻金等の額 －（支払保険料の総額 － 事業所得の金額の計算上必要経費に算入した金額 － 配当金等の額）－ 特別控除額

生命保険契約の満期返戻金

【問６-69】　私自身が保険契約者、被保険者及び保険金受取人となっている生命保険契約が本年12月20日で満期となり、その翌日からいつでも満期返戻金を受領することができることになっています。

私は自己の都合で、翌年の１月に受領するつもりですが、この場合、この満期返戻金はいつの年分の何所得として申告すればよいのでしょうか。

【答】　自己が掛金を支払っていた生命保険契約の契約期間が満期となり、これによって受領する満期返戻金によって生ずる所得の性格は、利子所得又は配当所得に近いものですが、所得税法上これを利子所得、配当所得とする規定はなく、長期の掛金支払に基づく所得が一時に発生したのであり、対価たる性質もないところから、業務に関するものでない場合には、損害保険契約の満期返戻金に対する取扱いと同様、一時所得として取り扱われています（基通34－１(4)）。

一時所得の総収入金額の収入すべき時期は、所得の性格上、現実に収入するまでは不確定であるものが多いところから、原則として、その支払を受けた日によることとされています。しかしながら、生命保険契約の一時金のように、あらかじめ契約によって定められている一定の事実が生じたときに支払を受けることができるものは、その収入すべき日も、その支払を受けるべき事実が生じた日によることとされています（基通36－13）。

御質問の満期返戻金についても、実際の受領が翌年であっても、その支払を受けるべき事実が生じた日が本年中に到来していますから、本年分の一時所得として申告する必要があります。

なお、生命保険等の満期返戻金に係る一時所得の金額の計算は、その満期返戻金による収入金額からこれまで支払った保険料又は掛金の額（既に受けている剰余金の分配や割戻金の額を差し引いたところで計算します。）を控除し（所令183②）、その残額から特別控除（50万円又はその残額のいずれか少ない金額）を差し引いて算出します。

更に、一時所得の金額を他の所得の金額と総合する場合には、その２分の１に相当する金額を他の所得の金額に加え、総所得金額を計算することとなっています（所法22）。

生存給付金付保険に係る一時金

【問６-70】　私は、甲生命保険会社の生存給付金付保険に加入しています。この保険は、満期日前（５年目、８年目、10年目等）に一時金（生存給付金）が受け取れることとされていますが、この一時金に係る課税関係はどうなりますか。

なお、この生存給付金付保険は、保険契約期間中に一時金の支払が数回にわたって行われるものですが、年金形式で支払われるものではありません。

【答】　生命保険契約に基づく一時金は、一時所得とされています（基通34

－１(4))。

御質問の生存給付金は、保険契約期間中に一時金の支払が数回にわたって行われるものですが、年金形式で支払われるものではありませんので一時所得に該当します。

この場合、一時金に係る一時所得の金額の計算上控除される「支出した金額」は、生命保険契約に係る既払保険料の累計額（その一時金の額を限度とします。）とすることが相当です。なお、満期保険金を受け取った場合の一時所得の金額の計算は次のようになります。

満期保険金 ＋ 配当金 － (既払保険料 － 一時金に係る一時所得の金額の計算上控除された金額の累計額) － 特別控除額

外国保険事業者から受け取った死亡保険金

【問６－71】　Ａ商社のドイツ駐在の社員が、Ｐ保険会社（ドイツの保険事業者）と、被保険者を本人とし受取人を本人の妻とする生命保険契約を締結し、保険料を負担していました。ところが、本人は本年11月病気により死亡し、日本に居住している留守家族（本人の妻）がその保険金を受け取りました。

この保険金は、相続財産とされて所得税は非課税となるのですか。

【答】　被相続人の死亡を保険事故として、相続人その他の保険金受取人が取得する生命保険金は、生命保険契約に基づくものであり、相続により取得するものではないのですが、その保険料を被相続人が負担していた場合には、実質的に相続財産と変わりがないところから、相続財産とみなして受取人に対し相続税が課税されることになっています（相法３①一）。

ところで、相続財産とみなされる生命保険会社と締結した保険契約とは、次に掲げる契約とされています（相令１の２①）。

①　保険業法第２条第３項に規定する生命保険会社、同条第６項に規定する外国保険業者又は同条第18項に規定する少額短期保険業者と締結した

生命保険契約

②　郵政民営化法等の施行に伴う関係法律の整備等に関する法律第２条により廃止された簡易生命保険法第３条に規定する簡易生命保険契約（ただし、簡易生命保険法の一部を改正する法律附則第５条により廃止された郵便年金法の規定により締結された年金契約を除く。）

③　農業協同組合等、法律の規定に基づく共済に関する事業を行う法人のうち特定のものと締結した生命共済に係る契約

したがって、Ｐ保険会社が、日本で保険業法第２条第６項に規定する外国保険業者であれば、その保険金は相続税法上のみなし相続財産とされ、相続税の課税対象とされますから、所得税は課税されません（所法９①十七）。

契約者貸付金がある場合の受取保険金の課税

【問６-72】　私は、次のような養老保険に加入していたところ、本年８月に満期となり、保険金受取人である妻は剰余金を含めて350万円を受け取りました。

・契約者、保険料負担者……私

・被保険者……………………私

・保険金受取人………………妻

契約による満期保険金は500万円ですが、私は、以前にこの保険金を担保に保険会社から200万円を借りており、それが返済未了となっていましたので、約定により満期保険金から差し引かれています。

この場合、受取保険金の課税関係はどうなりますか。

【答】　生命保険契約で、保険料の払込人が夫、保険金の受取人が妻である場合の妻が受け取る満期保険金は、満期時に夫から妻に対して贈与があったものとみなされます（相法５）。

また、御質問のように契約者貸付金がある場合には、満期保険金のうち

契約者貸付金の額に相当する指定変更があったものとみなされます（相基通３－９、５－１）。

したがって、あなたの奥さんには、剰余金を含めて実際に受け取った350万円について贈与税が課税されます。

また、あなたには、契約者貸付金の額に相当する保険金200万円が一時所得の収入金額として課税されることになります（所法34、基通34－１(4)）。この場合、一時所得の収入金額から控除する保険料の額は、200万円に対応する金額となります（所令183②二、基通34－４）。

生命保険契約の契約者名義の中途変更

【問６-73】　父の死亡により生命保険金800万円を受け取りました。この契約は、当初父が締結したもので、その後父に資力がなくなり、中途で私が契約者となって保険料の支払を引き継いだものです。

この場合でもすべて一時所得になりますか。

契約者（保険料の支払者）		父から私に変更
保険料の支払額	父	130万円（８年間）
〃	私	30万円（２年間）

被保険者　父（死亡）　　保険金受取人　私

【答】　生命保険契約の保険事故が発生して、保険金を受け取った場合、その保険料の負担者が受取人であれば、一時的、偶発的な所得であるところから一時所得となります（所法34、基通34－１(4)）。

また、保険金の受取人以外の者が保険料を負担していた場合には、その負担者からの贈与又は相続（負担者の死亡の場合）により取得したものとみなされ、贈与税又は相続税が課税される関係から、所得税は課税されないことになります（相法３①、５①②、所法９①十七）。

御質問の生命保険契約は、保険事故の発生時点ではあなたが契約者であって、保険料の負担も行っているわけですが、当初、父親が契約者で保険料の支払をしていたものを、中途で契約者名義の変更をしていますので、保険金800万円のうち、父親の負担した保険料に対応する部分は、相続によりあなたが取得したものとみなして相続税が課税されることになります。

すなわち、$800万円 \times \frac{130万円}{130万円 + 30万円} = 650万円$は相続税の対象とされます。

次に、一時所得として所得税の課税対象となるのは、あなたが負担した保険料に対応する部分となります。すなわち、$800万円 \times \frac{30万円}{130万円 + 30万円} = 150万円$が一時所得の収入金額となり、一時所得の金額は次のようになります（所令183②、基通34－４）。

$$\overset{(収入金額)}{150万円} - (\overset{(支出した金額)}{160万円 - 130万円}) - \overset{(特別控除)}{50万円} = 70万円$$

生命保険契約の満期金から控除する保険料

【問６-74】　私は、生命保険契約が満期を迎えたことにより、本年10月に1,000万円を受け取りました。

この保険料の800万円は、勤務先と折半して負担したものです（私の負担額400万円、勤務先の負担額400万円)。勤務先が負担した保険料については、給与所得として課税されていませんが、課税関係はどのようになりますか。

【答】　生命保険契約等に基づく一時金又は損害保険契約等に基づく満期返戻金等の支払を受けた場合、所得金額の計算上、その保険料又は掛金（以下「保険料等」といいます。）の総額を控除することとされていましたが、控除される保険料又は掛金の総額に、事業主が使用人（法人の役員を含みます。）のために負担した保険料等が含まれるかどうかについては、法令上明らかにされていませんでした。

このため、平成23年度の改正により、事業主が使用人のために負担する保険料等については、使用人の給与所得として課税されたものに限ることが、明確化されました（所令183④、184③一）。

御質問の場合、受け取った満期保険金については、一時所得として申告する必要がありますが、一時所得の金額の計算上、控除される保険料等の金額は、あなたが負担した400万円のみとなり、勤務先が負担した400万円は、控除することはできません。

したがって、一時所得の金額の計算は次のとおりとなります（所法34②）。

（総収入金額）1,000万円 － （支払保険料等）400万円 － （特別控除額）50万円 ＝ （一時所得の金額）550万円

なお、総所得金額に算入すべき金額は、上記の２分の１の金額となります（所法22②）。

使用人等が受ける事務の合理化等による表彰金

【問６-75】 勤務先から事務の合理化に寄与する工夫をしたということで表彰金をもらいましたが、何所得となるのですか。

【答】 事務若しくは作業の合理化等に寄与する工夫や考案等をしたことにより、勤務先から受ける表彰金については、その工夫、考案等がその者の通常の職務の範囲内の行為であるかどうかにより所得が区分されます。つまり、

(1) 工夫、考案等を通常の職務としている者が、その工夫、考案等の成果に対して受ける報償金等………給与所得

(2) (1)以外の者がたまたま有益な工夫、考案等を行ったことにより受けるもの………それが一時に支払を受けるものであるときは一時所得、その工夫、考案等の実施後の成績に応じ継続的に支払を受けるものであるときは雑所得

となります（基通23～35共－１(3)）。

クイズの賞金

【問６-76】　私は、ある食品メーカーが募集したクイズに当選し、その賞金を受け取りましたが、賞金の10％は老人施設に寄附する定めに従い、あらかじめ差し引かれています。

この賞金は何所得としてどのように計算し、申告すればよいのですか。

【答】　クイズの賞金や福引の当選金品などは、競馬の馬主が受ける賞金やプロゴルファーの受ける賞金などのように業務に関して受けるものではなく、その他の対価性もなく、かつ、一時的に取得するものですから、一時所得として課税されます（基通34－１(1)）。

一時所得の金額は、収入金額からその収入を得るために支出した金額を控除し、その残額から特別控除（50万円とその残額とのいずれか低いほうの金額）を差し引いて計算します。ここで、収入を得るために支出した金額は、その収入を生じた行為をするため、又はその収入を生じた原因の発生に伴い直接要した金額の範囲に限られています（所法34②)。

ところで、クイズ等の賞金品の一部を公益施設等に寄附する定めになっているような場合に、その定めに従って寄附した金品は、寄附金控除として差し引くのではなく、「収入を得るために支出した金額」として、その賞金に係る一時所得の金額の計算上、支出した金額に含まれるものとされています（基通34－３)。

したがって、あなたの場合も、あらかじめ定められたところに従い、老人施設に寄附した金額は、一時所得の金額の計算の際に収入を得るために支出した金額に含めて差し引くこととなります。

名義の無断使用に対する損害賠償金

【問６-77】　会社役員のＡは、友人のＢに名義と印鑑を盗用されていることに気づき、このほど、その事後処理として40万円の示談金を受け取りました。

この示談金は、何所得となりますか。

【答】　Ａさんは、名義を無断で使用されたことによって、自己の有する地位又は名誉に対し、有形、無形の影響を被り、これに対する相応の損害賠償金を示談金として受け取ったものと考えられます。

また、Ａさんは、会社役員であり、受け取った示談金は、事業所得者等の工業所有権又は著作権等の無断使用のように本来であれば得られたであろう利益の補塡としての性格はなく、また、保険金等ともその性格を異にするものなので、事業所得には該当しません。

次に、「心身に加えられた損害」「突発的な事故により資産に加えられた損害」について受ける損害賠償金や慰謝料にも該当しないと思われますので、非課税所得にも該当しません。

以上により、御質問の示談金は、一時所得とするのが相当と考えられます（所法34①）。

借入金の債務免除による利益

【問６-78】　私は、保証債務を履行するため、マイホームを手離すこととなりました。

そこで、５年前まで役員をしていた会社から退職後マイホーム資金として借りた借入金500万円の残金200万円の債務免除を受けました。

この債務免除益は何所得となりますか。

【答】　債務を免除された場合は何らの支出をすることなく、債務が消滅することとなりますから利益（債務免除益）が生ずることとなります。

この利益は事業所得、不動産所得又は雑所得を生ずべき業務について受けたもの、使用者から使用人たる地位に基づき受けたもの又は、その他対価的性質を有するものを除き、債権者から一方的に供与された利益であり、贈与を受けた場合の利益と同様に取り扱われることとなります。

ところで、御質問の場合には、免除した債権者は５年前まで役員をしていた法人であり、また、免除を受けた債務はマイホーム資金の借入金であることから法人からの贈与として、一時所得に該当します（基通34－１(5)）。

なお、仮に個人からの債務免除益であれば、贈与税が課税されますから所得税の課税関係は生じないこととなります。

時効による土地の取得

【問６-79】　隣家が譲渡されることに関連し、自宅の敷地の一部が隣家のものであることが判明しその返還を求められました。

しかしながら、戦前から自分の土地として使用していたものであり、取得時効を援用し、正式に私の名義に登記しました。

この所得は何所得となりますか。

【答】　一定の期間、所有の意思をもって平穏かつ公然と他人の物を占有している人は、時効の援用によってその物を取得することとされています（民法145）。

この法的性質は、前所有者の所有権を承継するのではなく、いわゆる原始取得と解されております。

したがって、取得時効による所得は一時の所得で対価性のないものであり、原則として一時所得に該当するものと考えられます（所法34①）。

なお、この収入金額の計上時期は時効を援用した時となり、収入金額はその時の取得した資産の価額（時価）となります（所法36）。

第８節　雑　所　得

公的年金等の課税方法

【問６-80】　厚生年金や国民年金などの公的年金等については、雑所得とされた上、他の雑所得と区分して公的年金等控除が適用されるそうですが、その内容を説明してください。

【答】　過去の勤務に基づき使用者であったものから支給される年金、恩給（一時恩給を除きます。）、国民年金、厚生年金、適格退職年金契約に基づく退職年金など（以下「公的年金等」といいます。）は、雑所得として課税されることになっています（所法35③）。

また、この公的年金等に係る雑所得の金額は、その年中の公的年金等の収入金額から公的年金等控除額を控除した残額とすることとされています（所法35②）。

公的年金等控除額は、受給者の年齢の区分に応じ、次の①又は②に掲げる金額です（所法35④、措法41の15の３）。

①　65歳未満の場合

		公的年金等に係る雑所得以外の所得に係る合計所得金額		
		1,000万円以下	1,000万円超 2,000万円以下	2,000万円超
公的年金等の収入金額Ⓐ	130万円以下	60万円	50万円	40万円
	130万円超 410万円以下	Ⓐ×25% ＋27.5万円	Ⓐ×25% ＋17.5万円	Ⓐ×25% ＋7.5万円
	410万円超 770万円以下	Ⓐ×15% ＋68.5万円	Ⓐ×15% ＋58.5万円	Ⓐ×15% ＋48.5万円
	770万円超 1,000万円以下	Ⓐ×５% ＋145.5万円	Ⓐ×５% ＋135.5万円	Ⓐ×５% ＋125.5万円
	1,000万円超	195.5万円	185.5万円	175.5万円

②　65歳以上の場合

		公的年金等に係る雑所得以外の所得に係る合計所得金額		
		1,000万円以下	1,000万円超 2,000万円以下	2,000万円超
公的年金等の収入金額Ⓐ	330万円以下	110万円	100万円	90万円
	330万円超 410万円以下	Ⓐ×25% ＋27.5万円	Ⓐ×25% ＋17.5万円	Ⓐ×25% ＋7.5万円
	410万円超 770万円以下	Ⓐ×15% ＋68.5万円	Ⓐ×15% ＋58.5万円	Ⓐ×15% ＋48.5万円
	770万円超 1,000万円以下	Ⓐ×５% ＋145.5万円	Ⓐ×５% ＋135.5万円	Ⓐ×５% ＋125.5万円
	1,000万円超	195.5万円	185.5万円	175.5万円

例えば、65歳以上の人で「公的年金等に係る雑所得以外の所得の合計所得金額」が1,000万円以下、「公的年金等の収入金額の合計額」が350万円の場合には、公的年金等に係る雑所得の金額は次のようになります。

3,500,000円－（3,500,000円×25%＋275,000円）＝2,350,000円

なお、公的年金等の支払を受けるときは、原則として収入金額からその年金に応じて定められている一定の控除額を差し引いた額に5.105%を掛けた税額が源泉徴収されます。

厚生年金を過去にさかのぼって一括受給した場合の受給金の収入すべき時期

【問６-81】　私は、厚生年金の受給資格があるにもかかわらず、申請手続を忘れていました。
　今年になって気がつき申請したところ、５年分が一括して支給されました。
　この場合、支給された年金は全額本年分の所得として申告することになるのでしょうか。

【答】　厚生年金や国民年金など公的年金等に係る雑所得の収入金額の収入すべき時期は、その支給の基礎となる法令、契約、規程又は規約により定められた支給日とされています（基通36－14(1)イ）。
　したがって、御質問のように５年分の年金が一括して支給された場合であっても、法令等により定められた支給の対象期間に係る各年ごとの支給日が、それぞれ収入すべき時期となり、受給した年分に一括して申告するのではなく、５年間の各年分の所得として申告することになります。

年金法改正に伴う改定差額の収入すべき時期

【問６-82】　私は、国民年金の支給を受けていますが、本年１月に、昨年４月にさかのぼって年金の改定差額を支給する旨の改定通知書（本年２月に改定差額を支給する旨が明記されています。）を受け取りました。
　この場合、支給される年金の改定差額はいつの年分の所得となるのでしょうか。

【答】　国民年金や厚生年金など公的年金等の支給の基礎となる法令、契約又は規程が改正、改訂され、既往にさかのぼって実施されたために支払われる既往の期間に対応する公的年金等の差額の収入すべき時期は次によることとされています（基通36－14(1)ロ）。

(1) その支給日が定められているものについては、その支給日

(2) その支給日が定められていないものについては、その改正、改訂の効力が生じた日

したがって、御質問の場合の年金の改定差額については、改定通知の際にその支給日が本年２月と定められていることから、その収入すべき時期は、その支給日となり、本年分の所得となります。

代物弁済による利益

【問６-83】 友人に1,000万円を貸しておりましたが、金銭による返済に代え土地をもらいました。

この土地は、不動産鑑定士の鑑定によれば時価1,500万円とのことですが、所得税の課税対象になりますか。

【答】 御質問の場合は貸金について金銭により弁済を受ける代わりに土地をもらったのであり、代物弁済（民法482）に該当するものと考えられます。

また、契約上利息の定めがあったかどうかは不明ですが、取得した土地の価額のうち消滅した債権額を上回る部分は特段の事情がない限り、利息に相当する部分とみるのが相当と解されます。

ところで、収入金額には金銭による収入だけでなく、物で収入した場合のその物の価額も含まれ、また、その価額はその物を取得した時の価額（時価）により評価することとされています（所法36①②）。

したがって、代物弁済で消滅させた債権額と取得した土地の価額（時価）との差額500万円は受取利息として雑所得の総収入金額に算入されることとなります（基通27－４（注）１参照）。

就職支度金

【問６-84】　従業員の新規採用に当たり、雇用契約を前提として就職支度金50万円を支給する予定です。

新規採用者は勤務によって転居しなければならない事情は何もなくこの支度金は優秀な人材を確保するためのものですが、このような場合に、支度金を受け取る新規採用者に対する課税関係はどのようになるのでしょうか。

【答】　就職に際し、就職先から支給される支度金は、本来、その就職に伴って転居のための旅行をする等の費用を弁償する性格のものであり、その限りにおいては、その就職者の利益があったとは考えられず、所得税法上も非課税とされています（所法９①四）。

ただし、就職者に支給する支度金の額はその就職者が就職に際して支出する費用相当額を超える場合があります。この超える部分の金額は、名目は支度金であっても、就職者が労務等の提供を約することによって支給を受ける契約金の実質を持つことから、その就職者の所得として課税関係が生ずることになります。

就職者が、その就職先との雇用契約に基づいて雇用後に受ける対価は原則として給与所得になりますが、この支度金は雇用契約を前提として支給されるもので、雇用契約そのものによって支給されるものではありませんから給与所得ではなく、また、一時に受けるものであっても、労務の対価たる性質がある以上一時所得でもなく、更に、委任契約や請負契約に基づいて受ける契約金のように事業所得としての性格もないところから、課税に当たっては、雑所得として取り扱われることになります（基通35－１(11)）。

なお、支度金を支払う側のあなたは、契約金に係る源泉徴収税額として、この支度金の10.21％（同一人に対して１回に支払われる金額が100万円を超える場合には、その超える部分の金額については20.42％）を源泉徴収する必要があります（所法204①七、205、復興財確法28①②）。

再就職活動者が受け取る職業訓練受講給付金

【問６-85】 私は、某製造業に勤務していましたが、折からの深刻な不況により離職を余儀なくされ、再就職先を探しています。

このたび、ハローワークのあっせんにより公共職業訓練を受講することとなり、訓練期間中の生活保障として、職業訓練受講給付金を受給することとなりました。

この給付金には、所得税が課税されますか。

【答】 雇用保険を受給できない方への職業訓練と訓練期間中の生活を保障するための新たな制度として、求職者支援制度があります。

この制度では、一定の条件の下で、訓練期間中において職業訓練受講給付金（月額10万円の職業訓練受講手当や職業訓練実施機関までの通所経路に応じた所定の額が支払われる通所手当等）が支給されます。

この職業訓練受講給付金には、公租公課の禁止規定が設けられていることから非課税となります（職業訓練の実施等による特定求職者の就職の支援に関する法律７、10、同規則10、11、12、12の２）。

Ａ会社退職者互助会が支払う遺族年金

【問６-86】　Ａ会社には、Ａ会社退職者互助会制度があります。当該互助会は、原則としてＡ社に20年以上勤務した退職者で組織されている福利厚生団体で、団体の原資は、Ａ社からの寄附（拠出）金と会員が入会時に支払う金額から成っています。

制度の内容は、会員等に対する入院給付金、葬祭料及び遺族年金の給付があります。

この場合、会員の相続人が受け取る遺族年金は非課税となりますか。

【答】　非課税所得とされる遺族年金は、死亡した者の勤務に基づいて支給されたものに限ることとされています（所法９①三ロ、基通９－２）。

御質問の互助会は一定の要件を満たす退職者が任意に組織するもので、会員が死亡した場合に遺族に対して年金を支給することとされているものです。

したがって、この年金は本人の勤務に基づいて支給されるものではなく、会員の相互扶助の目的で支給されるものですから、非課税所得に定義する遺族年金には該当せず雑所得となります。

不動産仲介業者の使用人が取引先から直接受け取った礼金

【問６-87】　不動産仲介業者に雇用されている使用人Ａは、取引先Ｂ社から「取引のことで大変お世話になったから」といって謝礼金100万円を受け取りました。

この使用人Ａの謝礼金100万円は何所得になりますか。なお、Ａは給与所得のみを有し、いわゆる外交員報酬の支払は受けていません。

【答】　給与所得者（給与の他に外交員報酬等の収入を得ている人を除きます。）が、雇用主以外の取引先から直接支払を受けた謝礼金100万円は、実質上、雇用主が受け取ってＡに支払ったものとみられて、Ａに対する賞与となる場合を除き、おおむね次のいずれに該当するかどうかで判定します。

(1) 法人からの贈与により取得する金品（業務に関して受けるもの、継続的に受けるものを除きます。）……一時所得の収入金額（基通34－1(5)）

(2) 役員又は使用人が自己の職務に関連して使用者の取引先等からの贈与等により取得する金品……雑所得の収入金額（基通35－1(11)）

したがって、御質問の使用人Ａの受け取った謝礼金は、まさに自己の職務に関連して取引先から受け取ったものですから、(1)には該当せず、(2)の雑所得となります。

利息の定めのない一時的な資金の貸付けに関して受ける謝礼金

【問６-88】 私は、大学時代の友人が社長をしている甲社に、一時的な資金繰りを助けるため、６か月間無利息の約束で2,500万円を貸し付けました。しかしながら、甲社の資金繰りが思いのほか早く好転したことから、返済期日前に謝礼金（500万円）を含めて貸付金の全額の返済を受けました。

この謝礼金は甲社の一方的な意思に基づくものですから、法人である甲社から私に対する贈与（すなわち、一時所得）になると考えられますが、どうでしょうか。

【答】 あなたの甲社に対する貸付けは、一時的に営業資金を援助する目的で行ったものであり、その上、利息ないしいわゆる謝礼金についての明示の約束がないことから、その融資の謝礼金は貸付金の利息的性格を有せず、一時所得（法人からの贈与）ではないかとお考えのようですが、そもそも贈与は、当事者の一方が自己の財産を無償で相手方に与える意思を表示して、相手方がこれを受諾することによりその効力が生ずるとされています（民法549）。

ある行為が無償かどうかは、その行為をなすに至った因果関係を十分に見極め、客観的にみて対価性があるかどうかによって判断する必要があります。

ところで、あなたが謝礼金を受領した経緯をみてみますと、甲社はあなたからの貸付金によって事業の好転を図ることができたこと、また、謝礼金も500万円といわゆる謝礼金にしては高額と認められること、これらの事実を総合勘案しますと、この謝礼金は資金提供というサービスの対価としての性質を有するものと考えるのが相当です。したがって、御質問の謝礼金は、対価性を有しない偶発的な所得である一時所得には当たらず、雑所得の収入金額として課税対象となるものと考えられます（所法35①）。

土砂等を自己の所有する土地に捨てさせた場合の謝礼

【問６-89】　私はサラリーマンですが、このたび建設業者から、私の所有する窪地へ土砂を捨てさせたお礼として100万円をもらいました。この100万円は、不動産所得として申告してよろしいでしょうか。

【答】　自己の所有する空地に土砂等を捨てさせたということは、相手の所有権放棄した物を捨てる場所を提供したということであり、土地そのものを使用させているものではなく、土地の貸付けには該当しません。

したがって、御質問の謝礼としての100万円は、土地の貸付けの対価である不動産所得ではなく、土砂を捨てさせたことによる対価としての収入であり、雑所得となります（所法35①）。

しかしながら、同じ土地であっても、それが不動産業者が販売の目的で所有している土地である場合には雑所得ではなく、棚卸資産の一時的な利用であり、事業遂行上の付随収入として事業所得となります。

不動産を担保に提供した際に受け取った謝礼

【問６-90】　私は、同族会社の役員をしていますが、このたび会社が銀行から借入れを行うに当たり、私所有の土地を担保に提供しました。

その際、会社から謝礼金として100万円を受け取りましたが、この金銭は不動産所得になるのでしょうか。

また、この土地は借入金により取得しましたので利息の支払をしていますが、この支払利息は、謝礼金に対する必要経費となりますか。

【答】　不動産所得とは、不動産、不動産の上に存する権利、船舶又は航空機の貸付けによる所得をいいますが（所法26）、担保提供による謝礼金は、不動産そのものの貸付けによる対価ではなく、不動産の処分価値の利用による対価ですので不動産所得には該当しないことになります。

また、担保提供による謝礼として支払われたもので、対価性がありますから一時所得にも該当しません。

したがって、御質問の謝礼金は、雑所得に該当することとなります。

なお、土地の取得のための借入金の支払利息は、不動産を使用収益することにより必要経費となりますが、担保に提供することによって、何ら使用収益をすることに差し支えが生ずることはありませんので、単なる処分価値の利用にすぎず、担保提供の謝礼金から必要経費として控除することはできません。

ホームステイの外国人受入家庭が受ける謝礼金

【問６-91】　私は、10日間程アメリカの青年をホームステイさせ、これに関連して、招へいした機関から謝礼金として１泊当たり5,000円の支給を受けました。

この謝礼金は、雑所得として申告する必要がありますか。

【答】　国際交流基金では、我が国に対する諸外国の理解を深め、国際相互理解を増進するとともに、国際友好親善を促進することを目的として、適切な人物を海外から招へいする業務を行っています。

この業務の一層の推進を図るため、同基金では、寄附者から収受したホームステイに係る特定寄附金を、国内の実施機関を通じて、受入れ家庭に謝礼金（１泊当たり5,000円以内で、１家庭当たり１人が年間３か月滞在する場合の額を限度）として支給しています。

一方、受入れ家庭においては、ホームステイをする外国人から対価を受け取っていないため、この謝礼金は、受入れ家庭での食事代、その他の諸経費の一部に充てられているものと思われます。

したがって、ホームステイの趣旨及び謝礼金の支給基準又は実費弁償的性格から、課税しないこととして取り扱うこととされています（昭61.３.31直審３－47・直所３－４）。

給与所得者がネットオークション等により副収入を得た場合

【問６-92】　私は会社員で、給料の支払も１社のため、毎年会社が行う年末調整だけで確定申告は行っていませんが、今年になって、フリマアプリを利用して副収入を得ています。このような場合、確定申告を行う必要があるのでしょうか。

【答】　１か所から給与の支払を受けている人で、給与の支払者が行う年末調整が済んでいる給与所得者の方は、確定申告の必要はありません。

しかし、給与の支払が１か所からで年末調整によって所得税額が確定している人であっても、給与所得以外に副収入等によって20万円を超える所得を得ている場合には、確定申告が必要となります（所法121、所令262の２、所基通121－５）。

給与所得者の副収入としては、様々なものが考えられますが、御質問のように、フリーマーケットアプリやインターネットのオークションサイトなどを利用した個人取引により、衣服・雑貨・家電などの資産の売却を行って得た所得については、原則として、雑所得に該当することとなります。ただし、古着や家財など日常の生活の中で使用している資産（生活の用に供する資産）の売却による所得は非課税とされ確定申告の必要はなく、その資産に生じた損失もないものとみなされます。

したがって、確定申告が必要かどうかについては、あなたがフリーマーケットアプリ等でどのようなものを売却しているのかによって判断されることとなり、生活の用に供する資産以外のものを売却し、その合計所得が20万円を超える場合には、確定申告が必要となります。

還付加算金の所得区分

【問６-93】 更正の請求や不服申立てにより納付済みの税額が減額又は取り消され、還付されることになった場合に、還付加算金がその還付金に付加されることになっていますが、この還付加算金が雑所得として課税されるのはどのような理由に基づくのですか。

【答】　税金が期限後に納付されたときは、遅れた期間に応じて延滞税又は利子税が課税されることになっていますが、それとは反対に、納付済みの税額が減額又は取り消され、国から還付される場合には、期間に応じた還付加算金が付加されることになっています（通則法58）。

この還付加算金の性格は、国税通則法及び地方税法の規定により還付される税金に対して付加される一種の利子と考えられます。また、還付加算金は課税誤りについての税務官庁の故意、過失の有無に関係なく支払われるものであって、心身又は資産に与えられた損害に基づいて支払われる損害賠償の性格を有するものでもありませんので、非課税所得には該当しないことになります。

そこで、現行所得税法では、還付加算金を雑所得の収入金額として扱っていますが、これは「非営業貸金の利子」が雑所得とされるのと同一の趣旨によるものです（基通35－１(4)）。

外国の不動産を譲渡した場合に生じた為替差損

【問６-94】 私は、４年前に米国のカリフォルニアで土地を購入し、地元の会社に貸し付けていました。

しかしながら、今回、国内の土地を取得する必要が生じ資金繰りの関係でこの土地を手放すこととし、貸し付けている会社に譲渡しました。

譲渡価額等は次のとおりです。

・取得価額　10万ドル　　取得時のレート　　１ドル＝150円

・譲渡価額　11万ドル　　譲渡時のレート　　１ドル＝135円

この場合、為替差損が生じていますが、この損失はどのように処理すればよいのでしょうか。

【答】 外貨建で資産の譲渡を行った場合、資産の値上り益と、それと性質の異なる為替差損益とを区別して所得計算をする必要があるかという問題が生じます。

しかしながら、外貨建取引を行った場合には、外貨建取引の金額の円換算額（外国通貨で表示された金額を本邦通貨表示の金額に換算した金額）はその外貨建取引を行った時における外国為替の売買相場により換算した金額として、各年分の各種所得の金額を計算します（所法57の３）。

したがって、あなたの譲渡所得の金額は、為替差損を含めた100万円の譲渡損失となります。

譲渡収入　110,000ドル×135円＝14,850,000円

取得価額　100,000ドル×150円＝15,000,000円

14,850,000円－15,000,000円＝△150,000円（譲渡損失）

労働組合から支給を受けた金員

【問６-95】 企業の一部が閉鎖され、解雇された従業員ですが、他の解雇された従業員とともに労働組合に加入し、裁判所及び労働委員会に解雇撤回と身分保全の訴えを提起しています。

この場合、争議団員として参加している労働組合員は、労働組合から、月額10万円の「争議活動費」を受け取っていますが、この「争議活動費」は何所得になりますか。

なお、私はアルバイトをしながら、争議行動及び打合せ会等に出席しておりますが、労働組合の専従者として従事しているものではありません。

【答】 労働組合のいわゆる組合専従者以外の組合員が、就業時間中に組合活動に従事し、又は遠隔地における組合大会に出席するなどのため、その組合から手当、日当その他の名義をもって支払を受ける金銭等は、その組合員の雑所得の総収入金額に算入することとされています。

ただし、その組合員の組合活動に従事する状態及び組合から支払を受ける金銭の額が、組合事務専従者の従事状態や給与等の額に比べて大差がないなど、組合事務専従者との権衡上、雑所得とすることが適当でないと認められる場合には、組合事務専従者が支払を受ける給与等又は旅費に準じ、それぞれの内容に従って判断することとなります（基通23～35共－２）。

また、免職又は停職等の処分を受けた者が、その所属する労働組合等から、雇用主から通常受けるべき給与に代わるものとして支給を受けると認められる継続的性質を有する給付金は、雑所得とするのが相当と考えられます。

したがって、御質問の場合の「争議活動費」は、あなたが組合の専従者として活動をしているものではありませんし、別途、アルバイトをしながら、争議活動に参加しているとのことですから、雑所得とするのが相当です。

なお、参考までに労働組合から支給を受ける金品等の所得の区分を挙げますと、次のようになります。

支給を受ける金品等の性質	所得の種類等
①　免職、停職、戒告又は訓告等の処分を受けた者が、その所属する労働組合等からその処分を受けた際に支給を受ける見舞金のような一時金	一時所得（所法34） ただし、心身に加えられた損害につき支払を受ける相当の見舞金であれば、非課税（所令30三）
②　免職の処分を受けた者が、その所属する労働組合等から、雇用主から受けるべき退職給与に代わるものとして支給を受けるものとみられる一時金	一時所得（所法34）
③　免職、停職等の処分を受けた者が、その所属する労働組合等から、雇用主から通常受けるべき給与に代わるものとして支給を受けるものとみられる継続的性質を有する給付	雑所得（所法35） 賃金カットの補塡として支給を受ける給付は、これに該当します。

（注）　賃金カットの補塡として支給を受ける給付は、１日分、１回限りのものであっても、一時的性質を有するものといえませんので、上表の③に該当し雑所得になります。

また、各種の行事に参加した場合に支給される弁当代、交通費も非課税所得ではないので、雑所得の総収入金額となります。

遊休土地における果樹栽培

【問６-96】　私は内科医院を営む医師ですが、数年前、近くの土地300㎡（市街化調整区域、登記簿上は宅地）が売りに出されたので、将来は住宅を建ててもよいと思い購入し、とりあえず栗の木でもと、10本を植樹しておりましたところ、今年初めて実をつけたので２万円で売りましたが、この収入は事業（農業）所得に該当しますか。

また、次の計算による損失は私の医業の所得から差し引くことができますか。

○　栗の栽培に係る農業所得

①	栗の販売に係る収入金額	２万円
②	土地に係る固定資産税	10万円
③	土地の取得に係る借入金利息	150万円
④	損失金額（①－②－③）	△158万円

○　医業に係る事業所得の金額　　1,200万円

【答】　一般的には、栗の販売に係る所得は、事業（農業）所得の対象となり、その所得の計算は、その年中の総収入金額から必要経費を差し引いて行います（所法27）。

しかしながら、栗の栽培がすべて事業に該当するとは限りません。事業に該当するためには、一般に、独立性、営利性、有償性、継続性の観点からみて、社会通念上事業と認められるものであることが必要とされています。

御質問の場合には、購入した土地は宅地であり、農業を行う意思は認められませんし、植樹本数からみても農業というよりは土地の維持管理又は趣味娯楽を前提とした家庭菜園的なものに近く、事業を行っているとは認められないものと考えられます。

すなわち、あなたの土地所有の目的は、栗栽培とは別にあって、その土地からこのような収入が生じたとしても、それは土地の維持管理の過程で

付随して発生した栗の栽培による副次的な収入であり、維持費に対応する性格のものと考えられます。

また、規模も小さいことも考え合わせますと、御質問の場合の栗の栽培に係る収入は農業所得には該当せず、雑所得とすることが相当であると考えられますから、あなたが計算された損失の金額は、医業に係る事業所得の金額から差し引くことはできません（所法69①）。

民泊による所得の課税関係

【問６-97】 私は会社員で、海外からの観光客が増えたため、自己が居住する住宅の２階部分を利用して住宅宿泊事業法に規定する住宅宿泊事業（いわゆる「民泊」）を始めました。民泊に利用している住宅は、築100年を超える古民家であることもあって、観光客にも人気があり、今年の民泊に係る収入金額は900,000円となりました。また、必要経費として次のようなものを支払いました。会社からの給与に関しては、毎年、年末調整されていますが、確定申告をする必要はありますか。

なお、住宅の床面積200㎡のうち、民泊に利用している部分の床面積は100㎡で、１年間で実際に宿泊客を宿泊させた日数は60日です。

① 住宅宿泊仲介業者に支払った仲介手数料　80,000円

② 住宅宿泊管理業者に支払った広告宣伝費　70,000円

③ 宿泊者用の日用品購入費　100,000円

④ 非常用照明器具の購入及び設置費用　50,000円

⑤ 水道光熱費　300,000円

※ 水道光熱費については、生活用部分を含めた金額となっています。

【答】 所得税法上、「不動産の貸付けによる所得」は、原則として不動産所得に区分されますが、住宅宿泊事業は、宿泊者の安全等の確保や一定程度の宿泊サービスの提供が宿泊施設の提供者に義務付けられており、利用者から受領する対価には、部屋の使用料のほか、寝具等の賃貸料やクリー

ニング代、水道光熱費、室内清掃費、日用品費、観光案内等の役務提供の対価などが含まれていると考えられ、この点において、一般的な不動産の貸付けとは異なります。

また、住宅宿泊事業に利用できる家屋は限定されており、その宿泊日数も制限されています。

以上のような住宅宿泊事業の性質や事業規模・期間などを踏まえると、住宅宿泊事業法に規定する住宅宿泊事業を行うことにより得る所得は、専ら住宅宿泊事業による所得により生計を立てているなど、その住宅宿泊事業が、所得税法上の事業として行われていることが明らかな場合を除き、原則として雑所得に該当すると考えられます。

したがって、あなたは会社員で年末調整を受けているということですから、会社から支払われる給与所得以外の所得が20万円を超える場合には、確定申告が必要となるところ（所法120、121）、下記のとおり、民泊に係る所得（雑所得）が575,342円になりますので、確定申告をする必要があります。

【雑所得の計算】

必要経費については、上記の①から④までのように、民泊のためだけに支出したものであれば、全額必要経費に算入されますが、⑤の水道光熱費のように、生活用部分を含めた金額となっているものについては、生活用部分と民泊に係る部分を合理的にあん分する必要があります。御質問のような民泊の場合、民泊で利用しているのは住宅の一部であること、また、宿泊日数の制限により、１年を通して営業することができないことから、床面積や宿泊日数であん分することが合理的であると考えられます。計算例は下記のとおりです。

《水道光熱費の計算例》

$$300{,}000円 \times \frac{100㎡}{200㎡} \times \frac{60日}{365日} = 24{,}658円$$

※　１円未満の端数が発生する場合は、切り上げて差し支えありません。

《雑所得の金額》

収入金額　900,000円

必要経費　①80,000円＋②70,000円＋③100,000円＋④50,000円＋⑤24,658円＝324,658円

雑所得の金額　900,000円－324,658円＝575,342円

暗号資産の売却

【問６-98】　私は、給与所得者ですが、次のとおり暗号資産を取得し、同年中に売却したところ、利益が出ました。暗号資産の売却により生じた利益の所得区分について教えてください。

また、所得金額はどのように計算すればよいでしょうか。

（１年間の暗号資産の取引）

①　４月10日　2,800,000円（支払手数料を含む。）で７ビットコイン（BTC）を購入した。

②　８月25日　0.5BTC（支払手数料を含む。）を750,000円で売却した。

【答】　ビットコインをはじめとする暗号資産を売却又は使用することにより生じる利益については、事業所得等の各種所得の基因となる行為に付随して生じる場合を除き、原則として雑所得に区分されます。

そしてご質問のように、保有する暗号資産を売却（日本円に換金）した場合、その売却価額と暗号資産の取得価額との差額が所得金額となりますので、あなたの暗号資産の売却に係る雑所得の金額は、次の計算式のとおり、550,000円となります。

750,000	－	（2,800,000円÷７BTC）	×	0.5BTC	＝	550,000円
【売却価額】		【１ビットコイン当たりの取得価額】		【支払ビットコイン】		【所得金額】

暗号資産の取得価額

【問６-99】　私は、次のとおり暗号資産の取引を行いましたが、所得金額を計算するに当たり、取得価額はどのように計算すればよろしいでしょうか。

（１年間の暗号資産の取引）

①　２月１日　2,000,000円（支払手数料を含む。）で５ビットコイン（BTC）を購入した。

②　４月20日　0.2BTC（支払手数料を含む。）を300,000円で売却した。

③　９月11日　200,000円の商品購入に0.3BTC（支払手数料を含む。）を支払った。

④　11月10日　600,000円の商品購入に1.5BTC（支払手数料を含む。）を支払った。

⑤　12月15日　1,800,000円（支払手数料を含む。）で２BTCを購入した。

【答】　あなたの１年間の暗号資産の取引を表にまとめると以下のようになります。

日付	暗号資産の取引（BTC）		価額（円）
	購入	売却（支払）	
２月１日	5		2,000,000
４月20日		0.2	300,000
９月11日		0.3	200,000
11月10日		1.5	600,000
12月15日	2		1,800,000

同一の暗号資産を２回以上にわたって取得した場合の取得価額の算定方法については、総平均法又は移動平均法のいずれかの評価方法を選択する必要があります（所令119の２）。評価方法については、その種類ごとに、取得した日の属する年分の所得税の確定申告期限（原則：翌年３月15日）までに、総平均法又は移動平均法のいずれかを選択した届出書を納税地の

所轄税務署長に提出しなければなりません（所令119の３）。

なお、書面による評価方法の届出をしなかった場合は、総平均法を選択したことになります（所令119の５①）。具体的な計算方法については、以下のとおりです。

(1)　移動平均法を用いた場合

まず、２月１日時点の１ビットコインの取得価額は、2,000,000円÷５BTC＝400,000円となります。次に、12月15日時点の１ビットコイン当たりの取得価額は、次の計算式のとおり、①２月１日に購入した１ビットコイン当たりの取得価額から、②12月15日の購入直前において保有しているビットコインの簿価を計算し、③12月15日の購入直後における１ビットコイン当たりの取得価額を計算して算出します。

①　2,000,000円÷５BTC＝400,000円／BTC

②　400,000円×（５BTC－２BTC）＝1,200,000円

③　（1,200,000円＋1,800,000円）÷（３BTC＋２BTC）＝600,000円／BTC
【12月15日時点で保有しているビットコインの簿価の総額】【12月15日時点で保有しているビットコイン】

(2)　総平均法を用いた場合

総平均法を用いた場合の１ビットコイン当たりの取得価額は、次の計算式のとおり、１年間に取得したビットコインの取得価額の総額を１年間に取得したビットコインで除して算出します。

（2,000,000円＋1,800,000円）÷（５BTC＋２BTC）＝542,858円／BTC

※　取得価額の計算上発生する１円未満の端数は、切上げして差し支えありません。

雑所得を生ずべき業務に係る雑所得を有する者に係る収支内訳書の添付義務

【問６-100】 私はサラリーマンですが、副業で行っている業務があり、毎年雑所得として申告しています。儲けはあまりありませんが、収入金額が1,000万円を超える年もあります。

副業に係る所得を申告するに当たって、収入金額が大きくなると、領収書等の保存や、申告の際に添付書類が必要になる場合があると聞いたのですが、どのような制度になっているのでしょうか。

【答】　令和４年１月１日以後、雑所得を生ずべき業務を行う方は、前々年分の雑所得を生ずべき業務に係る収入金額が300万円を超える場合は、業務に関して作成し、又は受領した請求書、領収書その他これらに類する書類（自己の作成した書類でその写しのあるものは、その写しを含みます。）のうち、現金の収受若しくは払出し又は預貯金の預入れ若しくは引出しに際して作成されたものを、５年間保存しなければなりません（所法232②、所規102）。

また、令和４年分以後の所得税において、業務に係る雑所得を有する場合で、その年の前々年分の業務に係る雑所得の収入金額が1,000万円を超える方が確定申告書を提出する際には、総収入金額や必要経費の内容を記載した書類（収支内訳書など）の添付が必要になります（所法120⑥）（【問18-１】参照）。

第7章　金融所得

第1節　利子所得

利子所得の課税制度

【問7－1】　利子所得の課税制度について、そのあらましを説明してください。

【答】　利子所得の課税制度のあらましについて要約すると、次のようになります。

区分		非課税限度額又は税率等	参考
非課税制度	①　当座預金の利子（所法９①一）		年１％以下の利率を付される利子に限ります（所令18）。
	②　いわゆる子供銀行預金の利子（所法９①二、所令19）		
	③　納税貯蓄組合預金の利子（納税貯蓄組合法８）		
	④　納税準備預金の利子（措法５①）		
	⑤　障害者等の少額預金利子（所法10、措法３の４）	350万円	国内に住所を有する身体障害者手帳の交付を受けている人、遺族基礎年金や寡婦年金を受けることができる妻である人など特定の人を対象とし、一定の手続が必要です。
	⑥　障害者等の少額公債の利子（措法４）	350万円	

<table>
<tr><td></td><td>⑦　勤労者財産形成住宅貯蓄の利子（措法４の２）</td><td rowspan="2">合わせて550万円
（財形年金貯蓄のうち生命保険料等に係るものについては385万円）</td><td rowspan="2">国内に住所を有する年齢55歳（契約締結時の年齢）未満の勤労者を対象とし、一定の手続が必要です。</td></tr>
<tr><td></td><td>⑧　勤労者財産形成年金貯蓄の利子（措法４の３）</td></tr>
<tr><td rowspan="3">課税制度</td><td>⑨　総合課税制度</td><td></td><td>源泉徴収の対象とならない特定の債券などの利子や外国の金融機関から直接受け取る預金の利子などについては、総合課税によって納税します。</td></tr>
<tr><td>⑩　申告分離課税制度（平成28年１月１日以後に支払われるものに限る）</td><td>15%（居住者については、このほかに地方税５%）</td><td>特定公社債の利子や公募公社債投資信託の収益の分配などについては、原則として、確定申告の必要はありませんが、分離課税を選択して、申告することもできます。
なお、確定申告において、これらのいずれかを選択した後、修正申告や更正の請求において、この選択を変更することはできません。</td></tr>
<tr><td>⑪　源泉分離課税制度</td><td>15%（居住者については、このほかに地方税５%）</td><td>15%の税率による所得税の源泉徴収で課税関係が完了しますので、確定申告することはできません。</td></tr>
</table>

（注）１　上記の⑤～⑥については【問４－１】の（注）を参照してください。
２　平成25年から令和19年までの各年分については上記の所得税のほか復興特別所得税（基準所得税額の2.1%）が課税されます。
３　特定公社債とは、国債、地方債、外国国債、公募公社債、上場公社債、平成27年12月31日以前に発行された公社債（同族会社が発行した社債を除く。）などの一定の公社債や公社債投資信託などをいいます。

平成28年分からの利子所得の課税制度の改正

【問７－２】　平成28年分から利子所得の課税制度が変わったと聞きましたが、その内容を教えてください。

【答】　居住者等が昭和63年４月１日以後に国内において支払を受ける利子

等については、15％（他に復興特別所得税及び個人住民税５％）の税率による源泉徴収のみで課税関係が完結する分離課税（源泉分離課税）により課税することとされていました。

平成25年度の税制改正における金融所得課税の一体化の改正の一環として、平成28年１月１日以後の支払を受ける次に掲げる公社債等に係る利子等については、源泉分離課税の対象から除外されました（措法３①）。

① 特定公社債（国債、地方債、外国国債、公募公社債、上場公社債、平成27年12月31日以前に発行された公社債（同族会社が発行した社債を除きます。）などの一定の公社債）の利子（措法37の11②一・五～十四）

② 公募公社債投資信託の収益の分配

③ 公募公社債等運用投資信託の収益の分配

④ 特定公社債以外の公社債のうち同族会社が発行したものに係る利子で、同族会社の役員等が支払を受けるもの

なお、上記①から③までの利子等については、株式や公社債等の譲渡損失との損益通算することができるようになり、15％（他に復興特別所得税及び個人住民税５％）の税率による申告分離課税又は申告不要を選択することができます（措法８の４①、８の５①）。

また、上記④の利子については、原則として総合課税により申告することとなります。

社債売買に伴う経過利子

【問７-３】 既発行の社債を証券会社を通じて購入しましたが、その際、その社債の直前の利払日から購入日までの経過利子を別に支払いました。その経過利子は、今後受け取るその社債の利子から控除すればよいのでしょうか。

【答】 公債又は社債（以下「公社債」といいます。）を取得する際には、その直前の利払日から、購入日までの経過利子の授受が行われますが、こ

れは公社債の取引が経過利子相当額を含まない、いわゆる裸相場で行われるからです。この経過利子相当額は、抽象的には保有期間に対応する利子としての性格はあっても、所得税法第23条に規定する利子所得には該当しませんし、その公社債が利含み相場で取引された場合を考えてみますと、譲渡価額から特別に除外する規定もないこととのバランスもあり（株式の売買についても配当分は除外されません。）、これを受け取った者については、その公社債等の譲渡の収入金額として取り扱われます。

一方、経過利子を支払った者については、その公社債から生じた利子所得から控除するものではなく、その公社債等の取得価額に算入する取扱いとなります。

ところで、法人税の取扱いにあっては、支払った経過利子相当額を前払金として経理し、その公社債に係る利子から控除することを認めています（法基通２－３－10）が、これは、所得の種類を定めないで、有価証券の譲渡益についてもすべて課税する法人税の仕組みの上では、その実質に着目した便宜的な取扱いができるわけであり、所得税においては、この取扱いは認められないことになります。

国際機関の発行する債券の利子

【問７-４】　私は、国際復興開発銀行債とアジア開発銀行円貨債の利子を受け取っています。これらの利子に対しては所得税の源泉徴収がされていませんが、非課税所得として確定申告をしなくてよろしいでしょうか。

【答】　御質問の国際機関が発行する円貨債等の利子は、所得税法上、利子所得に該当しますが、我が国と国際機関との国際協定によって、国内市場において発行する債権の利子に対しては、公租公課の徴収又は納付が免除されています。また、これらの国際機関に対しては租税を課さないこととされています（昭36.１.17条約第１号国際開発協会協定８⑨、昭41.８.24

条約第４号アジア開発銀行を設立する協定56)。

しかしながら、これらの利子については所得税の源泉徴収が免除されているからといって、その利子所得を非課税とするというものではありませんので、利子所得として確定申告しなければなりません。

なお、国外市場で発行されたこれらの国際機関が発行する債権の利子で国内の証券会社等を通じて受け取るものは、源泉徴収がされていますので確定申告をする必要はありません（平成28年１月１日以後に支払を受けるものについては、申告分離課税を選択することもできます。）。

第2節　配当所得

株式投資信託の収益の分配及び解約差損の課税関係

【問7-5】　私は年金所得者ですが、K証券会社から株式投資信託の受益証券を500万円で購入しました。この株式投資信託は、主として国内株式に投資する証券投資信託であり、収益の分配金は年間20万円で、所得税が30,630円差し引かれていました。このたび、この投資信託を解約したところ、50万円の解約差損が生じましたが、この解約差損を収益の分配金から差し引くことはできますか。

【答】　公社債投資信託以外の公募証券投資信託（特定株式投資信託を除きます。）（以下「株式等証券投資信託」といいます。）の収益分配に係る配当等の金額については、従来、公社債や預貯金の利子と同様に源泉分離課税により課税されていましたが、平成16年1月1日以後に支払を受ける収益の分配に係る配当等については、上場株式等の配当等と同じ取扱いとされ、源泉徴収（所得税15%、地方税5%）の上、確定申告をしないで源泉徴収のみで課税関係を終了させるか、確定申告により配当控除を適用し、源泉徴収税額を精算するかを選択することができます（措法9の3）。

さらに、平成21年1月1日以後に支払を受ける収益の分配については、申告分離課税を選択することもできます（措法8の4①）。

また、平成21年分以後の各年分の上場株式等に係る譲渡損失の金額がある場合には、その上場株式等に係る譲渡損失の金額は、上場株式等に係る配当所得の金額（申告分離課税（措法8の4）を選択したものに限る。）を限度として、その年分の上場株式等に係る配当所得の金額の計算上控除することができ（措法37の12の2①）、この上場株式等に係る譲渡損失の金額には、株式等証券投資信託の終了や一部解約により生じた損失の金額も含まれることとなりますので、御質問の場合の株式投資信託の受益証券の収益の分配に係る配当所得と解約差損との損益通算は認められることとなります。

ただし、上場株式等に係る配当所得について、総合課税を選択して申告をした年分については、損益通算の適用を受けることができませんのでご注意ください。

（参考）

平成21年１月以後、公募株式投資信託の解約や償還により生じた差損益は、株式等の譲渡所得等とされています。

（注）　平成25年から令和19年までの各年分については、上記の所得税のほか復興特別所得税（基準所得税額の2.1％）が課税されます。

株主優待乗車券

【問７－６】　私は、Ａ電鉄会社の株式を所有して配当を受けていますが、その他に、毎年、株主優待乗車券の交付を受け、これを通勤に利用しています。

この株主優待乗車券も配当所得になるのでしょうか。

【答】　配当所得とされる法人からの剰余金の配当、利益の配当、剰余金の分配には、利益又は剰余金の処分により配当又は分配をしたものだけでなく、法人が株主（出資者を含みます。）に対しその株主である地位に基づいて供与した経済的な利益も含まれることになっています（基通24－１）。

しかしながら、このような経済的な利益であっても、法人の利益の有無にかかわらず供与することとしている次に掲げるようなもの（これらのものに代えて他の物品又は金銭の交付が受けられるときは、その物品又は金銭も含まれます。）は、法人が剰余金又は利益の処分として取り扱わない限り、配当所得の基因となる剰余金の配当、利益の配当、剰余金の分配には含まれないものとされています（基通24－２）。

①　旅客運送業を営む法人が自己の交通機関を利用させるために交付する

株主優待乗車券等

② 映画、演劇等の興行業を営む法人が自己の興行場等において上映する映画の鑑賞等をさせるために交付する株主優待入場券等

③ ホテル、旅館業等を営む法人が自己の施設を利用させるために交付する株主優待施設利用券等

④ 法人が自己の製品等の値引販売を行うことにより供与する利益

⑤ 法人が創業記念、増資記念等に際して交付する記念品

したがって、あなたが交付を受けた株主優待乗車券は、A電鉄会社が剰余金又は利益処分として取り扱わない限り、配当所得には該当しないこととなります。

（注） ①から⑤に掲げる配当等に含まれない経済的利益で個人である株主等が受けるものは雑所得に該当します（基通24－2(注)）。

外国法人から外貨建てで支払われる配当金の邦貨換算

【問7-7】 証券会社の勧めで、米国のA法人の株式を2月に購入したところ、このほど当該株式の配当金をドル建てで受け取りました。

この配当金は、どのようにして日本円に換算すればよいでしょうか。

【答】 外国法人等からの配当金を外貨建てで受け取る場合は、収入すべき日における外貨を邦貨（円）に換算することが必要となりますが、換算に当たっては、外国為替の売買相場によることとされています（所法57の3①）。

ところで、外国為替の売買相場には

① その外貨を購入するために要する邦貨の額ＴＴＳ（電信売相場）によるか、

② その外貨を売却することによって得られる邦貨の額ＴＴＢ(電信買相場)

がありますが、外貨の支払を受ける者（債権者）の立場からみますと、通常国内では邦貨で使用することになりますから、その外貨の邦貨による評

価は、その外貨によって取得することができる邦貨の額によることが相当と考えられますので、ＴＴＢ（電信買相場）により換算して差し支えないものと思われます（基通213－１(2)、213－４）。

なお、実際に配当の支払を受けた日が、当該配当を支払うこととされている日から著しく遅延していない場合には、実際に支払を受けた日により評価しても差し支えないものと考えられます（基通213－３、213－４）。

少額配当の申告の要否の判定

【問７-８】 非上場会社である甲社から本年、次のとおり配当を受けました。これらの配当は合計すると10万円を超えていますので、確定申告をする必要がありますか。

① みなし配当額　７万円

② 決算配当額（年１回決算）　８万円

【答】 内国法人である非上場株式等に係る配当が少額配当に該当する場合には、申告不要制度が適用されます。(措法８の５①一)

この少額配当に該当するか否かは次の算式により判定します。

$$\text{１回に支払を受けるべき配当等の金額} \leqq 10\text{万円} \times \frac{\text{配当計算期間の月数}}{12}$$

※　配当計算期間の月数とは、その配当等の直前に内国法人から支払がされた配当等に係る支払基準日の翌日から内国法人から支払がされる配当等に係る支払基準日までの期間をいいます。

なお、みなし配当については、その配当計算期間は12か月として、上記の判定を行うこととされています（措令４の３④)。

したがって御質問の場合、みなし配当（７万円≦10万円）及び決算配当（８万円≦10万円）となり、いずれも少額配当に該当しますので、確定申告をする必要はありません。

源泉徴収選択口座内の配当等の申告の要否の判定

【問７－９】　私は、甲証券会社で上場株式であるＡ社、Ｂ社及びＣ社の株式を保有しており、各社からの配当を甲証券会社の源泉徴収選択口座（乙口座）で受け取りました。

また、年の途中でＡ社の株式を譲渡し、譲渡損失が発生しました。

この場合、確定申告をするに当たって、Ａ社及びＢ社からの配当については申告不要の特例を適用し、Ｃ社からの配当についてのみ申告することは可能でしょうか。

【答】　上場株式等の配当等（その発行済株式の３％以上の株式を保有する者（大口株主）が支払を受けるものを除きます。）については、その上場株式等の配当等に係る配当所得の金額の一部又は全部を除外したところにより、確定申告等をすることができる申告不要の特例が講じられています（措法８の５①二）。

この申告不要の特例は、その配当等について源泉徴収が行われていることを前提に講じられている措置ですが、源泉徴収選択口座内配当等については、源泉徴収選択口座において損益通算が行われるため、結果として源泉徴収が行われない場合があります。また、源泉徴収選択口座において損益通算が行われた場合には、上場株式等の配当等の額と源泉徴収税額が比例的にならなくなることから、どの上場株式等の配当等について源泉徴収が行われているかを判定することが困難となります。

上場株式等の配当等について申告不要の特例の適用を選択する場合には、その１回に支払を受けるべき上場株式等の配当等の額ごとに行うことになりますが（措法８の５④）、源泉徴収選択口座内配当等について申告不要の特例を適用する場合には、上記のような理由から、区分計算されたその源泉徴収選択口座においてその年中に交付を受けた源泉徴収選択口座内配当等に係る配当所得の金額ごと、つまり源泉徴収選択口座単位で行うこととなります（措法37の11の６⑨）。

したがって、あなたの場合は、各社からの配当を源泉徴収選択口座である乙口座で受け取っていることから、Ｃ社からの配当についてのみ申告することはできず、乙口座内のＡ社、Ｂ社及びＣ社からの配当の全てを申告するかしないかを選択することになります。

配当所得に係る「その年中に支払う」負債利子

【問７-10】　増資払込みに当たり、他の関係会社から次の条件で8,000万円を借り入れ、支払いましたが、この借入金の利息は土地を譲渡するまで支払う必要はないので支払っていません。

この場合、配当所得の計算に際し、この借入金の未払の利息を控除できるでしょうか。

条件：返済日……私の所有する土地を担保として提供し、譲渡した時点で、元利合計を返済する。

利　率……年利8.395％（日歩２銭３厘）

（注）　関係会社から各年末に元利残高の通知書が送られてきます。

【答】　配当所得の計算上控除する負債利子の計算の基礎となる利子は、「その年中に支払うもの」とされています（所法24②）。

この「その年中に支払うもの」とは、医療費控除の規定における「支払ったもの」の規定のように、その年中に支払ったものだけを認めるといった現金主義的な基準を予定しているものでもなく、また、「支払期日が到来したもの」を予定しているものとも解されません。

また、必要経費の算入時期は「債務の確定」によることとされ、収入の計上時期のように「支払うべき日」の到来まで計上できないものではありません。

更に、利子は、通常、日々成立し、確定しますから、「その年中に支払うもの」とは、その年中の借入期間に対応する利子と解されます。

ところで御質問の借入金利子については、利率も明確であり、また、各年末に元利合計が債権者から通知されていますから、土地を譲渡して元利合計を返済するまでの各年分に対応する利子は、それぞれ各年の「その年に支払うもの」として差し支えありません。

したがって、元本を所有している限り御質問の利子は、その年中に支払うものとして、その年中の元本の所有期間に対応する部分を、配当所得の計算上控除することができます。

株式の一部の譲渡があった場合の負債利子

【問7-11】　従前から2万株を所有していた株式の増資に伴う新株の割当て（1万株）を受け、金融機関から資金を借り入れて新株払込金の全額に充てました。

翌年、土地の購入資金に充てるため、この株式の一部(5,000株)を売却しましたが、新株払込金に充てた借入金の返済は行っていません。

この年分の配当所得の金額の計算上控除する負債利子に算入する金額はどのように計算するのでしょうか。

なお、この年分の当該借入金に係る利子の額は12万円です。

【答】　配当所得を生ずべき元本（株式等）を取得するために要した負債の利子で、その株式等の所有期間に対応する部分の金額は、その負債により取得した株式等に係る配当収入からだけではなく、他の株式等に係る配当収入からも控除することができることになっています（基通24－5）。

また、同一銘柄の株式等の一部を負債によって取得し、その後、一部の株式を譲渡した場合には、その負債の額をその銘柄の株式等の譲渡直前の総数に占める譲渡直後の総数の割合であん分することとされています（基通24－8）。

$$\text{譲渡直前におけるその銘柄の株式等を取得するために要した負債の額} \times \frac{\text{譲渡直後のその銘柄の株式等の数}}{\text{譲渡直前に有していたその銘柄の株式等の総数}}$$

（注）　その譲渡後、負債の一部弁済が行われた場合、その弁済は譲渡した株式等に係る負債から順次行われたものとします。

これは、同一銘柄の株式等を複数回にわたって取得した後に一部を譲渡した場合には、取得の時期の先後を問わず均等に譲渡されたものとみるためです。このため、同一銘柄の株式等の取得価額は、その取得や譲渡があった都度計算し直すことになっています。

ところで、分離課税の適用を受ける株式等の譲渡に係る事業所得、譲渡所得又は雑所得の基因となった株式等を取得するために要した負債の利子は、配当等の収入金額からは控除しないこととされています（所法24②、措法37の10⑥二）。

したがって、御質問の場合、譲渡した5,000株に対応するその年分の負債利子の金額は、その譲渡の前の期間に対応する部分も含め、配当所得の収入金額から控除することはできないことになりますので、配当所得の収入金額から控除する負債の利子の額は、

$$120{,}000\text{円} \times \frac{(20{,}000\text{株} + 10{,}000\text{株}) - 5{,}000\text{株}}{20{,}000\text{株} + 10{,}000\text{株}} = 100{,}000\text{円}$$

となります。

確定申告を要しない配当の株式に係る負債利子

【問７-12】　私は、非上場のＡ株式とＢ株式を借入金により取得し、それぞれ配当収入を得ています。

この場合、Ａ株式は１年決算で配当は10万円以下ですので確定申告をしないことを選択しようと思っていますが、その株式を取得するための負債利子をＢ株式の配当から控除することができますか。

【答】　特定の銘柄の株式等を取得するために要した負債の利子がある場合で、その銘柄の配当等について確定申告をしないことを選択したときには、負債利子の控除は適用されないこととされています。

また、その銘柄の配当等のうちに、確定申告をしないことを選択したものとそれ以外のものとがある場合には、次の算式により計算した負債利子の額は、控除することができません（措通８の５－２）。

$$当該銘柄の株式等を取得するために要した負債につきその年中に支払う利子の総額 \times \frac{(A)のうち、確定申告をしないことを選択した配当等の金額}{当該銘柄の株式等につきその年中に収入すべき日の到来した配当等の金額の合計額(A)}$$

したがって、御質問の場合、Ａ株式の配当について確定申告をしないことを選択すれば、その株式を取得するための負債の利子は、Ｂ株式の配当から控除することはできません。

配当金の受領を辞退した場合

【問７-13】　前期決算分の未払配当金を辞退したのですが、配当所得の申告は必要ですか。

【答】　御質問の場合、その辞退する理由によって次のような取扱いになります。

(1) 配当金の全部又は一部が支払が不能な状況にある場合

確定した配当金の全部又は一部の支払が受けられない場合においては、その支払不能となった金額に対応する部分の金額は、収入がなかったものとされます。この場合、支払不能の判定は、事業所得などの場合の貸倒れの判定に準じて行うことになります（所法24、36、64、基通36－４、64－１）。

(2) 上記以外の場合

法人に支払能力があるにもかかわらず、単に法人に対する資金援助を意味するような辞退については、配当を辞退した時に配当金の支払があったものとして取り扱われ、源泉徴収の対象となりますし（所法181、基通181～223共－２）、配当所得として申告が必要となります。

信用取引で証券会社から受け取る配当（配当落調整金）

【問７-14】　私は、会社勤務のかたわら株式の信用取引をしていますが、株主名簿閉鎖（決算日）５日前に買い付けたＡ株式に対し、証券会社からそのＡ株式に係る配当金を受け取りました。

これは配当所得として申告する必要がありますか。

また、配当金については、15.315％の源泉徴収税額が控除されたものとして計算されていますが、これは申告所得税額から控除できますか。

【答】　信用取引とは、証券会社から信用の供与を受けて行う株式の売買で、信用取引により株式を買い付けても、現引きしない限りその株式を実際に取得するわけではありません。したがって、信用取引により株式を買い付けても、株主配当金を受け取ることはできません。

しかしながら、買い付けた株式に配当が付与され、買付価額が受け取ることのできない配当含みであった場合には、これを調整するため証券会社は買い付けた者に配当落調整金を支払うこととしています。

一方、信用取引により売り付けた株式に配当が付与された場合には、逆に配当落調整金を売り付けた者から徴収することとしています。

したがって、御質問の配当金は、信用取引により買い付けた株式について支払を受けた配当落調整金かと思われます。

ところで、配当落調整金については、その性質に照らし、これを独立の収入又は経費とすることなく、次により取り扱うこととされています（基通36・37共－23）。

(1)　買い付けた者が収受した場合

買い付けた株式の取得価額からその金額を控除する。

(2)　売り付けた者が支払った場合

売り付けた株式の譲渡の収入金額からその金額を控除する。

したがって、御質問の配当金は、配当所得として申告する必要はなく、買い付けた株式の取得価額から、証券会社から支払を受けた金額（配当金

－源泉徴収(相当)税額－証券金融納付手数料等）を控除することとなります。

また、御質問にある15.315％の源泉徴収税額は、配当落調整金の計算明細にすぎず、実際の源泉徴収税額そのものではありませんから、所得税額の計算上控除することはできません。

労働者協同組合の従事分量配当

> **【問７-15】** 私は労働者協同組合の事業に従事したことから、その程度に応じた剰余金の分配金を受け取ることになりました。この分配金は、どのように課税されるのですか。

【答】 労働者協同組合は、損失を填補し、準備金及び就労創出等積立金並びに教育繰越金を控除した後でなければ、剰余金の配当をしてはならないこととされています（労働者協同組合法77①）。さらに、剰余金の配当は、定款で定めるところにより、組合員が組合の事業に従事した程度に応じてしなければならないこととされています（労働者協同組合法77②）。

すなわち、労働者協同組合は、剰余金の配当を行う場合には、いわゆる従事分量配当として行わなければならず、いわゆる出資配当を行うことはできないこととされています。

このように、労働者協同組合の組合員が、その労働者協同組合の事業に従事した程度に応じて受ける分配金は、形式上出資者に対する出資に係る剰余金の配当ではありませんが、労働者協同組合等は、法人税法上、普通法人とされており、その分配金は法人税の課税上損金算入されず、課税済みの所得から分配されたものと同様の扱いとなるため、所得税法上、「出資に係る剰余金」と同様に、その額が「配当等」の収入金額とされています（所令62①五）。

なお、この分配金は、その支払に当たって20％の税率で所得税が源泉徴収されます（所法182二）。

（注）　平成25年から令和19年までの各年分については、上記の所得税のほか復興特別所得税（基準所得税額の2.1%）が課税されます。

第３節　その他の金融所得

新株を引き受けたことによる所得

【問７-16】　知人が経営する法人が増資することとなり、その際私も株主に加えられて、新株の割当てを受けることになりました。

その法人は上場されており、現在の株価は、私が払込みを予定している額面の約３倍です。このような場合は課税の対象になるのでしょうか。

【答】　法人が増資のために新株を発行し、これを従前からの株主がその所有する株数に比例して割当てを受けた場合には、その所有する株式の数の増加はあっても、その株式に化体されている経済的価値の増加はなく、旧株の含み益が新株によって薄められたにすぎないので利益は発生しないことになり、所得税の課税関係も生じないことになります（基通23～35共－８）。

しかしながら、旧株主が、その所有する旧株の割合を超えて新株の割当てを受けた場合や、新株の割当てを受けたことにより新たに株主になったような場合は、その株式の時価が実際の払込金額を超える部分に相当する利益が発生し、所得税の課税関係が生ずることとなります（所令84③）。

これらの株式を取得する権利を与えられた場合の所得は、その発行法人の役員又は従業員（退職者を含みます。）に対して支給すべき給与、賞与又は退職金に相当するものは給与所得、退職所得として課税され、その他のものは一時所得として課税されることになっています（基通23～35共－６(2)）。

したがって、あなたの場合は、一時所得として課税されることになります。

次に、株式を取得する権利に係る所得の計算は、その権利に基づく払込みの期日における株式の価額（時価）からその権利の取得価額にその権利行使に際し払い込むべき額を加算した金額を控除した金額となります（所令84③三）。

したがって、あなたの場合、払込みの期日における株式の価額から、株式を取得する権利を取得するために支払った金額がある場合はその金額にその権利の行使の際に払い込むべき金額を控除して一時所得の計算をすることとなります。

なお、株式を取得する権利に係る所得の収入の時期は、原則としてその株式の取得についての申込みをした日とされています。

ただし、株式を取得する権利の行使の場合で、株式の取得について申込みをした日が明らかでないときは、その株式についての申込期限によるものとされています。もっとも、株式の割当てを受けてもその株式の申込みをしなかったり、その後に申込みを取り消したり、又は払込みをしなかったことにより失権した場合には、いずれも課税関係は生じないこととなります（基通23～35共－６の２）。

社債の割引発行による償還差益

【問７-17】　割引債の償還差益の課税関係を教えてください。

【答】　昭和63年４月１日以後に発行された割引債について支払を受けるべき償還差益については、18％（東京湾横断道路の建設に関する特別措置法第２条第１項に規定する東京湾横断道路建設事業者が同法第10条第１項の認可を受けて発行する社債及び民間都市開発の推進に関する特別措置法第３条第１項に規定する民間都市開発推進機構が同法第８条第３項の認可を受けて発行する債券のうち割引債に該当するものにつき支払を受けるべき償還差益については16％）の税率による源泉分離課税とすることとされています（措法41の12①）。

（注）　平成25年から令和19年までの各年分については、上記の所得税のほか

復興特別所得税（基準所得税率の2.1％）が課税されます。

この場合、割引債の発行者が、源泉徴収義務者とされ、割引債の発行の際これを取得する者からその償還差益に税率を乗じて計算した金額を源泉徴収し、納付することになっています（措法41の12③）。

ところで、ここでいう割引債とは、券面金額を割引発行する公社債で、次に掲げるもの以外のものをいうこととされています（措法41の12⑦、措令26の15）。

(1) 外貨公債の発行に関する法律第１条第１項又は第３項の規定により発行される同法第１条第１項に規定する外貨債（同法第４条に規定する外貨債を含みます。）

(2) 特別の法令により設立された法人の発行する債券のうち、独立行政法人住宅金融支援機構、沖縄振興開発金融公庫又は独立行政法人都市再生機構が発行する債券

(3) 平成28年１月１日以後に発行された公社債（預金保険法第２条第２項第２号に規定する長期信用銀行債及び農水産業協同組合貯金保険法第２条第２項第４号に規定する農林債を除く。）

したがって、上記以外の社債については、源泉分離課税が適用されますので確定申告の必要はありませんし、確定申告をすることにより還付を受けることもできません（上記の割引債や国外で発行された割引債（外国法人が国内事業に係るものとして発行したものを除きます。）などの償還差益で源泉分離課税の適用を受けないものは、平成27年12月31日までに支払を受けるべきものは雑所得として申告する必要があります。）。

一方、平成28年１月１日以後に支払を受けるべき償還差損益（平成28年１月１日より前に発行され発行時に源泉徴収された割引債に係るものは除きます。）は、公社債の譲渡による収入金額とみなされ、15％の申告分離課税の対象となります（措法37の10③八）。ただし、同族会社が発行する公社債など、一定のものは、従来どおり雑所得として総合課税の対象となります。

なお、平成27年12月31日までに公社債（新株予約権付社債を除きます。）を売却した場合の所得については、非課税とされており、償還差益が分離課税となる割引債を譲渡した所得についても非課税となります。ただし、上記(2)に該当する機関により発行された割引債や国外で発行された割引債、外国政府等が発行した割引債までを譲渡した場合には、非課税とはなりませんので、確定申告が必要です（措法37の15、平25改所法等附１⑥ハ）。

株式売買の委託が履行されなかったことに基づく損害賠償金

【問７-18】　私は、Ａ証券会社に株式売買の委託をしましたが、Ａ証券会社のミスで売買されませんでした。そこで、翌日Ｂ証券会社を通じてその売買を行いました。その間、その株式の価格は値下がりし私は当初の期待利益が得られませんでした。このため、私は、実際の売買価格と前日の売買予定価格との差額をＡ証券会社に対して損害賠償として請求し、請求どおり支払を受けましたが、この金銭の課税関係はどうなりますか。

【答】　損害賠償金として支払われるもので非課税とされるものは、心身の傷害に基因して支払を受けるもの又は不法行為その他突発的な事故により資産に加えられた損害につき支払を受けるものとされ（所法９①十八、所令30）、人的損害に対するものは収益の補償も含めて非課税とされますが、物的損害に対するもののうち収益の補償は課税対象とされています（所令94）。

ところで、御質問の損害賠償金は、喪失した所得（利益）の補塡にすぎないものですから非課税とはなりません。

また、御質問の損害賠償金は、株式の譲渡所得等に代わる収益補償金ではありますが、Ｂ証券会社を通じて株式の譲渡が適正に行われていることから、株式の譲渡所得等にも該当しません。したがって、この場合、総合課税の雑所得の総収入金額に算入するのが相当と解されます。

抵当証券に係る利子及び売買益

【問７-19】 会社員である私は、このたびＡ抵当証券会社から抵当証券を購入しました。
この場合の利子は、利子所得となるのでしょうか。
また、抵当証券を譲渡した場合の所得は何所得となるのでしょうか。

【答】 抵当証券は、抵当証券会社が法務局から発行された抵当証券を利用して資金調達を図っているものです。

この抵当証券は、金融商品取引法上の有価証券ではなく、その利子は、所得税法上の利子所得に該当しないこととされています。

また、抵当証券の譲渡による所得は、抵当証券が譲渡所得の基因となる資産に当たらないため、譲渡所得に該当しないこととされています（昭59.6.26直審４－30）。

したがって、御質問の場合の抵当証券の利子及び譲渡による所得のいずれもが雑所得となりますが、15％（居住者については、この他に地方税５％が加算されます。）の税率による源泉分離課税とされています（【問７－21】参照）。

（注）　平成25年から令和19年までの各年分については上記の所得税のほか復興特別所得税（基準所得税額の2.1％）が課税されます。

なお、抵当証券の発行と流通の仕組みは次のとおりです。

抵当証券の発行と流通の仕組み

① 資金需要者は、抵当証券会社（以下「当社」という。）に、融資の申込みを行う。

② 当社は、調査のうえ不動産等に抵当権を設定し、融資を行う。

③ 当社は、法務局に抵当証券の交付を申請する。

④ 法務局は、担保の妥当性、充分性を厳格に審査する。

⑤ 法務局は、当社に対し抵当証券を交付する。

⑥ 当社は、当該抵当証券を銀行に保護預けする。

⑦ 銀行は、当社に抵当証券の保護預り証を交付する。

⑧ 投資家は、当社に抵当証券の購入を申し込み、購入代金を払い込む。

⑨ 当社は、投資家が購入する抵当証券に対応するモーゲージ証書に銀行が保護預りしている旨の証明を受け、これを投資家に渡す。

⑩ 資金需要者である債務者は、元利金をあらかじめ定められた日（１年以内の一定期間ごとに到来する。）に当社に支払う。

⑪ 当社は、元利金を定められたとおり投資家に支払う。

⑫ 投資家は、モーゲージ証書の譲渡はできない。ただし、当社に対しては、いつでも譲渡できる（譲渡価額は、時価と譲渡日までの利息との合計額である。）

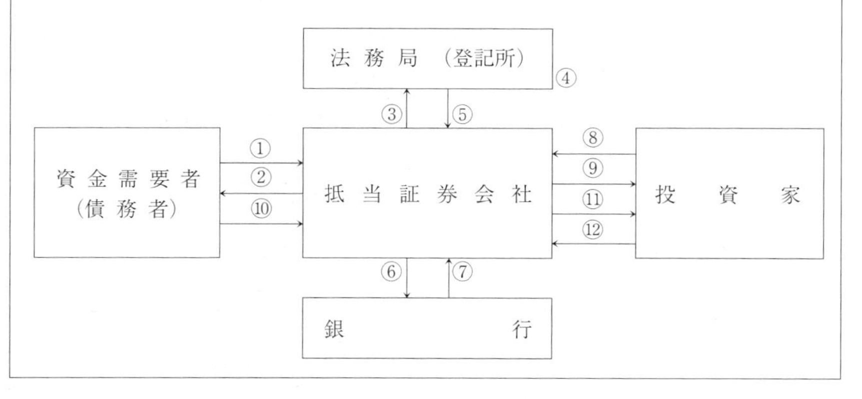

定期積金の給付補塡金

【問７-20】 定期積金の給付補塡金は、なぜ利子所得とならないのですか。

【答】 定期積金の給付補塡金は、経済的にみると、普通預金や定期預金の利子と同じようですが、法律的にはその契約の性質が異なります。

つまり、普通預金や定期預金は、金銭の消費寄託契約であって消費貸借の規定が準用され、預金者の請求があれば預金先の金融機関は払戻しの義務を負う「片務契約」であるのに対して、定期積金契約は、定期積立ての契約者が契約で定められた期間中、一定の日に払い込む義務を負い、一方、金融機関は一定期間の中途又は満了のときに債務の履行として契約者に給付金を支払う義務を負う「双務契約」です。

したがって、この給付金と預金者の払い込んだ掛金の総額との差額、いわゆる給付補塡金は、契約上の違いから利子所得に該当しないこととなり、雑所得に区分されています（基通35－１(3)）。

なお、昭和63年４月１日以後に支払を受けるべき給付補塡金については、所得税が源泉分離課税されることとされています（次問参照）。

金融類似商品の課税

【問７-21】 定期積金の給付補塡金等は、支払の際、源泉徴収による分離課税とされると聞きましたが、その内容について説明してください。

【答】 次に掲げる定期積金等のいわゆる金融類似商品の給付補塡金等（所法174三～八）で、昭和63年４月１日以降に国内において支払を受けるべきものは、15％（居住者については、この他に地方税５％が加算されます。）の税率の源泉徴収による分離課税とすることとされています（所法209の２、209の３、措法41の10）。

(1) 定期積金の給付補塡金

(2) 銀行法第2条第4項の契約に基づく給付補塡金
(3) 抵当証券に基づき締結された契約により支払われる利息
(4) 貴金属（これに類する物品を含みます。）の売戻し条件付売買の利益
(5) 外貨建預貯金で、その元本と利子をあらかじめ約定した率により円又は他の外国通貨に換算して支払うこととされているものの差益（いわゆる外貨投資口座の為替差益など）
(6) 一時払養老保険又は一時払損害保険等の差益（保険期間等が5年以下のもの又は保険期間等が5年を超えるもので保険期間等の初日から5年以内に解約されたものに基づく差益）

（注）　平成25年から令和19年までの各年分については、上記の所得税のほか復興特別所得税（基準所得税額の2.1％）が課税されます。

金貯蓄や金地金累積投資に係る所得の課税

【問7-22】　私はサラリーマンですが、証券会社で、純金の投資商品の金貯蓄口座と純金積立（金地金累積投資）に毎月2万円を積み立てていましたが、この純金積立による金地金が一定量になりましたので、本年初めて売却しました。この場合、確定申告の必要はありますか。

【答】　純金に対する投資を目的とした商品は、金地金や金貨の現物売買のほか、証書や通帳方式によるものなど多数あります。

御質問の純金積立は、買付け金が一定量に達したときは、売却するか、金地金の引渡しを受けるか、他の金貨や金製品と交換できるものではないかと思われます。

本年、この積立てた金が一定量に達したので、売却したとのことですが純金積立によるものであっても、金の売買にほかならないといえます。

金の売買による所得は、その取引状況に応じて、事業所得、雑所得又は譲渡所得に区分されます。

御質問の場合、毎月積み立てていたとのことですが、サラリーマンという

ことや月々の積立金額、売却の回数から考えて事業や営利の目的によるものとまでは認められませんので、おおむね譲渡所得となるものと考えられます。

譲渡所得の金額の計算は、収入金額から取得費及び譲渡費用を控除し、その残額から特別控除額を控除した金額とされています。

したがって、買付手数料及び売却手数料等は取得費又は譲渡費用とされますが、管理料はこのいずれにも該当しませんので、控除することはできません。また、この譲渡により損失が出た場合でも、金は、生活に通常必要でない資産となりますので、その損失は、損益通算の対象となりません。

なお、金貯蓄口座は、金の販売時における現物価額と一定期間後に買い取られる先物価額との差を利用して販売されています。

この利益については、金融類似商品として源泉分離課税の対象となり、確定申告に含めることはできません（所法209の２、209の３、措法41の10）。

第4節　株式等の譲渡益課税

株式等の譲渡による所得に対する課税

【問7-23】 株式等を譲渡したときの所得には、どのように課税されるのですか。

【答】　1　株式等の譲渡益に係る申告分離課税制度の概要

(1)　株式等の譲渡による事業所得の金額、譲渡所得の金額および雑所得の金額（以下「譲渡所得等の金額」といいます。）は、「上場株式等に係る譲渡所得等の金額」と「一般株式等に係る譲渡所得等の金額」に区分し、他の所得の金額と区分して税金を計算する「申告分離課税」となります（措法37の10①、37の11①）。

(2)　「上場株式等に係る譲渡所得等の金額」と「一般株式等に係る譲渡所得等の金額」は、それぞれ別々の申告分離課税とされているため、上場株式等に係る譲渡損失の金額を一般株式等に係る譲渡所得等の金額から控除することはできません。

また、一般株式等に係る譲渡損失の金額は、原則として上場株式等に係る譲渡所得等の金額から控除することはできません。

2　申告分離課税以外の課税方法

株式等の譲渡による所得であっても、その株式等の譲渡が次に掲げる譲渡に該当するときは、それぞれ次に掲げる方法により課税されます。

(1)　有価証券先物取引（有価証券の受渡しが行われることとなるものに限ります。）の方法による株式等の譲渡

事業所得又は雑所得として総合課税

（注）　金融商品先物取引等の決済が差金等決済によるときは、事業所得又は雑所得として申告分離課税

(2)　土地等の譲渡に類する株式等の譲渡で、土地等の短期譲渡所得とし

て分離課税の対象とされるもの

土地等の短期譲渡所得として分離課税（措法32②、措令21③）

(3)　ゴルフ会員権に類する株式又は出資者の持分の譲渡

原則、譲渡所得として総合課税（措法37の10②かっこ書、措令25の８②、基通33－６の３、【問７－24】参照）

(4)　源泉徴収口座での上場株式等の譲渡

源泉徴収のみで課税関係が終了（申告分離課税により確定申告をすることもできます【問７－34】参照）

３　「株式等」、「上場株式等」および「一般株式等」の意義

(1)　株式等

次に掲げるもの（外国法人に係るものを含み、ゴルフ場の所有または経営に係る法人の株式または出資を所有することがゴルフ場を一般の利用者に比して有利な条件で継続的に利用する権利を有する者となるための要件とされている場合におけるその株式または出資者の持分を除きます。）をいいます（措法37の10②、措令25の８②③）。

①　株式（投資口を含みます。）、株主または投資主となる権利、株式の割当てを受ける権利、新株予約権（新投資口予約権を含みます。）および新株予約権の割当てを受ける権利

②　特別の法律により設立された法人の出資者の持分、合名会社、合資会社または合同会社の社員の持分、協同組合等の組合員または会員の持分その他法人の出資者の持分（出資者、社員、組合員または会員となる権利および出資の割当てを受ける権利を含み、③に掲げるものを除きます。）

③　協同組織金融機関の優先出資に関する法律に規定する優先出資（優先出資者となる権利および優先出資の割当てを受ける権利を含みます。）および資産の流動化に関する法律に規定する優先出資（優先出資社員となる権利および同法に規定する引受権を含みます。）

④　投資信託の受益権

⑤　特定受益証券発行信託の受益権

⑥　社債的受益権

⑦　公社債（預金保険法に規定する長期信用銀行債等、農水産業協同組合貯金保険法に規定する農林債および償還差益について発行時に源泉徴収がされた割引債を除きます。）

(2)　上場株式等

株式等のうち、次に掲げるものをいいます（措法37の11②、措令25の９②⑥、措規18の10①）。

①　金融商品取引所に上場されている株式等

②　店頭売買登録銘柄として登録されている株式（出資および投資口を含みます。）

③　店頭転換社債型新株予約権付社債

④　店頭管理銘柄株式（出資および投資口を含みます。）

⑤　日本銀行出資証券

⑥　外国金融商品市場において売買されている株式等

⑦　公募投資信託（特定株式投資信託を除きます。）の受益権

⑧　特定投資法人の投資口

⑨　公募特定受益証券発行信託の受益権

⑩　公募特定目的信託の社債的受益権

⑪　国債および地方債

⑫　外国またはその地方公共団体が発行し、または保証する債券

⑬　会社以外の法人が特別の法律により発行する一定の債券

⑭　公社債でその発行の際の有価証券の募集が一定の公募により行われたもの

⑮　社債のうち、その発行の日前９か月以内（外国法人にあっては、12か月以内）に有価証券報告書等を内閣総理大臣に提出している法人が発行するもの

⑯　金融商品取引所（これに類するもので外国の法令に基づき設立さ

れたものを含みます。）においてその規則に基づき公表された公社債情報に基づき発行する一定の公社債

⑰　国外において発行された公社債で、次に掲げるもの

イ　有価証券の売出し（その売付け勧誘等が一定の場合に該当するものに限ります。）に応じて取得した公社債（ロにおいて「売出し公社債」といいます。）で、その取得の時から引き続きその有価証券の売出しをした金融商品取引業者等の営業所において保管の委託がされているもの

ロ　売付け勧誘等に応じて取得した公社債（売出し公社債を除きます。）で、その取得の日前９か月以内（外国法人にあっては、12か月以内）に有価証券報告書等を提出している会社が発行したもの（その取得の時から引き続きその売付け勧誘等をした金融商品取引業者等の営業所において保管の委託がされているものに限ります。）

⑱　外国法人が発行し、または保証する債券で、次に掲げるもの

イ　次に掲げる外国法人が発行し、または保証する債券

(イ)　その出資金額または拠出をされた金額の合計額の２分の１以上が外国の政府により出資または拠出をされている外国法人

(ロ)　外国の特別の法令の規定に基づき設立された外国法人で、その業務がその外国の政府の管理の下に運営されているもの

ロ　国際間の取極に基づき設立された国際機関が発行し、または保証する債券

⑲　銀行等またはその銀行等の関連会社が発行した社債（その取得をした者が実質的に多数でないものとして一定のものを除きます。）

⑳　平成27年12月31日以前に発行された公社債（その発行の時において同族会社に該当する会社が発行したものを除きます。）

(3)　一般株式等

株式等のうち、上場株式等以外のものをいいます（措法37の10①）。

4　上場株式等・一般株式等に係る譲渡所得等（譲渡益）の金額の計算方法

⑴　上場株式等に係る譲渡所得等（譲渡益）の金額の計算方法（所法33③、38、措法37の11⑥三）

総収入金額 （譲渡価額）	－	必要経費 （取得費＋譲渡費用＋負債利子）	＝	上場株式等に係る 譲渡所得等の金額

⑵　一般株式等に係る譲渡所得等（譲渡益）の金額の計算方法（所法33③、38、措法37の10⑥）

総収入金額 （譲渡価額）	－	必要経費 （取得費＋譲渡費用＋負債利子）	＝	一般株式等に係る 譲渡所得等の金額

（注）1　上場株式等に係る譲渡損失の金額を一般株式等に係る譲渡所得等の金額から控除することはできません。
　また、一般株式等に係る譲渡損失の金額は、原則として上場株式等に係る譲渡所得等の金額から控除することはできません。
2　総収入金額（譲渡価額）には、償還、解約により交付を受ける金銭等の額を含みます。

5　税率

税率については、次のとおりです（措法37の10①、37の11①）。

区分	税率
上場株式等に係る譲渡所得等(譲渡益)	20%(所得税15%、住民税５%)
一般株式等に係る譲渡所得等(譲渡益)	20%(所得税15%、住民税５%)

（注）　平成25年から令和19年までの各年分の確定申告においては、所得税のほか、復興特別所得税（各年分の基準所得税額の2.1%）を合わせて申告する必要があります。

6　株式等の譲渡に係る主な特例

株式等の譲渡に係る所得に関する特例のうち、主なものは次のとおりです。

(1)　特定口座制度（措法37の11の３～６、措通37の11の４－１、【問７－34】参照）

(2)　上場株式等に係る譲渡損失と上場株式等に係る配当所得等との損益通算（措法37の12の２①、【問７－32】参照）

(3)　上場株式等に係る譲渡損失の繰越控除（措法37の12の２⑤、【問７－32】参照）

(4)　特定管理株式等が価値を失った場合の株式等に係る譲渡所得等の課税の特例（措法37の11の２、措令25の９の２、措規18の10の２）

(5)　非課税口座内の少額上場株式等に係る配当所得および譲渡所得等の非課税措置（NISA）（措法９の８、37の14、【問７－41】参照）

(6)　未成年者口座内の少額上場株式等に係る配当所得および譲渡所得等の非課税措置（ジュニアNISA）（措法９の９、37の14の２、【問７－44】参照）

ゴルフ会員権の譲渡

【問７-24】　私は、本年10月にゴルフ会員権を売却しました。このゴルフ会員権の譲渡益については、どのように課税されるのでしょうか。

【答】　有価証券の譲渡による所得については、原則として、申告分離課税の方法で課税されることとなっていますが、株式形態のゴルフ会員権、すなわちゴルフ場の所有又は経営に係る法人の株式又は出資を所有することが、そのゴルフ場を一般の利用者に比して有利な条件で継続的に利用する権利を有する者となるための要件とされている場合における株式又は出資者の持分の譲渡による所得については、総合課税の対象とされています（措法37の10②かっこ書、措令25の８②、基通33－６の３）。

また、ゴルフ会員権には上記の株式形態のもののほか、株式形態でない単なる利用形態のものもありますが、これについても、一般に譲渡所得として総合課税の対象とされています（基通33－６の２）。

したがって、御質問の場合、株式形態のものか単なる利用形態のものか不明ですが、いずれの形態であるかにかかわらず、譲渡所得として総合課税の対象とされることとなります。

なお、平成26年４月１日以後にゴルフ会員権を譲渡して生じた損失の金額については、他の所得と通算することができません（所令178①二）。

ゴルフ会員権を譲渡した場合の取得費及び譲渡費用

【問７-25】　ゴルフ会員権の譲渡所得の計算上、控除することのできる取得費及び譲渡費用は、どのようなものがありますか。

【答】　ゴルフ会員権を譲渡した場合の取得費は、次のようなものがこれに該当します。

(1)　ゴルフクラブへの入会に当たって支出した入会金、預託金、株式払込金

(2)　第三者から会員権を取得した場合の購入価額、名義書換料、会員権業者に支払う手数料

(3)　会員権を取得するために借り入れた借入金の利子のうち、その会員権の取得のための資金の借り入れの日から使用開始の日までの期間に対応する部分の利子

（注）　この場合の「使用開始の日」は、次のとおり、会員としての権利の行使が可能となった日をいいます。

イ　オープン前の会員権を取得した場合には、そのゴルフ場がオープンした日（オープン前に譲渡した場合には譲渡の日）

ロ　オープン後の会員権を取得した場合には、会員権（会員資格）を取得した日

また、会員権を譲渡した場合の譲渡費用は、譲渡のために直接要した費用をいい、ゴルフ会員権業者に支払う手数料等がこれに該当します。

なお、年会費は、会員権を保有することに伴う維持管理費用ですから、取得費及び譲渡費用のいずれにも該当しません（所法33、38、基通33－７）。

有価証券の取得価額

> **【問７-26】** 有価証券の取得方法については、購入によるもののほか、種々の態様により取得する場合がありますが、それぞれの場合、取得価額はどのように計算するのでしょうか。

【答】　株式等の有価証券の取得価額の計算については、基本的には、所得税法施行令で定める有価証券の評価等の原則によることになります。

具体的には、その取得の態様により、次により計算します（所令109）。

1　通常の場合

①　金銭の払込みにより取得した有価証券（③に該当するものを除きます。）………その払込みをした金銭の額（新株予約権の行使により取得した有価証券にあってはその新株予約権の取得価額を含むものとし、その金銭の払込みによる取得のために要した費用がある場合には、その費用を加算した金額とします。）

②　特定譲渡制限付株式又は承継譲渡制限付株式………その特定譲渡制限付株式又は承継譲渡制限付株式の譲渡についての制限が解除された日（同日前にこれらの株式の交付を受けた個人が譲渡制限が解除される前に死亡した場合に、死亡の時に株式の発行法人が無償で取得することとなる事由に該当しないことが確定しているものについては、死亡の日）における価額

③　発行法人から与えられた権利の行使により取得した有価証券（平成10年４月１日以後取得分より適用。株主等として取得したもの及びいわゆるストックオプション制度により取得した株式で、経済的利益の非課税の特例の規定の適用を受けて取得したものは除きます。）………その有価証券のその権利の行使の日における価額

④　発行法人に対し新たな払込み又は給付を要しないで取得した発行法人の株式又は新株予約権のうち、発行法人の株主等として与えられる場合の株式又は新株予約権……零

⑤　購入した有価証券………その購入代価（購入手数料その他有価証券の購入のための費用を含みます。）

⑥　上記以外の方法により取得した有価証券………その取得の時におけるその有価証券の取得のために通常要する価額

2　贈与等により取得した場合

①　贈与、相続又は遺贈により取得した有価証券………被相続人の死亡の時において、その被相続人がその有価証券につきよるべきものとされていた評価の方法により評価した金額

②　著しく低い価額の対価により取得した有価証券………その対価の額と実質的に贈与を受けたと認められる金額との合計額

3　株主割当てにより取得した場合

①　会社法施行日以後に株主割当てにより取得した株式の取得

$$\text{旧株及び新株の1株当たりの取得価額}=\frac{\text{旧株1株の従前の取得価額}+\text{新株1株につき払い込んだ金額}\times\text{旧株1株につき取得した新株の数}}{\text{旧株1株につき取得した新株の数}+1}$$

②　増資により取得した株式の取得価額（所令111①②）

$$\text{旧株及び新株の1株当たりの取得価額}=\frac{\text{旧株1株の従前の取得価額}+\left(\text{新株1株の払込金額}\times\text{旧株1株につき取得した新株の数}\right)}{\text{旧株1株につき取得した新株の数}+1}$$

③　平成13年3月31日まで行われた増資等により取得した株式の取得価額（旧所令111）

$$\text{旧株及び新株の1株当たりの取得価額}=\frac{\text{旧株1株の従前の取得価額}+\left\{\left(\text{新株1株の払込金額}+\text{その資本組入れにより受けた新株1株当たりのみなし配当の金額}\right)\times\text{旧株1株につき取得した新株の数}\right\}}{\text{旧株1株につき取得した新株の数}+1}$$

4　昭和27年12月31日以前に取得した株式（所法61④、所令173）

①　上場されている株式又は気配相場のある株式若しくは出資

$$\text{昭和27年12月31日以前に取得した株式又は出資の取得価額}=\text{昭和27年12月中の毎日の公表最終価格等の合計額}\div(31\text{日}-\text{公表最終価格等のない日数})$$

②　①以外の株式又は出資

昭和27年12月31日以前に取得した株式又は出資の取得価額 ＝ (昭和28年１月１日におけるその株式又は出資の発行法人の資産の価額の合計額 － 同日における負債の額の合計額) ÷ 同日現在における発行済株式又は出資の総数又は総額

なお、上記①又は②の算式で計算した金額が実際の取得価額に満たないことが証明された場合は、その実際の取得価額によることとされています。

（注）　有価証券の譲渡による収入金額の100分の５に相当する金額を取得価額として株式等に係る譲渡所得等の金額を計算しているときは、これを認めることとされています（基通48－８、38－16、措通37の10・37の11共－13）。

信用取引等による株式の取得価額

【問７-27】　私は信用取引により株式を売買していますが、この場合、取得価額はどのように計算するのでしょうか。

【答】　信用取引、発行日取引又は有価証券先物取引の方法により株式の売買を行い、かつ、これらの取引による株式の売付けと買付けによりその取引の決済を行った場合には、その売付けに係る株式の取得に要した経費としてその人のその年分の事業所得の金額又は雑所得の金額の計算上必要経費に算入する金額は、これらの取引において、その買付けに係る株式を取得するために要した金額とすることとされています（所令119）。

新株予約権の行使により取得した株式の取得価額

【問７-28】　私は新株予約権の行使により株式を取得しました。この株式の取得価額はどのように計算するのでしょうか。

【答】　発行法人から与えられた所得税法施行令第84条第３項に規定する新株予約権については、権利行使により取得した株式の権利行使日における価額から新株の発行価額を控除した金額が、その権利に係る経済的利益として課税されますので、権利行使により取得した株式の取得価額は、権利行使日における株式の価額になります（所令109①三）。

しかしながら、例えば市場等で購入するなどした所得税法施行令第84条第３項第１号又は第２号の適用を受けない新株予約権を行使して取得した株式の１株当たりの取得価額は、次の算式により計算した金額によるものとします（基通48－６の２）。

（算式）

$$\text{株式１株当たりの払込価額} + \frac{\text{その新株予約権のその行使直前の取得価額}}{\text{その行使により取得した株式の数}}$$

新株予約権付社債に係る新株予約権の行使により取得した株式の取得価額

【問７-29】　私は新株予約権付社債の新株予約権の行使により株式を取得しました。この株式の取得価額はどのように計算するのでしょうか。

【答】　新株予約権付社債に係る新株予約権の内容として定められている新株予約権の行使に際して出資される財産の価額が、その新株予約権付社債の発行時の発行法人の株式の価額を基礎として合理的に定められている場合におけるその新株予約権の行使により取得した株式１株当たりの取得価額は、次に定める算式により計算した金額によるものとします（基通48－６の３）。

$$\text{株式１株につき払い込むべき金額} + \frac{\text{その払込みに係る新株予約権付社債のその行使直前の取得価額がその払込みに係る新株予約権付社債の額面金額を超える場合のその超える部分の金額}}{\text{その行使により取得した株式の数}}$$

売買における有価証券の評価方法

【問7-30】 申告分離課税の対象とされる株式等の譲渡による雑所得の計算上必要経費に算入する取得原価はどのように計算するのですか。

月／日	銘柄区分	購入株数・金額	売却株数・金額
2／1	A	2万株220万円	
3／10	A	1万株140万円	
5／31	A		2万株300万円
6／30	A	2万株480万円	
8／30	A		1万株250万円
12／1	A	1万株400万円	

【答】 個人が2回以上にわたって取得した同一銘柄の株式等の取得価額については、事業所得に該当する場合と譲渡所得又は雑所得に該当する場合とでは、その計算の仕組みに相違がありますので注意する必要があります。

まず、事業所得の金額の計算上必要経費に算入する金額は、評価の方法を選定しなかった場合又は選定した評価の方法により評価しなかった場合には、総平均法によって算出した1単位当たりの金額により計算した金額とすることとされています（申告分離課税の対象となる事業所得の計算に当たっては、移動平均法を適用することはできません。）（所法48、所令108①、措令25の8⑧、25の9⑪）。

次に、譲渡所得や雑所得の金額の計算上取得費又は必要経費に算入する金額は、総平均法に準ずる方法によって算出した1単位当たりの金額により計算した金額とされます（所令118）。

すなわち、総平均法に準ずる方法とは、その有価証券を最初に取得した時（その後、既にその有価証券の譲渡をしている場合には直前の譲渡の時）から、その譲渡をした時までの期間を基礎として、既に有していた有価証券と、その期間内に取得した有価証券につき総平均法で計算した1単位当たりの金額によって計算する方法です。

したがって、御質問の場合について計算してみますと、その1年間に取得した有価証券のすべてについて総平均するのではなく、次のように、その有価証券の種類及び銘柄別に、譲渡した都度総平均法により１単位当たりの原価を計算することになります。

５月31日譲渡のものについて、１株当たりの価額は、

(220万円＋140万円)÷３万株＝120円

取得原価は120円×２万株＝240万円………①

８月30日譲渡のものについて、１株当たりの価額は、

{(120円×１万株)＋480万円}÷３万株＝200円

取得原価は200円×１万株＝200万円………②

Ａ銘柄の譲渡による雑所得の計算上必要経費に算入できる取得原価は、上記により

①＋②＝240万円＋200万円＝440万円

株式の譲渡損失の損益通算

【問７-31】　私の本年の所得の状況は次のとおりです。

一般株式等の譲渡による譲渡所得の損失70万円は、他の所得との間で損益通算できるのでしょうか。

・総合課税の事業所得	800万円
・一般株式等の譲渡による雑所得	50万円
・一般株式等の譲渡による譲渡所得	△70万円

【答】　申告分離課税の対象となる一般株式等を譲渡したことにより生じた損失は、原則として次のように取り扱うこととされています（措令25の８①後段）。

(1)　一般株式等の譲渡に係る事業所得の計算上生じた損失の金額……一般株式の譲渡に係る譲渡所得の金額及び雑所得の金額より控除します。

(2)　一般株式等の譲渡に係る譲渡所得の計算上生じた損失の金額……一般株式の譲渡に係る事業所得の金額及び雑所得の金額より控除します。

(3) 一般株式等の譲渡に係る雑所得の計算上生じた損失の金額……一般株式等の譲渡に係る事業所得の金額及び譲渡所得の金額より控除します。

なお、上記の損失の金額の通算をしてもなお損失の金額が残る場合には、その損失の金額はなかったものとされ、他の所得と通算することはできません（措法37の10①後段）。

したがって、御質問の場合、一般株式等の譲渡による譲渡所得に係る損失70万円は、一般株式等の譲渡による雑所得50万円とのみ通算し、控除不足額20万円はなかったものとみなされます。

上場株式等に係る譲渡損失の損益通算及び繰越控除

【問７-32】 上場株式等を譲渡したことにより生じた損失の金額がある場合には、配当所得との損益通算ができ、その譲渡した年に控除しきれなかった金額については、その年の翌年以後３年間にわたって、上場株式等に係る譲渡所得等の金額や上場株式等に係る配当所得の金額から繰越控除が認められるということですが、概要について教えてください。

【答】 (1) 上場株式等の譲渡損失と上場株式等の配当所得との損益通算制度

確定申告書を提出する居住者又は恒久的施設を有する非居住者（以下「居住者等」といいます。）の平成28年分以後の各年分の上場株式等に係る譲渡損失の金額がある場合には、その上場株式等に係る譲渡損失の金額は、上場株式等に係る配当所得の金額を限度として、その年分の上場株式等に係る配当所得の金額の計算上控除することができます（措法37の12の２①）。

① 上場株式等に係る譲渡損失の金額

損益通算の特例の対象となる「上場株式等に係る譲渡損失の金額」は、居住者等が、一定の上場株式等の譲渡をしたことにより生じた損失の金額のうち、その者のその譲渡をした日の属する年分の株式等に係る譲渡所得等の金額の計算上控除してもなお控除しきれない部分の金額です（措法37の12の２②）。

②　上場株式等に係る配当所得の金額

上場株式等に係る譲渡損失の金額を控除することができる「上場株式等に係る配当所得の金額」は、上場株式等に係る配当所得の課税の特例（措法８の４）による申告分離課税を選択したもののみとなります（措法37の12の２①）。したがって、上場株式等に係る配当所得について、総合課税を選択して申告をした年分については、この損益通算制度の適用を受けることはできません。

③　損益通算制度の適用を受ける場合の添付書類等

この損益通算制度の適用を受けられるのは、その適用を受けようとする年分の確定申告書に、損益通算の適用を受けようとする旨の記載があり、かつ、次の書類の添付がある場合に限られます（措法37の12の２③、措規18の14の２②）。

イ　上場株式等に係る譲渡損失の計算明細書

ロ　上場株式等に係る譲渡所得等の金額の計算明細書又は特定口座年間取引報告書

④　損益通算制度の適用を受ける場合の確定申告書への追加記載事項

この損益通算制度の適用を受けようとする場合に提出する確定申告書には、次に掲げる事項を追加して記載しなければなりません（措令25の11の２⑦）。

イ　その年において生じた上場株式等に係る譲渡損失の金額

ロ　上場株式等に係る譲渡損失の金額を控除しないで計算した場合のその年分の上場株式等に係る配当所得の金額

ハ　上記イ及びロの金額の計算の基礎その他参考となるべき事項

⑤　他の規定との調整等

申告分離課税の対象となる「上場株式等に係る配当所得の金額」は、この特例による損益通算の適用後の金額とすることとされています

（措法37の12の２④）。なお、損益通算の適用がある場合には、繰越控除とは異なり、所得税の扶養控除の対象となる扶養親族に該当するかどうかなどを判定する際の「合計所得金額」等についても、この損益通算の適用後の金額を基礎として計算することになります。

(2)　上場株式等に係る譲渡損失の繰越控除制度

①　上場株式等に係る譲渡損失の繰越控除

居住者等が、上場株式等に係る譲渡損失の金額（この特例の適用を受けて前年以前において控除されたものを除きます。）を有する場合には、一定の要件の下で、その上場株式等に係る譲渡損失の金額は、その年分の翌年以後３年内の各年分の上場株式等に係る譲渡所得等の金額及び上場株式等に係る配当所得の金額から控除することができます（措法37の12の２⑤）。

②　上場株式等に係る譲渡損失の金額の計算方法

繰越控除の対象となる上場株式等に係る譲渡損失の金額は、一定の上場株式等の譲渡をしたことにより生じた損失の金額のうち、その譲渡をした日の属する年の株式等に係る譲渡所得等の金額の計算上控除してもなお控除しきれない部分の金額とその年における上場株式等に係る配当所得の金額との損益通算後の金額とされています（措法37の12の２⑥）。

③　上場株式等に係る譲渡損失の金額の繰越控除の方法

上場株式等に係る譲渡損失の金額の繰越控除は、次の順序により行うこととされています（措令25の11の２⑧）。

イ　控除する上場株式等に係る譲渡損失の金額が前年以前３年内の２以上の年に生じたものである場合には、これらの年のうち最も古い年に生じた上場株式等に係る譲渡損失の金額から順次控除します。

ロ　上場株式等に係る譲渡損失の金額の控除をする場合において、その年分の上場株式等に係る譲渡所得等の金額及び上場株式等に係る配当所得の金額があるときは、その上場株式等に係る譲渡損失の金額は、まず上場株式等に係る譲渡所得等の金額から控除し、なお控除しきれない損失の金額があるときは、上場株式等に係る配当所得の金額から控除します。

ハ　雑損失の繰越控除（所法71①）が行われる場合には、まず上場株式等に係る譲渡損失の繰越控除を行った後、雑損失の繰越控除を行います。

④　繰越控除の適用を受けるための手続

繰越控除の適用が受けられるのは、居住者等が上場株式等に係る譲渡損失の金額が生じた年分の所得税につき次の書類の添付がある確定申告書を提出し、かつ、その後において連続して確定申告書を提出している場合であって、繰越控除の適用を受けようとする年分の確定申告書に控除を受ける金額の計算に関する明細書等の一定の書類の添付がある場合に限ることとされています（措法37の12の２⑦、措規18の14の２④）。

イ　上場株式等に係る譲渡損失の金額の計算明細書

ロ　上場株式等に係る譲渡所得等の金額の計算明細書又は特定口座年間取引報告書

（注）１　平成20年以前の各年に生じた上場株式等に係る譲渡損失の金額で平成21年以後に繰り越されるものについても、平成21年以後の各年分の上場株式等に係る配当所得の金額から控除することができます。

２　平成28年分以後の「金融所得課税の一体化」により上場株式等の譲渡所得と一般株式等の譲渡所得が切り離され、上場株式等に係る譲渡損失の金額と、一般株式等に係る譲渡等の損益の通算は認められなくなりましたが、平成27年分以前については、上場株式等の譲渡損失と上場株式等以外の株式等の譲渡益との損益通算は認められます。

３　平成28年分以前の各年分において生じた上場株式等に係る譲渡損失の金額で平成29年分に繰り越されたものについては、平成29年分における上場株式等に係る譲渡所得の金額及び上場株式等に係る配当所得等の金額から繰越控除することはできますが、一般株式等に係る譲渡所得等の金額からは繰越控除することはできません。

上場株式等に係る譲渡損失の損益通算

【問7-33】 私はサラリーマンですが、株の売買もしております。

しかしながら、令和5年の上場株式の譲渡については、30万円の損失が発生しました。

聞くところによると、上場株式の譲渡損失の金額と配当所得の金額との損益通算が改正されたということですが、私の場合はどういう計算をするのでしょうか。

- 上場株式等に係る譲渡損失の金額……………………30万円
- 一般株式等に係る譲渡所得の金額……………………20万円
- 上場株式等に係る配当所得の金額……………………50万円

なお、令和5年に生じた上場株式等に係る譲渡損失の金額で令和6年に繰り越される金額が10万円あります。

【答】 平成28年分以後の各年分において、上場株式等に係る譲渡損失の金額がある場合には、上場株式等に係る配当所得の金額を限度として、その年分の上場株式等に係る配当所得の金額の計算上控除することができます（措法37の12の2①。【問7-32】参照）。

この損益通算の特例の対象となる「上場株式等に係る譲渡損失の金額」は、居住者等が、上場株式等の譲渡をしたことにより生じた損失の金額のうち、その年分の他の上場株式等に係る譲渡所得等の金額の計算上控除してもなお控除しきれない部分の金額です（措法37の12の2②）。

御質問の場合は、

① 上場株式等の譲渡をしたことにより生じた損失の金額……30万円

② 上場株式等に係る配当所得の金額……………………………50万円

③ 上場株式等に係る配当所得と損益通算後の配当所得の金額

50万円－30万円＝20万円

となります。

さらに、あなたの場合は、令和5年分から繰り越された上場株式等に係る譲渡損失の金額（10万円）を上場株式等に係る配当所得の金額（20万円）から繰越控除することができますので、最終的な配当所得の金額は、

20万円－10万円＝10万円

となります（措法37の12の２⑤⑥。【問７-32】参照）。

なお、上場株式等に係る譲渡損失の金額と上場株式等に係る配当所得の金額を損益通算するためには、上場株式等に係る配当所得について申告分離課税を選択する必要があります（措法８の４、37の12の２①）。

したがって、上場株式等に係る配当所得について、総合課税を選択して申告をした年分については、この損益通算制度の適用を受けることはできません。

また、一度総合課税又は申告分離課税を選択すると、修正申告又は更正の請求により申告分離課税又は総合課税に変更することはできませんのでご注意ください。

源泉徴収選択口座における上場株式等の配当等と譲渡損失との損益通算

【問7－34】 私は、甲証券会社で特定口座（源泉徴収選択口座）を開設し、この特定口座を通じて上場株式等の譲渡及び配当を受け取っています。

平成22年から、上場株式等の譲渡損失及び配当所得について特定口座内で損益通算ができるようになったようで、以下の内容で源泉徴収されています。

・配当所得（100万円）
・譲渡損失（△50万円）
→（損益通算）→ 配当所得50万円

・配当所得に係る源泉徴収税額

（101,500円（所得税及び復興特別所得税：76,500円、地方税：25,000円））

また、これとは別に一般口座でも株式売買を行っており、一般口座での上場株式等の譲渡益が30万円あります。

本年分の確定申告では、特定口座に係る取引についても申告しようと考えていますが、この場合、損益通算後の金額である配当所得（50万円）を申告すればよいのでしょうか。

【答】 金融商品取引業者等が居住者等に対してその年中に交付した源泉徴収選択口座内配当等について徴収して納付すべき所得税の額を計算する場合において、その源泉徴収選択口座において上場株式等に係る譲渡損失の金額があるときは、その源泉徴収選択口座内配当等の額の総額から上場株式等に係る譲渡損失の金額を控除（損益通算）した残額に対して源泉徴収税率を乗じて所得税の額を計算することとされています（措法37の11の6⑥、措令25の10の13⑧）。

なお、この源泉徴収選択口座内における上場株式等の配当等と譲渡損失との「損益通算」は、源泉徴収選択口座に受け入れた上場株式等の配当等（源泉徴収選択口座内配当等）に係る源泉徴収税額の計算の特例です。この特例の適用を受けた源泉徴収選択口座内配当等についても上場株式等の配当等に係る申告不要の特例（措法８の５）を適用することが可能なため、この申告不要制度を選択することにより、源泉徴収選択口座内において上場株式等の配当等と譲渡損失との損益通算に関する手続を完了させることは可能です。

ただし、この特例は、あくまで源泉徴収税額の計算の特例であるため、源泉徴収選択口座において上場株式等の配当等と譲渡損失との「損益通算」が行われた場合であっても、これらの配当等又は譲渡損失について確定申告をする場合には、その源泉徴収選択口座内配当等に係る配当所得の金額及び上場株式等に係る譲渡損失の金額は、「損益通算」前の金額により計算することとなります。

つまり、源泉徴収選択口座内に係る取引についても申告する場合は、損益通算前の金額である

・特定口座に係る配当所得（100万円）
・特定口座に係る譲渡損失（△50万円）
・一般口座に係る譲渡益（30万円）

を申告することとなり、

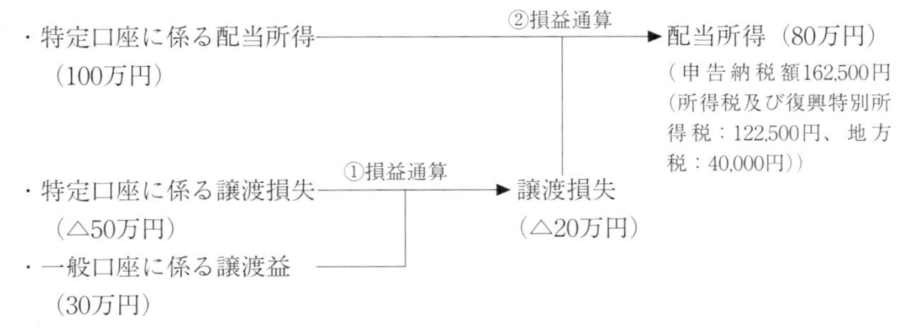

として、61,000円（所得税及び復興特別所得税：46,000円、地方税：15,000円）を追加で納付することとなります。

税制非適格ストックオプション（無償・有利発行型の課税関係）

【問７-35】　私は、勤務先から譲渡制限の付されたストックオプション（税制非適格ストックオプション）を無償で取得しました。この場合の課税関係について教えてください。

【発行会社の株価等】

・ストックオプションの付与時　　　　　　：　200

・ストックオプションの行使時　　　　　　：　800（権利行使価額200）

・権利行使により取得した株式の譲渡時：1,000

【答】　勤務先から支給を受ける現物支給の給与については、支給時の給与所得として所得税の課税対象とされますが、その現物支給の給与が、譲渡制限の付されたストックオプション（税制非適格ストックオプション）である場合には、そのストックオプションを譲渡して所得を実現させることができないことから、ストックオプションの付与時に所得を認識せず、そのストックオプションを行使した日の属する年分の給与所得(注) として所得税の課税対象とされます（所令84③)）。

（注）１　支配関係のある親会社等から労務の対価として付与されたストックオプションに係る経済的利益についても、給与所得に区分されます。

２　請負契約その他これに類する契約に基づき、役務提供の対価として付与されたストックオプションに係る経済的利益については、事業所得又は雑所得に区分されます。

なお、そのストックオプションに係る経済的利益が、所得税法第204条に規定する報酬料金等に該当する場合には、源泉徴収の対象とされます。

したがって、御質問のストックオプション（税制非適格ストックオプション（無償・有利発行型））の課税関係は、次のとおりとなります。

①　税制非適格ストックオプションの付与時の経済的利益は、当該ストックオプションには譲渡制限が付されており、そのストックオプションを譲渡して所得を実現させることができないことから、課税関係は

生じません。

② 当該ストックオプションの行使時（株式の取得時）の経済的利益は、給与所得となります。

（注）1　経済的利益の額は、行使時の株価（800）から権利行使価額（200）を差し引いた600となります。

2　発行会社は、上記の経済的利益について、源泉所得税を徴収して納付する必要があります。

③ 当該ストックオプションを行使して取得した株式を売却した場合、株式譲渡益課税の対象となります。

（注）　株式譲渡益は、譲渡時の株価（1,000）から、行使時の株価（800）を差し引いた200となります。

《税制非適格ストックオプション（無償・有利発行型）のイメージ》

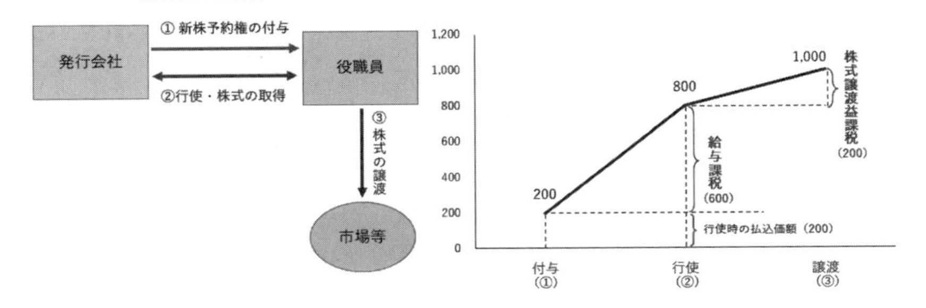

税制非適格ストックオプション（有償型）の課税関係

【問7-36】　私は、勤務先からストックオプションを適正な時価（50）で有償取得しました。この場合の課税関係について教えてください。

【発行会社の株価等】

・ストックオプションの購入時　　　　：　200

・ストックオプションの行使時　　　　：　800（権利行使価額200）

・権利行使により取得した株式の譲渡時：1,000

【答】　勤務先から現物支給の給与として受ける譲渡制限の付されたストッ

クオプション（税制非適格ストックオプション）については、ストックオプションの付与時に所得を認識せず、そのストックオプションを行使した日の属する年分の給与所得として所得税の課税対象とされることについては【問7－35】のとおりです。

他方で、御質問のような勤務先から適正な時価で有償取得したストックオプション（税制非適格ストックオプション（有償型））の課税関係は、次のとおりとなります。

① 税制非適格ストックオプション（有償型）は、当該ストックオプションを適正な時価で購入していることから、経済的利益は発生せず、課税関係は生じません。

② 当該ストックオプションの行使時の経済的利益（ストックオプションの値上がり益）については、所得税法上、認識しないこととされています（所法36②、所令109①一）。

③ 当該ストックオプションを行使して取得した株式を売却した場合、株式譲渡益課税の対象となります。

（注） 株式譲渡益は、譲渡時の株価（1,000）から、当該ストックオプションの購入価額（50）と権利行使価額（200）の合計額（250）を差し引いた750となります。

《税制非適格ストックオプション（有償型）のイメージ》

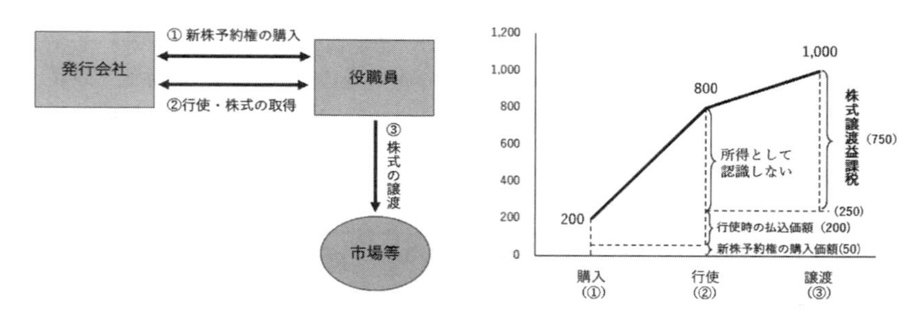

税制適格ストックオプションの課税関係

【問7-37】　私は、勤務先から税制適格ストックオプションを取得しました。この場合の課税関係について教えてください。

【発行会社の株価等】

・ストックオプションの付与時　　　　：200

・ストックオプションの行使時　　　　：800（権利行使価額200）

・権利行使により取得した株式の譲渡時：1,000

【答】　次に掲げる要件を満たすストックオプション（税制適格ストックオプション）に該当する場合には、当該ストックオプションを行使して株式を取得した日の給与課税を繰り延べ、その株式を譲渡した日の属する年分の株式譲渡益として所得税の課税対象とすることとされています（措法29の2）。

（注）給与所得の税率よりも株式譲渡益の税率が低い場合には、税負担が軽減されることとなります。

①　ストックオプションは、発行会社の取締役等に無償で付与されたものであること。

②　ストックオプションの行使は、その契約の基となった付与決議の日後2年を経過した日からその付与決議の日後10年（発行会社が設立の日以後の期間が5年未満の株式会社で、金融商品取引所に上場されている株式等の発行者である会社以外の会社であることその他の要件を満たす会社である場合には15年）を経過する日までの間に行わなければならないこと。

（注）付与決議の日とは、ストックオプションの割当てに関する決議の日をいいます。

③　ストックオプションの行使の際の権利行使価額の年間の合計額が次の金額を超えないこと。（令和6年度税制改正）

イ　設立の日以後の期間が5年未満の株式会社が付与するものについて

は、2,400万円

ロ　設立の日以後の期間が5年以上20年未満の株式会社のうち非上場であるもの又は上場後5年未満である株式会社が付与するものについては、3,600万円

ハ　上記イ、ロに該当しない場合は、1,200万円

④　ストックオプションの行使に係る1株当たりの権利行使価額は、当該ストックオプションの付与に係る契約を締結した株式会社の当該契約の締結の時における1株当たりの価額相当額以上であること。

（注）「当該契約の締結の時」については、ストックオプションの付与に係る契約の締結の日が、ストックオプションの付与決議の日やストックオプションの募集事項の決定の決議の日から6月を経過していない場合には、これらの決議の日として差し支えありません。

⑤　取締役等において、ストックオプションの譲渡が禁止されていること。

⑥　ストックオプションの行使に係る株式の交付が、会社法第238条第1項に定める事項に反しないで行われるものであること。なお、令和6年度税制改正により、譲渡制限株式については、発行会社による株式の管理等がされる場合、金融商品取引業者等による株式の保管委託に代えて発行会社による株式の管理も可能となりました。

⑦　発行会社と金融商品取引業者等との間であらかじめ締結された取決めに従い、金融商品取引業者等において、当該ストックオプションの行使により取得した株式の保管の委託等がされること。

（注）上記③及び⑦の令和6年改正事項については、令和6年分以後の所得税について適用し、令和5年分以前の所得税については、なお従前の例によります。

ただし、令和6年3月31日以前に締結された契約について、令和6年4月1日から同年12月31日までの間に、①年間の権利行使価額の限度額、②発行会社自身による株式管理スキームに関する契約の変更をし、改正後税制に規定するそれぞれの要件を定めた場合には、改正後税制の要件が定められている契約とみなされ、改正後税制が適用されます。

御質問のストックオプション（税制適格ストックオプション）の課税関係

は、次のとおりとなります。

① 税制適格ストックオプションの付与時の経済的利益は、当該ストックオプションには譲渡制限が付されており、そのストックオプションを譲渡して所得を実現させることができないことから、課税関係は生じません。

② 当該ストックオプションの行使時（株式の取得時）の経済的利益は、租税特別措置法の規定により、課税が繰り延べられることから、課税関係は生じません。

③ 当該ストックオプションを行使して取得した株式を売却した場合、株式譲渡益課税の対象となります。

（注） 株式譲渡益は、譲渡時の株価（1,000）から、権利行使価額（200）を差し引いた800となります。

《税制適格ストックオプションのイメージ》

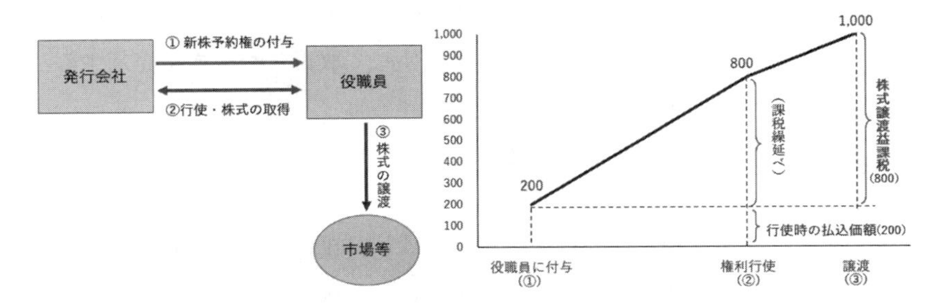

税制非適格ストックオプション（信託型）の課税関係

【問７-38】　私は、下記のとおり、勤務先から信託会社を通じてストックオプションを取得し、その権利を行使することにより取得した株式を売却しました。この場合の課税関係について教えてください。

①　発行会社又は発行会社の代表取締役等が信託会社に金銭を信託して、信託（法人課税信託）を組成する（信託の組成時に、受益者及びみなし受益者は存在しない。）。

②　信託会社は、発行会社の譲渡制限付きストックオプションを適正な時価（50）で購入する。

③　発行会社は、信託期間において会社に貢献した役職員を信託の受益者に指定し、信託財産として管理されているストックオプションを当該役職員に付与する。

④　役職員は、ストックオプションを行使して発行会社の株式を取得する。

⑤　役職員は、ストックオプションを行使して取得した株式を売却する。

【発行会社の株価等】

・ストックオプションの購入時　　　　：200

・ストックオプションの付与時　　　　：600

・ストックオプションの行使時　　　　：800（権利行使価額200）

・権利行使により取得した株式の譲渡時：1,000

【答】　御質問のストックオプション（税制非適格ストックオプション（信託型））の課税関係は、次のとおりとなります。

①　当該信託（法人課税信託）には、組成時に受益者が存在しないことから、発行会社又は発行会社の代表取締役等が信託会社に信託した金銭に対して、法人課税が行われることとなります。

②　信託会社が当該ストックオプションを適正な時価（50）で購入した場合、経済的利益が発生しないことから、課税関係は生じません。

③　発行会社が、役職員を受益者に指定することにより、信託財産として

管理しているストックオプションを付与した場合の経済的利益については、課税関係は生じません（所法67の3②）。

（注）　役職員は、信託が購入の際に負担した50を取得価額として引き継ぐこととなります（所法67の3①）。

④　役職員が当該ストックオプションを行使して発行会社の株式を取得した場合、その経済的利益は、給与所得となります（所法28、36②、所令84③）。

（注）1　経済的利益の額は、行使時の株価（800）から取得価額として引き継いだ（50）と権利行使価額（200）の合計額（250）を差し引いた550となります。

2　発行会社は、上記の経済的利益について、源泉所得税を徴収して、納付する必要があります。

3　税制非適格ストックオプション（信託型）については、信託が役職員にストックオプションを付与していること、信託が有償でストックオプションを取得していることなどの理由から、上記の経済的利益は労務の対価に当たらず、「給与として課税されない」との見解がありますが、実質的には、発行会社が役職員にストックオプションを付与していること、役職員に金銭等の負担がないことなどの理由から、上記の経済的利益は労務の対価に当たり、「給与として課税される」こととなります。

⑤　役職員が当該ストックオプションを行使して取得した株式を売却した場合、株式譲渡益課税の対象となります。

（注）　株式譲渡益は、譲渡時の株価（1,000）から、行使時の株価（800）を差し引いた200となります。

《税制非適格ストックオプション（信託型）のイメージ》

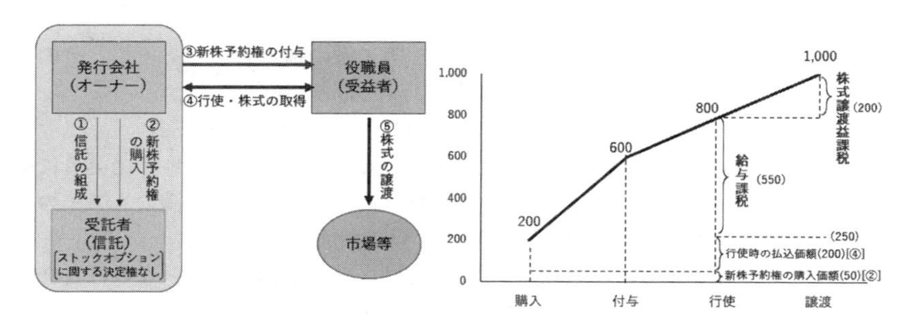

スタートアップへの投資に係る優遇措置（エンジェル税制・投資段階）

【問７-39】　エンジェル税制は、スタートアップへの投資についての課税上の優遇措置が講じられていると聞いたのですが、どのような制度になっているのでしょうか。

【答】　エンジェル税制とは、ベンチャー企業に対する投資の促進を図る観点から、特定中小会社（注１）、特定株式会社（注２）及び特定新規中小会社（注３）（以下、これらを併せて「特定中小会社等」といいます。）への投資を行った個人投資家について講じられた税制上の特例措置です。

この特例措置については、わが国におけるスタートアップを生み育てるエコシステムを抜本的に強化するため、令和５年度税制改正で大きく拡充されました。

（注）１　「特定中小会社」とは、次に掲げる法人などをいいます。

①　中小企業等経営強化法第６条に規定する特定新規中小企業者に該当する株式会社

②　内国法人のうちその設立の日以後10年を経過していない株式会社（中小企業基本法第２条第１項各号に掲げる中小企業者に該当する会社であることその他の一定の要件を満たすものに限ります。）

③　内国法人のうち、沖縄振興特別措置法第57条の２第１項に規定する指定会社で平成26年４月１日から令和７年３月31日までの間に同項の規定による指定を受けたもの

２　「特定株式会社」とは、次の要件を満たす法人をいいます。

①　中小企業等経営強化法第６条に規定する特定新規中小企業者に該当する株式会社

②　その設立の日以後の期間が１年未満の株式会社であることその他の要件を満たすもの

３　「特定新規中小会社」とは、次に掲げる法人をいいます。

①　中小企業等経営強化法第６条に規定する特定新規中小企業者に該当する株式会社（その設立の日以後の期間が１年未満のものその他の一定のものに限ります。）

②　内国法人のうちその設立の日以後５年を経過していない株式会社（中小企業基本法第２条第１項各号に掲げる中小企業者に該当する

会社であることその他の要件を満たすものに限ります。）

③　内国法人のうち、沖縄振興特別措置法第57条の２第１項に規定する指定会社で平成26年４月１日から令和７年３月31日までの間に同項の規定による指定を受けたもの

④　国家戦略特別区域法第27条の５に規定する株式会社

⑤　内国法人のうち地域再生法第16条に規定する事業を行う同条に規定する株式会社

特定中小会社等へ投資した年に受けられる特例としては、次のものがあります。

⑴　特定中小会社が発行した株式の取得に要した金額の控除等

平成15年４月１日以後に、居住者等（特定中小会社の同族株主など一定の者を除きます。）が、特定中小会社の株式（以下「特定株式」といいます。）を払込み（株式の発行に際してするものに限ります。）により取得（いわゆるストック・オプション税制（措法29の２）の適用を受けるものを除きます。）をした場合における一般株式等に係る譲渡所得等の金額又は上場株式等に係る譲渡所得等の金額の計算については、その年中に払込みにより取得した特定株式（その年12月31日において有する一定のものに限ります。以下「控除対象特定株式」といいます。）の取得に要した金額の合計額（この特例の適用前の一般株式等に係る譲渡所得等の金額及び上場株式等に係る譲渡所得等の金額の合計額を限度とします。）が控除されます（措法37の13①）。

この控除の適用を受けた場合には、その適用を受けた金額は、その適用を受けた年の翌年以後の各年分におけるその控除対象特定株式に係る同一銘柄株式（特定株式及びその特定株式と同一銘柄の他の株式をいいます。以下同じです。）の取得価額又は取得費から控除する（取得価額等の圧縮を行う）こととされています（措令25の12⑦）。これにより、この控除の適用を受けた年において生じたその適用を受けた金額に相当する譲渡所得等の金額に対する課税が、この特例の適用を受けて取得した特定株式に係る同一銘柄株式を譲渡したときまで繰り延べられることとなります。

ただし、特例控除対象特定株式（控除対象特定株式のうち一定のものをいいます。）（注）の取得に要した金額の合計額についてこの特例の適用を受けた場合において、その適用を受けた金額として一定の金額（適用額）が20億円以下であるときは、その適用を受けた年の翌年以後の各年分における特例控除対象特定株式に係る同一銘柄特定株式の取得価額については、この調整計算が不要です。

（注）　特例控除対象特定株式とは、控除対象特定株式のうち下記「特例の対象となる特定株式」の①と②に掲げる株式会社で、その設立の日以後の期間が５年未満の株式会社であることのその他一定の要件を満たすものの特定株式に係るものをいいます。

①　中小企業等経営強化法第６条に規定する特定新規中小企業者に該当する株式会社、その株式会社により発行される株式

②　内国法人のうち、その設立の日以後10年を経過していない中小企業者に該当する一定の株式会社、その株式会社により発行される株式で、次に掲げるもの

・　一定の投資事業有限責任組合契約に従って取得をされるもの

・　一定の第一種電子募集取扱業務を行う者が行う電子募集取扱業務により取得をされるもの

⑵　特定株式会社がその設立の際に発行した株式の取得に要した金額の控除等

令和５年４月１日以後に、特定株式会社の設立の際に発行される株式（以下「設立特定株式」という。）を、居住者等（特定株式会社の発起人であること、自らが営んでいた事業の全部または一部を承継させた個人等に該当しないことなどの要件を満たすもの）が、払込み（株式の発行に際してするものに限ります。）により取得（いわゆるストック・オプション税制（措法29の２）の適用を受けるものを除きます。）をした場合における一般株式等に係る譲渡所得等の金額または上場株式等に係る譲渡所得等の金額の計算については、その年中に払込みにより取得をした設立特定株式（その年12月31日において有する一定のものに限ります。以下「控除対象設立特定株式」といいます。）の取得に要した金額

の合計額（この特例の適用前の一般株式等に係る譲渡所得等の金額および上場株式等に係る譲渡所得等の金額の合計額を限度とします。）が控除されます（措法37の13の２①）。

また、設立特定株式の払込みの金額のうち20億円を上限として株式等に係る譲渡所得等の金額が非課税となり、その上限を超えた部分については、その特定株式の取得価額から控除して課税を繰り延べます（措令25の12の２⑦）。いわゆる「起業特例」といいます。

(3)　特定新規中小会社が発行した株式を取得した場合の課税の特例（寄附金控除）

特定新規中小会社が発行した株式（以下「特定新規株式」といいます。）の払込みよる取得に要した金額のうち一定の金額（800万円（令和２年分以前は1,000万円）を限度とします。（注））については、寄附金控除の適用を受けることができます（措法41の19①）。

（注）　令和３年３月31日までに指定を受けた指定会社が発行する株式で一定の要件を満たす場合には、寄附金控除の適用を受けることができる金額の限度額は1,000万円となります（令和２年改正法附則74③）。

なお、この特例の適用を受けた場合には、その適用を受けた特定新規株式の取得価額について一定の調整計算が必要となります。

※　上記(1)から(3)までの各特例措置については、同一の年分において同一銘柄の株式について重複して適用することはできません。

また、令和５年４月１日以後に行った投資については、(1)ないし(3)の措置に加えて、以下の措置が創設されています。

(4)　保有する株式を売却し、一定の要件を満たす特定新規中小会社に係る自己資金による創業に再投資を行った場合は、その再投資額をその年の他の株式譲渡益から控除でき、さらにその再投資により取得した株式の取得価額については、取得価額の圧縮を行わない（措法37の13の２①、措令25の12の２⑦）。

(5)　上記(1)の措置のうち、特定中小会社のうち一定の要件を満たす株式会社（プレシード・シード期のスタートアップ）について、その再投資額をその年の他の株式譲渡益から控除でき、さらにその再投資により取得した株式の取得価額については、取得価額の圧縮を行わない（措令25の12⑧）。

（注）　プレシード・シード期のスタートアップとは、エンジェル税制の対象企業である未上場ベンチャー企業のうち、①設立５年未満、②前事業年度まで売上が生じていない又は売上が生じているが前事業年度の試験研究費等が出資金の30％超、③営業損益がマイナス等という状況であることを指します。

この(4)及び(5)の措置については、(1)ないし(3)の措置と異なり、取得価額の圧縮が行われないことから、譲渡益が生じた場合であっても、課税の繰延べは生じず、課税が生じないこととなります。

また、(4)及び(5)の措置については、その適用を受けた金額が20億円を超えるときは、その適用を受けた年の翌年以後、取得価額等を一定の計算により圧縮することとされています（措令25の12⑧、25の12の２⑦）。

さらに、令和５年度税制改正では、(1)ないし(3)の措置についても、対象となる株式の範囲の拡大（中小企業等経営強化法施行規則８、措規19の10の６⑤）、確定申告の際に提出する書類の見直し（措規18の15⑧）、確認書類の削減（旧中小企業等経営強化法施行規則11②三イ・ロ、10②二イ・ニ、11②三イ・ロ）などが行われています。

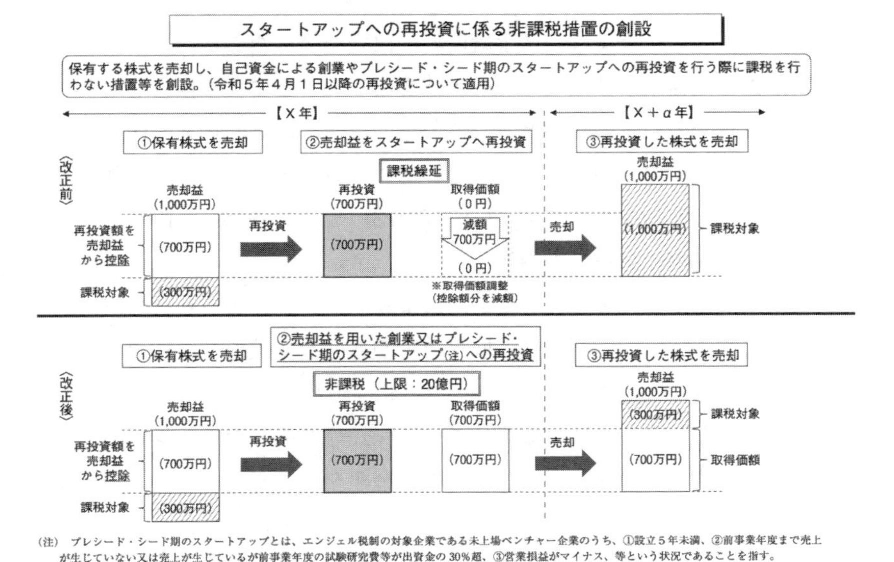

(注)　プレシード・シード期のスタートアップとは、エンジェル税制の対象企業である未上場ベンチャー企業のうち、①設立５年未満、②前事業年度まで売上が生じていない又は売上が生じているが前事業年度の試験研究費等が出資金の30％超、③営業損益がマイナス、等という状況であることを指す。

特定中小会社の株式の譲渡損失に係る繰越控除等（エンジェル税制・譲渡段階）

> **【問７-40】**　特定中小会社が発行した株式に係る譲渡損失の繰越控除等の特例により、株式の譲渡損失の繰越控除ができるとのことですが、それはどのような制度ですか。

【答】　特定中小会社が発行した株式に係る譲渡損失の繰越控除等の特例とは、税制面からも投資リスクの高い創業期のベンチャー企業に対する個人投資家による資金供給を支援する観点から、特定中小会社として位置づけられるベンチャー企業の発行する株式について設けられた、次の特例のことをいいます。

1　価値喪失の損失の特例

　特定中小会社が発行する特定株式を金銭の払込みにより取得をした居住者又は恒久的施設を有する非居住者について、その取得の日からその株式の上場等の日の前日までの間に、その特定中小会社が解散をし、清算が結了したこと又は破産手続開始の決定を受けたことにより、その取得した特定株式が株式としての価値を失ったことによる損失が生じた場合には、その損失の金額とされる一定の金額は、その年分の株式等の譲渡に係る所得の金額の計算上、その株式の譲渡をしたことにより生じた損失の金額とみなされます（措法37の13の３①、措令25の12の３③）。

２　譲渡損失の繰越控除の特例

上記の特定株式を金銭の払込みにより取得をした居住者又は恒久的施設を有する非居住者が、その取得の日からその株式の上場等の日の前日までの間にその株式の譲渡をしたことにより生じた損失の金額のうち、その譲渡をした日の属する年分の一般株式等に係る譲渡所得等の金額の計算上控除してもなお控除しきれない金額を有するときは、一定の要件の下で、上場株式等に係る譲渡所得等の金額から控除し、なお控除しきれない金額はその年の翌年以後３年内の各年分の一般株式等に係る譲渡所得等の金額及び上場株式等に係る譲渡所得等の金額からの繰越控除を認められます（措法37の13の３④⑦、措令25の12の３④⑤⑥）。

この特例の対象となる特定株式は、特定中小会社の設立の際に発行された株式又はその設立の日後に発行された株式で、金銭の払込みにより取得したものとされていますので、相対取引や相続等により取得した株式は対象となりません。

また、金銭の払込みにより取得をした株式であっても、ストックオプションの行使による経済的利益の非課税制度の適用を受けるものは、この払込みによる取得の範囲から除外されていますので、この制度の適用対象にはなりません（措法37の13①）。

NISA（少額投資非課税制度）の概要

【問７-41】 NISA（少額投資非課税制度）とは、どのような制度ですか。

【答】　通常、株式や投資信託などの金融商品に投資をした場合、これらを売却して得た取得や受け取った配当に対して20%（所得税15%、住民税５%）の税率で課税されます。

（注）　平成25年から令和19年までの各年分の確定申告においては、所得税のほか、復興特別所得税（各年分の基準所得税額の2.1%）が課されます。

NISAは、18歳以上（非課税口座を開設する年の１月１日現在）の居住者等が金融機関に開設している非課税口座で取得した上場株式等（注１）について、その配当等（注２）やその上場株式等を売却したことにより生じた譲渡益が非課税となる制度です（注３、４）。

NISAは、令和５年度までに非課税口座を開設した①非課税管理勘定（一般NISA）及び②累積投資勘定（つみたてNISA）と、令和６年以後に開設する③特定累積投資勘定（つみたて投資枠）及び④特定非課税管理勘定（成長投資枠）があります。

非課税口座に受け入れることができる上場株式等は、非課税口座に①非課税管理勘定及び②累積投資勘定又は③特定累積投資勘定及び④特定非課税管理勘定が設けられた日から同日の属する年の12月31日までの間に取得等をした上場株式等で、取得対価の合計額が①非課税管理勘定については120万円（平成27年以前の非関税管理勘定については100万円）、②累積投資勘定については40万円、③特定累積投資勘定については120万円、④特定非課税管理勘定については240万円を超えないもの等一定のものに限ります。

また、令和５年末までに①非課税管理勘定及び②累積投資勘定において投資した商品は、令和６年以降、それぞれの非課税措置を適用しますが、非課税期間終了後、③特定累積投資勘定及び④特定非課税管理勘定に移管（ロールオーバー）することはできません。

（注）１　国債や地方債といった特定公社債や公募公社債投資信託の受益権などは含まれません。
２　非課税となる配当等は、非課税口座を開設している金融機関を経由して交付されるもの（株式数比例配分方式を選択したもの）に限られ、上場株式等の発行者から直接交付されるものは課税対象となります。
３　非課税口座で取得した上場株式等を売却したことにより生じた損失はないものとみなされます。したがって、その上場株式等を売却したことにより生じた損失については、非課税口座以外の他の保管口座（特定口座や一般口座）で保有する上場株式等の配当等との損益通算、非課税口座以外の他の保管口座で保有する上場株式等を売却したことにより生じた譲渡益からの控除及び繰越控除をすることはできません。
４　非課税口座で取得した上場株式等を特定口座又は一般口座に移管する場合は、その移管時の価額で取得したものとみなされて移管がされます。

【令和５年までのNISA制度】

①非課税管理勘定（一般NISA）の概要

【制度の概要図】

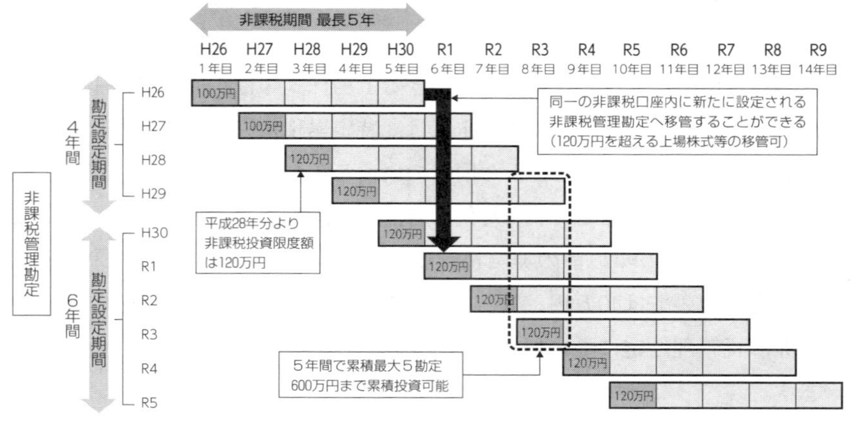

【主な適用条件等】

非課税対象	非課税口座内の少額上場株式等の配当等、譲渡益
開設者（対象者）	居住者等（口座開設年の１月１日において18歳以上である者）

口座開設期間	平成26年から令和５年までの10年間
投資対象商品	上場株式・公募株式投資信託等
非課税管理勘定設定数	各年分ごとに１非課税管理勘定のみ設定可（累積投資勘定との併設不可、一定の手続の下で、各年分ごとに金融商品取引業者等の変更可）
非課税投資額	非課税管理勘定の設定年に、次の金額の合計額で120万円（その口座の他の年分の非課税管理勘定等から、その他の年分の非課税管理勘定等の非課税期間終了時に移管がされる上場株式等がある場合には、その上場株式等の対価の金額を控除した金額）を上限（未使用枠は翌年以降繰越不可） ①　その年中の新規投資額 ②　その口座の他の年分の非課税管理勘定等から移管する上場株式等（非課税期間終了時に移管がされる上場株式等を除く）の時 ※　非課税期間終了時に移管がされる上場株式等については、その払出し時の時価が120万円を超える場合であっても移管可
保有期間	最長５年間、途中売却は自由（売却部分の枠は再利用不可）
非課税投資総額	最大600万円（120万円×５年間）

②累積投資勘定（つみたてNISA）の概要

【制度の概要図】

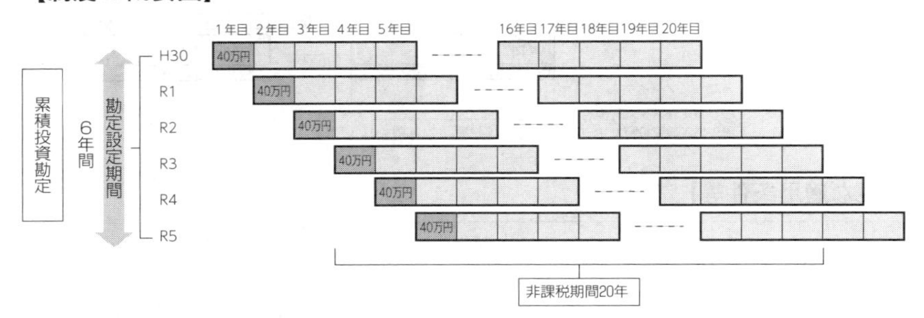

【主な適用条件等】

非課税対象	非課税口座内の公募等株式投資信託の配当等、譲渡益
開設者（対象者）	居住者等（口座開設年の１月１日において18歳以上である者）
口座開設期間	平成30年から令和５年までの６年間

投資対象商品	積立・分散投資に適した一定の公募等株式投資信託（商品性について内閣総理大臣が告示で定める要件を満たしたものに限る。）
累積投資勘定設定数	各年分ごとに１累積投資勘定のみ設定可（非課税管理勘定との併設不可、一定の手続の下で、各年分ごとに金融商品取引業者等の変更可）
非課税投資額	累積投資勘定の設定年に、定期かつ継続的に投資した額の合計額で40万円を上限（未使用枠は翌年以降繰越不可）
保有期間	最長20年間、途中売却可（売却部分の枠は再利用不可）
非課税投資総額	最大240万円（40万円×６年間）

【令和６年からのNISA制度】

③特定累積投資勘定（つみたて投資枠）及び④特定非課税管理勘定（成長投資枠）の概要

【制度の概要図】

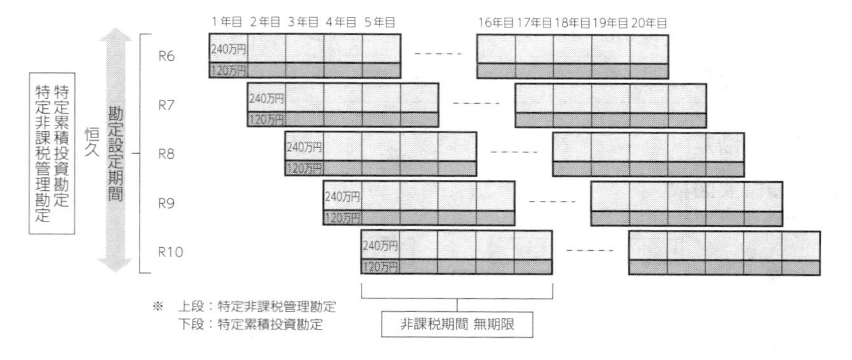

【主な適用条件等】

	特定累積投資勘定（つみたて投資枠）	特定非課税管理勘定（成長投資枠）
非課税対象	非課税口座内の公募等株式投資信託の配当等、譲渡益	非課税口座内の少額上場株式等の配当等、譲渡益
開設者(対象者)	居住者等（口座開設年の１月１日において18歳以上である者）	居住者等（口座開設年の１月１日において18歳以上である者）
口座開設期間	令和６年以後の期間	令和６年以後の期間

投資対象商品	積立・分散投資に適した一定の公募等株式投資信託（商品性について内閣総理大臣が告示で定める要件を満たしたものに限る。）	上場株式・公募株式投資信託等（安定的な資産形成につながる投資商品に絞り込む観点から、高レバッジ投資信託などを対象から除く。）
特定累積投資勘定設定数及び特定非課税管理勘定設定数	各年分ごとに１特定累積投資勘定のみ設定可（一定の手続の下で、各年分ごとに金融商品取引業者等の変更可）、特定非課税管理勘定との併設可	各年分ごとに１特定非課税管理勘定のみ設定可（一定の手続の下で、各年分ごとに金融商品取引業者等の変更可）
非課税投資額	特定累積投資勘定の設定年に、定期かつ継続的に投資した額の合計額で120万円を上限（その年において特定累積投資勘定に受け入れた上場株式等及びその年において特定非課税管理勘定に受け入れている上場株式等の取得対価の額の合計額並びに特定累積投資勘定基準額（注１）の合計額が、1,800万円を超えることとなる場合を除く。）	特定非課税管理勘定の設定年に新規に投資した額の合計額で240万円を上限（その年における特定非課税管理勘定に受け入れた上場株式等の取得対価の額の合計額及び特定非課税管理勘定基準額（注２）の合計額が1,200万円を超える場合並びにその年において特定累積投資勘定に受け入れている上場株式等及びその年において特定非課税管理勘定に受け入れた上場株式等の取得対価の額の合計額及び特定累積投資勘定基準額の合計額が1,800万円を超える場合を除く。）
保有期間	無期限、途中売却可（売却部分の枠は売却の翌年以降再利用可（注３））	無期限、途中売却自由（売却部分の枠は売却の翌年以降再利用可（注３））
非課税保有限度額	特定非課税管理勘定と合わせて1,800万円	特定累積投資勘定と合わせて1,800万円（内、特定非課税管理勘定は1,200万円）

（注）１　特定累積投資勘定基準額とは、前年末時点で特定累積投資勘定及び特定非課税管理勘定に受け入れている上場株式等の購入の代価の額に相当する一定の金額のことをいいます。

2　特定非課税管理勘定基準額とは、前年末時点で特定非課税管理勘定に受け入れている上場株式等の購入の代価の額に相当する一定の金額をいいます。
3　売却部分の枠を再利用する場合、年間非課税投資上限額360万円（特定累積投資勘定の上限額が120万円、特定非課税管理勘定の上限額が240万円）を超えることはできません。

ジュニアNISA制度（未成年者少額投資非課税制度）の概要

【問７-42】　ジュニアNISA制度とは、どのような制度ですか。

【答】　ジュニアNISA制度（未成年者少額投資非課税制度）とは、18歳未満（口座開設の年の１月１日現在）又はその年に出生した居住者等を対象として、平成28年から令和５年までの間に、未成年者口座で取得した上場株式等について、その配当等やその上場株式等を売却したことにより生じた譲渡益が、非課税管理勘定が設けられた日の属する年の１月１日から最長５年間非課税とされる制度です（年間投資額は80万円）。

なお、NISAやつみたてNISAと異なり、上場株式等の配当等や売却代金の払出しに一定の制限が設けられていますが、令和６年以降は、この制限が解除されています。

【ジュニアNISAの主な適用要件等】

非課税対象	未成年者口座内の少額上場株式等の配当等、譲渡益
開設者（対象者）	口座開設の年の１月１日において18歳未満又はその年に出生した居住者等
口座開設可能期間	平成28年４月１日から令和５年12月31日までの８年間（口座開設の申込みは平成28年１月から可）
金融商品取引業者等の変更	変更不可（１人につき１口座のみ）
非課税投資額	非課税管理勘定における投資額（①新規投資額及び②継続適用する上場株式等の移管された日における終値に相当する金額の合計額）は80万円を上限（未使用枠翌年以後繰越不可）

非課税期間	非課税管理勘定：最長５年間、途中売却可（ただし、売却部分の枠の再利用不可）
	継続管理勘定：令和６年以降に口座開設者が18歳になるまでの期間、途中売却可、新規投資不可
非課税投資総額	最大400万円（80万円×５年間）
払出制限	その年の３月31日において18歳である年（基準年）の前年12月31日又は令和５年12月31日のいずれか早い日までは、原則として未成年者口座及び課税未成年口座からの払出しは不可

（注）　他の年分の非課税管理勘定から、当該非課税管理勘定が設けられた日の属する年の１月１日から５年を経過した日に新たに設けられる非課税管理勘定又は継続管理勘定に移管する上場株式等については、移管額の上限がありません。

ただし、移管先の未成年者口座管理契約に基づく非課税管理勘定又は継続管理勘定におけるその年の新規投資額は80万円（非課税上場株式等管理契約に基づく非課税管理勘定への移管については120万円）からその移管額を控除した残額となります。

【制度の概要図】

○非課税措置の終了（令和５年12月31日）前に20歳になる場合

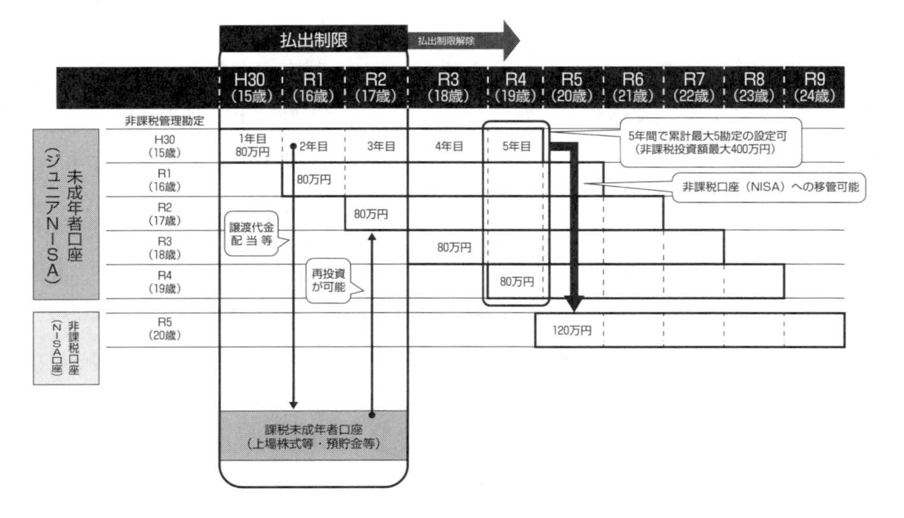

○　非課税措置の終了（令和5年12月31日）前に18歳にならない場合

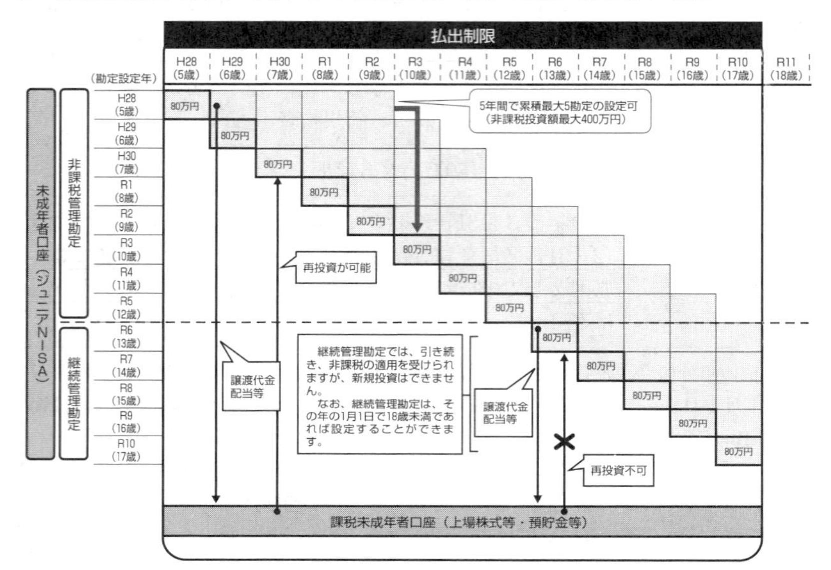

新しいNISA制度の概要

【問7-43】　令和6年1月1日から新しいNISA制度が開始されたと聞きましたが、新しいNISA制度は令和5年12月までのNISA制度とどのような点が異なるのですか。また、新しいNISA制度が始まると、令和5年12月以前に非課税管理勘定（一般NISA）及び累積投資勘定（つみたてNISA）で保有していた商品は、どうなるのでしょうか。

【答】　令和5年度の税制改正により、現行の「一般NISA」及び「つみたてNISA」は令和5年12月31日で終了し、令和6年以降については、現行の「一般NISA」は「成長投資枠」へ、現行の「つみたてNISA」は「つみたて投資枠」へと改められ、この新たな2つのNISA制度について、併用して適用できることとなりました。

「成長投資枠」は年間の投資上限額が240万円、「つみたて投資枠」は、年間の投資上限額が120万円となりました。改正後は「成長投資枠」及び「つみたて投資枠」を併用して適用できるため、２つの制度を併用する場合は、年間の投資上限額は360万円となります。

なお、「成長投資枠」及び「つみたて投資枠」のいずれについても、非課税保有期間の制限はなくなり、無制限化されました。

その一方で、新たに非課税保有限度額（1,800万円）が設けられました。

この非課税保有限度額は、NISA口座内で保有していた株式を売却した場合には、その枠を再利用することが可能です。

なお、御質問の、令和５年末までに現行の「一般NISA」及び「つみたてNISA」において保有している商品は、新しいNISA制度へ移管することはできず、非課税保有限度額とは別枠での管理となり、現行制度における非課税措置が適用されます。

【令和５年までのNISA制度】

	NISA（18歳（令和４年以前は20歳）以上）	
	一般NISA	つみたてNISA
制度開始	平成26年１月から	平成30年１月から
非課税保有期間	５年間	20年間
年間非課税枠	120万円	40万円
投資可能商品	上場株式・ETF・公募株式投信・REIT　等	長期・積立・分散投資に適した一定の投資信託 ※金融庁への届出が必要
買付方法	通常の買付け・積立投資	積立投資（累積投資契約に基づく買付け）のみ
払出し制限	なし	なし
備考	一般とつみたてNISAは年単位で選択制	

【令和６年からのNISA制度】

	つみたて投資枠	（併用可） 成長投資枠
年間の投資上限額	120万円	240万円
非課税保有期間（注１）	制限なし（無期限化）	同左
非課税保有限度額（注２）（総枠）	1,800万円 ※簿価残高方式で管理（枠の再利用が可能）	
		1,200万円（内数）
口座開設可能期間	制限なし（恒久化）	同左
投資対象商品	積立・分散投資に適した一定の公募等株式投資信託（商品性について内閣総理大臣が告示で定める要件を満たしたものに限る）	上場株式・公募等株式投資信託等（注３）（※安定的な資産形成につながる投資商品に絞り込む観点から、高いレバレッジ投資信託などの商品（注４）を対象から除外）
投資方法	契約に基づき、定期かつ継続的な方法で投資	制限なし
つみたてNISA及び一般NISAとの関係	令和５年末までにつみたてNISA及び一般NISAにおいて投資した商品は、新しい制度の外枠で非課税措置を適用	

（注１）　非課税保有期間の無期限化に伴い、つみたてNISAと同様、定期的に利用者の住所等を確認し、制度の適正な運用を担保。

（注２）　利用者それぞれの非課税保有限度額については、金融機関から既存の認定クラウドを活用して提出された情報を国税庁において管理。

（注３）　金融機関による「成長投資枠」を使った回転売買への勧誘行為に対し、金融庁が監督指針を改正し、法令に基づき監督及びモニタリングを実施。

（注４）　高レバレッジ投資信託などの商品とは、投資信託の受益権等で、一定の目的以外でデリバティブ取引に係る権利に対する投資として運用を行うこととされているもの等をいう。

第5節　先物取引の課税

先物取引に係る雑所得等の課税の特例

【問7-44】「先物取引に係る雑所得等の課税の特例」の概要について教えてください。

【答】　居住者または国内に恒久的施設を有する非居住者が、一定の先物取引の差金等決済をした場合には、その先物取引に係る事業所得の金額、譲渡所得の金額および雑所得の金額の合計額（以下、この合計額を「先物取引に係る雑所得等の金額」といいます。）については、他の所得と区分して、所得税15％（他に地方税5％）の税率による申告分離課税となります（措法41の14①、措令26の23①）。

（注）　平成25年から令和19年までの各年分の確定申告においては、所得税と復興特別所得税（原則として、その年分の基準所得税額の2.1％）を併せて申告・納付することになります（復興財確法13）。

1　適用対象となる先物取引の差金等決済の範囲

先物取引に係る雑所得等の課税の特例の適用対象となる先物取引の差金等決済の範囲は、次のとおりです。

(1)　商品先物取引の決済（その商品先物取引による商品の受渡しが行われることとなるものを除きます。）

商品先物取引とは、次に該当する取引をいいます。

イ　平成13年4月1日以後に行う、商品先物取引法第2条第3項に定められている先物取引で同項第1号から第4号までに掲げる取引のうち一定のもの（すなわち、商品取引所の定める基準および方法に従って、商品市場において行われる、いわゆる現物先物取引、現金決済型先物取引、商品指数先物取引、商品オプション取引、商品の実物取引のオプション取引）

ロ　平成24年１月１日以後に行う、商品先物取引法第２条第14項に定められている店頭商品デリバティブ取引で同項第１号から第５号までに掲げる取引のうち一定のもの（商品市場および外国商品市場によらないで行われる、いわゆる現物先物取引、現金決済先物取引、指数先物取引、オプション取引、指数現物オプション取引）

（注）平成28年10月１日以後に商品先物取引業者以外と行う店頭商品デリバティブ取引を除きます。

(2)　金融商品先物取引等の決済（その金融商品先物取引等による金融商品の受渡しが行われることとなるものを除きます。）

金融商品先物取引等とは、次に該当する取引をいいます。

イ　金融商品取引法に規定する市場デリバティブ取引のうち一定のもの（金融商品市場において、金融商品市場を開設する者の定める基準および方法に従い行う次の取引）

(イ)　平成16年１月１日以後に行う、平成18年改正前の証券取引法に定められている有価証券先物取引、有価証券指数等先物取引および有価証券オプション取引

(ロ)　平成17年７月１日以後に行う、廃止前の金融先物取引法に定められている取引所金融先物取引（いわゆる通貨等先物取引、金利等先物取引、金融オプション取引）

(ハ)　平成19年９月30日以後に行う、金融商品取引法第２条第21項第１号から第３号までに定められている取引

ロ　平成24年１月１日以後に行う、金融商品取引法第２条第22項に定められている店頭デリバティブ取引で同項第１号から第４号までに掲げる取引のうち一定のもの（金融商品市場および外国金融商品市場によらないで行われる、いわゆる先渡取引、指標先渡取引、オプション取引、指標オプション取引）

（注）平成28年10月１日以後に金融商品取引業者（第一種金融商品取引業を行う者に限ります。）または登録金融機関以外と行う店頭デリバティブ取引を除きます。

⑶　カバードワラントの差金等決済

カバードワラントとは、金融商品取引法第２条第１項第19号に定められている有価証券（外国金融商品市場において取引される一定のものを除きます。）をいいます。

また、カバードワラントの差金等決済とは、平成22年１月１日以後に行う、カバードワラントに表示される権利の行使（その行使により金融商品の受渡しが行われることとなるものを除きます。）もしくは放棄またはカバードワラントの金融商品取引業者への売委託により行う譲渡もしくは金融商品取引業者に対する譲渡をいいます。

（注）　金融商品取引所に上場されていないカバードワラントについては、平成24年１月１日以後に行う差金等決済に限られます。

２　先物取引に係る雑所得等の金額の計算上、損失が生じた場合

「先物取引に係る雑所得等の金額」の計算上生じた損失の金額は、他の「先物取引に係る雑所得等の金額」との損益の通算は可能ですが、先物取引に係る雑所得等以外の所得の金額との損益通算はできません。

３　先物取引の差金等決済に係る損失の繰越控除

「先物取引に係る雑所得等の金額」の計算上生じた損失の金額は、一定の要件の下で、翌年以後３年間にわたり繰り越し、その繰り越された年の「先物取引に係る雑所得等の金額」を限度として、一定の方法により、「先物取引に係る雑所得等の金額」の計算上差し引くことができます。（次問参照）。

４　手続き

「先物取引に係る雑所得等の金額」について確定申告をする場合には、確定申告書に「先物取引に係る雑所得等の金額の計算明細書」を添付しなければなりません（措令26の23④）。

なお、その明細書は、その先物取引による事業所得、譲渡所得又は雑所得のそれぞれについて作成するものとし、その明細書には、その事業所得、譲渡所得又は雑所得の区分に応じ、次に掲げる項目別の金額を記

載しなければならないこととされています（措規19の８①）。

①　事業所得又は雑所得

イ　総収入金額については、先物取引の差金等決済に係る利益又は損失の額及びその他の収入の別

ロ　必要経費については、先物取引の差金等決済に係る先物取引に要した委託手数料等及びその他の経費の別

②　譲渡所得

イ　総収入金額については、金融商品取引法第２条第１項第19号に掲げる有価証券（ロにおいて「有価証券」という。）の譲渡による収入金額及びその他の収入の別

ロ　取得費及び譲渡に要した費用については、有価証券の取得費、有価証券の譲渡のために要した委託手数料等及びその他の経費の別

５　先物取引の差金等決済をする者の告知等

先物取引の差金等決済をする者は、その差金等決済をする日までに、その差金等決済のつど、その者の氏名又は名称、住所及び個人番号又は法人番号を、その先物取引の委託等する商品先物取引業者の営業所の長又は商品取引所の長などに告知し、住民票の写し（記載事項証明書）や法人の登記事項証明書などを提示しなければならないものとされ、その商品先物取引業者等は、それらの書類により本人確認をしなければなりません（所法224の５①）。

ただし、令和２年５月１日から12月31日までの間に行われる暗号等資産デリバティブ取引の差金等決済については、先物取引に関する支払調書の提出及び先物取引の差金等決済をする者の告知は不要とされています（措法41の15の２）。

先物取引の差金等決済に係る損失の繰越控除

【問７-45】　先物取引の差金等決済に係る損失については、損失の繰越控除が認められるとのことですが、その詳細について教えてください。

【答】　先物取引の差金等決済に係る損失の繰越控除とは、「先物取引に係る雑所得等の金額」の計算上生じた損失がある場合に、その損失の金額を翌年以後３年間にわたり繰り越し、その繰り越された年分の「先物取引に係る雑所得等の金額」を限度として、一定の方法により、「先物取引に係る雑所得等の金額」の計算上その損失の金額を差し引くことです（措法41の15①）。

先物取引の差金等決済に係る損失の繰越控除は、次の順序により行います（措令26の26①）。

⑴　先物取引の差金等決済に係る損失の金額が前年以前３年以内の２以上の年分に生じたものである場合には、これらの年のうち最も古い年分に生じた先物取引の差金等決済に係る損失の金額から順次差し引きます。

⑵　雑損失の繰越控除（所法71①）を行う場合には、まず、先物取引の差金等決済に係る損失の繰越控除を行った後、雑損失の繰越控除を行います。

先物取引の差金等決済に係る損失の繰越控除を受けるためには、次の手続が必要となります（措法41の15③⑦、措令26の26④）。

⑴　先物取引の差金等決済に係る損失の金額が生じた年分の所得税につき、当該事項を記載した申告書付表及び「先物取引に係る雑所得等の金額の計算明細書」を添付した確定申告書を提出すること。

⑵　その後において連続して上記の申告書付表を添付した確定申告書を提出すること。

⑶　この繰越控除を受けようとする年分の所得税につき、上記の申告書付表および計算明細書を添付した確定申告書を提出すること。

第8章　組　合　課　税

匿名組合契約による組合員の所得

> **【問8－1】**　私は、物品販売業を営むＡの事業のために出資をし、Ａの事業から生じる利益の分配を受ける旨の匿名組合契約を結んでいます。この利益の分配は、何所得として課税されるでしょうか。
>
> なお、私は出資を行うのみで、Ａの事業には、全く関与していません。

【答】　当事者の一方が相手方の営業のために出資をし、相手方がその営業から生ずる利益を分配することを約する契約を匿名組合契約といいます（商法535）。

匿名組合では、組合員が営業者のためにした出資は営業者の財産に帰属することになり（商法536①）、また、営業者の営業の行為について組合員は第三者に対して権利義務を持ちません（同④）。そして、組合員は営業者の営業から生じる利益の分配を受ける権利（利益配当請求権）を有し、営業者は組合員に対して利益を分配する義務を負うことになります（商法535）。

このことから、匿名組合契約に基づいて営まれる組合事業に係る所得は、組合員には直接帰属せず、一旦は営業者に帰属することになり、組合員に対しては、営業者から分配される利益について課税されることになります。

この組合員に分配された利益に係る所得区分については、上記匿名組合の性質及び分配された利益が当該組合員の出資・投資の対価という側面を有していることから判断され、雑所得となります（基通36・37共－21）。

ただし、組合員が匿名組合契約に基づいて営業者の営む事業に係る重要な業務執行の決定を行っているなど組合事業を営業者と共に経営していると認められる場合には、組合員が営業者から受ける利益の分配は、営業者の営業内容に従って、事業所得又はその他の各種所得とされます（基通36・37共－21ただし書）。

あなたの場合、Ａのために出資をし、利益の分配を受けているのみで、Ａの事業には全く関与しておらず、Ａと共に事業を経営しているとは認められませんので、あなたがＡから受ける利益の分配は、雑所得として課税されることになります。

任意組合の事業による所得

【問８－２】　私は物品卸売業を友人３人との共同事業で行う予定で、出資金や利益の分配などを取り決める規約の作成にとりかかっています。この事業は法人組織で行うつもりはなく、また、４人がそれぞれの部門を担当する関係上匿名組合契約ともせず、一般の任意組合方式で行いたいと考えていますが、規約の内容によって、各人の所得税の課税関係がどのようになるかを教えてください。

【答】　数人が金銭その他の財産、労務などを出資して、共同の事業を営むことを約する契約を組合契約といいます（民法667）。

この民法上の組合は、その契約の細則までは民法上に規定がなく各当事者の任意の合意に基づく約款に委ねられていますから、これを任意組合ともいい、各組合員の出資その他の組合財産はすべての組合員の共有である（民法668）とされているところから、匿名組合（商法535）とも異なります。また、任意組合は法人格がないので法人税の課税対象とはなりません。

任意組合が事業の執行を特定の組合員に任せているときであっても、その他の組合員は常に組合の常務を単独で行うことができ（民法670⑤）、対外的にも責任を持つことになっていますから、その組合の営む事業から生ずる所得はそのまま組合員自身の所得ということができます。

また、組合の事業活動から生じた利益は組合員の共有に属しますから、たとえその分配をしない場合であっても、各組合員に帰属し、その出資等の割合に応じ、各組合員の所得として所得税が課税されることになります。

さて、任意組合の規約の細則はそのほとんどが組合員の任意による合意で定められ、所得計算もその定めたところにより合理的に計算することとなりますが、無制限にその任意にゆだねると所得税負担の公平が妨げられるところから、取扱い上、次の三つのタイプに分類し、原則として(1)の方法により計算します。ただし、(1)の方法により計算することが困難と認められる場合で、かつ、継続して(2)又は(3)の方法により計算している場合には、その方法による経理を認めることになっています（基通36・37共－20)。

(1) 収入、支出、資産、負債などその組合の経理全般について報告を受け、組合員がその分配割合に応じた収入、支出及び資産、負債を有するものとして計算する方法

(2) 収支計算だけの報告を受け、組合の損益計算面の勘定だけを分割して計算する方法

(3) 損益の額だけの報告を受け、組合の利益額や損失額だけを分割して計算する方法

これらの三つの方法による場合の、各組合員の所得計算上の差異はそれぞれ次のとおりとなります。

(1)の方法による場合……組合員の損益計算はもとより財産持分の認識も明確ですから、組合が得た各種所得はそのまま組合員の各種所得となり、期末の財産持分に応じて計算される引当金、準備金も設定することができます。

(2)の方法による場合……組合員の損益の額の認識は明確ですから、組合が得た各種所得はそのまま組合員の所得となりますが、財産の持分認識は不明確なので、引当金、準備金の設定は認められません。

(3)の方法による場合……組合員は損益の額の認識はあっても、その計算基礎は不明ですから、所得区分はできないこととなります。したがって、

組合の所得のうちに、預貯金の利子に基づく利子所得や株式等の配当に基づく配当所得等となるべきものがあっても、組合員の所得はその組合の主たる事業の内容に従った一の所得にしぼられることになります。もとより、財産持分の認識は不明確なので、引当金、準備金の設定は認められません。

したがって、あなたの属する任意組合も、以上のうちいずれか一の方法に従って計算することになるでしょう。

なお、任意組合の計算期間については、原則として暦年で行わなければなりませんが、組合が独自の事業年度を有している場合には、その組合の計算期間（１年を超えるものや不定期のものはいずれも暦年にしなければなりません。）によることも認められています（基通36・37共－19の２）。

任意組合の事業に係る利益の分配

【問８-３】　任意組合の組合員が、利益の分配以外に毎月給料の支給を受けている場合、この給料は、給与所得でよろしいですか。

【答】　任意組合（民法第667条に規定する組合契約に基づくもの）は、個人の集合体であって、法人格を有していないことから、その組合の営む事業から生ずる所得は、そのまま組合員各自の所得と認められます。したがって、その分配が給料等として支給されたとしても、その名目のいかんにかかわらず、組合の主たる事業の内容に従い、不動産所得、事業所得、山林所得又は雑所得のいずれかの一の所得とされます（基通36・37共－20）。

したがって、あなたが支給を受けた給料は給与所得ではなく、組合の主たる事業内容に従って配分されることとなります。

特定組合員の不動産所得に係る損益通算等の特例

【問８－４】 特定組合員である個人が任意組合等の事業から受け取る不動産所得の損失については、損益通算が認められないと聞きましたが、どのような制度ですか。

【答】 不動産所得を生ずべき任意組合等の事業に係る個人の特定の組合員（特定組合員）の組合損失は、所得金額の計算上ないものとみなされます（措法41の４の２）。

この制度の概要は次のとおりです。

1　特例の対象となる組合事業

民法第667条第１項に規定する任意組合契約及び投資事業有限責任組合契約に関する法律第３条第１項に規定する投資事業有限責任組合契約並びに外国におけるこれらに類する契約（以下「任意組合契約等」といいます。）に基づいて営まれる組合事業が、この特例の対象となる組合事業になります。

（注）有限責任事業組合契約に関する法律第３条に規定する有限責任事業組合契約については、組合員が組合の業務執行に関与するなど制度上組合の事業への実質的な関与度合が低い組合員自体が存在しないこととされているため、組合損失を利用した租税回避行為に用いられにくい仕組みとなっており、本特例の対象となる組合契約の範囲には含まれておりません（別途、有限責任事業組合の事業に係る組合員の事業所得等の所得計算の特例の適用対象となります。【問８－５】参照）。

2　特例の対象となる特定組合員の範囲

特例の対象となる特定組合員とは、任意組合契約等を締結している組合員である個人のうち、組合事業に係る重要な財産の処分若しくは譲受け又は組合事業に係る多額の借財に関する業務（以下「重要業務」といいます。）の執行の決定に関与し、かつ、重要業務のうち契約を締結するための交渉その他の重要な部分を自ら執行する組合員以外の方をいいます（措法41の４の２①、措令26の６の２①）。特定組合員に当たるかどうかは、その年の12月31日において、組合契約を締結した日以後引き続き組合事業に係る重要業務のすべての執行の決定に関与し、かつ、重要業務のうち契約を締結するための交渉その他の重要な部分のすべてを自ら執行しているかどうかにより判定します（措令26の６の２②）。ただし、組合員がその年の中途において死亡したり、組合契約による組合から脱退した場合には、その死亡又は脱退の日、組合がその年の中途において解散した場合には、その解散の日で判断することになります。

なお、任意組合契約等を締結している組合員が、組合契約により組合事業の業務を執行する組合員（以下「業務執行組合員」といいます。）又は業務執行組合員以外の者に組合事業の業務の執行の全部を委任している場合には、その組合員が組合事業に係る重要業務の執行の決定に関与し、かつ、重要業務のうち契約を締結するための交渉その他の重要な部分を自ら執行しているかどうかにかかわらず、特定組合員に該当することになります（措令26の６の２③）。

３　不動産所得の損失の金額の取扱い

特定組合員に該当する個人が、平成18年以後の各年において、任意組合契約等に基づいて営まれる組合事業から生ずる不動産所得を有する場合、その年分の不動産所得の金額の計算上「組合事業による不動産所得の損失の金額」があるときは、その損失の金額に相当する金額は、所得税法第26条第２項及び同法第69条第１項の規定その他の所得税法に関する法令の規定の適用について生じなかったものとみなされます（措法41の４の２①）。

なお、この組合事業による不動産所得の損失の金額については、各組合契約の組合の事業ごとに計算することになります。したがって、その年中に組合事業による不動産所得の損失の金額のほかに別の黒字の事業による不動産所得の金額又はこれらの組合事業以外の一般の不動産所得の金額があったとしても、その組合事業による不動産所得の損失の金額は他の黒字の組合事業に係る不動産所得の金額又は組合事業以外に係る不動産所得の金額から控除（不動産所得内の通算）することはできません。

4　確定申告書に添付する書類

その年において任意組合契約等に基づいて営まれる組合事業から生ずる不動産所得を有する個人が確定申告書を提出する場合には、収支内訳書（又は青色申告決算書）のほか、「組合事業から生ずる不動産所得の金額の計算に関する明細書」を各組合契約に係る組合事業ごとに作成し、申告書に添付する必要があります（措令26の６の２⑥、措規18の24①②）。

有限責任事業組合の事業に係る組合員の事業所得等の所得計算の特例

【問８-５】　このたび、知人の勧めで、有限責任事業組合に出資し、共同事業を立ち上げようと考えていますが、有限責任事業組合とはどのような組合なのでしょうか。

また、この場合の分配金の課税関係はどのように取り扱われますか。

【答】　有限責任事業組合とは、「有限責任事業組合契約に関する法律」（以下「有限責任事業組合契約法」といいます。）第２条に規定されている組合のことをいいます。

この組合制度は、最近の経済情勢から、個人又は法人が共同して行う事業の健全な発展を図ることが我が国の経済活力を向上させる上で重要であることにかんがみ、出資者である組合員全員に有限責任制を付与し、経営（業務執行）への全員参加による共同事業性を確保するとともに、柔軟な損益配分を認める等の措置を講ずる必要があるとされたことに伴い創設されたものです。

これにより、ベンチャー企業や中小企業と大企業の連携、大企業同士の共同研究開発、ITや金融分野において専門技能を有する人材による共同事業などを振興し、新たな産業の創造が期待されています。

このような有限責任事業組合制度の創設に伴う税制面での対応として、

平成17年改正において「有限責任事業組合の事業に係る組合員の事業所得等の所得計算の特例」が創設されました（措法27の２）。

それでは、あなたのように個人の方が、このような有限責任事業組合に出資された場合の課税関係について、概略を説明します。

なお、有限責任事業組合の組合員である個人の方は、一定の書類を一定の期日までに所轄税務署長に提出しなければなりません（措法27の２②③、措規９の８⑤⑥⑦）。

１　組合事業による不動産所得、事業所得又は山林所得の損失の金額の計算

組合員である個人のその年分における組合事業から生ずる不動産所得、事業所得又は山林所得（以下「事業所得等」といいます。）の損失額の計算に当たっては、事業所得等の個々の所得区分ごとに判定するのではなく、同じ組合事業から生ずるこれらの所得の総収入金額及び必要経費をすべて合計したところで損失額が生ずるか否かを判定することとなります（措令18の３①）。

この場合において、結果的に事業所得等の損失額が生じない場合には、この特例の適用はなく、通常の所得税法の規定により個々の所得区分ごとに計算し、損益通算を行うこととなり、逆に、事業所得等の損失額が生ずる場合であっても、その損失額が次に説明する調整出資金額を超えない場合には、通常の所得税法の規定により個々の所得区分ごとに計算し、損益通算を行うこととなります。

２　調整出資金額の計算

有限責任事業組合においては、組合員全員の有限責任制に伴い、有限責任事業組合契約法上「組合員は、その出資の価額を限度として、組合の債務を弁済する責任を負う」と規定されており（有限責任事業組合契約法15）、税法上も組合員の組合事業による事業所得等の損失額を調整出資金額の範囲内に限ることとされました（措法27の２①）。

この調整出資金額の具体的な計算方法については税法上規定されてお

り、仮にその計算結果がマイナスとなった場合には「零」となります（措令18の3②、措規9の8①）。

3　調整出資金額を超える損失額の事業所得等への振分けの方法

組合員である個人の組合事業による事業所得等の損失額が調整出資金額を超える場合、その事業所得等の計算上、その超えることとなる損失額（以下「必要経費不算入損失額」といいます。）は、必要経費に算入されず、次のとおり取り扱われます（措規9の8③）。

(1) その事業所得等の損失額が、組合事業から生ずる事業所得等のうちいずれか一の所得から生じたものである場合

この必要経費不算入損失額は、当該一の所得から生じた組合事業による事業所得等の損失額から成るものとされます。

(2) その事業所得等の損失額が、組合事業から生ずる事業所得等のうち2以上の所得から生じたものである場合

この必要経費不算入損失額を当該2以上の所得に係るそれぞれの損失額（当該2以上の所得のそれぞれについて、当該組合事業から生ずる総収入金額に算入すべき金額が当該組合事業から生ずる必要経費に算入すべき金額に満たない場合におけるその満たない部分の金額に相当する金額をいいます。）によりあん分して計算した金額に相当する金額をもって、当該必要経費不算入損失額は当該2以上の所得のそれぞれから生じた組合事業による事業所得等の損失額から成るものとされます。

（注）　青色申告者が純損失の繰越控除（所法70）や純損失の繰戻しによる還付請求（所法140）の規定を適用する場合の純損失の金額（所法2①二十五）は、上記(1)又は(2)の方法により組合事業による事業所得等の損失額のうち必要経費不算入額を除いたところで事業所得等の金額を計算し、他の所得との損益通算を行ってもなお控除しきれない部分の金額となります。

4　複数の有限責任事業組合契約を締結している場合のこの特例の適用関係

複数の有限責任事業組合契約を締結している場合には、それぞれの組合契約に係る組合事業ごとに事業所得等の損失額が生ずるか否かを計算するとともに、調整出資金額についてもそれぞれの組合契約に係る組合事業ごとに計算を行うこととなります（措令18の３④）。

（参考）　有限責任事業組合の特徴

	株 式 会 社		任 意 組 合		有限責任事業組合	
有限責任性	○		×	無限責任	○	有限責任
内部自治の原則	×	①　損益や権限の配分は出資額に比例 ②　取締役会や監査役が必要	○	①　損益や権限の配分は自由 ②　監視機関の設置が不要	○	①　損益や権限の配分は自由 ②　監視機関の設置が不要
構成員課税	×	法人課税	○	構成員課税	○	構成員課税

第９章　収　入　金　額

経済的利益に含まれるもの

【問９－１】　各種所得の収入金額とされる経済的利益には、どのようなものがありますか。

【答】　収入金額とされる経済的利益には、次に掲げるような利益が含まれます（基通36－15）。

(1)　物品その他の資産の譲渡を無償又は低い対価で受けた場合におけるその資産のその時における価額又はその価額とその対価の額との差額に相当する利益

(2)　土地、家屋その他の資産（金銭を除きます。）の貸与を無償又は低い対価で受けた場合における通常支払うべき対価の額又はその通常支払うべき対価の額と実際に支払う対価の額との差額に相当する利益

(3)　金銭の貸付け又は提供を無利息又は通常の利率よりも低い利率で受けた場合における通常の利率により計算した利息の額又はその通常の利率により計算した利息の額と実際に支払う利息との差額に相当する利益

(4)　(2)又は(3)以外の用役の提供を無償又は低い対価で受けた場合におけるその用役について通常支払うべき対価の額又はその通常支払うべき対価の額と実際に支払う対価の額との差額に相当する利益

(5)　債務免除益（買掛金その他の債務の免除を受けた場合におけるその免除を受けた金額又は自己の債務を他人が負担した場合におけるその負担した金額に相当する利益）

広告宣伝用資産の受贈益

【問９−２】 寝具販売店の経営者ですが、販売成績が顕著であるからということで、仕入先の寝具メーカーから、メーカーの製品名がサイドに大きく描かれた四輪貨物自動車２台（時価１台当たり120万円相当）を100万円で譲り受けましたが、この受贈益140万円は課税されますか。また、減価償却費の計算はどうなりますか。

【答】　収入金額には、金銭による収入だけでなく権利その他経済的な利益の価額も含めることになっており、その価額は、その物や権利を取得し、又はその利益を享受するときにおける価額（時価）によって評価することになっています（所法36）。

したがって、物を贈与されたり、時価よりも安く買った場合には、取得した時の時価によって資産に計上し、支払った対価の額を除いた部分を収入金額に計上することになります。

そこで、販売業者がメーカーから広告宣伝用の資産（自動車、陳列棚、陳列ケース、冷蔵庫、展示用モデルハウス等）を無償又はその資産の価額に満たない対価により取得した場合には、その経済的な利益の額は事業の付随収入として総収入金額に加える必要があります。

なお、その経済的利益の額は、その資産の価額の３分の２に相当する金額から、販売業者等がその取得のために支出した金額を控除した金額で評価することになっています（基通36−18）。

これは、車にメーカーの広告が入っており、宣伝のための贈与という要素が相当高いため評価を低くしているわけです。

また、経済的な利益の少額なものを除く意味から、次の場合は収入金額に計上する必要はありません（基通36−18）。

(1)　その経済的な利益の額が30万円以下（同じメーカーから２以上の資産を取得したときは、その合計額が30万円以下）であるとき

(2)　広告宣伝用の看板、ネオンサイン、どん帳のように専ら贈与者の広告

宣伝の用に供されるもの

ところで、御質問の場合、経済的な利益の額は、

120万円×$\frac{2}{3}$×2台－100万円＝60万円　となり、30万円を超えますので、その全額を収入金額に計上しなければなりません。

なお、この場合の仕訳は次のようになります。

借方		貸方	
車　両	160万円	現金預金	100万円
		雑収入	60万円

また、減価償却費の計算の基礎となる取得価額は、譲り受けるために支払った金額と収入金額に計上した金額の合計額、すなわち車両勘定に計上した160万円となります。

建築協力金による経済的利益

【問9-3】 不動産貸付業者ですが、新しく貸ビルを建築するに当たり資金が足りないので、先にテナントを募集し、次のような契約を結びました。

(1) 1店舗につき、建築協力金（契約と同時に受領）8,000万円
　　　　　　　　保　証　金（入店時に受領）　2,000万円

(2) 家賃は月40万円、契約期間は20年

(3) 建築協力金は年2％で利息を支払い、10年後毎年10分の1ずつ返済する。

(4) 保証金については、入店期間に関係なく解約するときに8割返還する。

なお、建築協力金や保証金については、貸ビルの建築費用に使っておりますが、この場合、課税関係は生ずるのでしょうか。

【答】　銀行等からの借入金については、無利息ということはありませんが、土地や建物等の不動産の賃貸借に伴って授受される敷金や保証金など（以下「敷金等」といいます。）については、利息を支払わず長期間預かって

いるのが慣習となっています。

ここで、金銭を無利息若しくは通常の利率よりも低い利率で貸付けを受けた場合は、通常の利率により計算した利息の額又はその通常の利率により計算した利息の額と実際に支払う利息の額との差額に相当する額は所得税法第36条の「経済的利益」に含まれることとなっています（基通36－15(3)）から、これらの無利息の敷金などについても経済的利益が生じていることになります。

また、建物の賃貸契約の締結に伴って入店者から建築協力金を収受するということがなされておりますが、この建築協力金の性格は、借入金と何ら変わらないものですし無利息又は低い利息ですから所得税基本通達36－15(3)により、同様に経済的利益が生じていることになります。

ただし、ここでいう経済的利益とは、借地権の設定等による対価とされるかどうかの判定のための所得税法施行令第80条に規定する返済期日までの期間について、通常の利率の２分の１の利率による複利の方法で計算した現在価値に相当する金額を控除して計算される特別の経済的利益ではなく、毎年の支払利息相当額の経済的利益をいっていますので注意する必要があります。

さて、不動産の賃貸料は、契約時に収受する敷金等の額と密接な相関関係にあり、これらの金額を多額に受領するときは賃貸料が安くなるものと考えられ、また、不動産の賃貸に伴う対価という実態に変わりがないところから、適正な利率で計算した経済的利益相当額を不動産所得の総収入金額に算入することになります。

また、収受した建築協力金や敷金等を他の所得の基因となる業務や資産に運用しているような場合には、いったん享受した経済的利益の全部又は一部がこれらの所得を生ずべき業務の遂行上費消される結果となりますので、これらを必要経費に計上するなどの両建経理をすることになります（次問参照）。

預り保証金の経済的利益

【問９-４】　私は物品販売業を営んでいますが、私の所有する土地をＡ株式会社に次のような契約で貸し付けています。

○ 契約日　　平成12年12月20日
○ 契約期間　　50年（一般定期借地権の設定）
○ 利用目的　　テナントビルの所有
○ 預り保証金　　１億円（無利息で契約期間の終了後全額返還）

この場合、預かり保証金に対する課税関係はどうなりますか。

なお、預り保証金は次のように運用しています。

① 店舗の改築費用　　2,000万円
② 自宅の建築費用　　5,000万円
③ 定期預金　　3,000万円

【答】　定期借地権の設定に伴って、地主が借地人から保証金等の名目で金銭（賃借人がその返還請求権を有しているものをいいます。）を無利息で預かった場合、地主は経済的利益を受けることになります。

この経済的利益については、所得税の課税上、次に掲げる区分に応じ、それぞれ次に掲げるとおり取り扱われます。

(1) その保証金等が、各種所得の基因となる業務（不動産所得、事業所得、山林所得及び雑所得を生ずべき業務をいいます。）に係る資金として運用されている場合又はその業務の用に供する資産の取得資金に充てられている場合

その保証金等につき適正な利率により計算した利息に相当する金額（経済的利益の額）を、その保証金等を返還するまでの各年分の不動産所得の金額の計算上総収入金額に算入するとともに、同額を、各種所得の金額の計算上必要経費に算入します。

(2) その保証金等が、預貯金、公社債、指定金銭信託、貸付信託等の金融資産に運用されている場合

金融資産に係る利子収入等は、保証金等の経済的利益に見合うものであり、かつ、必ず課税の対象となるものであることから、その保証金等の経済的利益に係る所得の金額については、その計算を要しません。

(3)　(1)及び(2)以外の場合

その保証金等につき適正な利率により計算した利息に相当する金額を、その保証金等を返還するまでの各年分の不動産所得の金額の計算上総収入金額に算入します。

（注）１　適正な利率については、以下のとおりです。

年　分	利率（％）
平成31年・令和元年	0.01
令和２年	0.007
令和３年	0.002
令和４年	0.003
令和５年	0.02

２　(2)の「金融資産」には、次のような金融類似商品（所法174三～八参照）を含むものとして取り扱われます。

イ　定期積金等

ロ　抵当証券

ハ　貴金属等の売戻し条件付売買口座

ニ　外貨投資口座

ホ　一時払養老保険（保険期間が５年以下のものに限ります。）

したがって、御質問の場合の預り保証金は、その運用方法により、①の店舗の改築費用は(1)、②の自宅の建築費用は(3)、③の定期預金は(2)に該当することとなりますので、あなたの令和５年分の不動産所得の金額の計算上、総収入金額に算入される保証金の経済的利益の金額は、（2,000万円＋5,000万円）×0.02％＝14,000円となります。

なお、店舗の改築費用に充てた2,000万円に係る経済的利益の金額4,000円（2,000万円×0.02％）については、事業所得の金額の計算上必要経費に算入されます（改装した店舗の使用開始前の期間に対応する部分の金額については、取得価額に算入することもできます（基通37－27)。)。

法人成りの場合の資産の引継価額

【問9-5】 法人の設立に際して、個人事業当時に所有していた事業用資産を法人に引き継ぎましたが、その引継価額は次のとおりです。

区　分	引継ぎ時の簿価	法人引継額
車　両	58万円	50万円
商　品	500万円	500万円

車両は、一般財団法人日本自動車査定協会の最近における査定額52万円及び販売店を通じて取引する場合の諸経費を考慮して譲渡損を計上しました。

商品については、仕入価額で引き継ぎましたが、これらの処理で正しいでしょうか。

【答】 個人事業を廃業して法人を設立した場合には、個人事業当時の資産、負債を現物出資する、又は法人設立後に譲渡するなどして、その法人に引き継ぐことがありますが、その場合、引き継ぐ資産の評価をどうするかという問題が生じます。

もとより、資産を現物出資する場合も、法人設立後に譲渡する場合であっても、それは個人事業主と法人との取引にほかならないわけです。

固定資産などの売買取引は、時価によって行われるのが普通ですから、個人事業主が法人に資産を譲渡した場合であっても、譲渡価額が時価よりも高い場合は、その高い部分について、事業主は法人から贈与を受けたことになり、また、譲渡価額が時価より低い場合は、その価額から時価までの部分については、事業主が法人へ贈与したことになります。

このような場合における税法上の取扱いは、事業主に対しては、時価の２分の１未満の低額で譲渡所得の基因となる資産の譲渡をした場合、時価により譲渡があったものとみなして譲渡所得の申告が必要になっています

（所法59①二、所令169）。

例えば、割増償却を適用した建物を未償却残額（帳簿価額）で法人に引き継ぎますと「低額譲渡」の規定が適用される場合があります。

更に、譲渡価額が時価の２分の１未満にならなくても、設立した法人が同族会社の場合は、時価より低額で譲渡し結果的に所得税の負担が不当に減少するような場合には、その行為計算は税法上否認されて、時価により課税されることもあります（所法157）。

一方、法人税法においても、時価より不当に高額で購入した固定資産については、その購入価額のうち時価を超える部分の金額は、実質的に贈与をしたこととなり、その購入価額から控除しなければならないものとされています（法基通７－３－１）。

また、法人が時価より低い価額で引継ぎを受けますと、譲渡価額から時価までの部分は、その法人が贈与を受けたこととなり益金に算入されます（法法22②）。

このことからも、資産を法人に引き継ぐ価額は、通常の時価を基準とする方が問題がないといえます。

ところで、あなたの車両の引継価額は、時価で行われていると考えられますので、あなたが行った計算でよいものと思われます。

次に、商品については、他の固定資産とは区別されておりこれを低額で販売したり、贈与した場合には、通常他に販売する価額（売価）で総収入金額に計上しなければなりませんが、その通常他に販売する価額の70％相当額以上で譲渡した場合は、その価額での計上を認めており「著しく低い価額の対価による譲渡（所法40①二）」の規定は適用されないことになっていますから（基通40－２）、御質問の500万円が売価の70％に相当する金額以上であれば、その経理は認められることと思われます。

飲食店の自家消費

【問９-６】　ビール１本当たり265円で仕入れ、これを400円で顧客に提供している飲食店が、このビールを家事用に消費する場合、事業所得の収入金額に算入する売上金額は通常売価の70％と見積もって１本当たり280円としなければなりませんか。

もし、この自家消費分の仕入代金を事業主貸勘定から支払うこととし店の仕入額に含めないこととしたらどうなりますか。

【答】　事業用の棚卸資産を家事のために消費したり、あるいは知人に贈与したような場合は、その取得価額（取得価額が通常の販売価額又は売買価額の70％相当額に満たないときは、その70％相当額）を売上高として事業所得の計算上収入金額に算入しなければならないのが原則です（所法39、40、基通39－２）。

しかしながら、飲食店が原材料としている米、副食材料、酒類等はその世帯の食生活にも直接つながるものであり、もともと世帯が購入すべきものを、事業用仕入れと混合経理しているにすぎないとみることができますので、御質問の後段にありますように、自家消費分の仕入れは、事業主勘定へ振り替えて、売上原価から控除し、売上高への計上をしない経理方法をとるほうが正しいといえます。

しかしながら、飲食店にもともと自家消費はあり得ないというわけではなく、例えば、家族の慶弔などのために従業員を手伝わせるなどして棚卸資産である酒食を消費したような場合には、自家消費の経理が必要となり、御質問の場合ですと、１本280円で売上げに計上することとなります。

商品の事業用消費

【問9-7】 材木の販売業者ですが、工場を増築するに際し、仕入価額が500万円の材木を使いました。この場合、売上げに計上するのですか、それとも仕入価額から控除するのでしょうか。
また、計上するのであれば、販売価額で計上するのでしょうか。

【答】　販売用の商品を広告宣伝用に使ったり、従業員に現物支給するなど事業用に使う場合はよくあることです。例えば、衣料雑貨店であれば、仕入れに計上されているタオルを得意先へ盆暮れに配ったり、従業員の帰郷の際の手土産に支給するなど、これらは接待交際費や従業員給与となり、事業所得の必要経費となります。

しかしながら、それを必要経費に計上しますと、その商品は既に仕入金額に計上されていますから、必要経費の二重計上になってしまいます。

したがって、商品を事業用に使った場合、その商品の仕入価額を仕入金額から控除して広告宣伝費や給料の勘定科目に振替計上することになります。

御質問の材木の販売業者が自己の工場を建築するに際し、棚卸資産の材木を使用した場合には、仕入金額から500万円を控除し、建物勘定に振替経理することになります。仕訳を示すと、次のとおりです。

建　　物　500万円　／　仕　　入　500万円

もちろん、工場の使用開始の日から減価償却費を計算して必要経費に計上することになります。

また、商品を従業員に支給した場合には、現物給与としてその商品を一般の顧客に対して通常販売する価額で評価し、給与の源泉徴収をしなければなりません（基通36－39）。

なお、実務上、商品を事業用として使った場合には、仕入勘定から振替経理することなく通常の販売価額で売上げに計上し、その同じ金額を必要経費に算入している経理が行われているようですが、一般的には、この経理でも差し支えないものと思われます。

エコカー補助金の総収入金額不算入

【問9-8】 私は、いわゆるエコカー補助金を利用して、長年事業で使用してきた車両を廃車し、環境対応の新しい車両に買い替えました。

先日、一般社団法人次世代自動車復興センターというところを通じて、エコカー補助金を受け取りました。私が受け取ったエコカー補助金は、課税上どのように取り扱われますか。

【答】 個人が、固定資産（山林を含みます。）の取得又は改良に充てるための国又は地方公共団体の補助金又は給付金等（以下「国庫補助金等」といいます。）の交付を受けた場合（その国庫補助金等の返還を要しないことがその年12月31日までに確定した場合に限ります。）において、その年12月31日までにその交付の目的に適合した固定資産の取得又は改良をしたときは、その交付を受けた国庫補助金等の額に相当する金額は、その者の各種所得の金額の計算上、総収入金額に算入しないこととされています（所法42①）。

御質問のいわゆる「エコカー補助金」とは、正式にはクリーンエネルギー自動車導入事業費補助金（CEV補助金）といい、エコカーの購入者に対し、国から直接交付される補助金ではなく、「一般社団法人次世代自動車復興センター」を通じて交付されるものですが、この補助金は国の予算から補助金として交付されるものですので、国庫補助金等として扱われます。

また、国庫補助金等の総収入金額に算入しないという規定は、確定申告書にこの規定の適用を受ける旨、この規定により総収入金額に算入されない金額等の記載がある場合に限り、適用することとされています（所法42③）。

したがって、交付されたエコカー補助金は、確定申告書にこの規定の適用を受ける旨の記載して提出すれば、総収入金額に算入しないでよいことになります。

なお、この規定を適用した場合のトラックの減価償却費の計算は、実際の取得代金からエコカー補助金の額を控除した金額を取得価額として計算することになります（所法42⑤、所令90）。

第10章　必　要　経　費

第１節　棚卸資産の評価

未使用消耗品の棚卸し

【問10-１】　暮れに荷造用材料が未使用のまま相当残りましたが、これは棚卸しをしなければなりませんか。また、棚卸しをしなければならないものには、どのようなものがあるか教えてください。

【答】　棚卸しは、売上げの個々の原価を通常記録しておくことが困難なところから、経理上、売上原価を計算するために行うことになっています。

所得税法では、棚卸しをしなければならない資産（「棚卸資産」といいます。）は、次に掲げるものとされています（所法２①十六、所令３）。

①　商品又は製品（副産物及び作業くずを含みます。）　②　半製品　③　仕掛品（半成工事を含みます。）　④　主要原材料　⑤　補助原材料　⑥　消耗品で貯蔵中のもの　⑦　上記の①から⑥までに掲げる資産に準ずるもの

御質問の荷造用材料は⑥の「消耗品で貯蔵中のもの」に該当しますから、本来、棚卸資産として計上しなければならないのですが、これらの資産のうち包装紙、紙ひも、封印テープなどの包装材料、文房具などの事務用消耗品、作業用消耗品、広告宣伝用印刷物、見本品等で各年ごとにおおむね一定数量を取得し、かつ、経常的に消費するものについては、継続経理を前提として、特に弊害のない限り、棚卸しをしないで、その購入費用をそのまま必要経費とすることも認められます（基通37－30の３）。

したがって、御質問の荷造用材料の未使用分が翌年分の１年分をまとめ

て購入した場合のような特別な場合を除き、毎年末の在庫とさしたる変動のないような場合は貯蔵品として計上する必要はないでしょう。

ただし、消耗品等で、必要経費に算入する金額のうち製品の製造等のために要する費用としての性格を有する場合はその金額は製造原価に算入することになりますから注意してください（基通37－30の３(注))。

なお、⑦の棚卸資産に準ずる資産としては、次のようなものがあります（基通２－13)。

㋑　飼育又は養殖中の牛、馬、豚、家きん、魚介類等の動物

㋺　定植前の苗木

㋩　育成中の観賞用の植物

㋥　まだ収穫しない水陸稲、麦、野菜等の立毛及び果実

㋭　養殖中ののり、わかめ等の水産植物でまだ採取されないもの

㋬　仕入れ等に伴って取得した空き缶、空き箱、空き瓶等

販売目的で保有する不動産の評価方法

【問10-２】　建売業者ですが、造成中の土地と建物が２戸売れずに残りましたが、この場合の棚卸資産の評価方法を教えてください。

【答】　棚卸資産の評価方法には、原価法と低価法があります。

更に原価法は、個別法、先入先出法、総平均法、移動平均法、最終仕入原価法、売価還元法に分かれています（所令99①)。

これらの評価方法は、事業の種類及び資産の種類（商品又は製品（副産物及び作業くずを除きます。)、半製品、仕掛品（半成工事を含みます。)、主要原材料及び補助原材料その他の棚卸資産の区分）ごとに選定し、書面により納税地を所轄する税務署長に届け出なければならないことになっています（所令100)。

御質問の場合は、土地や建物についても棚卸資産に該当しますから、上記のいずれかの方法によって評価をしなければなりません。

なお、税法においては上記の原価法のいずれの方法によるかは納税者の選択に任せており、納税者が上記以外の特別な評価方法によることも納税地を所轄する税務署長の承認を受ければできることになっています（所令99の２）。

ただし、個別法は、棚卸資産のうち通常一の取引によって大量に取引され、かつ、規格に応じて価格が定められているものについては、選定ができないこととなっています（所令99②）。

これは、同一種類の棚卸資産が絶えず受払いされているときに個々の棚卸資産を個別管理することは技術的に不可能と考えられますし、事業主の恣意によって取得価額の高いものから払い出していくといった利益調整が考えられるからです。

しかしながら、もともと個別管理が必要な土地や建物については、個別法により評価するのがよいでしょう。

一般に、個別法を選定できる資産は、次のとおりです（基通47－１）。

(1)　商品の取得から販売に至るまで具体的に個品管理が行われている場合又は製品、半製品若しくは仕掛品については個品管理が行われ、かつ、個別原価計算が実施されている場合において、その個別管理を行うこと又は個別原価計算を実施することに合理性があると認められるその商品又は製品、半製品若しくは仕掛品

(2)　その性質上専ら(1)の製品又は半製品の製造等の用に供されるものとして保有されている原材料

一方、棚卸資産の評価方法を選定しなかった場合又は選定した方法により評価しなかった場合は法定評価方法（最終仕入原価法）により評価することになります（所令102①）。

なお、いったん採用した評価方法を変更するため、評価方法の変更承認申請書を提出した場合に現によっている方法を採用してから３年を経過していないときは、その変更が特別な理由によるものでないときは却下されます。また、３年を経過していても、その変更について合理的な理由がな

いときは却下されることがあります（基通47－16の２）。

低価法による棚卸資産の評価

【問10－３】　私は青色申告者で、棚卸資産の評価に当たって、低価法を採用しようと思っておりますが、下記の資料の場合、売上原価はいくらになるのか教えてください。

①　前年末のＡ商品の低価法による評価額（時価）

@10,000円×５個＝50,000円

②　前年末のＡ商品の原価法による評価額

@14,000円×５個＝70,000円

③　当年中のＡ商品の仕入状況

３月１日	@11,000円	20個	220,000円
７月５日	@12,000円	10個	120,000円
10月30日	@14,000円	5個	70,000円
合　計		35個	410,000円

④　年末在庫数量４個（この再取得時価は@15,000円）

なお、原価法による評価は総平均法によろうと思っています。

【答】　棚卸資産の評価方法のうち低価法による評価方法とは、期末棚卸資産をその種類等（売価還元法に基づく低価法の場合は、種類等又は通常の差益の率）の異なるごとに区別し、その種類等の同じものについて、原価法のうち選定したいずれかの方法により算出した取得価額による原価法により評価した価額と、その年の12月31日における時価（正味売却価額）とのうち、いずれか低い価額をもって、その評価額とする方法をいいます（所令99①二）。

そこで、まず、原価法のうち総平均法によるその年12月31日現在の評価額を計算しますと、次のとおり48,000円となります。

＜総平均法による評価＞

（70,000円＋410,000円）÷（５個＋35個）＝12,000円

@12,000円×４個＝48,000円………①

この場合、所得税法では、法人税法のように切り放し低価方式（低価法により評価した価額を期末棚卸資産の取得価額として付け代える方式）の制度がありませんので、前年末の棚卸資産につき、原価法により評価した原価よりも年末時価が低いため、年末時価をその年の評価額としている場合であっても、年末の棚卸資産について評価額を計算する場合には、その計算の基礎となる取得価額は、前年末における時価（低価法による評価額）をその基礎とするものではなく、あくまでも原価法により求めた取得価額を基礎とすることになっています（基通47－14）。

したがって、前年から繰り越された棚卸資産の評価額は低価法による@10,000円ではなく、原価法による評価額@14,000円で計算することになります。

次に、その年の12月31日現在の時価による評価額を計算しますと、次のとおり、60,000円となります。

＜時価による評価＞

@15,000円×４個＝60,000円………②

よって、①と②のうち低い方の48,000円（①＜②）が低価法による棚卸資産の評価額となります。

そうしますと、売上原価は次のとおり412,000円となります。

（期首棚卸高）		（仕入高）		（期末棚卸高）		（売上原価）
50,000円	＋	410,000円	－	48,000円	＝	412,000円

棚卸資産に係る登録免許税等

【問10-４】　建売業者が販売目的で取得した土地に係る登録免許税、不動産取得税等を、全額必要経費に算入していますが、その処理は認められますか。

【答】　建売業者が、販売目的の土地を購入した場合、その土地の購入に際して支払う登録免許税や不動産取得税等は、棚卸資産を購入するために要した費用又は販売の用に供するために直接要した費用に該当しますので、原則としてその資産の取得価額に算入することとされています（所令103①一)。しかしながら、業務の用に供される資産に係る登録免許税（登録に要する費用を含み、その資産の取得価額に算入されるものを除きます。)、不動産取得税等は、その業務に係る各種所得の金額の計算上、必要経費に算入することとされています（基通37－５)。

そこで、棚卸資産そのものは業務の用に供される資産ではありませんが、取得価額を計算する上において両者を区分する基本的な違いはないというところから棚卸資産である土地を購入するに際して要した登録免許税、不動産取得税等については、その取得価額に算入しないことができることとされています（基通47－18の２)。

したがって、御質問の登録免許税など次に掲げる租税公課については、納税者の選択により必要経費に算入することができることになります。

(1)　固定資産税・都市計画税

(2)　登録免許税（登録に要する費用を含みます。)

(3)　不動産取得税

(4)　地価税（平成10年分以後は当分の間適用停止されています。以下同じ。)

(5)　特別土地保有税（平成15年分以後は当分の間適用停止されています。以下同じ。)

棚卸資産の取得に要した負債利子

【問10-5】　建売業者が負債で取得した販売用土地について棚卸評価をする場合には、その負債の利子のうち、未販売の土地に対応する部分を計算し、棚卸価額に加算すべきですか。

【答】　支払利子は、事業の資本そのものに係る費用という側面もあるところから、資産を取得するための借入金利子であっても、一般に認められた会計慣行においては、財務費用、すなわち、期間費用として非原価項目とされています。

そこで、税法もこのような会計処理の実情にかんがみ、棚卸資産の取得に要した借入金利子は、原則として必要経費に算入することとし、納税者が取得価額に算入している場合に限り、例外的に取得価額に算入することとしています（基通47－21）。

したがって、御質問の場合も、販売用土地の棚卸評価額には、負債の利子を加算する必要はありません。

棚卸資産の評価損

【問10-6】　文具店の経営者ですが、台風による雨漏りで商品が相当傷みましたので、正札ではとても売れないと思いますが、棚卸資産の評価損は計上できませんか。

【答】　棚卸資産は、その価額が単に物価の変動、過剰生産、建値の変更などの事情によって低下しただけでは、損失の見積りであるにすぎないため評価損の計上は認められておりません（基通47－24）。

しかしながら、例外として次のような事実が生じたときは、その事実が生じた日を含む年の12月31日現在の時価を取得価額としてその棚卸資産を評価することができます（所令104）。

(1)　棚卸資産が災害により著しく損傷したこと

(2) 棚卸資産が著しく陳腐化したこと

(3) (1)(2)に準ずる特別の事実があること

御質問の場合は、台風による災害が元で生じた損傷と思われますので上記(1)に該当し、その年末の時価を取得価額として評価できます。

併せて(2)の陳腐化について説明しますと、陳腐化とは、棚卸資産の物質的な欠陥がないにもかかわらず経済的環境の変化に伴ってその価値が著しく減少し、その価額が今後回復しないと認められる次のような状態にあることをいいます（基通47－22)。

① いわゆる季節商品で売れ残ったものについては今後通常の価額では販売することができないことが既往の販売実績等に照らして明らかであること

② その商品と用途の面ではおおむね同様のものであっても、型式、性能、品質等が著しく異なる新製品が発売されたことにより、その商品につき今後通常の方法により販売することができないようになったこと

また、(3)の「準ずる特別の事実」とは、棚ざらし、破損、型崩れ、品質変化などをいいます（基通47－23)。

砂利採取に伴う所得の計算

【問10-7】 砂利採取業者が、採取目的で取得した土地は、その取得価額のうち、砂利に係る部分について、生産高比例法に準じた方法で減価償却が認められることになっていますが、その砂利に係る部分の取得価額の計算はどのように計算すればよいのですか。

【答】 砂利を採取する目的で取得した土地について減価償却が認められるかどうかは、砂利採取後の土地の価額が、採取前の価額に比べて相当減価するかどうかによって判定されます。したがって、砂利を採取することによって、かえって道路事情などがよくなり、土地の価額が増加するような場合は、減価償却は認められないことになります。

実際上は、採取に当たり、所轄の地方公共団体に届け出られている採取計画に伴い、採取後に変形した土地の現在価値を見積もり、それが取得価額よりも相当減価するものであるときは、その減価額を減価償却の対象とすることになり、毎年の砂利の採取量に応じて生産高比例法に準じて各年の必要経費に算入することになります（基通49－22）。

なお、この償却費の額が、砂利の棚卸資産としての原価になります。

第２節　租 税 公 課

酒税の必要経費算入の時期

【問10-８】　酒類製造者ですが、12月分の酒税については、売上げに含まれており、その税額の申告は翌月末日になりますので金額は確定していませんが、見込額で必要経費に算入してもよろしいでしょうか。

【答】　必要経費は、不動産所得、事業所得又は雑所得の総収入金額に係る売上原価その他総収入金額を得るため直接要した費用の額及びその年における販売費、一般管理費その他これらの所得を生ずべき業務について生じた費用の額とされています（所法37①）。

したがって、租税公課についても収入を得るために直接要したもの及び業務について生じたものが必要経費となります。また、必要経費は原則として債務の確定した金額とされます。

債務の確定しているものとは、原則として次の(1)から(3)までの要件の全てに該当するものをいいます（基通37－２）。

(1)　その年12月31日（年の中途において死亡又は出国をした場合には、その死亡又は出国の時。以下(2)(3)において同じ。）までにその費用に係る債務が成立していること

(2)　その年12月31日までに債務に基づいて具体的な給付をすべき原因となる事実が発生していること

(3)　その年12月31日までにその金額を合理的に算定することができるものであること

さて、租税公課のうち酒税については、消費者から領収する税額を含めた収入金額を事業所得の金額の計算上、総収入金額に算入するとともに、申告や更正、決定又は賦課決定により支払うべき税額を必要経費に算入することになります（基通37－４）。

この場合、その年分の総収入金額に算入されたこれらの税額のうち、その年12月31日までに申告期限が到来しない税額についても、当該税額として未払金に計上された金額のうち、その年分の確定申告期限までに申告等があった税額に相当する金額は必要経費に算入することができることになっています（基通37－6(2)）。

したがって、御質問の酒税については、12月分の売上げに計上しており、翌年の1月末日にその納付が確定することとなりますから、未納の税額をいったん未払金に計上した上で必要経費に計上できることになります。

不動産取得税、登録免許税

【問10-9】 洋品雑貨商を営んでいます。今度繁華街に支店を出すことになり、店舗を購入しましたが、不動産取得税と登録免許税がかかってきました。これは建物の取得価額に含めるのですか。

また、自動車を購入したときの自動車重量税はどうなりますか。

【答】 業務の用に供される資産に係る固定資産税、登録免許税（登録に要する費用を含み、取得価額に算入されるものを除きます。）、不動産取得税、地価税、特別土地保有税、事業所税、自動車取得税等は、その業務に係る各種所得の計算上必要経費に算入することになっています（基通37－5）。

また、減価償却資産に係る登録免許税（登録に要する費用を含みます。）については、次のように取り扱うことになっています（基通49－3）。

(1) 特許権、鉱業権のように登録により権利が発生する資産に係るものは、取得価額に算入します。

(2) 船舶、航空機、自動車のように業務の用に供するための登録を要する資産に係るものは、取得価額に算入しないことができます。

(3) (1)及び(2)以外の資産に係るものは、取得価額に算入しないことになっています。

したがって、御質問の支店を出すための店舗に係る不動産取得税と登録免許税については、納付する金額を必要経費に算入することとなります。

また、業務用の自動車の取得（登録）の際に賦課される自動車重量税についてもその業務の必要経費に算入してもよいでしょう。

しかしながら、店舗併用住宅を取得した場合には、これらの費用のうちその居住用に係る部分は必要経費算入はできませんので、床面積等の合理的な基準によりあん分した額を取得価額に算入することになります（基通45－1、45－2）。

業務用資産を相続により取得した場合の登録免許税

【問10-10】 不動産賃貸業を営む父が死亡したため、事業を引き継ぐことになりました。賃貸用建物の相続に際して支払った登録免許税は、不動産所得の計算上必要経費に算入してもよいでしょうか。

【答】 減価償却資産に係る登録免許税については、

(1) 特許権、鉱業権のように登録により権利が発生する資産に係るものについては取得費に算入する

(2) 船舶、航空機、自動車のように業務の用に供するための登録を要する資産に係るものは、取得価額に算入しないことができる

(3) 上記(1)及び(2)以外の資産に係るものについては､取得価額に算入しないこととされております（基通49－3）。

そして、業務の用に供される資産に係る登録免許税のうち、取得価額に算入しないものについては、各種所得の金額の計算上必要経費に算入することになります（基通37－5、49－3。【問10-9】参照）。

ここでいう減価償却資産及び業務の用に供される資産には、相続、遺贈又は贈与により取得した資産も含まれ、また、賃貸用建物の取得に際して支払う登録免許税は上記(1)及び(2)のいずれにも該当しません。

したがって、あなたが相続に際して支払った登録免許税は、不動産所得の金額の計算上必要経費に算入することになります。

相続により取得した不動産に係る固定資産税

【問10-11】 私の父はマンションと駐車場の賃貸をしていましたが、本年２月に死亡しましたので、私が、そのマンションと駐車場を相続しました。

市役所から固定資産税の通知書が５月に届き、１期分と２期分を支払いましたが、この固定資産税は、父の不動産所得の金額の計算上の必要経費となりますか。

それとも、私の不動産所得の計算上の必要経費となりますか。

【答】 不動産所得の基因となる資産に課される固定資産税、登録免許税等は、その不動産所得の金額の計算上必要経費に算入されます（基通37－５）。

ところで、その年分の各種所得の金額の計算上必要経費に算入する国税及び地方税は、その年12月31日（年の中途において死亡又は出国をした場合には、その死亡又は出国の時）までに申告等により納付すべきことが具体的に確定したものとされています（基通37－６）。

固定資産税は、固定資産課税台帳に、賦課期日（１月１日）現在の所有者として登記又は登録された者に対して、課税権者（市町村又は道府県）が賦課課税する地方税ですが、固定資産税が具体的に確定するのは、固定資産税の納税通知書が届いた時となります。

したがって、御質問の場合、相続開始時にはまだ固定資産税の納税通知がなされていないことから、お父さんの不動産所得の金額の計算上必要経費に算入するのではなく、あなたの不動産所得の金額の計算上必要経費に算入することになります。

なお、必要経費に算入する金額は、原則として納税通知書に記載された固定資産税の金額を本年の必要経費に算入することになりますが、各納期の税額をそれぞれの納期の開始の日又は実際に納付した日の属する年分の必要経費に算入することもできます（基通37－６(3)）。

相続税の必要経費算入の可否

【問10-12】 私は、不動産貸付業を営んでいた父が死亡したため、父の所有していた賃貸マンション等を相続し、引き続いてその賃貸マンションを貸し付けています。

ところで、相続した財産について相続税を納付しましたが、この納付した相続税のうち、相続した賃貸マンションに対応する部分については、そのマンションに係る不動産所得の金額の計算上、必要経費に算入することはできますか。

【答】 不動産所得の金額、事業所得の金額又は雑所得の金額の計算上必要経費に算入すべき金額は、原則として総収入金額に係る売上原価、その他総収入金額を得るために直接要した費用の額及びその年における販売費、一般管理費その他これらの所得を生ずべき業務について生じた費用の額とされています（所法37①）。

したがって、租税公課についても賃貸マンションに係る固定資産税のように、業務の用に供される資産について生じたものは、原則として必要経費に算入することになります（基通37－５）。

ところで、相続財産に係る相続税は、その財産が所得を生ずべき業務の用に供されていると否とにかかわらず、相続によって承継した財産の額に担税力を認めて課税するものであり、また、相続という身分上の法律効果を受けて生ずるものですから、必要経費の範囲外のものといえます。

したがって、あなたの不動産所得の金額の計算上、御質問の相続税の金額を必要経費に算入することはできません。

追加決定された事業税

> **【問10-13】** 所得税に関して税務調査を受けた個人が、事業所得について過去３年分の所得金額の更正処分を受けました。その個人の事業は、事業税の課税事業に該当しますので、事業税についても更正処分がありましたが、この事業税の追徴税額については、いつの年分の必要経費に算入されますか。

【答】 個人の事業税については都道府県から追加決定処分があった年分の必要経費に算入することとなります（基通37－６）。

法人の事業税については、直前事業年度分の事業税の額について、その事業年度終了の日までにその全部又は一部につき申告、更正又は決定がされていない場合であってもその事業年度の損金に算入することができるものとされています（法基通９－５－２）。

しかしながら、所得税においては、このような取扱いはなく、地方公共団体が、所得税の課税標準の変動に伴って事業税の賦課決定処分を行うことによって追徴税額が確定するまで、これを必要経費として認識することはしないのが建前です。その代わり、事業税の賦課決定処分があった場合には、そのあった日の属する年分の必要経費に算入することになります。

事業廃止年分の事業税

> **【問10-14】** 私の経営する食料品店は本年５月１日から法人成りし、個人営業を廃業しましたが、廃業年分の事業税は、翌年に課税されるため金額は確定していません。必要経費として見込控除できる特例はないものでしょうか。
>
> ４月までの事業所得は200万円となっています。

【答】 必要経費に算入する国税及び地方税は、その年12月31日（年の中途において死亡し又は出国した場合は、その死亡又は出国の時）までに申告、更正若しくは決定又は賦課決定により納付すべきことが具体的に確定したものとされています（基通37－６）。

また、事業税のように納期が分割して定められている税額については、各納期の税額をそれぞれ納期の開始の日又は実際に納付した日の属する年分の必要経費に算入できることになっています（基通37－６(3)）。

しかしながら、御質問の事業を廃止した年分の所得に課税される事業税については、その課税見込税額を廃業年分の所得の計算上必要経費に算入することができます（基通37－７）。

この場合の事業税の課税見込額は、次の算式により計算します。

$$\frac{(A \pm B) \times R}{1 + R}$$

A………事業税の課税見込額を控除する前の廃業年分の事業所得の金額

B………事業税の課税標準の計算上Ａの金額に加算又は減算する金額

R………事業税の税率

したがって、御質問の場合は、次の金額が見込控除できる事業税の額となります。

$$\frac{\left(200\text{万円} - 290\text{万円} \times \frac{4}{12}\right) \times 0.05}{1 + 0.05} = 49{,}190\text{円}$$

（注）　290万円×$\frac{4}{12}$は事業廃止までの期間に係る法人成りした年分の事業主控除の月割額です。この事業主控除の額に1,000円未満の端数が生じたときは切り上げます。

しかしながら、前記の課税見込額を控除しなかった場合は、廃業年分の事業税について納付が確定したときにおいて事業を廃止した年分の事業所得の金額から控除することになります（所法63）。

したがって、所得税法第152条《各種所得の金額に異動を生じた場合の更正の請求の特例》の規定により廃業年分の事業税を納付すべきことが確定した日の翌日から２か月以内に更正の請求の手続をすることになります。

なお、更正の請求の特例については【問19-８】を参照してください。

第３節　旅費交通費

事業主の出張の際の日当

【問10-15】　事業主が業務のため出張した場合、従業員の出張に際して支給している程度の日当を事業主についても経費として計上したいと考えています。

この日当は、従業員に対して定めた旅費規程に基づいて支出しており、これにより従業員が受けた場合は旅費の範囲として正当なものと認められて非課税とされているのですから、事業主に対する日当も、当然必要経費になるのではありませんか。

【答】　従業員又は法人の役員等の出張旅費が、その従業員などの給与所得となるか、非課税となるかの判定は、その出張内容を事業主がいちいち個別に検討して判断することが事実上困難なところから、次の事項を勘案して判定することになっています（基通９－３）。

(1) その支給額が、その支給をする事業主の従業員の全てを通じて、適正なバランスが保たれている基準に従って計算されたものであるかどうか

(2) その支給額が、その支給をする事業主と同業種、同規模の他の事業者が一般的に支給している金額に照らして相当と認められるものであるかどうか

ところで、従業員に支給する日当はその従業員の所得の計算上、非課税とされる場合であっても、給与所得として課税される場合であっても、いずれも従業員の給与という性格には変わりがなく、事業主の所得の計算上は必要経費に算入されますが、事業主が給料を受けて、これを必要経費に算入することは認められていませんので、支払う金額の基準をどこにおいても、その日当そのものは必要経費とはなりません。

したがって、事業所得等の金額の計算の上では、事業主自身が受け取っ

た日当を実際上何に使用したかによって、必要経費算入の是否を判断しなければならないものと思われます。

例えば、その日当で家族のため出張先の土産品を購入したとすれば、これは事業主の所得の単なる処分であり家事費を必要経費とすることになって不合理な結果となります。

しかしながら、出張先で取引先の接待のために支出したような場合であれば、その金額は接待交際費として必要経費に算入できることになります。

このように、事業主の日当は、その日当自体を直接必要経費に算入することはできませんので、出張の際、現実に事業上の費用として支払った金額だけが必要経費に算入できることになります。

海外渡航費

【問10-16】 取引契約のためパリへ渡航することになりましたが、通訳が必要なので、ちょうどフランス語を専攻している長女（大学生）を連れて渡航した場合、渡航費用の全額を必要経費に算入してもよいものでしょうか。

また、渡航したついでに、スイスのほうも観光してきた場合はどうなりますか。

【答】 業務遂行のために海外渡航した場合の旅費は、当然国内の出張旅費と同じように必要経費に算入できます。

しかしながら、御質問のように海外渡航に親族又はその事業に常時従事していない者を同伴した場合には、その同伴者に係る費用については原則として必要経費に算入することはできません。ただし、次の場合のように、海外渡航の目的を達成するために必要な同伴と認められるときは必要経費に算入することができます（基通37－20）。

(1)　自己が常時補佐を必要とする身体障害者であるため、補佐人を同伴する場合

(2) 国際会議への出席等のために配偶者を同伴する必要がある場合

(3) その旅行の目的を遂行するため外国語にたんのうな者又は高度の専門的知識を有する者を必要とするような場合に、使用人のうちに適任者がいないため、自己の親族又は臨時に委嘱した者を同伴する場合

したがって、御質問の子が通訳として必要である場合は、同伴された旅費を必要経費に算入できますが、子がフランス語を勉強するために同伴される場合は、必要経費にはならないでしょう。

次に、商談の旅行と観光の旅行を併せ行った場合には、商談のための旅行費用だけが必要経費に算入されることになります。

すなわち、御質問のパリまでの旅費は問題ありませんが、パリ以外のスイスへ行かれたような場合のその旅費・宿泊費等については、必要経費に算入できませんし、パリ滞在中にも観光を行ったような場合には、パリ滞在中の費用のうち業務遂行に要した日数と観光に要した日数の比等によりあん分計算を行い業務の遂行に要した費用だけを必要経費に算入します（基通37－21）。

第４節　資本的支出と修繕費

60万円に満たない資本的支出と修繕費の判定

【問10-17】　建物（事務所、前年末における取得価額1,300万円）が古くなり、屋根の補修と床の修理とを別々の建築業者に依頼し、年内にすべて工事が完了したのですが、屋根工事については年内に支払い（58万円）、大工工事のほうは翌年に支払い（56万円）ました。

この場合、屋根工事の58万円だけは年内に支払いましたので、修繕費として計上してもよいのでしょうか。

【答】　資本的支出と修繕費の区分が不明確な場合には、各年において支出した一の計画に基づく修理、改良等の費用の金額のうち、次に掲げる金額を除いた金額が①60万円未満の場合又は②修理、改良等の対象とした個々の資産（送配管、送配電線、伝導装置等については、それぞれ合理的に区分した区分ごと）の前年末における取得価額のおおむね10％相当額以下である場合には、修繕費として必要経費に算入することが認められます（基通37－10、37－12、37－13）。

(1)　建物の避難階段の取付け等物理的に付加した部分に係る金額

(2)　用途変更のための模様替え等改造又は改装に直接要した金額

(3)　機械の部分品を特に品質又は性能の高いものに取り替えた場合のその取替えに要した金額のうち通常の取替えの場合にその取替えに要すると認められる金額を超える部分の金額

(注) 1　建物の増築、構築物の拡張、延長等は建物等の取得に当たることになります。

2　(1)～(3)に該当するものは資本的支出として減価償却の対象となります。

御質問の場合、60万円の判定は、同一建物について、同一計画により修理をしたのですから、その年中に工事の完了したもの、すなわち、債務の確定した合計額により判定することになります。

したがって、工事代金の支払に関係なく58万円＋56万円＝114万円で判定することになりますので、上記①の60万円基準では修繕費とすることはできません。

しかしながら、建物の前年末における取得価額（建築後の資本的支出の額等を含めた金額をいいます。）が1,300万円ですから、上記②の取得価額の10％以下基準により114万円の全額が修繕費として必要経費に計上できることになります。

資本的支出と修繕費の形式的区分における取得価額の判定

【問10-18】 私は物品販売業を営んでいましたが、経営不振のために廃業することになり、令和６年５月に、取得価額500万円の事業用資産（土地）を2,000万円で譲渡し、2,100万円でアパートを建築して、租税特別措置法第37条の特定事業用資産の買換えの特例を適用しました。

その後、このアパートの修理、改良等を行うこととなり、100万円を支出しました。この支出が資本的支出であるか、修繕費であるかの判定を支出金額が取得価額の10％相当額以下かどうかの形式的区分基準によって行う場合、その基準となる取得価額は特例適用後の取得価額によるべきですか。それとも特例適用前の実際の取得価額によるべきですか。

（注） 特例適用後の取得価額は、500万円×0.8＋2,000万円×0.2＋（2,100万円－2,000万円）＝900万円です。

【答】 特例適用後の取得価額900万円を基として判定します。

各年において支出した一の修理、改良等の費用のうち、明らかに資本的支出に該当するものを除き、その支出金額が①60万円未満の場合又は②個々の資産の前年末における取得価額のおおむね10％相当額以下である場合には、その全額を修繕費としてその年分の必要経費に算入することができます（基通37－13）。

この場合の「前年末の取得価額」は、いわゆる税法上の取得価額を意味しており、租税特別措置法に規定している収用や買換えの場合の課税の特例の適用を受けて取得した代替資産又は買換資産については、これらの特例の規定（措法37の３など）により計算された金額をいうものと解されます。

したがって、御質問の場合は、特例適用後の取得価額（900万円）を基として判定しますと、その10％の90万円を超えていますので、形式的区分基準によれば修繕費には該当しないこととなります。

しかしながら、別途実質的な判定で、例えば、壁の塗替えやその他次のような費用は、一般的に修繕費と考えられていますので、これらの費用を区分して修繕費となる金額を判定することになります。

①　家屋の床のき損部分の取替え

②　家屋の畳の表替え

③　き損した瓦の取替え

④　き損したガラスの取替え又は障子、襖の張り替え

⑤　ベルトの取替え

⑥　自動車のタイヤの取替え

ただし、継続適用を条件として一の修理、改良等の費用の金額の全額（周期の短い費用の特例を適用したものを除きます。）について、その金額の30％相当額とその資産の前年末の取得価額の10％相当額とのいずれか少ない金額を修繕費とし、その支出した金額からその修繕費とした金額を控除した残額を資本的支出の額としてその業務に係る所得の金額を計算し、それに基づいて確定申告を行っているときは、その計算が認められることになっています（基通37－14）。

この場合、その修理、改良等をした固定資産に係る除却損失について、所得税法第51条第１項又は第４項《資産損失の必要経費算入》の規定の適用を受ける場合には、原状回復費用のうち除却損失に相当する部分の金額

までは必要経費に算入されないことになりますので注意してください（基通51－３）。

［参考］　資本的支出と修繕費の区分等の基準（フローチャート）

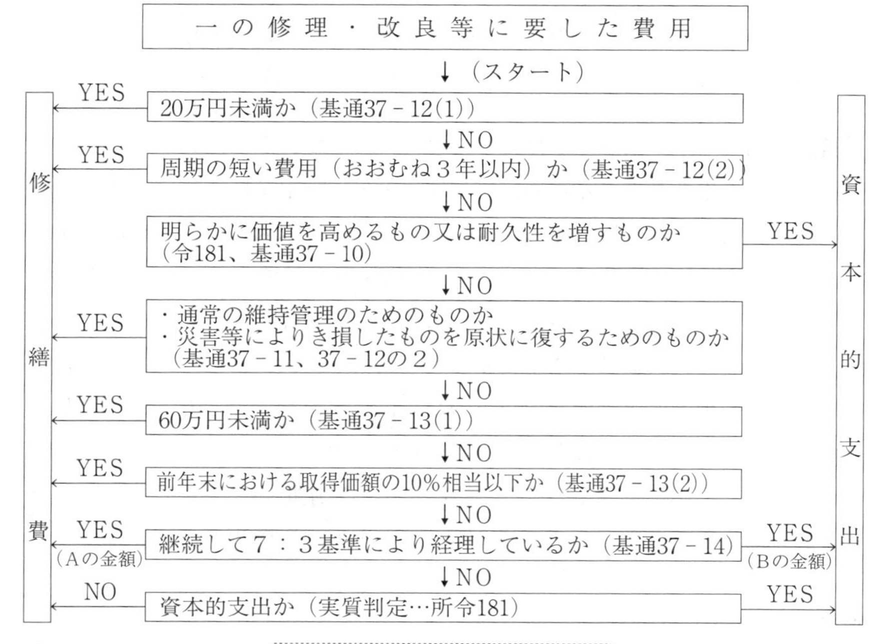

復旧費用（その１）

【問10-19】　私は、災害により、工場に大きな被害を受けました。その工場の二次災害を回避する目的で、その工場の補強と土砂崩れの防止のための工事を行いました。

この場合、この工事費用は、修繕費として必要経費となりますか。それとも資本的支出として減価償却を行う必要がありますか。

【答】　個人の事業用資産が被災した場合において、その被災事業用資産の被災前の効用を維持するために行う補強工事、排水又は土砂崩れの防止等のために支出した費用の額（基通51－３により資本的支出とされる部分の金額を除きます。）については、これを修繕費として支出した年の所得の計算上必要経費に算入することができます（基通37－12の２）。

御質問の場合、被災事業用資産である工場の二次災害を回避する目的でその工場の補強と土砂崩れの防止のために工事を行ったとのことですから修繕費として必要経費になるものと思われます。

ただし、その工事費用の中に、その工場の資産損失に係る資本的支出の部分がある場合には、その金額は除かれますので注意してください。

復旧費用（その２）

【問10-20】　私はブティックを経営していますが、災害により、店舗にかなりの被害を受けました。

このたび、店舗の修繕改築工事を併せて行うことにしましたが、この工事代金は、すべて修繕費として必要経費となりますか。

なお、この修繕改築工事は一つの工事により行いますので、どこまでが修繕のための工事でどこまでが改築の工事かについては不明です。

【答】　災害等により店舗などが損壊したため、その建物等を復旧する場合は、その原状回復工事にとどまらず、被災前より価値を増加させるような改良工事を併せて行うことがあります。

このような場合で、その工事費用が原状回復のための費用の額とその他の部分の資本的支出の額とに区分することが困難な場合は、その損壊により生じた損失につき、雑損控除の適用を受けていない場合に限り、その工事費用の額の30％相当額を原状回復のための費用とし、70％を資本的支出とする簡便計算が認められています（基通37－14の２）。

したがって、御質問の場合もこの工事のための費用については、原状回復のための費用の額と資本的支出の額に分ける必要がありますので、全額を必要経費とすることはできませんが、この簡便計算により原状回復のための費用の額と資本的支出の額を計算することができます。

ただし、所得税法においては、事業の用に供する固定資産の損壊等による損失は強制的に資産損失として必要経費となりますので、その工事の費用の額のうち原状回復のための費用とされた部分についても、損壊直前におけるその資産の帳簿価額に至るまでの金額は資本的支出とされますから、その工事に係る費用の全額の30％相当額をそのまま修繕費として必要経費にすることはできませんので注意してください（所法51①、基通51－３）。

なお、前問【問10-19】に述べましたように、その工事の費用が被害前の効用を維持するための補強工事等に要する費用である場合には、その全額を修繕費として必要経費に算入できます。

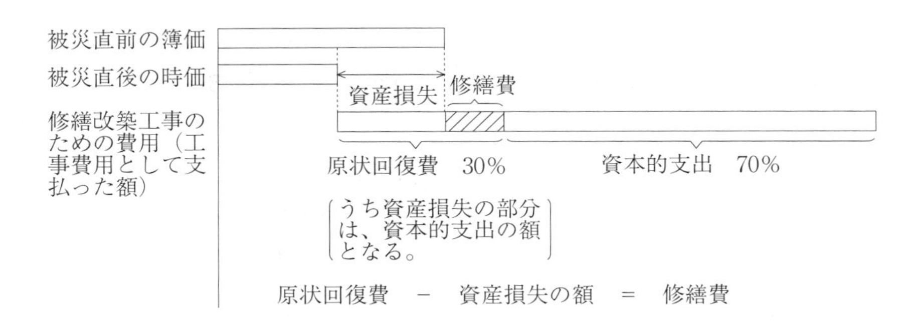

復旧費用（その３）

【問10-21】　私は美容室を経営していますが、このたび、災害により店舗に相当の被害を受けました。

被害があまりに大きいため、その店舗を復旧せずに取り壊した上、新たに建築することにしました。

この場合、この建築費用は、修繕費として必要経費になりますか。

【答】　個人の事業用資産が被災した場合において、その被災事業用資産の被災前の効用を維持するために行う補強工事等のために支出した費用の額（基通51－３により資本的支出とされる部分の金額を除きます。）については、【問10-19】のとおり修繕費として事業所得や不動産所得の金額の計算上必要経費に算入することができます。

しかしながら、その被災事業用資産の復旧に代えて資産の取得をした場合についてまで、その費用を修繕費とすることはできません（基通37－12の２(注)１）。

御質問の場合、新たに店舗を建築するとのことですので、この建築費用は、新たな資産の取得に係る費用とされ、修繕費として必要経費に算入することはできません。

また、建築の費用以外にもその店舗の取得のために支出した金額がある場合、その金額は店舗の取得価額に含めることとなります。

なお、取り壊した店舗については、あなたの事業所得の金額の計算上、資産損失として必要経費に計上することができます（所法51①）。

貸ガレージの整地費用

【問10-22】 私は、自分の土地を貸ガレージとして貸すため、土砂等を敷き整地しました。この整地費用は、不動産所得の計算上、必要経費に算入できますか。

【答】 土地を利用するため、土地の表面に砂利等を敷き、土盛り、地ならし、埋立て等整地をした場合の整地費用は、土地の価額を増加させるものですから、その土地の取得価額に含めることとされています（基通38－10）。

したがって、あなたが貸ガレージを作るために要した整地費用は必要経費とはされず、土地の取得価額に含めることとなります。

なお、貸ガレージとして使用を開始した後に、自動車の出入りの激しい部分にできたくぼみを埋めるために補う砂利等の購入費用や補修のための人件費は原状回復のための費用と考えられますので、その費用は必要経費となります。

第５節　減価償却費

減価償却の強制償却

【問10-23】 個人の場合の減価償却は、強制償却といわれていますが、どういう意味かを説明してください。

【答】 個人の事業所得等の金額の計算において行う減価償却については、法人のように任意の金額を減価償却費として計上すること（いわゆる任意償却）ができません。つまり、個人事業主等が所得税法の規定に従って計算した減価償却費の額に満たない金額を減価償却費の額として必要経費に算入していても、その満たない部分については、減価償却がされたものとして取り扱われることとされます。これを一般に強制償却といっています。

したがって、減価償却費の額を過少に計上したり、必要経費に算入しなかった場合には、更正の請求等により訂正されない限り、必要経費として認められる機会をなくしてしまいます（所法49）。

減価償却制度の改正

【問10-24】 平成19年改正により、平成19年４月１日以後に取得等する資産に係る減価償却制度が改正されたと聞きましたが、どのように改正されたのでしょうか。

また、平成23年12月改正により、平成24年４月１日以後に取得等する資産について「定率法」が改正されたと聞きましたが、あわせて改正の概要について教えてください。

【答】 平成19年改正において、減価償却制度の抜本的な見直しが行われました。改正のうち、主な事項については次のとおりです。

１　償却可能限度額及び残存価額の廃止等

(1) 平成19年４月１日以後に取得する減価償却資産について、償却可能限度額及び残存価額が廃止されました（所令120の２①、134①二、【問10-25】参照）。

(2) 平成19年３月31日以前に取得した減価償却資産については、各年分において不動産所得、事業所得、山林所得の金額の計算上、必要経費に算入された金額の累積額が償却可能限度額まで達している場合は、その達した年分の翌年以後５年間で１円まで償却することとされました（所令134②）。

（注） (2)の改正については、平成20年分以後の所得税について適用されています。

2　新たな償却の方法

平成19年４月１日以後に取得する減価償却資産の償却方法について、新たな「定額法」及び新たな「定率法」等により計算することとされました（【問10-25】参照）。

また、平成19年３月31日以前に取得した減価償却資産の償却方法については、改正前の仕組みが維持されつつ、その名称が、定額法は「旧定額法」に、定率法は「旧定率法」等に改められました。

なお、平成23年12月改正により、平成24年４月１日以後に取得する減価償却資産の定率法の償却率は、定額法の償却率（１／耐用年数）を2.0倍した割合（改正前2.5倍した割合）とされています（所令120の２①一イ(2)）。

（注）1　定率法を採用している方が、平成24年４月１日から同年12月31日までの間に減価償却資産の取得をした場合には、改正前の償却率による定率法により償却することができる経過措置が講じられています（平23.12.2改所令附２②）。

2　平成24年４月１日前に取得をした定率法を採用している減価償却資産について、平成24年分の確定申告期限までに届出をすることにより、その償却率を改正後の償却率により償却費の計算等を行うことができる経過措置が講じられています（平23.12.2改所令附２③）。

3　資本的支出があった場合の減価償却

既存の減価償却資産に対して平成19年４月１日以後に資本的支出を行った場合の償却方法が次のとおり見直されました。

(1)　原則的な取扱い

当該資本的支出は既存の減価償却資産と種類及び耐用年数を同じくする減価償却資産を新たに取得したものとして新たな定額法又は新たな定率法等により償却費の額を計算することとされました（所令127①）。

(2)　特例による取扱い

イ　平成19年３月31日以前に取得した既存の減価償却資産について資本的支出を行った場合（【問10-48】参照）

既存の減価償却資産の取得価額にこの資本的支出に係る金額を加算して計算することができることとされました。この場合、加算を行った資本的支出部分も含めた減価償却資産全体の償却を旧定額法又は旧定率法等により行うことになります（所令127②）。

ロ　平成19年４月１日以後に取得する定率法を採用している減価償却資産について資本的支出を行った場合（【問10-48】参照）

資本的支出を行った年の翌年１月１日において、当該資本的支出を行った減価償却資産の期首未償却残高と当該資本的支出により取得したものとされた減価償却資産の期首未償却残高との合計額をその取得価額とする一の減価償却資産を新たに取得したものとすることができることとされました。この場合、翌年１月１日を取得の日として、当該資本的支出を行った減価償却資産の種類及び耐用年数に基づいて償却を行うことになります（所令127⑤、平19改正所令附則12）。

ただし、平成23年12月の税制改正により、定率法による償却を行っている平成24年３月31日以前に取得した減価償却資産と平成24年４月１日以後にした資本的支出により取得をしたものとされた減価償却資産とを一の減価償却資産とすることはできないこととされました（所令127⑤）。

ハ　同一年中に複数回の資本的支出を行った場合

同一年中に複数回行った資本的支出につき定率法を採用している場合で、ロの適用を受けない場合には、資本的支出を行った年の翌年1月1日において、その資本的支出のうち種類及び耐用年数を同じくするものの期首未償却残高の合計額を取得価額とする一の減価償却資産を新たに取得したものとして減価償却を行うことができます（所令127⑤）。

減価償却費の計算

【問10-25】　私は、製造業を営む個人事業者ですが、令和6年1月に機械（耐用年数10年）を100万円で購入し、事業用として使用しています。

具体的な計算の方法を教えてください。

【答】　あなたが購入した機械について、定額法を選択しているか定率法を選択しているかにより減価償却費の計算は次のとおり異なります。

1　定額法

定額法は、減価償却資産の取得価額に、その償却費の額が毎年同一となるようにその資産の耐用年数に応じた「定額法の償却率」を乗じて計算した金額を、各年分の償却費の額として償却し、事業所得等の金額の計算上必要経費に算入する計算方法です（所令120の2①一イ(1)）。

なお、耐用年数経過時点において1円まで償却します。

【計算式】

取得価額 × 定額法の償却率 ＝ 減価償却費

※　年の中途で事業の用に供した場合などには、「本年中に事業に使用していた月数／12」を乗じます（所令132①－イ）。

※　上の「事業に使用していた月数」は暦に従って計算し、1月に満たない端数は1月とします（所令132②）。

2　定率法

①　定率法は、減価償却資産の取得価額（2年目以後の年分にあっては、

減価償却資産の取得価額から既に償却費の額として各年分の事業所得等の金額の計算上必要経費に算入された金額の累積額を控除した金額（以下「未償却残高」といいます。)）に、その償却費の額が毎年一定の割合で逓減するように当該資産の耐用年数に応じた「定率法の償却率」を乗じて計算した金額（以下「調整前償却額」といいます。）を、各年分の償却費の額として償却し、事業所得等の金額の計算上必要経費に算入する計算方法です（所令120の２①一イ(2)、【計算式①】)。

② また、調整前償却額がその減価償却資産の取得価額に、その資産の耐用年数に応じた「保証率」を乗じて計算した金額（以下「償却保証額」といいます。）に満たない場合には、最初に満たないこととなる年の期首未償却残高を「改定取得価額」として、その改定取得価額に、その償却費の額がその後毎年同一となるようにその資産の耐用年数に応じた「改定償却率」を乗じて計算した金額を、その後の各年分の償却費の額として償却し、事業所得等の金額の計算上必要経費に算入することとなります（所令120の２①一イ(2)、②一、二、【計算式②】)。

③ 平成23年12月改正により、平成24年４月１日以後に取得する減価償却資産の定率法の償却率は、定額法の償却率（１／耐用年数）を2.0倍した割合（改正前2.5倍した割合）とされました（所令120の２①一イ(2))。

ただし、定率法を採用している方が、平成24年４月１日から同年12月31日までの間に減価償却資産の取得等をした場合には、改正前の償却率による定率法により減価償却費を計算することができます（平23.12改所令附２②)。

【計算式①】

「調整前償却額 ≧ 償却保証額」の場合

期首未償却残高 × 定率法の償却率 ＝ 減価償却費

※ 年の中途で事業の用に供した場合などには、「本年中に事業に使用していた月数／12」を乗じます（所令132①一イ）。

※　上の「事業に使用していた月数」は暦に従って計算し、1月に満たない端数は1月とします（所令132②）。

【計算式②】

「調整前償却額」＜「償却保証額」の場合

改定取得価額 × 改定償却率 ＝ 減価償却費

※　年の中途で事業の用に供した場合などには、「本年中に事業に使用していた月数／12」を乗じます（所令132①一イ）。

※　上の「事業に使用していた月数」は暦に従って計算し、1月に満たない端数は1月とします（所令132②）。

御質問の場合の、あなたの減価償却費を計算しますと、

【定額法の場合】

耐用年数10年の償却率→0.100

①　令和6年分の減価償却費の計算

$$1{,}000{,}000\text{円}_{(\text{取得価額})} \times 0.100_{(\text{定額法の償却率})} \times \frac{12}{12} = 100{,}000\text{円}$$

②　令和7年分から令和14年分までの減価償却費の計算

$$1{,}000{,}000\text{円} \times 0.100 \times \frac{12}{12} = 100{,}000\text{円}$$

③　令和15年分の減価償却費の計算

100,000円－1円＝99,999円

※　未償却残高が1円になるまで償却します。

【定率法の場合】

耐用年数10年の償却率→0.200、保証率→0.06552、改定償却率→0.250

①　償却保証額の計算

$$1{,}000{,}000\text{円}_{(\text{取得価額})} \times 0.06552_{(\text{保証率})} = \underline{\underline{65{,}520\text{円}}}$$

②　令和6年分の減価償却費の計算

$$1{,}000{,}000\text{円}_{(\text{取得価額})} \times 0.200_{(\text{定率法の償却率})} \times \frac{12}{12} = 200{,}000\text{円}_{(\text{調整前償却額})}$$

※　「調整前償却額」が「償却保証額（65,520円）」以上である年分は、調整前償却額がその年分の償却費の額となります。

③　令和7年分の減価償却費の計算

（1,000,000円－200,000円）×0.200＝160,000円
（期首未償却残高）　（定率法の償却率）　（調整前償却額）

※　令和８年分から令和11年分までの減価償却費についても同様の計算となります。

④　令和12年、13年、14年分の減価償却費の計算

調整前償却額（52,429円）＜償却保証額（65,520円）となるため、令和11年分の未償却残高（262,144円）を改定取得価額として、それに改定償却率（0.250）を乗じて計算します。

262,144×0.250＝65,536円
（改定償却率）

⑤　令和15年分の減価償却費の計算

65,536円－１円＝65,535円

※　未償却残高が１円になるまで償却します。

平成19年３月31日以前に取得した減価償却資産の均等償却の適用時期

【問10-26】　私は飲食業を営んでおり、平成16年１月に金庫を購入しました。この金庫の減価償却費の累積額は、令和６年分で取得価額の95％相当額に達することになりますが、残りの５％部分の５年均等償却は、その95％に達した令和６年分から適用することができますか。
（1）取得価額：2,000,000円
（2）法定耐用年数：20年

【答】　平成19年３月31日以前に取得した一定の減価償却資産で、各年分の事業所得等の金額の計算上、必要経費に算入された金額の累積額が取得価額の95％相当額に達している場合には、その達した年分の翌年分以後の５年間で、１円まで均等償却することとされています（所令134②）。

したがって御質問の場合、令和６年分の必要経費に算入される償却費の額は、取得価額の95％相当額に達するまでの金額となります。また、残りの５％相当額については、令和７年以後の５年間で１円を控除した金額を

均等償却することとなり、具体的な減価償却費の計算は、次のとおりです。

（単位：円）

年　　　分	令和６年分	令和７年分	令和８年分	令和９年分	令和10年分	令和11年分
取　得　価　額	2,000,000					
期首未償却残額	200,000	100,000	80,000	60,000	40,000	20,000
償　却　費　の　額	100,000	20,000	20,000	20,000	20,000	19,999
期末未償却残額	100,000	80,000	60,000	40,000	20,000	1

※　未償却残額が１円になるまで償却しますので、令和11年分の償却費の額は19,999円となります。

研究用書籍

【問10−27】　私は、商業デザイナーをしていますが、書籍を研究用に使うため外国からも購入しています。専門書なので高価なものになりますと１冊十数万円もする場合がありますが、これは減価償却資産になりますか。職業がら何年も使えるものではなく、時には切り抜いて使うこともあるのですが、消耗品費としてはいけませんか。

【答】　減価償却資産とは、不動産所得や事業所得、山林所得、雑所得を生ずべき業務に使用する資産のうち、時の経過により減価するものをいうのですが、次の資産は減価償却資産から除かれます（所法２①十九、所令６）。

①　時の経過により価値の減少しない資産

②　現に業務の用に供されていない資産

③　棚卸資産や有価証券、繰延資産

また、取得価額（１個又は１組の価額）が10万円未満の減価償却資産又は使用可能期間が１年未満の資産については、業務の用に供した年にその全額を必要経費に算入することになっています（所令138①）。

この減価償却資産とならない資産は、棚卸資産、有価証券、繰延資産のほか具体的には次のようなものです。

(1) 土　地
(2) 借地権
(3) 書画、骨とう
(4) 電話加入権
(5) 建設中の固定資産又は育成中の牛馬、果樹等
(6) 製造業者が貯蔵中の機械、工具及び備品

御質問の研究用の書籍については、業務の用に供されることには違いありませんから、時の経過により価値が減少するかどうかが問題となります。

もともと、減価償却資産とは使用することによってその物理的な価値が減少するため、その資産の取得価額を使用可能期間に配賦する必要があるものをいい、耐用年数も専らこのような観点に立って定められています。

ところで、書籍は、記述内容の時代遅れなどにより、その利用価値が減少することもありますが、一般的には、使用による破損や汚損などにより消耗していきますから、これを減価償却資産として取り扱うことが適当と考えられます。

したがって、一般の減価償却資産と同様、1組又は1冊10万円以上の書籍は、減価償却資産として減価償却し、10万円未満の書籍は、少額の減価償却資産として取得価額をその年の必要経費に算入することとなります。

また、1組又は1冊10万円以上20万円未満の書籍は、一括償却資産としてその取得価額の合計額の3分の1の全額を必要経費に算入することもできます（所令139①）。

さらに、一定の中小事業者に該当する青色申告者が、令和8年3月31日までに、取得価額が30万円未満の少額減価償却資産の取得等をして、不動産所得、事業所得又は山林所得を生ずべき業務の用に供した場合には、その業務の用に供した年にその取得価額の全額を必要経費に算入することができます。

ただし、取得等をした少額減価償却資産取得価額の合計額が300万円を超えるときは、その取得価額の合計額のうち300万円に達するまでの取得

価額の合計額が限度となります（措法28の２①）。

減価償却する場合の書籍の耐用年数は、耐用年数省令別表第一「器具及び備品」の「11　前掲のもの以外のもの」の「その他のもの」に該当し、５年となります。

なお、古文書は、時の経過により価値が減少しませんから減価償却資産とすることはできません（基通２－14）。

（注）　令和４年４月１日以後に取得した、取得価額が10万円未満の減価償却資産（所令138①）、一括償却資産（所令139①）、少額減価償却資産（措法28の２①、措令18の５②）からは、主要な業務として行われる場合以外の貸付けの用に供したものは除かれます。

減価償却方法の選定の届出書

> **【問10-28】**　減価償却費を定率法で計算したいと思いますが、何か届出をしなくてはいけませんか。

【答】　減価償却資産の償却方法には、①旧定額法又は定額法、②旧定率法又は定率法、③旧生産高比例法又は生産高比例法などがありますが、次に掲げる場合にはその減価償却資産の区分ごとに償却方法を納税地を所轄する税務署長に対して書面で届け出ることになっています（所令123）。

(1)　新たに不動産所得、事業所得、山林所得又は雑所得を生ずべき業務を開始した場合

(2)　(1)の業務を開始した後、既にそのよるべき償却の方法を選定している減価償却資産以外の減価償却資産を取得した場合

(3)　新たに事業所を設けた場合で、その事業所に属する減価償却資産につき、その減価償却資産と同一の区分に属する資産について既に選定している償却の方法と異なる償却方法を選定しようとする場合又は既に事業所ごとに異なる償却の方法を選定している場合

しかしながら、その届出がない場合には、次に掲げる法定償却方法により償却費の計算をすることになっています（所令125）。

①　鉱業権については、旧生産高比例法又は生産高比例法
②　①以外の減価償却資産については、定額法又は旧定額法

したがって、減価償却方法を選択する場合は前記(1)(2)(3)の区分に応じその年分の所得税に係る確定申告期限までに、届出書により届出をする必要があります。また、従前から法定償却方法によっていたものをそれと異なる方法に変更しようとするときは、変更しようとする年の３月15日までに、変更承認申請書を提出しなければなりません（所令124）。

なお、次に掲げる資産については、法定償却方法以外の方法の選択は認められていませんのでご注意ください。

①　建物（平成10年４月１日以後に取得したもの）　　定額法又は旧定額法
②　建物附属設備及び構築物（鉱業用のこれらの資産を除きます。）（平成28年４月１日以後に取得したもの）　　定額法
③　所有権移転外リース資産（平成20年４月１日以後に締結するリース契約によって、その賃借人が取得したものとされるもの）　　リース期間定額法

（注）１　平成19年３月31日以前に取得した減価償却資産の償却方法については旧定額法又は旧定率法、平成19年４月１日以後に取得する減価償却資産の方法については定額法又は定率法となります。

２　償却方法の変更承認申請書を提出した場合に、現によっている方法を採用してから３年を経過していないときは、その変更が特別な理由によるものでないときは却下されます。また、３年を経過していても、その変更について合理的な理由がないときは却下されることがあります（基通49－２の２）。

３　平成28年４月１日以後に取得した鉱業用減価償却資産（建物、建物附属設備及び構築物に限ります。）の償却方法について、定率法が廃止されました（定額法又は生産高比例法のみ選択できます。）（所令120の２①三）。

事業所得者が新たな印刷設備を取得した場合の減価償却方法

【問10-29】 機械装置（印刷設備）の減価償却方法について旧定率法を選定している事業所得者が、令和６年５月に新たに印刷設備を取得しましたが、その新たな印刷設備について定率法による場合、減価償却方法の届出は必要ですか。

【答】 減価償却の方法の届出は、次の場合に必要とされています（所令123）。

(1) 新たに不動産所得、事業所得、山林所得又は雑所得を生ずべき業務を開始した場合
(2) 減価償却の方法を選定している資産の区分に属さない減価償却資産を新たに取得した場合
(3) 新たに事業所を開設した場合で、その事業所に属する資産について、これと同一の区分に属する他の事業所の資産と異なった償却方法を採用しようとするとき、又は既に事業所ごとに同一区分に属する資産について異なった償却方法を採用しているとき

なお、上記(2)及び(3)における資産の区分は、減価償却方法の選定の単位区分であり、耐用年数省令別表第一に掲げられた資産については、建物、建物附属設備、構築物、船舶、航空機、車両及び運搬具、工具、器具及び備品の８区分であり、耐用年数省令別表第二の機械及び装置については、同表の「設備の種類」欄の区分によります（所規28）。

（注） 耐用年数省令別表第二の機械及び装置については平成20年改正によりその資産区分について390区分から55区分に大括り化されました（耐用年数省令別表第二）。この改正は、平成21年分以後の所得税から適用されます（平20改耐用年数省令附２、平20改所規附４①）。

この改正に伴い、異なる旧区分に属する減価償却資産について異なる償却方法を選択している場合には、平成21年分の所得税の申告期限までに償却方法の変更の届出をした場合には、その変更承認があったものとみなされます（平20改所規附４②③）。

なお、この場合において、平成21年分の所得税の確定申告期限までに償却方法の変更をしなかったときは、その新区分に属する減価償却資産につき償却の方法を選定しなかったものとみなして法定償却方法により償却することとなります（平20改所規附４④）。

御質問の場合、まず上記(1)の届出事由に該当するかどうかですが、(1)における新たな業務の開始とは、これらの業務のいずれをも有していない人が新たにいずれかの業務を開始した場合をいい、既にいずれかの業務を営んでいる人が、別の業務を開始した場合には、これに当たらないと解されますので、御質問の場合は(1)の届出事由には該当しないこととなります。

次に、御質問では、新たに取得したのは機械装置（印刷設備）であり、従来有していた資産と同じ償却方法の選定区分に属する資産であるので、(2)の届出事由にも該当しないことになります。

最後に(3)の届出事由ですが、これは減価償却方法を事業所ごとに選定することができることとの関連で、従来有していた同一区分に属する資産と異なった償却方法を、新たに開設した事業所等で選定しようとするときに届け出るものです。新たに取得した印刷設備が新たな事業所を開設するために取得したものであれば届出が必要でしょうが、そうでないならば届出が必要な「事業所ごとに異なった償却方法」には当てはまりません。したがって、印刷設備について定率法という同じ償却方法を採用するときには、これらの届出事由には該当しないことになります。

以上により、もし御質問の場合において印刷設備について定額法を採用するなど、従来印刷設備について届け出ていた償却方法と異なる償却方法を採用しようとする場合（この場合は、変更承認申請書をその年の３月15日までに提出しなければなりません。）を除き、償却方法の届出は不要です。

旧定率法を選定していた者が新たに減価償却資産を取得した場合

【問10-30】　私は、車両運搬具について平成19年１月に(旧)定率法の届出書を提出し、その後、償却方法の届出書は提出していません。

ところで、令和６年７月に営業車として乗用車を購入した場合、その減価償却費はどのように計算するのでしょうか。

(1)　取得価額：1,950,000円

(2)　法定耐用年数：６年（定率法の償却率：0.333、改定償却率：0.334、保証率：0.09911）

【答】　平成19年３月31日以前に旧定率法を選定していた場合において、同年４月１日以後に取得した減価償却資産について、「所得税の減価償却資産の償却方法の届出書」を所轄の税務署長に提出していないときは、その償却方法は定率法を選定したものとみなされます（所令123③）。

御質問の場合、車両運搬具について定率法の届出書は提出されていませんが、旧定率法の届出書が提出されていますので、新たに取得した乗用車の償却費の額は定率法により計算することとなります。

なお、具体的な減価償却費の計算は、次のとおりです。

（単位：円）

年　分		令和6年分	令和7年分	令和8年分	令和9年分	令和10年分	令和11年分	令和12年分
償却の基礎となる金額		1,950,000	1,625,325	1,084,091	723,088	482,299	321,211	160,123
償却費の額又は調整前償却額		324,675	541,234	361,003	240,789	160,606		
改定償却率による計算	改定取得価額					482,299	482,299	482,299
	償却費の額					161,088	161,088	160,122
（期末）未償却残額		1,625,325	1,084,091	723,088	482,299	321,211	160,123	1

※　その年分の調整前償却額が償却保証額193,265円（1,950,000円×0.09911）に満たないこととなる令和10年分以後の年分は、最初にその満たないこととなる令和10年分の期首未償却残額482,299円を改定取得価額として、その改定取得価額に改定償却率0.334を乗じて計算した金額が償却費の額（161,088円）となります。

また、未償却残額が１円になるまで償却しますので、令和12年分の償却費の額は、

160,122円となります。

事業の相続と減価償却資産の償却方法の届出

【問10-31】 製造業を営んでいた父が本年５月に死亡したため、長男である私が相続により事業を引き継いで経営しています。

本年分の事業所得の金額の計算において、機械の減価償却費の額を父が採用していた定率法によって計算したいと思いますが認められますか。

なお、私は、減価償却資産に係る償却方法の届出はしていません。

【答】 減価償却資産に係る償却方法は、本人の届出により定額法、定率法等を選定することができます（所令123②③）。しかしながら、この届出がない場合には構築物、機械等については定額法によることとされています（所令125）。

御質問の場合、お父さんの事業を引き継いで営業しておられますが、償却方法についてまでもお父さんから承継するものではありません。

したがって、お父さんと同様の定率法を採用するためには、相続によりあなたが事業を引き継いだ日の属する年分の確定申告書の提出期限までにその旨の届出書を所轄税務署長に提出する必要があります（所令123②一）。

店舗の建設に要した借入金利子

【問10-32】 サラリーマンでしたが化粧品店を開業することになり、借入金600万円に退職金1,000万円を加えて９月から店舗の建築に着工し12月完成と同時に開店しましたが、開店までの支払利子（４か月分20万円）については、事業所得の必要経費に算入できますか。

【答】 減価償却資産を購入した場合の取得価額は、その資産の購入の代価（引取運賃、荷役費、運送保険料、購入手数料、関税（関税法第２条第１

項第４号の二に規定する附帯税を除きます。）その他その資産の購入のために要した費用がある場合には、その費用の額を加算した金額）とその資産を業務の用に供するために直接要した費用の額の合計額となります（所令126①一）。

また、借入金の利子については、次のように取り扱われます。

①　業務を営んでいる人がその業務の用に供する建物などの固定資産を取得するために借り入れた資金の利子については、原則としてその支出をした年分の必要経費に算入します。

　ただし、その資産の使用開始の日までの期間に対応する部分の金額については取得価額に算入することもできます（基通37－27）。

②　①以外の資産を取得するために借り入れた資金の利子については、その固定資産の使用開始の日（固定資産の取得後、その固定資産を使用しないで譲渡した場合には、譲渡の日）までの期間に対応する部分の金額は、その固定資産の取得価額に算入します（基通38－８）。

したがって、あなたのように、業務を新たに開始するような場合は、開店するまでは店舗を業務の用に供しているわけではなく、借入金の利子については翌年の必要経費に算入することもできないので、店舗の使用開始の日（開店の日）までの期間に対応する部分の金額については、店舗の取得価額に算入することになります。

減価償却の対象となる店舗の取得価額は、次のようになります。

600万円　＋　1,000万円　＋　20万円　＝　1,620万円

なお、土地、建物を同時に取得したような場合は、開店までの支払利子は土地、建物の取得価額の比によりあん分してそれぞれ、土地及び建物の取得価額に算入することになります。

店舗の新築に係る地鎮祭及び上棟式の費用

【問10-33】　私は、店舗を新築し、事業の用に供しています。

店舗の新築に際しては、地鎮祭、上棟式、落成式を行い、その費用を支出しました。

この場合の費用は、事業所得の金額の計算上必要経費に算入してよいでしょうか。

【答】　減価償却資産の取得価額には、その資産の建設に要した費用のほか、業務の用に供するために直接要した費用が含まれることとされています（所令126①）。

しかしながら、減価償却資産の取得後に生ずる付随費用は、取得価額に算入せず必要経費に算入することができることとされています（法基通７－３－７）。

したがって、御質問の場合の地鎮祭及び上棟式の費用は、取得前に生じた費用であるため取得価額に算入し、落成式の費用は、取得後に生ずる費用であることから必要経費に算入する取扱いが相当です。

マンション建設と電波障害対策費

【問10-34】　私は、本年、建設業者に請け負わせて貸マンション（10階建）を建設しました。

このマンションの建設後すぐに、周辺住民からテレビの難視聴解消の要求があり、話し合った結果、私が共同受信用アンテナをマンションの屋上に設置してその費用を負担するほか、周辺住民宅への工事費用を負担することとしました。

この場合、これらの費用は、取得の建設費と区分して不動産所得の金額の計算上、支払時の費用として全額必要経費に算入してよろしいでしょうか。

なお、周辺住民の苦情は、このマンションの建設前から予想されていました。

【答】　建設業者に請け負わせて建設した建物の取得価額には、建設業者に支払う建物の請負金額のほか、その建物を業務の用に供するために直接要した費用の額も含まれます（所令126）。

また、取得の時に既に争いのある資産について、その所有権等を確保するために直接要した訴訟費用等の額は、その資産の取得費とされています（基通37－25）。

更に、工場等の建設に伴って支出する公害補償費等の費用の額は、たとえその支出が建設後に行われても、当初からその支出が予定されているものについては、取得価額に算入することとされています（法基通７－３－７）。

御質問の場合、あなたは、マンション建設後、事前に予想されていた周辺住民からの電波障害に対する苦情を解決するため共同受信用アンテナの設置等を行ったものであり、マンション等建設に際しての日照補償、建設中の騒音被害などに対する解決金の支払等が当該マンションの取得費に算入されるのと同様、建設後とはいえ、事前に予知されていた電波障害等の苦情を解決するための費用の額は当該マンションの取得費に算入することが相当です。

したがって、賃貸マンションに係る不動産所得の金額の計算上は、共同受信用アンテナの設置費用等の金額を建物の取得価額に算入して減価償却することとなります。

資産の取得に係る仲介手数料

【問10-35】　私は、本年、賃貸用の土地付建物を取得したのですが、取得の際に仲介業者へ仲介手数料を支払いました。この仲介手数料はこの土地付建物の取得価額に算入する必要がありますか。

【答】　減価償却資産の取得価額については、次のように定められています（所令126）。

1　購入した減価償却資産

（購入代価＋引取運賃、荷役費、運送保険料、購入手数料、関税その他購入のために要した費用の額）＋（業務の用に供するために直接要した費用の額）

2　自己の建設、製作又は製造に係る減価償却資産

（建設等のために要した原材料費、労務費及び経費の額（建設原価））＋（業務の用に供するために直接要した費用の額）

3　自己が成育させた牛馬等

（購入代価等又は種付費及び出産費の額＋成育のために要した飼料費、労務費及び経費の額）＋（成育後業務の用に供するために直接要した費用の額）

4　自己が成熟させた果樹等

（購入代価等又は種苗費の額＋成熟のために要した肥料費、労務費及び経費の額）＋（成熟後業務の用に供するために直接要した費用の額）

5　贈与、相続（限定承認に係るものを除きます。）、遺贈（包括遺贈のう

ち限定承認に係るものを除きます。）又は時価の２分の１未満で譲渡により取得した資産で譲渡者のその譲渡に係る所得の計算が赤字となるものについては、その譲渡者が引き続き所有していたとみなした場合の１～４に基づいて計算した取得価額

そして、事業用固定資産のうち土地等の非減価償却資産の取得価額についても、原則として、減価償却資産に準じて取り扱われます（法基通７－３－16の２）。

御質問の賃貸用の土地付建物を取得する際に支払った仲介手数料については、「購入のための手数料」に該当すると考えられます。したがって、仲介手数料については、土地及び建物の取得価額に含める必要があります。

なお、この際、土地に係る部分と建物に係る部分とに合理的にあん分し、それぞれの取得価額に算入することになります。

入居中のアパートを取得した場合の取得価額

【問10-36】　既に入居者のある次のようなアパートを購入した場合の減価償却計算の基となる取得価額はいくらですか。

なお、アパートの前所有者が預かっていた入居者の敷金のうち返還を要する部分については、入居者が立ち退く際にアパートの新所有者である私が返還をすることになっています。

(1)　購入の際支払った代金は、4,000万円です。

(2)　前所有者は、入居者から総額500万円の敷金を受領しています。

(3)　敷金については、その20％を返還しない特約があります。

【答】　御質問の場合のアパートの取得価額は、購入に際して支払った代金と将来入居者に返還しなければならない敷金に係る負債との合計額になります。この場合、アパートを4,000万円で購入できたということは、前所有者の預り敷金に係る債務を肩代わりすることによって可能となったのですから、購入の対価は、4,000万円に肩代わりした債務の額を加えたもの

となる一方、前所有者の譲渡収入も同金額となるわけです。

これと同じようなことは、例えば担保に供されている資産をその被担保債権の弁済を引き受ける条件で取得したような場合にも当てはまり、たとえ代金の支払がなくても、引き受けた債務相当額を対価として取得価額とみることになります。

以上により、御質問の場合は、次の計算で求めた4,400万円がアパートの取得価額となります。

4,000万円＋(500万円－500万円×20％)＝4,400万円

受取保険金で新築した工場の取得価額

【問10-37】　私は溶接業を営んでいますが、今年３月に工場（未償却残高900万円）が全焼したことにより、４月に火災保険契約に基づく保険金1,000万円を受け取りました。

そこで私は、この保険金1,000万円と銀行からの借入金1,000万円で、新たに工場を建築しました。

この場合、工場の取得価額はいくらとすればよいのでしょうか。

【答】　損害保険契約に基づき支払を受ける保険金で、突発的な事故により資産に加えられた損害に基因して取得するものは、非課税とされています（所法９①十八)。

これは、その資産の未償却残高と受取保険金との間に保険の差益部分が生じても、それは非課税とする趣旨です。

ところで、所得税法では、法人税法のように保険金により取得した資産の取得価額に関する圧縮記帳の規定はありません。

したがって、御質問の場合、新築した工場の取得価額は、建築に要した費用2,000万円となります（所令126)。

借地権付建物の取得価額

【問10-38】 繁華街にある店舗を3,000万円で購入しましたが、土地の所有者は別になっていますので、一時に買い取ることもできず、当分の間賃借することとし、賃貸借契約の名義変更も完了しました。

この場合、地主には権利金を支払っていませんので、店舗の購入価額を建物取得価額として減価償却をしても問題はありませんか。

【答】 建物の所有者とその建物の敷地の所有者が異なる場合には、建物の所有者は敷地を使用する権利も有していることになりますので、その建物を購入した場合には、その建物の取得と同時にその敷地である土地を使用する権利も取得したものといえることになります。

したがって、御質問の店舗の所有者から購入した価額（3,000万円）には建物の価額のほかに敷地を使用する権利（借地権）の価額も含まれていることになります。

ところで、借地権の取得費には、土地の賃貸借契約又は転貸借契約（これらの契約の更新及び更改を含みます。以下「借地契約」といいます。）をする際に借地権の対価として土地所有者又は借地権者に支払った金額のほか、次に掲げる金額を含めることとなっています（基通38－12）。

(1) 土地の上に存する建物等を取得した場合におけるその建物等の購入代価のうち借地権の対価と認められる部分の金額

(2) 賃借した土地の改良のためにした土盛り、地ならし、埋立て等の整地に要した費用の額

(3) 借地契約に当たり支出した手数料その他の費用の額

(4) 建物等を増改築するに当たりその土地の所有者又は借地権者に対して支出した費用の額

（注） (1)に掲げている金額が建物等の購入代価のおおむね10％以下の金額であるときは、強いてこれを区分しないで建物等の取得費に含めることができます。

したがって、減価償却資産とされる建物の取得価額と減価償却資産とされない借地権の取得価額とを区分することになります。通常は売買実例等により合理的にあん分することになりますが、御質問の場合は一括して取得した価額から建物の価額が分かればその価額を控除した残額を借地権価額とすることも考えられます。

また、地主に対しては借地人の名義変更が必要となりますので契約書の名義変更が行われることになりますが、その際に名義書換料として地主に支払った場合には、借地権価額に加えることになります。

減価償却資産について値引き等があった場合

【問10-39】　私は、昨年１月に2,000万円の機械を３年の賦払で購入し、事業の用に供していましたが、本年６月、土地を譲渡した代金で残金を一括払したため100万円の割戻しを受けました。この割戻額は減価償却資産の値引きと同じであり、前年にさかのぼって減価償却費の再計算をすべきと考えますが、認められますか。

（参考）

機械の取得日	昨年１月20日
事業の用に供した日	昨年１月20日
購入価額	2,000万円
耐用年数	10年
償却方法	定額法

昨年分の必要経費に算入した減価償却費の額

$$2{,}000\text{万円} \times 0.1 \times \frac{12\text{月}}{12\text{月}} = 200\text{万円}$$

【答】　業務の用に供している減価償却資産について、値引き、割戻し又は割引（以下「値引き等」といいます。）があった場合には、その値引き等の額を原則としてその値引き等のあった日の属する年の事業所得の金額の計算上、総収入金額に算入することになります（所法36）。

しかしながら、次の算式により計算した金額の範囲内でその値引き等のあった日の属する年の１月１日におけるその減価償却資産の取得価額及び未償却残額を減額することができるものとされています（基通49－12の２）。

$$値引き等の額\times\frac{その減価償却資産のその年１月１日における未償却残額}{その減価償却資産のその年１月１日における取得価額}$$

（注）　その減価償却資産について、その年の前年から繰り越された特別償却額又は割増償却額の償却不足額があるときは、その償却不足額が生じた時においてその値引き等があったものとした場合に計算される特別償却額又は割増償却額を基礎として、その繰り越された償却不足額を修正することになります。

したがって、御質問の場合は、値引き等のあった年の前年にさかのぼって減価償却費の額を修正することは認められませんが、値引き等があったことにより、その減価償却資産の取得価額等を減額することが認められます。この場合には、その値引き等の額から、その取得価額等を減額した部分の金額（上記算式で求めた金額）を控除した差額については、値引き等のあった日の属する年分の事業所得の金額の計算上、総収入金額に算入することになります（基通49－12の２（注）３）。

御質問の場合について、計算しますと、

昨年分の必要経費に算入したその機械に係る減価償却費の額は200万円、

本年分の減価償却資産の取得価額及び未償却残額を減額できる金額は、

$$\underset{(割戻額)}{100万円}\times\frac{\overset{(前年未償却残額)}{2{,}000万円-200万円}}{\underset{(取得価額)}{2{,}000万円}}=90万円$$

となりますので、

㋑　取得価額　　2,000万円－90万円＝1,910万円

㋺　本年分期首未償却残額　　1,800万円－90万円＝1,710万円　となります。

したがって、本年分の減価償却費の額は、

$$1{,}910{,}000円\left(=1{,}910万円\times0.1\times\frac{12月}{12月}\right)$$

となります。

また、本年分の総収入金額に算入すべき金額は、次のとおり10万円となります。

100万円－90万円＝10万円

満室になっていないアパートの減価償却

【問10-40】　11月にアパートを建て入居者を募集しましたが、交通が不便なのか年内に20室のうち10室しか入居がありませんでした。この場合でも建物の全体の減価償却費を必要経費に算入できますか。

【答】　減価償却費は、現に不動産所得、事業所得、山林所得又は雑所得を生ずべき業務の用に供している減価償却資産について計上できるのであって、業務の開始をしていない場合の減価償却資産や業務を開始していても使用していない（遊休中の）減価償却資産については、減価償却をすることはできません。これは、減耗、損耗が業務に結び付くという費用性がないからです。

しかしながら、アパートの１棟全部を貸付けの目的としている場合に、貸していない部屋で現に使用されていない場合であっても、いつでも貸すことができる状態で、維持補修が行われている場合は、その部屋を含めて償却費を計上することができるものと解されます（基通２－16）。

したがって、御質問のアパートが満室になっていない状態であっても、その空室部分について減価償却費を計上して差し支えないでしょう。

なお、使用開始の日から減価償却費を計上することになるのですが、その使用開始の日がいつになるかという判定については、アパートの場合、入居者を募集したときとするか、入居者が１人でも入居したときとするかについては問題のあるところですが、入居者の募集を行い、いつでも入居できる状態になったときに事業の開始があり、使用開始があったものと考えても差し支えないでしょう。

２以上の用途に共用されている建物の耐用年数

【問10-41】　５階建てのビル（鉄筋コンクリート造）を建築し、１階と２階は飲食店、３階以上は住宅用として貸し付けています。

この場合の耐用年数は建物の用途ごとに違っていますので、用途ごとに区分して適用しても差し支えありませんか。

【答】　建物は、通常、部分的に例えば１階からとかまた反対に５階からといった順に老朽化していくものではなく全体が古くなり、使いものにならなくなるものです。

建物の減価償却費の計算の基礎となる耐用年数は構造や用途が著しく異なっていない限り、一つの耐用年数を適用することが原則とされています（耐通１－１－１）。

つまり、同一の減価償却資産について、その用途により異なる耐用年数が定められている場合において減価償却資産が２以上の用途に共通して使用されているときは、その減価償却資産についてはその使用目的、使用の状況等より勘案して合理的に判定するものとされています。

この場合、その判定した用途に係る耐用年数は、その判定の基礎となった事実が著しく異ならない限り、継続して適用するものとされます。

したがって、御質問の建物については、１階と２階は飲食店用に、３階から５階までは住宅用に使用されることになっていますので、使用目的、使用状況から考えますと耐用年数は住宅用の47年とするのが合理的といえます。

賃借建物に対する内部造作の耐用年数

【問10-42】 鉄筋コンクリート造の建物を賃借し、小料理店にするための内部造作を施しました。

この造作は木造部分が大部分を占めますが、その減価償却に当たっては建物本体の耐用年数によるべきですか、それとも木造建物の耐用年数によるべきですか。

なお、賃借契約は貸付期間の定めがなく有益費の請求や造作の買取請求もできないことになっています。

【答】 賃借建物について付加した内部造作の減価償却の基となる耐用年数については、その賃借契約の内容により取扱いが異なります。

すなわち、建物の賃借契約において賃借期間の定めがあり、その賃借期間の更新のできないものについては、原則として、その賃借期間を耐用年数とすることになりますが、㋑建物の賃借期間の定めがないもの、㋺あっても更新のできるもの、㋩賃借期間の終期が明らかであるが有益費の請求、買取請求が可能なものについては、造作の耐用年数は建物の耐用年数、造作の種類、用途、使用材質等を勘案して合理的に見積もることとされています（耐通１－１－３参照）。

御質問の場合は㋑のケースに該当しますので、造作の耐用年数を合理的に見積もることとなります。本件は建物と造作の材質が異なる以上、建物本体と同じ耐用年数を適用するのは適正でなく、例えば内部造作をその種類、材質に区分しそれぞれの個別使用可能年数による年当たり償却費を計算し、その加重平均により総合耐用年数を見積もる方法が適正と思われますが、ほぼ木造建物の耐用年数に近くなるのではないでしょうか。

空撮専用ドローンの耐用年数

【問10-43】　建設業を営む当社は、次の空撮専用ドローン（以下「本件ドローン」といいます。）を取得しました。本件ドローンの耐用年数は何年となりますか。

ドローンの概要

(1) 構造等…樹脂製で、航空の用に供されるものの人が乗れる構造となっておらず（送信機で遠隔操作します。）、航空法上の「無人航空機」（航空法２㉒）に該当します。また、本件ドローンは空撮専用の仕様（カメラの着脱は可能）とされています。

(2) 寸法及び重量…100cm／10kg

(3) 用途…空撮した画像を解析ソフトに落とし込み、施工時の無人重機の動作制御やその施工結果の確認等のために使用します。

(4) 価格…600,000円

(5) その他…モーター（寿命期間は100時間程度）を動力とし、１回の飛行可能時間は30分程度です。

【答】　本件ドローンは、航空の用に供されるものの人が乗れる構造となっていませんので、耐用年数省令別表第一の「航空機」には該当しないこととなります。そこで、本件ドローンの規模、構造、用途等を総合的に勘案すると、本件ドローンは、空中から写真撮影することを主たる目的とするものであり、写真撮影機能に移動手段を取り付けたものであるから、その主たる機能は写真撮影であると考えられます。

また、本件ドローンはカメラの着脱が可能とのことですが、本件ドローンはカメラと移動手段とが一体となって設備を形成し、その固有の機能（空撮）を発揮するものであるため、それぞれを独立した減価償却資産として適用される耐用年数を判定するのは適当でないと考えられます。

したがって、本件ドローンは、耐用年数省令別表第一の「器具及び備品」

の「4　光学機器及び写真製作機器」に掲げる「カメラ」に該当し、その耐用年数は５年となります。

なお、ご照会の本件ドローンとは異なり、カメラが内蔵されたドローンであっても、その規模、構造、用途等が同様であれば、その耐用年数は同様に５年となります。

見積耐用年数によることができない中古資産

【問10-44】 中古の機械を20万円で取得しましたが、そのままでは使用できませんので、モーターや部品の取替え、修理をしたところ80万円かかりました。

この機械は、法定耐用年数（６年）の全部を経過していますので、簡便法により見積もった２年の耐用年数により償却することができますか。

なお、この機械の新品の価額は150万円です。

【答】 中古の資産を購入して事業の用に供するため支出する修理、改良の費用は、その資産の取得価額に含めて減価償却費の計算をすることになっています（所令126①一）。

また、中古資産を事業の用に供した場合には、その資産の耐用年数はその事業の用に供したとき以後の使用可能期間の年数によることができることとされています。

しかしながら、事業の用に供するに当たって支出した修理、改良等の金額が、その資産の再取得価額の50％に相当する金額を超えるような多額なときは、その中古資産については見積り耐用年数によるものではなく、法定耐用年数によって償却費の計算をすることになっています（耐用年数省令３①、耐通１－５－２）。

したがって、取得した資産が、既に耐用年数の全部を経過している場合であっても、御質問のようにその機械の新品の価額（150万円）の50％を超える修理、改良費80万円を支出されていますので、法定耐用年数の６年により償却することになり、簡便法により見積もった年数（２年）で償却することはできません。

展示品の減価償却

【問10-45】　造園業を営んでいます。庭園の見本を造って展示していますが、これは売ることはできませんので、庭園として減価償却することができますか。

【答】　庭園は、税法上、減価償却資産として取り扱われ、御質問の造園業の見本としての庭園も、一般人の観賞等に供することによって、造園や灯ろう、庭木、庭石などの受注の促進に寄与させるものと考えられますから、直接の用途、すなわち、人の観賞等に供する点においては、一般の庭園と何ら異なる点はありません。

しかしながら、造園見本としての庭園に設置されている灯ろうや庭石、植えられている樹木などは、庭園の一部ではありますが、これらのものは、美術品や骨とう品と同様の性格を持ち、かつ、他へ移設してもその価値を失うものではありませんので、造園業の棚卸資産と解されます。

したがって、灯ろうや庭石、樹木などの移設可能なものを除いた泉水や池、築山、あずまや、花壇などを一体として、庭園の法定耐用年数20年（耐用年数省令別表第一の「構築物」の「緑化施設及び庭園」の「その他の緑化施設及び庭園（工場緑化施設に含まれるものを除く。)」）を適用して減価償却することとなります。

非業務用資産を営業用に転用した場合の減価償却

【問10-46】 私は、令和６年２月に室内装飾店を開業したのですが、その開業と同時に従来からレジャー用に使っていた乗用車を営業用に転用しました。この乗用車は、令和２年２月に140万円で購入したもので、営業用に転用した時点での評価額は、専門家の査定によりますと100万円とのことでした。

この場合、本年分の減価償却費は、100万円を基として計算すればよいのでしょうか。

【答】 所得税法では、家屋その他使用又は期間の経過により減価する資産で、不動産所得や事業所得、山林所得、雑所得を生ずべき業務の用に供していないものを、これらの所得を生ずべき業務の用に使用した場合には、その業務の用に供した日にその資産の譲渡があったものと仮定して計算した場合に、その資産の取得費とされる金額に相当する金額を、同日におけるその資産の償却後の価額（未償却残高）として減価償却を行うことになっています（所令135）。

つまり、次の算式によって計算した額が、その資産の譲渡があったものと仮定した場合に取得費とされる金額となり、その金額がその資産の未償却残額ということになります（所令85①）。

（その資産の取得価額）－（業務の用に供されていなかった期間の年数につきその資産の耐用年数の1.5倍に相当する年数で、旧定額法に準じて計算した減価の額）

（注） 1.5倍して計算した耐用年数に１年未満の端数があるときは切り捨て、業務の用に供されていなかった期間の年数に６か月以上の端数があるときは１年とし、６か月未満の端数は切り捨てます（所令85②）。

したがって、御質問の乗用車の本年分の減価償却費の計算は、次のとおりになります。

〈未償却残高の計算〉

$140万円 - 140万円 \times 0.9 \times 0.111（6年 \times 1.5 = 9年の償却率）\times \frac{12}{12} \times 4年$

$= 140万円 - 559{,}440円 = 840{,}560円$

〈減価償却費の計算〉

①　定率法を選択している場合

$840{,}560円 \times 0.333 \times \frac{11}{12} = 256{,}581円$

②　定額法を選択している場合

$140万円 \times 0.167 \times \frac{11}{12} = 214{,}317円$

このように、その資産の取得価額は、実際の取得に要した金額並びに設備費及び改良費の額の合計額であって、非業務用資産を業務用に転用した時点の時価とされるものではありません。

また、いずれの方法によって償却費を計算する場合でも、その乗用車の取得価額とその乗用車の譲渡があったものと仮定した場合に取得費とされる金額（未償却残額とされる金額）との差額に相当する金額（本問では140万円－840,560円＝559,440円）は、その乗用車の償却費として事業所得の金額の計算上、必要経費に算入されたものとみなされます（所令135）。

年の中途で譲渡した減価償却資産の償却費

【問10-47】　私は、事業の用に供していた機械を年の中途で売却し、譲渡所得として確定申告を行いました。

申告上、当該譲渡時における機械の償却費の額を、譲渡所得の計算上控除する取得費に計上しないで、事業所得の計算上の必要経費に算入しています。

このような処理は認められるでしょうか。

【答】　年の中途で事業の用に供さなくなった減価償却資産の償却費の計算は、原則として、事業の用に供した月数によりあん分計算することとされています（所令132①二）。

しかしながら、年の途中において、一の減価償却資産について譲渡があった場合におけるその年の当該減価償却資産の償却費の額については、当該譲渡の時における償却費の額を譲渡所得の金額の計算上控除する取得費に含めないで、その年分の不動産所得の金額、事業所得の金額、山林所得の金額又は雑所得の金額の計算上必要経費に算入することができることとされています（基通49－54）。

したがって、譲渡所得に係る取得費に計上しないで、事業所得の計算上の必要経費に算入したあなたの処理は、認められることとなります。

ただし、当該減価償却資産が建物及びその附属設備、構築物及び無形固定資産である場合には、当該償却費の額について譲渡所得の金額の計算上控除する取得費に含める場合とその年分の不動産所得の金額、事業所得の金額、山林所得の金額又は雑所得の金額の計算上必要経費に算入する場合では、事業税における所得の計算上の取扱いが異なる場合があることに注意してください。

資本的支出があった場合の減価償却費の計算（定額法）

【問10-48】　私は、不動産事業を経営していますが、令和６年７月にマンション一棟について500万円の資本的支出をしました。この場合、減価償却費の計算はどのように行うのでしょうか。

（参考）

取得日	平成19年１月
取得価額	6,000万円
耐用年数	47年

【答】　平成19年改正において、減価償却制度の抜本的な見直しが行われ、このうち、資本的支出があった場合の取得価額については次のように取り扱うこととなりました。

１　平成19年４月１日以後に資本的支出を行った場合

（1）原則的な取扱い

当該資本的支出は、新たに減価償却資産を取得したものとして定額法又は定率法により償却費の額を計算します（所令127①）。

(2) 平成19年３月31日以前に取得した既存の減価償却資産について資本的支出を行った場合の特例

上記の原則的な取扱いのほか、既存の減価償却資産の取得価額に、この資本的支出に係る金額を加算する従来の方法により計算することができます。この場合、加算した資本的支出部分も含めた減価償却資産全体の償却を旧定額法又は旧定率法により行うことになります（所令127②）。

２　平成19年３月31日以前に資本的支出があった場合

平成19年３月31日以前に資本的支出があった場合は、その資本的支出を行った減価償却資産の取得価額に、資本的支出の全額を加算して減価償却の計算を行うこととなります。

御質問の場合のあなたの減価償却費の計算は次のとおりとなります。

【原則的な計算】

耐用年数47年の償却率　　旧定額法→0.022　定額法→0.022

①　マンション本体の計算

$$\underset{\text{(取得価額)}}{6{,}000\text{万円}} \times 0.9 \times \underset{\text{(旧定額法償却率)}}{0.022} \times \frac{12}{12} = 1{,}188{,}000\text{円}$$

②　資本的支出部分の計算

$$\underset{\text{(取得価額)}}{500\text{万円}} \times \underset{\text{(定額法償却率)}}{0.022} \times \frac{6}{12} = 55{,}000\text{円}$$

※　平成10年４月１日以後に取得した建物の償却方法は旧定額法又は定額法になります。

【特例による計算】

耐用年数47年の償却率　　旧定額法→0.022　定額法→0.022

①　令和６年分の計算

マンション本体の計算

$$\underset{\text{(取得価額)}}{6{,}000\text{万円}} \times 0.9 \times \underset{\text{(旧定額法償却率)}}{0.022} \times \frac{12}{12} = 1{,}188{,}000\text{円}$$

資本的支出部分の計算

$$\underset{\text{(取得価額)}}{500\text{万円}} \times \underset{\text{(旧定額法償却率)}}{0.9 \times 0.022} \times \frac{6}{12} = 49{,}500\text{円}$$

※　資本的支出があった年分は、マンション本体と資本的支出部分を区分して計算します。

②　令和７年分以後の計算

$$\underset{\text{(取得価額)}}{(6{,}000\text{万円} + 500\text{万円})} \times \underset{\text{(旧定額法償却率)}}{0.9 \times 0.022} \times \frac{12}{12} = 1{,}287{,}000\text{円}$$

※　平成10年４月１日から平成19年３月31日までに取得した建物の償却方法は旧定額法になります。

資本的支出があった場合の減価償却費の計算（定率法）

【問10-49】　私は、印刷業を営んでいますが、令和６年７月に所有する機械について1,500,000円の資本的支出を行いました。償却方法は定率法を採用していますが、減価償却費の計算はどのように行うのでしょうか。

（参考）

・機械本体

取得年月	令和元年７月
取得価額	5,000,000円
期首未償却残高	1,843,200円
耐用年数	10年
定率法償却率	0.200

【答】　平成19年改正において、減価償却制度の抜本的な見直しが行われ、従来使用している減価償却資産について、平成19年４月１日以後に資本的支出を行った場合には、原則として、当該資本的支出は既存の減価償却資産と種類及び耐用年数を同じくする減価償却資産を新たに取得したものとして定額法又は定率法により償却費の額を計算することになります（所令

127①)。

また、平成24年4月1日以後に取得する減価償却資産の定率法の償却率は、定額法の償却率（1／耐用年数）を2.0倍した割合とされています（所令120の2①一イ(2)）。

したがって、御質問の場合のあなたの減価償却費の計算は次のとおりとなります。

① 機械本体の計算

1,843,200円（期首未償却残高）×0.200（定率法償却率）× $\frac{12}{12}$ ＝368,640円

② 資本的支出部分の計算

150万円（取得価額）×0.200（定率法償却率）× $\frac{6}{12}$ ＝150,000円

③ 令和6年分の償却費

368,640円＋150,000円＝518,640円

相続により取得した建物の減価償却方法

【問10-50】 私の父は、マンションを貸し付けておりましたが、令和6年10月に死亡しましたので、私がこのマンションを相続しました。

ところで、平成10年4月1日以後に取得した建物については、定額法又は旧定額法により減価償却費の計算をするそうですが、この建物について、父が採用していた定率法により減価償却費を計算したいと思いますが、認められますか。

【答】 平成10年4月1日以後に取得した建物の償却方法については、定額法又は旧定額法によることとされていますが、平成10年3月31日以前に取得されたものは、旧定額法又は旧定率法の選択が認められています（所令120)。この場合の「取得」には、購入や自己の建設によるもののほか、相続、遺贈又は贈与によるものも含まれます（基通49－1）。

御質問の場合は、令和6年10月に相続により建物を取得したとのことで

すので、定率法により減価償却費の額を計算することはできません。

また、相続等により取得した建物の取得価額については、その建物を取得した者が引き続き所有していたものとみなした場合における取得価額に相当する金額により計算することとされていますので、減価償却費の計算に当たっては、相続した建物の取得価額を償却基礎金額として減価償却費の額を計算することになります（所令126②）。

なお、減価償却費の計算に当たって、取得価額（未償却残高）だけでなく耐用年数及び経過年数も被相続人から引き継ぎますので、耐用年数を減価償却資産の耐用年数等に関する省令第３条第１項の見積もり又は簡便法により計算することはできません。

一括償却資産の必要経費算入

【問10-51】 私は白色申告者ですが、本年11月に15万円のキャビネット（金属製）を購入して、業務用として使用しています。

このキャビネットは、法定耐用年数15年で減価償却することになりますか。

【答】 少額の減価償却資産の取得価額の必要経費算入制度の取得価額基準は、10万円未満とされています（所令138①）。

また、居住者が不動産所得、事業所得、山林所得又は雑所得を生ずべき業務の用に供した減価償却資産で取得価額が10万円以上20万円未満である一括償却資産（リース資産を除きます。）については、その一括償却資産の全部又は特定の一部を一括し、取得価額の合計額（以下「一括償却対象額」といいます。）の３分の１ずつの金額を、その業務の用に供した年以後３年間の各年分の必要経費とすることが認められています（所令139①）。

御質問の場合には、通常の減価償却の方法に代えて、この方法により５万円（15万円×$\frac{1}{3}$）を必要経費に算入することができます。

ただし、この一括償却の方法を選択する場合には、一括償却資産を業務の用に供した日の属する年分以後３年間の確定申告書に、一括償却対象額を記載した書類や計算明細書を添付し、かつ、その計算に関する書類を保存する必要があります（所令139②、③）。

また、一括償却資産がその業務の用に供した年以後３年の間に滅失等した場合であっても、その３年間は３分の１ずつ必要経費に算入することになりますので、除却損を計上することはできません（基通49－40の２）。

法人成りした場合の一括償却資産の必要経費算入

【問10-52】　私は、本年、それまで個人事業として営んできた電器小売業を法人成りすることとしました。

ところで、私が事業の用に供していた資産には一括償却資産があり、前年までに必要経費に算入していない金額があります。この一括償却資産は法人に引き継ぐこととしていますが、必要経費に算入されていない金額はどのようになりますか。

【答】　一括償却資産を構成する個々の減価償却資産について、譲渡、除却等の事実が生じた場合であっても、その個々の減価償却資産の取得価額に対応する金額を譲渡所得等の金額の計算上、取得費として控除したり、損失として計上することはできず、一度一括償却資産としたものについては、３年間にわたりこの均等償却を続けることになっています（所令139①、所基通49－40の２）。

一方、一括償却資産につき相続があった場合には、一括償却資産の取得価額のうち必要経費に算入していない部分については、原則として死亡した日の属する年分の事業所得等の必要経費に算入することとし、例外的に死亡した日の属する年の翌年以後の各年分に対応する部分については、相続により業務を承継した者の必要経費に算入することとしても差し支えないものとされています（所基通49－40の３）。

御質問の法人成りの場合、個人事業が廃止されていること、また、相続による事業の承継に該当しませんので、一括償却資産の取得価額のうち必要経費に算入していない部分は、すべて廃業した日の属する年分の事業所得の必要経費に算入することになります。

少額減価償却資産の即時償却

【問10-53】 私は洋服店を営む青色申告者ですが、本年、25万円のショーケースを購入し、事業用として使用しています。

このショーケースは、法定耐用年数の８年で償却することになりますか。なお、本年は、このショーケース以外に取得した減価償却資産はありません。

【答】 中小事業者に該当する青色申告者が、平成18年４月１日から令和８年３月31日までの期間内に、取得価額が30万円未満の少額減価償却資産の取得等をして、不動産所得、事業所得又は山林所得を生ずべき業務の用に供した場合には、その業務の用に供した年にその取得価額の全額を必要経費に算入することができます（措法28の２①）。

ただし、その取得等をした少額減価償却資産の取得価額の合計額が300万円を超えるときは、その取得価額の合計額のうち300万円に達するまでの取得価額の合計額が限度となります（措法28の２①）。

したがって、御質問の場合、購入した25万円のショーケースは、その全額を必要経費に算入することができます。

なお、この適用を受けるためには、確定申告書に少額減価償却資産の取得価額に関する明細書の添付が必要ですが、青色申告決算書の減価償却費の欄にこの特例の適用を受ける旨を記載し、別途、その資産の明細を保管している場合には、明細書の添付を省略することができます（措法28の２③、措通28の２－３）。

太陽光発電設備の設置における余剰電力の売却

【問10-54】　私は小売業をしており、２階建ての建物の１階を店舗、２階を自宅としています。この度、太陽光発電設備を設置し、発電した電力を自宅兼店舗で使用するほか、太陽光発電の余剰電力買取制度に基づきその余剰電力を電力会社に売却しています。

この場合、余剰電力の売却収入に係る所得区分及びこの設備の減価償却費等の計算はどのようになりますか。

なお、年間発電量は10,000kWh、売却電力量は3,000kWh、店舗の使用割合は70％であり、発電した電気は自宅と店舗の両方で使用されますが、どちらでどのくらい使われたかが分かる仕組みにはなっていません。

【答】　給与所得者が自宅に太陽光発電設備（以下「本件設備」といいます。）を設置し余剰電力による売却収入を得ている場合、その所得区分は一般的には雑所得となりますが、御質問の場合、本件設備により発電した電気は店舗と自宅の両方で使用され、さらにその余剰部分を電力会社に売却されています。

そのため、余剰電力の売却収入は事業所得の付随収入又は雑所得のいずれかに該当するものと考えられますが、本件設備から発電される電力が現に事業所得を生ずべき業務の用に供されている場合には、本件設備は減価償却資産（事業用資産）に該当しますので（所法２①十九）、その資産からもたらされる収入については、事業所得の付随収入となります。

本件設備の減価償却費として必要経費に算入することができる額は、本件設備の売電用部分と事業用部分の合計割合（以下「事業用割合」といいます。）に応じて計算することになります。この場合の事業用割合については、本件設備の年間の発電量に占める売却した電力量と店舗で使用した電力量の合計量の割合とすることが最も合理的と考えられます。

御質問の場合、あなたの減価償却費の額を計算する場合の事業用割合は、

3,000kWh＋（10,000kWh－3,000kWh）×70％＝7,900kWh
7,900kWh÷10,000kWh×100＝79％　となります。

また、減価償却費の計算を行う際に適用する耐用年数は、耐用年数省令別表第二の55「前掲の機械及び装置以外のもの並びに前掲の区分によらないもの」の「その他の設備」の「主として金属製のもの」に該当し、17年となります。

第６節　特別償却・割増償却

中小事業者が機械等を取得した場合の特別償却（医療用機器の取得）

【問10−55】　中小事業者が機械等を取得した場合の特別償却について、器具及び備品についても対象となる場合があると聞きましたが、例えば、開業医が超音波診断装置、人工腎臓装置、CTスキャナ装置、歯科診療用椅子などの医療機器を設置したような場合にも、この特別償却は適用されますか。

【答】　中小事業者が機械等を取得した場合の特別償却は、平成10年６月１日から令和７年３月31日までの期間に取得等をして事業の用に供した一定の機械等について適用されますが、次に掲げるいずれの条件にも該当することを要することとされています（措法10の３①、措令５の５、措規５の８）。

1　従業員が1,000人以下の青色申告者であること

2　新品の①機械及び装置で、１台又は１基の取得価額が、160万円以上のもの、②製品の品質管理の向上等に資する測定工具及び検査工具（電気又は電子を利用するものを含みます。）で１台又は１基の取得価額が120万円以上等の一定のもの、③取得価額が70万円以上の一定のソフトウエア、④車両総重量が3.5トン以上の普通自動車で貨物の運送の用に供されるもの、⑤内航運送業又は内航船舶貸渡業の用に供される船舶（取得価額の75％相当額。）を対象とします。

3　製造業、建設業、農業、林業、漁業、水産養殖業、鉱業、卸売業、道路貨物運送業、倉庫業、港湾運送業、ガス業、小売業、料理店業その他の飲食店業（料亭、バー、キャバレー、ナイトクラブその他これらに類する事業にあっては、生活衛生同業組合の組合員が行うものに限ります。）、一般旅客自動車運送業、海洋運輸業、沿海運輸業、内航船舶貸渡

業、旅行業、こん包業、郵便業、通信業、損害保険代理業、不動産業、サービス業（娯楽業（映画業を除きます。）を除きます。）のいずれかに該当する事業の用に供すること

御質問の医療用機器は、耐用年数省令別表第一の「器具及び備品」のうち「８　医療機器」に該当し、上記２の①から⑤までの資産のいずれにも該当せず、また開業医は、上記３のいずれの事業にも該当しません。

したがって、中小事業者が機械等を取得した場合の特別償却の対象にはならないことになります。

（注）1　平成18年３月31日以前に取得若しくは製作又は賃借をした減価償却資産については、従前のとおり次のものになります（旧措規５の８①、平18改所法等附80）。

電子計算機、デジタル複写機、ファクシミリ、デジタル交換設備、デジタルボタン電話設備、電子ファイリング設備、マイクロファイル設備、ＩＣカード利用設備及び冷房用又は暖房用機器で一定の機能を有するもの並びにこれらと同時に設置する附属機器等

2　平成29年度税制改正において、この特別償却の対象資産から器具及び備品が除かれています（措法10の３①一、措令５の５③、措規５の８①）。

3　上記（注）２の改正は、個人が平成29年４月１日以後に取得等をする減価償却資産等について適用し、個人が同日前に取得等をした減価償却資産については従前のとおりとされています（平29改所法等附46①）。

4　令和５年度税制改正において、この特別償却の対象資産である機械及び装置から、中小事業者の主要な事業以外のコインランドリー業の用に供する機械装置が除かれます（措法10の３①一）。

5　令和５年度税制改正において、この特別償却の対象資産である船舶は、総トン数が500トン以上の船舶においては、環境への負荷の状況が明らかにされた船舶に限られます（措法10の３①五）。

6　上記（注）５及び６の改正は、個人が令和５年４月１日以後に取得等する減価償却資産等について適用し、個人が同日前に取得等した減価償却資産については従前のとおりとされています（令５改所法等附26）。

中小事業者が機械等を取得した場合の特別償却（年の中途で譲渡した場合）

【問10-56】　青色申告者が、中小事業者が機械等を取得した場合の特別償却の対象となる機械を取得して、２か月間事業に使用した後、個人事業を廃止して法人成りし、その機械をその法人に譲渡しました。

この場合でも、中小事業者が機械等を取得した場合の特別償却を適用することができますか。

なお、中小事業者の機械等の特別償却制度においては、適用できると聞いています。

【答】　中小事業者の機械等の特別償却制度は、平成10年６月１日から令和７年３月31日までの間に一定の機械等の取得等をして、これを事業の用に供した場合に限られますが、取得等をした機械等を事業の用に供していた期間や、引き続き事業の用に供していることなどの要件は付されていません。

したがって、御質問のように事業の用に供していた期間が２か月といった短期間であっても、事業の用に供したことが事実であれば、返品した場合を除き、その後、事業の用に供した年中又はその翌年以後、他に譲渡された場合であっても、特別償却の適用は認められています。

しかしながら、中小事業者が機械等を取得した場合の特別償却においては、機械等を事業の用に供したときに、その供した日の属する年が事業を廃止した日の属する年である場合には、この特別償却の適用はないこととされています（措法10の３①）。

したがって、御質問のように機械等を事業の用に供した年に法人成りに伴い個人事業を廃止したような場合には、適用は認められません。

医療保健業の医療用機器の特別償却

【問10-57】　私は歯科医院を開業している青色申告者ですが、歯科診療用ユニットが古くなりましたので、本年５月に新しく買い換えました。

この歯科用ユニットについては、医療用機器の特別償却の適用ができるとメーカーから聞きましたが、その制度の内容を説明してください。

また、診療室の冷房装置も同時に取り替えましたが、この装置も特別償却の適用が受けられますか。

【答】　医療用機器については、最近における技術の進歩により電子装置を組み込んだ高性能の機器が開発されており、高度な治療を行うためには、このような医療機器の普及を促進する必要があることから、医療用機器の特別償却制度が設けられています。

その内容を説明しますと次のとおりです。

(1)　適用対象者等

青色申告書を提出する個人で医療保健業を営む人が、昭和54年４月１日から令和７年３月31日までの間に、その製作後事業の用に使用されたことのない高度な医療の提供に資する一定の医療用機器を取得し、又は製作して、これを個人の営む医療保健業の用に供した場合（所有権移転外リース取引により取得した当該医療用機器をその用に供した場合を除きます。）には、その供した日の属する年分の事業所得の金額の計算上、通常の償却費の額とその取得価額の100分の12に相当する金額の合計額以下の金額の特別償却が認められます（措法12の２①）。

（注）１　医療の安全の確保に資すると認められる一定の機器については、平成23年６月29日以前に取得又は製作したものは100分の20、平成27年３月31日以前に取得又は製作したものについては100分の16の特別償却が認められます。なお、平成27年４月１日以後の取得等をしたものは対象外となりました（平27改所法等附64⑦）。

２　医療保健業に該当するかどうかは、おおむね日本標準産業分類を基準として判定しますので、医業又は歯科医業のほか、あんま業、鍼術業、きゅう術業、マッサージ業及び柔道整復業等も含まれます（措通12の２－４）。

(2) 医療用機器の範囲

特別償却の対象となる「医療用機器」は、直接医療の用に供される機械及び装置並びに器具及び備品で、１台又は１基（通常１組又は１式をもって取引の単位とされるものにあっては、１組又は１式）の取得価額が500万円以上のもので、高度な医療の提供に資するものとして厚生労働大臣が財務大臣と協議して指定するもの（CT・MRIにあっては、厚生労働大臣が定める配置効率化要件を満たすものに限ります。）及び医薬品、医療機器等の品質、有効性及び安全性の確保等に関する法律に規定する高度管理医療機器、管理医療機器又は一般医療器で同法の規定により厚生労働大臣が指定した日の翌日から２年を経過していないものとなっています（措法12の２①、措令６の４①、②、措通12の２－１）。

ただし、他の特別償却や割増償却の規定の適用を受ける場合は、この規定を適用することはできません（措法19）。

(3) 特別償却限度額等

医療用機器を事業の用に供した初年分の償却限度額は、その医療用機器の普通償却額と、その取得価額の100分の12に相当する金額以下の金額との合計額です（措法12の２①）。この場合、必要経費に算入する金額は普通償却額を下回ることはできません。

(4) 特別償却不足額の繰越し

特別償却限度額（医療用機器の取得価額の100分の12相当額をいいます。）までの金額を償却費として必要経費に算入しなかった場合、特別償却不足額（特別償却限度額と必要経費に算入した償却費との差額をいいます。）は、翌年に繰り越すことができます。この場合、翌年分の事業所得の金額の計算上必要経費に算入するその医療用機器の償却費の額は、普通償却額と特別償却限度額のうちの償却不足額との合計額の範囲内（普通償却額を下回る金額とすることはできません。）の金額となります（措法12の２④、11②）。

(5)　申告の手続

この医療用機器の特別償却（その償却不足額の繰越控除を適用する場合を含みます。）は、確定申告書にその必要経費に算入される金額についてのその算入に関する記載があり、かつ、医療用機器の償却額の計算明細書の添付がある場合に限り適用されます（措法12の２⑤、11③）。

(6)　社会保険診療報酬の課税の特例との関係

医業又は歯科医業を営んでいる人の社会保険診療報酬の所得計算の特例制度（措法26）は、社会保険診療報酬に対する経費全体を概算経費率で計算することが認められるものですから、この概算経費率の適用を受けた場合は、この特別償却は適用されません。

しかしながら、社会保険診療報酬について、租税特別措置法第26条の概算経費率を適用した場合であっても、いわゆる自由診療報酬に対応する経費として、この医療用機器の特別償却額が適切なあん分計算で織り込まれたときは、それが認められることになります。

さて、御質問の歯科用ユニットは、厚生労働大臣が指定した医療機器に該当しますので、医療用機器の特別償却（取得価額の100分の12以下の金額）の適用が受けられます。しかしながら、診療室に設置した冷房装置は、その構造等により耐用年数省令別表第一の「建物附属設備」のうちの「冷房設備」又は「器具及び備品」のうちの「冷房用機器」のいずれかに該当することになり「医療用機器」には該当しませんので、医療用機器の特別償却の適用は受けられないことになります（令５厚生労働省告示第166号、耐用年数省令別表一）。

年の中途で死亡した者の特別償却不足額の承継

【問10-58】　青色申告者が、租税特別措置法第12条の２により医療保健業者の医療用機器の特別償却の認められる機械を取得して、これを事業の用に供した後において、同年中に死亡した場合、その機械に係る特別償却不足額は、その事業を承継した相続人の翌年分の所得の計算上、必要経費に算入することが認められますか。

【答】　事業を承継した相続人が、相続年分から青色申告者であり、かつ、引き続きその機械を事業の用に供している場合は、相続のあった年及びその翌年に限り、被相続人の特別償却不足額は、相続人の事業所得の金額の計算上必要経費に算入することができます（措通12の２－５）。

なお、この取扱いは、特別償却不足額の繰越しの認められるその他の特別償却及び割増償却についても準用されます。

第７節　繰延資産の償却

道路舗装負担金

【問10-59】　店舗の一部を改造してガレージにしたのですが、ガレージの前の歩道（市所有）を車が通れるようにするため市の許可を得て４月にコンクリートで舗装工事をして、その費用を30万円負担しました。しかしながら、その道路の所有権は市にありますから寄附金になるのでしょうか。

【答】　地方公共団体に対する寄附金でも事業の遂行上必要と認められるものは、所得税法第78条に規定する寄附金控除の対象としないで、その事業に係る費用として必要経費に算入することができます（所法37）。

また、寄附金のうちその寄附によって設けられた設備を専属的に利用するなど寄附をした者に特別の利益が及ぶと認められるものは寄附金控除の対象とはならず、繰延資産となり、その効果の及ぶ期間によって償却することになります（所法２①二十、所令７①三イ）。

御質問の市所有の歩道を個人負担によって舗装工事を行った場合は寄附というよりも自己が利用するための公共的施設の負担金となり、繰延資産として計上することになります（基通２－24）。

なお、繰延資産に該当する費用であってもその金額が20万円未満のものは、全額を支出した年分の必要経費に算入することになっています（所令139の２）。

さて、御質問の負担金は、その歩道の使用できる期間によって償却することになりますが、その償却期間は公共的施設の設置のために支出する費用で、その負担した者に専ら使用されるものではないので、法定耐用年数の40％が償却期間となります（基通50－３）。

したがって、繰延資産の償却費は次の計算のとおりとなります。

償却期間……15年（コンクリート敷舗装道路の法定耐用年数）$\times\frac{40}{100}$＝6年

※　償却期間に1年未満の端数があるときは、その端数を切り捨てます。

償却費の額……30万円$\times\frac{1}{6年}\times\frac{9月}{12月}$＝37,500円

市の条例に基づく公共下水道の受益者負担金

【問10-60】　私は、K市にアパートを所有していますが、本年、市の都市計画に従って設置される公共下水道の受益者負担金を支払うことになりました。その金額は不動産所得の計算上どのように取り扱われますか。

【答】　公共下水道の設置に係る受益者負担金は、アパート経営という事業遂行に関連して負担するものであり、また、その支出の効果は将来にも及びますからこれを支出した個人の繰延資産となります。

したがって、その支出の効果の及ぶ期間に応じて計算した償却費を不動産所得の金額の計算上必要経費に算入することになります（所令7①三イ、137）。

この受益者負担金により設置される公共下水道は、負担した者が専ら使用するものではありませんから、その償却期間は原則として対象資産である下水道施設の法定耐用年数の40％に相当する年数となりますが、公共下水道の受益者負担金については、特にその償却期間は6年とされています（基通50－4の2）。

これは、地方公共団体により建設費用の全部を負担させるところと一部を負担させるところがあり、償却期間がまちまちになりますのでそれを統一する必要があるところから、下水道施設の管渠（きょ）、ポンプ場、汚水処理場の施設の全部を負担した場合の総合耐用年数17年の40％、すなわち6年としているものです。

なお、公共下水道に係る負担金のうち、下水道法第19条の規定により自

己の使用する排水設備の新設又は拡張に伴い公共下水道の改築費用を負担して下水道施設の使用権を取得するときの負担金は繰延資産ではなく、水道施設利用権に準ずる減価償却資産となります（基通２－21）。

また、アパートの給排水設備の設置又は改良に要する費用は、公共下水道に係る負担金でありませんので繰延資産とはならず、減価償却資産（建物附属設備——給排水設備（耐用年数15年））となります。

分割払のアーケード負担金

【問10-61】　商店街が協同組合を設立し、組合は、借入金によってアーケードの設置や道路の舗装を行うことになっています。

ところで、協同組合は、組合員（商店主）に借入金の返済分を３年で月割負担させ、アーケードや舗装道路は協同組合が所有することになっています。この場合、組合員の支払う分担金は、その都度必要経費になりますか。

【答】　御質問の分担金は、共同的施設の設置又は改良のために負担する費用ですから、繰延資産となり、支出総額（２回以上に分割して支出する場合には、その支出する時において見積もられる支出金額の合計額）が20万円以上であれば（所令139の２、基通50－７）資産に計上して所定の償却期間（アーケードは５年）で償却を要します（基通50－３）。

したがって、これを分担金の支払の都度経費に算入するという御質問の経理方法は、税務上容認されないことになります。なお、繰延資産となるべき費用の額を分割して支払うこととしている場合には、たとえその総額が確定しているときであっても、原則として、その総額を未払金に計上して償却することはできないものとされています（基通50－５）。

ただし、その分割して支払う期間が、おおむね３年以内の短期間であるときは、その繰延資産となるべき費用の総額を基として償却費を計算することが認められていますので、御質問の場合も繰延資産の総額を基として償却費を計算することができます。また、固定資産を利用するために支出した繰延資産の償却開始の時期は、固定資産の建設着手の時とされています（基通50－６）。

（注）　街路の簡易舗装、街灯、がんぎ等の簡易な施設で、主として一般公衆の便益に供されるものの建設に充てられる負担金は、金額を問わず、支出の日の属する年分で必要経費算入が認められます（基通２－26）。

返還されない敷金

【問10-62】　喫茶店を開業するため、本年７月にビルの１室を借りました。権利金100万円、敷金300万円、仲介手数料５万円、契約期間は３年ですが、更新することができることになっています。敷金のうち借主の都合で解約したときは２割は返還してもらえないのですが、この場合の経理の仕方を教えてください。

なお、当地では借家権の取引慣行はありません。

【答】　建物を賃借するために支払った権利金、立退料その他の費用は繰延資産として扱い、その費用の支出した効果の及ぶ期間によって償却することになっています（所令７①三ロ、137①二、基通２－27）。

さて、御質問の返還されない敷金の性格は、立退きの際に払戻しされない権利金と何ら変わらないと考えられますので、返還されない60万円（300万円×20％）を権利金に含めて繰延資産とします。

一方、周旋業者に支払った仲介手数料の額は、その支払った日の属する年分の必要経費に算入することができます（基通２－27(1)(注))。

また、建物を賃借するために支払った費用であっても、その建物の賃借に付随する支出で、資産の取得価額とされる費用は含まれません。例えば、店舗の内装や什器については、別途減価償却をすることになります。

更に、立退きの際返還されない敷金でも契約内容によって１年以内に立ち退く場合は20％、１年を超え３年以内の場合は15％、３年を超える場合は10％というように、賃借期間に応じて返還される金額に異動があるような場合は、契約の際に返還されないことが確定している10％に相当する金額が権利金の額として取り扱われることになります。この場合、短期間で立ち退いたために、返還されない金額が10％を超えたときは、その超えた部分の金額を立ち退いた年分の必要経費に算入すればよいこととなります。

次に、このような権利金の支出の効果の及ぶ期間とされる繰延資産の償却期間は、次に掲げるようになっています（基通50－3）。

(1) 建物の新築に際し、その所有者に対して支払った権利金等で、その権利金等の額がその建物の賃借部分の建設費の大部分に相当し、かつ、実際上その建物の存続期間中賃借できる状況にあると認められるものである場合……その建物の耐用年数の70％相当年数

(注) 70％としているのは、建物の所有権そのものを取得していない状況が考慮されたものと解されます。

(2) 建物の賃借に際して支払った(1)以外の権利金等で、契約、慣習等によって、その明渡しに際して借家権として転売できることになっているものである場合……その建物の賃借後の見積残存耐用年数の70％相当年数

(3) その他の場合……５年（契約による賃借期間が５年未満であって、契約更新時に再び権利金の支払を要することが明らかであるときはその期間）

また、償却費の額の計算は次の算式によって計算します。

$$償却費の額＝繰延資産の額\times\frac{支出の日以後の月数}{償却期間の月数}$$

御質問の場合、(3)の場合に当たり、契約期間は３年間であっても更新時に再び権利金を支払うかどうかが明らかではありませんから、償却期間を５年として計算しますので、償却費は次のようになります。

$$（100万円＋60万円）\times\frac{6}{60}＝160{,}000円$$

（注）　仲介手数料の５万円は、開業した年の事業所得の金額の計算上必要経費に算入したものとして計算してあります（基通２－27(1)(注))。

なお、支出した権利金等の額が一契約について20万円未満のときは、少額繰延資産としてその全額を支出した日の属する年分の必要経費に算入することになっています（所令139の２）。

建物の所有者に代わって支払った立退料

【問10-63】　私は、２戸建て店舗の１戸を賃借し、婦人服小売業を営んでいますが、事業の拡張を計画し、家主（甲）との間で隣りの店舗の賃借の交渉を行った結果、私は家主（甲）から隣りが立ち退けば貸しましょうとの承諾を得て、甲に代わって隣の店舗の賃借人（乙）と立退交渉を行いました。そして、このたび1,000万円の立退料を甲が乙に支払うことで合意しました。

そして、甲が支払うべき立退料を私が肩代わりすることにより甲から隣家を賃借することになりましたが、この私が支払うこととなった立退料は、事業遂行上必要な費用として、事業所得の金額の計算上、必要経費に算入してよろしいでしょうか。

【答】　不動産所得の基因となっていた建物の賃借人を立ち退かせるために支払う立退料は、その土地又は建物を譲渡する場合を除き、その年分の必要経費に算入することとされています（基通37－23)。

しかしながら、あなたの場合は、不動産所得の基因となっていた建物の賃借人を家主である甲に代わって立ち退かせることにより、家主からその店舗を賃借するものですから、建物を賃借し又は使用するために支出する権利金に該当するものと考えられます。

ところで、建物を賃借するために支出する権利金等については、繰延資産として取り扱うこととされていいます。

したがって、あなたが甲に代わって支払うこととなった立退料は、事業所得の金額の計算上、繰延資産として所定の期間で償却することになります。

医師会への入会金

【問10-64】　私は、大学病院に勤務医として勤めておりましたが、両親も年老いてきましたので、田舎で診療所を開業し面倒をみることとしました。

診療所開設に際し、田舎の市の医師会に加入することになり、入会金300万円を支払いました。この入会金は、医師会を脱会しても返還されないことになっています。

支払った入会金300万円全額を支払った年の事業所得の金額の計算上、必要経費に算入できますか。

【答】　同業者団体に対する加入金については、その地位を第三者へ譲渡できるものや、脱会の際に加入金の返還を受けることができるものなど出資の性格を有するものと、そうでないものとがあります。

出資の性格を有するものは有価証券と同様に資産に計上すべきことになります。

しかしながら、出資の性格を有しない同業者団体等に対する加入金で、加入金を支払うことにより、はじめてその団体等に加入することができ、以後引き続いてその団体から会員としてのサービスの提供を受けるものについては、支出の効果が一時的なものとはいえないので、繰延資産として取り扱われることになります（所令７①三ホ）。

ところで、協会、連盟その他の同業者団体等（ただし、社交団体は事業の遂行上直接関係がないことから除きます。）に対して支出した加入金については、その構成員としての地位を他に譲渡することとなっている場合における加入金及び出資の性質を有する加入金を除き、繰延資産として取り扱うことになっています（基通２－29の４）。

したがって、御質問の医師会への入会金は、その脱会や死亡により返還されないものであり、かつ、その地位を他に譲渡することができないものであることから考えますと、同業者団体に対する加入金に当たりますので、支払われた300万円は繰延資産として償却することとなります。

なお、同業者団体等に対する加入金の償却期間は５年で、均等償却することになっています（基通50－３）。

業務開始前に支出した地代

【問10-65】　私は、昨年10月から貸ビルを建築するため土地を借りています。貸ビルは昨年10月末に建築に着工し、本年１月末に完成しました。収入は、本年２月から生じていますが、昨年10月から本年１月までの支払地代は、所得計算上どのように処理するのでしょうか。

なお、私は会社役員で、所得は給与所得のみです。

【答】　従来から不動産貸付業務を行っている者が、貸ビルを建築するため土地を借り、地代を支払った場合には、当該貸ビル建築中であっても不動産貸付業務の拡大と考えられ、当該地代は不動産所得の必要経費となります。

しかしながら、新たに不動産貸付業務を行う場合に、建築期間中に支払う地代については、業務の開始を前提として発生するもので、将来の不動産収入から控除されるべきものと考えられますので、「新たな業務を開始するまでに特別に支出した費用」として繰延資産として取り扱うのが相当です（所令７①一）。

なお、新規開業の場合の借入金の利子と同様、業務開始前の地代を建物の取得価額に算入することも考えられますが、借入金の利子が資産の取得と実質的な関連性があるのと異なり、地代と建物取得の間には実質的な関連性がないので、建物の取得価額に算入することは合理性がありません。

償却期間経過後における開業費の任意償却

【問10-66】 私は、７年前に病院を開業した青色申告者ですが、前年までは赤字であったため開業費の償却額を必要経費に算入していませんでした。

今年は黒字になったので、この開業費について本年分及び翌年分の確定申告において必要経費に算入したいのですが認められますか。

【答】 開業費は繰延資産として、60か月の均等償却又は任意償却のいずれかの方法によることとされています（所令137①一、③）。

任意償却は、繰延資産の額の範囲内の金額を償却費として認めるもので、その下限が設けられていないことから、支出の年に全額償却してもよく、全く償却しなくてもよいと解されます。

また、繰延資産となる費用を支出した後60か月を経過した場合に償却費を必要経費に算入できないとする特段の規定はないことから、繰延資産の未償却残高はいつでも償却費として必要経費に算入することができます。

ただし、支出した開業費の内容及びその開業費の額が過年分において必要経費に算入されていないことを明らかにしておく必要があります。

死亡した場合の繰延資産の未償却額

【問10-67】　脱サラをして令和２年９月以来、洋菓子小売業を営んでいた父が令和６年４月に死亡したため、長男である私がその事業を引き継いで経営しています。

父は、店舗を賃借する際に保証金を支払っていますが、そのうち20％は返還されない部分であるため、その額を繰延資産として５年間で償却しており、令和６年４月死亡時には未償却の繰延資産が残っています。

この場合、父の準確定申告に際して、父の事業所得の金額の計算上、未償却の繰延資産を全額資産損失として必要経費に算入してよろしいでしょうか。

【答】　繰延資産は、不動産所得、事業所得、山林所得又は雑所得を生ずべき業務に関し個人が支出する費用のうち、支出の効果がその支出の日以後１年以上に及ぶもので一定のものとされています（所法２①二十、所令７）。

ところで繰延資産には、その支出した人の死亡によって効果が失われるものとその効果に影響が生じないものがあり、一律に取り扱うことは相当ではありません。

したがって、繰延資産の内容によって次の区分により取り扱うことが相当であると考えます。

①　死亡によってその効果が失われる繰延資産の場合は、資産損失（所法51①）として未償却額を必要経費に算入する。

②　上記以外の繰延資産の場合は、事業承継人であるあなたが引き継いで、残余期間にわたって償却する。

なお、事業の承継がない場合には、被相続人の準確定申告において事業所得の金額の計算上、未償却の繰延資産を資産損失として必要経費に算入します。

第８節　資 産 損 失

事業用固定資産の取壊損失

【問10-68】 店舗が古くなったため、取り壊して新築しましたが、次のような場合の取壊しに関する処理を説明してください。

①	旧建物の帳簿価額（取壊し時）	250万円
②	取壊費用	40万円
③	廃材の処分価額	20万円
④	新築建物の建築費用	1,200万円

【答】　事業用固定資産の取壊し、除却、滅失その他の事由による損失は、資産の譲渡又は譲渡に関連して生じたものを除いてその事業から生ずる不動産所得、事業所得、山林所得の計算上必要経費に算入されます（所法51①）。

この取壊しには、災害による場合も、自己の判断により行う場合も含まれます。したがって、御質問の店舗が古くなって取壊しを行った場合の取壊しによる損失や、取壊費用等の取扱いは次のようになります。

(1) 古い店舗の未償却残額（その店舗が昭和27年12月31日以前から引き続き所有して店舗として使用していたものである場合は、昭和28年１月１日現在の相続税評価額等を基礎として計算した金額）から取り壊した建物の廃材の処分見込価額を控除した残額と取壊費用の合計額を、取り壊した年分の必要経費に算入します（所法37①、51①、所令142、143、基通51－２）。

(2) 取り壊した建物の廃材を処分したときは、実際の処分価額を収入価額とし、廃材の処分見込額を取得価額として譲渡所得を計算します。

御質問の場合、廃材の処分見込額は20万円として差し支えないものと考えられますので、次の金額を必要経費に算入することになります。

$$\overset{\text{(資産損失)}}{(250万円-20万円)}+\overset{\text{(取壊費用)}}{40万円}=270万円$$……必要経費に算入

事業用資産の有姿除却

【問10-69】 私は、鉄工業を営む青色申告者です。工場内には、数年来受注がないため、全く稼動していない機械設備があります。不景気のため、将来再び受注があるかどうか分かりませんので、除却したいと考えています。しかしながら、取り除くには多額の費用を要しますので、そのままの状態で除却処理をしたいのですが、認められますか。

【答】 既に固定資産としての耐用年数も過ぎ、又はその使用価値が失われた固定資産であっても、その資産の解撤、破砕、廃棄等に多額の費用が見込まれるために、差し当たり除却しないでそのまま放置している場合や、既に固定資産としての使用を廃止してはいるが、将来ごくわずかでも再使用の可能性があるために、当分の間そのままの状態で保有している場合などがあります。

このような場合でも、現状有姿のまま放置され、又はわずかな再使用の可能性のために保有されているからといって、除却処理を認めないというのは実情に合わないこととなります。

そこで、次に掲げる資産については、現状有姿のままであっても、その資産の未償却残額からその処分見込価額を控除した金額を必要経費に算入することができることとなっています（基通51－２の２）。

(1) その使用を廃止し、今後通常の方法により事業の用に供する可能性がないと認められる固定資産

(2) 特定の製品の生産のために専用されていた金型等で、その製品の生産を中止したことにより将来使用される可能性のほとんどないことが、その後の状況等からみて明らかなもの

ところで、御質問の場合は、不景気のためその機械の使用を一時休止し

ているものでありますから、景気が回復すればいつでも使用を再開する可能性があると思われますので、除却に相当の費用がかかるという理由だけで、現状有姿のままで除却処理することは認められないものと考えます。

居住用建物の取壊しによる損失

【問10-70】 事業を開始するに当たって、今まで居住していた建物を取り壊してその敷地に工場用建物を建てたいと思っています。

この場合、その居宅の取壊しによる損失及び取壊費用の額は、新築する工場用建物の取得価額に算入して減価償却の対象とするのですか、それとも開業した事業から生ずる事業所得の経費に算入するのですか。

【答】 御質問の居住用建物の取壊損失及び取壊費用は、新しい工場用建物の取得価額にも、事業所得の必要経費にも算入できません。

建物の取壊しが土地を譲渡するために行われたものであるときは、取壊損失、取壊費用が、土地の譲渡経費として譲渡所得の計算上控除されることになっており、その建物が居住用であろうと事業用であろうと同じ取扱いとなっています（基通33－８）。

しかしながら、譲渡以外の目的で取り壊した場合の取壊損失については、事業用建物に限り事業所得の計算上資産損失として必要経費に算入できることとされ、居宅など非事業用資産については、それが認められていません（所法51①）。

また、そのような居宅の取壊損失等は新しく建てられる事業用建物の取得価額にも算入されません。

なお、御質問のような損失は、非事業用資産について、「災害」又は「盗難」若しくは「横領」によって被った損害ではありませんので、雑損控除（所法72）の適用もありません。

貸付けの規模が小規模な貸家住宅の取壊し

【問10-71】　不動産所得のある個人（業務の規模は10棟）が、老朽化した２棟の貸家を取り壊し、そこに新しい貸家を建てた場合、取り壊した２棟の建物の未償却残額と取壊費用は、不動産所得の計算上必要経費に算入されますか。

【答】　不動産所得を生ずべき事業の用に供されている建物等の固定資産の取壊し、除却、滅失（損壊による価値の減少を含みます。）による損失の金額は、保険金等によって補塡される部分の金額及び資産の譲渡により又はこれに関連して生じたものを除き、その損失の生じた年分の不動産所得の金額の計算上、必要経費に算入されます（所法51①）。

御質問の趣旨は、その取壊しの目的が新しい貸家の新築であるところから、これらの費用は新築貸家の取得価額に算入されるかどうかにあると思われますが、税法上、事業用固定資産の取壊しによる損失は、その目的のいかんにかかわらず、上記に従って取り扱われることになります。

取壊し年分の必要経費に算入される金額は、次の算式により求めた金額です。

（取り壊した資産の未償却残額－発生資材の価額）＋取壊費用

なお、建物の貸付けが、たまたま家屋を１棟だけ人に貸しているなど、事業と称するに至らない規模で営まれている場合の取壊損失は、「事業の用に供されている固定資産」に係る損失ではありませんので、以上に述べたところと取扱いが異なりますから注意してください。

すなわち、この場合には、不動産所得を生ずべき業務の用に供されている資産の取壊損失は、その年分のその損失を控除する前の不動産所得の金額を限度として、不動産所得の金額の計算上必要経費に算入されることになります（所法51④）。

また、建物の貸付けが事業として営まれているかどうかの判定に当たっては、外形基準としては、次に該当するときは、事業として営まれていると判定されることになっています（基通26－9）。

(1) 貸間、アパート等については、貸与することができる独立した室数がおおむね10以上である場合

(2) 独立家屋の貸付けについては、おおむね5棟以上である場合

建物貸付けの事業的規模の判定の時期

【問10-72】 私は、今年6月に会社を退職し、5,000万円の退職金を受け取りました。そこで、今まで所有していた2戸の貸家を取り壊し、新たに10世帯が入居できるマンションを建築し、10月から入居者を募集しましたが、12月末現在では3室ほど空室になり、不動産所得の金額の計算上、損失が生じました。

この場合、旧貸家の取壊しによる資産損失は、不動産所得の金額の計算上、全額、必要経費に算入することができますか。

【答】 固定資産の取壊し等による資産損失が、全額、必要経費に算入できるかどうかは、建物の貸付けが事業的規模であるかどうかによります。その貸付けが事業的規模であれば、その取壊損失を全額必要経費に算入できることになっていますが、その貸付けが事業的規模に至らない程度のものであれば、その年の取壊損失を控除する前の不動産所得の金額が限度とされます（所法51①④）。

ところで、御質問のように同一年内に事業的規模と認められない不動産の貸付けをしており、その減価償却資産（貸家）を取り壊し、その後に事業的規模の減価償却資産（貸マンション）を建築した場合、その取壊損失を全額必要経費に算入することができるかどうかが問題となります。

（注） 建物の貸付けが不動産所得を生ずべき事業として行われているかどうかの判定については、前問を参照してください。

御質問の場合、その取り壊した建物が事業的規模の貸付けの用に供されていたのかどうかを判定すればよいことになります。そうしますと、その

年の12月31日の現況ではなく、その建物を取り壊した時ということになります。

したがって、旧貸家を取り壊した時には、いまだ事業的規模で貸付けが行われていたとはいえませんので、取壊しによる損失はその年分の不動産所得の金額を限度として、必要経費に算入することとなります（所法51④）。

競走馬の事故による損失

【問10-73】　競走馬の馬主ですが、甲馬は、昨年、２度優勝して賞金を1,500万円獲得しましたが、今年はレースの途中で足を折り、もうレースの望みはなくなりましたので、殺処分にしました。

今年は賞金の獲得がなかったので、この損失を昨年の所得から引くことはできませんか。

【答】　生活に通常必要でない資産として次に掲げる資産の災害、盗難、横領による損失は、その年の譲渡所得の金額又は翌年の譲渡所得の金額から控除することになっています（所法62①、所令178①）。

(1) 競走馬（規模、収益の状況その他の事情に照らし事業と認められるものの用に供される競走馬は除かれます。）その他射こう的行為の手段となる動産

(2) 通常自己及び自己と生計を一にする親族が居住の用に供しない家屋で主として趣味、娯楽又は保養の用に供する目的で所有するものその他主として趣味、娯楽、保養又は鑑賞の目的で所有する資産（(1)又は(3)に掲げる動産を除きます。）

(3) 生活の用に供する動産のうち譲渡所得が非課税とされる動産以外のもの

御質問の内容では、あなたの競走馬保有の規模等がはっきりしませんが、その所得が雑所得であるという前提でお答えします。

競走馬が突発的な事故によって死亡又は殺処分しなければならなくなっ

た場合並びに競争用又は繁殖用の能力を喪失した場合は、次の算式により計算した損失額を、その年又はその翌年の譲渡所得の金額の計算上控除します（所法62①）。

未償却残高－（事故見舞金＋競走馬保険金＋処分可能価額）＝損失の金額

（注）　処分可能価額は残存価額（取得価額の20％相当額か10万円のいずれか少ない金額）に相当する金額としても差し支えありません。

なお、昨年の賞金の額から控除することはできません。

山林の火災による損失

【問10-74】　私は専業農家ですが、子供に残してやるため４年前に取得した山林を今年３月に山火事で全焼させてしまいました。

この損失は、保有期間が５年以内の山林の資産損失として雑所得に係る損失となるのでしょうか。

なお、他に山林は所有していません。

【答】　山林の伐採又は譲渡による所得はその保有期間が５年を超える場合は山林所得に、また、５年以内の場合は事業所得又は雑所得とされ、その保有期間により、所得の種類が異なることとされています（所法32）。

そこで、取得後５年以内の山林を災害、盗難又は横領により失ったような場合には、その山林はもはや伐採又は譲渡されることはあり得ませんから、いずれの所得を生ずべき業務に係る損失か問題となるところです。

ことに、雑所得の損失は損益通算の対象とされませんから税負担への影響が著しいといえます。

そこで、所得税法では特に規定を設け、山林の災害、盗難、横領による損失（保険金等により補塡される部分の金額を除きます。）は、保有期間に関係なく、その損失の生じた年分の事業所得又は山林所得の金額の計算上必要経費に算入することとしています（所法51③）。

ところで、御質問の場合は、子供のために取得した山林で、他に山林の保有はないとのことですから、事業所得の必要経費とはならず、この損失は、山林の伐採又は譲渡による収入がない場合であっても山林所得の損失として取り扱われ、他の所得と損益通算をすることができることとなります（所法69①、基通51－5の2）。

工事着工金の貸倒れ

【問10-75】　医師が病院増築のため、工事請負業者に500万円の着工金を支払い、建築を請け負わせましたが、その請負業者は工事半ばで倒産し、その着工金は回収不能となりました。その後、他の工事請負業者によって工事が引き継がれ、翌年に建物の引渡しを受けましたが、これらの明細は次のとおりです。この場合、回収不能となった着工金に係る損失は、建物の取得価額に算入しなければなりませんか。

イ　倒産した工事請負業者に支払った着工金　500万円
ロ　未完成工事の価額（引き継いだ請負業者の見積り）　150万円
ハ　引き継いだ工事請負業者に支払った工事代金　2,350万円

【答】　不動産所得、事業所得を生ずべき事業の遂行上生じた売掛金、貸付金、前渡金その他の債権の貸倒れによる損失の金額は、それらの所得の金額の計算上、必要経費に算入されます（所法51②）。

御質問の着工金500万円も、医師の病院経営という事業に関連して生じた前渡金であり、それが貸倒れとなった場合の損失は、その後に工事が完成した病院の取得価額に算入するのではなく、医業に係る事業所得の金額の計算上、必要経費に算入されます。

この場合、貸倒損失として必要経費に算入する金額は、その工事着工金の全額ではありません。工事がある程度進ちょくしたことによる未完成工事の価額に相当する金額は、実質上回収したことになりますので、工事着工金と未完成工事の価額との差額が損失額に相当し、御質問の場合は350万円（500万円－150万円）となります。なお、新築した建物の取得価額は、

2,500万円（2,350万円＋150万円）となります。

以上は、新築した病院が病院経営にのみ使用される事業用資産であるという前提に立ってお答えしましたが、もし住宅併用建物であるときは、住宅部分についての貸倒損失は必要経費としての性格がありませんので、面積比等で合理的にあん分し、貸倒損失350万円のうち住宅用部分に対応する部分は、必要経費算入は認められないことになります。

取引停止による貸倒処理

【問10-76】　貸金業者である個人の次のような取引について、「一定期間取引停止後弁済がない場合等の貸倒れ」の特例（基通51－13）によりその貸付金額の貸倒処理が認められますか。

(1) 貸付金額　　100万円

(2) 貸付期間　　令和５年９月１日～令和６年８月31日

(3) 債務者の最後の弁済　　令和５年12月10日

(4) 同上による弁済金額　　10万円（利息に充当）

【答】　御質問のような貸付金の貸倒処理については、「一定期間取引停止後弁済がない場合等の貸倒れ」の特例は適用されず、その債務者の資産状況等からみて回収不能かどうかにより貸倒れかどうかを判定すべきものとされます。

元来「一定期間取引停止後弁済がない場合等の貸倒れ」の特例は、継続的な取引を行っていた債務者につき支払能力等が悪化したため、その後の取引を停止するに至り、その停止した後においても引き続き弁済がない場合において、①取引停止時　②最後の弁済期　③最後の弁済の日のうち、最も遅い時から１年以上を経過しているときに、備忘価額を付してその債務者に対する債権の貸倒処理を認めたものです。

したがって、一度限りの取引が多い貸金業の貸付金、不動産売買業の売掛債権の貸倒れの判定に関しては、この取扱いの適用はないことになります。

なお、最後の弁済が元本の返済ではなく、利息に充当される弁済であったとしても、「一定期間取引停止後弁済がない場合等の貸倒れ」の特例を適用するに当たって、「１年以上を経過」しているかどうかを判定するときは、その利息に充当された弁済日を「最後の弁済の日」として判定します。

会社倒産によって無価値となった株式

【問10-77】　事業を営む個人Ｋが、M社と取引を開始するに際して、取引開始の条件としてM社の株式を取得しましたが、このほどM社が倒産し、Ｋの所有する株式は無価値になりました。

この株式に係る損失は、その取得が事業遂行上の必要に迫られて行われたものなので、事業所得の計算上、必要経費に算入できますか。

【答】　ＫがM社の株式を取得したことは、その会社に対する資本参加であって、その取得が取引開始の条件とされていた場合であっても、M社との取引遂行上生じた売掛金、貸付金とは性質を異にし、また、資産損失の対象となる資産には、有価証券が含まれていないことから、御質問のような株式に係る損失は、これを事業所得の計算上必要経費に算入することはできません（所法51、所令142）。

なお、事業所得以外においても、原則として発行会社の状況悪化等を理由とした有価証券の評価損が所得から控除されることはありません。

（注）　特定中小会社の株式の譲渡損失に係る繰越控除等（エンジェル税制）については、【問７-40】参照。

金銭債権の譲渡による損失

【問10-78】 得意先のＡ商店には売掛金残高が100万円ありますが、その得意先は業況不振のため、現在銀行から取引停止の通知を受けております。

このたび、ある債権者がその事業を再建するため、売掛金残高の50％で譲り受けたい旨の申出を受けましたので、倒産寸前の状態ということもあって譲渡することにしました。

この金銭債権の譲渡損失は事業所得の必要経費に算入できますか。

【答】 金銭債権の譲渡による所得は、元本を超える部分については債権の値上がりに基づくものではなく金利に相当するものと考えられ、事業所得又は雑所得とされることから、譲渡所得の範囲から除かれています（基通33－１）。

しかしながら、通常、売掛金や受取手形の債権については、利息が付されないほか、集金手数料、貸倒れによる危険負担を負うことにもなるので、債権額よりも低い金額で譲渡されることになります。

したがって、御質問の債権については債務者が銀行の取引停止処分を受けており、倒産に追い込まれている状態に至っているところから、貸倒損失の発生は免れ得ないものと思われます。

そこで、金銭債権の譲渡による損失は譲渡損失というよりも実質は貸倒損失の計上と考えられ、貸倒損失として必要経費に算入することになります（基通51－17）。

なお、債権の譲渡先が債権者と親族関係又は同族会社など特殊関係があり、贈与したと認められる部分の金額については、貸倒損失から除外することになります。

担保がある場合の貸倒損失

【問10-79】 得意先の売掛金残高が増加して300万円になったので、300万円相当額の他の会社の株券を担保として預かりましたが、翌年得意先は倒産してしまいました。
　ところで、担保として預かっていた株券の倒産時の時価は200万円になっておりますので、差引き100万円の損失は認められませんか。

【答】 貸倒損失の計上については、その債務者の資産状況、支払能力等からみて、その債務者に対して有する債権の全額が回収できないことが明らかになった場合、その明らかとなった年分にその全額を貸倒損失として必要経費に算入することとされています。この場合、その債権について担保が付されている場合には、その担保物を処分した後でなければ貸倒損として必要経費に算入することはできないこととされています（基通51－12)。
　御質問によると担保として株券を預かっておられますから売掛金300万円の全額が回収不能とは認められません。
　したがって、担保権を実行しない限り貸倒損失の計上はできないこととなります。

相互に債務保証を行っている場合の貸倒れ

【問10-80】　私は、弟の経営する会社が事業資金を借り入れるに際して保証人となっていましたが、その会社が倒産したため、保証債務を履行し、求償権の行使も不能となりました。

また、私が銀行借入れをするに際して、その会社を保証人としていました。そこで私と会社は相互に債務の保証をしていたことになり、実態は、融通手形を交換していたのと似ていますので、融通手形として受け取っていた受取手形が不渡りになった場合の貸倒れに準じ、上記のような保証債務の履行による損失を私の事業所得の金額の計算上、必要経費に算入することはできませんか。

【答】　まず、個人が自己の事業資金の融資を受けるために融通手形を交換した場合において、相手方の倒産によって受取手形が不渡りとなり貸倒れとなったときは、その貸倒損失を必要経費に認めるという取扱い（基通51－10）の考え方を述べておきます。

同通達では、「事業の遂行上生じた売掛金、貸付金等に準ずる債権」の一つとして、「自己の事業の用に供する資金の融資を受ける手段として他から受取手形を取得し、その見合いとして借入金を計上し、又は支払手形を振り出している場合のその受取手形に係る債権」を掲げています。

これは、相手方との間の取引関係に基づいて取得した債権でなくても、その債権の生じた原因が自己の事業資金の調達にある以上、これを事業遂行に関係があるものとみて、貸倒損失の対象債権に含めようという考え方によるものです。

御質問の債務保証は、相手方の資金を融通するため貸金の担保として相手方発行の手形を受け取り、その手形代金が回収不能となった場合に似ていますが、そのような手形が直ちに事業上の貸金とはならないのと同じく、債務保証も、先に自己が保証を受けているからといって、同一の相手であれば直ちに事業遂行上のものとはいえません。貸金や債務保証は事業上以外にも、知人、友人間の間柄でもよく行われるからです。

御質問は、相互に債務保証をしていれば、それが見合いになっているから事業上の貸金とみられないかということのようですが、債務保証は、融通手形のように一の契約によって同時に債権債務が発生するものではないので、その保証契約の都度、個別に事業遂行上のものかどうかを判定しなければならず、御質問ではその点で事業遂行に直接関連のある保証契約とも認められませんので、必要経費算入は認められないものと考えられます。

非営業貸金の貸倒れ

【問10-81】　建築業者ですが、兄の会社が資金繰りに困っていたので２年前に400万円貸していたところ、今年６月に倒産してしまったので、元本はもちろんのこと利息も全く回収できなくなりました。

これらの貸倒損失は、事業所得の必要経費に計上できませんか。

更に、前年分に雑所得として申告したこの貸金に係る未収利息20万円も回収できませんでしたが、どうしたらよいでしょうか。なお、前年分の総所得金額は500万円です。

【答】　事業遂行上生じた売掛金、貸付金、前渡金その他これらに準ずる債権の貸倒れについては、その損失の生じた年分の事業所得の必要経費に算入することができます（所法51②）。

一方、事業と称するに至らない程度の業務に関して生じた貸付金及び貸付金に係る利息の貸倒れについては、次のように取り扱われます。

不動産所得若しくは雑所得を生ずべき業務の用に供され又はこれらの所得の基因となる資産（山林及び生活に通常必要でない資産を除きます。）の損失の金額は、その損失の生じた年分の不動産所得の金額又は雑所得の金額（いずれもその損失控除前）を限度として、それぞれの所得の計算上必要経費に算入します（所法51④）。

次に、事業と称するに至らない程度の規模で行われた貸付金の利息の全部又は一部が回収不能となった場合には、具体的に次のいずれか低いほうの金額を限度として、その回収不能に係る金額がなかったものとして計算されます（所法64①、所令180②、措令４の２⑨、19㉔、20⑤、21⑦、25の８⑯、25の９⑬、25の11の２⑳、25の12の３㉔、26の23⑥、26の26⑪、基通64－２の２）。

① 回収不能等が生じた時の直前において確定している、その年分の総所得金額、分離課税の土地等に係る事業所得等の金額、分離課税の譲渡所得の金額、申告分離課税の上場株式等に係る配当所得等の金額、分離課税の一般株式等に係る譲渡所得等の金額、分離課税の上場株式等に係る譲渡所得等の金額、分離課税の先物取引に係る雑所得等の金額、退職所得金額及び山林所得金額の合計額

② 回収不能等が生じた所得から、回収不能額に相当する収入金額がなかったものとした場合に計算される所得金額を控除した残額

御質問の場合の貸付金は建築業の事業遂行上生じた貸付金ではなく、単なる業務用の貸付金と考えられますから、貸付金の元本については、その貸倒れとなった年分の雑所得の金額を限度として、その雑所得の計算上必要経費に算入することとなり、また、前年分の未収利息に係る貸倒れ20万円については、前年の雑所得の金額を限度としてその金額がなかったものとして再計算することとなります。

回収不能の利息については、更正の請求の特例により、貸倒れの生じた日の翌日から２か月以内にその貸倒れに関し、更正の請求をする必要があります（所法152）。

保証債務の履行による損失（その１）

【問10-82】　10年ほど前からの取引関係にあり、売上げの50％を占めている得意先から借入金の保証人を頼まれ、そのことによって、受注も増加する約束があったので、やむを得ず単独の保証人になったのですが、倒産して行方不明になったためにその保証責任を問われ、保証額の100万円を支払いました。その得意先は現在もまだ行方不明で警察も捜索しているのですが、分からないそうです。

この場合、求償権の行使は到底不可能ですから、その損失額を本年の必要経費に算入できるでしょうか。

【答】　税法では、保証債務の履行に伴う求償権の全部又は一部を行使することができないこととなった場合、その保証債務が事業遂行上生じたものであれば、貸倒損失として不動産所得の金額、事業所得の金額又は山林所得の金額の計算上必要経費に算入することができるものとしています（所法51②、所令141二）。

ところで、御質問の保証債務が事業の遂行上生じたものであるかどうかですが、相手は得意先であって、長年の取引があること、取引金額も総収入金額の50％を占めていること、販路拡張に協力してもらっていること等から、事業の遂行上生じたものと考えられます。

したがって、回収見込のない100万円については、求償権の行使が不可能になった本年分の事業所得の金額の計算上必要経費に算入しても差し支えないものと思われます。

保証債務の履行による損失（その２）

【問10-83】　弁護士業務を営んでいます。３年ほど前、顧問先の強い要望で、その顧問先の子会社の設立に際し100万円の融資と1,000万円の債務保証をしていました。その後、100万円の貸付金については返済を受けたのですが、今年になって子会社も顧問先も倒産し、保証債務の履行を銀行から請求され、やむを得ず現金で支払いました。

この場合、顧問先も子会社もともに多額の負債を抱えて倒産したので求償権の行使は不可能です。この損失は弁護士業務の得意先を拡張するため必要性があったので行った債務保証によるものであり、業務の遂行上生じたもので弁護士業務に係る事業所得の計算上、必要経費になると考えますがどうですか。

【答】　事業遂行上生じた売掛金、貸付金等の債権について貸倒損失が生じた場合には、事業所得の計算上必要経費とされています（所法51②）。

この場合の売掛金等の債権は、事業を遂行していく上において必然的に生ずるものについてのみ該当するものと解されます。

ところで、弁護士業務は、訴訟事件、非訟事件及び審査請求、再調査の請求、再審査請求等行政庁に対する不服申立事件に関する行為その他一般の法律事務を行うものとされています（弁護士法３①）。

このことから、資金の融資や債務保証の業務は弁護士業務と直接的、必然的な関係があるものではなく、また、債務保証を行うことが顧問先の増加又は顧問報酬の増額に直接つながるものでもありません（増額があるとすれば、弁護士報酬というものではなくその融資を行ったことに対する対価と考えられます。）。

したがって、弁護士業務の顧問先という関係があるからといって業務遂行上生じた債務保証等に該当しませんから、保証債務の履行による求償権の行使ができないことによる損失を弁護士業務に係る事業所得の計算上必要経費に算入することはできないものと考えられます。

第９節　家事関連費

お稲荷さんの神棚の設置費用

【問10-84】　呉服店を経営する私は、店舗内に「お稲荷さん」の神棚を設け毎日お参りしています。
この場合の設置費用30万円は商売繁盛のためであり、事業所得の金額の計算上、必要経費になると思いますがどうでしょうか。

【答】　個人が祭壇等を設けて神仏を信仰するのは、事業とは直接関係のない個人的なものと考えられます。そのため、その設置費用は、所得税法上家事上の支出となります。

したがって、店舗内に神棚を設置したとしても事業遂行上必要なものとはいえませんので事業所得の金額の計算上、必要経費とはなりません（所法45①一）。

事業主の通勤費

【問10-85】　店舗と居宅が離れているため、車で通勤しています。
この場合、通勤に要するガソリン代等の費用は必要経費に算入できますか。

【答】　住所と事業所の所在地が別になっている場合の通勤費の取扱いについては、その離れている原因が事業上の要請に基づく場合は必要経費、専ら家庭の事情による場合は家事費と考えるのが最も合理的と考えられます。

しかしながら、もともとこのような判定は困難であり、給与所得者が受ける通勤手当については一定限度（月額最高150,000円）まで非課税とされている（所法９①五、所令20の２）ところから、事業主自身の通勤費についても、通常の通勤が可能な距離であれば、その通勤に要すると認められる最も経済的な方法に基づく金額は必要経費に算入しても差し支えないものと考えられます。

ところで、あなたの場合は、交通機関等に支払う定期代等ではなく、通勤のために費消したガソリン代等の取扱いを問題とされていますから、その自動車の使用によって費消されたガソリン代等の全額を次の基準に従って事業用と家事用に区分した上で、事業遂行上の部分について必要経費算入が認められることとなるでしょう（所法45①一、所令96、基通45－2）。

この場合、通勤に要したガソリン代等は事業遂行上のものとして計算すればよいこととなります。

(1) 家事関連費で主たる部分が事業の遂行上必要であり、かつ、必要である部分を明らかに区分することができる場合におけるその明らかな部分の金額

(2) 青色申告者の場合は、取引の記録等に基づいて事業の遂行上直接必要であったことが明らかにされる部分の金額

(3) (1)の事業の遂行上必要であるかどうかは、その必要な部分が50％を超えるかどうかによることとされていますが、50％以下であっても事業の遂行上必要な部分が明らかな場合は必要経費に算入できます。

交通事故による損害賠償金

【問10-86】 商品の配達途上において交通事故を起こし、相手の入院治療費20万円、収入の補償30万円、慰謝料50万円で和解したのですが、この損害賠償金は必要経費に算入できますか。

また、使用人が休日に店の車で事故を起こし、損害賠償金20万円を支払いましたが、必要経費に算入できますか。

【答】 交通事故等により支払った損害賠償金（慰謝料、示談金、見舞金、補償金等他人に与えた損害を補填するために支払う一切の費用を含みます。）は、業務遂行上生じたものであれば原則として必要経費に算入され

ますが、故意又は重大な過失によって他人の権利を侵害して支払うこととなった損害賠償金は必要経費となりません。また、家事関連費としての損害賠償金も必要経費にはなりません（所法45①八、所令98②）。

したがって、御質問の場合は、業務遂行上生じたものですから、事故を起こしたことについて故意又は重大な過失がない場合には、その負担した賠償金合計100万円（自動車損害賠償保障法に基づく保険金等により補塡される金額があれば除きます。）は、事業所得の計算上必要経費に算入されます。

なお、他人の権利を侵害したことについて「重大な過失」があったかどうかは、その人の職業、地位、加害当時の周囲の状況、侵害した権利の内容、取締法規の有無等の具体的な事情を考慮し、その人が払うべきであった注意義務の程度を判定し、不注意の程度が著しいかどうかにより判定することとなりますが、次に掲げるような場合には、特別な事情がない限り、重大な過失があったものとされます（基通45－８）。

(1)　自動車等の運転者が無免許運転、高速度運転、酔払運転、信号無視その他道路交通法第４章第１節《運転者の義務》に定める義務に著しく違反すること又は雇用者が超過積載の指示、整備不良車両の運転の指示その他同章第３節《使用者の義務》に定める義務に著しく違反することにより他人の権利を侵害した場合

(2)　劇薬又は爆発物等を他の薬品又は物品と誤認して販売したことにより他人の権利を侵害した場合

次に、業務を営む個人が使用人（家族従業員を含みます。）の行為に基因する損害賠償金（慰謝料、示談金、見舞金等他人に与えた損害を補塡するために支出する一切の費用及びこれに関連する弁護士の報酬等の費用を含みます。）を負担した場合には次によります（基通45－６）。

(1)　その使用人の行為に関し業務を営む者に故意又は重大な過失がある場合には、その使用人に故意又は重大な過失がないときであっても、その業務に係る所得の金額の計算上必要経費に算入されません。

(2) その使用人の行為に関し業務を営む者に故意又は重大な過失がない場合には、その使用人に故意又は重大な過失があったかどうかを問わず、次によります。

イ　業務の遂行に関連する行為に基因するものは、その使用人の従事する業務に係る所得の金額の計算上必要経費に算入されます。

ロ　業務の遂行に関連しない行為に基因するものは、家族従業員以外の使用人の行為に関し負担したもので、雇用主としての立場上やむを得ず負担したものについては、その使用人の従事する業務に係る所得の金額の計算上必要経費に算入し、その他のもの（家族従業員の行為に関し負担したものを含みます。）については必要経費に算入されません。

したがって、御質問の使用人が起こした事故の損害賠償金20万円については、使用人が家族従業員ではなく、また、事業主としての管理上に重大な過失がなく、かつ、雇用主としての立場上やむを得ないものとして負担したものであれば必要経費に算入されます。

転勤により自宅を貸した場合の支払家賃

【問10-87】　会社の都合で転勤になった個人が、転勤前に居住していた自宅を他に貸し、自分は転勤先で借家に入居して家賃を支払っています。

支払家賃を、自宅の貸付けによる不動産所得の計算上必要経費に算入することはできませんか。

【答】　不動産所得の計算上の必要経費に算入できるのは、その不動産収入を得るために直接要した経費であり、その不動産収入が特定の支払に充てられている（つまり、支払家賃に充てられている）からといって、その不動産所得の必要経費となるわけではありません（所法37①）。

したがって、御質問の場合も支払家賃を自宅の不動産所得の必要経費として差し引くことはできません。

居住のための支払家賃はもともと生活費の一部であり、所得の処分形態ですから、必要経費性はないわけで、もしこれを、税負担に加味するとすれば、いわゆる所得控除などの人的控除の一環として考えるのが相当であり、あるいは自宅居住者との負担のバランスを考慮して、いわゆる自家家賃（自己所有の住居がある人と借家に居住する人との負担上のバランスを考慮し、家賃相当分を自宅所有者に課税するという、いわゆるインピューテッド・インカム）に課税するという方法も理論上はないではありません。

しかしながら、自分が所有して現に住んでいる住宅の家賃分を所得に加える考え方は、我が国の税制では採用されていませんし、また、社会感情としても受け入れがたいものと考えられます。

確定申告税額の延納に係る利子税

【問10-88】　私は事業所得者ですが、令和６年３月の確定申告による３期分の所得税額について、資金繰りの都合でその半額を５月31日まで延納しました。

この延納による利子税は、所得税を滞納した場合の延滞税同様、必要経費にならないのでしょうか。

【答】　所得税は、本税のほか各種附帯税も必要経費に算入されないこととされていますが、附帯税のうち、確定申告税額の延納に係る利子税で、不動産所得、事業所得又は山林所得を生ずべき事業の所得に係る所得税の額に対応するものとして、次の算式により計算した金額については必要経費に算入することとされています（所法45①二、所令97①一）。

（算式）

$$\text{確定申告税額の延納に係る利子税} \times \frac{\text{事業から生じた不動産所得の金額、事業所得の金額、山林所得の金額の合計額}}{\text{各種所得の金額の合計額（給与所得、退職所得を除きます。）}}$$

（注）　各種所得の金額は、いわゆる黒字の金額をいい、また、総合課税の長期譲渡所得の金額又は一時所得の金額については、それぞれ特別控除後の金額の２分の１に相当する金額をいいます（基通45－４）。また、分離課税の譲渡所得の金額については、特別控除後の金額によります。

なお、延払条件付譲渡に係る所得税の利子税で、その事業から生じた山林所得に係る利子税の額も、山林所得の必要経費に算入することができます（所令97①二）。

第10節　専従者控除と青色事業専従者給与

白色の事業専従者控除と青色事業専従者給与との相違

【問10-89】 白色申告者の場合は、６か月を超える期間事業に専従していなければ専従者控除はできませんが、青色申告者については、１か月だけ事業に専従している場合でもその専従に係る給与の必要経費算入が認められる場合があると聞きましたが、本当でしょうか。

また、両者の相違点について詳しく説明してください。

【答】 事業主が生計を一にする配偶者その他の親族に対し、不動産所得、事業所得又は山林所得を生ずべき事業に従事したことその他の事由によりその対価を支払っている場合でも、原則として、その対価の額は事業所得等の金額の計算上必要経費に算入することはできません。また、その対価の支払を受けた人の所得の金額の計算上、その対価の額を含めないこととなっています（所法56）。

これは、所得税が超過累進税率制度を採っているので、事業主にその支配をゆだねられている事業所得等について、自由に親族に分散し所得税の軽減を図られては、税負担のアンバランスを来すと考えられるからです。

しかしながら、事業主が親族から提供を受けた労働に対して支払う正当な対価は、企業会計的には経費性があるものと考えられ、とりわけ、法人の場合には、法人の役員等となっている親族がその法人の業務に従事したことによる給与等は損金に算入される取扱い上のバランスもあり、所得税法においては、青色申告者の家族の専従者に対する給与について、これを一定の条件のもとに必要経費に算入することを認めています（所法57）。

昭和43年分から青色申告者については、届出による完全給与制を取り入れていますが、白色申告者については、従来どおり一定額を事業専従者控除として必要経費とみなすこととなっています。

次に、それぞれの相違点をあげますと、まず、青色事業専従者給与の場合は、

(1) 手続上その年３月15日まで（その年１月16日以後新たに事業を開始した場合には、その事業を開始した日から２か月以内）に専従者の氏名、その職務の内容及び給与の金額並びにその給与の支給期等を記載した書類を届け出なければなりません（所法57②）。

(2) 事業に専ら従事することが必要で、その期間は、その年を通じて６か月を超える期間とされていますが、次の場合は、その事業に従事することができると認められる期間を通じて２分の１を超える期間その事業に専ら従事する者であればよいことになっています（所令165①）。

　① 年の中途における開業、廃業、休業又は納税者の死亡、季節営業等の理由によりその年中を通じて事業が営まれなかったこと

　② 事業に従事する者の死亡、長期にわたる病気、婚姻、その他の理由によりその年中を通じて、その納税者と生計を一にする親族として、その事業に従事できなかったこと

(3) 給与の必要経費算入額は、届出書に記載された金額の範囲内で、労務に従事した期間、労務の性質及びその程度、その事業の規模並びに収益の状況などから判断し、労務の対価として相当と認められる金額です（所令164）。

次に、白色事業専従者控除の場合は、

(1) 事業専従者控除として必要経費とみなされる金額は、次のいずれか低い方の金額です（所法57③）。

　① 50万円（事業専従者が事業主の配偶者の場合は86万円）

　② 事業に係る不動産所得、事業所得又は山林所得の金額（事業専従者控除額を控除しないで計算した所得金額）を事業専従者の数に１を加えた数で除した金額

(2) 手続上、確定申告書に専従者控除の適用を受ける旨及び必要経費とみなされる金額に関する事項の記載を要件としています（所法57⑤）。

以上のことから、御質問の青色申告者の場合には、仮に、専従者が年の中途（２月）で結婚する等の理由により退職したとしますと、専従期間は１か月しかなくても、その１か月分の専従者給与については必要経費算入が認められることとなります。

事業専従者控除額の計算

【問10-90】　白色申告者の事業専従者控除額の計算方法について説明してください。

【答】　事業専従者控除額は、次のいずれか低い方の金額となります（所法57③）。

①　50万円（事業専従者が事業主の配偶者である場合には、86万円）

②　事業所得の金額（事業専従者控除額を控除しないで計算した所得金額）を事業専従者の数に１を加えた数で除した金額

例えば、事業専従者控除額を差し引く前の事業所得の金額が180万円で、配偶者と子が事業に専従している場合には次のようになります。

＜配偶者＞

㋑　860,000円

㋺　$\frac{1{,}800{,}000円}{2+1}=600{,}000円$

㋑㋺のうち低いほうの金額……600,000円（事業専従者控除額）

＜子＞

㋑　500,000円

㋺　$\frac{1{,}800{,}000円}{2+1}=600{,}000円$

㋑㋺のうち低いほうの金額……500,000円（事業専従者控除額）

事業に「専ら従事」することの意義（その１）

【問10-91】　青色事業専従者給与は、事業に専ら従事する期間が６か月を超えていることが適用要件の一つとされていますが、この「専ら従事」とは具体的にどのように考えればいいのですか。

【答】　「専ら従事」とは、原則として、それぞれの事業内容、その親族の職務内容等により、その親族が従事すべき時間において、その時間のほとんどの時間を従事している、あるいは従事し得る状態にあることと考えます。

したがって、必ずしも就業時間のすべてに従事しなければならないということではありませんが、他に職業を有するなどのために専従を妨げられる場合には、この限りではありませんのでご注意ください。

事業に「専ら従事」することの意義（その２）

【問10-92】　私は、一週間のうち月曜日から水曜日までは、実家の両親の介護をしておりますが、木曜日と金曜日が空いているので、夫の金融業を手伝うこととしました。

夫は、青色申告の承認を受けていますので、私を青色事業専従者として届け出ようと思いますが、認められますか。

【答】　青色事業専従者給与を必要経費に算入することが認められるのは、その青色事業専従者が、居住者の営む事業に「専ら従事」することが要件とされています（所法57①）。

ご主人が営む金融業の営業日が月曜日から金曜日である場合には、青色事業専従者がその業務に従事すべき期間は、そのすべての期間となります。

したがって、一週間のうち木曜日及び金曜日のみ従事する妻は、夫の青色事業専従者とは認められません。

ただし、あなたの職務の内容が、木曜日と金曜日のみ従事すべきものである場合には、その従事時間について専ら従事していれば、青色事業専従者として届け出ることができます。

青色事業専従者と扶養控除等の関係

【問10-93】　青色事業専従者である人については重ねて扶養控除や配偶者控除の対象とされない旨規定されていますが、次の点で他に勤務する給与所得者の場合と比べて取扱いのバランスを失しているのではありませんか。

(1)　専従者給与も給与所得の収入金額とされていること

(2)　他に勤務する給与所得者であれば、その所得金額が48万円以下のときは配偶者控除又は扶養控除が受けられること

【答】　専従者給与の取扱いは、親族に支払う対価を必要経費に算入しないとする所得税法の原則に対する特例であり、そのために、一般の給与所得者とは違った制限（例えば年齢、過大給与）を受けることになっています。

このことは、親族間における給与条件等の決定においては、恣意性の介入する余地が多く、そのために課税の公平を害するといった弊害が出てくるおそれがあることを予見して、税制上もその対策として制限を付しているのであろうと思われます。

一方、一般の給与所得者は、給与所得の金額が48万円以下（令和元年分以前は38万円以下）であれば、扶養控除等の適用があるのに、青色事業専従者についてなぜそれが認められないかということですが、これについては、仮にこれを認めるとすれば、専従者についての専従者給与の必要経費算入とその専従者に対する扶養控除あるいは配偶者控除の適用とはその効果がいずれも事業主に及ぶので、実質的には専従者の扶養控除額又は配偶者控除額を48万円＋103万円＝151万円に割増しして適用するのと同じ効果を持つということに注意していただきたいと思います（103万円は給与所得で48万円に相当する給与の収入金額です。）。

これに対し一般の給与所得者の場合は、給与の必要経費算入は給与の支払者について行われ、扶養控除等は別の所得者について行われる結果、上記のような、扶養控除額等の実質割増しによる効果は出る余地がなく、また、そのために給与の額を調整するといった恣意性の介入する余地もないということです。

以上のような理由から、御指摘のような専従者給与と扶養控除の重複適用を認めないこととした立法の趣旨はご理解いただけると思います。

御質問のような要望は、専従者給与に頭打ち制度があった当時には問題がありましたが、現在は適正な給与額であればその金額は認められますので、扶養控除等による減税効果も専従者給与を多くすることによってこれに包摂することができるものと思われます（この場合、所得税及び復興特別所得税の源泉徴収と納付義務が発生します。)。

なお、専従者給与の支払を受けている青色事業専従者について、申告に際して専従者給与の必要経費算入を取り消し、代わりに扶養親族又は控除対象配偶者として申告することはできませんのでご注意ください（所法２①三十三、三十三の二、三十四)。

雑所得の基因となる業務に従事した生計を一にする親族に支払った対価

【問10-94】　私には、給与所得のほかに原稿料に係る雑所得の金額が81万円あります。この雑所得の内容は次のとおりです。

原稿料収入		1,800,000円
必要経費		990,000円
取　材　費	400,000円	
雑　　　費	140,000円	
筆　耕　料	450,000円	
差引雑所得の金額		810,000円

ところで、この必要経費99万円のうちの筆耕料45万円は、生計を一にする娘に支払ったもので、筆耕料の対価としては問題ないと思います。事業所得の場合、生計を一にする親族に支払った対価については必要経費にならないと聞いていますが、私の場合も娘に支払った45万円は雑所得の金額の計算上必要経費に算入することはできませんか。

【答】　居住者と生計を一にする配偶者その他の親族が、その居住者の営む不動産所得、事業所得又は山林所得を生ずべき事業に従事したことその他の事由により、その事業から対価の支払を受ける場合、その対価を支払った人は、その対価を不動産所得の金額、事業所得の金額又は山林所得の金額の計算上、必要経費に算入することはできませんし、一方その対価の支払を受けた人についてもその人の所得の金額の計算上、その対価は含めないこととされています（所法56）。

このように不動産所得、事業所得又は山林所得を生ずべき「事業」に従事している居住者と生計を一にする人に対する対価についてすら、必要経費に算入することを認めていませんので、その取扱いに関する規定は定められていませんが、「事業」と称するに至らない雑所得を生ずべき「業務」に従事している場合の対価については、なおさら、必要経費とすることは認められないと解するのが、相当であると思われます。

したがって、あなたが生計を一にするあなたの娘さんに筆耕料として支払った45万円は、必要経費に算入することはできませんので、雑所得の金額は81万円ではなく、126万円（180万円－40万円－14万円）となります。

なお、筆耕料は、必要経費にならない代わりに娘さんの所得の計算上もその対価はないものとされますので、娘さんに他の所得がない場合など所定の所得要件に該当すればあなたの扶養親族として扶養控除の対象となります。

専従者が他の専従者を扶養控除の対象とすることの可否

【問10-95】　事業主が青色事業専従者又は事業専従者である者を、配偶者控除又は扶養控除の対象とすることは認められていませんが、専従者が２人以上いる場合に一方の専従者が、扶養親族の所得要件を満たす他の専従者を扶養控除の対象とすることは認められますか。

【答】　控除対象配偶者又は扶養親族とされる者は、青色事業専従者で給与の支払を受けるもの又は事業専従者に該当するものでないことが要件の一つとされています（所法２①三十三、三十三の二、三十四）。

したがって、専従者が扶養親族の所得要件を満たす場合であっても、これを一方の専従者が扶養控除の対象とすることはできません。

共有アパートの事業専従者控除

【問10-96】　私と妻の２人で共有している賃貸アパート（事業的規模となっています。）の管理を、同居している母に任せています。

そこで、このアパートの不動産所得の金額の計算上、私と妻が各々母を白色事業専従者として50万円ずつ専従者控除ができるでしょうか。

【答】　専従者控除又は専従者給与の取扱いは、親族に支払う対価を必要経費に算入しないとする所得税法の原則に対する特例ということですが、生計を一にする親族で専らその事業に従事することが事業専従者の要件の一つとされています（所法57①③）。

一方、控除対象配偶者又は扶養親族には、青色事業専従者として専従者給与の支払を受ける者及び白色申告者の事業専従者に該当する者を含まない旨の規定がされています（所法２①三十三、三十三の二、三十四）。

これは、事業に専ら従事する配偶者又は扶養親族を、配偶者控除又は扶養控除とするのに代えて、専従者給与又は事業専従者控除50万円（専従者が事業主の配偶者である場合は、86万円）を必要経費として認めようとする趣旨と考えられます。

そうしますと、２人とも事業専従者控除を適用することは、生計を一にする親族のうちに納税者が２人以上いる場合は、扶養控除の適用において、いずれかの一の納税者の扶養親族に該当するものとしている趣旨（所法85⑤）に反することになります。

したがって、御質問のように夫婦でそれぞれ重複して事業専従者控除の特例の適用を受けることはできませんので、夫婦のいずれか一方の事業専従者とすることになります。

なお、そのいずれとするかは、確定申告書に記載されたところによることになります。

二つの事業に専従することの可否

【問10-97】 生計を一にする親族間において、長男甲の妻は、甲が営むアパート業と甲の母乙が営む貸家業（いずれも事業的規模となっています。）に専ら従事しているとして、甲から月額６万円、乙から月額４万円の青色専従者給与（収入金額等からみて適正額と認められます。）を受け取っています。

このように、甲及び乙の不動産所得を生ずべき事業に、同時に専従することとしてもよいのでしょうか。

【答】 生計を一にする配偶者その他の親族が、専らその事業に従事するかどうかの判定は、原則としてその事業に専ら従事する期間がその年を通じて６か月を超えるかどうかによることになっています。しかしながら、青色事業専従者については、その者が死亡、長期にわたる病気、婚姻、その他相当の理由（例えば、身体障害、就職など）により、その年中を通じて、その居住者と生計を一にする親族としてその事業に従事することができなかったときは、その事業に従事することができると認められる期間を通じて、２分の１を超える期間その事業に専ら従事すれば足りるとされています（所令165①）。

ところで、御質問の場合には、２人の納税者の営む二つの事業に専ら従事することができるかどうかですが、甲の事業に専ら従事するためには、年間を通じて２分の１を超えて従事する必要があり、そうすれば乙の事業に２分の１を超えて専ら従事することはできないこととなります。

したがって、長男の妻は、甲又は乙のいずれか一方の事業にのみ、専ら従事することになり、同時に甲と乙の営む二つの事業に青色事業専従者として、従事することは認められないことになります。

他に職業を有する場合

【問10-98】 私と妻はそれぞれ、整形外科と美容整形外科の診療所を営む青色申告者です。

私の営む整形外科の診療所の診療時間は、午前９：00～12：30、午後15：00～18：00となっていますが、妻が営む美容整形外科の診療所の診療時間は、午後のみとなっていますので、午前中は私が営む整形外科の診療所で診療してもらうこととし、妻には給料を支払うこととしたいと考えていますが、妻に支払う給与は青色事業専従者給与として必要経費に算入することが認められますか。

【答】 青色事業専従者給与が必要経費に算入することが認められるのは、その青色事業専従者が、居住者の営む事業に「専ら従事」することが要件とされています（所法57①）。

あなたが営む整形外科の診療所の診療時間は、午前９：00～12：30、午後15：00～18：00となっていますので、専ら従事するというためには、原則としてそのほとんどの時間に従事する必要があります。

したがって、午前中のみ従事する妻は、青色事業専従者とは認められません。

年の中途で結婚した娘の事業専従者控除

【問10-99】　長女が11月に結婚するまでは、食料品店の販売を手伝ってくれていたので事業専従者控除の適用を受けたいのですが、12月末日現在では生計は別であり、長女は夫の配偶者控除の適用を受けています。

この場合、私の事業所得の計算上、事業専従者控除（50万円）の必要経費算入は認められますか。また、適用ができるとすれば、控除額を10月までの月数によりあん分計算する必要はありませんか。

【答】　白色申告者の事業専従者控除の適用は、生計を一にする親族が専ら従事することが要件となっていますが、専ら従事しているかどうかの判定は、その年のうち６か月を超える期間その仕事に従事していたかどうかにより行うことになっています。また、生計を一にしているかどうかは、その仕事に従事している時の現況で判断します（所法57③、所令165）。

したがって、御質問の場合、扶養親族等を判定するときの年末において生計が別になっていたとしても、結婚する前の10月までは生計を一にしており、事業には６か月を超える期間従事していたわけですから、専従者控除の適用が認められることになります。

この場合、嫁ぎ先で配偶者控除の適用を受けていたとしても、事業主と生計が別になっている娘の夫の控除対象配偶者となっているにすぎませんので、事業専従者控除の適用の妨げとはなりません（基通２－48)。

一方、白色申告者の事業専従者控除の額は、事業主の配偶者でない専従者については、50万円の定額で規定されていますので、月数あん分の必要はありませんが、事業専従者控除前の事業所得の金額を事業専従者数に１を加えた数で除して求めた金額が50万円未満の場合には、その金額が限度とされますので注意してください。

（注）　必要経費とみなされた事業専従者控除額は、事業専従者の給与所得に係る収入金額とみなされます（所法57④)。

事業所得が赤字の場合の専従者給与

【問10-100】 青色申告者です。今年は、売掛金の貸倒損失が生じたので事業所得は赤字となってしまいましたが、青色事業専従者に支払った専従者給与は必要経費に計上できますか。

【答】　白色申告者の事業専従者控除については、【問10-90】で述べましたように、50万円（専従者が事業主の配偶者の場合は、86万円）か、事業専従者控除前の事業所得の金額を専従者の数に１加えた数で除した金額のいずれか低い金額とされており、事業所得が赤字の場合は認められませんが、青色専従者給与については、適正額であれば必要経費算入を認めており、その適正額であるかどうかは納税者の個々の実態に即し、次の状況を総合勘案して行うこととされています（所法57①、所令164①）。

(1) 青色事業専従者の労務に従事した期間、労務の性質及びその提供の程度

(2) その事業に従事する他の使用人が支払を受ける給与の状況及びその事業と同種の事業で、その規模が類似するものに従事する者が支払を受ける給与の状況

(3) その事業の種類及び規模並びにその収益の状況

したがって、事業所得の金額の計算上損失が生じた場合であっても、損失の原因が、貸倒れの発生や災害その他偶発的な損失によるものなどの相当な理由があるときは、その給与の金額が勤務の状況、支給状況などからみて、適正なものである限り必要経費に算入できます。

しかしながら、偶発的な原因によらないで、毎年損失が生じているような場合には、(3)の収益の状況に照らし不合理となりますので、その支給状況や給与の金額について、それが適正なものであるかどうかを再考してみる必要があるものと考えられます。

専従者給与相当額の借入れ

【問10-101】 青色専従者給与の必要経費算入は、その給与を実際に事業専従者に支払うことが条件となりますか。
また、帳簿上は支払ったことにして、これを直ちに事業資金として借り入れた場合、あるいは年末に一括してその年中の支給額を借り入れ、実質的に給与が未払となっているような場合はどのように取り扱われますか。

【答】 青色専従者給与の必要経費算入は、専従者がその事業から実際に給与の支払を受けた場合に限り認められることになっています（所法57①）。

そこで御質問のように支払った給与を直ちに事業資金として借り入れた場合、その借入れが真実の借入れかどうかが問題となると思います。

親族間における金銭の貸借は、多くは返済期限、利率等の定めもなく、いわゆるある時払の催促なしで、実態は贈与と認められることが多いところから、その借入れが、贈与を受けたと同様の事情にあるときは、専従者給与の支払債務の免除を受けた場合と実態は変わらず、それをもって、給与の支払があったといえるかどうかが問題となるでしょう。

このような事情を考慮して、現在は次のように取り扱うこととされております。

(1) 専従者給与の未払額がその年分の必要経費に算入できるかどうかは、未払になった経緯に相当の理由があり、かつ、短期間に現実の支払が行われているような場合に限り認められ、その他の場合には専従者給与を支給しなかったものとして取り扱われます。

(2) 各月の専従者給与は適正に支給されていたが、年末に一括して借入金処理が行われている場合には、その借入れに相当の理由があり、かつ、返済可能な状況になれば必ず返済している実態があれば認められ、その他の場合は、その支給がなかったものとして取り扱われます。

御質問の場合にも借り入れた専従者給与相当額は、実質上未払給与と同様ですので、その借入れに相当の理由があり、かつ、返済可能な状況になれば返済しているような実態があれば別として、そうでない場合はその専従者給与の必要経費算入は認められないことになります。

青色事業専従者のアパート賃借料

【問10-102】 長女の夫が６か月間の海外勤務となったことから長女と２人の孫が同居することになり、家も狭いこともあってその間青色事業専従者である長男を近くのアパートを借りて住まわせることとしました。

　このアパートの家賃は必要経費となりますか。なお、長男は独身で従来と同様、私の家で食事や入浴等をしています。

【答】　所得税法上必要経費とされるのは、収入金額を得るため直接要した費用と販売費・一般管理費等所得を生ずべき業務について生じた費用とされています（所法37①）。

　ところで、御質問によれば、アパートは家族が増加し、家が手狭となったため家庭生活上の必要に基づき賃借したものであること、また、長男のアパート入居後も食事や入浴を共にしており、別居前と同様生計を一にしていることから、そのアパートの費用は家族の生活費として負担されているものであり、入居者が青色事業専従者であるとしても必要経費とはなりません。

　なお、入浴や食事を共にすることもなく、外見上も完全に別世帯となっている場合であっても、家族関係にあることに基因してアパートを賃借して入居させていると認められる場合には、その入居している親族がその者の事業に従事し、事業専従者の取扱いを受けていなくても、そのアパートの費用は必要経費とはならないものと解されます。

専従者に支払った退職金

> **【問10-103】** 青色申告者がその事業を廃止して法人成りをするに際して個人事業当時の従業員に退職金を支給することになり、その際事業専従者にも従業員並みの退職金を支給したときは、その事業専従者に対する退職金は必要経費になりますか。

【答】　青色事業専従者に対する退職金の必要経費算入は認められていませんから、ご指摘の事業専従者に支払う退職金は必要経費に算入することは認められません。

この根拠は、所得税法第57条第１項において、専従者が受ける給与は給与所得の収入金額とするものとされ、退職所得の収入金額となるものは、必要経費に算入される専従者給与の中に予定していないためです。

このことも、【問10-93】において述べた専従者給与の性格（一般使用人の給与との違い）に基因するものと考えられます。

専従者給与額の変更

> **【問10-104】** 青色申告者ですが、年々所得が増加しておりますので、専従者給与も毎年10％程度増額しています。この場合でも専従者給与額の変更届を毎年出さなければ認められませんか。

【答】　青色申告者の専従者給与については、その年３月15日まで（その年１月16日以後、新たに事業を開始した場合には、その事業を開始した日から２か月以内）に専従者の氏名、その職務の内容及び給与の金額並びにその給与の支給期等を記載した書類を、納税地の所轄税務署長に提出することが要件の一つとなっています（所法57②）。

また、一度届け出た専従者給与の額等を変更する場合には、遅滞なく次の事項を記載した書類を納税地の所轄税務署長に提出することになっています（所令164②、所規36の４②）。

(1) 書類を提出する者の氏名及び住所（国内に住所がない場合には居所）並びに住所地（国内に住所地がない場合には居所地）と納税地が異なる場合にはその納税地
(2) その変更する内容及びその理由
(3) その他参考となるべき事項

したがって、給与や賞与の金額について変更する場合には、書類により変更届を提出する必要がありますが、御質問のような毎年の定期昇給を規約等により定めている場合には、最初の届出書に、従業員について定めている規約等に準じて昇給させる旨を記載しておくことによって、その後の変更届出書の提出を省略することが可能です（所規36の４①五）。

しかしながら、景気の上昇等により急に収益の状況が良くなったことなどの原因により、規約に基づかないで給与を引き上げることとなったときは、その都度変更届出書を提出する必要があります。

第11節　引　当　金

個別評価による貸倒引当金制度の概要

【問10-105】 白色申告者にも貸倒引当金が認められると聞きましたが、貸倒引当金とは、どのようなものですか。

【答】　個別に評価する金銭債権に係る貸倒引当金については、一括評価による貸倒引当金と異なり、白色申告者についても必要経費に算入することができます（所法52①、所令144①、所規35、所規35の２）。

この個別評価による貸倒引当金制度の概要は次のとおりです。

1　対象となる者

不動産所得、事業所得又は山林所得を生ずべき事業を営む居住者

2　対象となる金銭債権

その事業の遂行上生じた売掛金、貸付金、前渡金その他これらに準ずる金銭債権（債券に表示されるべきものを除きます。以下「貸金等」といいます。）

なお、個別評価を行う債権等は、個々の債権等ではなく、貸倒れが見込まれる貸金等に係る債務者に対する貸金等のすべてが対象となります。

3　繰入限度額

(1) その貸金等が、次に掲げる事由に基づいてその弁済を猶予され、又は賦払により弁済される事実が生じていることにより、その貸金等の額のうち、その事由が生じた年の翌年１月１日から５年を経過する日までに弁済されることとなっている金額以外の金額（担保権の実行等によりその取立て又は弁済（以下「取立て等」といいます。）の見込があると認められる部分の金額を除きます。）

イ　更生計画認可の決定

ロ　再生計画認可の決定

ハ　特別清算に係る協定の認可の決定

ニ　法人税法施行令第24条の２第１項（再生計画認可の決定に準ずる事実等）に規定する事実が生じたこと

ホ　債権者集会の協議決定で合理的な基準により債務者の負債整理を定めているもの

ヘ　行政機関、金融機関その他第三者のあっせんによる当事者間の協議により締結された契約でその内容がホに準ずるもの

(2) その貸金等に係る債務者につき、債務超過の状態が相当期間継続し、かつ、その営む事業に好転の見通しがないこと、災害、経済事情の急変等により多大な損害が生じたことその他の事由により、その貸金等の一部の金額につきその取立て等の見込みがないと認められるときのその一部の金額に相当する金額

(3) その貸金等に係る債務者につき、次に掲げる事由が生じているときにおけるその貸金等の額（その貸金等の額のうち、その債務者から受け入れた金額があるため実質的に債権とみられない部分の金額及び担保権の実行、金融機関又は保証機関による保証債務の履行その他により取立て等の見込みがあると認められる部分の金額を除きます。）の50%に相当する金額

イ　更生手続開始の申立て

ロ　再生手続開始の申立て

ハ　破産手続開始の申立て

ニ　特別清算開始の申立て

ホ　手形交換所（手形交換所のない地域にあっては、その地域において手形交換業務を行う銀行団を含む。）による取引停止処分

ヘ　電子記録債権法に規定する電子債権記録機関（次に掲げる要件を満たすものに限ります。）による取引停止処分

(イ)　金融機関（預金保険法第２条第１項各号に掲げる者をいいます。）の総数の100分の50を超える数の金融機関に業務委託をしていること

(ロ)　電子記録債権法第56条に規定する業務規定に、業務委託を受けている金融機関はその取引停止処分を受けた者に対し資金の貸付けをすることができない旨の定めがあること

(4)　その貸金等に係る債務者である外国の政府、中央銀行又は地方公共団体の長期にわたる債務の履行遅滞によりその貸金等の経済的な価値が著しく減少し、かつ、その弁済を受けることが著しく困難であると認められるときのその貸金等の額（その貸金等の額のうち、その債務者から受け入れた金額があるため実質的に債権と認められない部分の金額及び保証債務の履行その他により取立て等の見込みがあると認められる部分の金額を除きます。）の50％に相当する金額

（注）　居住者の貸金等について(1)から(4)の事実が生じている場合でも、その事実が生じていることを証する書類等の保存がされていないときは、その事実は生じていないものとみなされます（所令144②）。

したがって、御質問のとおり、白色申告者の方であっても、不動産所得、事業所得又は山林所得を生ずべき事業を営む居住者であれば、対象となります。

なお、この個別評価による貸倒引当金に繰り入れた金額は、一括評価による貸倒引当金同様、翌年分の事業所得等の総収入金額に算入しなければなりません。

一括評価による貸倒引当金の対象となる貸金の範囲

【問10-106】 青色申告者ですが、今年から一括評価による貸倒引当金を設けたいと思います。使用人に対する貸付金についてもこの貸倒引当金を設けることができるそうですが、家主へ支払った保証金や仕入先へ支払った手付金についてもこの貸倒引当金を設けることができますか。

【答】　事業所得を生ずべき事業を営む青色申告者が、その事業の遂行上生

じた売掛金、貸付金その他これらに準ずる金銭債権（個別評価による貸倒引当金の対象になった金額（【問10-105】参照）及びその債権に係る債務者から受け入れた金額があるため、実質的に債権と認められないものは除かれます。）について貸倒引当金を設けた場合、その貸倒引当金相当額は必要経費に算入することができます（所法52②、所令145①）。

さて、債権のうち「売掛金、貸付金」とは、販売業者の売掛金、金融業者の貸付金のように事業の遂行上生じたもので、それが貸倒れとなった場合はその事業所得の金額の計算上必要経費に計上されることとなるものです。

また、「その他これらに準ずる債権」とは、例を挙げますと、事業の遂行上生じた役務の対価である未収加工料、未収請負金、未収手数料、未収保険料及び未収利息で事業所得の金額の計算上総収入金額に算入された収益に係るものです。

しかしながら、次に掲げるようなものは、事実の遂行上生じたものであっても、貸倒引当金の対象となる貸金には該当しないこととなっています（基通52－17）。

(1) 保証金、敷金（土地、建物等の賃借等に関連して無利息又は低利率で提供した建設協力金等を含みます。）、預け金その他これらに類する金銭債権

(2) 手付金、前渡金等のように資産の取得の代価又は費用の支出に充てるものとして支出した金額

(3) 前払給料、概算払旅費、前渡交際費等のように将来精算される費用の前払として一時的に仮払金、立替金等として支出した金額

(4) 雇用保険法、雇用対策法、障害者の雇用の促進等に関する法律等の法令の規定に基づいて交付を受ける給付金等の未収金

(5) 仕入割戻しの未収金

（注） 仮払金等として計上されている金額については、その実質的な内容に応じて貸金に該当するかどうかを判定することになります。

以上のことから、御質問の保証金や手付金については、貸倒引当金設定の対象とはなりませんし、使用人に対する貸付金についても、近い将来において精算されるような前払給料の性格を有するものや概算払の旅費であれば対象とはなりません。

割引手形、裏書譲渡手形に対する一括評価による貸倒引当金の設定

【問10-107】 受取手形を割引したり、仕入先へ裏書譲渡した場合でも一括評価による貸倒引当金を設定することができますか。その受取手形が、いわゆる融通手形の場合でもかまいませんか。

【答】　一括評価による貸倒引当金の設定の対象となる貸金の範囲については前問で述べたとおりですが、売掛金や貸付金の債権について取得した受取手形を、買掛金の支払や割引のために裏書譲渡した場合、その受取手形に係る売掛金や貸付金等についてもこの貸倒引当金の対象となる貸金に該当するものとして、引当金を設定することができることとされています（基通52－16）。

これは売掛金や貸付金等の債権について、受取手形を受領した場合においてその受取手形を裏書譲渡しても、手形の決済期が来るまでは記帳上売掛債権等が存在することと、不渡りの発生する事故が多い現状から偶発債務の履行を裏書譲渡した相手先から請求される場合があることなどにより、このような取扱いが設けられているものと考えられます。

なお、金融業等を営む人が、貸付金等の既存の債権と関係のない手形を取得した場合において、その受取手形を所持している間は手形債権として貸金に該当しますが、その手形を裏書譲渡したときには、その時点で手形債権は消滅し、貸金に該当しなくなります（基通52－16(注)）。

また、事業遂行上生じた保証債務についてですが、経理上は、割引手形や裏書譲渡した手形と同じように偶発債務です。

しかしながら、その見返りである求償権についてはこの貸倒引当金の対

象とはなりません。すなわち連帯保証をしただけでは、その相手方に対して求償権を行使する段階には至らず債権がまだ存在しないからです。

万一、その保証債務を履行したことにより保証した相手先に求償権が生じた場合には、その求償権についてこの貸倒引当金を設けることができます。

次に、御質問の融通手形ですが、この貸倒引当金の対象となる貸金からは、実質的に債権とみられない額は除くこととしており、その額として、債務者から受け入れた金額と相殺適状にある債権だけでなく、債務者から受け入れた金額と相殺的な性格を持つ債権及び債務者と相互に融資している場合などのその債務者から受け入れた金額に相当する債権も含まれることになっていますから、融通手形は、この貸倒引当金の対象となる貸金には該当しません（基通52－18）。

就業規則を定めていない場合の退職給与引当金

【問10-108】 昨年から青色申告をしています。私の店では使用人が10人以上となることがありませんので就業規則は定めていませんが、退職金は勤務年数等に応じて支払うことにしています。

この場合は、退職給与引当金を設けることができますか。

【答】　青色申告者が、事業に従事する使用人（その人と生計を一にする配偶者その他の親族は除かれます。）に対し退職給与を支給する場合、その退職給与の支払に充てるため、あらかじめ退職給与引当金を設定すれば、その引当金に繰り入れた金額を必要経費に算入することができます（所法54①）。

その要件の一つとして、次に掲げるうちいずれか一の退職給与規程を定めておくことが必要とされています（所令153）。

(1)　労働協約により定められた退職給与の支給に関する規程

(2)　行政官庁に届け出ている就業規則により定められた退職給与の支給に

関する規程

(3) 退職給与の支給に関する規程をあらかじめ納税地の所轄税務署長に届け出た場合におけるその規程

したがって、事業主が自由に退職給与の支給基準を変え得る状態では、退職給与引当金の設定は認められませんが、使用人が10人未満の事業規模の場合は、労働基準法第89条《就業規則の作成及び届出の義務》の規定は適用されず、行政官庁への就業規則の届出は必要ありませんので、上記(3)の退職給与規程を定めて、納税地の所轄税務署長へあらかじめ届け出ておけば、退職給与引当金を設定することができます。

また、届け出ている退職給与規程を変更した場合は、変更届が必要とされます（所令158②）。

なお、青色事業専従者に対しては、退職給与引当金を設定することはできません（所法54①）。

第12節　リース取引に係る所得税の取扱い

売買とされるリース取引

【問10-109】 私は病院を経営していますが、資金繰りの都合で診療用機器１台（約400万円程度）をリース会社からリース契約で賃借しようと思っています。
　友人の話によると、このような賃貸借契約を結んだ場合でも、売買として取り扱われることがあると聞きましたが、具体的にどのような場合でしょうか。

【答】　現在広く一般的に行われているリース取引の中には、その契約が賃貸借契約となっていても、その実態をみるとリース期間（賃貸借期間をいいます。）経過後、そのリース物件を賃借人に譲渡することになっていることや、リース物件が廃棄されるまで賃借人において使用されることになっているなど、資産の割賦購入又は延払条件付売買といっても過言でない取引が数多く行われているようです。

　そこで個人がリース取引を行った場合には、そのリース資産の賃貸人から賃借人への引渡しの時にそのリース資産の売買があったものとして、賃貸人又は貸借人である個人の各年分の各種所得の金額の計算をするものとされています（所法67の２①）。

　なお、ここでいうリース取引とは、①その賃貸借に係る契約が賃貸借期間の中途において解除することができないものであること又はこれに準ずるものであること、②賃借人が賃貸借資産からもたらされる経済的利益を実質的に享受することができる賃貸借で、かつ、その使用に伴って生ずる費用を実質的に負担すべきこととされていることになっているものをいいます（所法67の２③）。

　したがって、御質問の医療用機器のリース契約がこのようなリース取引に該当する場合には、その医療用機器の引渡しを受けた時に売買が行われたものとして取り扱われることになります。

（注）　リース取引のうち居住者が譲受人から譲渡人に対する賃貸（リース取引に該当するものに限る。）を条件に資産の売買取引を行った場合において、その資産の種類、その売買や賃貸に至るまでの事情その他の状況に照らし、これら一連の取引が実質的に金銭の貸借であると認められるときは、当該資産の売買はなかったものとして、その居住者の各種所得の金額を計算するものとされています（所法67の２②）。

第13節　消費税等に係る所得税の取扱い

消費税等の経理処理の選択（その１）

【問10-110】 私は、家庭電気器具小売業を営んでおり、消費税の課税事業者ですが、商品の売上げや仕入れに係る消費税等については、税抜経理の方式で経理しています。

この場合、その他の経費の支出に係る消費税等について税込経理の方式によることはできますか。

【答】　個人事業者（消法２①三）が行う取引に係る消費税等の経理処理については、税抜経理方式又は税込経理方式のいずれの方式を選択しても差し支えないことになっていますが、選択した方式は、原則として、その個人事業者の行うすべての取引について適用しなければなりません（平元.３.29直所３－８（令５課個２－40改正。以下同じ。）「２」）。

（注）　個人事業者が不動産所得、事業所得、山林所得又は雑所得のうち複数の所得を生ずべき業務を行う場合には、所得の種類を異にする業務ごとに税抜経理方式又は税込経理方式のいずれかを選択できます。

ただし、個人事業者が売上げ等の収入に係る消費税等について税抜経理方式を選択している場合には、次ページに示すような経理方式が認められています（平元.３.29直所３－８「２－２」）。

御質問の場合、その他の経費の支出に係る消費税等について税込経理方式によるということは、次ページの表の④に示した方式に当たりますから、継続適用を条件に認められることになります。

区分＼方式	①	②	③	④	⑤	⑥	⑦
売上げ等の収入	○	○	○	○	○	○	○
棚卸資産の取得	○	○	×	○	○	×	×
固定資産の取得	○	○	×	×	×	○	○
繰延資産の取得	○	○	×	×	×	○	○
販売費・一般管理費の支出	○	×	○	×	○	×	○
備考	原則			継続適用が条件			

○……税抜経理方式　×……税込経理方式

（注）　売上げ等の収入に係る消費税等について税込経理方式を適用している場合には、資産の取得等に係る消費税等の経理処理についても税込経理方式によることになります（平元3.29直所3－8「3」）。

（参考）消費税等の経理処理の概要

区分	税込経理方式	税抜経理方式
特徴	売上げ又は仕入れ等に係る消費税等の額は、売上金額又は資産の取得価額等に含まれるため、消費税等の額が損益計算に影響することになりますが、税抜計算の手数が省けます。	売上げ又は仕入れ等に係る消費税等の額は、仮受消費税等又は仮払消費税等とされるので、消費税等の額は損益計算に影響しませんが、税抜計算に手数が掛かることがあります。
課税売上げに係る消費税等の額	売上げに含めて収入として計上します。	仮受消費税等とします。
課税仕入れに係る消費税等の額	仕入金額、資産の取得価額又は役務提供の対価の額に含めます。	仮払消費税等とします。
納付税額	租税公課として必要経費に算入します。	仮受消費税等と仮払消費税等との差額が納付すべき消費税等の額（又は還付消費税等の額）になりますが、簡易課税制度の適用などにより実際に納付すべき消費税等の額（又は還付税額）との間に差額がある場合には、その差額を雑収入（又は租税公課）とします。
還付税額	雑収入として収入金額に算入します。	

（注）1　税抜経理方式による経理処理は、原則として、取引の都度行うべきものですが、税抜きの経理処理をその年の12月31日において一括して行う（年末一括税抜経理方式）ことも認められています（平元.３.29直所３－８「４」）。

2　消費税の納税義務が免除されている個人事業者の消費税等の経理処理は、税込経理方式によることになっています（平元.３.29直所３－８「５」）。

消費税等の経理処理の選択（その２）

【問10-111】 私は、物品販売業を営んでおり、消費税の課税事業者ですが、本年11月に事業用車両を売却する予定です。私は、消費税等の経理処理として税込経理を採用しているのですが、この車両の売却に係る譲渡所得の金額の計算については、税抜経理方式によることは認められますか。

【答】　個人事業者が行う取引に係る消費税等の経理処理については、不動産所得、事業所得、山林所得又は雑所得を生ずべき業務ごとに税込経理方式又は税抜経理方式のいずれかを選択できることとされていますが、一の業務について選択した方式は、その業務に係るすべての取引について適用することになります（平元.３.29直所３－８「２」）。

ところで、業務用固定資産の譲渡による所得は、譲渡所得に区分されますが、その譲渡に消費税等が課される場合、その消費税等の経理処理は、譲渡資産をその用に供していた業務について選択した経理処理によるものとされています（平元.３.29直所３－８「２」（注）２）。

したがって、御質問の物品販売業の用に供していた車両の譲渡についての経理処理は、物品販売業について適用されている税込経理方式によることになりますから、譲渡所得の金額の計算上、総収入金額に算入するのは、税込の売却価額になります。

仮受消費税等及び仮払消費税等の精算（その１）

【問10-112】 消費税等について税抜経理方式で経理処理していますが、年末における仮受消費税等と仮払消費税等との差額が翌年に実際に納付すべき消費税等の額に一致しない場合の課税関係について教えてください。

【答】　消費税等について税抜経理方式を適用している場合には、仮受消費税の金額と仮払消費税等の金額との差額が納付すべき消費税等の額に一致するものと考えられ、納付すべき消費税等の額は、事業所得等の損益計算に影響しないことになるのですが、実際には、次に掲げる場合等、これらの金額が必ずしも一致しないことがあります。

①　消費税の課税売上割合が95％未満又は当課税期間の課税売上高が５億円を超えるため仕入税額控除できない金額が仮払消費税等として残る（控除対象外消費税額等）ことになる。

②　簡易課税制度（消法37）の適用により、仮受消費税等の金額と仮払消費税等の金額との差額が実際に納付すべき消費税等の額と異なる。

①に掲げる控除対象外消費税額等については、その生じた年分の必要経費とされるか繰延消費税額等として５年間にわたって必要経費に算入されることになっています（所令182の２。【問10-114】参照）。

②に掲げる場合には、仮受消費税等の額（特定課税仕入れの消費税等の経理金額を含みます。）から仮払消費税等の額（特定課税仕入れの消費税等の経理金額を含み、控除対象外消費税額等に相当する金額を除きます。）を控除した金額と実際に納付すべき消費税等の額又は還付されるべき消費税等の額との差額は、その課税期間を含む年分の総収入金額又は必要経費に算入されることになっています（平元.３.29直所３－８「６」）。

（注）１　「特定課税仕入れの消費税等の経理金額」とは、特定課税仕入れの取引に係る消費税等の額に相当する額として経理した金額をいいます（平元.３.29直所３－８「５の２」ただし書）。

2　「特定課税仕入れ」とは、国内において国外事業者から受けた「電気通信利用役務の提供」及び「特定役務の提供」をいいます。

仮受消費税等及び仮払消費税等の精算（その２）

【問10-113】 機械部品加工業者ですが、消費税等について税抜経理方式を採用しています。ところで、仮受消費税等のうちに事業用固定資産の譲渡に係るものが含まれている場合、実際に納付すべき消費税等の額が年末における仮受消費税等の額から仮払消費税等の額を控除した残額を上回ったときの課税関係はどうなりますか。

【答】　税抜経理方式を採用している業務の用に供していた固定資産を譲渡した場合には、その譲渡所得の計算においても消費税等の額は損益に影響しないことになります。

この場合には、その固定資産の譲渡に係る消費税等も仮受消費税等に含めた上で仮受消費税等から仮払消費税等を控除した残額と実際に納付すべき消費税等の額との差額を事業所得等の金額の計算上総収入金額又は必要経費に算入することとされています（平元.３.29直所３－８「12」）。

御質問の場合、仮受消費税等から仮払消費税等を控除した残額が実際に納付すべき消費税等の額を下回っていますから、その差額を消費税の課税期間を含む年分の事業所得の金額の計算上、必要経費に算入することになります。

資産に係る控除対象外消費税額等

【問10-114】私は、消費税等の経理処理を税抜経理方式により行っていますが、課税期間の仕入れ等に係る消費税等のうち非課税売上げに対応する部分が控除されていません。

この控除対象外消費税額等については、所得金額の計算上、どのように処理をすればよいのでしょうか。

【答】　事業所得等の金額の計算上、消費税等の経理処理については、税込経理方式（消費税等の額とその消費税等に係る取引の対価の額とを区分しないで経理する方法をいいます。）と税抜経理方式（消費税等の額とその消費税等に係る取引の対価の額とを区分して経理する方式をいいます。）とがあります。

ところで、税抜経理方式によっている場合において、課税期間中の課税売上割合が95％以上で、かつ当課税期間の課税売上高が５億円以下であるときは、課税仕入れに係る消費税等の全額が仕入税額控除の対象となりますが、課税売上割合が95％未満であるとき又は当課税期間の課税売上高が５億円超であるときは、課税仕入れに係る消費税等のうち一部の金額は、仕入税額控除の対象とならないことから（この部分を、控除対象外消費税額等といいます。）、何らかの方法で必要経費に算入することが必要となります。

（注）　税込経理方式による場合は、消費税等の額を含んだ金額により経理処理されるため、事業所得等の金額の計算上新たな処理は必要ありません。

この控除対象外消費税額等のうち、資産に係るもの以外のものは、その年分の必要経費に算入されますが、資産に係るものは、これを個々の資産の取得価額に配賦し、減価償却の方法で費用化するか、次の方法で必要経費に算入するかのいずれかによることとされています（所令182の２）。

1　資産に係る控除対象外消費税額等の生じた年

① 課税売上割合が80％以上である場合

その年において生じた資産に係る控除対象外消費税額等はその年の必要経費に算入されます。

② 課税売上割合が80％未満である場合

イ　その年において生じた資産に係る控除対象外消費税額等のうち、次に掲げるものについてはその年の必要経費に算入されます。

・一の資産に係る金額が20万円未満であるもの（棚卸資産に係るものを除きます。）

・棚卸資産に係るもの

・特定課税仕入れに係るもの

ロ　イにより必要経費に算入されない控除対象外消費税額等（以下「繰延消費税額等」といいます。）については次の算式により計算した金額が必要経費に算入されます。

$$\text{繰延消費税額等}\times\frac{\text{その年において事業所得等を生ずべき業務を行っていた期間の月数}}{60}\times\frac{1}{2}=\text{必要経費算入額}$$

2　資産に係る控除対象外消費税額等の生じた年の翌年以降の各年

次の算式により計算した金額（その計算した金額がその繰延消費税額等のうち既に必要経費に算入された金額以外の金額を超える場合は、当該金額とします。）が必要経費に算入されます。

$$\text{繰延消費税額等}\times\frac{\text{その年において事業所得等を生ずべき業務を行っていた期間の月数}}{60}=\text{必要経費算入額}$$

なお、1及び2につき必要経費に算入した金額がある場合には、その年分の確定申告書にこれらの取扱いにより必要経費に算入される金額の計算に関する明細書を添付することが必要です。

税込経理方式を採用している個人事業者の消費税等の必要経費算入時期

【問10-115】 私は、消費税等の経理処理として税込経理方式を採用している個人事業者です。
　令和６年１月１日から同年12月31日までの消費税課税期間の消費税等は、令和７年３月に申告・納付することになりますが、この税額は、事業所得の計算上、令和６年分の必要経費とすることはできないでしょうか。

【答】　税込経理方式を採用している場合、課税売上げに係る消費税等は、収入金額に含まれますから、納付すべき消費税等の額は、租税公課として必要経費に算入することになります。その計上時期については、次のように取り扱われることになっています（平元.３.29直所３－８「７」）。

　税込経理方式を採用している個人事業者が納付すべき消費税等については、原則として、次に掲げる日の属する年の事業所得等の計算上、必要経費に算入することとされています。

(1)　納税申告書に記載された税額………………納税申告書が提出された日

(2)　更正又は決定に係る税額………………………更正又は決定のあった日

　ただし、翌年３月に提出予定の納税申告書に記載すべき消費税等の額を未払金に計上した場合には、その金額を未払金に計上した年分の事業所得等の計算上、必要経費に算入することが認められています。

　したがって、御質問の場合、納付すべき消費税等の額を令和６年12月末日の未払金に計上すれば、令和６年分の事業所得等の金額の計算上、必要経費に算入することができます。

税込経理方式を採用している個人事業者が受ける消費税等の還付税額の収入すべき時期

【問10-116】 私は、消費税等の経理処理として税込経理方式を採用している物品販売業を営む個人事業者です。

令和６年分には、多額の設備投資があったため消費税等の額の計算をすると還付になる見込みですが、消費税等の還付税額は、消費税等の申告書を提出する令和７年分の事業所得の金額の計算上、総収入金額（雑収入）に計上しなければなりませんか。

【答】 税込経理方式を採用している個人事業者が受ける消費税等の還付税額の収入すべき時期については、納付すべき消費税等の額の必要経費算入時期（前問参照）と同様、原則として、消費税等の申告書が提出された日の属する年分とされます。

具体的には、次に掲げる日の属する年の事業所得等の金額の計算上、総収入金額に算入されます（平元.３.29直所３－８「８」）。

(1) 納税申告書に記載された還付税額…………納税申告書が提出された日

(2) 減額更正に係る税額…………………………更正があった日

ただし、申告期限未到来の納税申告書に記載すべき消費税等の還付税額を未収入金に計上した場合は、その金額を未収入金に計上した年分の事業所得等の金額の計算上、総収入金額（雑収入）に算入することが認められています。

したがって、御質問の場合、消費税等の還付税額を令和６年12月末日の未収入金として経理すれば、令和６年分の事業所得の金額の計算上、総収入金額に算入することができます。

第14節　その他の必要経費

売上げの一部を寄附した場合の必要経費の取扱い

【問10-117】 私は、個人で食料品の小売販売をしており、売上げの一部を子供食堂に寄附する取組を始めることにしました。この取組については、①指定商品の売上金額の一定割合を寄附金額とすること、②寄附先、③寄附日などをあらかじめ設定し、指定商品を購入するお客様にご理解いただけるよう店内ポスターやホームページなどで広く一般に周知するとともに、寄附をした後には、その旨も同様に周知することとしています。

この度、予定どおり子供食堂に寄附をしましたが、この支出は、事業所得の金額の計算上、必要経費に算入することはできますでしょうか。

【答】　ご質問については、子供食堂に寄附した金額が、事前に広く一般に周知していた取組によるものであることが明らかである場合に限り、事業所得の金額の計算上、必要経費に算入することができます。

所得税法上、必要経費とされるのは、収入金額を得るため直接要した費用と販売費・一般管理費等の所得を生ずべき業務について生じた費用とされています（所法37①）。

御質問によれば、商品の販売時において、所定の日に売上金額の一定割合の金額を指定された子供食堂に寄附することを店内ポスターなどで広く一般に周知していたとのことですので、あなたが始めた取組は、子供食堂を支援する目的のほかに、集客を目的とした一種の広告宣伝としての効果を有しているものと認められます。

また、顧客が指定商品を購入する際には、あなたと顧客との間で、この取組（取引条件）に合意していたものと考えられますので、あなたには、売上の一部から所定の金額を子供食堂に寄附する義務が生じていることになります。

したがって、子供食堂に寄附をしたことによる支出は事業の遂行上必要なものとして生じたものと考えられますので、その支出は、事業所得の金額の計算上、必要経費に算入することができます。

なお、あらかじめ周知する内容が不明確である場合など、次のような場合には、事業所得の金額の計算上、必要経費に算入することはできませんので、ご留意ください。

・周知する内容を「売上げの一部を寄附します」としか示していない場合（寄附金額が不明確）
・周知する内容を「子供食堂に寄附します」としか示していない場合（寄附先が不明確）
・周知内容と異なる内容の寄附を行っている場合（事業の遂行上必要かどうか不明確）

（注）　個人事業主が支出した寄附金で、必要経費に算入されないものについては、事業主個人の家事上の経費になります。家事上の経費に該当する寄附の寄附先が国や地方公共団体等の寄附金（税額）控除の対象である場合には、控除の適用を受けることができます。

従業員を被保険者とする生命保険（定期保険）契約の保険料

【問10-118】 被保険者を従業員とし、保険金受取人を事業主とする掛捨ての生命保険契約について事業主が負担する保険料は必要経費となりますか。また、この保険契約に基づき事業主が受け取る一時金は従業員の負傷、死亡による支払退職金に充当するためのものですが、この一時金は事業主の一時所得となりますか。

【答】　御質問の保険料支払額は、事業所得等の計算上必要経費に算入することができ、また、事業主が保険金を受け取った場合、その保険金収入は一時所得の収入金額ではなく、事業所得等の収入金額となります（所法37、基通34－1(4))。

従業員を被保険者とし、事業主を保険金受取人とする生命保険契約に係る保険料を事業主が負担した場合でも、その保険契約が満期返戻金や解約返戻金の支払われるものである場合は、支払保険料は一種の貯蓄ですので原則として必要経費とはなりません（【問10-119】参照)。

しかしながら、御質問のような掛捨ての保険契約の場合には従業員の雇用に基因する将来の経費支出を担保するものであり、工場や商品の損害保険料と同様に、事業遂行上必要な経費とみられますから、必要経費算入が認められることになっています。

なお、生命保険金収入は一般に一時所得（保険料負担者が死亡した場合の死亡保険金は相続財産）となりますが、事業に関連して収入するものは、事業所得等の収入金額とされます（従業員が保険金を受け取る場合は【問6-75】参照)。

従業員を被保険者とする生命保険（養老保険）契約の保険料

> **【問10-119】** 私は、個人事業主ですが、このたび、次のような養老保険に加入し、保険料を負担しています。
> ・保険契約者　事業主　　・被保険者　従業員
> ・満期保険金受取人　事業主　　・死亡保険金受取人　従業員の遺族
> ・保険期間　10年
> 私の負担している保険料は事業所得の金額の計算上必要経費に算入できますか。また、満期保険金の課税関係はどうなりますか。

【答】　事業主が法人である場合には、御質問のような養老保険に係る保険料については、その支払保険料の２分の１を損金算入し、２分の１を資産計上する取扱いが認められています（法基通９－３－４(3))。

所得税法上、明確な取扱いは示されていませんが、個人事業主が従業員の福利厚生を目的として、従業員を被保険者として養老保険に加入し、保険料を負担している場合には、法人の取扱いに準じ、負担する保険料の２分の１を事業所得に係る必要経費に算入し、残り２分の１を資産計上する方法で経理することとして差し支えないものと考えられます。

この場合、事業主が満期保険金を受け取ったときは、その金額を事業所得の計算上総収入金額に算入し、資産計上している既払込保険料の２分の１相当額（剰余金、割戻金等の支払を受けた場合にはその金額を控除した金額）を必要経費に算入する必要があります。

（注）　生命保険契約に基づく満期保険金は、通常、一時所得として課税されますが、業務に関連して受けるものは一時所得の課税対象から除かれています（基通34－１(4)）。

しかしながら、以上のような取扱いが認められるのは、あくまでもその保険契約が事業上必要な保険といい得るものでなければなりません。

御質問のような養老保険の場合、被保険者となっている従業員の年齢、契約期間、保険料の支払方法等からみて、従業員の福利厚生というよりは、事業主本人の利殖を目的としたものとみられるものが少なくありません。仮に、事業主の利殖を目的とした保険契約に基づく保険料であれば、その２分の１を事業所得の金額の計算上必要経費に算入する取扱いは認められず、全額を将来満期保険金を受け取った場合の一時所得の金額の計算上控除すべきものと考えられます。

そこで、御質問のような養老保険が事業上の保険といい得るためには、次のような条件を満たす必要があると考えられます。

①　原則として、家族従業員を除く全従業員を被保険者とする契約を締結していること（家族従業員を被保険者とする契約に係る保険料は家事費とされます。）

②　各従業員の退職年齢を考慮した契約期間としているか、又は、事業主と各従業員の間に退職までの期間、順次契約を更新していく旨の取決めが交わされていること

③　事業主が受け取る満期保険金について、被保険者である従業員との間に将来の退職金の原資に充てるなど、福利厚生目的に使用される旨の取決めが交わされていること

④　事業主が当該保険契約に係る保険料、剰余金等、保険金などその契約に係る取引の全てについて正確に記帳していること

事業主を被保険者とする生命保険契約の保険料

【問10-120】 私は、自分が不測の事故などにより急死した場合を想定し、従業員に支払う退職金に充てる目的で、私を被保険者及び契約者とし、従業員を受取人とする掛捨ての生命保険契約を締結しています。

この場合、私の支払った生命保険料は事業所得の金額の計算上、必要経費に算入できますか。

【答】　事業主を被保険者とする保険契約は、事業遂行上必要なものとはいえません。また、従業員のための退職金の積立ては退職給与引当金勘定の設定又は所定の退職金共済団体等への掛金の支払に限られており、任意に積立等をしても必要経費算入等は認められません（所法54、所令64②）。

したがって、御質問の生命保険料は、掛捨てであっても事業所得の金額の計算上必要経費とはなりません。

なお、従業員が当該生命保険契約に基づく保険金を受け取った場合には、退職所得とはならず、遺贈により取得したものとして相続税が課税されることになります。

融資を受けるために付保された生命保険契約の支払保険料

【問10-121】 Ａ医師は、病棟を建設するためにＢ銀行から長期融資を受けることとしましたが、Ｂ銀行はその返済を確実とするため、Ａ医師が生命保険に加入することを条件としています。

この生命保険契約は、いわゆる掛捨保険で、Ａ医師が保険契約者、被保険者及び保険金受取人となり、保険事故が発生した場合は、その保険金の一部（債務残高）がＢ銀行に支払われるように質権の設定が行われており、保険証書はＢ銀行が預かることとしています。

この場合の支払保険料は、Ａ医師の事業所得の計算上、必要経費に算入することができますか。

【答】　生命保険契約の支払保険料を、事業所得の金額の計算上必要経費に算入することができるのは、その生命保険契約への加入が事業の遂行上必要なものでなければなりません（所法37①）。

例えば、従業員の退職金に充てるため従業員を被保険者とし、保険契約者及び保険金受取人を使用者とする生命保険契約を締結して、その保険料を支払ったような場合は、その生命保険契約が掛捨保険であり、満期返戻金や解約返戻金の支払がないものである限り、支払保険料を必要経費に算入することができます（【問10-118】参照）。

御質問の生命保険契約が、事業用資産を取得するための借入金の担保として締結したものであり、かつ、いわゆる掛捨保険であり、保険金受取人が融資をしたＢ銀行となっておれば、建物の取得に要した費用として建物の取得価額に算入するか、あるいは必要経費に算入することができます。

しかしながら、御質問の場合は、融資を受けるための生命保険契約とされてはいますが、保険金受取人をＡ医師とすることになっているところから、Ａ医師個人のための生命保険契約であって、Ｂ銀行が質権を設定することにより、二次的に担保提供という効果を有するにすぎないものですので、生命保険料控除の対象とすべき保険料であって、事業所得の計算上必要経費に算入することはできません（所法76①）。

事業主が特別加入している政府労災保険の保険料

【問10-122】私（事業主）は、政府労災保険に特別加入し保険料を支払っています。これを事業所得の金額の計算上、必要経費とすることができますか。

【答】　中小事業主又は一人親方（大工、左官等）についても労災保険の対象になる労災特別加入制度があります。

この制度は、事業主等が従業員と同じ状況で働いていた場合の災害についてその適用があるものです。

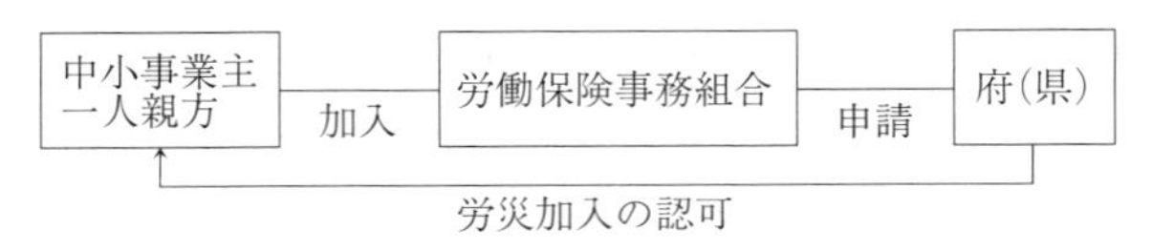

この場合、事業主が自分自身を被保険者として保険料を負担するものであり、業務について生じた費用には該当しませんので、支払った保険料は、事業所得の金額の計算上必要経費とはなりません。

なお、支払った保険料は、社会保険料控除の対象になります（所法74②、所令208一）。

税理士職業賠償責任保険の保険料

【問10-123】私は、次のような「税理士職業賠償責任保険」に加入し、その保険料を支払っています。この保険料は、税理士業務に係る事業所得の金額の計算上、必要経費としてよろしいでしょうか。

○ 保険の概要・目的

この保険は、税理士が日本国内で行った税理士業務により、業務を委嘱した顧客等に対し、過失により本来納付する必要のない税金を納付させる等の財産的損害を与えた場合、その顧客等から損害賠償請求を受け、当該税理士が法律上の損害賠償責任を負うこととなったときに被る損害額（法律上支払うこととなった賠償金及び訴訟のために要した弁護士報酬等の費用）を支払うことを目的とするものです。

【答】 業務遂行上生じた損害賠償金を支払った場合、原則として必要経費に算入されますが、家事上の経費に該当する損害賠償金や故意又は重大な過失によって他人の権利を侵害して支払うこととなった損害賠償金は必要経費になりません（所法45①八、所令98②)。

したがって、損害賠償金の補塡を目的とする保険に加入し、その保険料を支払った場合、損害賠償金の性格に応じて、その保険料も必要経費となるかどうかが判断されます。

御質問の「税理士職業賠償責任保険」の保険金給付の対象となる損害金には、加算税や納税者（顧客）が本来納付すべき本税の額は含まれないほか、賠償責任が故意若しくは税理士法又は各税法において禁止されている行為により生じた場合には保険金給付の対象とならないこととされていますので、その保険料は必要経費に算入されるものとして取り扱われます。

中小企業倒産防止共済契約に係る掛金

> **【問10-124】** 私は、商工会議所の勧めにより、独立行政法人中小企業基盤整備機構が行う「中小企業倒産防止共済契約」を締結し、共済契約に係る掛金を支払っています。
> 　この場合の掛金は、事業所得の金額の計算上必要経費に算入することができるでしょうか。

【答】　「中小企業倒産防止共済」は、中小企業倒産防止共済法に基づき、取引先企業の倒産の影響を受けて中小企業者が倒産することを防止する目的で制度化されたものです。

この制度は、中小企業者が毎月一定額を独立行政法人中小企業基盤整備機構（平成16年７月１日設立。同日前は中小企業総合事業団。以下同じ。）に共済掛金として納付すると、取引先企業の倒産に伴い売掛債権等の回収に支障が生じた場合に、当該機構から、掛金合計額の10倍相当額の範囲内で無利子、無担保、無保証で融資が受けられるものです。

ところで、この中小企業倒産防止共済契約に係る掛金は、特定の基金に対する負担金等として事業所得の金額の計算上必要経費に算入することとされています（措法28①二）。

したがって、御質問の場合、独立行政法人中小企業基盤整備機構と共済契約を締結したものであり、その掛金は、事業所得の金額の計算上必要経費に算入することができます。

なお、当該共済契約を解除した後、再度契約を締結した場合には、その解除の日から同日以後２年を経過する日までの間は、支出した掛金を必要経費に算入することはできません（措法28②）。

（注）　この規定は令和６年10月１日以後に解除があった後、支出する掛金について適用されます。

また、必要経費に算入する場合は、確定申告書に当該掛金の必要経費算入に関する明細書の添付が必要となります（措法28③）。

信用保証協会に支払う保証料

【問10-125】 私は、事業を営んでおりますが、運転資金が不足したため、A銀行に600万円の融資の申込みをしました。
ところが、私には、担保がないため信用保証協会の保証を受けることとなり、返済期間10年で、その期間の保証料として57万円を支払いました。
この場合の保証料の取扱いはどのようにすればよいのでしょうか。

【答】　信用保証協会は、中小企業者が銀行等から融資を受ける際に保証を行い、その手数料として保証料を債務者から受け取っています。
この保証料は、借入契約期間にわたって保証を約する代価であり、その期間内に繰上返済が行われた場合には、残余期間に対応する一定額を債務者に返還することとされています。
したがって、御質問の場合の保証料は、返済期間10年間に対応する手数料としての性質を有するものであり、前払費用として返済（保証）期間に分配して取り扱うことが相当です。

預り品の焼失による弁償金

【問10-126】 私は、クリーニング店を営んでおりますが、火災により店舗が全焼し、客から預かっていた衣類も焼けてしまいました。
このため、客の損害に対し、賠償金を支払いましたが事業所得の必要経費になりますか。

【答】　業務上、保管中の他人の物品について損害が生じた場合は、その責任を負担すべきものと考えられます。
また、保管者に責任がない場合においても信用の保持などのため、見舞金を支出することも必要な場合があると考えられます。
このように、業務上保管中の他人の物品について生じた損害について支出した損害賠償金又は見舞金については、業務遂行上の費用であり、原則として支出した年分の必要経費に算入することとなります（所法37①）。

したがって、御質問の場合について、店舗の火災に関し、故意又は重大な過失がない限り、客に支払った損害賠償金はクリーニング店に係る事業所得の必要経費に算入して差し支えありません（所法45①八、所令98②）。

なお、災害により事業に関連して保管している第三者の物品について損害が生じた場合に支払う損害賠償金は、被災事業用資産の損失として取り扱われ（基通70－8(2)）、白色申告者でも純損失の金額として翌年以降に繰り越せます（所法70②）。

損害賠償金の必要経費算入時期

【問10-127】 事業を営む個人が、その事業遂行中に交通事故を起こしその被害者に損害賠償金を支払うことになりましたが、その総額について年末までに示談が成立せず、結論は翌年に持ち越すことになりました。

しかしながら、被害者には既に内払金として100万円を支払っており、損害賠償金がこの金額を下回ることはあり得ないと考えられます。

この場合の内払金については、債務の総額が確定していないという理由で、支払った年分に必要経費に算入することが認められませんか。

なお、この交通事故について加害者に故意又は重過失は認められません。

【答】　損害賠償金の必要経費算入の条件は【問10-86】において述べていますが、御質問の損害賠償金は、これらの必要経費算入の条件を満たしていると認められ、その必要経費算入の時期のみが御質問の要点かと思います。

事業所得等の計算上、必要経費に算入する金額は、別段の定めがあるもの（引当金等）を除き、償却費以外の費用についてはその年において債務の確定しているものに限るものとされています（所法37①）。

この場合の「債務の確定」している費用とは、原則として次に掲げる要件の全てを満たしているものをいうこととされています（基通37－２）。

(1) その年12月31日（年の中途で死亡又は出国をした個人については、その死亡又は出国の日。以下(3)までにおいて同じ。）までに、その費用に係る債務が成立していること

(2) その年12月31日までに、その債務に基づいて具体的な給付をすべき原因となる事実が発生していること

(3) その年12月31日までにその金額を合理的に算定することができるものであること

この要件の(3)の判定に当たっては、通常一の事実に基づいて発生する債務も一であるところから、合理的に算定可能な金額は、その全額を指すものと考えられます。しかしながら、所得税法が、所得計算上の必要経費算入の条件として「債務の確定」を規定しているのは、法律的、金額的に確定していない費用をあらかじめ見越計上することを認めるとした場合に起こってくる弊害、つまり、課税標準の不確定に基づく納税関係の不安定を排除するためのものですから、総額においては確定していなくても、最少限これだけは発生するということが確実な費用については、その部分については確定しているとみて、その発生が確実となった年分の必要経費に算入しても、税法の予見する弊害の生ずる余地はないということもできます。

このような考え方から、損害賠償金等でその支払の基因となる事実が既に発生しているものについては、その賠償すべき額がその年中に確定していない場合においても、その年の12月31日までにその額として相手方に申し出た金額（相手方に対する申出に代えて第三者に寄託した額を含みます。）に相当する金額（保険金等により補塡されることが明らかな部分の金額を除きます。）については、上記(3)の要件を満たすものとして、必要経費に算入することができるものとされています（基通37－２の２）。

以上により、御質問の場合も内払した損害賠償金は、その総額がこれを下回ることがないことにつき当事者間で争いがないことを条件として、その支払った年分の必要経費に算入することが認められます。

医師が支払った損害賠償金

【問10-128】 私は、病院を経営する医師ですが、誤診により手術が手遅れになったため、患者を死亡させてしまいました。

そのため、紛争が生じ、私は職業柄、外聞を恐れ遺族との間で交渉した結果、示談が成立し、2,000万円を支払いました。

この場合の示談金は事業所得の金額の計算上、必要経費に算入されますか。

なお、示談書・領収書は所持しており、刑事責任は追及されていません。

【答】　医師の誤診という診療ミスにより患者を死亡させたということで紛争が生じたものですが、刑事責任の追及が行われていないことに照らすと、医師の誤診が故意又は重大な過失に基づくものではないと解することが相当ですから、御質問の損害賠償として支払った示談金2,000万円は事業所得の金額の計算上、必要経費に算入することができます。

ただし、診療ミスが故意又は重大な過失による場合は事業所得の金額の計算上、必要経費に算入することはできません（所法45①八、所令98②、基通45－８）。

業務の用に供するまでに支払った借入金利息

【問10-129】 私は、喫茶店を営んでいますが、新たに賃貸用のマンションを新築しました。

このマンションの用地の取得及び建築資金の大半は、銀行からの借入金で賄っています。

この場合、借入金に係る支払利息は、このマンションが賃貸の用に供される時期までの部分を含めて、不動産所得の金額の計算上必要経費に算入できますか。

【答】　業務を営んでいる人がその業務の用に供する資産を取得するための借入金の利子は、その業務に係る所得の金額の計算上必要経費に算入することとされています。ただし、その資産の使用開始の日までの期間に対応する部分の利子は、その資産の取得価額に算入することができることとされています（基通37－27）。

また、固定資産の取得のための借入金の利子については、その借入れの日からその資産の使用開始の日までの期間に対応する部分の金額は、その資産の取得費又は取得価額に算入することとされています（基通38－８）。

御質問の場合は、新たに不動産所得を生ずべき業務を営むために賃貸マンションを取得しているものですから、それが業務の用に供される日（いわゆる「使用開始の日」）までの期間に係る借入金の利子は、土地又は建物の取得価額に算入することとなります。

将来の病院用予定地の取得のための借入金利子

【問10-130】 私は、現在Ａ市で医院を経営しています。将来Ｂ市に病院を開設する予定で、昨年４月同市内の土地を購入しました。

この土地代金の一部を銀行の借入金で支払いましたので、この借入金利子を毎月支払っています。これは事業所得の金額の計算上必要経費として認められますか。

なお、開設予定の病院の規模、設備等については未定で、土地はそのまま空地としています。

【答】　現に医院を経営している者が、その事業用として使用する資産を取得するために借り入れた借入金の利子は、その資産を事業用に使用することが明らかである限り、原則としてその事業所得の計算上必要経費に算入することになっています（基通37－27）。

ところで、その資産が医療用機器ならともかく、土地の場合は多目的資産であり、それが事業用に使用されるかどうか明らかであるとはいえません。

つまり、取得した時点では病院用地として使用する目的で取得されても、土地はその上に建物等を建設して使用されるものですから、当初の予定を変更していつでも家事用資産として使用することもできますし、また、情況の変化により病院の建築を断念して譲渡してしまうこともありましょう。

このように、土地の場合は、金融機関から借り入れた現金と同様に、何らかの用途に使用されて初めて業務の用に供される資産であるかどうかが判定できるものです。

したがって、御質問の土地を取得するための借入金利子は、その土地に病院が建築されるまでは、事業の用に供されることが明らかであるとはいえませんので、土地の取得価額に算入すべきことになります（基通38－８、38－８の２）。

相続により引き継いだ借入金の利子

【問10-131】 私の父は全額借入金によりマンションを取得し、賃貸していました。本年６月、父が死亡したため、相続人である私と母が、そのマンションを相続し、賃貸収入はそれぞれ２分の１ずつ収受することになりましたが、父の借入金の残額は私一人が引き継ぐことになりました。この場合、借入金の利子は、相続人２人の不動産所得の必要経費にできますか。

【答】 被相続人が借入金により取得した固定資産を相続人が相続により取得した場合において、当該相続人がその借入金を承継したときは、次に掲げる金額のうちいずれか低い金額に相当する借入金は、当該相続人が相続開始の日において、当該固定資産の取得のために借り入れたものと取り扱うこととされています（所基通38－８の９）。

(1)　当該相続人が承継した借入金の額

(2)　次の算式により計算した金額

被相続人が借り入れた資金のうち相続開始の日における残存額 × $\dfrac{\text{当該固定資産のうち、当該相続人が取得した部分の相続開始の日における価額}}{\text{当該固定資産の相続開始の日における価額}}$

御質問の場合、あなたの相続した資産は２分の１ですので、借入金の残額の２分の１に相当する借入金が、あなたが相続開始の日において、当該固定資産の取得のために借り入れたものと取り扱われ、この部分に対応する借入金利子が不動産所得の必要経費とされます。

なお、あなたのお母さんにも、持分により不動産所得が発生しますが、借入金の残債務を承継していませんので、借入金の利子を必要経費とすることはできません。

店舗併用住宅の取得に要した支払利息

【問10-132】 私は、書籍販売業を営んでいますが、このたび別の場所に店舗を移転するため３階建てのビルを新築しました。

建物の１階は書籍販売に係る店舗に、２階は新たに貸店舗とし、３階は居宅として利用する予定です。

この場合、建物取得のために支出した借入金利息のうち、使用開始の日までの期間に対応する部分はどのように処理すべきでしょうか。

【答】　御質問の建物は、現に営む業務、間もなく営む業務及び住宅のそれぞれの用に供する固定資産であり、その取得のための借入金利子は家事関連費に該当します。

現に営む業務（書籍販売業）の用に供する部分に対応する部分として明らかに区分することのできる部分の金額は、必要経費に算入して差し支えないこととされていますから、現に営む業務の用に供する減価償却資産の取得のために要した借入金の利子として、必要経費に算入されますが、使用開始の日までの期間に対応する部分の利子は、選択により必要経費に算入しないで、取得価額に算入しても差し支えありません（基通37－27、45－２）。

一方、貸店舗部分に対応する部分は、現に不動産所得を生ずべき業務を営んでいないことから、当該業務を開始する日までの期間に対応する部分の金額は、住宅部分の使用開始の日までに対応する部分の金額とともに、【問10-129】で説明したとおり、その建物の取得価額又は取得費に算入することとなります（基通38－８）。

なお、現に営む業務、間もなく営む業務及び住宅の用に供する部分に対応する借入金利子の計算は、借入金利子を算入する前のそれぞれの部分の取得に要した金額を基として、合理的にあん分したところにより計算することとなります。

買換資産の取得に充てた借入金利子

【問10-133】 私は、物品販売業のほか不動産貸付業（月極貸駐車場）を営んでいましたが、このたび、駐車場の敷地の一部を譲渡して、残部に賃貸マンションを建設しました。

土地の譲渡代金は、事業の負債の返済等に充てたため、マンションの建設資金は銀行からの借入金によって充てました。

譲渡所得の申告については、特定の事業用資産の買換えの特例が適用できるとのことですが、その適用を受けた場合、マンション建設資金に充てた借入金の利子を不動産所得に係る必要経費に算入することはできなくなりますか。

【答】　特定の事業用資産の買換えの特例（措法37）の適用要件は、一定の譲渡資産と買換資産の組合せを前提として、①個人が事業の用に供している資産を譲渡し、原則として、当該譲渡の日の属する年の12月31日までに買換資産の取得をし、かつ、②その取得の日から１年以内に当該買換資産を事業の用に供したとき又は供する見込みであるときとされていますが、譲渡資産の譲渡代金を買換資産の取得に充てることはその適用要件にはなっていません。

したがって、御質問の場合、マンションの建設資金が借入金で充てられており、当該マンションが貸付けの用に供されたことが明らかであれば、その借入金の利子は、不動産所得の金額の計算上必要経費に算入することが相当です。

損害保険料を借入金で支払った場合の支払利子

【問10-134】不動産所得者ですが、所有するアパートを対象として長期の損害保険契約（５年満期で、満期返戻金を支払う旨の定めがあります。）を結び、５年分の保険料500万円を借入金で支払いました。

この借入金の利息は、不動産所得の必要経費になりますか。

【答】　長期の損害保険は、いわゆる掛捨ての火災保険と異なり、保険期間が５年、10年、20年と長期であり、保険期間満了時に満期返戻金が支払われるものです。

そこで、業務を営む者がその者の所有する業務用資産に係る長期の損害保険料を支払った場合には、その保険料の金額のうち積立保険料相当金額は、保険期間の満了又は保険契約の解約若しくは失効の時までは資産として取り扱い、いわゆる掛捨て保険料相当金額に限り、期間の経過に応じてその業務に係る必要経費に算入することとしています（基通36・37共－18の２）。

更に、保険事故の発生により保険金の支払を受け、当該保険契約が失効しても当該積立保険料相当金額は必要経費に算入しないこととしています（基通36・37共－18の７(1)）。

このように、積立保険料相当金額は一時所得としての満期返戻金又は解約返戻金若しくは保険事故の発生により収入する非課税所得としての保険金に係る支出と解され、業務上の支出又は費用とは解されません。

したがって、借入金の元本のうち積立保険料に相当する金額に対応する部分の金額に係る支払利息は、不動産所得の必要経費とはなりません。

業務を廃止した後に生じた借入金利子

【問10-135】 私は、借入金によってアパートを建築し賃貸していました。ところが、事情により売却することになり、入居者と立退交渉を行い本年３月に立退きが完了しました。

しかしながら、個人的な事情により当初の予定が狂って、売却したのが本年９月となってしまいました。

立退きが完了して、売却するまでの６か月間の借入金に係る支払利子は、不動産所得の金額の計算上必要経費となりますか。

【答】　業務を廃止した後に生じた建物等に係る維持管理の費用は、居住用の建物と同様、非業務用資産に係る維持管理費用として不動産所得の金額の計算上必要経費に算入することはできないこととされています（所法37）。

御質問の場合、個人的事情により譲渡の日が延びたものであり、また、立退きが完了した時（本年３月）に業務を廃止したものと考えられますので賃借人の立退き後の期間に対応する借入金利子は、不動産所得の金額の計算上必要経費に算入することはできません。

また、譲渡所得の金額の計算上控除できる金額は、譲渡所得の基因となった資産の取得費及びその資産の譲渡に要した費用の額とされています（所法33③）ので、当該アパートを譲渡した場合の譲渡所得の金額の計算においても、当該借入金利子を控除することはできません。

前払家賃の必要経費算入時期

【問10-136】 私は外科医（青色申告者）です。診療所は借地の上に建てているため、地代を契約に基づき毎年11月末日に翌年の11月分までの1年分を先払しています。

したがって、これまでは地代の必要経費算入は、期間対応で計上してきました。この区分計算が面倒なので、今年から前払費用の経理をやめ、支払った都度必要経費に計上したいのですが、認められますか。

【答】　その年分の不動産所得の金額、事業所得の金額、山林所得の金額、又は雑所得の金額の計算上必要経費に算入すべき金額は、その年において債務が確定しているものとされていますので、その年に支払った費用のうち前払費用（一定の契約に基づき継続的に役務の提供を受けるために支出した費用のうち、その年12月31日において、まだ提供を受けていない役務に対応するものをいいます。）の額は、その年分の必要経費に算入されないことになります（所法37）。

しかしながら、前払費用の額でその支払った日から1年以内に提供を受ける役務に係るものを支払った場合において、その支払った額に相当する金額を継続してその支払った日の属する年分の必要経費に算入しているときは、認めることとして取り扱われています（基通37－30の2）。

これは、必要経費の計上を厳密な発生基準によらず、支払基準等の一定の基準によって、継続処理している場合には課税上さしたる弊害もありませんので、その会計処理を認めることとしているものと考えられます。

したがって、御質問の場合においても、契約に基づいて支払った翌年11月分までの地代を、今後継続してその支払った日の属する年分の必要経費に算入する限り、認められることになります。

建物の売買契約を解約したため放棄した手付金

> **【問10-137】** 食堂を開業するための建物を買う契約をして手付金50万円を支払っていましたが、繁華な場所に別の建物が見つかり、先の契約を解消し手付金も放棄しました。この場合、手付金の損失は、後の建物の取得価額に算入することになるのでしょうか。

【答】　手付金は、契約を担保するために相手方に対し前払しておくものですが、当事者の一方が契約の履行に着手するまでにその契約を解約する場合には、買主は手付金を放棄し売主は手付金の倍戻しをすることとなります（民法557①）。

ところで、企業が取引上利益を得るために、より有利な取引を選択することは当然なことであり、取引上生じた手付金の放棄も事業の遂行上必然的に生ずることから必要経費に算入できる場合も多いものと考えられます。

しかしながら、御質問の場合はまだ事業を開始していない準備の段階であり、手付金放棄の費用に対応する収入金が発生していないところからこれを必要経費に算入する計算は不可能です。

また、その放棄した手付金を以前の契約よりも有利な条件で新たに店舗を求めるための費用とみる考え方に立てば、後で取得した土地や建物の取得に要した費用とするのが一応合理的な処理方法と考えられます。

しかしながら、この金額をその土地建物の取得価額に加えることにより適正な時価を著しくオーバーした取得価額が計上される場合も予想され、会計処理上は、必ずしも妥当な方法とはいえない場合も生じます。

したがって、御質問の手付損は、開業するために要した開業費に算入し、繰延資産として事業を開業した時以後の事業所得の金額の計算上必要経費に算入することがこの場合妥当な処理と考えられます（所令７①一）。

なお、開業費は、事業開始年分から５年にわたって償却することとなりますが、その費用の範囲内の金額を任意に償却する方法も認められています。この場合には、その旨をその年分の確定申告書に記載しておかねばなりません（所令137③）。

店舗の建築を変更した場合の設計費用

> **【問10-138】** 私は、店舗を建て替えるため、Ａ設計事務所へ設計を依頼し、設計図と引換えに代金を支払いました。
>
> 　ところが、建築予定地は都市計画法の適用を受け、甲市の指導の下で建築することになり、その設計図は必要がなくなりました。
>
> 　この場合、Ａ設計事務所へ支払った設計費用はどのように処理すべきでしょうか。

【答】　設計費用は、建物の取得に要する費用であり取得価額に算入することとされています（所令126①）。

　しかしながら、御質問の場合、Ａ設計事務所へ支払った設計費用は、甲市の指導の下で実際に建築した建物とは全く結びつきがないため、取得価額に算入することはできません。

　したがって、Ａ設計事務所で作成した設計図が転売等他に利用できるような場合には、その設計図は資産価値を有することとなり、Ａ設計事務所に支払った設計費用は資産勘定として取り扱うこととなります。

　また、当該設計図を放棄したとか、転売できないなど全く価値がなくなった場合には、事業遂行上の費用として必要経費に算入することとなります。

休業期間中の費用

> **【問10-139】** 私は、織物業を営んでいますが、不況のため、受注がないので２～３か月間休業することになりました。この間の織機の減価償却費、工場の維持補修費、固定資産税等の費用は、収入がなくても認められますか。

【答】　必要経費は、その年分の総収入金額に係る売上原価、収入を得るため直接に要した費用の額及びその年における販売費、一般管理費、その他所得を生ずべき業務について生じた費用とされていますから（所法37①）、所得を生ずべき業務を開始する前や廃業後の費用は、原則として必要経費となりません。これは、所得を生ずべき業務が存在しない以上、業務に結びつくという費用性がないからです。

ところで、所得を生ずべき業務が存在するかどうかは、収入の有無によるのではなく、自己の計算に適合した注文があればいつでも、それに応じて収入を上げ得る状態にあるかどうかによると解されます。

御質問の場合には、織物の市況の悪化で、現在の市況のもとでは自己の計算に適合せず、織らないほうが業務上有利であるという判断のもとに、市況が回復するまで注文に応じないということと解され、所得を生ずべき業務を廃止したわけではありませんし、自己の計算に適合した注文があれば、いつでもそれに応じられるように織機や工場を維持補修しているのですから、その期間中は収入を上げ得る状態にあるものともいえます。

したがって、御質問の休業中の業務上の費用は、あなたが他に職業を持つなど、実質上、織物業を廃止したとみられる状態にならない限りその年分の必要経費とする取扱いが相当です（基通２－16）。

割賦購入代金に含まれている支払利息

【問10-140】 営業用トラックを450万円で、24か月の割賦購入をしましたが、これには総額48万円の利息が含まれています。この利息相当額は営業用トラックの取得価額に含めるべきでしょうか。それとも支払のつど必要経費とすべきでしょうか。

【答】　業務を営んでいる人がその業務の用に使用する固定資産の取得のために支払った借入金の利子は、その固定資産の取得価額に算入せず、期間費用として必要経費に算入することとされています。ただし、その固定資産の使用開始の日までの期間に対応する部分は取得価額に算入することができることとなっています（基通37－27）。

これは、本来借入金の利子は、財務費用であり業務全体の費用であること、また、利息の支払自体は、固定資産の価値を高めるものではないことから取得価額に算入しないこととしているものと解されます。

一方、賦払の契約により購入した業務用の資産の購入代価に含まれている賦払期間中の利息相当部分及び賦払金回収のための費用相当部分については、直接的には、その固定資産の代価の一部とも考えられますが、その性質は借入金の利子と同様と考えられます。

そこで、利息相当部分及び賦払金回収費用相当部分として明らかに区分されている場合、固定資産を借入金により取得した場合の借入金の利子と同様取得価額に算入しないで、必要経費に算入することとし、その資産の使用開始の日までの期間に対応する部分の金額に限り、必要経費に算入しないで取得価額に算入することもできることとなっています（基通37－28）。

したがって、御質問の48万円の利息相当額は、支払の都度必要経費に算入することとなります。

建物を自己の事業の用に供するために支払った立退料

【問10-141】 今まで貸家としていた建物を、自分で衣料品店の店舗として使用するため、借家人に立ち退いてもらうことになりました。

この場合、借家人に支払った立退料は、開業費に準ずるものとして、衣料品店の事業所得計算上の繰延資産に計上することになりますか。

【答】　不動産所得の基因となっていた建物の賃借人を立ち退かせるために支払った立退料は、その建物を譲渡するため、又は建物を取り壊して土地を譲渡するために支払ったものを除き、不動産所得の計算上必要経費に算入することとされています（基通37－23）。

御質問の立退料も、この取扱いにより、不動産所得の必要経費に算入されるわけですが、この取扱いにより、その後の使用を居住用にするなど、全く収益が生じない用途に使用した場合でも、それまでに生じた不動産所得の必要経費として算入でき、処理のバランスが保てることになります。

なお、事業用建物を賃借するための旧借家人に支払う立退料は、繰延資産に計上することとされていますし（所令７①三ロ、基通２－27)、土地、建物の取得に際して支払う立退料は、その土地、建物の取得費又は取得価額に算入することとされています（基通38－11)。

建物の建替えのため建物賃借人に支払う立退料と借地の更新料

【問10-142】 20年ほど前から権利金を支払って土地を借り、その土地に木造の貸家を建てて賃貸しています。

今年になって、この建物が古くなりましたので取り壊し、その跡地に鉄筋コンクリート５階建ての建物を建築して１階を店舗に、２階以上はマンションとして賃貸する計画を立てました。

この貸家の建替えに際しては、入居者に立退料を支払って立ち退いてもらい、地主に対しては新しい建物の建築に関しての承諾を得て、借地の更新料を支払う予定です。

このような場合、新しい建物の建築に際し、従来の貸家を取り壊すため、入居者に対して支払う立退料は、不動産所得の金額の計算上必要経費になりますか。それとも、新しい建物の取得価額になるのですか。

また、地主に対して支払う更新料は、税務上どのように取り扱われるのですか。

【答】　不動産所得の基因となっている建物や新たに取得した場合などの建物に入居している人を立ち退かせるために支払う、いわゆる立退料については、所得の金額の計算上その立退きの態様によって、次のように取り扱うこととされています。

(1) 建物の譲渡に際して支払う立退料

建物の譲渡に際して、借家人等を立ち退かせるために支払う立退料は、その建物の譲渡価額を増加させるための費用に該当しますので、譲渡所得の金額の計算上、譲渡費用として控除されます（基通37－23、33－7）。

(2) 土地を譲渡するために建物を取り壊し、その取壊しに際して支払う立退料

建物を取り壊してその敷地となっていた土地等を譲渡する目的で、その建物の借家人等を立ち退かせるために支払う立退料は、その建物の取壊し又は除却損と同様、その土地の譲渡所得の金額の計算上、譲渡費用として控除されます（基通37－23、33－7）。

(3) 賃借人が使用している建物等の取得に際して支払う立退料

建物等の取得に際し、その建物等を使用していた人に支払う立退料その他その人を立ち退かせるために要した金額は、その取得した建物等の取得価額に算入することとなります（基通38－11)。

(4) 賃貸中の建物の賃借人に支払う立退料

上記(1)から(3)までに該当しない立退料で、不動産所得の基因となっていた建物の賃借人に支払う立退料は、不動産所得の金額の計算上、必要経費として控除することになります（基通37－23)。

したがって、御質問の場合には、賃貸料収入を得ていた建物を取り壊して新しい建物を建築するために賃借人を立ち退かせる必要があって立退料を支払うとのことですから、その立退料は、建物や土地を譲渡するためのものではありません。したがって、上記(4)に該当し、その年の不動産所得の金額の計算上、必要経費に算入することになります。

次に、借地上の建物の建替えのため、土地の賃借契約を更新するために支払う更新料は、借地権の取得価額とされます（基通38－12)。ただし、不動産所得等を生ずべき業務の用に供する借地権の存続期間の更新をする場合において、更新料を支払ったときは、次の算式で計算した金額は、そ

の更新のあった日の属する年分の不動産所得等の金額の計算上、必要経費に算入することになります（所令182）。

$$借地権の取得費 \times \frac{更新料の額}{借地権の価額（更新時の時価）}$$

したがって、御質問の場合も、借地権の取得費のうち、更新料を支払った部分に対応する部分の金額だけが必要経費とされることになります。

土地の返還に伴い借地人に支払った立退料

【問10-143】 私は、Ａに土地を賃貸し地代を受け取っています。Ａはその土地の上に店舗を建て、事業の用に供しています。

ところが、私はＡに賃貸している土地を駐車場として利用する計画を立て、Ａと交渉していたところ1,500万円の立退料を支払うことで、土地の返還を受けることとなりました。

この場合、Ａに支払った立退料は、私の不動産所得の金額の計算上、必要経費に算入することができますか。

【答】　土地の賃貸借においては、旧借地法又は借地借家法により借主が保護され、通常、借地権が設定され、その対価として権利金等が授受されています。

この場合の土地所有者は、底地部分だけの所有者となり、完全な土地所有者ではないこととなります。

ところで、借地人に立退料を支払って土地の返還を受けることは、上地部分を買い戻して完全な土地所有にするということです。

したがって、御質問の場合の立退料は、借地権の買戻しの対価として資産に計上することとなり、不動産所得の金額の計算上、必要経費に算入することはできません（基通38－12）。

賃借人を立ち退かせるための弁護士費用

【問10-144】 20世帯のマンションを建築し、昨年から賃貸していますが、賃借人の１人が無断で他人に転貸していることが判明しましたので、弁護士に依頼して明渡しを求めています。
この弁護士費用は不動産所得の必要経費となりますか。

【答】　不動産所得、事業所得、山林所得又は雑所得を生ずべき業務の遂行上生じた紛争又はその業務の用に供されている資産について生じた紛争を解決するために支出した弁護士報酬その他の費用は、次に掲げるようなものを除き、その支出した年分の当該業務に係る所得の金額の計算上必要経費に算入することとされています（基通37－25）。

①　その資産の取得時から生じている紛争に係るもの又は取得時に発生が予想された紛争に係るもので、その資産の取得費とされるもの

②　山林所得又は譲渡所得の基因となる資産の譲渡に関する紛争に係るもの

③　必要経費とならない所得税法第45条第１項第２号から第５号までに掲げる租税公課に関する紛争に係るもの

④　故意又は重大な過失により他人の権利を侵害したことによる紛争に係るもの

ところで、御質問の費用は不動産所得を生ずべき業務の用に供されている資産に係る紛争の費用で、マンションの取得費にすべきものには該当しませんから、支出した年分の不動産所得の必要経費に算入することとなります。

修繕積立金

【問10-145】 私は、サラリーマンですが、本年、転勤に伴い、今まで住んでいた分譲マンションを賃貸することとしました。

このマンションの管理規約では、毎月、管理費のほか、修繕積立金を支払っています。

この修繕積立金は、不動産所得の金額の計算上、必要経費とすることができますか。

なお、この修繕積立金は、将来の修繕のために積み立てているもので、将来に渡って、返還されないこととされています。

【答】　マンションの区分所有者が、マンションの管理組合に支払った修繕積立金は、通常、そのマンションの修繕のために積み立てられるものであることから、「積立金」として資産に計上し、実際に修繕が行われたときに、修繕費又は資本的支出として減価償却費として計上するなどの処理が考えられます。

しかしながら、一般的に、マンションの管理組合に支払う修繕積立金は、マンションの区分所有者が、規約に基づき必ず支払わなければならないものとされており、積立金といいながらも、将来返還されないことが多いようです。

したがって、あなたが支払う修繕積立金が、次のような場合には、マンションの管理組合に支払われるべき日の属する年分の必要経費としても差支えないものと考えられます（所法37①）。

①　管理組合の運営に当たっては、適正な管理規約に定められた方法により行われていること

②　管理組合は、納付された修繕積立金については、区分所有者へ返戻しないこととされていること

③　区分所有者となった時点で管理組合への修繕積立金を納付しなければならないこととされていること

④　修繕積立金は、将来の修繕のためにのみ使用されるものであること

⑤　修繕積立金の額は、長期修繕計画に基づき、各区分所有者の共有持分に応じて、合理的な方法により算出されていること

勝訴により受け取った損害賠償金と訴訟に係る弁護士費用

【問10-146】 私は、10年ほど前にカバン製造業を営んでいましたが、その際、その製造に関する特許権を同業者Ｂに侵害され収益が激減しました。そこで、私はＢを相手に特許権侵害に係る不法行為に基づく損害賠償請求訴訟を提起しました。

その後、私は倒産し、現在は甲社の従業員として給与所得しかありませんが、先日、訴訟が終結し、私は勝訴して、Ｂから800万円の損害賠償金を受け取りました。この場合、私が受け取った800万円は非課税となりますか。

【答】　不法行為により資産に加えられた損害に対して支払われた損害賠償金は原則として非課税とされています。

一方、不動産所得、事業所得、山林所得又は雑所得を生ずべき業務を行う者が、その業務に係る棚卸資産、山林、工業所有権その他の技術に関する権利等について損失を受けたことにより取得する保険金、損害賠償金、見舞金などはそれらの所得の収入金額に算入することとされています（所令94①一）。

したがって、御質問の場合、あなたの業務に係る特許権が侵害されたことに基因して損害賠償金800万円が支払われたこととなり、非課税所得とはならず、現在あなたは事業を営んでおられないことから、雑所得に係る総収入金額に算入するのが相当です。

なお、その訴訟に係る弁護士費用については、業務上の特許権の争訟に関して要したものであることから、雑所得の金額の計算上、必要経費に算入します。

退職を条件に支払う示談金

【問10-147】 当店の退職金支給規程では、勤続期間が３年未満の人には退職金を支給しないと定めています。

ところが、入店２年目のＡとの間で、１年前から就職の際の勤務条件と実際の勤務条件が異なるということで、係争が続いています。争いとはいっても、双方が弁護士を介して話合いをしており、訴訟には至っておりません。

このほど、Ａ側から150万円を支払うなら円満退職してもよい旨の申出があり、これをのんで示談金として150万円を支払うことにしました。この場合の示談金はどのように処理すればよいのでしょうか。

【答】　たとえ退職金支給規程において、勤続期間３年未満の人には退職金を支給しない旨の定めがあっても、Ａに対する金員の支給の原因は、Ａの退職に基因するものであり、その退職についてはあなたもＡも了解済みのことと考えられます。

所得税法上、退職所得とは、退職手当、一時恩給その他の退職により一時に受ける給与及びこれらの性質を有する給与に係る所得をいうものとされています（所法30①）。

したがって、Ａに支給された金員は、名称が何であれ本来退職しなかったとしたならば支払われなかったもので、かつ、退職に基因して一時に支払われることとなった金額であること、しかも、その支払原因が、勤務条件についての争いを解決するために、Ａとの雇用契約を将来に向けて消滅させることを条件として、その金員を支払うこととされたものですので、その金員は、使用者と使用人という身分関係に基づき使用者から支給される給与としての性質を有するものと考えられ、退職金支給規程が現に存するか否かに関係なく退職金に該当し、事業所得の計算上必要経費に算入されます。

この場合、支払の際に所得税法第201条に規定するところにより所得税及び復興特別所得税の源泉徴収が必要ですのでご注意ください。

浸水により借家人に支払った見舞金

【問10-148】貸家が集中豪雨によって床上浸水し、借家人の家財について相当の被害が生じたので、家主が借家人に見舞金を支払った場合、その見舞金は、家主の不動産所得の計算上、必要経費に算入できますか。

なお、この見舞金は、貸家の建築上のミスその他、家主の責めに帰すべき事由に基づき支払った損害賠償的なものではありません。

【答】　業務に関連して支払う損害賠償金等のうち、故意又は重大な過失によって他人の権利を侵害したことによるものは、必要経費には算入されません（所法45①八、所令98②、基通45－８）。

しかしながら、御質問の場合の見舞金は、集中豪雨という不可抗力による災害に基因して支払われたもので、不法建築など損害賠償請求原因があって支払われたものではありませんので、この規定は適用されず、不動産所得の金額の計算上必要経費に算入されます（所法37）。

災害見舞金に充てるために同業者団体等へ拠出する分担金等

【問10-149】私が加入している同業者組合では、その組合員が災害に遭った場合、災害見舞金に充てるため組合員からそれぞれ分担金を集めることとしています。

この場合の分担金は、必要経費となりますか。

【答】　一般的には、同業者に拠出する見舞金などは、事業関連性が希薄であるため、必要経費とはなりません。

しかしながら、同業者団体等が、その構成員が災害に遭った場合にその災害による事業用資産の損失を相互に扶助するために規約等を定め、その規約等に基づき構成員が支出するその分担金で合理的な基準に従って賦課されたものについては、必要経費として取り扱うこととされています（基通37－9の6）。

したがって御質問の場合、規約等の有無や扶助の目的、分担金の賦課基準については明らかにされていませんが、これらの要件を満たしていれば必要経費になるものと考えられます。

なお、構成員の相互扶助に係る規約等には、次のような事項を定める必要があります。

① 災害見舞金の交付は、構成員の事業用資産の損失を原因とするものであること

② 災害見舞金は、その同業者団体等の構成員に対して交付するものであること

③ 構成員が拠出する分担金は、規約等に基づいて賦課され拠出するもので、かつ、その金額も合理的な基準に従って算定されるものであること

（注） 上記の規約等には、災害の発生を機に新たに定めたものも含まれます。

社会保険診療報酬の所得計算の特例の適用者

【問10-150】 私は内科医ですが、本年分の社会保険診療報酬が5,000万円を超えています。この場合、社会保険診療報酬についての特例（措法26）は、5,000万円までの報酬の部分については適用できるのでしょうか。

【答】 社会保険診療報酬の所得計算の特例制度は、その年の社会保険診療報酬の額が5,000万円以下で、かつ、医業又は歯科医業から生ずる事業所得に係る総収入金額の合計額が7,000万円以下の場合に限り適用することができます（措法26①）。

これは、御質問のように、その年の社会保険診療報酬の額のうち5,000

万円以下の部分について適用できるという制度ではなく、5,000万円を超える場合には一切適用できないというものです。

なお、社会保険診療報酬の額が5,000万円を超える年があっても、その後の年において5,000万円以下であり、かつ、医業又は歯科医業から生ずる事業所得に係る総収入金額の合計額が7,000万円以下の年があればその年についてはこの特例が適用されます。

医師が診療所を共同経営する場合における租税特別措置法第26条の適用

【問10-151】 内科医である私とAは、診療所を共同で経営していますが、その出資は各々50％ずつで、診療業務には均等に従事し、診療所の収益又は損失の額は出資割合に応じて分配することとしています。

この場合、租税特別措置法第26条の規定を適用して所得計算を行うに当たって、その計算の基礎となる収入金額は、その共同経営に係る診療所の社会保険診療報酬の総額によって計算すべきですか、それとも収入金額をあん分したところにより計算すべきですか。

【答】　あなたとAさんの診療所経営の形態は、各々50％の出資によって診療所を開設し、共同経営することを約するものであり、これは民法第667条に規定する組合契約（任意組合）による診療所経営と認められます。

任意組合の組合員の所得計算は、原則として、その組合の収入金額、支出金額、資産、負債等を、組合契約又は民法第674条《組合員の損益分配の割合》の規定による損益分配の割合に応じて各組合員のこれらの金額として計算することとされています（基通36・37共－20(1)）。

したがって、この方法により計算する場合には、社会保険診療につき支払を受けるべき金額はあなたとAさんの分配割合に応じてそれぞれ各人別にあなたとAさんに帰属することとなるので、租税特別措置法第26条の規定もそれぞれあなたとAさんの各人別の収入金額を基礎として適用するのが妥当だと考えられます。

租税特別措置法第26条の適用の選択替え

【問10-152】　私は、内科医として診療所を営んでいます。

本年の確定申告の際には、租税特別措置法第26条の適用を受けるより実額により計算した方が有利であると考え、租税特別措置法の適用を受けずに事業所得の金額を計算し、確定申告書を提出しました。その後、計算し直したところ租税特別措置法の適用を受けた方が有利であることがわかりました。

租税特別措置法第26条に宥恕規定が設けられているそうですが、私の場合、修正申告又は更正の請求により租税特別措置法の適用を受けることができますか。

【答】　社会保険診療報酬の所得計算の特例制度は、その年の社会保険診療報酬の額が5,000万円以下であり、かつ、医業又は歯科医業から生ずる事業所得に係る総収入金額の合計額が7,000万円以下である場合に限り適用されます（措法26①）。

このため、例えば、確定申告の時点では、その年の社会保険診療報酬の額が5,000万円を超えるとして実額により確定申告した後に、既に支払を受けた社会保険診療報酬の額に誤りがあることが判明し、その金額を基金に返還した結果、その年の社会保険診療報酬の額が5,000万円未満となる場合が生ずることなどが考えられます。

このような場合においても、確定申告書にこの特例の適用を受ける旨の記載がないことを理由にこの特例の適用を認めないとすれば、あまりにも形式的であることから、税務署長がその記載がなかったことについてやむを得ない事情があると認めるときは、この特例を適用することができるという宥恕規定が設けられています（措法26④）。

しかしながら、確定申告時に適用の選択が可能な人が当初この特例を選択せず、修正申告又は更正の請求において、この特例を適用したほうが有利という理由は、その記載がないことについてやむを得ない事情があることにはならないものと解されます。

したがって、あなたの場合は修正申告又は更正の請求により租税特別措置法第26条の適用を受けることはできません。

老人医療公費負担と社会保険診療報酬の計算の特例

【問10-153】 私は内科医ですが、老人医療公費負担制度の対象となる老人を診療した場合は、患者の自己負担分相当額についても社会保険診療報酬支払基金や国民健康保険団体連合会を通じて、地方公共団体から支払を受けることになっています。

また、この診療報酬とは別に老人医療対象患者の診療件数に応じ、老人医療協力事業費補助金が地方公共団体から交付されることとなっています。

ところで、この地方公共団体から支払を受ける自己負担相当額及び老人医療協力事業費補助金について、社会保険診療報酬の所得計算の特例（措法26）を適用して差し支えありませんか。

【答】　老人医療公費負担制度は、条例等に基づき、所定の条件に該当する老人が健康保険法などにより保険診療を受けた場合に、患者の自己負担額を老人医療費として地方公共団体が支給するものです。

この老人医療費の支給は、直接老人に支払うことに代え、社会保険診療報酬支払基金などを通じ医療機関に支払い、医療機関はその金額を患者の窓口負担分に充当する方法により行われているのが一般的です。

御質問の場合も同様の方法によっているものと思われます。

したがって、社会保険診療報酬支払基金を通じ、地方公共団体から支払を受ける老人の自己負担分相当額の金額は、各種の社会保険診療に係る患者負担分そのものであり、社会保険診療報酬に該当することとなります。

しかしながら、老人医療協力事業費補助金は、老人医療の請求事務など老人医療への医療機関の協力に対する補助金であり、社会保険診療報酬に該当しませんので、社会保険診療報酬の所得計算の特例を適用することはできません。なお、この補助金については雑収入に計上することとなります。

保険薬局と社会保険診療報酬の所得計算の特例

【問10-154】 私は、本年４月から薬局を開店し、併せて保険薬局として保険の取扱いも行っています。

　この保険扱い分については社会保険診療報酬支払基金に請求し、支払を受けますので、社会保険診療報酬の所得計算の特例を適用できると思いますがいかがでしょうか。

【答】　租税特別措置法第26条に規定している社会保険診療報酬の所得計算の特例は、医業又は歯科医業を営む個人が、健康保険法による医療の給付につき支払を受ける金額がある場合に適用できることとされています（措法26①）。

　このように、社会保険診療報酬の所得計算の特例は、「医業又は歯科医業」を営む個人に限り適用できることとされています。

　この「医業及び歯科医業」とは、医師又は歯科医師による医業又は歯科医業をいいます（東京地判平20.９.10）。

　したがって、御質問の保険薬局の営業による収入については、社会保険診療報酬支払基金から支払を受けるものであっても、この社会保険診療報酬の所得計算の特例を適用することはできません。

　なお、助産師・あんま師・はり師・きゅう師・柔道整復師等による助産師業・あんま業・はり業・きゅう業・柔道整復業は医業又は歯科医業に該当しませんから、これらの事業を営んでいる人が、社会保険診療報酬支払基金から支払を受ける収入があっても、その収入に係る事業所得の計算について社会保険診療報酬の所得計算の特例の適用はありません。

社会保険診療報酬を返還した場合の必要経費算入の時期

【問10-155】 私は内科医ですが、従来から社会保険診療報酬の所得計算の特例（措法26）によって申告しています。このたび、社会保険監査によって昨年の社会保険診療報酬が過大であるとされ、本年その過大請求分を返還しました。

この返還した報酬等はどのように取り扱われますか。

【答】　事業所得の金額の計算の基礎となった事実のうちに含まれていた取り消すことのできる行為が取り消されたことによって生じた損失の金額は、その損失の生じた日の属する年分の事業所得の金額の計算上、必要経費に算入することになっています（所法51②、所令141三）。

ところで、御質問の場合には、昨年の事業所得の金額の計算の基礎となっていた支払基金からの診療報酬の一部が、過大であったことを理由に返還を求められておりますので、返還額に相当する損失の額が生じたことになります。

したがって、御質問の場合には、返還した額は本年分の必要経費に算入することとなります。

なお、昨年の申告については、過大請求部分の金額について租税特別措置法第26条の適用がありませんので、修正申告をすることが必要です。

任意契約に基づく診療報酬

【問10-156】 私は、甲株式会社の健康保険組合が経営する歯科診療所で治療行為を行っています。その報酬として、社会保険診療報酬額の85％相当額を甲株式会社の健康保険組合から受け取っています。

この場合、私は確定申告に当たって、社会保険診療報酬の所得計算の特例の適用が受けられますか。

【答】　社会保険診療報酬の所得計算の特例の適用を受けることができる者

は、医業又は歯科医業を営む個人で、社会保険診療につき支払を受けるべき金額を有するものであることとされています（措法26①）。

この社会保険診療報酬とは、健康保険法などの特定の法律に基づく診療報酬とされ、任意の契約の社会保険に類似した行為による報酬の場合は含まれないと考えられます。

したがって、御質問の場合は、甲株式会社の健康保険組合が歯科医業を営み社会保険診療報酬を受けるものであり、あなたは当該組合に雇用され、報酬を受ける者ですから、社会保険診療の所得計算の特例の適用は受けられません。

生計を一にする親族の所有する資産の無償使用

【問10-157】 私は生計を一にする母の所有する店舗を無償で借りて事業を始めようと思います。

この場合、その店舗に係る減価償却費や固定資産税などは私の事業所得の金額の計算上必要経費に算入できるでしょうか。また、その店舗の２階に私又は母が居住する場合と、２階を空き屋として全く別の家に母と共に居住する場合とで、店舗に係る減価償却費や固定資産税の額の必要経費算入額が異なってきますか。

【答】　事業を営む者が生計を一にする親族の所有する資産をその事業の用に供することにより、その事業から使用料等の対価の支払があった場合には、その対価に相当する金額は、事業所得の金額の計算上、必要経費に算入しないものとされ、更に、その親族が収受した対価に係る各種所得の金額の計算上必要経費に算入されるべき金額は、その事業を営む者の事業所得の金額の計算上必要経費に算入することになっています。

この場合において、生計を一にする親族が受けた対価の額及び各種所得の金額の計算上必要経費に算入されるべき金額は、なかったものとされます（所法56）。

また、事業を営む者が生計を一にする親族の所有する資産を無償で借り受け、事業の用に供している場合であっても、その対価の授受があったとしたならば、その資産を所有する親族の各種所得の金額の計算上必要経費に算入されるべき金額を、その事業を営む者の事業所得の金額の計算上必要経費に算入するものとされます（基通56－１）。

したがって、御質問の場合、店舗の所有者（母）に対する賃借料の支払の有無にかかわらず、その建物の減価償却費や固定資産税、修繕費等の維持管理費用は、あなたの事業所得の金額の計算上必要経費に算入することができます。

この場合において、必要経費に算入できるのは、店舗として事業の用に供している部分に係る減価償却費や固定資産税、修繕費等の維持管理費用ですから、２階部分を事業の用に供していない限り、２階に住んでも別のところに住んでも必要経費に算入する額に違いはありません（所法45）。

砂利採取地に係る埋戻費用

【問10-158】 私は、砂利販売業を営む青色申告者です。本年６月にＡの所有する田地から砂利を採取するということでＡと契約し、条件は６月から３年間砂利を採取し、採取後は畑地として使用できるように埋め戻す契約をしています。

この場合の埋戻し費用の支出は３年後であり、債務の金額は見積計算であって、確定はしていませんが、見積額で各年分の必要経費算入が認められますか。

【答】　最近では、河川からの砂利採取が困難になってきていますので、農地や原野などの平地から砂利を採取する場合が多くなっていますが、その跡地は窪地となり管理上も問題となることもあって、埋め戻して原状に復することをあらかじめ約束している例が多いと思われます。

ところで、必要経費は原則としてその年12月31日（年の中途で死亡し又は出国した場合は、その死亡又は出国のとき）までに債務の額が確定したものとされています（所法37、基通37－２）。

これに従えば、埋戻しはもちろん砂利採取が終わった後に行われますので、その埋戻しによる多額な費用は砂利販売の終わった後における事後的費用として計上すべきことになり、収益と費用とが対応せず別々に計上されることになります。しかしながら、一般的にこのような場合の跡地の埋戻しに要する費用は、当然に砂利の販売価額等に反映させるものと考えます。

したがって、他の者の有する土地から、砂利その他土石（以下「砂利等」といいます。）を採取して販売（原材料等としての消費を含みます。）する場合において、他の者との契約によりその採取後の跡地を埋め戻して、土地を原状に復することを約しているため、その採取を開始した日の属する年以後、その埋戻しを行う日の属する年の直前の年までの各年において、継続して次の算式により計算した金額をその土地から採取した砂利等の取得価額に算入しているときは、認められることになっています（基通47－17の２）。

（算　式）

$$\left(\text{埋戻しに要する費用の額の見積額} - \text{その年の前年以前において砂利等の取得価額に算入した金額の合計額}\right) \times \frac{\text{その年において当該土地から採取した砂利等の数量}}{\text{当該土地から採取する砂利等の予定数量} - \text{その年の前年以前において採取した砂利等の数量の合計}}$$

（注）　算式の「埋戻しに要する費用の額の見積額」及び「当該土地から採取する砂利等の予定数量」は、その年12月31日の現況により適正に見積もるものとします。

御質問の場合についても、上記の算式に従って計算した埋戻し費用の額を、採取した砂利の取得価額に算入することにより、結果的には必要経費に算入することが認められます。

なお、自己の所有地から砂利等を採取する場合には、この取扱いの適用は認められませんので注意する必要があります。

家内労働者等の所得計算の特例

【問10-159】 家内労働者等の事業所得等の所得計算の特例制度が設けられているそうですが、家内労働者等とはどのような人をいうのでしょうか。

【答】　事業所得の金額又は雑所得の金額（公的年金等に係るものを除きます。以下同じ。）は、その年中の事業所得又は雑所得の収入金額から必要経費を控除した金額ですが、家内労働者等については、必要経費について55万円（当該家内労働者等が給与所得を有する場合には、55万円から給与所得控除額を控除した残額とし、事業所得又は雑所得の収入金額を超える場合はその収入金額を限度とします。）の最低保障を認めるという「家内労働者等の事業所得等の所得計算の特例」が設けられています（措法27、措令18の２）。

ここでいう「家内労働者等」とは、家内労働者、外交員、集金人、電力量計の検針人又は特定の者に対して継続的に人的役務の提供を行うことを業務とする人で、事業所得又は雑所得を有する人をいいます。

（注）「家内労働者」とは、物品の製造や加工、改造、修理、浄洗、選別、包装、解体、販売又はこれらの請負を業とする者から、主として労働の対償を得るために、その業務の目的物たる物品（物品の半製品、部品、附属品又は原材料を含みます。）について委託を受けて、物品の製造や加工、改造、修理、浄洗、選別、包装、解体に従事する者であって、その業務について同居の親族以外の者を使用しないことを常態とするものをいいます。

パート収入と内職収入がある場合

【問10-160】 私は、現在内職で縫製加工を行っていますが、以前はパートに出ていました。私の本年の収入状況は次のとおりで、家内労働者等の所得計算の特例の適用があると聞きましたが、どのように所得を計算するのでしょうか。

○ 内職収入　70万円　　必要経費　20万円

○ パート収入　30万円　　給与所得控除額　30万円

【答】　家内労働者等の事業所得等の所得計算の特例の適用を受ける場合の必要経費の額は、所得税法の規定にかかわらず、次の区分に応じ、それぞれに掲げる金額とされます。この場合、当該それぞれの金額は、事業所得に係る総収入金額又は雑所得に係る総収入金額（公的年金等に係るものを除きます。）を限度とします（措法27、措令18の２）。

①　事業所得又は雑所得のいずれかを有する人

55万円（当該家内労働者等が給与所得を有する場合には、55万円からその給与に係る給与所得控除額を控除した残額。②において同じ。）

②　事業所得と雑所得の両方を有する人

イ　事業所得に係る必要経費とする金額

55万円のうち、所得税法に規定する事業所得の必要経費に相当する金額（雑所得に係る総収入金額（公的年金等に係るものを除きます。）が、ロに掲げる金額に満たない場合には、当該満たない部分に相当する金額を加算した金額）に達するまでの部分に相当する金額

ロ　雑所得に係る必要経費とする金額

55万円のうち、所得税法に規定する事業所得の必要経費に相当する金額に達するまでの部分以外の部分に相当する金額

御質問の場合、上記①に該当し、この特例の適用の有無を判断すると、

（最低保障額）（給与所得控除額）　（事業所得の実額経費）
（550,000円－300,000円）＞　200,000円

となり、この特例の適用があることになります。

次に、事業所得に係る最低保障額を計算しますと、

（最低保障額）550,000円－（給与所得控除額）300,000円＝（事業所得に係る最低保障額）250,000円

↓ 給与所得控除額分だけ最低保障額を減額します。

となります。

したがって、この特例を適用した場合の事業所得の金額は、

（事業所得の総収入金額）700,000円－（特例経費）250,000円＝（事業所得の金額）450,000円

となります。

従業員に係る在宅勤務費用

【問10-161】 私は、インフルエンザや新型コロナウイルス感染症に関する感染予防対策として、従業員が負担した在宅勤務を行う自宅のスペースの消毒に係る外部業者への委託費用やPCR検査費用等を従業員に支給する予定ですが、これらの費用は事業所得の金額の計算上、必要経費として認められますか。

また、これらの費用の支給について、従業員に対する給与として課税する必要はありますか。

【答】　所得税法上、必要経費とされるのは、収入金額を得るため直接要した費用と販売費・一般管理費等所得を生ずべき業務について生じた費用とされています（所法37①）。

御質問のような、個人事業主が負担する従業員に係る在宅勤務費用については、業務のために通常必要な費用として、事業所得の金額の計算上、必要経費への算入が認められます。

なお、在宅勤務に関連して業務スペースを消毒する必要がある場合の費用や事業主の業務命令により受けたPCR検査費用など業務のために通常必

要な費用について、その費用を精算する方法により、事業主が従業員に対して支給する一定の金銭については、従業員に対する給与として課税する必要はありません（事業主が委託先等に費用を直接支払う場合も同様です。）。

ただし、従業員が自己の判断により支出した消毒費用やPCR検査費用など業務のために通常必要な費用以外の費用や、あらかじめ支給した金銭について業務のために通常必要な費用として使用しなかった場合でもその金銭を企業に返還する必要がないものは、従業員に対する給与として課税する必要があります。

職場以外の場所での勤務に関する費用

【問10-162】 インフルエンザや新型コロナウイルス感染症に関する感染予防対策として、感染が疑われる従業員に対して、ホテル等で勤務をすることを認めています。この場合、従業員が負担したホテル等の利用料やホテル等までの交通費等を従業員に支給する予定ですが、これらの費用は事業所得の金額の計算上、必要経費として認められますか。

また、このような費用の支給については、従業員に対する給与として課税する必要はありますか。

【答】　御質問のように、職場以外の場所で勤務することを事業主が認めている場合のその勤務に係る通常必要な利用料、交通費など業務のために通常必要な費用について、業務のために通常必要な費用として、事業所得の金額の計算上、必要経費への算入が認められます。

なお、その費用を精算する方法により、事業主が従業員に対して支給する一定の金銭については、従業員に対する給与として課税する必要はありません（事業主がホテル等に利用料等を直接支払う場合も同様です。）。

ただし、業務のために通常必要な費用以外の費用について支給するもの（例えば、従業員が自己の判断によりホテル等に宿泊した場合の利用料など）や、あらかじめ支給した金銭について業務のために通常必要な費用として使用しなかった場合でもその金銭を事業主に返還する必要がないものは、従業員に対する給与として課税する必要があります。

第11章　青色申告特別控除

青色申告特別控除制度の概要

【問11－１】　青色申告特別控除制度について、内容を教えてください。

【答】　青色申告特別控除制度は、適正な記帳慣行を確立し、記帳水準を一層向上させることにより青色申告制度の健全な発展を図るための制度で、①55万円の青色申告特別控除、②65万円の青色申告特別控除、③10万円の青色申告特別控除の三本の柱で成り立っています（措法25の２）。

(1)　55万円の青色申告特別控除

青色申告者で不動産所得又は事業所得を生ずべき事業を営むもの（現金主義を選択する者は除かれます。）が、その事業につき一定の帳簿書類を備え付けて、不動産所得の金額又は事業所得の金額に係る一切の取引の内容を正規の簿記の原則に従い、整然と、かつ、明瞭に記録している場合には、これらの所得の金額から次の金額のうちいずれか低い金額を青色申告特別控除として控除することができます（措法25の２③、措規９の６）。

イ　55万円

ロ　不動産所得の金額又は事業所得の金額の合計額

この特別控除は、不動産所得の金額又は事業所得の金額から順次控除するものとされています（措法25の２⑤）。

なお、この特別控除は、

①　確定申告書に、この特別控除を受けようとする旨の記載があること

②　確定申告書に、この特別控除を受ける金額の計算に関する事項の記載があること

③　上記により記録された帳簿書類に基づき作成された貸借対照表、損

益計算書その他不動産所得の金額又は事業所得の金額の計算に関する明細書の添付があること

④　確定申告書をその提出期限までに提出すること

の要件を満たす場合に適用することとされています（措法25の２⑥）。

(2) 65万円の青色申告特別控除

令和２年分以降の所得税について、青色申告特別控除の適用を受ける場合には、取引を正規の簿記の原則に従って記録している者に係る青色申告特別控除額は55万円に引き下げられました。なお、上記(1)の要件に加え、次に掲げる要件のいずれかを満たすものは65万円の青色申告特別控除額が受けられます（措法25の２③④、措規９の６②～⑥、平30改所法等附１六ホ、70②、平30改措規附１三、８）。

①　その年分の事業に係る仕訳帳及び総勘定元帳について、電子計算機を使用して作成する国税関係帳簿書類の保存方法等の特例に関する法律に定めるところにより「電磁的記録の備付け及び保存」又は「電磁的記録の備付け及びその電磁的記録の電子計算機出力マイクロフィルムによる保存」（以下これらを「電磁的記録の備付け等」という。）を行っていること。

（注）　令和４年分以後の青色申告特別控除については、その年分の事業における仕訳帳及び総勘定元帳に係る電磁的記録等の備付け及び保存が国税の納税義務の適正な履行に資するものとし一定の要件を満たしている場合に、65万円の青色申告特別控除が受けられます。

なお、既に青色申告書を提出することにつき、税務署長の承認を受けている人で、仕訳帳及び総勘定元帳の電磁的記録等の備付け等に係る承認を受けて当該仕訳帳及び総勘定元帳の電磁的記録等の備付け等を行っている場合には、令和４年分以後も65万円の青色申告特別控除を受けられます（措法25の２④一、令３改措法附34）。

②　その年分の所得税の確定申告書、貸借対照表及び損益計算書等の提出を、その提出期限までに電子情報処理組織（e-Tax）を使用して行うこと。

また、65万円の青色申告特別控除は、不動産所得の金額、事業所得の金額から次の金額のうちいずれか低い金額を青色申告特別控除として控除することができます（措法25の２③④）。

イ　65万円

ロ　不動産所得の金額又は事業所得の金額

(3)　10万円の青色申告特別控除

(1)及び(2)の適用のない青色申告者については、不動産所得の金額、事業所得の金額又は山林所得の金額から次の金額のうちいずれか低い金額を青色申告特別控除として控除することができます（措法25の２①）。

イ　10万円

ロ　不動産所得の金額、事業所得の金額又は山林所得の金額の合計額

この特別控除は、不動産所得の金額、事業所得の金額又は山林所得の金額から順次控除することとされています（措法25の２②）。

（注）　10万円の青色申告特別控除額は、確定申告書への記載を要件とするものではありませんので、その控除をしないところで確定申告書を提出している場合であっても、修正申告、更正等によりその控除を受けることができるものであり、また、確定申告書に記載されている不動産所得の金額、事業所得の金額又は山林所得の金額が修正申告、更正等により異動することとなったため、青色申告特別控除額にも異動が生ずることとなった場合には、その異動後の控除額によりこれらの所得の金額を計算することになります（措通25の２－３）。

損失がある場合の青色申告特別控除額の計算

【問11-2】　次のような所得を有する青色申告者ですが、青色申告特別控除額の計算の方法を説明してください。

①　事業所得………△80万円　　②　雑所得………………20万円

③　不動産所得………30万円　　④　山林所得……………20万円

⑤　分離長期譲渡所得………80万円

【答】　青色申告特別控除制度は、①55万円又は65万円の青色申告特別控除

制度と、②10万円の青色申告特別控除制度からなっておりますので、それぞれの制度の場合に分けて控除額の計算方法を説明します。

なお、各場合における青色申告特別控除額の計算の基礎となる所得金額とは、損益通算をする前のいわゆる黒字の所得金額をいいます（措通25の２－１）。

①　55万円又は65万円の青色申告特別控除制度適用の場合

不動産所得の金額又は事業所得の金額の合計額と55万円又は65万円のうちいずれか低い金額を限度として控除されますが、先に説明しましたように、不動産所得の金額又は事業所得の金額とは、損益通算をする前のいわゆる黒字の所得金額をいいますので、御質問の場合、不動産所得の金額30万円と55万円又は65万円を比べ低いほうの金額である30万円が不動産所得の金額から控除されます。

（注）　55万円又は65万円の青色申告特別控除は、不動産所得の金額又は事業所得の金額から順次控除します（措法25の２⑤）。

②　10万円の青色申告特別控除制度適用の場合

不動産所得の金額、事業所得の金額又は山林所得の金額の合計額と10万円のうちいずれか低い金額を限度として控除されますので、御質問の場合、不動産所得の金額30万円と山林所得の金額20万円の合計額50万円と10万円を比べ低いほうの金額である10万円が不動産所得の金額から控除されます。

（注）　10万円の青色申告特別控除は、不動産所得の金額、事業所得の金額又は山林所得の金額から順次控除します（措法25の２②）。

医師の社会保険診療報酬に係る所得計算の特例と青色申告特別控除額

【問11-3】 私は、青色申告の承認を受けている内科医で、e-Taxにより申告予定です。社会保険診療報酬については、租税特別措置法第26条による所得計算の特例の適用を受けたいのですが、その適用後の所得が次のとおりとなります。

この場合には、青色申告特別控除はできませんか。

① 不動産所得…………………………………… 2万円

② 事業所得 { 社会保険診療報酬分………… 1,200万円 / 自由診療報酬分…………………… 5万円 }

③ 山林所得……………………………………… 200万円

【答】 医業又は歯科医業を営む者は、その選択により各年に受ける社会保険診療報酬について、その収入金額に応じて定められている必要経費率を適用して計算する方法が認められています（措法26）。

しかしながら、租税特別措置法第26条の規定の適用を受けた社会保険診療報酬に係る所得については、青色申告特別控除の限度額を計算するに当たって、これを事業所得の金額から除外し、いわゆる自由診療報酬に係る所得の部分だけを計算の基礎とすることとされています（措法25の２①二かっこ書）。

御質問の場合、前問で説明しましたように、①65万円の青色申告特別控除制度と、②10万円の青色申告特別控除制度のいずれを選択するかによって計算の基礎となる金額が異なります。

つまり、①65万円の青色申告特別控除制度を適用される場合は、青色申告特別控除額の限度額の計算の基礎となる金額は不動産所得の金額２万円と事業所得のうち自由診療報酬に係る所得５万円との合計額７万円となりますが、②10万円の青色申告特別控除制度を適用される場合は、青色申告特別控除額の限度額の計算の基礎となる金額は不動産所得の金額２万円と事業所得のうち自由診療報酬に係る所得５万円及び山林所得の金額200万円との合計額207万円となります。

したがって、①65万円の青色申告特別控除制度を適用されると控除限度額は７万円に、②10万円の青色申告特別控除制度を適用されると控除限度額は10万円になりますので、②10万円の青色申告特別控除制度を適用することとなります。

なお、この場合の各種所得の金額を計算しますと、次のようになります。

イ　不動産所得の金額……２万円－２万円（青色申告特別控除額）＝０円

ロ　事業所得（その他の事業）の金額

……(1,200万円＋５万円)－８万円（青色申告特別控除額）＝1,197万円

ハ　山林所得の金額……200万円－０円（青色申告特別控除額）＝200万円

（注）　租税特別措置法第26条の規定の適用を受けた社会保険診療報酬に係る所得は、青色申告特別控除の限度額の計算に当たっては除外されますが控除に際してこれを除外することを要せず、上記の「ロ」の計算でよいことになります（措通25の２－１(3))。

現金主義と55万円又は65万円の青色申告特別控除

【問11-４】　現金主義と55万円又は65万円の青色申告特別控除の適用関係について、次の点をお尋ねします。

(1)　前々年の所得金額が300万円を超えた場合は、現金主義の取りやめの手続をしなくても55万円又は65万円の青色申告特別控除を適用できますか。

(2)　現金主義の適用者がその年の３月15日までに取りやめの手続をしないで、年初より記帳の方法をいわゆる発生主義の方法に変更している場合には、55万円又は65万円の青色申告特別控除を適用できますか。

【答】　いわゆる現金主義とは、不動産所得又は事業所得を生ずべき業務を行う青色申告者のうち、その年の前々年の不動産所得及び事業所得（青色事業専従者給与額の控除前）の金額の合計額が300万円以下の人が、その

年分の不動産所得の金額又は事業所得の金額を、その業務につきその年において収入した金額をもって総収入金額とし、支出した費用の額をもって必要経費として計算することができる所得計算の特例制度です（所法67、所令195①）。

この特例を受けるためには、その年の３月15日まで（その年１月16日以後に業務を開始した場合には、その業務を開始した日から２か月以内）に、「現金主義による所得計算の特例を受けることの届出書」を提出することになっています（所令197①）。

また、この特例を受けることを取りやめようとする場合には、その年の３月15日までに、「現金主義による所得計算の特例を受けることの取りやめ届出書」を提出しなければなりません（所令197②）。

なお、この特例の適用を受ける人は、55万円及び65万円の青色申告特別控除は適用できません（措法25の２③④。【問11-１】参照）。

まず、御質問の(1)については、その年の前々年の所得金額が300万円を超えていれば、現金主義の取りやめの手続の有無にかかわらず、その年は現金主義の所得計算の特例を適用していることにはなりませんので、55万円又は65万円の青色申告特別控除を適用するためのその他の要件を満たしていれば、55万円又は65万円の青色申告特別控除の適用を受けることができます。

次に、御質問の(2)については、その年の前々年の所得金額が300万円以下で、その年３月15日までに現金主義の取りやめの手続をしていなければ、仮にいわゆる発生主義の方法により記帳していたとしても、その年は現金主義の所得計算の特例を適用していることになりますので、55万円又は65万円の青色申告特別控除の適用を受けることはできません（現金主義による所得計算に修正する必要があります。）。

「事業主貸」と「事業主借」

【問11-5】 55万円又は65万円の青色申告特別控除の適用を受ける場合に、確定申告書に添付する貸借対照表の「事業主貸」勘定や「事業主借」勘定には、どのようなものを計上するのですか。

【答】 それぞれ次のようなものを計上します。

(1)「事業主貸」勘定

イ　事業用の現金を生活費として家計に渡した金額

ロ　決算整理において、家事関連費のうち家事分として必要経費から除外した金額

ハ　業務用と家事用に併用する建物や自動車などの減価償却資産について、取得価額を業務用と家事用に区分しないで減価償却費を計上している場合、決算整理において、家事用として使用する部分について、家事分として減価償却費から除外した金額

ニ　事業用固定資産を売却（現金等で入金）し、譲渡損が生じた場合のその差額（確定申告の際には譲渡所得として申告します。）

（例）固定資産（簿価100万円）を60万円で売却した場合

（　借　方　）	（　貸　方　）
現　　金　　60万円 事業主貸　　40万円	固定資産　100万円

(2)「事業主借」勘定

イ　家事用の現金等で支払った事業上の必要経費

ロ　事業用預貯金の利子（税引後）

ハ　事業用固定資産を売却（現金等で入金）し、譲渡益が生じた場合のその差額（確定申告の際には譲渡所得として申告します。）

（例）　固定資産（簿価80万円）を100万円で売却した場合

（　借　方　）	（　貸　方　）
現　　金　100万円	固定資産　　80万円 事業主借　　20万円

第12章　損益通算と損失の繰越し･繰戻し

土地建物等の譲渡所得がある場合の損益通算（その１）

【問12-１】　個人が、土地建物等を譲渡して赤字が生じた場合、他の所得と損益通算をすることができるのでしょうか。

【答】　個人が、土地建物等を譲渡し、譲渡所得の金額の計算上赤字の金額が生じた場合には、その赤字の金額は他の土地建物等の譲渡による黒字の譲渡所得の金額から控除することはできますが、控除をしてもなお控除しきれない赤字の金額が残るときは、その赤字はないものとみなされ、その赤字の金額を土地建物等以外の譲渡所得や、給与所得などの他の所得の黒字の金額と損益通算することはできません（措法31①③二、32①④）。

また、逆に、土地建物等以外の資産に係る譲渡所得や他の各種所得の金額の計算上赤字の金額が生じたとしても、それらの赤字の金額を土地建物等の譲渡に係る黒字の金額から控除することもできません（措法31①③二、32①④）。

更に、前年から繰り越された純損失の金額についても、土地建物等の譲渡による譲渡所得の金額の計算上控除することはできないこととされましたが、前年から繰り越された雑損失の金額は、譲渡所得の金額の計算上控除することができるとされています（措法31③三、32④）。

なお、譲渡の年の１月１日において所有期間が５年を超える居住用財産を譲渡したことにより生じた赤字の金額については、一定の要件を満たす場合に限り、他の譲渡所得の基因となる資産の譲渡により生じた黒字の金額から控除することはもちろん、他の各種所得の黒字の金額と損益通算をすることができ、これらの通算を行ってもなお控除しきれない赤字の金額については、その譲渡の年の翌年以後３年間にわたり繰越控除することができます（措法41の５、41の５の２。【問12-22】参照）。

（注）　土地建物等とは、土地若しくは土地の上に存する権利又は建物及びその附属設備若しくは構築物をいいます。

土地建物等の譲渡所得がある場合の損益通算（その２）

【問12-２】　紙卸売業に係る事業所得が赤字になってしまいましたので、先祖からの土地を売却して赤字の補填をしました。
　この事業所得の赤字200万円は、譲渡所得300万円から控除することができますか。

【答】　所得税法は、個人に帰属する一暦年中の所得を10種類に分類して、各種所得の区分ごとにそれぞれ所得金額を計算することとしていますが、この各種所得のうち、不動産所得、事業所得、山林所得及び譲渡所得が赤字になったときは、その赤字の金額を他の黒字の各種所得の金額から一定の順序で控除して、その控除後の黒字の各種所得の金額により、課税標準である総所得金額、退職所得金額及び山林所得金額を計算することになっています。これを損益通算といいます（所法69）。

　ただし、次に掲げる所得の金額の計算上赤字の金額が生じた場合であっても、その赤字はなかったものとみなされ、損益通算をすることができません。

　また、逆に、次に掲げる所得以外に赤字が生じている場合においても次に掲げる所得との損益通算は認められません。

(1)　分離課税の対象となる土地等又は建物等の譲渡所得の金額（措法31、32）
(2)　株式等に係る事業所得、譲渡所得及び雑所得の金額（措法37の10、37の11）
(3)　先物取引に係る事業所得、譲渡所得及び雑所得の金額（措法41の14）

　したがって、御質問の事業所得の赤字は、分離課税の長期譲渡所得から控除することができません。

(2)については、平成21年分以後の所得税の確定申告において、上場株式等に係る譲渡所得等の金額の計算上生じた損失の金額がある場合には、申告分離課税を選択した上場株式等に係る配当所得等の金額から控除することができます（当該上場株式等に係る配当所得等の金額を限度とします。）。

（注）　平成28年1月1日以後、上場株式等に係る譲渡損失及び配当所得の損益通算の特例の対象に、特定公社債等の利子所得、配当所得及び譲渡所得等が追加されました。

低額譲渡により生じた譲渡損失

【問12-3】　サラリーマンである私は、20年前に宅地を1,000万円で取得し、更地のままにしていました（現在の時価は2,400万円です。）。

ところが、借家に住んでいた長男が結婚することになったため、この宅地を長男に400万円で譲渡することにしました。

更に、父から相続した土地を3,000万円で譲渡し、2,000万円の譲渡益が発生しています。

この場合、長男に譲渡した宅地の譲渡損と父から相続した土地の譲渡益との損益を通算して譲渡所得の金額を計算することができますか。

【答】　譲渡所得の基因となる資産を、著しく低い価額（時価の２分の１未満の価額をいいます。）で譲渡した場合において、その譲り受けた者が法人のときには時価により譲渡があったものとみなされますが、個人のときには、このような取扱いはなく、実際の譲渡価額により譲渡所得の金額を計算します。

その代わりに、譲渡所得の金額の計算において損失額が生じても、その損失額はなかったものとみなすこととされています（所法59②）。

したがって、御質問の場合のように、個人に対して著しく低い価額で譲渡したことにより損失が生じた場合には、その譲渡損失は生じなかったものとみなされますから、その損失の額を他の土地等に係る譲渡所得の金額と損益を通算して譲渡所得の金額を計算することはできないこととなります。

なお、息子さんの宅地の取得価額は、あなたの取得価額1,000万円を引き継ぐこととされています（所法60①二）。

（注）　著しく低い価額の対価で財産を譲り受けた場合には、その財産を譲り受けた時に、その対価と財産の時価との差額に相当する金額を、その財産を譲渡した者から贈与によって取得したものとみなされ、贈与税が課税されます（相法７）。

リゾートホテルの賃貸と損益通算

【問12-４】　私は、Ａ社の分譲する保養地に所在するホテルの１室を取得し、Ｂ社と次の条件で不動産賃貸借契約を締結しました。

①　休日、休日の前日及び夏・冬の一定期間については、利用日を指定することにより私自身が優先的に利用できる（所定の料金は支払う。）――――この期間は実際に使用しています。

②　Ｂ社は、①以外の日をホテルの客室用として利用する。

③　Ｂ社は私に２万円の基本料を支払う。私はＢ社に同額の管理費を支払う。

④　私は、次の算式で計算した運用分配金をＢ社より受け取る。

$$\text{一般客室料総売上} \times \frac{1}{144} \times 20\%$$

（分譲された部屋数は144室です。）

なお、当該ホテルの取得資金はすべて借入れによるもので、支払利子も多額になります。

この場合、ホテルの１室の貸付けによる所得は相当赤字となりますが、他の所得と損益通算を行って差し支えありませんか。

【答】　通常、不動産所得の金額の計算上生じた損失は、これを他の所得から控除できます（所法69①）。しかしながら、その損失のうちに生活に通常必要でない資産に係る所得の金額の計算上生じた損失があるときは、当該損失は原則として生じなかったものとみなされます（所法69②）。

生活に通常必要でない資産とは次のようなものをいいます（所令178）。

① 競走馬（事業と認められるものの用に供されるものを除く。）その他射こう的行為の手段となる動産

② 通常自己及び自己と生計を一にする親族が居住の用に供しない家屋で主として趣味、娯楽又は保養の用に供する目的で所有するもの、その他主として趣味、娯楽、保養又は鑑賞の目的で所有する資産（①、③の動産を除きます。）

③ 生活の用に供する動産で所得税法施行令第25条《譲渡所得について非課税とされる生活用動産の範囲》の規定に該当しないもの

ところで、御質問のあなたが取得されたホテルの１室は、次の点からみて、生活に通常必要でない資産に該当すると思われます。

イ 当該ホテルを優先的に使用する権利を確保した上で、Ｂ社に賃貸されています。

ロ 当該ホテルは保養地に所在して、これを利用されています。

ハ 基本賃料は管理費と同額であり、また、運用分配金は金利等に比べて少額なものとなっています。

したがって、当該ホテルの貸付けによる赤字は他の所得と損益通算することはできません。

ゴルフ会員権の譲渡損失

【問12-5】 私はマイホーム取得のため預金の引出しのほか、ゴルフ会員権を譲渡し、その取得資金に充てましたが、売り急いだために50万円の譲渡損失が発生しました。

このゴルフ会員権の譲渡による損失は他の所得から控除することができないでしょうか。

【答】 生活に通常必要でない資産に係る所得の計算上生じた損失については、競走馬に係る譲渡損失（競走馬の保有に係る雑所得から控除します。）を除き、他の所得との損益通算は認められません（所法69②）。

ここで、生活に通常必要でない資産とは、次に掲げる資産をいいます（所令178①）。

① 競走馬（その規模、収益の状況その他の事情に照らし事業と認められるものの用に供されるものを除きます。）その他射こう的行為の手段となる動産

② 通常自己及び自己と生計を一にする親族が居住の用に供しない家屋で主として趣味、娯楽又は保養の用に供する目的で所有するもの、その他主として趣味、娯楽、保養又は鑑賞の目的で所有する資産（①又は③に掲げる動産を除きます。）

③ 生活の用に供する動産で所得税法施行令第25条《譲渡所得について非課税とされる生活用動産の範囲》の規定に該当しないもの

ゴルフ会員権は、②の「主として趣味、娯楽、保養又は鑑賞の目的で所有する資産」に該当しますので、御質問のゴルフ会員権を譲渡したことによって生じた損失は、他の所得との損益通算は認められません。

競走馬の譲渡損失

【問12-６】 会社の社長である甲は、競走馬の馬主であり、かなりの賞金収入もあります。甲の今年の競走馬保有状況は次のとおりですが、競走馬の売却損については事業用資産の損失として他の所得と損益通算ができますか。

１月１日現在	登録馬の保有頭数	４頭
４月20日	取得（新規登録）	１頭
11月１日	売却（譲渡損100万円）	１頭
12月31日現在	登録馬の保有頭数	４頭

【答】 その年中における登録期間が６か月以上の登録馬を５頭以上保有している者については、その競走馬の保有に係る所得は形式基準により事業所得とされることになっています（基通27－７(1)）。

この場合、５頭以上保有しているかどうかは、その年の年末において判定するものとは限らず、その年中のいずれかの時点において「その年における登録期間が６か月以上」となった競走馬を５頭以上保有していればよいことになります。

したがって、御質問の場合も11月１日に１頭を売却する前の日においては、この要件を満たすことになりますので、社長甲の競走馬の保有による所得は事業所得となり、競走馬は事業用資産となりますので、譲渡損失100万円は他の所得との損益通算が可能となります（所法69①、所令178①）。

なお、この場合には、「登録馬の証明書」を確定申告書に添付する必要があります（【問６-27】参照）。

（注） その年以前３年以内の各年において、その年中における登録期間が６か月以上の登録馬を２頭以上保有しており、かつ、その年の前年以前３年以内の各年のうちに競走馬の保有に係る所得が黒字となった年が１年以上ある場合にも、競走馬の保有に係る所得は上記同様に形式基準により事業所得とされますが、この場合の「２頭以上」も同様に判定します（基通27－７(2)）。

競走馬の保有損失と貸金利子との相殺

【問12-7】　競走馬を保有する個人がその競走馬の保有によって損失（賞金収入に対する経費超過によるもの）を生じた場合には、その損失は貸金利子による所得から控除できますか。もし控除できるとすれば、控除しきれない損失は翌年に繰り越すことができますか。

【答】　競走馬の保有による所得は通常雑所得とされますから、その保有による損失は雑所得計算上の損失の一部となります（一定の場合は事業所得となりますが、その場合は通常の事業所得の赤字と同様、損益通算もできますし、青色申告者であれば、引き切れない赤字は翌年に繰り越すこともできます。【問６-27】参照）。雑所得の金額の計算上生じた損失は他の所得との損益通算は認められませんが（所法69②）、それは他の種類の所得との損益通算が認められないというだけで、同じ種類の所得からは差し引くことができます。

御質問の貸金利子による所得が、事業と称するに至らない金銭の貸付けから生ずるものならば雑所得とされますので、その金額の範囲内で、競走馬の保有による損失を控除することができます。もし競走馬の保有による損失のほうが、貸金利子より多くて控除しきれないときは、それが雑所得計算上の損失となり、それは他の所得との損益通算を認められません。また、青色申告者であっても、その損失の金額は翌年以後に繰り越すことはできません。

なお、譲渡所得計算上の損失の中に競走馬の譲渡による損失の金額があるときは、その損失の金額はその生じた年分の競走馬の保有による雑所得の金額から控除することができますが、控除しきれない部分の損失は、他の所得との損益通算は認められません。

また、競走馬以外の生活に通常必要でない資産（別荘など）の譲渡損は、他の資産の譲渡所得からは差し引けますが、他の所得との損益通算は認められません（所法69②、所令200）。

通勤用自動車の売却損

【問12-８】　私は、毎日、自動車で通勤しているサラリーマンですが、このほど新車に買い換えるために今まで使用していた自動車を下取りに出すことにしました。

この自動車の下取価格は、購入価格から使用期間中の減価償却費相当分を差し引いた残額を相当下回っていますが、その損失は私の給与所得から控除することができるでしょうか。

【答】　サラリーマンが通勤用としている自動車は、生活用の什器などと同様、生活に通常必要な動産と考えられており、その譲渡によって利益が生じても非課税として取り扱われます（所法９①九）。

所得税法に定める非課税所得とは、ある取引によって生じた損益のすべてを課税関係の範囲から除くことを意味しますから、生じた利益はもとより損失についてもなかったものとみなされます。

したがって、通勤用の自動車の譲渡による損益はいずれもないものとみなされ、たとえ譲渡損が生じても、これを給与所得等の金額から差し引くことはできないこととなります（所法９②一）。

なお、専らレジャーに使用する自動車の譲渡による利益は譲渡所得として課税の対象となり、損失については、他に譲渡所得がある場合にはその範囲内で控除できますが、なお控除しきれない部分があっても、これを譲渡所得以外の所得から差し引くことはできないこととされています（所法69②）。

（注）　通勤用自動車に対する雑損控除の取扱いについては【問13-１】を参照。

畑作に係る損失

【問12-９】 私は会社員ですが、数年前、家の近くの土地を購入しました。固定資産税などの維持費もかなりかかることから、土地の管理を兼ねて、野菜作りを行っています。

野菜の収穫量は自家用にも満たない状態ですので、畑作に係る収入金額から、借入金利子や固定資産税等の必要経費を差し引くと、毎年赤字となってしまいます。

このような赤字についても、給与所得との通算ができますか。

【答】 農業から生ずる所得は事業所得とされており、その所得計算はその年中の総収入金額から必要経費を差し引いて行います。そして、その所得の金額の計算上損失が生じた場合には、他の所得と損益通算をします（所法27、69)。

この場合の農業とはいわゆる社会通念上事業といわれる規模のものをいうのであって、誰がみても将来においても所得が発生すると考えられない採算を度外視した農作物の栽培までも、事業に該当するとは想定されていないと考えられます（所基通35-２(注)、【問６-97】参照)。

例えば、いわゆる家庭菜園的なものについては、農作物等の栽培の主な目的は自家用野菜の確保や土地の維持管理にあるのであって、仮に農作物の一部を販売したからといって、事業としての農業だと判定することはできないと考えます。

したがって、総収入金額から必要経費を差し引き赤字になったからといって、その金額を事業所得の赤字として給与所得と損益通算を行うことはできないものと考えます。

不動産所得に係る損益通算の特例

> **【問12-10】**　不動産所得に係る損失のうち、土地の取得のための借入金の利子の額に相当する部分は他の所得金額から控除することはできないと聞きましたが、その制度の内容を分かりやすく説明してください。

【答】　一般に、不動産所得の金額の計算上生じた赤字の金額がある場合には、その金額を損益通算により、一定の方法で他の各種所得の金額から控除することとされています（所法69①）。ただし、別荘などの不動産で、主として趣味、娯楽、保養又は鑑賞の目的で所有するものの貸付けによる所得の計算上生じた赤字の金額は、損益通算の対象から除かれています（所法69②、所令178①二）。

また、不動産所得の金額の計算上生じた損失の金額がある場合で、不動産所得の金額の計算上控除する必要経費のうちにその不動産所得を生ずべき業務の用に供している土地（借地権等の土地の上に存する権利を含みます。）の取得に要した借入金の利子があるときには、次の(1)又は(2)に掲げる金額は、他の各種所得の黒字の金額と損益通算できないこととされています（措法41の４、措令26の６）。

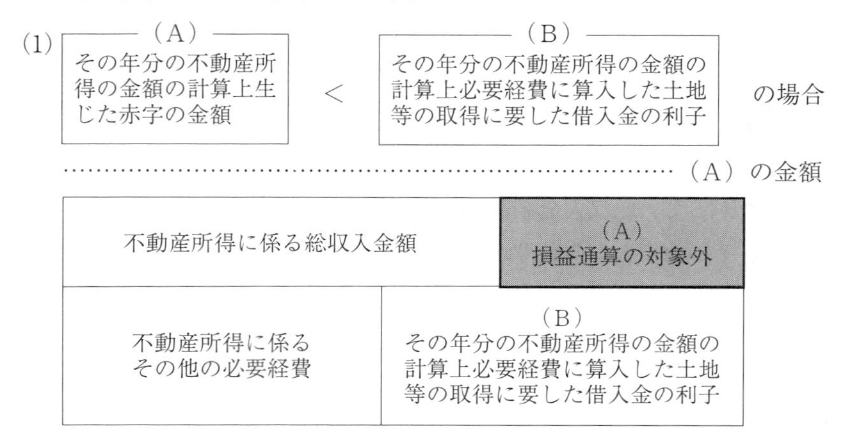

(2)

(A) その年分の不動産所得の金額の計算上生じた赤字の金額	≧	(B) その年分の不動産所得の金額の計算上必要経費に算入した土地等の取得に要した借入金の利子	の場合

……………………………………………………………………（B）の金額

不動産所得に係る総収入金額	損益通算の対象	(A) 損益通算の対象外
不動産所得に係るその他の必要経費		(B) その年分の不動産所得の金額の計算上必要経費に算入した土地等の取得に要した借入金の利子

この場合、損益通算の対象とならない部分の金額は、純損失の繰越控除や純損失の繰戻しの対象にもならないことになります。

不動産所得に係る損益通算の特例（一括して購入した土地・建物の取得資金の一部を借入金で充てた場合）

【問12-11】　アパートの貸付けを行っている者ですが、このアパートは、前の所有者から土地付きで２億円（5,000万円は自己資金、残りの１億5,000万円は借入金）で購入したものです。

次の場合、本年分の土地の取得に要した借入金はどのように計算すればよいのでしょうか。

○ 本年中の上記借入金に係る利子の額…………………1,080万円

○ 建物の減価償却費の計算の基礎となる取得価額………　１億円

【答】　不動産所得の金額の計算上生じた赤字の金額のうち、損益通算の対象とならないのは、土地等の取得に要した借入金の利子に相当する部分の金額です（措法41の４）。

御質問の場合のように、一の契約により同一の者から取得した土地・建物の取得資金の一部を借入金で充てた場合、借入金の額を土地と建物のそ

れぞれに充てた部分に区分することができないことがあります。このような場合、借入金は、土地と建物の両方の取得に充てられたものといえますので、一般的には、その借入金を土地と建物のそれぞれの取得価額の比によってあん分した金額をそれぞれの取得に要した借入金とするのが合理的と考えられます。

しかしながら、不動産所得に係る損益通算の特例の適用に当たっては、一の契約により同一の者から取得した土地・建物の取得資金の一部を借入金で充てた場合、その借入金は、まず建物の取得のために充てられたものとして取り扱われることになっています（措令26の6②）。

したがって、御質問の場合、建物の減価償却費の計算においてその取得価額が合理的に計算されたものであれば、土地の取得に要した借入金は次のようになります。

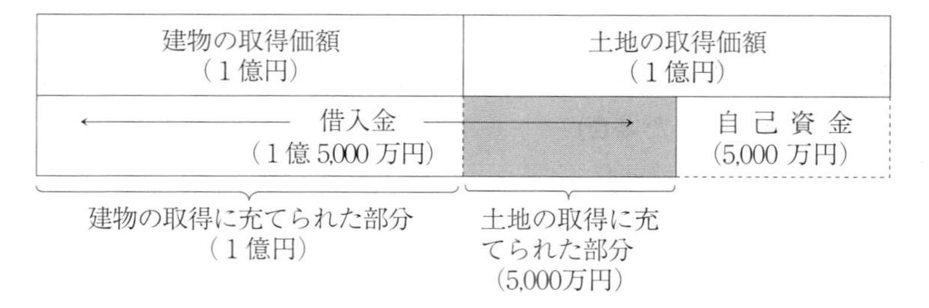

そこで、本年分において、土地の取得に要した借入金の利子を計算すると、

$$10{,}800{,}000円 \times \frac{50{,}000{,}000円}{150{,}000{,}000円} = \underline{3{,}600{,}000円}$$

となります。

一括購入の土地・建物に係る借入金の返済

【問12-12】 借入金により取得した賃貸マンションによる収入があり、その所得を計算すると赤字になるため、損益通算の特例の適用を受けています。そこで、不動産所得の損益通算の特例の規定が適用されないように、昨年末に建物の取得価額に相当する部分の金額を除き全額返済しました。

この結果、私の本年分以後の不動産所得の必要経費に算入する借入金利子は、すべて建物の取得に充てられたものとなり、不動産所得に係る損益通算の特例は適用されないことになることから、不動産所得の金額の計算上生ずる赤字の金額はすべて損益通算の対象となると考えてよいでしょうか。

【答】 不動産所得の損益通算の適用に当たり、一の契約により同一の者から取得した建物とその敷地の取得資金の全部又は一部を借入金で充てた場合には、その借入金は、まず建物の取得に充てられたものとして、土地等の取得に要した借入金の利子に相当する部分の金額を計算することとされています（措令26の６②。前問参照）。

この規定は、当初の借入れ元本の使途について、一定の要件に該当する場合に限り、建物に優先的に充てられたものとする規定であって、その後の返済が土地と建物のいずれの取得に充てられた部分から行われたものとするかを左右するものではありません。

ところで、借入金の利子が各種所得の金額の計算上必要経費に算入すべきかどうか、あるいは、いずれの所得の金額の計算上の必要経費に算入すべきかについては、その借入金の使途により判断することになります。

例えば、借入金で店舗併用住宅を取得して、店舗部分を事業の用に、住宅部分を居住の用に供している場合には、その借入金利子を店舗用部分と住宅用部分の取得価額によりあん分して、店舗用部分の取得に係る部分は事業所得の必要経費に算入し、住宅用部分の取得に係る部分は家事費とされることになります。この場合、借入金の返済は、店舗用部分の取得に係る部分と住宅用部分の取得に係る部分とが取得価額の割合に応じて行われているものとみるのが相当です。

同様に、御質問の場合も、借入金の返済は土地の取得に係る部分と建物の取得に係る部分とについてその割合に応じて行われたものとみるのが相当ですから、昨年末に返済された金額には建物の取得に係る部分が含まれており、その残高が建物の取得に係る部分のみになったとはいえないことになります。

したがって、御質問の場合にも、本年分以後の不動産所得を計算した結果、赤字の金額となるのであれば、土地の取得に要した借入金利子の額に相当する部分の金額については、損益通算の対象外とされることになります。

前問の設定を前提として、昨年末に、借入金残高が１億円（建物の取得価額に相当する金額）となるように一括返済を行った場合、本年中のその借入金に対する利子の額が仮に720万円であったとすれば、次の計算により240万円が土地の取得に要した借入金利子の額となります（措通41の４－３）。

$$7{,}200{,}000\text{円} \times \frac{50{,}000{,}000\text{円}}{150{,}000{,}000\text{円}} = 2{,}400{,}000\text{円}$$

不動産所得に係る損益通算の特例（土地等の取得に要した借入金の借換えの場合）

> **【問12-13】**　賃貸用の土地の取得に要した借入金を、有利な条件で借り換えることにしました。この場合、借換え後の借入金の利子についても、不動産所得の損益通算の特例の適用対象とされるのでしょうか。

【答】　貸付けの用に供する不動産を取得するために要した借入金を借り換えた場合、その借換え後の借入金の利子は、その不動産貸付業務に係る費用に該当し（借換え後の元本が借換え前の残高を超える場合には、その超える部分に対応する利子を除きます。）、不動産所得の金額の計算上必要経費に算入することになります。この場合、借換え後の借入金が不動産の取得に要した借入金に該当するものと考えられます。

したがって、御質問の場合の借換え後の借入金利子も、租税特別措置法第41条の４の不動産所得に係る損益通算の特例の適用対象となります。

不動産所得に係る損益通算の特例（不動産所得内における通算の可否）

【問12-14】　私には、賃貸マンションや駐車場の貸付けによる不動産所得があります。本年中に新たに借入金で取得した土地に賃貸マンションを建設し、貸付けの用に供していますが、この貸付けによる収支を計算すると、土地の取得に要した借入金の利子があるために赤字となります。

この赤字の金額と他の不動産所得の黒字の金額との通算もできないことになるのでしょうか。

【答】　不動産所得の金額の計算上生じた赤字の金額がある場合、その不動産貸付けが事業的規模で行われているかどうかを問わず、その赤字の金額のうち、不動産所得の必要経費に算入した土地等の取得に要した借入金の利子に相当する部分の金額は、損益通算等の適用上、生じなかったものとみなされることになっています（措法41の４）。

この特例は、あくまでも損益通算（異なる所得間の黒字と赤字の差引計算）の特例ですから、同じ不動産所得内での通算（損益計算）を制限するものではありません。したがって、御質問の場合、本年中に新たに取得した賃貸マンションを含むすべての収支を計算した結果、不動産所得の金額が赤字とならない限り不動産所得に係る損益通算の特例の適用はないことになります。

白色申告の場合の純損失の繰越控除

【問12-15】 工場と機械（未償却残高の合計250万円）が焼失し、取壊し費用が50万円かかりました（焼失は、特定非常災害によるものではありません）。

これに対する保険金を100万円受け取りましたが、復旧までの休業期間もあって、事業所得は焼失損等も含めて250万円の赤字になってしまいました（事業所得以外の所得はありません。）。私は、青色申告の承認を受けておりませんが、何か救済措置はないものでしょうか。あれば要件などについて説明してください。

【答】 不動産所得、事業所得、譲渡所得又は山林所得の金額の計算上生じた損失の金額のうち損益通算をしてもなお控除しきれない損失がある場合は、その損失を純損失といいます（所法２①二十五）。

純損失が生じた場合、青色申告者については、純損失の金額を翌年以後３年間繰り越して控除することができます（所法70①）。

白色申告者については、純損失の金額のうち次に掲げる損失の金額についてのみ翌年以後３年間繰り越して控除することができることとなっています（所法70②、所令202）。

(1) 変動所得の金額の計算上生じた損失の金額

(2) 被災事業用資産の損失の金額

なお、事業所得者等が、令和５年４月１日以後に発生する特定非常災害に係る純損失の繰越控除の特例の規定の適用を受ける場合、繰越控除期間は５年間となります（所法70の２、令５改所法等３、【問12－16】参照）。

ここで、被災事業用資産の損失の金額とは、棚卸資産や不動産所得、事業所得又は山林所得を生ずべき事業の用に供される固定資産その他これに準ずる資産若しくは山林について受けた災害（震災、風水害、火災などの災害をいいます。）による損失の金額で、その災害に関連するやむを得ない付随費用を含みますが、そのうち上記(1)に該当しないものをいいます

（所法70③、所令203）。

したがって、御質問の事業所得の赤字の金額250万円は、まず、事業用資産の災害損失から成っているものとして純損失の繰越しをすることになりますから、事業用資産の災害による損失を計算しますと、

250万円（工場、建物の未償却残額）＋50万円（付随費用）

－100万円（保険金による補塡額）＝200万円（被災事業用資産の損失額）

となります。

そこで、事業所得の250万円の赤字のうち被災事業用資産の損失の金額200万円は、翌年以後３年間にわたり繰越控除することができますが、残りの事業所得の計算上生じた50万円の赤字については、繰越控除することはできません。

なお、純損失の繰越控除の適用を受けるためには、純損失の生じた年に損失の金額に関する事項を記載した確定申告書（損失申告用を使用します。）を提出し、かつ、その後の年分についても連続して確定申告書を提出することが要件とされています（所法70④）。

特定非常災害に係る純損失の繰越控除

【問12-16】　特定非常災害に指定された災害により事業用資産や棚卸資産などに被害を受けた場合は、繰越控除期間が５年間になると聞いたのですが、内容について教えてください。

【答】　災害により事業用資産や棚卸資産などに被害を受けた個人事業者の方は、その損失の金額を事業所得等の金額の計算上、必要経費に算入することができます（保険金などにより補塡される部分の金額は必要経費に算入されません。）。

また、純損失の金額がある場合、青色申告者については純損失の総額、白色申告者については純損失の金額のうち、被災事業資産の損失の金額と変動所得に係る損失の金額について翌年以後３年間繰り越して控除するこ

とができます（所法70①②、所令202、【問12－15】参照）。

このように、これまで、純損失の繰越控除可能期間は、東日本大震災に係るものを除いて３年間とされていました。

そこで、頻発する自然災害への対応として、令和５年度税制改正により、事業所得者等が令和５年４月１日以後に発生する「特定非常災害」の指定を受けた災害による事業用資産等に生じた損失（以下、「特定被災事業用資産の損失」といいます。）について、次に掲げる場合には、それぞれの場合に応じて、掲げる損失について繰越控除期間を５年間とする特例が設けられました（所法70の２①②③、令５改所法等附３）。

（注）「特定非常災害」とは、著しく異常かつ激甚な非常災害であって、その非常災害の被害者の行政上の権利利益の保全等を図ること等が特に必要と認められるものが発生した場合に指定されるものをいい、近年では、平成28年熊本地震、平成30年７月豪雨災害、令和元年台風19号、令和２年７月豪雨災害等が指定されています（特定非常災害の被害者の権利利益の保全等を図るための特別措置に関する法律２①）。

⑴　保有する事業用資産等の価額のうち、特定被災事業用資産の割合が10%以上である場合

①　青色申告者については、その年に発生した純損失の総額

②　白色申告者については、被災事業用資産の損失の金額及び変動所得に係る損失の金額

上記の「保有する事業用資産等の価額のうち、特定被災事業用資産の割合」とは、下記イ又はロに掲げる割合をいいます（所法70の２①一二）。

イ　事業所得者の場合 ……………… $\dfrac{\text{事業資産特定災害損失額}}{\text{その者の事業所得に係る事業用固定資産の価額の合計額}}$

ロ　不動産所得者又は山林所得者の場合 ……… $\dfrac{\text{不動産等特定災害損失額}}{\text{その者の不動産所得又は山林所得に係る事業用固定資産の価額の合計額}}$

⑵　特定被災事業用資産の損失の割合が10%未満の場合は、特定被災事業用資産の損失による純損失の金額

（注）１　「事業資産特定災害損失額」とは、その者の有する棚卸資産について特定非常災害により生じた損失の金額とその者の事業所得を生ずべき事業の用に供される事業用固定資産（土地又は土地の上に存する権利以外の固定資産及び必要経費に算入されていない繰延資産をいいます。）の特定非常災害による損失の金額の合計額をいいます（所法70の２④三六、所令203の２④）。

なお、その特定非常災害による損失の金額が複数の年において生じたものとされる場合にはその合計額となります（所法70の２①一、④二、所令203の２③）。

２　「事業用固定資産の価額」とは、その資産の種類に応じて次の（イ）又は（ロ）の金額をいい、「事業用固定資産の価額の合計額」とは、その者の事業所得に係る事業用固定資産の価額の合計額をいいます（所法70の２①一、所令203の２①）。

したがって、その者が特定非常災害により被災した事業用固定資産以外の事業用固定資産を有する場合には、全ての事業用固定資産の価額を合計した額となります。

㈠　固定資産

その特定非常災害により損失が生じた日にその固定資産の譲渡があったものとみなした場合のその固定資産の取得費とされる金額に相当する金額

㈡　繰延資産

その繰延資産の額から、その償却費としてその特定非常災害による損失が生じた年の前年以前の各年分において各種所得の金額の計算上必要経費に算入された金額

３　「不動産等特定災害損失額」とは、その者の不動産所得又は山林所得を生ずべき事業の用に供される事業用固定資産の特定非常災害による損失の金額の合計額をいいます。なお、その特定非常災害による損失の金額が、複数の年において生じたものとされる場合にはその合計額となります。また、不動産所得と山林所得とは、別々に割合を計算します（所法70の２①二、④四）。

４　「事業用固定資産の価額」及びその合計額については、事業所得者の場合と同じです。

純損失の金額のうちに含まれている被災事業用資産の損失の金額

【問12-17】 青色申告をしていない場合でも、被災事業用資産の損失の金額については純損失の金額として、翌年以降３年間に繰り越して控除することができることになっていますが、ある年分の所得金額の内訳が次のようになっている場合、翌年以後に繰り越して控除できる被災事業用資産の損失の金額はいくらとすべきですか。

① 不動産所得の金額　　200万円

② 総合課税の譲渡所得の損失　　△200万円

③ 事業所得の損失　　△500万円（すべて被災事業用資産の損失）

【答】 青色申告をしていない人について繰越控除ができる損失の金額は、その年の前年以前３年（令和５年４月１日以後に発生する特定非常災害に係る純損失の繰越控除の特例の規定の適用がある場合には５年）内に生じた純損失の金額のうち、被災事業用資産の損失の金額に係るものがある場合の当該被災事業用資産の損失の金額に達するまでの金額（その年の前年以前に繰越控除された金額を除きます。）とされています（所法70②、70の２、所令202、令５改所法等附３、前問参照）。

また、「純損失の金額」とは、損益通算の規定を適用しても控除しきれない不動産所得の金額、事業所得の金額、山林所得の金額又は譲渡所得の金額（分離課税の短期・長期譲渡所得、分離課税の株式等に係る譲渡所得等及び分離課税の先物取引による事業所得がないものとして計算した金額とします。以下この問において同じ。）の計算上生じた損失の金額をいうこととされています（所法２①二十五、69①、措法31③二、32④、37の10⑥四、37の11⑥、41の14②三）。

ところで損益通算では、不動産所得の金額又は事業所得の金額の計算上生じた損失の金額は、これをまず、利子所得の金額、配当所得の金額、不動産所得の金額、事業所得の金額、給与所得の金額及び雑所得の金額から控除することとされ、その場合において、不動産所得の金額又は事業所得の金額の計算上生じた損失の金額のうちに、①変動所得の損失の金額、②被災事業用資産の損失の金額又は③その他の損失の金額の２以上があるときは、まず、③を控除し、次に②及び①を順次控除することになっています（所法69①、所令199）。

このようにして損益通算した結果、被災事業用資産の損失の金額の一部を、他の黒字の所得から控除することができたとすれば、その控除残額が翌年以降に繰り越す被災事業用資産の損失の金額となりますが、もしもその全額を他の黒字の所得から控除できたとすれば、損益通算の結果たとえ純損失の金額が生じたとしても、それは「被災事業用資産の損失に係る純損失の金額」ではないこととなり、翌年以降に繰り越す被災事業用資産の損失の金額はないこととなります。

さて、御質問の場合、損益通算をしますと純損失の金額は500万円となりますが、この純損失の金額の内訳は、前述した損益通算の規定に従って順次控除しますと、事業所得の損失の金額は、不動産所得の金額と損益通算されますので、その事業所得の損失300万円（＝500万円－200万円）と総合課税の譲渡所得の損失200万円とから成っていることになります。

したがって、翌年以降に繰り越される被災事業用資産の損失の金額は、事業所得の損失の金額の全額が、被災事業用資産の損失の金額とされていますので、当該事業所得の損失額300万円となります。

また、御質問の事例において、もし不動産所得の金額が600万円であったとすると、被災事業用資産の損失500万円は全額不動産所得の金額から控除されますので、純損失の金額100万円は、翌年に繰り越すことはできません。

譲渡所得がある場合の損益通算と純損失の繰越控除

【問12-18】 次の場合における損益通算及び損失の繰越控除について説明してください。

(1)	総合課税の短期譲渡所得（特別控除前の額）	△80万円
	総合課税の長期譲渡所得（　　〃　　）	300万円
	分離課税の長期譲渡所得	400万円
	総合課税の事業所得	△120万円
(2)	前年より繰り越された純損失（前年発生した損失額）	△100万円

【答】 各種所得の金額のうちに、損益通算をしなければならないものと純損失の繰越しとがある場合には、まず損益通算を行い、次に純損失の繰越控除を行うことになります（所令201①三）。

(1) 損益通算については、これに先立って、譲渡所得に係る通算をします。譲渡所得は、①総合課税の短期譲渡所得及び長期譲渡所得、②分離課税の短期譲渡所得及び長期譲渡所得に区分されますが、これらのうちいずれかに赤字が残ったとしても、総合課税の譲渡所得の金額と分離課税の譲渡所得の金額の通算はできないこととされているため、これらのうちのいずれかの赤字の金額を他の黒字の金額から控除することはできません。

ここで、総合課税される譲渡所得の金額を計算するため譲渡所得の特別控除額（50万円）を控除し、他の各種所得のうち事業所得、不動産所得、山林所得に赤字があれば損益通算をすることになります。

譲渡所得からこれらの赤字を控除する損益通算の順序は、総合課税の短期→総合課税の長期となります（所令198三）。

ただし、書画、骨とう、別荘及び事業規模に至らない程度の競走馬などの生活に通常必要でない資産の災害又は盗難若しくは横領による損失で、その年中に生じたものや、前年分の譲渡所得から引ききれなかったものがあるときは、その損失を総合課税の短期→総合課税の長期の順に譲渡益を計算するときに控除します（所法62、所令178②）。

(2) 純損失の繰越控除は、損益通算を行った後に行うことになりますが、損益通算を行った結果、個別に計算した所得は次の三つの区分にまとめられることになります（このほか、分離課税の土地建物等に係る譲渡所得の金額、申告分離課税の上場株式等に係る配当所得等の金額、分離課税の一般株式等及び上場株式等に係る譲渡所得等の金額及び分離課税の先物取引に係る雑所得等の金額がありますが、この金額からは純損失の繰越控除をすることはできません。）。

イ　総所得金額（利子、配当、不動産、事業、給与、譲渡、一時及び雑の各種所得の金額の合計額）

ロ　山林所得金額

ハ　退職所得金額

ただし、総所得金額のうち長期譲渡所得の金額と一時所得の金額は合計した上で２分の１することとされています。

さて、ここで前年以前３年内に生じて繰り越された純損失を、これらの所得金額から控除することになるのですが、その純損失の金額がこれらの所得のいずれにおいて生じた損失かを区分して、控除することとなります（所令201）。

この場合、前年以前３年内の２以上の年に生じた純損失の金額があるときは最も古い年分から控除することになっています（所令201①一）。

以上を総合したところで、御質問の場合の計算をすれば、次のようになります。

まず、譲渡所得の金額を計算します。

総合課税の短期譲渡所得	△80万円 ┐	………………………→	0　円
総合課税の長期譲渡所得	300万円 ┴→	△50万円（特別控除額）→	170万円
分離課税の長期譲渡所得	400万円	―――――――――→	400万円

次に、損益通算を行うことになるのですが、総合課税の事業所得の損失額120万円は総合課税の長期譲渡所得の金額から差し引くことになります

ので、総合課税の長期譲渡所得の金額は170万円－120万円＝50万円となります。また、前年の純損失の繰越額100万円は、総所得金額の計算上生じた損失の部分の金額ですから、総所得金額25万円（総合課税の長期譲渡所得の金額50万円の２分の１）から控除することになります。

総所得金額－純損失の繰越控除＝25万円－100万円＝△75万円

引ききれない75万円は、更に翌年以後へ繰り越す損失額となります。なお、分離課税の長期譲渡所得の金額は、土地建物等に係る分離課税による譲渡所得以外の所得との間で損益通算を行うことはできないこととされているため、400万円となります。

雑損失の繰越控除と限度額計算

【問12-19】　私はサラリーマンですが火災で居宅を焼失し、その損失の金額は300万円（災害関連支出20万円を含みます。）となりました。これは雑損控除の対象となるそうですが、給与所得は200万円しかありません。翌年に繰り越して控除できませんか。

また、翌年に繰り越した場合でも雑損控除である以上、改めて合計所得金額の10％の限度額計算をするのですか。

【答】　雑損失の金額のうち、災害等の損害を受けた年分の所得から雑損控除をして控除しきれなかった部分の金額は、翌年以後３年（令和５年４月１日以後に発生する特定非常災害に係る雑損失の繰越控除の特例の規定の適用がある場合には５年）間に繰り越して総所得金額、分離課税の短期譲渡所得の金額、分離課税の長期譲渡所得の金額、申告分離課税の上場株式等に係る配当所得等の金額、分離課税の一般株式等に係る譲渡所得等の金額、分離課税の上場株式等に係る譲渡所得等の金額、分離課税の先物取引に係る雑所得等の金額、退職所得金額又は山林所得金額の計算上控除することができます。これを雑損失の繰越控除といいます（所法71①、71の２、所令204、令５改所法等附３、措令４の２⑨、20⑤、21⑦、25の８⑯、26の23⑥）。

さて、雑損失とは、雑損控除の対象となる資産に受けた災害又は盗難若しくは横領による損失の合計額が、その損失の生じた年分の総所得金額、分離課税の短期譲渡所得の金額、分離課税の長期譲渡所得の金額、申告分離課税の上場株式等に係る配当所得等の金額、分離課税の一般株式等に係る譲渡所得等の金額、分離課税の上場株式等に係る譲渡所得等の金額、分離課税の先物取引に係る雑所得等の金額、退職所得金額及び山林所得金額の合計額の10分の１に相当する金額（以下この問において「10分の１限度額計算」といいます。）を超える部分の金額と災害関連支出の金額から５万円を控除した金額とのいずれか多いほうの金額をいいます（所法２①二十六）(注)。

(注)　御質問の場合の雑損控除の金額を計算しますと、次のうちいずれか多い金額とされますので280万円となります。

①　$300万円-200万円\times\frac{1}{10}=280万円$

②　20万円－５万円＝15万円

したがって、前年以前３年（又は５年）内に生じた雑損失を繰り越して控除する場合には再度10分の１限度額計算をしたり又は災害関連支出の金額から５万円を控除したりする必要はありません。

次に、繰り越された雑損失を控除する順序は、次のとおりです（所令204、措令４の２⑨、20⑤、21⑦、25の８⑯、26の23⑥、措通31・32共－４）。

(1) 控除する雑損失の金額が前年以前３年（又は５年）内の２以上の年に生じたものである場合には、これらの年のうち最も古い年に生じた雑損失の金額から順次控除します。

(2) 前年以前３年（又は５年）内の一の年において生じた雑損失の金額で、前年以前において控除されなかった部分に相当する金額がある場合には、その金額をその年分の総所得金額、分離課税の短期譲渡所得の金額、分離課税の長期譲渡所得の金額、申告分離課税の上場株式等に係る配当所得等の金額、分離課税の一般株式等に係る譲渡所得等の金額、分離課税の上場株式等に係る譲渡所得等の金額、分離課税の先物取引に係る雑所得の金額、山林所得金額又は退職所得金額から順次控除します。

なお、この雑損失の繰越控除は、損益通算、純損失の繰越控除を行った後に行いますが、控除する純損失の金額及び雑損失の金額が前年以前３年（又は５年）内の２以上の年に生じたものであるときは、これらのうち最も古い年に生じた純損失の金額又は雑損失の金額から順次控除します（所令204②③）。

ところで、あなたの場合には、雑損失の金額がその年分の所得の金額を超えることになりますから、翌年に繰り越して控除できます。

翌年に繰り越す雑損失の金額は80万円となります。

$$\left(\underset{\text{（災害損失）}}{300\text{万円}} - \underset{\text{（総所得金額）}}{200\text{万円}} \times \frac{1}{10}\right) - \underset{\text{（総所得金額）}}{200\text{万円}} = 80\text{万円}$$

廃業後における純損失の繰戻し

【問12-20】　青色申告者である事業所得者が令和６年６月１日をもって法人成りしたため、令和６年６月以後は給与所得だけを有することになりました。令和６年以前３年間の所得の状況は次のとおりで、令和４年分及び令和５年分はいずれも青色申告書を提出しています。

令和４年分　　100万円（課税所得金額）
令和５年分　　120万円（　　〃　　）
令和６年分　△200万円

この場合の令和６年分の純損失200万円は、令和３年分まで遡って純損失の繰戻しの対象とすることはできませんか。

【答】　純損失の繰戻しは、その純損失が生じた年分において、青色申告書を確定申告期限内に提出しており、かつ、その前年分も青色申告書を提出していることを条件に、その純損失の生じた年の前年分の課税所得金額を限度として繰戻し控除するものであり、前々年分まで遡って繰戻しによる還付の請求をすることは認められていません（所法140①④）。

したがって、御質問の200万円の純損失は、令和５年分の課税所得金額120万円を限度として繰戻し控除が認められることになりますが、更に、令和４年分に繰り戻して控除することはできません。そこで、残額80万円は、令和７年分から令和９年分の３年間に繰り越して各年分の所得から、順次繰越控除することになります（所法70①）。

純損失の繰越控除は、損失の生じた年分に青色申告書を提出していれば、その後の年分は青色申告者であることを要件としていませんので、給与所得だけしかない年分についても適用があるわけです。

なお、事業の全部を廃止した場合には、前年分の純損失を前々年分に繰り戻して還付請求することができることとされていますが、これは、当初において繰越控除を予定していた純損失を、廃業に際し繰戻し控除に切り換えることを認めたものであって、純損失の生じた年の前々年にまで繰戻し控除を認めるものではありません（所法140⑤）。

純損失の繰戻し還付後の繰戻し額の追加

【問12-21】　令和５年分の課税所得が500万円でしたので、令和６年分の純損失800万円のうち、500万円を令和５年分に繰り戻し、所得税の還付を受けましたが、その後令和５年分について事業所得が200万円過少申告となっていましたので修正申告をしました。

この場合、令和６年分の純損失の繰戻し額を200万円追加することはできませんか。

【答】　純損失の繰戻しによる所得税の還付は、確定申告書と同時に提出された還付請求書に記載された請求金額を限度として行うこととされています（所法140、142②）。したがって、御質問のように還付を受けた後に、前年分の所得が増加したからといって前年へ繰り戻す純損失の額を増額して、所得税の還付を受けることはできません。

しかしながら、純損失の繰戻しにより還付される所得税の額は、前年分の課税所得を基に計算した所得税額から、前年分の課税所得から繰戻し額を控除した残額を基にして計算した所得税額の差額として計算されますから、前年分の課税所得が増加した場合には、超過累進税率の関係で、純損失の繰戻し額に対応する所得税額が増加することとなります。そこで、その増加分については、追加して還付することとされています（基通142－1(2)イ）。このことは、還付請求書を提出しているが、まだ現実に還付を受けていない場合でも同様です。

なお、純損失の繰戻しによる所得税の還付を受けた後に、その年分に生じた純損失の金額又は前年分の課税所得金額の異動が生じた場合の取扱いを取りまとめて示すと次のとおりです（基通142－1）。

(1) その年分に生じた純損失の金額が異動した場合

イ　純損失の金額が増加した場合

その増加した部分の純損失の金額は繰戻しをすることができないものとされ、その金額については、所得税法第70条第1項《純損失の繰越控除》の規定を適用することになります。

ロ　純損失の金額が減少した場合

既に還付された金額のうち、その減少した部分の純損失の金額に対応する部分の金額を納付することになります。ただし、純損失の金額の一部を繰り戻している場合には、まず、所得税法第70条第1項の規定により繰越控除の対象となる純損失の金額を減額し、なお減額しきれない部分の金額があるときに限り、その減額しきれない部分の金額に対応する還付金の額を納付することになります。

(2) 前年分の課税総所得金額、課税退職所得金額又は課税山林所得金額が異動した場合

イ　所得金額が増加した場合

その増加した後の所得金額及び既に還付された金額の計算の基礎とされた純損失の金額を基として、所得税法第140条第1項から第3項まで《純損失の繰戻しによる還付の請求》及び第141条第1項から第

３項まで《相続人等の純損失の繰戻しによる還付の請求》の規定により計算した金額と既に還付された金額との差額が還付されます。

ロ　所得金額が減少した場合

その減少した後の所得金額及び既に還付された金額の計算の基礎とされた純損失の金額を基として、所得税法第140条第１項から第３項まで又は第141条第１項から第３項までの規定により計算した金額と既に還付された金額との差額を納付することになります。この場合において、その差額を納付することにより繰戻しの利益を受けないこととなった部分の純損失の金額については、所得税法第70条第１項の規定を適用することになります。

居住用財産の買換え等の場合の譲渡損失の損益通算と繰越控除

【問12-22】　本年９月に自宅を譲渡しましたが、最近の不況のため余り高額では売れず、赤字になりました。

このような場合、その損失はどのように取り扱われますか。

また、次に居住する家屋を来年住宅ローンで購入するつもりですが、来年は住宅借入金等特別控除の適用がありますか。

【答】　個人が令和７年12月31日までに所有期間が５年を超える居住用の家屋又は土地等（以下「譲渡資産」といいます。）を譲渡し、かつ、その譲渡の日の翌年の12月31日までの間に住宅ローンにより居住用の家屋を取得し、居住した場合において、その譲渡資産について譲渡損失がある場合で一定の場合には、譲渡した年の他の所得と損益通算を認めることとされ、また、損益通算後、なお譲渡損失がある場合には、その譲渡損失の金額をその年の翌年以後３年内の各年分へ繰り越して、総所得金額等から控除することができます（措法41の５）。

（注）　譲渡資産のうちに面積が500㎡を超える家屋の敷地等が含まれている場合には、その敷地等に係る譲渡損失の金額のうち面積が500㎡を超える部

分に相当する金額については、損益通算の適用を受けることはできますが、繰越控除の適用を受けることはできません。

1　譲渡資産の範囲（措法41の5⑦一イ～ニ、措令26の7⑩）

(1) 居住の用に供している家屋で国内にあるもの

(2) (1)の家屋で居住の用に供されなくなったもの（居住の用に供されなくなった日以後3年を経過する日の属する年の12月31日までの間に譲渡されるものに限ります。）

(3) (1)又は(2)の家屋及びその家屋の敷地の用に供されている土地等

(4) (1)の家屋が災害により滅失した場合で、その人がその家屋を引き続き所有していたとしたならば、所有期間が5年を超える家屋の敷地の用に供されていた土地等（その災害があった日以後3年を経過する日の属する年の12月31日までの間に譲渡されるものに限ります。）

(注)「所有期間が5年」の判定は、その譲渡の年1月1日における所有期間によります。

2　譲渡の範囲（特定譲渡）（措法41の5⑦一、措令26の7④⑤）

借地権の設定など譲渡所得の基因となる不動産の貸付けを含みますが、次の者に対する譲渡や贈与若しくは出資による譲渡は除かれます。

(1) その人の配偶者及び直系血族

(2) その人と生計を一にしている親族及び家屋の譲渡がされた後にその人とその家屋に同居する親族

(3) その人と内縁関係にある人及びその親族と生計を一にしている人

(4) その人の使用人以外の人で、その人から受ける金銭等によって生計を一にしている人

(5) 次の人を判定の基礎となる株主とした場合に、同族関係その他これに準ずる関係のあることとなる会社その他の法人

・本人

・その人の使用人

・その使用人の親族で、その使用人と生計を一にしている人

・(1)から(4)までに掲げる人

3　買換資産の範囲（措法41の5⑦一、措令26の7⑥）

買換資産は、その人の居住の用に供する次の家屋又はその敷地の用に供する土地等で国内にあるものをいいます。

(1) 一棟の家屋の床面積のうちその人が居住の用に供する部分の床面積が50㎡以上であるもの

(2) 一棟の家屋のうちその構造上区分された数個の部分を独立して住居その他の用途に供することができるものにつきその各部分を区分所有する場合には、その区分所有する部分の床面積のうちその人が居住の用に供する部分の床面積が50㎡以上であるもの

4　取得の範囲（措法41の5⑦一、措令26の7⑦）

家屋の建築は含まれますが、贈与及び代物弁済（金銭債務の弁済に代えてするもの）による取得は含まれません。

5　買換資産に係る住宅借入金（措法41の5④⑦一）

繰越控除の適用を受ける年の12月31日（その人が死亡した日の属する年については、その死亡の日）において、買換資産の取得に係る一定の住宅借入金等を有する場合に限ります。

6　所得制限（措法41の5④）

この繰越控除を受けることができるのは、その年の合計所得金額が3,000万円以下である年分に限ります。

御質問の場合、あなたの住宅の譲渡や取得、住宅借入金の要件が上記の内容に該当し、その年の合計所得金額が3,000万円以下の場合には、原則として居住用財産の譲渡損失を翌年に繰り越すことができます。

また、来年取得される家屋についても住宅借入金等特別控除の適用を受けることができます。

第13章　所　得　控　除

第1節　雑損控除

通勤用自動車の災害による損失

【問13-1】　サラリーマンですが、通勤用に使用している自動車を駐車場に入れていたところ、火災のために焼失してしまいました。この損失額を給与所得から控除することができますか。

【答】　給与所得者が通勤用としている自動車は生活用動産に該当すると考えられます（【問12-8】参照）。

したがって、通勤用自動車の火災などによる損失額は雑損控除の適用を受けることができるものと考えられます。

所得税法では、納税者が災害等によって一定の資産に損失を受けた場合には、その納税者の担税力はそれだけ減殺されることになり、他の納税者と同一の条件のもとに所得税を負担させることは適当でないところから、これらの損失額を雑損控除として所得金額から控除することとしています。

雑損控除とは、本人又は本人と生計を一にする配偶者その他の親族で、その年分の総所得金額、分離課税の短期・長期譲渡所得の金額（特別控除額控除前の金額）、申告分離課税の上場株式等に係る配当所得等の金額、分離課税の一般株式等及び上場株式等に係る譲渡所得等の金額、分離課税の先物取引に係る雑所得等の金額、退職所得金額及び山林所得金額の合計額が48万円以下（令和元年分以前は38万円以下）の人が所有する資産（生活に通常必要でない資産及び事業用資産は除かれます。）について災害（(注)1）や盗難若しくは横領によって損失が生じたときは、その年中の損失の金額の合計額が次に掲げる場合に応じそれぞれに掲げる金額を超えるときは、その超える部分の金額を、総所得金額、分離課税の短期・長期譲渡所得の金額（特別控除額控除後の金額）、申告分離課税の上場株式等に係る配当所得等の金額、分離課税の一般株式等及び上場株式等に係る譲渡所得等の金額、分離課税の先物取引に係る雑所得等の金額、退職所得金額又は山林所得金額から控除する制度をいいます（所法72①、所令205、206、措法８の４③、28の４⑤、31③、32④、37の10⑥、41の14②、措令４の２⑨、25の11の２⑳、25の12の３㉔、26の23⑥、26の26⑪）。

(1) その年における損失の金額に含まれる災害関連支出の金額（(注)２の①～③の金額（保険金、損害賠償金その他これらに類するものにより補塡される部分の金額を除きます。）をいいます。以下(3)までにおいて同じ。））が５万円以下である場合又は災害関連支出の金額がない場合……その人のその年分の総所得金額、分離課税の短期・長期譲渡所得の金額（特別控除額控除前の金額）、申告分離課税の上場株式等に係る配当所得等の金額、分離課税の一般株式等及び上場株式等に係る譲渡所得等の金額、分離課税の先物取引に係る雑所得等の金額、退職所得金額及び山林所得金額の合計額の10％に相当する金額
(2) その年における損失の金額に含まれる災害関連支出の金額が５万円を超える場合……「その年における損失の金額の合計額－（災害関連支出－５万円）」と「上記(1)に掲げる金額」とのいずれか低い金額
(3) その年における損失の金額がすべて災害関連支出の金額である場合……５万円と上記(1)に掲げる金額とのいずれか低い金額

損失の金額には、災害、盗難又は横領に関連してやむを得ない支出をしたもの（(注)２）も含まれますが、損失に係る保険金、損害賠償金その他これらに類するものにより補塡される部分の金額は除かれます。

なお、スポーツカーなど専ら趣味娯楽のために所有する自動車についての災害等による損失は雑損控除の対象にはなりません。その損失はその年分又は翌年分の譲渡所得の金額から差し引くことになっています（所法62

①)。

(注) 1　災害とは、震災、風水害、火災、冷害、雪害、干害、落雷、噴火その他の自然現象の異変による災害及び鉱害、火薬類の爆発その他の人為による異常な災害並びに害虫、害獣その他の生物による異常な災害をいうものとされています（所法2①二十七、所令9）。

2　災害、盗難又は横領に関連するやむを得ない支出とは、次に掲げる支出をいいます（所令206)。

① 災害により住宅家財等が滅失し、損壊し又はその価値が減少したことによるその住宅家財等の取壊し又は除去のための支出その他の付随する支出

② 災害により住宅家財等が損壊し又はその価値が減少した場合その他災害によりその住宅家財等を使用することが困難となった場合において、その災害のやんだ日の翌日から1年（大規模災害等でやむを得ない事情がある場合は3年）を経過した日の前日までにした次に掲げる支出その他これらに類する支出

㋑ 災害により生じた土砂その他の障害物を除去するための支出

㋺ その住宅家財等の原状回復のための支出（資産について受けた損失の金額を除きます。④において同じ。）

㋩ その住宅家財等の損壊又はその価値の減少を防止するための支出

③ 災害により住宅家財等につき現に被害が生じ、又はまさに被害が生ずるおそれがあると見込まれる場合において、当該住宅家財等に係る被害の拡大又は発生を防止するため緊急に必要な措置を講ずるための支出

④ 盗難又は横領による損失が生じた住宅家財等の原状回復のための支出その他これに類する支出

なお、「災害、盗難、横領に関連するやむを得ない支出」は、原則としてその支出した年分の雑損控除の対象となる損失額となりますが、災害等のあった年の翌年3月15日までに支出した金額は災害のあった年分の損失額に含めてもよいことになっています（基通72－5)。

隣家の火災発生に伴って生じた損失

【問13-２】　隣家が火災により全焼しましたが、幸い私の家は類焼を免れたものの、消防署の消火作業の放水により、外壁が落ちるとともに、家財が水浸しになってしまいました。

これは、消防署の延焼防止のための正当行為によるものですが、放水により受けた損害は、雑損控除の対象となりますか。

【答】　雑損控除の対象となる災害には、前問の(注)１で述べたとおり、火災のほか「人為による異常な災害」も含まれることになっています（所法２①二十七、所令９）。

ところで、火災が発生した場合、消防吏員又は消防団員は、延焼防止のため緊急に必要があると認められるときは、消防法の規定により、その対象物等を使用し、処分し、又はその使用を制限することができることとされており、放水もこの行為の一つとされています（消防法29）。

御質問の場合の放水によって生じた損失は、その行為が火災発生に伴う消防署の強制的な行為によるものといえますので、「人為による異常な災害」に含まれるものと考えられます。

したがって、家屋や家財について受けた損害は、火災保険金や損害賠償金等で損失額を補填される部分を除いて、雑損控除の対象となります（所法72①）。

失火により支出した見舞金

【問13-３】　私の居宅の増築工事に従事していた大工が、たき火の不始末で隣家を全焼させてしまいました。

その大工には資力がなかったため、私は、火元である責任から300万円を隣家に支払いました。

この支払った見舞金は、雑損控除の対象となりますか。

【答】　災害により第三者に損害を与えた場合に支払った損害賠償金等については、その基因となる行為に故意又は重大な過失がない限り雑損控除の対象に含まれることとされています（基通72－７、70－８）。

御質問の場合、その支払った見舞金は居宅の増築を請負わせている大工の火の不始末により他人の資産に与えた損害に対して支払ったものですが、大工を仕事に従事させていたことについてあなたに重大な過失がなければ雑損控除の対象となります。

屋根の雪下ろし費用等に係る雑損控除

【問13-４】　私の住む地方では、年により豪雪に見舞われることがあり、その被害は必ずしも少なくありません。

雪による被害は、どの程度まで雑損控除の対象になりますか。

【答】　雑損控除の対象とされる災害とは【問13-１】の(注)１で述べたとおりとされていますので、豪雪により家屋の倒壊などが生じ、損失が生じた場合には、その損失額について雑損控除ができることとなります（所法72①、２①二十七、所令９）。

そのほか、【問13-１】の(注)２の③で述べたとおり、災害により住宅家財等についてまさに被害が生ずるおそれがあると見込まれる場合において、当該住宅家財等に係る被害の拡大又は発生を防止するため緊急に必要な措置を講ずるための支出も雑損控除の対象に含めることになっています（所令206①三)。したがって、豪雪の場合において、次に掲げる費用を支出した場合には雑損控除の対象になります。

(1) 家屋(生活に通常必要でない家屋及び事業用の家屋は除きます。以下同じ。)の倒壊を防止するための屋根の雪下ろし費用及び家屋の外周の雪の取除費用

(2) (1)に直接関係して必要となる雪捨ての費用

災害に対する被害の発生防止費用

【問13－5】 台風等の被害に備え、台風シーズン直前に200万円をかけて、老朽化した屋根や雨戸を修繕しました。お陰で、今年は被害を受けずに済みましたが、この費用は災害の発生を防止する費用として雑損控除の対象としてよろしいですか。

【答】 雑損控除の対象とされる災害関連支出には前問で説明しましたように、正に被害が生ずるおそれが見込まれる場合においてその住宅家財等に係る被害の拡大又は発生を防止するため、緊急に必要な措置を講ずるために支出した費用も含まれることになっています(所令206①三)。

ところで、被害の発生を防止するため、緊急に必要な措置を講ずるための費用とは、切迫している被害の発生を防止するための応急措置に係る費用のようにその費用の支出の効果が被害の発生を防止することのみに寄与するものをいい(基通70－11)、例えば、豪雪の場合の雪下ろし費用等が考えられます。

したがって、台風通過後においてもその支出の効果が残っている御質問のような修理のための費用は、ここでいう被害発生防止費用には該当しません。

借地権の放棄と雑損控除

【問13-６】　失火により借地上の建物が滅失しましたが、新築する資力もなく近隣との折り合いも悪化したので、借地権を放棄して立ち退いた場合、その借地権放棄による損失は、火災に起因して発生したものといえなくもないと思います。雑損控除の対象となる災害損失に当たりますか。

【答】　借地権は建物が火災により消滅しても、当初の契約期間中は消滅せず、新たに建物を建築したり、また、借地権者に資力がなくてもこれを第三者に売却して換価する方法もあります。つまり、御質問の借地権の放棄は、火災が遠因になっていますが、火災によって借地権の財産的価値がゼロに帰したものとはいえません。

このような「災害による損失」に該当しない借地権の放棄による損失は、雑損控除の対象とすることはできないことになります。

また、借地権者が火元であったため、その地に引き続き居住することができなくなって他へ移転したことによって借地権を無償返還することになっても、これは「災害に関連したやむを得ない支出」には当たらないでしょう。

したがって、御質問の場合、いずれの観点から考えても雑損控除の対象とはなりません（所法72、所令206、基通72－７、借地借家法７）。

共有建物が焼失した場合の雑損控除

【問13-7】　２年前に夫婦共有でようやく我が家を建てましたが、本年、類焼により全焼してしまいました。

この建物は夫婦それぞれ２分の１の共有の居宅なのですが、配偶者の有する財産でも生計を一にしていれば、雑損控除は夫から控除できると聞いていますので、この火災による雑損控除は、全て夫である私の損失として適用を受けたいと思っています。

私と妻は共働きで、それぞれ給与所得（基礎控除額を超える所得）がありますが問題はありませんか。

【答】　雑損控除は、本人又は本人と生計を一にする配偶者その他の親族でその年分の総所得金額等が48万円以下（令和元年分以前は38万円以下）の人の有する資産（生活に通常必要でない資産及び被災事業用資産は除きます。）について、災害や盗難、横領による損失が生じた場合には、その損失額を本人の損失額として雑損控除が適用されることになっています（所法72①、所令205①、措令４の２⑨、20⑤、21⑦、25の８⑯、26の23⑥）。

つまり、生計を一にする親族内に合計所得金額が48万円を超える納税者が２人以上いる場合には、それぞれの納税者が所有する資産の損害額について、それぞれにおいて雑損控除の適用を受けることになります。

したがって、御質問の雑損控除は夫であるあなたがすべての損失を控除することは認められず、夫婦の共有持分割合に応じて損失額をあん分し、夫婦の各々が雑損控除の適用を受けることになります。

（注）　総所得金額等とは、純損失、雑損失、その他各種損失の繰越控除後の総所得金額、分離課税の短期・長期譲渡所得の金額（特別控除額控除前の金額）、申告分離課税の上場株式等に係る配当所得等の金額、分離課税の一般株式等及び上場株式等に係る譲渡所得等の金額、分離課税の先物取引に係る雑所得等の金額、退職所得金額及び山林所得金額の合計額をいいます。

債務保証による損失

【問13-８】 サラリーマンですが、友人から債務の保証を頼まれ連帯保証人となりましたが、友人の事業が倒産しましたので、その債務を友人の代わりに月々の給与から弁済しています。友人は無財産となっていますので、求償権の行使もできません。この場合に、雑損控除の適用はできないでしょうか。

【答】 雑損控除の対象となる損失は災害、盗難又は横領による資産の損失について適用されることになっております（【問13-１】参照）から、保証債務の履行による損失額は雑損控除の対象にはなりません。

ただし、保証債務のために自己の資産を譲渡した場合や、保証債務の履行を借入金で行い、その借入金を返済するために資産の譲渡があった場合において、その履行に伴う求償権の全部又は一部を行使することができないこととなったときは、その行使することができないこととなった金額に対応する部分の金額は、所定の申告をしますと、譲渡所得の金額の計算上、譲渡がなかったものとみなされます（所法64②）。

雑損控除の対象となる原状回復のための支出

【問13-9】　今年の集中豪雨により、住宅に次のような損害を受け、更に、災害復旧のために350万円を支出しました。この支出には、住宅の改良等に充てた部分もありますが、明確に区分することはできません。

この場合、雑損控除の対象となる損失額はいくらとすればよいでしょうか。

損壊した住宅の被災直前の価額	300万円
同上の住宅の被災直後の価額	50万円
同上の住宅に対する損害保険金	100万円

【答】　雑損控除の対象となる損失の金額は、次により計算したⒶとⒷとの合計額となります（所法72、所令206）。

Ⓐ ［被災直前の時価（※）］ － ［被災直後の時価（※）］ － ［廃材の価額］ － ［保険金等の金額］

＋ ［盗難又は横領による損失に係る住宅家財等の原状回復のための支出等（所令206①四）］ ＝ ［資産に係る損失の金額］

※　損害を受けた資産が減価償却資産である場合には、時価に代えて、その資産の取得価額から減価償却費累計額相当額を控除した金額（簿価）を基礎として損失の金額を計算することもできます。

Ⓑ ［①　被災資産の取壊し又は除去のため等の支出（所令206①一）］ ＋ ［②　被災資産を使用するために災害がやんだ日の翌日から１年（大規模な災害でやむを得ない場合は３年）を経過した日の前日までに支出した次の㋑から㋩に掲げるもの等（所令206①二）
㋑　土砂その他障害物を除去するための支出
㋺　原状回復のための支出
㋩　損壊等防止のための支出］

＋ ［③　被害の拡大又は発生を防止するため緊急に必要な措置を講ずるための支出（所令206①三）］ ＝ ［災害関連支出］

この場合、上記Ⓑの災害関連支出で注意していただきたいのは、原状回復のための支出の中には、ⓐ住宅の価値を増加させる部分や、使用期間を延長させる部分に該当する資本的支出部分が含まれていることと、ⓑ原状回復により、被災住宅が被災直前の価額まで復元した部分に相当する金額が含まれているため、雑損控除の対象となる損失額を計算する上において、その部分を除外しなければならないということです（所令206①二ロかっこ書、基通72－３）。

御質問もこの点に関することですので、計算式でご説明したいと思います。

①　まず住宅に受けた損失の価額を計算します。

（被災直前の価額）300万円 － （被災直後の価額）50万円 ＝250万円 （受け取った損害保険金は除いたところで計算します。）

②　次に、災害復旧のための支出350万円について、原状回復のための支出と資本的支出との区分計算を行います。この場合、その区分が明らかでないときは、簡便法として、その金額のうち30％を原状回復のために支出した部分の額とすることができることになっています（基通72－３）。

［災害復旧のための支出で、その内訳が資本的支出とそれ以外とに区分できない支出］×30％ ＝ 原状回復のための支出

350万円×30％＝105万円

③　②で計算した原状回復のための支出の部分は、①で計算した住宅そのものの損失額相当部分と重複している部分が含まれていますので、その部分を計算します（所令206①二ロかっこ書）。

250万円＞105万円

したがって、上記②で計算した原状回復のための支出105万円は住宅に受けた損失の価額以下となっていますので、災害による損失額に加える災害関連支出の金額はないことになります。

以上の計算により、御質問の雑損控除の対象となる損失の金額は、

150万円（＝ （被災直前の価額）300万円 － （被災直後の価額）50万円 － （補塡される保険金の額）100万円）　となります。

災害関連費用の控除年分

【問13-10】　昨年の暮れに類焼により居宅の一部が焼失し、本年２月に居宅の原状回復のための焼失部分の除去や修繕も完了し、同時にその費用（災害関連費用）を支払いました。
　この場合の災害関連費用は災害のあった年分で控除することはできないのですか。

【答】　災害を受けたことによる資産の取壊費用や災害のやんだ日の翌日から１年（大規模な災害でやむを得ない場合は３年）以内に支出した修繕費や土砂その他の障害物を除去するために支出した金額（以下「災害関連支出」といいます。）は雑損控除の対象となります（所令206①）。
　ところで、雑損控除の金額は、原則として、その年の損失の金額のうちその年分の所得金額の合計額の10％を超える部分（災害関連支出の金額が５万円を超えている場合には、㋑災害関連支出の金額から５万円を控除した金額と㋺損失の金額から所得金額の合計額の10％相当額を控除した金額のうちいずれか多い金額）とされ、限度額計算を行って控除することになっていますので、災害等により損失の生じた年の翌年に災害関連支出を行っていれば、これについても、翌年分の所得金額の合計額の10％相当額と５万円とのいずれか少ない金額の限度額計算を行うことになり、納税者にとって不利となります。
　そこで、災害等の生じた年の翌年３月15日までに災害関連支出がある場合には、限度額計算が１回で済むように、これを災害等の生じた年分の損失の金額に含めて雑損控除を適用することができることとされています（基通72－５）。これは納税者の選択により適用が認められるものであり、したがって、御質問の場合、災害の生じた年分の損失に含めなければ翌年分において雑損控除の適用を受けることになります。

第２節　医療費控除

医療費控除の対象となる入院費の範囲

【問13-11】　私は、４月に人間ドックで健康診断をしてもらったところ内臓に障害があり、直ちに絶対安静治療が必要とされ、治療上の都合から個室に入院し治療を受けています。この場合に人間ドックの診断費用や個室料金は、医療費控除の対象となるでしょうか。

【答】　医療費の支払は、家事上の経費ですから各種所得の金額の計算上は何ら考慮されません。しかしながら、これらの支出により担税力に大きな影響を受けることになるところから、その税負担を調整する目的で医療費控除が設けられています。

医療費控除の対象となる医療費とは、納税者の支払った次に掲げる診療の対価等のうち通常必要であると認められるもの（保険金、損害賠償金、その他これらに類するものにより補塡される部分の金額は除きます。）、すなわち次の(1)から(6)の対価のうち、その病状や、指定介護老人福祉施設及び指定地域密着型介護老人福祉施設における次の(1)～(6)の提供の状況に応じて一般的に支出される水準を著しく超えない部分の金額で、納税者自身又はその納税者と生計を一にする配偶者その他の親族に係るものをいいます（所法73②、所令207、所規40の３）。

(1) 医師又は歯科医師による診療又は治療の対価（特定健康診査及び特定保健指導に係る自己負担額のうち一定のものを含みます。）

(2) 治療又は療養に必要な医薬品の購入の対価

(3) 病院、診療所（指定介護老人福祉施設及び指定地域密着型介護福祉施設を含みます。）又は助産所へ収容されるための人的役務の提供の対価

(4) あん摩マッサージ指圧師、はり師、きゅう師又は柔道整復師による施術の対価

(5) 保健師、看護師、又は准看護師による療養上の世話の対価
(6) 助産師による分べんの介助の対価
(7) 介護福祉士による喀痰（かくたん）吸引等及び一定の研修を受けた認定特定行為業務従事者による特定行為に係る費用

また、医師、歯科医師、施術者又は助産師（以下「医師等」といいます。）による診療、治療、施術又は分べんの介助（以下「診療等」といいます。）を受けるため直接必要な次のような費用は、医療費に含まれることになっています（基通73－３）。

①　医師等による診療等を受けるために必要な通院若しくは医師等の送迎のための通常必要な費用、入院若しくは入所の対価として支払う部屋代、食事代等の費用又は医療用器具等の購入、賃借若しくは使用に関し通常必要な費用
②　自己の日常最低限の用を足すために供される義手、義足、松葉づえ、補聴器、義歯等の購入のための費用
③　身体障害者福祉法第38条、知的障害者福祉法第27条、児童福祉法第56条等の法律の規定により都道府県知事又は市町村長に納付する費用のうち、医師等による診療等の費用に相当するもの並びに①及び②の費用に相当するもの

この場合、いわゆる人間ドックその他の健康診断のための費用及び容姿を美化し、又は容ぼうを変えるなどのための費用は、医療費には該当しませんが、健康診断により重大な疾病が発見され、かつ、その診断に引き続きその疾病の治療をした場合には、その健康診断のための費用も医療費に該当するものとされています（基通73－４）。

次に、個室料金についてですが、いわゆる差額ベッド料金については、病状によりその個室を使用する必要がある場合や、病院の都合で合部屋を使えず、やむを得ずその個室を使用しなければならないような場合には、医療費控除の対象となります。

したがって、あなたの診療費用はもちろん、人間ドックの健康診断費用

並びに個室料金は病状に応じて通常必要と認められる費用と思われますので、医療費に含まれます。

高額な差額ベッド料金

【問13-12】 病気で入院し、差額ベッド料金として、１日２万円を支払っていますが、医療費控除の対象として認められますか。

【答】 ベッド料金や医療用器具等の購入費用などは、医師等の診療等を受けるため直接必要なもので、かつ、通常必要なものに限り、医療費控除の対象となります（基通73－３）。

また、医療費控除の対象となる医療費は、病状などに応じて一般的に支出される水準を著しく超えない部分の金額とするとされています（所令207、所規40の３）。

したがって、差額ベッド料金については、患者の病状などからみて、又は空部屋がなくやむを得ず高額な個室に入らざるを得なかったという場合で、それらの事情がなくなったときに一般の入院患者と同じ部屋に移っているなど客観的にみてその部屋に入らざるを得なかったとするやむを得ない理由があれば、医療費控除の対象となる医療費に該当することとして取り扱われます。

特定健康診査及び特定保健指導に係る自己負担額

【問13-13】 特定健康診査及び特定保健指導（いわゆるメタボ健診）に係る自己負担額は医療費控除の対象になると聞きましたが、その概要を教えてください。

【答】 平成20年４月から、高齢者の医療の確保に関する法律（高齢者医療確保法）の規定に基づき、メタボリックシンドローム（内臓脂肪症候群）の該当者・予備軍を減少させ、国民の健康増進及び医療の適正化を図ることを目的として、特定健康診査及び特定保健指導の導入及びこれら実施に関する基準（以下「実施基準」といいます。）が規定されました。

この度、医療費控除の対象とされたものは、特定健康診査を行った医師の指示に基づき行われる特定保健指導（実施基準に規定する「積極的支援」により行われるものに限ります。）を受ける者のうち、この特定健康診査の結果が高血圧症、脂質異常症又は糖尿病と同等の状態であると認められる基準に該当する者の状況に応じて一般的に支出される水準の医師による診療又は治療の対価です（所法73、所令207、所規40の３①二）。つまり、積極的支援による特定保健指導を受けた場合の指導料の自己負担額は、医療費控除の対象となります。

また、基本的には、特定健康診査のための費用（自己負担額）は、医療費に該当しませんが、その検査の結果が、上記の高血圧症等の状態であると診断され、かつその検査を行った医師の指示に基づき特定保健指導が行われた場合には、その検査のための費用（自己負担額）も医療費控除の対象となる医療費に該当することとなっています。

ただし、特定保健指導に基づくものであっても、運動そのものの実践の対価や食生活の改善指導を踏まえた食品の購入費用は、医師の診療等を受けるために直接必要な費用や治療又は療養に必要な医薬品の購入の対価ではありませんから、医療費控除の対象にはなりません。

（注）１　「特定健康診査」とは、糖尿病などの生活習慣病に関する健康診査で、医療保険者が40歳以上の加入者に対して行うこととされているものをいい、「特定保健指導」とは、この特定健康診査の結果により健康の保持に努める必要がある者に対して行う保健指導をいいます（高齢者の医療の確保に関する法律18①、20）。

２　特定保健指導の領収書には、次の事項が記載されていることが必要です。

①　特定健康診査の実施機関及び特定健康診査を実施した医師名

②　特定健康診査の結果、医療費控除を受けられる者と判断した旨の内容

③　特定保健指導の実施年度及び実施した旨の内容

④　特定保健指導に係る費用のうち自己負担額

⑤　特定保健指導の実施機関及び特定保健指導の実施責任者名

防ダニ布団の購入費用

【問13-14】　私は、アトピー性皮膚炎のため、医師の勧めにより防ダニ布団を購入し使用していますが、この防ダニ布団の購入費は医療費控除の対象となりますか。

【答】　医療費控除の対象となる医療費の範囲には、医師等の診療等を受けるため直接必要な通院費若しくは医師等の送迎費、入院若しくは入所の対価として支払う部屋代、食事代等の費用又は医療用器具等の購入、賃借若しくは使用のための費用で通常必要なものが含まれるとされています（基通73－３(1)）。

御質問の場合の防ダニ布団の購入費は、医師等の治療を受けるため直接、かつ、通常必要な費用には該当しないことから、医療費控除の対象にはなりません。

眼鏡の購入費用

【問13-15】　日常生活の用を足すために使用する義手や義足、松葉づえ、補聴器の購入費用は、医療費控除の対象となる医療費に含まれると聞きました。もし、これらの購入費用が医療費として認められるのであれば、近視や遠視のための眼鏡も日常生活においては、なくてはならないものですので、医療費控除の対象になると思いますがどうでしょうか。

【答】　医療費控除の対象となる医療費の範囲に含まれるものとして、医療用器具の購入、賃借又は使用のための費用で通常必要なもののほか、自己の日常最低限の用を足すために供される義手、義足、松葉づえ、補聴器、義歯等の購入のための費用も含まれるものとされています(基通73－３(2))。

しかしながら、これらの費用は、医師又は歯科医師等の治療又は診療等を受けるために直接必要なものであることが要件とされています（基通73－３本文）。したがって、眼科医に検眼をしてもらって、その診断書や処方に基づいて眼鏡店で購入される近視や遠視、老眼、弱視などのために使用される眼鏡は、日常最低限の用を足すために使用するものではありますが、医師の治療等の過程で直接必要なものとは認められませんので、医療費控除の対象とはなりません。

また、このことは、補聴器であっても同様に、医師の治療等の過程で直接必要とされて購入した場合に限られます。

なお、例えば眼病により眼の手術を受け、眼病が治癒するまでの期間において治療上必要とされる保護眼鏡や、斜視を治療するための特殊眼鏡などは、眼の治療を受けるために直接必要なものと認められますので、その購入のための費用は医療費控除の対象として認められることになります。

確定申告の際には、治療の対象となる疾病名や、治療を必要とする症状であることが明確に記載された処方箋（517ページ参照）を確定申告書に添付してください（その他の添付資料については【問13－40】参照）。

（注）　治療を受けるために直接必要な眼鏡とは、具体的には、516ページの表に掲げる疾病に対する治療用眼鏡が該当します。

疾病名		治療を必要とする症状	治療方法
弱視		矯正視力が0.3未満の視機能の未発達なもの。	20歳以下で未発達の視力を向上させるため、目の屈折にあった眼鏡を装用させる。
斜視		顕性斜視、潜伏斜視、斜位があり、両眼合わせて２プリズムディオプトリー以上のプリズムが必要。	眼位矯正又は術後の機能回復のため、眼鏡を装用させる。
白内障		水晶体が白濁して視力が低下し、放置すれば失明するため手術を必要とする。	術後の創口の保護と創口が治癒するまでの視機能回復のため、２か月程度眼鏡を装用させる。水晶体摘出後、水晶体の代わりにＩＯＬ（人工レンズ）を挿入する。
緑内障		原因不明又は外傷により眼圧（目のかたさ）が高くなる病気で、放置すると失明するので手術を必要とする。	術後、機能回復のため、１か月程度眼鏡を装用させる。
難治性疾患	調節異常	調節力２ディオプトリー以下で調節痙攣、調節衰弱などによる自律神経失調症がある異常。	30歳以下の者に対して薬物療法（ビタミンＢ１を中心とした治療）のほかに、６か月程度治療のため、眼鏡を装用させる。
	不等像性眼精疲労	左右眼の眼底像の差による自律神経失調症がある異常。	薬物療法（精神神経用剤及びビタミンＢ１）と合わせて、光学的に眼底の不等像を消すため、眼鏡を装用させる。
	変性近視	眼底に変性像があって－10ディオプトリー以上の近視である。	薬物療法（血管強化剤）と合わせて、網膜剥離、網膜出血等による失明防止のため、眼鏡を装用させる。
	網膜色素変性症	視野狭窄・夜盲症と眼底に色素斑がある病気で進行すると失明する。	薬物療法（血管拡張剤）を行うが、光刺激により症状が進行するので、その防止のため、眼鏡を装用させる。
	視神経炎	視神経乳頭又は球後視神経に炎症があり、まぶしさを訴える病気で、進行すると失明する。	薬物療法（消炎剤、ビタミンＢ１）と合わせて、光刺激による症状の悪化を防止するため、２か月程度眼鏡を装用させる。
	網脈絡膜炎	眼底の網脈絡膜に炎症があって放置すれば失明する。	薬物療法（消炎剤）に合わせて、光刺激による症状の悪化を防止するため、１か月程度眼鏡を装用させる。
	角膜炎	角膜乾燥症、水泡性角膜炎、びまん性表層角膜炎、角膜潰瘍などにより、放置すると角膜（黒目）が白く濁り、視力低下又は失明する。	薬物療法（抗生物質、副腎皮質ホルモン、ビタミンＢ２）に合わせて、角膜の表面を保護し、治癒を促進するため、１か月程度眼鏡を装用させる。
	角膜外傷	角膜破裂、角膜切創、角膜火（薬）傷がある。	手術、薬物療法（抗生物質）と合わせて、角膜の創面を保護し治癒を促進するため、１か月程度眼鏡を装用させる。
	虹彩炎	虹彩（茶目）に極度の炎症があって放置すると失明する。	薬物療法（副腎皮質ホルモン）に合わせて、虹彩を安静にするためアトロピン等の散瞳剤を使用すると共に、眼保護のため、１か月程度眼鏡を装用させる。

処　方　箋　（　眼　鏡　）

氏名：＿＿＿＿＿＿＿＿＿＿年令：＿＿（　男・女　）
住所：＿＿＿＿＿＿＿＿＿＿＿＿＿＿＿＿＿＿

Ⅰ　種類(〇で囲む)：ガラス、プラスチック、コンタクトレンズ(ソフト、ハード)
IOL、遮光眼鏡(　　　　　　)、その他(　　　　　)

Ⅱ　度数及び用法

1　眼鏡

	S	C	A	P	B	PD		用法	遠・近 中間・常用
右									
左									

2　IOL

コンタクトレンズ		用法	
右			
左			

Ⅲ　使用期間（本処方箋の有効期間を〇で囲む）（　3日　10日　30日　）

Ⅳ　備考（眼鏡を必要とする理由）

1　疾病名

2　治療を必要とする症状

年　月　日

医師住所

医師氏名　　　　　　㊞

歯科医に支払った金冠等の装てん費用

【問13-16】　私は虫歯の治療を受けていますが、歯科医の勧めにより奥歯４本に金冠を装てんすることにしました。

この金冠に要する費用は、健康保険の取扱いができないということで40万円を支払っています。

この費用は、医療費控除の対象となりますか。

【答】　医療費控除の対象となる医療費とは、医師又は歯科医師による診療又は治療、治療又は療養に必要な医薬品の購入、その他医療又はこれに関連する人的役務の提供の対価のうち通常必要であると認められるものの対価で、その病状などに応じて一般的に支出される水準を著しく超えない部分の金額とされています（所法73②、所令207、所規40の３）。

このように、医療費控除の対象となる医療費は、病状などに応じて一般的に支出される水準を著しく超えないものとされていることから、健康保険の取扱いができない高価な材料を使用して歯の治療を受けた場合には、その医療費が医療費控除の対象となるかどうか問題のあるところです。

しかしながら、歯の治療においては、健康保険の取扱いのできない材料が使用される例も多いことからすれば、通常、歯科治療に使用されるもので、健康保険の取扱いのできないもの（金、プラチナ、ポーセレン等）が、歯の治療上使用されているとしても、病状などに応じて、一般的に支出される水準を著しく超えるものにはならないと解されます。

したがって、御質問の場合は、治療を受けている奥歯に金冠等を装てんすることが、虫歯の治療に照らし相当と認められますし、それに要した費用として支払った金額も40万円であり、一般的に支出される水準を著しく超えているものには当たらないと思われますので、その費用40万円を医療費控除の対象として差し支えありません。

ただし、容姿の美化又は容ぼうを変えるなどのために、健康な歯を抜いて義歯にしたり、総入れ歯にする費用などは、医療費控除の対象となる医療費には該当しません。

歯列矯正のための費用

【問13-17】　長女（小学生）の虫歯治療のため歯科医師の診療を受けたのですが、歯並びが悪いのでこのまま放置しておくと胃に過重な負担がかかり、虚弱体質になることから、今のうちに矯正治療をしておいた方がよいと勧められ、歯列矯正の治療を受けました。

この歯列矯正のための治療費として50万円支払っていますが、この費用は医療費控除の対象となりますか。

【答】　いわゆる人間ドックその他の健康診断のための費用及び容姿を美化し、又は容ぼうを変えるなどのための費用は、医療費控除の対象となる医療費に該当しないこととされています（基通73－４）。

歯列矯正の治療に要する費用については、成人になってから特に健康上の理由もないのに、美容整形を目的として行う場合には医療費控除の対象となる医療費と認められないことになります。しかしながら、通常、乳歯から永久歯へ生え替わる成長期において、歯のかみ合わせを正常化するなどのために行われる歯列矯正は、身体の構造又は機能の欠陥を是正するものと考えられます。

したがって、御質問の歯列矯正のための費用として支払った50万円は、歯科医師による治療の対価で、また、金額も病状などに応じて一般的に支出される水準を著しく超えるものとも思われませんので、医療費控除の対象として差し支えありません。

B型肝炎ワクチンの接種費用

【問13-18】 私の母はＢ型肝炎のため現在治療中であり、私が介護に当たっています。

この度、医師の指示により感染を予防するためＢ型肝炎ワクチンの接種を受けましたが、この接種費用は医療費控除の対象となるでしょうか。

【答】 医師等による診療等を受けるため直接必要な費用は、医療費控除の対象となる医療費に含まれるものとされています（基通73－３）。

ところで、Ｂ型肝炎の患者を介護する家族に対して、感染を予防するため、Ｂ型肝炎ワクチンを接種することは、医師による患者の治療の一環として不可欠であると考えられます。

そこで、Ｂ型肝炎の患者の介護に当たっている親族（その患者と同居する人に限ります。）を対象として行われたＢ型肝炎ワクチンの接種費用で、一定のものについては、医療費控除の対象とすることとされています（昭63.12.26直所３－23）。

（注）１　一定のものとは、次の書類が発行されるものをいいます。

①　Ｂ型肝炎にり患しており、医師による継続的治療を要する旨の記載のある医師の診断書

②　①の診断書に記載された患者の親族に対するＢ型肝炎ワクチンの接種費用に係るものであることの分かる領収書

２　上記１①については、確定申告書に添付するか、確定申告の際に提示することが必要です（その他の添付資料については【問13－40】参照）。

ただし、①証明年月日、②証明書の名称及び③証明者の名称（医療機関名等）を「医療費控除の明細書」の欄外余白などに記載することにより、確定申告書への添付等を省略しても差し支えありません。

なお、この場合、添付等を省略した証明書などは、医療費の領収書とともに確定申告期限から５年間ご自宅で保管する必要があります。

不妊症のためにした人工受精の費用

> **【問13-19】**　私たち夫婦は不妊症のため、甲医科大学付属病院で治療を受けていましたが、この度、人工受精の処置を受けることとし、その費用として35万円を支払いました。
>
> この人工受精の処置費用は、医療費控除の対象となりますか。

【答】　医師等による診療又は治療の対価で、その病状などに応じて一般的に支出される水準を著しく超えないものは、医療費控除の対象となります（所法73②、所令207、所規40の３）。

あなたの場合、医師による不妊症の治療行為の一環として人工受精の処置が行われているものであり、また、その処置費用も35万円と治療行為の対価として一般的に支出される水準を著しく超えるものとはいえません。

したがって、人工受精の処置費用35万円は医療費控除の対象になります。

なお、不妊症の治療費も医師等による診療等の対価として医療費控除の対象となります。

禁煙治療に係る費用

> **【問13-20】**　私は愛煙家ですが、禁煙を決意し、家族の勧めで病院で禁煙治療を受けたいと考えています。
>
> この治療にかかった費用は、医療費控除の対象となりますか。

【答】　医療費控除の対象となる医療費とは、医師又は歯科医師による診療又は治療、治療又は療養に必要な医薬品の購入その他医療又はこれに関連する人的役務の提供の対価のうち、その病状等に応じて、一般的に支出される水準を著しく超えない部分の金額をいいます（所法73②、所令207、所規40の３）。

御質問の禁煙治療とは、一般的には、呼気中の一酸化炭素の測定や禁煙補助薬の処方を受けるなど、医師の指導のもとでニコチン依存症を改善し、禁煙を実行していくことをいいます。

ニコチン依存症は、そのまま放置すると重大な合併症を引き起こしかねないことから、平成18年４月以降、①スクリーニングテストでニコチン依存症と診断されたこと、②喫煙本数×喫煙年数が200以上であること及び③禁煙治療について医師から説明を受けて同意していることのすべての要件を満たしている人が受ける禁煙治療については保険適用が認められています。

このように、禁煙治療は医師による治療に該当しますから、あなたが負担した治療費（保険診療分のうち自己負担分）は医療費控除の対象となります。

なお、上記①から③までの要件を満たさない場合、保険適用はありませんが、あなたが実際に負担した禁煙治療に係る費用は、自費診療分として医療費控除の対象となります。

漢方薬やビタミン剤等の購入費用

【問13-21】　私は、生まれつきの虚弱体質でしばしば内臓を患い、仕事にも支障がありますので、常時ビタミン剤やいろいろなホルモン剤を薬局で購入して服用しています。また、友人の勧めで朝鮮人参等の高価な漢方薬も購入しています。

これらの薬剤は、医師の処方に基づいたものではないのですが、私のように体の弱い者には欠かせないものであり、医療費控除の対象に認められないでしょうか。

【答】　医療費控除の対象となる医療費の範囲には、治療又は療養に必要な医薬品の購入の対価が含まれることになっています（所法73②、所令207二）。

この医薬品とは、医薬品、医療機器等の品質、有効性及び安全性の確保等に関する法律第２条第１項《定義》に規定する医薬品をいうものとされていますが、一方、同項に規定する医薬品に該当するものであっても、疾病の予防又は健康増進のために供されるものの購入の対価は、治療又は療養のための医薬品ではありませんので医療費に該当しないこととされています（基通73－５）。

したがって、ビタミン剤や漢方薬も一般的には同項に規定する医薬品に該当しますが、御質問の場合には、これらの医薬品を疾病の予防や健康増進のために用いられていますので、それらの購入の対価は医療費控除の対象となる医療費には該当しないことになります。

ただし、医師の処方に基づき病気の治療のために服用する漢方薬のうち、治療又は療養のために必要なことが明らかとされるものの購入の対価は、医療費控除の対象となる医療費に該当すると考えられます。

（注）　居住者が平成29年１月１日から令和８年12月31日までの間に自己又は自己と生計を一にする配偶者その他の親族に係る特定一般用医薬品等購入費を支払った場合において当該居住者がその年中に健康の保持増進及び疾病の予防への取組として一定の取組を行っているときにおけるその年分の医療費控除については、その方の選択により、その年中に支払った特定一般用医薬品等購入費の金額（保険金、損害賠償金その他これらに類するものにより補塡される部分の金額を除きます。）の合計額が１万2,000円を超えるときは、その超える部分の金額（８万8,000円を限度）を、控除額とすることができます（措法41の17、措令26の27の２、措規19の10の２）（【問13-41】参照）。

家政婦に支払った療養費

【問13-22】　私は、３月に胃の手術をし、その後２か月入院しました。そのとき妻は出産のため療養上の世話ができなかったので、家政婦紹介所を通じて家政婦に付添いを依頼しその費用を支払いましたが、医療費控除の対象になりますか。また、家政婦紹介所に支払った紹介手数料はどうですか。

【答】　医療費控除の対象となる医療費には、医師又は歯科医師による診療又は治療の対価のほかに、保健師、看護師又は准看護師による療養上の世話の対価として支払った費用も含まれています（所法73②、所令207五）。

ここで、保健師、看護師又は准看護師とは、保健師助産師看護師法第２

条《保健士》、同法第５条《看護師》又は同法第６条《准看護師》に規定する保健師、看護師又は准看護師をいいますが、これらに準ずる人で療養上の世話を受けるために特に依頼したものから受ける療養上の世話に対して支払った費用もこれに含まれるものとされています（基通73－６）。

したがって、あなたが、家政婦に対して支払った費用はすべて療養上の世話のためのものと考えられますので、医療費控除の対象として認められます。

なお、家政婦紹介所に支払う紹介手数料は、一般的には、療養上の世話の対価として支払うものではありませんが、療養上の世話をする人を紹介してもらったことに対する対価として支払う場合の紹介手数料も、医療費控除の対象として差し支えありません。

親族に支払う付添料

【問13-23】 妻が脳いっ血で倒れ、重症のため長期にわたり入院治療が必要となりました。そのため、子の配偶者が入院期間中付き添うことになりましたが、子の配偶者はパートタイマーとして勤めていますので、それに見合う金額を付添い料として支払うこととしています。

この付添い料は、医療費控除の対象になるでしょうか。

【答】 医療費控除の対象となる医療費の範囲には、保健師、看護師又は准看護師による療養上の世話に対して支払う対価が含まれています（所法73②、所令207五）。この保健師、看護師又は准看護師による療養上の世話とは、保健師助産師看護師法第２条《保健師》、同法第５条《看護師》、同法第６条《准看護師》に規定する保健師、看護師又は准看護師がこれらの規定に規定する業務として行う療養上の世話をいいますが、病院等の看護師不足等のため、必要な看護が受けられず、やむなく家政婦等に依頼する場合も多いことから、正規の保健師や看護師等以外の人で、療養上の世話を受けるために、特に依頼した人から受ける療養上の世話も、正規の保健師等の療養上の世話に含め、その対価を医療費控除の対象となる医療費として取り扱うこととされています（基通73－６）。ところで、この取扱いの対象となる「特に依頼した人」とは、療養上の世話を受けるために、特に依頼した家政婦等人的役務の提供を業とする人で、正規の保健師等に準ずるものと解されます。

したがって、御質問のように、子の配偶者や両親、その他の親族は労務の提供の対価の支払を前提としておらず、この取扱いの対象となる「特に依頼した人」には該当しませんので、これらの人から療養上の世話を受けて付添い料を支払っても、医療費控除の対象とはなりません。

視力回復センターへ支払った費用

【問13-24】　長男が生まれつき弱視であるため眼科医で治療を受けさせていましたが、一向に効果がないので、Ａ視力回復センターへ通わせています。

この視力回復センターへ支払った費用は、医療費控除の対象となりますか。

【答】　Ａ視力回復センターは、医療機関としての届出がない上、眼科医を擁さず、眼のトレーニング（機器を使用する場合もあります。）を行うことにより視力の回復を図っているものです。

したがって、Ａ視力回復センターへ支払った費用は、医師等へ支払う治療の対価には当たらないので医療費控除の対象とはなりません（所法73）。

（注）　医者が治療を行う医療機関については、必ず知事に届け出ることとなっています。

おむつに係る費用

【問13-25】 私の母は寝たきりの状態でＨ病院に入院しています。
　Ｈ病院へは入院費用のほかにおむつ代を支払っていますが、おむつ代も含めて医療費控除の対象にできるでしょうか。

【答】 医師等による診療等を受けるため直接必要な費用は、医療費控除の対象となる医療費に含まれるものとされています（基通73－３）。

ところで、いわゆる寝たきり老人や傷病により寝たきりとなった人の疾病の治療を行う上においては、おむつの使用が欠かせない現状にあることから、これらの人の治療を継続して行っている医師が、その治療を行う上でおむつを使用することが必要であると認める場合には、おむつ代は医師の治療を受けるため直接必要な費用に該当するものと考えられます。

そこで、これらの人の治療を継続して行っている医師が、次の条件のいずれをも満たすものとして、「おむつ使用証明書」を発行した場合には、おむつ購入費用又はおむつ賃借料は医療費控除の対象として取り扱うこととされています（昭62.12.24直所３－12、平13.７.３課個２－15改正）。

①　傷病によりおおむね６か月以上にわたり寝たきり状態にあると認められる人

②　当該傷病について医師による治療を継続して行う必要があり、おむつの使用が必要と認められる人

したがって、御質問の場合、医師から「おむつ使用証明書」が発行され、かつ、その必要期間内に使用したおむつに係る費用であれば、医療費控除の対象となります。

また、証明書発行日以前のものであっても、医師の治療を受けるため直接必要な費用と認められれば、証明書発行日以後と同様に医療費控除の対象となります。

なお、医療費控除を受けるためには、この証明書を確定申告書に添付するか、確定申告の際に提示することが必要です（その他の添付資料につい

ては【問13－40】参照)。

（注）1　平成14年から、おむつ代について医療費控除の適用が２年目以降である者に対しては、「おむつ使用証明書」の代わりに「市町村が主治医意見書の内容を確認した書類」又は「主治医意見書の写し」を添付又は提示することが認められています（平14.6.25課個２－11)。

2　平成29年分以後の確定申告書を平成30年１月１日以降に提出する場合には、「おむつ使用証明書」について、①証明年月日、②証明書の名称及び③証明者の名称（医療機関名等）を「医療費控除の明細書」の欄外余白に記載することにより、確定申告書への添付等を省略しても差し支えありません。

なお、この場合、添付等を省略した証明書などは、医療費の領収証とともに確定申告期限から５年間ご自宅で保管する必要があります。

3　令和６年分以後の確定申告書を令和７年１月１日以降に提出する場合には、医療費控除の適用が１年目の者、２年目以降の者にかかわらず、「おむつ使用証明書」の代わりに「市町村が主治医意見書の内容を確認した書類」又は「主治医意見書の写し」を添付又は提示することが認められます。

なお、「おむつ使用証明書」の代わりに「主治医意見書の写し」を添付又は提示する場合には、以下の要件を満たすことが必要です。

《おむつ代の医療費控除適用が１年目の者》

要介護認定の有効期間が、おむつ代の医療費控除を受ける年分以降において６カ月以上（要介護認定が複数ある場合は、その有効期間を合算した期間が６カ月以上）であり、４年以内に発行された主治医意見書であること。

《おむつ代の医療費控除適用が２年目の者》

・　おむつ代の医療費控除を受ける年分において作成された主治医意見書であること。
・　おむつ代の医療費控除を受ける年分において主治医意見書が作成されていない場合は、当該年分に受けている要介護認定（有効期間が13カ月以上のものに限る）の審査に当たり作成された主治医意見書であり、４年以内（改正前は３年以内）に発行されたものであること。

ストマ用装具に係る費用

【問13-26】　私は、H病院で人工肛門のストマの造設手術を受け、退院後も継続してストマケアに係る治療を受けています。

H病院へは、治療費とは別にストマ用装具代を支払っていますが医療費控除の対象となるでしょうか。

【答】　医師等による診療等を受けるため直接必要な費用は、医療費控除の対象となる医療費に含まれるものとされています（基通73－３）。

ところで、人工肛門のストマ（排泄孔）又は尿路変向（更）のストマを持つ人にとっては、ストマの造設手術後、入院中だけでなく、退院後も継続してストマケアに係る治療を受ける必要があることから、これらの治療を行っている医師がその治療を行う上で適切なストマ用装具を消耗品として使用することを必要不可欠と認める場合には、その装具代は医師の治療を受けるため直接必要な費用に該当するものと考えられます。

したがって、これらの治療を行っている医師から「ストマ用装具使用証明書」が発行された場合には、ストマ用装具の購入費用は医療費控除の対象として取り扱うこととされています（平元.７.13直所３－12）。

なお、医療費控除を受けるためには、この証明書を確定申告書に添付するか、確定申告の際に提示することが必要です（その他の添付資料については【問13－40】参照）。

（注）「ストマ用装具使用証明書」について、①証明年月日、②証明書の名称及び③証明者の名称（医療機関名等）を「医療費控除の明細書」の欄外余白などに記載することにより、確定申告書への添付等を省略しても差し支えありません。

なお、この場合、添付等を省略した証明書などは、医療費の領収書とともに確定申告期限から５年間ご自宅で保管する必要があります。

介護老人保健施設の利用料

【問13-27】 私の妻は病気で寝たきりの状態になり、介護老人保健施設に入所しています。介護老人保健施設は病院ではありませんが、私が支払った利用料は医療費控除の対象になるでしょうか。

【答】 「介護老人保健施設」とは、要介護者（病状が安定期にあり、次の①～③のサービスを要すると主治医が認めたものに限ります。）に対し、施設サービス計画に基づき、①看護、②医学的管理の下における介護及び③機能訓練その他必要な医療並びに④日常生活上の世話を行うことを目的とする施設であって、都道府県知事の許可を受けたものをいいます（介護保険法８㉘、介護保険法施行規則20）。

この介護老人保健施設は、医療法に定める「病院」又は「診療所」ではありませんが、医療法以外の規定（健康保険法などを除きます。）では、原則として「病院」又は「診療所」に含まれることとされています（介護保険法106）。

つまり、所得税法施行令第207条第３号に掲げる「病院」、「診療所」には、「介護老人保健施設」が含まれることになります。

したがって、介護老人保健施設に支払った費用のうち、次の費用が医療費控除の対象となります。

(1) 食費又は食事料

(2) 特別食料、特別食加算又は加工食加算

(3) 室料、個室料、２人室料又は室料差額（個室等の特別室の使用料については、診療又は治療を受けるためやむを得ず支払われるものに限ります。）

(4) 入浴料又は入浴代

(5) 通所者の長時間デイ・ケアに係る介護老人保健施設療養費の額を超える費用

なお、おむつ代については、【問13-25】を参照してください。

温泉利用型健康増進施設（クアハウス）の利用料金

【問13-28】　私の母は慢性関節リュウマチで通院をしていましたが、本年７月に10日間、主治医の指導により『温泉利用型健康増進施設（クアハウス）』で温泉治療を受けました。

　このクアハウスに支払った利用料金は、医療費控除の対象となるのでしょうか。

【答】　一般的には、神経痛やリュウマチの治療のため温泉地へ赴き湯治をした際の湯治費用については、医師による診療の対価や、医師による診療等を受けるため直接必要な費用には当たりませんので、医療費控除の対象とはならないこととされています（所法73②、所令207、基通73－３）。

　ところで、御質問のクアハウスは、「多目的温泉保養館」ともいわれているもので、温泉を利用して健康の増進や疾病の治療を行う施設ですが、この施設の利用についても一般の温泉湯治と同様に病院がリハビリ施設等として温泉施設を併設して患者に利用させている場合を除き、原則として施設に支払った利用料金は、医療費控除の対象となりません。

　しかしながら、主治医が、患者の治療のため、厚生労働大臣が治療を行う場として十分機能し得ると認定した施設で温泉療養を行わせた場合は、医師の管理の下で治療が行われたと考えられますので、そのクアハウスの利用料金は、医師による治療を受けるため直接に必要な費用として、医療費控除の対象として取り扱われます（平２.３.27直所３－２）。

　この場合、医療費控除の適用を受けるためには、治療のために患者に認定施設を利用した温泉療養を行わせた、あるいは、行わせている旨の記載のある医師が作成した「温泉療養証明書」を確定申告書に添付するか、提示することが必要です（その他の添付資料については【問13－40】参照）。

（注）　「温泉療養証明書」について、①証明年月日、②証明書の名称及び③証明者の名称（医療機関名等）を「医療費控除の明細書」の欄外余白などに記載することにより、確定申告書への添付等を省略しても差し支え

ありません。

なお、この場合、添付等を省略した証明書などは、医療費の領収書とともに確定申告期限から５年間ご自宅で保管する必要があります。

要介護者が指定介護老人福祉施設から受ける施設サービスの費用

【問13-29】 私の父は、指定介護老人福祉施設（特別養護老人ホーム）に入所しています。

この施設に支払った利用料金は、医療費控除の対象になりますか。

なお、要介護度３の認定を受けています。

【答】 医療費控除の対象となる医療費の範囲には、医師又は歯科医師による診療又は治療や保健師、看護師等による療養上の世話等に対して支払う対価が含まれています（所法73②、所令207五）。

ところで、介護保険制度における介護保険サービスは、医療との連携を十分配慮して行われなければならないこととされており、この方針を踏まえて、指定介護老人福祉施設では、医師や施設職員との連携のもとで、入所者に対して介護サービスの提供が行われています。

この指定介護老人福祉施設で提供されるサービスには、日常生活上の世話のほかに、看護や医学的管理のもとにおける療養上の世話等も含まれています。

これらのサービスのうち、その看護や療養上の世話等に相当する部分の対価として負担した金額が、概念上、医療費控除の対象に該当します。

しかしながら、指定介護老人福祉施設においては集団的な処遇が行われており、個々の入所者についてその費用がどのサービスにどれだけ充てられたかを確定させることは困難な実状があります。

そこで、次の①の対象者について、②の対象費用の額を医療費控除の対象となる金額として取り扱うこととされています（平12.6.8課所４－９）。

①　対象者

　要介護度１～５の要介護認定を受け、指定地域密着型介護老人福祉施設又は指定介護老人福祉施設に入所する者

②　対象費用の額

　介護費（介護保険法に規定する「厚生労働大臣が定める基準により算定した費用の額」）に係る自己負担額、居住費及び食費として支払った額の２分の１に相当する金額

　したがって、御質問の場合、要介護度３の要介護認定を受けておられ、また、指定介護老人福祉施設に入所されていることから、支払われた介護費、居住費及び食費の２分の１（上記②の金額）が医療費控除の対象となります。

　なお、医療費控除を受けるためには、その施設事業者から交付を受けた「指定介護老人福祉施設等利用料等領収証」が必要です（その他の添付資料、記載方法等については【問13－40】参照）。

（注）　要介護者が介護老人保健施設及び指定介護療養型医療施設において施設サービスの提供を受けた場合に負担する費用は、従来どおり医療費控除の対象とされます。

要介護者が介護サービス事業者から受ける居宅サービスの費用

【問13-30】　私の母は、昨年４月から介護保険制度により、介護支援専門員（ケアマネジャー）の居宅サービス計画（ケアプラン）に基づいて、訪問介護（ホームヘルプサービス）と訪問看護を受けています。

　このサービスの利用料金は、医療費控除の対象になりますか。

【答】　介護保険制度における居宅サービスは、通常、指定居宅介護支援事業者が、保健医療サービスとの連携や必要に応じて利用者の主治の医師の意見を踏まえて利用者個人ごとに作成した「居宅サービス計画」に基づいて提供されています。

このような介護保険制度のもとでの居宅サービスの提供方法を勘案し、各種の居宅サービスのうち、次の①の対象者について、②の対象となる居宅サービスに係る③の対象費用の額を医療費控除の対象となる金額として取り扱うこととされています（平12.6.8課所４－11）。

①　対象者

次の(1)及び(2)のいずれの要件も満たす者

(1)　介護保険法に規定する居宅サービス計画又は介護予防サービス計画（以下「居宅サービス計画等」といいます。）に基づいて、居宅サービス、地域密着型サービス、介護予防サービス、地域密着型介護予防サービス又は第１号事業（以下「居宅サービス等」といいます。）を利用すること。

(2)　(1)の居宅サービス計画等に、次に掲げる居宅サービス、地域密着型サービス又は介護予防サービスのいずれかが位置づけられること。

（居宅サービス）

イ　訪問看護

ロ　訪問リハビリテーション

ハ　居宅療養管理指導［医師等による管理・指導］

ニ　通所リハビリテーション［医療機関でのデイサービス］

ホ　短期入所療養介護［ショートステイ］

（地域密着型サービス）

ヘ　定期巡回・随時対応型訪問介護看護（一体型事業所で訪問看護を利用する場合に限ります。）

ト　複合型サービス（上記イからヘに掲げるサービスを含む組合せにより提供されるもの（生活援助中心型の訪問介護の部分を除きます。）に限ります。）

（介護予防サービス）

チ　介護予防訪問看護

リ　介護予防訪問リハビリテーション

ヌ　介護予防居宅療養管理指導

ル　介護予防通所リハビリテーション

ヲ　介護予防短期入所療養介護

（注）　イ及びチについては、高齢者の医療の確保に関する法律及び医療保険各法の訪問看護療養費の支給に係る訪問看護を含みます。

②　対象となる居宅サービス等

①の(2)に掲げる居宅サービス、地域密着型サービス又は介護予防サービスと併せて利用する次に掲げる居宅サービス等

（居宅サービス）

(1)　訪問介護［ホームヘルプサービス］（生活援助中心型を除きます。）

(2)　訪問入浴介護

(3)　通所介護［デイサービス］

(4)　短期入所生活介護［ショートステイ］

（地域密着型サービス）

(5)　定期巡回・随時対応型訪問介護看護（一体型事業所で訪問看護を利用しない場合及び連携型事業所に限ります。）

(6)　夜間対応型訪問介護（上記(5)に該当するものを除きます。）

(7)　地域密着型通所介護（平成28年4月1日より）

(8)　認知症対応型通所介護

(9)　小規模多機能型居宅介護

(10)　複合型サービス（上記①の(2)のイからヘに掲げるサービスを含まない組合せにより提供されるもの（生活援助中心型の訪問介護の部分を除きます。）に限ります。）

（介護予防サービス）

(11)　介護予防訪問入浴介護

(12)　介護予防短期入所生活介護

（地域密着型介護予防サービス）

(13)　介護予防認知症対応型通所介護

(14) 介護予防小規模多機能型居宅介護

(地域支援事業)

(15) 地域支援事業の訪問型サービス（生活援助中心のサービスを除きます。)

(16) 地域支援事業の通所型サービス（生活援助中心のサービスを除きます。)

(注) ①の(2)に掲げる居宅サービス等に係る費用については、①の対象者の要件を満たすか否かに関係なく、利用者の自己負担額全額が医療費控除の対象となります。

③　対象費用の額

②に掲げる居宅サービス等に要する費用（介護保険法に規定する「厚生労働大臣が定める基準により算定した費用の額」）に係る自己負担額又は地域支援事業の利用により市町村等から請求された利用料

したがって、御質問の場合、生活援助が中心でない訪問介護と訪問看護に係るサービスの利用料金について、自己負担額が医療費控除の対象となります。

なお、医療費控除を受けるためには、その居宅サービス等事業者から交付を受けた「居宅サービス等利用料領収証」が必要です（居宅サービス等事業者が発行する領収証（居宅サービス計画等を作成した事業者名が記載されたもの）に、医療費控除の対象となる金額が記載されることとなっています（確定申告の際の添付資料については【問13－40】参照)。)。

医療費を補塡する保険金等（出産育児一時金と出産手当金）

【問13-31】　本年７月に長男が産まれ病院に支払った出産費用が35万円あります。これは医療費控除の対象になりますか。

また、この出産に関し、勤務先から健康保険法第101条の規定に基づいて出産育児一時金の給付を受けていますが、これは同法第102条の出産手当金と同様の、出産による祝金と考えますので、医療費を補塡する保険金等に当たらないと思いますがいかがでしょうか。

【答】　医療費控除の対象となる医療費とは【問13-11】で説明しましたように医師等に支払った診療又は治療の対価や助産師による分べんの介助の対価、入院費などで一般的に支出される水準を著しく超えない部分の金額とされています（所法73②、所令207、所規40の３）。

したがって、御質問の病院に支払った出産費用は、一般的に支出される水準を著しく超えないものである限り、医療費控除の対象となる医療費に該当します。

ところで、医療費控除額は、支出した医療費の金額から保険金、損害賠償金その他これらに類するもの（以下「医療費を補塡する保険金等」といいます。）により補塡される部分の金額を除くこととされ、次に掲げるようなものは、医療費を補塡する保険金等に該当するものとされています（基通73－８）。

① 社会保険又は共済に関する法律その他の法令の規定に基づき支給を受ける給付金のうち、健康保険法の規定により支給を受ける療養費、移送費、出産育児一時金、家族療養費、家族移送費、家族出産育児一時金、高額療養費又は高額介護合算療養費のように医療費の支出の事由を給付原因として支給を受けるもの

② 損害保険契約又は生命保険契約（これらに類する共済契約を含みます。）に基づき医療費の補塡を目的として支払を受ける傷害費用保険金、医療保険金又は入院費給付金等（これらに類する共済金を含みます。）

③　医療費の補塡を目的として支払を受ける損害賠償金

④　その他の法令の規定に基づかない任意の互助組織から医療費の補塡を目的として支払を受ける給付金

したがって、あなたが勤務先から健康保険法第101条の規定に基づく「出産育児一時金」（附加給付を含みます。）の給付を受けておられる場合は、上記①に該当しますからその給付金額を控除した残額が医療費控除の対象となる医療費となります。

また、健康保険法第102条の規定に基づく「出産手当金」は、被保険者が出産のため、その前後98日間において欠勤したことにより給与等が減額された場合に、その給与の減少部分を補塡するため給付されるものであることから、医療費を補塡する保険金等には当たらないものとされています（基通73－９）。

なお、この出産手当金は、非課税所得とされています（健康保険法62）。

共働き夫婦の出産費用と出産育児一時金

【問13-32】 私は薬局経営、妻は会社勤めの共働き夫婦です。今年の４月、妻の出産に際して、私がその費用を支払いました。

出産後、妻の勤務する会社の健康保険組合から、妻に対して出産育児一時金50万円の支給がありました。

私は、本年分の確定申告に当たって、私が支払った妻の出産費用を含めて医療費控除の適用を受けたいと思っていますが、その際に妻が会社の健康保険組合から受けた出産育児一時金を控除しなければならないでしょうか。

【答】 社会保険又は共済に関する法律その他の法令の規定に基づき支給を受ける出産育児一時金や家族出産育児一時金は、医療費を補塡する保険金等に該当することとされています（基通73－８）。

この分べん費は、出産（分べん）を給付原因として、その費用を補塡するために支給されるものであり、支払者が誰であるかは関係ありません。

ところで、医療費控除の対象となる医療費の額は、本人又は本人と生計を一にする配偶者その他の親族に係る医療費としてその年中に支払ったものとされています。そこで、あなたの医療費控除の金額の計算に当たっては、配偶者の出産に要した費用を含めたところで計算されますが、その際には、配偶者が出産育児一時金として健康保険組合から受け取った50万円を控除することになります。

産科医療補償制度を利用した分べんに係る医療費控除

【問13-33】　私は、令和６年９月に長女を出産しました。

かかりつけの産科医が営む医院で出産し、産科医療補償費を含む分娩費として、48万円支払いました。

分べん費については、医療費控除の対象となるそうですが、一緒に支払った産科医療補償費も医療費控除の対象に含めてもよろしいでしょうか。

【答】　産科医療補償制度は、分べんに関連して発症した重度脳性麻痺児に対する補償（注）の機能と脳性麻痺の原因分析・再発防止の機能とを併せ持つ制度として創設されました。

この制度では、お産１件ごとに病院等の分べん機関が12,000円の掛金を負担することになっており、この掛金は、分べん費用の一部として最終的には妊産婦が負担することになります。

したがいまして、産科医療補償制度を利用した分べんについては、産科医療補償費相当額（原則12,000円）を含めた金額が支払った医療費として医療費控除の対象となります。

一方、産科医療補償制度に係る掛金相当分の分べん費の上昇が見込まれることから、令和４年１月以降健康保険から支払われる出産育児一時金に産科医療補償費が加算して支払われますので、出産育児一時金等（産科医療補償費相当額12,000円を含む。）については、医療費を補塡する保険金等として支払った医療費の金額から差し引く必要があります。

なお、産科医療補償制度の下での分べんである場合には、その領収書等に本制度の対象である分べんを証する所定のスタンプが医療機関により押印されます。

（注）　令和４年１月１日以後に出産した場合については、本制度の加入分娩機関の管理下における分べんにより在胎週数28週以上で誕生した子どもに身体障害者等級の１級又は２級に相当する重度脳性麻痺（先天性や新

生児期の要因によらない脳性麻痺に限る。）が発生し、運営組織が補償の対象として認定したときは、補償の対象となります。

医療費を補塡する保険金等（高額介護合算療養費等）

【問13-34】　私は、昨年病気で入院した際の医療費と妻の介護費用（訪問看護費用）などで、昨年８月から今年の７月までの間で自己負担額の合計額が100万円になりました。

市役所で勧められ、医療保険と介護保険の高額医療・高額介護合算療養費制度による申請をしたところ、この度33万円の支給を受けました。医療費控除の申告をする際には、支払った医療費の金額からこの支給金額を差し引かなければいけませんか。

【答】　健康保険等の医療保険制度（後期高齢者医療を含む。）及び介護保険制度においては、各制度において、月単位で限度額を設けて自己負担額が一定の額を超えた場合には、高額療養費や高額介護サービス費、高額介護予防サービス費を支給し、自己負担を軽くする制度がありましたが、これらの支給を受けてもなお、年を通して一定の自己負担がある者を対象として、「高額医療・高額介護合算療養費制度」が創設され、平成20年４月から施行されています。

この制度では、世帯内の同一の医療保険（健康保険や国民健康保険、長寿（後期高齢者）医療制度など）の加入者について、１年間（毎年８月１日～翌年７月31日に「医療保険」と「介護保険」の両方に自己負担があり、その自己負担の合計が「高額医療・高額介護合算療養費制度」における自己負担限度額を超える場合には、その超えた部分を基に「高額介護合算療養費」及び「高額医療合算介護（予防）サービス費」（以下「高額介護合算療養費等」といいます。）を支給することとされています。

ところで、【問13－11】で説明しましたように、医療費控除の金額は、支出した医療費の金額から保険金、損害賠償金その他これらに類するもの

（「医療費を補塡する保険金等」といいます。）により補塡される部分の金額を除くこととされています。

高額医療・高額介護合算療養費制度により支給を受ける高額介護合算療養費は、【問13－31】の①の健康保険法等の規定により支給を受けるものに該当しますから、この医療費を補塡する保険金等として、その額が確定した日（原則として７月31日）の属する年分の医療費から差し引くことになります。

未熟児養育医療費弁償金負担金

【問13-35】　妻は、今年８月に女児を出産しましたが、その子は未熟児であったため強制的に未熟児センターで養育を受けました。この養育費は原則として府又は県が弁償することとされており、本人負担はないと聞いておりましたが、府から納入通知書が送付され、未熟児養育医療費弁償金負担金を支払うこととなりました。

私が府へ支払うこととなったその負担金は医療費控除の対象となりますか。

【答】　国や地方公共団体は、未熟児養育について母子保健法第20条により未熟児を養育する指定医療機関に入院させた場合、患者の自己負担分を公費負担することによりその軽減免除をしています。

地方公共団体は、病院からの請求に基づいてその費用を「未熟児養育医療費弁償金」として立替払をし、その者の世帯の所得に応じて本人から立替金の一部又は全部を徴収しています。

この場合、本人が支払う金額は医療費負担金であり医療費控除の対象となります（基通73－３(3)）。

事業専従者のために支出した医療費

【問13-36】　私は酒類販売業を営んでおり、長男を青色事業専従者として専従者給与を支払っています。ところで、この長男が４月に病気により入院しましたので、その入院費などを私が支払いました。私の医療費控除の対象になるでしょうか。

【答】　医療費控除の対象となる医療費とは、本人又は本人と生計を一にする配偶者その他の親族の医療費として支払ったものをいいますが、この場合の親族には所得要件が付されていません（所法73①）。

したがって、御質問の長男は青色事業専従者で扶養親族には該当しませんが、医療費を支出すべき事由が生じた時又は現実に医療費を支払った時の現況において納税者と生計を一にしていれば、その親族（長男）のためにあなたが支払った医療費は、あなたの医療費控除の対象となります（基通73－１）。

結婚した子どもの医療費

【問13-37】　私の子どもは11月に結婚し生計を一にしなくなりましたが、６月に支払った子どもの医療費が15万円あります。

扶養控除の対象となる扶養親族に該当するかどうかは、その年の12月31日の現況で判定することとされており、子どもの扶養控除は受けられないのですが、子どもの医療費も医療費控除の対象とはならないのでしょうか。

【答】　医療費控除は、各年において、本人又は本人と生計を一にする配偶者その他の親族に係る医療費を支払った場合について控除の対象としています（所法73①）。

また、この「生計を一にする親族に係る医療費」とは、医療費を支出すべき事由が生じた時又は現実に医療費を支払った時のいずれかの時の現況において判定して、生計を一にし、かつ親族である人に係る医療費とされています（基通73－１）。

なお、「医療費を支出すべき事由が生じた時」とは、医師による診療等の役務の提供を受けた時又は医薬品の購入をして服用等した時をいいます。

したがって、あなたの支払われた医療費については、その支出すべき事由が生じた時、つまり、子どもが診療を受けた時の現況においては生計を一にしていると思われますので、その支払った医療費が、その病状に応じて一般的に支出される水準を著しく超えないなど、他の要件に該当していればあなたの医療費控除の対象として差し支えありません。

クレジットで支払う医療費

【問13-38】　私は歯の治療を受けていましたが、その代金が24万円と高額であったため、Ｏ信用販売(株)のクレジットで支払うことにしました。治療が終わった11月５日にクレジット契約を結び、支払方法は11月から翌年10月まで各月末２万円となっています。

私の場合、医療費控除の適用を受けるに当たって、本年分の申告で全額を対象にすることができますか。

なお、歯科医師からは11月に全額についての領収証を受領しています。

【答】　医療費控除の対象となる医療費の金額は、本人又は本人と生計を一にしている配偶者その他の親族に係る医療費を、本人がその年中に支払った金額とされています（所法73①）。

ところで、あなたの場合、治療費の一括支払が困難なため、割賦契約に基づいてその年中には２か月分の４万円しか支払がありません。

しかしながら、Ｏ信用販売(株)と歯科医とあなたとの関係を考えてみますと、Ｏ信用販売(株)があなたに代わって医療費全額を支払い、その立替払の債務をあなたがＯ信用販売(株)へ割賦返済するということになります。

したがって、あなたがその年中に歯科医師に支払った医療費の金額は、O信用販売(株)があなたに代わって支払った24万円全額ということになりますので、24万円が医療費控除の対象となります（基通73－２）。

生計を一にしない父のために支出した医療費

【問13-39】　長男と同居している父が入院することとなり、その医療費を長男のほか、別に生計を営んでいる次男、三男も分担することとなった場合、その次男、三男についても医療費控除の適用はありますか。

【答】　医療費控除は、本人又は本人と生計を一にする親族のため医療費を支払った場合に限り適用がありますから、御質問のように父親と生計を別にする次男、三男が負担した医療費は医療費控除の対象とはなりません（所法73①）。

なお、「生計を一にする」とは、扶養親族の判定の場合と同じく、必ずしも同一家屋で起居を共にしていることは条件ではありませんが、常に生活費の送金が行われているなどして日常生活の資金を共通にしていることが必要ですので、たまたま入院に際してその医療費を負担したからといってこの条件を満たしているとはいえません（基通２－47）。

「医療費のお知らせ」に基づく医療費の計算

【問13-40】　私は、令和６年中に入院したので医療費を支払いましたが、領収書が見当たりません。

その後、会社の健康保険組合から「医療費のお知らせ」が送られてきました。

令和６年分の確定申告において、医療費控除を受けたいと思いますが、この「医療費のお知らせ」を確定申告書に添付してもよいでしょうか。

【答】　平成29年分以後の確定申告において医療費控除の適用を受ける場合は、医療費の支出を証明する書類、例えば領収書などに基づき、医療費の額など定められた事項（(注) 1）の記載のある明細書、又は医療保険者（(注) 2）から交付を受けた医療費通知書（医療費の額を通知する書類で、健康保険組合等が発行する「医療費のお知らせ」などが該当します。）を確定申告書に添付しなければなりません（所法120④、所規47の２⑫⑬）。

したがって、御質問の場合、「医療費のお知らせ」を確定申告書に添付することにより、医療費控除の適用を受けることができます。

なお、令和元年分の確定申告については、医療費の領収書を確定申告書に添付するか、確定申告書を提出する際に提示することによっても、医療費控除の適用を受けることができます（平29改所法等附７②）。

また、令和３年分以後の所得税の確定申告書を令和４年１月１日以後に提出する場合については、医療費控除の適用を受ける際の確定申告書の添付書類（所法120④）について、次の措置が講じられました（令２改所法等附７②、令２改所規附３②）。

①　医療保険者の医療費の額等を通知する書類の添付に代えて、次に掲げる書類の添付ができることとする（所法120④二、所規47の２⑬）。

イ　審査支払機関（社会保険診療報酬支払基金及び国民健康保険団体連合会をいう。以下同じ。）の医療費の額等を通知する書類（当該書類に記載すべき事項が記録された電磁的記録を一定の方法により印刷した書面で国税庁長官が定める一定のものを含む。)

ロ　医療保険者の医療費の額等を通知する書類に記載すべき事項が記録された電磁的記録を一定の方法により印刷した書面で国税庁長官が定める一定のもの

② 電子情報処理組織を使用する方法（e-Tax）により確定申告を行う場合において、次に掲げる書類の記載事項を入力して送信するときは、これらの書類の確定申告書への添付に代えることができることとする。この場合において、税務署長は、確定申告期限等から５年間、その送信に係る事項の確認のために必要があるときは、これらの書類を提示又は提出させることができることとする（オン化省令５⑤)。

イ　医療保険者の医療費の額等を通知する書類

ロ　審査支払機関の医療費の額等を通知する書類

(注) 1　医療費の額など定められた事項とは、次の事項をいいます。

① 医療費の額

② 診療等を受けた者の氏名

③ 診療等を行った病院、診療所その他の者の名称又は氏名

④ その他参考となるべき事項

2　医療保険者とは、医療保険各法の規定により医療に関する給付を行う全国健康保険協会、健康保険組合、市町村（特別区を含みます。)、国民健康保険組合、共済組合又は日本私立学校振興・共済事業団、及び高齢者の医療に関する法律に規定する後期高齢者医療広域連合をいいます。

セルフメディケーション税制

【問13-41】　私は、令和６年にドラッグストアで市販薬を購入しましたが、年間10万円を超えるような支出はありません。私のような場合でも、確定申告をすれば控除を受けることができるセルフメディケーション税制があると聞きましたが、セルフメディケーション税制とはどんな制度ですか。

【答】　あなたが健康の保持増進及び疾病の予防への取組として、一定の取組を行っており、平成29年１月１日から令和８年12月31日までの間に、あなたやあなたと生計を一にする配偶者その他の親族のために特定一般用医薬品等購入費を支払った場合には、次の算式によって計算した金額を所得控除（医療費控除の特例）として所得金額から差し引くことができます（措法41の17、措令26の27の２、措規19の10の２）。

その年中に支払った特定一般用医薬品等購入費	－	保険金などで補塡される金額	－１万２千円＝	セルフメディケーション税制に係る医療費控除額（最高８万８千円）

ここで、「特定一般用医薬品等購入費」とは、医師によって処方される医薬品（医療用医薬品）から、ドラッグストアで購入できるOTC医薬品に転用された医薬品（スイッチOTC医薬品）の購入費をいいます。

また、「一定の取組」とは、法律又は法律に基づく命令（告示を含む。）に基づき行われる健康の保持増進及び疾病の予防への取組として厚生労働大臣が財務大臣と協議して定めるものをいいます（措令26の27の２①、令和２年厚生労働省告示第170号による改正後の平成28年厚生労働省告示第181号）。具体的には、次の取組が「一定の取組」に該当します。

①　保険者（健康保険組合、市区町村国保等）が実施する健康診査【人間ドック、各種健(検)診等】

②　市区町村が健康増進事業として行う健康診査【歯周疾患検診、骨粗鬆症検診、肝炎ウイルス検診、生活保護受給者等を対象とする健康診

査等】

③　予防接種【定期接種、インフルエンザワクチンの予防接種】

④　勤務先で実施する定期健康診断【事業主健診】

⑤　特定健康診査（いわゆるメタボ健診）、特定保健指導

⑥　市町村が健康増進事業として実施するがん検診

よって、あなたが一定の取組を行っていない場合は、控除を受けることはできません。

なお、セルフメディケーション税制の適用を受けるために、令和３年分以後のセルフメディケーション税制の適用に関する事項を記載した確定申告書を令和４年１月１日以後に提出する場合は、取組内容及び取組を行ったことを明らかにする書類の発行者の名称を記載した次の①の明細書を確定申告書に添付しなければなりません（措法41の17④、措規19の10の２①)。

また、令和２年分以前のセルフメディケーション税制の適用に関する事項を記載した確定申告書を提出する場合又は、（年の途中の死亡や出国で）令和３年分のセルフメディケーション税制の適用に関する事項を記載した確定申告書を令和３年12月31日までに提出する場合は、次の①の明細書に加え、②の書類を確定申告書に添付するか、又は確定申告書の提出の際に提示しなければなりません。

①　セルフメディケーション税制の明細書

②　セルフメディケーション税制の適用を受ける方がその適用を受けようとする年分に一定の取組を行ったことを明らかにする書類で、次の記載があるものに限ります。

イ　氏名

ロ　取組を行った年

ハ　取組に係る事業を行った保険者、事業者もしくは市区町村の名称又は取組に係る診察を行った医療機関の名称もしくは医師の氏名

（注）１　セルフメディケーション税制の適用を受けることを選択した方は、従来の医療費控除の適用を受けることはできません。

2　令和元年分の確定申告については、特定一般用医薬品等購入費の額を証明する書類、例えば領収書などを確定申告書に添付するか、確定申告書を提出する際に提示することにより明細書の添付に代えることもできます。

3　上記①については、記載内容を確認するため、確定申告期限等から５年を経過する日までの間、税務署から特定一般用医薬品等購入費の領収書の提示又は提出を求められる場合があります（措法41の17④、所法120⑤)。

4　上記②については、令和３年分以後のセルフメディケーション税制の適用に関する事項を記載した確定申告書を令和４年１月１日以後に提出する場合には、確定申告書への添付又は確定申告書の提出の際の提示は不要ですが、確定申告期限等から５年を経過する日までの間、税務署から提示又は提出を求められる場合があります（措法41の17④、所法120⑤)。

第３節　社会保険料控除・生命保険料控除・地震保険料控除

過年分を一括払した国民年金保険料の控除

【問13-42】 国民年金法の規定による保険料が未払となっていましたので、過年分の保険料を一括して払い込んだ場合、全額をその支払った年分の社会保険料控除の対象として差し支えありませんか。

【答】 社会保険料控除は、本人又は本人と生計を一にする配偶者その他の親族の負担すべき社会保険料を支払った場合又は給与から控除される場合に、その支払った金額又は控除された金額を控除することになっており、未払となっている保険料は控除の対象とされません（所法74①）。

御質問の国民年金保険料は、国民年金法の規定に基づいて、未払分の保険料を一括して支払ったものですが、過年分にさかのぼって控除することはできず、実際に支払った年分において、その支払った金額の全額（延滞金は除きます。）を社会保険料控除として控除することになります（所法74②五）。

なお、国民年金保険料に係る社会保険料控除の適用を受ける場合には、国民年金保険料の支払をした旨を証する書類を、確定申告書を提出する際、あるいは年末調整の際に添付又は提示する必要があります。（所法120③一、196②、所令262①二、319一）。

（注）　令和４年分以降に確定申告書を書面で提出するに当たり、添付又は提示する控除証明書を交付すべき者から電磁的方法により提供を受けた場合は、真正性を担保するための所要の措置が講じられているものとして国税庁長官が定めるものを添付又は提示することができます。

「２年前納」制度を利用して納付した国民年金保険料の控除

【問13-43】　本年４月に国民年金保険料の「２年前納」制度を利用して、令和６年４月から令和８年３月までの保険料397,290円を納付しましたが、この場合、納めた全額を令和６年分の社会保険料控除の対象としてよいでしょうか。

【答】　前納した社会保険料については、原則として、次の算式により計算した金額が、その年の社会保険料控除の対象となります（基通74・75－１(2)）。

$$\text{前納した社会保険料の総額（前納により割引された場合にはその割引後の金額）} \times \frac{\text{前納した社会保険料に係るその年中に到来する納付期日の回数}}{\text{前納した社会保険料に係る納付期日の総回数}}$$

しかしながら、前納した社会保険料のうち、その前納の期間が１年以内のもの及び法令に一定期間の社会保険料を前納することができる旨の規定がある場合における当該規定に基づき前納したものについては、前納した全額を支払った年の社会保険料控除の対象として差し支えないこととされています（基通74・75－２）。

国民年金保険料については、国民年金法により２年前納することができる旨が規定されていますので、御質問の場合、社会保険料控除額の計算に当たっては、以下の①又は②のいずれかの方法を選択することができます。

①　全額（397,290円）を納めた年に控除する方法

②　令和６年分の保険料に相当する額（397,290円×９／24）を控除する方法

医師年金と社会保険料控除

【問13-44】　医師年金は、社会保険料控除の対象となりますか。

【答】　社会保険料控除は、社会保障政策の見地から社会保障費の負担額と

して支出した特定の掛金額については、課税所得から控除しようとするものであり、対象となる社会保険料は所得税法第74条等に規定されています。御質問の医師年金はこの列挙の中に含まれていませんので、その掛金は社会保険料控除の対象とはなりません。

介護医療保険料控除

【問13-45】　介護医療保険料控除は、どのような契約が対象となりますか。

【答】　社会保障制度を補完する商品開発の進展等を踏まえ、保険契約の自助努力を支援する観点から、生命保険料控除が改組され、一般生命保険料控除と個人年金保険料控除のほかに、介護医療保険料控除が設けられています（所法76②）。

この制度の対象となる「介護医療保険契約等」とは、平成24年１月１日以後に新たに締結する次に掲げる契約（他の保険契約等に附帯して締結する契約を含みます。）のうち、保険金等の受取人の全てをその保険料等の払込みをする者又はその配偶者その他の親族とするものをいいます（所法76⑦、所令208の７）。

①　生命保険会社若しくは外国生命保険会社等又は損害保険会社若しくは外国損害保険会社等の締結した疾病又は身体の障害その他これらに類する事由に基因して保険金等が支払われる保険契約のうち、医療費等支払事由に基因して保険金等が支払われるもの

②　疾病又は身体の傷害その他これらに類する事由に基因して保険金等が支払われる旧簡易生命保険契約又は生命共済契約等のうち、医療費等支払事由に基因して保険金等が支払われるもの

具体的には、医療費用保険、介護費用保険、医療保障保険、介護保障保険、所得補償保険などの保険が該当します。

一方、いわゆる傷害保険や海外旅行保険については、医療費等の支払事

由に起因して保険金等が支払われる保険契約に該当しないため、対象にはなりません（所法76⑦二、所令209）。

（参考）（所法76②）

年間の支払保険料等の合計額	所得控除額
20,000円以下	支払保険料等の全額
20,000円超40,000円以下	支払保険料等×１／２＋10,000円
40,000円超80,000円以下	支払保険料等×１／４＋20,000円
80,000円超	一律40,000円

一般生命保険料控除及び個人年金保険料控除

【問13-46】　一般生命保険料控除や個人年金保険料控除の控除額等の計算方法を教えてください。

【答】　一般生命保険料控除と個人年金保険料控除については、平成24年１月１日以後に締結した保険契約又は共済契約（以下「保険契約等」といいます。）に係る保険料又は掛金に対する控除については、その適用限度額は４万円とされます。

平成23年12月31日以前に締結した保険契約等に係る保険料等に対する控除についての適用限度額は５万円とされます。

これらの一般生命保険料控除及び個人年金保険料控除に介護医療保険料控除を加えた控除額の合計額が12万円を超えた場合には、その年分の総所得金額、退職所得金額又は山林所得金額から控除する金額は、12万円を限度として生命保険料控除を適用することとなります（所法76④）。

なお、改正前の生命保険料控除は、その保険契約等の主契約の内容により保険料控除が適用されることとされていましたが、改正後は、主契約又は特約の内容に区分してそれぞれ一般生命保険料控除、個人年金保険控除、及び介護保険控除が適用されることとなりました。

（注）　平成23年12月31日以前に締結した保険契約等に係る保険料等に対する控除のみ適用する場合は、従前どおりその適用限度額は10万円になります。

（参考）

1　一般生命保険料控除額の計算（所法76①）

①　平成24年１月１日以後に締結した生命保険契約に係る保険料等（新生命保険料）の控除額の計算は次のようになっています。

年間の支払保険料等の合計額	所得控除額
20,000円以下	支払保険料等の全額
20,000円超40,000円以下	支払保険料等×１/２＋10,000円
40,000円超80,000円以下	支払保険料等×１/４＋20,000円
80,000円超	一律40,000円

②　平成23年12月31日以前に締結した生命保険契約に係る保険料等（旧生命保険料）の控除額の計算は次のようになっています。

年間の支払保険料等の合計額	所得控除額
25,000円以下	支払保険料等の全額
25,000円超50,000円以下	支払保険料等×１/２＋12,500円
50,000円超100,000円以下	支払保険料等×１/４＋25,000円
100,000円超	一律50,000円

③　新生命保険料及び旧生命保険料を支払った場合は、次に掲げる保険料の区分に応じそれぞれ次に定める金額の合計額（その合計額が４万円を超えるときは４万円）となります。

ｉ　新生命保険料

その年中に支払った新生命保険料の金額の合計額に応じて上記①の表に掲げる金額

ii　旧生命保険料

その年中に支払った旧生命保険料の金額の合計額に応じて上記②の表に掲げる金額

(注)　上記③は、その年中に支払った新生命保険料及び旧生命保険料の両方を申告する場合には４万円が適用限度額になるものであり、例えばその年中に新生命保険料を10万円、旧生命保険料を15万円支払ったときに、旧生命保険料のみを申告して、上記②の５万円の控除の適用を受けることが認められます。

２　個人年金保険料控除の計算（所法76③）

①　平成24年１月１日以後に締結した個人年金保険契約に係る保険料等（新個人年金保険料）の控除額の計算は次のようになっています。

年間の支払保険料等の合計額	所得控除額
20,000円以下	支払保険料等の全額
20,000円超40,000円以下	支払保険料等×１／２＋10,000円
40,000円超80,000円以下	支払保険料等×１／４＋20,000円
80,000円超	一律40,000円

②　平成23年12月31日以前に締結した生命保険契約に係る保険料等（旧個人年金保険料）の控除額の計算は次のようになっています。

年間の支払保険料等の合計額	所得控除額
25,000円以下	支払保険料等の全額
25,000円超50,000円以下	支払保険料等×１／２＋12,500円
50,000円超100,000円以下	支払保険料等×１／４＋25,000円
100,000円超	一律50,000円

③　新個人年金保険料及び旧個人年金保険料を支払った場合は、次に掲げる保険料の区分に応じそれぞれ次に定める金額の合計額（その合計額が４万円を超えるときは４万円）となります。

i　新個人年金保険料

その年中に支払った新個人年金保険料の金額の合計額に応じて上記①の表に掲げる金額

ii　旧個人年金保険料

その年中に支払った旧個人年金保険料の金額の合計額に応じて上

記②の表に掲げる金額

（注）　上記③は、その年中に支払った新個人年金保険料及び旧個人年金保険料の両方を申告する場合には４万円が適用限度額になるものであり、旧個人年金保険料のみを申告して、上記②の５万円の控除の適用を受けることも認められます。

２口以上の生命保険料に係る控除額の計算

【問13-47】　私は本年中にＡ保険会社に１万円の生命保険料を支払いましたが、剰余金の分配を２万円受けました。

また、Ｂ保険会社については５万円の生命保険料を支払いました。

この場合、支払った生命保険料は、２口の支払保険料の合計額から生命保険の剰余金の額を控除して４万円とするか、それとも、Ａ保険会社の生命保険の剰余金がその生命保険の保険料を上回る部分があっても、Ｂ保険会社の保険料からは控除しないで５万円とするのですか。

【答】　生命保険料控除額を計算する場合の支払った生命保険料の金額の合計額は、例えば甲生命保険会社と締結したＡの契約については剰余金の分配を受けるだけであり、乙生命保険会社と締結したＢの契約については生命保険料を支払っているだけであるような場合であっても、Ｂの契約について支払った生命保険料の金額からＡの契約について受けた剰余金の額を控除して計算することになっています（所法76、基通76－6）。

したがって、あなたの場合も、剰余金の額を２口の生命保険の保険料の合計額から控除した４万円が支払った保険料となり、その金額を基とした次の算式により計算した金額が生命保険料控除額となります。

$$40{,}000円 \times \frac{1}{2} + 10{,}000円 = 30{,}000円$$

生命保険料と個人年金保険料に係る剰余金等の計算

> **【問13-48】**　私は、A生命保険会社と生命保険契約を締結していましたが、本年からB生命保険会社と個人年金保険契約も締結しました。
> 　なお、A生命保険会社と締結している生命保険契約は、20年を経過しており、剰余金の分配を受けるだけです。
> 　この場合、生命保険料控除額の計算上、A生命保険会社から受け取った剰余金の額は、B生命保険会社に支払った個人年金保険料から控除しなければならないでしょうか。

【答】　生命保険料控除額の計算の基礎となる「その年中に支払った保険料の額」は、一般の生命保険契約グループ、個人年金保険契約グループ、介護医療保険契約グループをそれぞれ区分して、支払った保険料の額から剰余金の額を控除した残額とされています（基通76－6(注))。

この場合、同一グループ内で支払保険料の額から控除しきれない剰余金の額があっても、当該残額はないものとして取り扱われます。

したがって、御質問の場合、A生命保険会社から受け取った剰余金の額は、B生命保険会社に支払った個人年金保険料から控除しなくてもよいことになります（【問13-47】参照)。

前納した生命保険料

> **【問13-49】**　私は２月にA生命保険会社と生命保険契約をして、年払の生命保険料を３年分一度に払い込みましたが、支払った年にその全額が生命保険料控除の対象として計算されるのでしょうか。

【答】　その年中に支払った生命保険料等の金額であっても、いわゆる前納保険料については、その支払った年においてその全額を控除の対象とするのではなく、その年中に到来した払込期日に対応する金額だけがその年の控除の対象になります。その金額は次の算式により計算することとされています（基通76－3）。

$$\text{前納した生命保険料等の総額（前納により割引された場合にはその割引後の額）} \times \frac{\text{前納した生命保険料等に係るその年中に到来する払込期日の回数}}{\text{前納した生命保険料等に係る払込期日の総回数}}$$

（注）　前納した生命保険料等とは、各払込期日が到来するごとに生命保険料等の払込みに充当するものとしてあらかじめ保険会社等に払い込んだ金額で、まだ充当されない残額があるうちに保険事故が生じたなどにより生命保険料等の払込みを要しないこととなった場合にその残額に相当する金額が返還されることとなっているものをいいます。

したがって、あなたの支払った保険料が前払保険料に当たるものであれば、その全額ではなく上記の算式で計算された金額が、その年分の生命保険料控除の計算の対象になります。

配偶者名義の生命保険料控除証明書に基づく生命保険料

【問13-50】　私は、配偶者が契約者となっている生命保険の保険料を支払っています。私が勤務する会社で年末調整を行う際に、私が支払った保険料を生命保険料控除の対象としてよいでしょうか。

なお、その生命保険の被保険者及び満期保険金の受取人は配偶者、死亡保険金の受取人は私となっています。

【答】　生命保険料控除は、居住者が一定の生命保険契約等に係る保険料又は掛金を支払った場合に総所得金額等から控除することができます（所法76①）。この生命保険契約等については、その保険金等の受取人の全てがその保険料等の払込みをする者又はその配偶者その他親族（個人年金保険契約等である場合は、払込みをする者又はその配偶者）でなければなりませんが、必ずしも払込みをする者が保険契約者である必要はありません（所法76⑤⑥）。

したがって、保険契約者であるあなたの配偶者が保険料を支払うのが通例ですが、あなたが支払ったことを明らかにした場合は、あなたの生命保険料控除の対象となります。

なお、保険料の負担者により、将来受け取る保険料の課税関係が異なる（贈与税又は一時所得として課税が生じます）ことに注意が必要です。

地震保険料控除の対象となる損害保険契約等

【問13-51】 私は、最近地震などの災害が増えていることから、家を新築したのを機に地震保険に入ることとしました。
地震保険については所得控除の対象となると聞きましたが、どのような内容か教えてください。

【答】 地震災害による損失への備えに係る自助努力を支援する観点から、従前の損害保険料控除が改組され、損害保険契約等に係る地震等相当部分の保険料又は掛金を支払った場合には、その支払った保険料等の金額の合計額（最高５万円）をその年分の総所得金額等から控除することができます（所法77）。

1　対象となる損害保険契約等

地震保険料控除の対象となる損害保険契約等は、自己若しくは自己と生計を一にしている配偶者その他の親族が所有している居住用家屋・生活用動産を保険や共済の目的とする契約で、かつ、地震若しくは噴火又はこれらによる津波を直接又は間接の原因とする火災、損壊、埋没又は流失による損害によりこれらの資産について生じた損失の額を塡補する保険金又は共済金が支払われる損害保険契約等で、次に掲げる契約に附帯して締結されるもの又は当該契約と一体となって効力を有する一の保険契約若しくは共済に係る契約とされています（所法77①②、所令214）。

(1) 損害保険会社又は外国損害保険会社等との間で締結した保険契約のうち一定の偶然の事故によって生ずることのある損害を塡補するもの
(2) 農業協同組合との間で締結した建物更生共済契約又は火災共済契約
(3) 農業協同組合連合会との間で締結した建物更生共済契約又は火災共済契約

(4) 農業共済組合などとの間で締結した火災共済契約又は建物共済契約

(5) 漁業協同組合などとの間で締結した建物若しくは動産の共済期間中の耐存を共済事故とする共済契約や火災共済契約

(6) 火災等共済組合との間で締結した火災共済契約

(7) 消費生活協同組合連合会との間で締結した火災共済契約又は自然災害共済契約

(8) 財務大臣の指定した火災共済契約又は自然災害共済契約

(注) 財務大臣が指定するものは、消費生活協同組合法第10条第１項第４号の事業を行う次に掲げる法人の締結した自然災害共済に係る契約とされています（平成18年３月財務省告示第139号、最終改正平成30年財務省告示第244号）。

一　教職員共済生活協同組合

二　全国交通運輸産業労働者共済生活協同組合

三　電気通信産業労働者共済生活協同組合

2　長期損害保険契約等に係る損害保険料

平成19年分から従前の損害保険料控除は廃止されましたが、次に掲げる長期損害保険契約等に係る損害保険料については、経過措置として従前の長期損害保険料控除と同様の計算による金額（最高15,000円）をその年分の総所得金額等から控除することができます（平18改所法等附10）。

(1) 平成18年12月31日までに締結した契約（保険期間又は共済期間の始期が平成19年１月１日以後のものは除きます。）

(2) 満期返戻金等のあるもので保険期間又は共済期間が10年以上の契約

(3) 平成19年１月１日以後にその損害保険契約等の変更をしていないもの

3　地震保険料控除の控除額

その年に支払った保険料の金額に応じて、次により計算した金額が控除額となります。

区　　分	支払保険料の金額（A）	控　除　額
①地震保険料	50,000円まで	（A）の金額
	50,000円超	50,000円
②旧長期損害保険料	10,000円まで	（A）の金額
	10,001円から20,000円	（A）×$\frac{1}{2}$＋5,000円
	20,000円超	15,000円
①、②の両方がある場合		①、②それぞれの方法で計算した金額の合計額（最高５万円）

（注）　ある損害保険契約等が上記①及び②のいずれにも該当する場合は、上記①と②のいずれか一方の契約のみに該当するものとして控除額を計算することになります。

店舗併用住宅に支払った地震保険料

【問13-52】　店舗併用住宅について、保険金額2,800万円、保険料年額30,000円の地震保険契約を、Ａ保険会社と本年３月１日に締結し、同日保険料１年分を全額支払いました。

なお、家屋の床面積は200㎡で、住宅の部分の床面積は120㎡です。

この場合の地震保険料控除額はいくらになりますか。

（参考）

保険の目的等

・店舗併用住宅　　1,500万円
・生活用家財　　500万円
・事業用資産　　800万円

【答】　損害保険契約等に係る地震等相当部分の保険料又は掛金を支払った場合には、その支払った保険料等の金額の合計額のうち一定額（最高５万円）がその年分の総所得金額等から地震保険料控除として控除することができます（所法77。【問13-51】参照）。

ところで、あなたが支払った保険料30,000円は、その全額が地震保険料控除の対象となるのではなく、次のように区分計算した後の金額が控除の対象になります。

(1)　住宅部分の地震保険料の計算

居住用資産と事業用の家屋、商品とが一括して保険又は共済の目的とされている場合には、その契約に基づいて支払った地震保険料のうち居住用資産に係るものだけが控除の対象になります。

この場合に、保険等の目的とされた資産ごとの地震保険料が保険証券等に明確に区分されていないときは、次の算式により計算した金額を居住用資産に係る地震保険料の金額とします（基通77-５）。

①　居住の用と事業等の用とに併用する資産が保険等の目的とされた資産に含まれていない場合

$$\text{その契約に基づいて支払った地震保険料の金額} \times \frac{\text{居住用資産に係る保険金額又は共済金額}}{\text{その契約に基づく保険金額又は共済金額の総額}}$$

②　居住の用と事業等の用とに併用する資産が保険等の目的とされた資産に含まれている場合

$$\text{居住用資産につき①により計算した金額} + \left(\text{その契約に基づいて支払った地震保険料の金額} \times \frac{\text{居住の用と事業等の用とに併用する資産に係る保険金額又は共済金額}}{\text{その契約に基づく保険金額又は共済金額の総額}} \times \text{その資産を居住の用に供している割合}\right)$$

（注）　店舗併用住宅のように居住の用に供している部分が一定しているものについては、次の割合を居住の用に供している割合として差し支えないとされています。

$$\frac{\text{居住の用に供している部分の床面積}}{\text{その家屋の総床面積}}$$

したがって、あなたの住宅部分に係る保険料は次のように計算します。

$$30{,}000\text{円} \times \frac{500\text{万円}}{2{,}800\text{万円}} + 30{,}000\text{円} \times \frac{1{,}500\text{万円}}{2{,}800\text{万円}} \times \frac{120\text{m}^2}{200\text{m}^2} = 15{,}000\text{円}$$

(2)　地震保険料控除額の計算

地震保険料控除額の控除限度額は、最高50,000円となっています（所法77①）。

したがって、あなたの場合は、(1)により居住用家屋の地震保険料は15,000円と計算されますから、15,000円が地震保険料控除額として認められます。

（注）　保険等の目的とされている家屋を、店舗併用住宅のように居住の用と事業等の用とに併用している場合であっても、その家屋の全体のおおむね90％以上を居住の用に供しているときは、その家屋について支払った地震保険料の全額を居住用資産に係る地震保険料の金額として差し支えないとされています（基通77-6）。

第４節　寄附金控除

寺社に対する寄附と寄附金控除の適用

【問13-53】　先祖の菩提寺である「○○寺」の本堂改修のため30万円を寄附しましたが、この寄附は寄附金控除の対象となりますか。

【答】　寄附金控除の対象となる寄附金は、特定寄附金に限られています（学校の入学に関してするものを除きます。）。そして、特定寄附金は大別すると次の七つに区分されます。

1　国又は地方公共団体に対する寄附金（その寄附をした人がその寄附によって設けられた設備を専属的に利用することその他特別の利益がその寄附をした者に及ぶと認められるものは除きます。）（所法78②一）

2　公益社団法人、公益財団法人、その他公益を目的とする事業を行う法人又は団体に対する寄附金で、その寄附金が広く一般に募集され、教育又は科学の振興、文化の向上、社会福祉への貢献その他公益の増進に寄与するための支出で緊急を要するものに充てられることが確実であるものとして、財務大臣が指定したもの（所法78②二）

3　教育又は科学の振興、文化の向上、社会福祉への貢献その他公益の増進に著しく寄与するものとして、次に掲げる法人又は団体に対する、その法人の主たる目的である業務に関連する寄附金（令和３年４月１日以降に支出する出資に関する業務に充てられることが明らかなもの並びに上記１及び２に該当するものを除きます。）（所法78②三、所令217）

(1)　独立行政法人

(2)　地方独立行政法人法第２条第１項に規定する地方独立行政法人で同法第21条第１号又は第３号から第６号までに掲げる業務（同条第３号に掲げる業務にあっては同号チに掲げる事業の経営に、同条第６号に掲げる業務にあっては地方独立行政法人法施行令第６条第１号又は第

３号に掲げる施設の設置及び管理に、それぞれ限るものとします。）を主たる目的とするもの

(3)　自動車安全運転センター、日本司法支援センター、日本私立学校振興・共済事業団、日本赤十字社及び福島国際研究教育機構（福島国際研究教育機構については、令和５年４月１日以降に支出するものに限ります。令５改所令附）

(4)　公益社団法人及び公益財団法人

(5)　私立学校法第３条に規定する学校法人で学校の設置若しくは学校及び専修学校（学校教育法第124条に規定する専修学校で次のＡ及びＢのいずれかの課程による教育を行うものをいいます。）若しくは各種学校（初等教育又は中等教育を外国語により施すことを目的として設置された学校教育法第134条第１項《各種学校》に規定する各種学校であって、文部科学大臣が財務大臣と協議して定める基準に該当するもの）の設置を主たる目的とするもの又は私立学校法第64条第４項の規定により設立された法人で専修学校若しくは各種学校の設置を主たる目的とするもの

Ａ　学校教育法第125条第１項に規定する高等課程でその修業期間（普通科、専攻科その他これらに準ずる区別された課程があり、一の課程に他の課程が継続する場合には、これらの課程の修業期間を通算した期間をいいます。Ｂにおいて同じ。）を通ずる授業時間数が2,000時間以上であるもの（所規40の９①一）

Ｂ　学校教育法第125条第１項に規定する専門課程でその修業期間を通ずる授業時間数が1,700時間以上であるもの（所規40の９①二）

(6)　社会福祉法人

(7)　更生保護法人

4　特定公益信託のうち、その目的が教育又は科学の振興、文化の向上、社会福祉への貢献その他公益の増進に著しく寄与するものとして主務大臣の認定を受けたものの信託財産とするために支出した金銭（所法78③、

所令217の２）

5　平成７年１月１日から令和11年12月31日までの間（指定期間）に支出した政治献金で、次の政治団体等に対する寄附金で所定の要件に該当するもの（【問13-60】参照）（措法41の18①）

①　政党

②　政治資金団体

③　国会議員が主宰し又は主要な構成員となっている政治団体

④　特定の公職にある者を推薦し又は支持することを本来の目的とする政治団体

⑤　特定の公職の候補者又は公職の候補者となろうとする者を推薦し、又は支持することを本来の目的とする政治団体（④に掲げるものを除きます。）

（注）　特定の公職とは、国会議員、都道府県の議会の議員、都道府県知事及び政令指定都市の議会の議員及び市長の職をいいます。

政令指定都市……大阪市、名古屋市、京都市、横浜市、神戸市、北九州市、札幌市、川崎市、福岡市、広島市、仙台市、千葉市、さいたま市、静岡市、堺市、新潟市、浜松市、岡山市、相模原市、熊本市

6　認定特定非営利活動法人及び特例認定特定非営利活動法人(いわゆる認定ＮＰＯ法人等)に対して、その認定ＮＰＯ法人等が行う特定非営利活動に係る事業に関連する寄附(その寄附をした者に特別の利益が及ぶと認められるもの及び令和３年４月１日以降に支出する出資に関する業務に充てられることが明らかなものを除きます。)(措法41の18の２①)

7　次に掲げる株式会社の区分に応じて、それぞれに定める株式(以下「特定新規株式」といいます。)を払込みにより取得した場合には、その払込みにより取得した特定新規株式(その年の12月31日において有するものに限ります。)の取得に要した金額は、800万円(令和２年12月31日までは1,000万円)を限度として寄附金控除の対象とされます(措法41の19)。

①　中小企業等経営強化法第６条に規定する特定新規中小企業者に該当する株式会社(その設立の日以後の期間が１年未満であるなど一定の要件を満たすものに限られます。)……その株式会社により発行される株式

②　内国法人のうちその設立の日以後５年を経過していない株式会社（中小企業基本法第２条第１項各号に掲げる中小企業者に該当する会社であるなど一定の要件を満たすものに限られます。）
……次のA又はBの株式

A　投資事業有限責任組合契約に関する法律第２条第２項に規定する投資事業有限責任組合（一定のものに限られます。）に係る同法第３条第１項に規定する投資事業有限責任組合契約に従って取得されるもの

B　金融商品取引法第29条の４の２第10項に規定する第１種少額電子募集取扱業務を行う者（一定のものに限られます。）が行う同項に規定する電子募集取扱業務により取得されるもの

③　内国法人のうち、沖縄振興特別措置法第57条の２第１項に規定する指定会社で平成26年４月１日から令和７年３月31日までの間に同項の規定による指定を受けたもの……その指定会社により発行される株式

④　国家戦略特別区域法第27条の５に規定する株式会社……その株式会社により発行される株式で国家戦略特別区域法及び構造改革特別区域法の一部を改正する法律附則第１条第１号に掲げる規定の施行の日（平成27年８月３日）から令和８年３月31日までの間に発行されるもの

⑤　内国法人のうち地域再生法第16条に規定する事業を行う同条に規定する株式会社……その株式会社により発行される株式で地域再生法の一部を改正する法律（平成30年法律第38号）の施行の日（平成30年６月１日）から令和８年３月31日までの間に発行されるもの

（注）　③の株式を令和３年１月１日以後に払込みにより取得し、かつ、その株式をその年の12月31日において有する場合については「800万円」とはならず、「1,000万円」となります（令２改所法等附74③）。

ところで、御質問の寺に対する寄附金は、上記１～７のうち、１、３～７に掲げる法人又は団体に該当していないことは明らかです。

しかしながら、その寺が、宗教法人「○○寺」として公益法人であれば、２により公益の増進に寄与するといった趣旨から、その公益法人等の申請で、財務大臣が一定の期間を定め特定寄附金に該当する旨を指定している場合があります。

この指定があれば官報に告示され、その宗教法人にも通知されますので指定されているかどうかを確認する必要があります。

したがって、以上のいずれにも該当しなければ、「○○寺」に対する寄附は寄附金控除の対象とはならないことになります。

私立学校に対する寄附金

【問13-54】　私は母校の私立学校へ寄附したいと思っておりますが、どのような場合に寄附金控除の対象になるのですか。

【答】　寄附金控除は、公益事業の施設の整備拡充が公費に依存するばかりでなく、民間からの寄附によって賄われることが多い我が国の実情を考慮して、教育又は科学の振興、文化の向上等に資するための民間資金の導入を助長する措置として昭和37年改正で創設されたものです。

ところで、私立学校に対する寄附については、私立学校法第３条に規定する学校法人で学校（学校教育法第１条に規定する幼稚園、小学校、中学校、義務教育学校、高等学校、中等教育学校、特別支援学校、大学、高等専門学校及び就学前の子どもに関する教育、保育等の総合的な提供の推進に関する法律に規定する幼保連携型認定こども園）の設置若しくは学校及び専修学校（前問参照）の設置を主たる目的とするものに対する寄附金で、その法人の主たる目的とする業務に関連するものが控除の対象になります（所法78②三、所令217四）。

ただし、学校への入学に関してする寄附は除かれます（所法78②本文かっこ書）。

なお、私立学校に対する寄附金について、控除の適用を受ける場合には、次に掲げる書類を確定申告書に添付、又は確定申告書を提出する際に提示することになっています（所令262①六、所規47の２③一イ、ハ）。

(1) その学校法人の業務に関連する寄附金である旨及び受領した旨、寄附金の額及びその受領した年月日の証明書類

(2) 私立学校法第４条に定める所轄庁の発行した、学校法人で学校の設置を主たる目的とするものである旨の証明書の写し（特定寄附金を支出する日以前５年以内に発行されたものに限ります。）

入学に際して行う寄附

【問13-55】 長女がＡ大学を受験して合格したので、寄附金を40万円支払っていましたが、Ｂ大学にも合格したため、Ｂ大学のほうに入学することとしました。

この場合、Ａ大学に支払った40万円は、入学しない大学に対する寄附ですから、寄附金控除の対象になりませんか。

【答】 その寄附が、寄附金控除の対象になる特定の寄附金であっても、その寄附をした者がその寄附によって設けられた設備を専属的に利用することその他特別の利益がその寄附をした者に及ぶと認められるもの、又は学校の入学に関してする寄附金は、控除の対象とはなりません。

ここで、学校の入学に関してするものとは、本人又は子女等の入学を希望する学校に対してする寄附金で、その納入がない限り入学を許可されないこととされるもの、その他入学と相当の因果関係のあるもの、例えば、入学願書受付開始日から入学が予定される年の年末までの期間内に納入したものなどは原則として寄附金控除の対象とはされません（基通78－２）。

また、入学を希望して支出する寄附金は、入学辞退等により、結果的に入学しないこととなった場合においても、寄附金控除の対象とはされません（基通78－３）。

したがって、御質問の寄附金40万円は、寄附金控除の対象とはなりません。

公益の増進に著しく寄与する法人を設立するための寄附金

【問13-56】　私は、学生に対して奨学金を貸与するなどの修学の援助を目的として、「育英会」を設立する計画をしていたところ、文部科学省から許可されることになりました。

この設立に当たって、私は基本財産として現金を寄附しました。

この場合、設立した育英会は、公益の増進に著しく寄与する法人に該当すると思われますので、私の確定申告に当たって、寄附金控除の対象としてよいでしょうか。

なお、設立に当たって財務大臣の指定は受けていません。

【答】　寄附金控除の対象となる特定寄附金には、国又は地方公共団体に対する寄附金のほか、財務大臣が指定した公益法人等に対する寄附金及び公益の増進に著しく寄与する法人に対する寄附金等があります。

ところで、公益法人等の設立のための寄附金については、財務大臣が指定したものであれば特定寄附金に該当しますが、この指定がない場合には特定寄附金に該当しないことになります（所法78②二）。

したがって、御質問の場合は設立後は公益の増進に著しく寄与する法人に該当するものであっても、寄附した時点では当該法人は存在せず、また、設立に当たって財務大臣の指定を受けていませんので寄附金控除の対象とはなりません。

社会福祉法人に対する寄附

【問13-57】　私は、社会福祉法人「○○福祉協会」に50万円の寄附をしたいと考えています。

私の今年の所得は、500万円程度の見込みですが、この寄附は寄附金控除の対象となりますか。

【答】　社会福祉法人に対する寄附金であれば、その法人の主たる目的である業務に関連する寄附金は、寄附金控除の対象となります（所法78②三、所令217①五）。

※　社会福祉法人に対する寄附金は税額控除の適用を選択することもできます（措法41条の18の３一ハ）。この場合、寄附金控除額は、次に掲げる算式で計算した金額となります。

（所得金額の合計額（注）の40％又は特定寄附金の額の合計額のいずれか少ない金額）－ 2,000円 ＝寄附金控除額

（注）　所得金額の合計額とは、総所得金額、申告分離課税の上場株式等に係る配当所得の金額、土地等に係る事業所得等の金額（土地等に係る事業所得の分離課税の特例は、平成10年１月１日から令和８年３月31日まで適用が停止されています（措法28の４⑥）。）、申告分離課税の短期・長期譲渡所得の金額（特別控除額控除前の金額）、分離課税の一般株式等及び上場株式等に係る譲渡所得等の金額、分離課税の先物取引に係る雑所得等の金額、退職所得金額及び山林所得金額の合計額をいいます。

したがって、寄附金控除額は次のとおり49万8,000円を控除できることになります。

｛500万円×40％＝200万円　又は50万円｝いずれか少ない金額（50万円）－ 2,000円＝49万8,000円

なお、社会福祉法人などの公益の増進に著しく寄与する法人への寄附は、その法人の主たる業務に関連する寄附金である旨を記載した受領証を確定申告書提出の際に添付又は提示する必要があります（所令262①六、所規47の２③一イ）。

固定資産の寄附

【問13-58】　私は、公益財団法人○○育英会の寄宿舎建設のため、寄宿舎の敷地用として土地900㎡（取得価額500万円、時価3,600万円）を寄附しました。

同育英会は、所得税法施行令第217条に該当する公益財団法人であることについて所在地の県知事の証明書の交付を受けています。

また、土地の譲渡所得の課税に関し、租税特別措置法第40条の規定の適用を国税庁長官に申請したところ承認されています。

この場合、私の所得金額の合計額は1,000万円ですが、寄附金控除額はどのくらいになりますか。

【答】　公益財団法人○○育英会は、公益の増進に著しく寄与する法人（所令217）に該当しますから、この寄附は寄附金控除の対象になり、寄附した金額は土地を寄附したときの時価3,600万円によることが原則です。

ところで、公益法人等に対する贈与で、当該贈与が教育又は科学の振興、文化の向上、社会福祉への貢献その他公益の増進に著しく寄与すること、当該贈与が贈与のあった日から２年を経過する日までの期間内に公益法人等の公益目的事業に直接供され、又は供される見込みであることその他の要件を満たすものとして国税庁長官の承認を受けた場合には、租税特別措置法第40条の規定により譲渡がなかったものとされ、非課税扱いとなっています。

この場合、寄附金控除の対象となる寄附金の額は、寄附した時の時価から非課税とされる譲渡所得の金額（特別控除額控除前の金額）を除いたものとされています（措法40⑲）。

あなたが寄附した土地は、租税特別措置法40条の規定の適用を受けるものとして国税庁長官の承認を受けていますので、寄附金控除額は次の計算のとおり、399万8,000円となります。

①　寄附金の額

時価3,600万円－(3,600万円－500万円)＝500万円

② 寄附金控除額（所法78）

$\left\{\begin{array}{l}\text{1,000万円×40％＝400万円}\\ \text{又は500万円}\end{array}\right\}$ いずれか少ない金額（400万円）－ 2,000円＝399万8,000円

（注） 寄附金控除額の計算算式については、【問13-57】を参照。

国又は地方公共団体に対し土地を寄附した場合の寄附金の額

【問13-59】 国又は地方公共団体に対し土地を寄附した場合には、譲渡所得は非課税とされていますが、その寄附について寄附金控除の規定を適用する場合に、その土地が昭和27年以前に取得したもので取得費が分からないときは、寄附金の額はどのようにして計算するのですか。

【答】 寄附金控除の対象となる寄附には、金銭以外の物品による寄附も含まれ、物品で行われた場合の寄附金の額は、原則としてその時の価額によって計算することになります。

ところで、国又は地方公共団体に譲渡所得の基因となる土地を寄附した場合には、租税特別措置法第40条の規定により譲渡がなかったものとされ、非課税扱いとなっていますので、この場合、寄附金控除の対象となる寄附金の額は、寄附した時の時価から非課税とされる譲渡所得の金額（特別控除額控除前の金額）を除いたものとされます（措法40⑲）。

結果的にはその資産の取得費及び寄附に要した費用の合計額を寄附金の額とすることになります。

一方、昭和27年12月31日以前から引き続き所有していた土地については、租税特別措置法第31条の４の規定により、原則として譲渡収入金額の５％相当額をその取得費として譲渡所得の金額を計算することとされていますから、寄附した土地の価額（国又は地方公共団体の採納額）の５％と寄附に要した費用の合計額を寄附金の額としても差し支えありません。

（注） 昭和28年１月１日以後に取得した土地の取得費についても、譲渡収入

金額の５％相当額とすることが認められています（措通31の４－１）。

ふるさと納税

【問13-60】　私は、この春社会人になりました。

社会人になったので、初めての給料で両親や長年育ってきたふるさとに何かお礼をしたいと考えていたところ、「ふるさと納税」の制度があることを知り、先日給料の一部を寄附しました。

その際、「ふるさと納税」については、税金の控除があると聞きました。どのような控除があるのでしょうか。

【答】　「ふるさと納税」は、平成20年改正により創設された制度で、寄附金のうち、2,000円を超える部分について、所得税及び住民税から原則としてその全額が控除されるというものです。

「ふるさと納税」は、所得税法上、国又は地方公共団体に対する寄附として「特定寄附金」に該当することから、特定寄附金と総所得金額の合計額の40％相当額のいずれか少ない金額から2,000円を控除した金額について、寄附を行った年の所得税の計算上、寄附金控除（所得控除）の適用を受けることができます（所法78①）。

また、「ふるさと納税」は、地方公共団体に対する寄附金のうち、2,000円を超える部分の金額について、個人住民税所得割の概ね２割（平成26年分までは１割）を上限として、寄附を行った翌年度の住民税の計算上、税額控除の適用を受けることができます（地法37の２、314の７、地法附５の５）。

なお、「ふるさと納税」という名称で呼ばれていますが、この控除の対象となる寄附金について、寄附先の自治体が出身地であるなどといった制約はありませんので、どの自治体（令和元年６月１日以降は、総務大臣による指定を受けていない自治体は除かれます。）に対する寄附であってもこの制度を適用することができます。

さらに、平成27年度税制改正により、確定申告の不要なサラリーマンの方などについては、確定申告をしなくても所得税の寄附金控除及び住民税の税額控除の適用が受けられる仕組み（ワンストップ特例）が創設されるなど、制度の簡素化が図られています。

※　ワンストップ特例は、平成27年４月１日以後に行うふるさと納税について適用されます。

ただし、この特例の適用を受けるためには、①寄附先の自治体数が５団体以内であること、②「ふるさと納税」を行う際に、各寄附先の自治体に特例の適用に関する申請書を提出することが要件とされています。

また、ワンストップ特例の申請書を提出した場合でも、医療費控除等の適用を受けるために確定申告をするときは、確定申告書に寄附金控除に関する事項も記載する必要がありますので、注意が必要です。

寄附金控除の対象となる政治献金

【問13-61】　私は機械の下請加工を営む者ですが、今年某政党に100万円の政治献金をしました。

この政治献金は、事業所得の必要経費とはならないそうですが、何か所得税法上の優遇措置はありませんか。

なお、某政党からは領収証をもらっていますが、これ以外にどのような書類が必要ですか。

【答】　個人が、平成７年１月１日から令和11年12月31日までの期間（「指定期間」といいます。）に行う政治献金のうち次の要件に該当するものについては、特定寄附金として寄附金控除の適用を受けることができることになっています（措法41の18①）。

(1)　対象となる政治献金を受ける政治団体等の範囲

イ　政党（次のいずれかに該当するものをいいます。）

①　所属する衆議院議員又は参議院議員が５名以上である政治団体

②　直近において行われた衆議院議員の総選挙における小選挙区選出

議員の選挙若しくは比例代表選出議員の選挙又は直近において行われた参議院議員の通常選挙若しくはその参議院議員の通常選挙の直近において行われた参議院議員の通常選挙における比例代表選出議員の選挙若しくは選挙区選出議員の選挙における得票総数がその選挙における有効投票の総数の100分の２以上である政治団体

ロ　政党に資金援助をする目的の団体で総務大臣に届出がされている政治資金団体

(注)　政治資金団体は各政党１団体に限られています。

ハ　衆議院議員か参議員議員が主宰し又は主要な構成員となっている政治団体

ニ　衆議院議員、参議院議員、都道府県の議会の議員又は都道府県知事並びに政令指定都市の議会の議員及び市長の職（以下「公職」といいます。）にある者を推薦し又は支持することを本来の目的とするいわゆる後援団体

ホ　特定の「公職の候補者」又は特定の「公職の候補者」となろうとする者を推薦し又は支持することを本来の目的とするいわゆる立候補者の後援団体

(2)　政治献金の要件

対象となる政治献金は、(1)に列記しました政治団体又は公職の候補者の政治活動又は選挙運動に関する寄附であるとともに、次の要件を満たすものでなければなりません。この場合、いわゆる立候補者の後援団体（(1)のホ）に対する寄附は、候補者として届出された日の属する年かその前年になされたものに限られています。

イ　政治資金規正法に規定された次に掲げる量的制限に違反していない寄附金であること

①　政党及び政治資金団体に対するもの………年間合計2,000万円、ただし、同一の公職の候補者に対しては150万円

②　①以外の政治団体に対するもの………年間合計1,000万円、ただ

し、同一の政治団体に対しては150万円

（注）　個人の場合は、①と②の合計年間3,000万円まで寄附することができます。

ロ　政治資金規正法又は公職選挙法に基づいて、政治献金又は選挙運動資金に関する収支報告書が、寄附を受けた政治団体等から、総務大臣、都道府県の選挙管理委員会又は政令指定都市の選挙管理委員会に報告されていること

同一人からの年間の寄附金の額が、政治資金規正法に基づく収支報告においては５万円、公職選挙法に基づく収支報告においては１万円をそれぞれ超える場合には、収支報告書に寄附者の氏名及び寄附金額等を記載しなければならないことになっていますが、これらの金額以下の寄附であっても、収支報告書に寄附者の氏名及び寄附金額等が記載されていなければ、その寄附者について寄附金控除は受けられないことになります。

（注）　政治団体及び公職の候補者の収支報告書はそれぞれ次に掲げる機関に提出することとされています。

１　政治団体の場合

(1) 政党、政治資金団体…………総務大臣

(2) (1)以外の政治団体

イ　主として２以上の都道府県の区域又は主たる事務所の所在地の都道府県の区域外の地域を活動区域としている政治団体…………総務大臣

ロ　イ以外の政治団体…………主たる事務所の所在地の都道府県の選挙管理委員会

２　公職の候補者の場合…………その選挙に関する事務を管理する選挙管理委員会

ハ　匿名又は他人名義の寄附でないこと

ニ　寄附をした者に特別の利益が及ぶと認められないものであること

(3) 寄附金控除を受けるための手続

寄附金控除を受けるためには、その寄附金の明細を記載した確定申告

書を提出することになりますが、その際、その寄附金が政治資金規正法又は公職選挙法の規定による報告書により次に掲げる事項を記載して報告されたものである旨及びその寄附金を受領したものが政治団体又は特定の公職の候補者である旨を証する書類を添付又は提示することになっています（所規47の２③三）。

①　その特定寄附金を支出した者の氏名及び住所

②　その特定寄附金の額

③　その特定寄附金を受領した団体又は特定の公職の候補者が受領した年月日

④　その特定寄附金を受領した団体又は特定の公職の候補者の名称又は氏名及び主たる事務所の所在地又は住所

（注）　実際には、次の手順で、添付等をすべき書類がその寄附をした者に交付されることになっています。

まず、政治団体や公職の候補者は個人から寄附を受けると、寄附金の額、寄附者名、年月日など所定の事項を記載した「領収書控（寄附金控除のための書類）」を、総務大臣、都道府県の選挙管理委員会又は政令指定都市の選挙管理委員会に届け出る政治献金等の収支報告書に添付して提出し、「寄附金控除のための書類」の記載事項が収支報告書の内容と一致することについて確認を求める手続を行います。

次に、総務大臣、都道府県の選挙管理委員会又は政令指定都市の選挙管理委員会は、その提出された「寄附金控除のための書類」の記載事項と収支報告書を照合した上で、誤りがなければ、その「寄附金控除のための書類」に確認印を押して政治団体又は公職の候補者に返却し、その返却を受けた政治団体又は公職の候補者から寄附者に交付されることになります。

したがって、確定申告書に添付等する書類には、必ず、総務大臣、都道府県の選挙管理委員会又は政令指定都市の選挙管理委員会の確認印が押捺されていなければならないことになります。

したがって、御質問の政党に対する寄附の場合は、政党の領収証ではなく、総務大臣の確認印のある「寄附金控除のための書類」の交付を受けて、確定申告の際に添付又は提示すればよいことになります。

また、「寄附金控除のための書類」の交付が遅れたため、確定申告の際に添付又は提示することができない場合は、後日交付を受けてから税務署に提示又は提出すればよいこととされています。

なお、指定期間に支出した政党及び政治資金団体に対する政治活動に関する寄附金で一定のものについては、税額控除の適用を選択することもできます（措法41の18②）。

第５節　障害者控除・寡婦控除

事業専従者が障害者の場合の障害者控除

【問13-62】　私は、文房具卸売業を営んでいます。私の長男もこの事業に従事していますが、片足が不自由なため、身体障害の程度が３級であると認定された身体障害者手帳の交付を受けています。この場合に、私の確定申告において長男に係る事業専従者控除とともに障害者控除を適用することができますか。

【答】　障害者控除は、納税者自身が障害者である場合には、その所得を稼得するための条件が一般の納税者に比較して不利であり、また、控除対象配偶者又は扶養親族が障害者である場合には、通常の扶養のほかに特別な介護等の出費が必要と考えられることから、これらの事由により担税力が減殺される点を考慮して税制上、税負担の軽減を図るため設けられた制度です。

このようなことから、障害者控除の適用については、納税者自身が障害者である場合、又は納税者の同一生計配偶者又は扶養親族が障害者である場合に適用されることとされています（所法79①②）。

ところで、生計を一にする親族で事業に専ら従事することにより事業専従者に該当する親族は、扶養親族に該当しないこととされています（所法２①三十四）。

したがって、長男が事業専従者に該当すると、扶養親族とされないため、長男が身体障害者手帳を交付され障害の事実があっても、あなたの確定申告においては、障害者控除を受けることはできません。

ただし、あなたの長男自身は、自己の所得について障害者控除を受けることはできます。

療育手帳を有している場合の障害者の判定

【問13-63】　私は、福祉事務所から療育手帳の交付を受けています。

この手帳を所持している者は、障害者控除の適用があると聞いていますが本当でしょうか。

また、適用がある場合、すべて特別障害者として控除することができますか。

【答】　療育手帳は、知的障害者に対して一貫した指導、相談を行うとともに、これらの者に対する各種の援助措置を受けやすくするために、児童相談所又は知的障害者更生相談所において、知的障害と判定された者に対して都道府県知事が市町村その他の関係機関の協力を得て交付することになっています。

交付の申請は、知的障害者又はその保護者が知的障害者の居住地を管轄する福祉事務所の長を経由して都道府県知事に対し行い、都道府県知事は、児童相談所又は知的障害者更生相談所の判定結果に基づいて手帳の交付をすることになっていますので、知的障害者の全員が所持しているものではありません。

また、療育手帳には障害の程度を記載することになっており、障害の程度が重度の場合「Ａ」、その他の場合には「Ｂ」などと表示することになっています。

ところで、所得税法上の障害者には、児童相談所、知的障害者更生相談所、精神保健福祉センター若しくは精神保健指定医の判定により知的障害者とされた者を含むこととされ、また、その障害の程度が重度と判定された者は、特別障害者に該当することとされています（所令10①②）。

したがって、御質問の療育手帳の交付を受けている人は障害者に該当し、療育手帳に障害の程度が「Ａ」と表示されている人は特別障害者、また、障害の程度が「Ｂ」と表示されている人はそれ以外の障害者として障害者控除の適用を受けることになります。

身体障害者手帳の交付前の年分の障害者控除

【問13-64】 私はサラリーマンですが、交通事故で令和２年から足が不自由になっていましたが、本年（令和６年）、家族に勧められ身体障害者手帳の交付申請をしたところ、このほど交付を受けることができました。

そこで、足が不自由になった令和２年から障害者ということになると思いますので、令和２年分から障害者控除を適用して還付申告したいと思いますが、認められますか。

【答】 身体障害者福祉法第15条第４項の規定により交付を受けた身体障害者手帳に、身体の障害があるものとして記載されている者、すなわち身体障害者手帳の交付を受けている者は所得税法上、障害者とされています（所令10①三）。

この場合、障害者に該当するかどうかの判定は、その年の12月31日（年の中途で死亡した場合は、その時）の現況によることとされています（所法85）。

したがって、身体障害者手帳の交付を受けている者であるかどうかは、その年の12月31日、例えば、令和２年分であれば、令和２年12月31日の現況で、また、令和３年分であれば、令和３年12月31日の現況で判定することになります。

ところで、御質問の場合には身体障害者手帳の交付は、令和６年中であり、令和５年分以前の各年分においては、障害者に該当しませんから、障害者控除を適用することはできません。

なお、御質問の場合とは違いますが、令和６年12月31日までに身体障害者手帳の交付がない場合であっても、次の要件のいずれにも該当する場合は令和６年分は障害者として取り扱われます（基通２－38）。

①　令和６年分の予定納税額の減額承認申請書、確定申告書、給与所得者の扶養控除等申告書、退職所得の受給に関する申告書又は公的年金等の

受給者の扶養控除等申告書を提出する時において、身体障害者手帳の交付を申請中であること、又は手帳の交付を受けるための身体障害者福祉法第15条第１項に規定する医師の診断書を有していること。

② 令和６年12月31日の現況において、明らかにこれらの手帳に記載され、又はその交付を受けられる程度の障害があると認められる者であること。

原子爆弾被爆者健康手帳と障害者控除

【問13-65】 所得税法上、原子爆弾被爆者に対する援護に関する法律第11条により厚生労働大臣の認定を受けた人は障害者とされていますが、原子爆弾被爆者健康手帳を所持する人も、この障害者に該当しますか。

【答】 原子爆弾被爆者健康手帳は、原子爆弾が投下された際、広島市や長崎市の区域内にいた人など、一定の要件に該当する人に原子爆弾被爆者に対する援護に関する法律第２条の規定により交付されるものです。

一方、同法第11条第１項の規定により、厚生労働大臣の認定を受けている者（所令10①五）とは、原子爆弾被爆者健康手帳を所持する人（被爆者といいます。）のうち、原子爆弾の被爆に基因する負傷又は疾病のある人として厚生労働大臣の認定を受けた人です。

したがって、原子爆弾被爆者健康手帳を所持する人のうち、更に同法第11条第１項により厚生労働大臣の認定を受けている人だけが所得税法上の障害者に該当することとなります。

なお、この障害者に該当する人は、特別障害者に該当します（所令10②五）。

公害医療手帳と障害者控除の適用

【問13-66】 私はＫ市から公害病患者として認定され、公害医療手帳の交付を受けていますが、この手帳に記載されている障害の程度により、障害者控除の適用が認められますか。

【答】 公害医療手帳は、公害健康被害の補償等に関する法律に基づき知事又は市長が、公害健康被害者として認定をした者に対し交付することになっています（公害健康被害の補償等に関する法律４④、同施行令９、10）。

また、同法により支給される障害補償金は、公害病による障害の程度に応じ、その支給額にランクが付けられているため、その者の公害病による障害の程度を同法に定める３級から特級までの区分により手帳に表示をすることになっています（地区によっては表示していない所もあります。）。

しかしながら、所得税法上の障害者とは、所得税法施行令第10条に規定する障害者に限られていますから、公害医療手帳に障害の程度が記載されているからといっても直ちに障害者に該当するとして、障害者控除の適用をすることは認められません。したがって、あなたの場合も、公害医療手帳を所持しているだけでは、障害者控除の適用は受けられないことになります。

なお、公害病認定患者であって所得税法上の障害者に該当する場合には、別途、所定の機関に請求して身体障害者手帳の交付を受けるか、その年の12月31日その他障害者であるかどうかを判定すべき時の現況において、引き続き６か月以上にわたり身体の障害により就床を要し、介護を受けなければ自ら排便等をすることができない程度の状態である旨の医師の診断書の交付を受けるなどすることで障害者控除の適用を受けることができます（所令10①六、基通２－39）。

知的障害のある者と障害者控除

【問13-67】　知的障害がある場合に障害者控除の適用を受けることができるのは、どのような人ですか。

【答】　所得税法上の「障害者」とは、精神上の障害により事理を弁識する能力を欠く常況にある者、身体障害者手帳等の交付を受けている者など一定の障害を有する者をいいます（所法２①二十八、二十九、所令10）。

ところで、知的障害のある者については、①精神上の障害により事理を弁識する能力を欠く常況にある者又は児童相談所、知的障害者更生相談所、精神保健福祉センター若しくは精神保健指定医の判定により知的障害者とされた者（所令10①一）のほかに、②精神保健及び精神障害者福祉に関する法律第45条第２項（精神障害者保健福祉手帳の交付）の規定により精神障害者保健福祉手帳の交付を受けている者とされています（所令10①二）。

また、上記①に該当する者のうち、精神上の障害により事理を弁識する能力を欠く常況にある者又は重度の知的障害者と判定された者（所令10②一）及び上記②に該当する者のうち、精神障害者保健福祉手帳に精神保健及び精神障害者福祉に関する法律施行令第６条第３項に規定する障害等級が１級である者として記載されている者は、特別障害者に該当することとされています（所令10②二）。

寝たきり老人と障害者の判定

【問13-68】　扶養控除の対象としている父（75歳）が、脳いっ血で倒れ、現在まで３か月間意識不明で寝たきりになっています。

老衰とも考えられますが、この場合、税法上障害者として障害者控除が認められるのでしょうか。

【答】　所得税法施行令第10条第１項第６号には「常に就床を要し、複雑な介護を要する者」は障害者に該当するものとしています。

これは、その年の12月31日（納税者本人がその年の中途において死亡し又は出国する場合には、その死亡又は出国の時、扶養親族又は同一生計配偶者が既に死亡している場合は死亡の時）の現況において、引き続き６か月以上にわたり身体の障害により就床を要し、介護を受けなければ、自ら排便等をすることができない程度の状態にあると認められる者をいうものとされます（基通２－39）。

また、引き続き６か月以上の期間については必ずしも過去の期間のみではなく、判定すべき時においてその前後の期間を通じ、継続して６か月以上その状態にあると認められるかどうかによって判定することになります。

御質問の場合、お父さんが12月31日の現況で就床後３か月であっても、その後、３か月以上回復の見込みがなく、通算して６か月以上にわたり複雑な介護を要する者と認められる場合には障害者に該当しますから、特別障害者として40万円の障害者控除を受けることができますし、更に、本人又は本人の配偶者若しくは本人と生計を一にするその他の親族のいずれかとお父さんが同居している場合には、障害者控除の額は75万円となります（所法２①二十九、79①②③、所令10②五）。

なお、常に就床を要し複雑な介護を要することとなった原因が病気によるものか、老衰によるものかは規定の上で制限されていませんので、いわゆる寝たきり老人の場合であっても障害者として障害者控除の適用があることになりますし、更に、本人又は本人の配偶者のいずれかとお父さんが同居しており、同居老親等に該当する場合には、58万円の扶養控除が適用されます（措法41の16①）（【問13-90】参照）。

成年被後見人の特別障害者控除の適用について

【問13-69】　私の母が認知症となったため、成年後見制度を利用しようと思い、家庭裁判所に後見開始の審判の申立てをしていましたが、このたび「精神上の障害により事理を弁識する能力を欠く常況にある者」として、後見開始の審判を受けました。

このような場合、私の母は、特別障害者として障害者控除の適用はありますか。

【答】　成年後見制度とは、認知症、知的障害及び精神障害などによって物事を判断する能力が十分でない者について、本人の権利を守る援助者（成年後見人等）を選ぶことで、成年被後見人を法律的に支援する制度をいいます。

ところで、所得税法上、「精神上の障害により事理を弁識する能力を欠く常況にある者」は特別障害者とされ（所法２①二十九、所令10②一）、居住者又は同一生計配偶者若しくは扶養親族が特別障害者である場合には、40万円の障害者控除が認められています（所法79）。

この「精神上の障害により事理を弁識する能力を欠く常況にある者」について、所得税法に特段の定義はなく、民法第７条に定める「精神上の障害により事理を弁識する能力を欠く常況にある者」と同一の用語を用いていることから、家庭裁判所が、鑑定人による医学上の専門的知識を用いた鑑定結果に基づき、「精神上の障害により事理を弁識する能力を欠く常況にある者」として後見開始の審判をした場合には、所得税法上も、成年被後見人は「精神上の障害により事理を弁識する能力を欠く常況にある者」に該当し、障害者控除の対象となる特別障害者に該当すると考えられます。

この点、現行の所得税法の規定が、民法の改正（平11.12.8法律第149号）に併せて改正されていることからも、民法に定める「精神上の障害により事理を弁識する能力を欠く常況にある者」は、所得税法に定める「精神上の障害により事理を弁識する能力を欠く常況にある者」に該当すると考えられます。

このため、成年被後見人は、障害者（特別障害者）に該当し、その年の12月31日時点において成年被後見人であれば、特別障害者控除の適用があると考えられます。

ひとり親控除と寡婦控除の適用要件について

【問13-70】　令和２年分の所得税からひとり親に該当する場合は、ひとり親控除を受けられると聞きましたが、この控除を受けるための要件はどのようなものでしょうか。

また、寡婦控除を受けるための要件についても教えてください。

【答】　ひとり親控除及び寡婦控除については、子供の生まれた環境や家庭の経済事情に関わらず、全てのひとり親家庭に対して公平な税制を実現するために、「婚姻歴の有無による不公平」と「男性のひとり親と女性のひとり親との間の不公平」を同時に解消する観点から、令和２年度の税制改正において措置・改正されました。

御質問のひとり親控除及び寡婦控除の適用を受けるための要件については、次の表のとおりです（所法２三十一、81、85、所令11の２、所規１の４）。

		ひとり親	寡婦（(注) 1）
対象となる人		○現に婚姻されていない人又は配偶者の生死が不明な人（一定の場合に限ります。）	○夫と死別又は離婚された人（(注) 2）あるいは夫の生死が不明な人（一定の場合に限ります。）
要件	扶養要件	○生計を一にする子（(注) 3）を有すること	《夫と離婚された人の場合》 ○扶養親族を有していること
	その他要件	○合計所得金額が500万円以下であること ○住民票の記載について次のいずれかに該当すること 1　その人が住民票に世帯主と記載されている場合 その人と同一の世帯に属する人に係る住民票に世帯主との続柄として、未届の妻又は未届の夫その他これらと同一の内容である旨の記載がされた人がいないこと 2　その人が住民票に世帯主と記載されていない場合 その人の住民票に世帯主との続柄として、未届の妻又は未届の夫その他これらと同一の内容である旨の記載がされた人がいないこと	
控除額		35万円	27万円

(注) 1　ひとり親に該当する人を除きます。
　　 2　その年の12月31日の現況において婚姻されていない場合に限ります。
　　 3　総所得金額等が48万円以下の場合に限ります。

(参考) 令和元年分以前の寡婦及び寡夫控除の適用要件等について

区分	寡婦の要件		寡夫の要件
	一般の場合	特例適用	
①　夫又は妻と死別・離婚した人	・扶養親族又は生計を一にする子（注）を有すること	・扶養親族である子を有すること ・合計所得金額が500万円以下であること	・生計を一にする子（注）を有すること ・合計所得金額が500万円以下であること
②　夫と死別した人	・合計所得金額が500万円以下であること		
控除額	27万円	35万円	27万円

（注）　総所得金額等が38万円以下の場合に限ります。

※　合計所得金額とは、純損失、雑損失、その他各種損失の繰越控除前の総所得金額、特別控除前の分離課税の長（短）期譲渡所得の金額、株式等に係る譲渡所得等の金額、上場株式等の配当所得等（上場株式等に係る譲渡損失との損益通算後の金額）、先物取引に係る雑所得等の金額、山林所得金額、退職所得金額の合計額をいいます。

※　総所得金額等とは、純損失、雑損失、その他各種損失の繰越控除後の総所得金額、特別控除前の分離課税の長（短）期譲渡所得の金額、株式等に係る譲渡所得等の金額、上場株式等に係る配当所得の金額、先物取引に係る雑所得等の金額、山林所得金額及び退職所得金額の合計額をいいます。

ひとり親控除

【問13-71】　私は夫を交通事故で亡くしましたので、実家に子供を預けて働いています。年間給与収入金額は240万円です。子供は私の父の所得税の計算において扶養親族としていますが、私はひとり親控除が受けられないでしょうか。

【答】　ひとり親控除の対象となるひとり親は、原則としてその年の12月31日の現況で、婚姻をしていないこと又は配偶者の生死の明らかでない一定の人のうち、次の３つの要件を満たす人をいいます（所法２①三十一、所令11の２、所規１の４。【問13-70】参照）。

(1)　その人と事実上婚姻関係と同様の事情にあると認められる一定の人（注）がいないこと。

(2)　生計を一にする子がいること。

この場合の子は、総所得金額等が48万円以下で、他の人の同一生計配偶者や扶養親族になっていない人に限られます。

(3)　合計所得金額が500万円以下であること。

（注）次のいずれかに該当する人をいいます。

・　その人が住民票に世帯主と記載されている場合
　その人と同一の世帯に属する人の住民票に世帯主との続柄が世帯主の未届の夫又は未届の妻である旨その他の世帯主と事実上婚姻関係と同様の事情にあると認められる続柄である旨の記載がされた人

・　その人が住民票に世帯主と記載されていない場合
　その人の住民票に世帯主との続柄が世帯主の未届の夫又は未届の妻である旨その他の世帯主と事実上婚姻関係と同様の事情にあると認められる続柄である旨の記載がされているときのその世帯主

したがって、御質問の場合は、子供が父の扶養親族とされていますので、(2) には該当しないこととなり、ひとり親控除を受けることはできません。

扶養親族の所属と寡婦控除

【問13-72】　私は夫と離婚後事業を開業（青色申告者）しましたが、私の長男の家族と生計を一にしている場合、長男の子のうち１人を自分の扶養親族として、寡婦控除の適用を受けることができますか。なお、私の合計所得金額は500万円で、現在再婚しておらず、住民票上に未届の夫・妻などの記載はありません。
　長男はサラリーマンで、その子を扶養親族として扶養控除等申告書に記載しています。

【答】　寡婦控除の対象とされる寡婦は、原則としてその年の12月31日の現況で、いわゆる「ひとり親」（【問13-71】参照）に該当せず、次の（1）又は（2）のいずれかに当てはまる人をいいます（所法２①三十、所令11、所規１の３。【問13-70】参照)。

（1）夫と離婚した後婚姻をしていない人で次の要件を満たす場合

　イ　扶養親族を有する人

　ロ　合計所得金額が500万円以下の人

　ハ　その人と事実上婚姻関係と同様の事情にあると認められる一定の人

（注）がいないこと

(2) 夫と死別した後婚姻をしていない人又は夫の生死が明らかでない一定の人で次の要件を満たす場合

イ　合計所得金額が500万円以下の人

ロ　その人と事実上婚姻関係と同様の事情にあると認められる一定の人（注）がいないこと

（注）次のいずれかに該当する人をいいます。

・　その人が住民票に世帯主と記載されている場合
　その人と同一の世帯に属する人の住民票に世帯主との続柄が世帯主の未届の夫である旨その他の世帯主と事実上婚姻関係と同様の事情にあると認められる続柄である旨の記載がされた人

・　その人が住民票に世帯主と記載されていない場合
　その人の住民票に世帯主との続柄が世帯主の未届の妻である旨その他の世帯主と事実上婚姻関係と同様の事情にあると認められる続柄である旨の記載がされているときのその世帯主

御質問の場合、離婚されているとのことですので、(1) のイからハの要件を満たせば寡婦控除の適用を受けることができるところ、合計所得金額が500万円以下であり、現在再婚しておらず、住民票上に未届の夫・妻などの記載はないとのことですので、(1) のロとハについては、該当することになります。

そこで、あなたと生計を一にしている長男の子をあなたの扶養親族とすることができれば、(1) のイの要件を満たすこととなり、寡婦控除の適用があることになります。

所得税法施行令第219条は、同一生計内に納税者が２人以上おり、そのいずれの扶養親族にもすることができる親族がいるときは、その親族のいずれの納税者の扶養親族とするかは確定申告書、扶養控除等申告書に記載されたところにより判定することとしています。

また、このようにしていずれか一の納税者の扶養親族とされた後において、納税者がその提出する申告書等にこれと異なる記載をすることにより、その扶養親族の所属を変更することもできることとされています。

御質問の場合は、長男の子を長男が扶養控除等申告書により自己の扶養親族として申告している場合であっても、長男の母であるあなたが確定申告書において長男の子を自己の扶養親族として申告すれば、あなたは扶養親族を有することになり、前記（1）により寡婦に該当することにもなります。

なお、その場合は、長男についてはその年分で扶養親族とすることは認められなくなりますから、既に年末調整が終了している場合は、その子に係る扶養控除額を減らしたところにより年税額を計算し直し、その差額は確定申告又は年末調整の再調整をすることによって精算することになります（基通85-2、190-5）。

第６節　配偶者控除・配偶者特別控除・扶養控除

配偶者特別控除制度の概要

【問13-73】　配偶者特別控除とは、どのような制度でしょうか。

【答】　配偶者特別控除とは、居住者が生計を一にする配偶者を有する場合に、配偶者控除の適用がない配偶者でも所得金額に応じて、その居住者の総所得金額等から、38万円を限度として控除するというものです（所法83の２）。

(1)　制度の概要

イ　適用対象者は、その年の合計所得金額が1,000万円以下である居住者で、生計を一にする控除対象配偶者に該当しない配偶者（次に該当する配偶者を除きます。）を有する人です。

(ｲ)　他の居住者の扶養親族とされる配偶者

(ﾛ)　青色事業専従者に該当する配偶者で専従者給与の支払を受けるもの又は白色事業専従者に該当する配偶者

(ﾊ)　合計所得金額が133万円超である配偶者

(ﾆ)　その配偶者自身が、この控除を受ける場合におけるその配偶者

なお、生計を一にする配偶者に該当するかどうかの判定の時期や配偶者が年の中途で死亡し、居住者が再婚した場合における配偶者の範囲については、配偶者控除の場合と同様とされています。

（注）　下線部の「133万円超」のところが、平成30年分・令和元年分は「123万円超」、平成29年分以前は「76万円超」となります。

ロ　配偶者特別控除額は、次の表により求めることができます。

①　その年の合計所得金額が900万円以下の居住者の場合

配偶者の合計所得金額	控除額	配偶者の合計所得金額	控除額
48万円超 95万円以下	38万円	115万円超120万円以下	16万円
95万円超100万円以下	36万円	120万円超125万円以下	11万円
100万円超105万円以下	31万円	125万円超130万円以下	6万円
105万円超110万円以下	26万円	130万円超133万円以下	3万円
110万円超115万円以下	21万円		

②　その年の合計所得金額が900万円超950万円以下の居住者の場合

配偶者の合計所得金額	控除額	配偶者の合計所得金額	控除額
48万円超 95万円以下	26万円	115万円超120万円以下	11万円
95万円超100万円以下	24万円	120万円超125万円以下	8万円
100万円超105万円以下	21万円	125万円超130万円以下	4万円
105万円超110万円以下	18万円	130万円超133万円以下	2万円
110万円超115万円以下	14万円		

③　その年の合計所得金額が950万円超1,000万円以下の居住者の場合

配偶者の合計所得金額	控除額	配偶者の合計所得金額	控除額
48万円超 95万円以下	13万円	115万円超120万円以下	6万円
95万円超100万円以下	12万円	120万円超125万円以下	4万円
100万円超105万円以下	11万円	125万円超130万円以下	2万円
105万円超110万円以下	9万円	130万円超133万円以下	1万円
110万円超115万円以下	7万円		

〈参考〉　平成30年分・令和元年分の配偶者特別控除額については、次の表のようになります。

①　その年の合計所得金額が900万円以下の居住者の場合

配偶者の合計所得金額	控除額	配偶者の合計所得金額	控除額
38万円超 85万円以下	38万円	105万円超110万円以下	16万円
85万円超 90万円以下	36万円	110万円超115万円以下	11万円
90万円超 95万円以下	31万円	115万円超120万円以下	6万円
95万円超100万円以下	26万円	120万円超123万円以下	3万円
100万円超105万円以下	21万円		

②　その年の合計所得金額が900万円超950万円以下の居住者の場合

配偶者の合計所得金額	控除額	配偶者の合計所得金額	控除額
38万円超 85万円以下	26万円	105万円超110万円以下	11万円
85万円超 90万円以下	24万円	110万円超115万円以下	8万円
90万円超 95万円以下	21万円	115万円超120万円以下	4万円
95万円超100万円以下	18万円	120万円超123万円以下	2万円
100万円超105万円以下	14万円		

③　その年の合計所得金額が950万円超1,000万円以下の居住者の場合

配偶者の合計所得金額	控除額
38万円超 85万円以下	13万円
85万円超 90万円以下	12万円
90万円超 95万円以下	11万円
95万円超100万円以下	９万円
100万円超105万円以下	７万円

配偶者の合計所得金額	控除額
105万円超110万円以下	６万円
110万円超115万円以下	４万円
115万円超120万円以下	２万円
120万円超123万円以下	１万円

(2)　手　続

控除を受けようとする人が給与所得者である場合には、給与の支払者（扶養控除等申告書の提出先）からその年最後に給与の支払を受ける日の前日までに、「給与所得者の配偶者特別控除申告書」（所法195の２）を提出して年末調整で控除を受けます。

その他の所得者の場合、確定申告により控除を受けることになります。

配偶者特別控除額の計算

【問13-74】　私は、Ａ株式会社でパートとして働いています。令和５年の年収は116万円ほどになる予定ですので、夫は配偶者控除を受けられないと思います。税金面で何らかの控除はありませんか。

なお、私の夫の本年中の所得は、給与所得約500万円です。

【答】　配偶者控除を受けることができる配偶者の合計所得金額は、48万円以下とされています（所法２①三十三）。

ところで、あなたの所得金額を計算してみますと、給与の収入金額が116万円で、その所得金額は61万円（給与収入金額116万円－給与所得控除額55万円＝61万円）となりますので、ご主人は配偶者控除を受けることができません。

しかしながら、【問13-73】で説明しましたように、あなたの所得金額は133万円以下であり、ご主人の所得が1,000万円以下ですので、【問13-73】の表に当てはめて算出した金額（38万円）を配偶者特別控除額としてご主人の所得金額から控除することができます。

（注）　令和元年分以前は、下線部の「48万円以下」のところが「38万円以下」となります。

内縁の妻とその子の扶養親族の判定

> **【問13-75】**　内縁関係にある妻とその間にできた子をそれぞれ控除対象配偶者及び扶養親族とすることができるでしょうか。

【答】　所得税法に規定する配偶者及びその他の親族とは、民法第725条《親族の範囲》に規定する親族、すなわち６親等内の血族、配偶者、３親等内の姻族です。

したがって、婚姻は、民法第739条《婚姻の届出》の規定による届出により効力が発生しますから、いわゆる内縁の妻は、たとえ勤務先の会社などから家族手当が支給されている場合であっても、親族とはなりませんので控除対象配偶者には該当しません（基通２－46）。

また、内縁の妻との間にできた子も法律上の親族とはなりませんから原則として扶養親族にはなりません。

ただし、その子をあなたが認知すれば法律上の子たる地位を取得しますので、この場合には、あなたと生計を一にし、その子（16歳以上の子に限ります。）の所得金額が一定限度以下であれば認知をした年から扶養親族に該当することとなります（【問13-77】参照）。

（注）　外国人で民法の規定によれない人については、法の適用に関する通則法（平成18年法律第78号）の規定によることになっています（基通２－46(注)）。

夫の姓の子を扶養している場合の扶養控除

【問13-76】 私は、離婚をし、私だけが夫の戸籍から離籍し、復氏しました。その際、17歳の長男は私が引き取り一緒に住み扶養していますが、親権者としての届出をしていません。

この場合、私は、確定申告で長男を扶養控除の対象としてよいでしょうか。

【答】 子の戸籍は、両親が離婚しても異動を生じません。そのため、御質問のようなケースが発生しますが、民法上の親子関係は戸籍上の異動とは関係なく継続することとなります。

したがって、あなたが長男と異なる姓であったとしても、生計を一にしているなど扶養親族の要件を満たしていれば長男を扶養控除の対象とすることができます（所法84、2①三十四）。

認知した子の扶養親族の判定の時期

【問13-77】 私（サラリーマン）は、内縁の妻との間にできた子（A・16歳）の認知届を所管の市長あてに提出し、1月10日に受理されました。

認知の法律効果として、出生の時にさかのぼって親子関係があったものとされることから、私はAを扶養親族に含めて過去5年分の所得税について還付申告書を提出できますか。

【答】 内縁の妻との間に生まれた子を認知する場合、任意認知と強制認知とがあり、前者は市役所への認知届を行い、後者は裁判所からの認知確定証明書又は裁判の謄本をもって市役所へ提出することになっています（戸籍法60、63）。

Aがあなたの扶養親族に該当するかどうかの判定は、子として認知された日の属する年分、すなわち、認知届が受理された日の属する年の12月31

日で判定することとなります（所法85）。

したがって、認知届の受理された年の前年分以前にさかのぼってＡを扶養親族として還付請求をすることは認められません。

養子縁組した親子の扶養と扶養控除

【問13-78】 私は、三男を知人Ａの子供として養子縁組させています。

ところが、知人Ａが病気となって失職し、生活ができなくなりましたので、三男と知人Ａの親子を引き取って生活の面倒を見ています。

この場合、私は、三男と知人Ａを扶養控除の対象としていいですか。

なお、三男及び知人Ａはいずれも年齢が16歳以上です。

【答】 扶養控除の規定の適用を受けるためには、その人が扶養控除の対象となる扶養親族等に該当しなければなりません。この場合の控除対象扶養親族とは、年齢が16歳以上の者で配偶者を除く民法上の親族を指すものとされています。すなわち、６親等内の血族及び３親等内の姻族をいいます。

ところで、養子縁組という法律上の親子関係が生じた場合は、養子と養親及び養親の血族との間においては親族関係が生じますが、養親と養子の血族との間には親族関係は生じないこととされています（民法727）。

そこで、あなたと三男の間は血族関係にあり親族となりますが、あなたと知人のＡさんの間は親族関係にはなりません。

（注）　知人のＡさんと三男の養子縁組の方法が民法第817条の２に規定する特別養子縁組である場合には、あなたと三男の親族関係は消滅することになります。

したがって、三男については所得などについての一定の要件を満たしていれば扶養控除の対象になりますが、知人のＡさんについては、親族に該当しないため扶養控除の対象にはなりません。

公立の福祉施設に収容されている家族の扶養親族等の判定

【問13-79】 知的障害を持つ息子が公立の福祉施設に収容されていますが、私は住民税及び所得税の納税額を基準とした負担金（月額３万円程度）を納付するだけで、生活費及び医療費の一切を施設が負担することになっています。

この場合、息子を扶養親族として扶養控除の対象とすることができますか。

なお、この施設では、知的障害者１人当たり月額10万円の公費で運営されているということです。

【答】 扶養親族の要件の一つである「生計を一にする親族」とは、通常同じ家屋に起居している場合のほか、勤務、修学、療養等の都合で別居していても勤務や修学等の余暇には起居を共にし、又は生活費や療養費等についての送金をしている場合をいうことになりますが、知的障害者福祉法に基づき、公的福祉施設に収容され、その生活費や療養費の大部分が公費によって賄われている場合であっても、収容されている者の保護者とされている親族は一定の負担金を負担する一方、収容されている者の小遣いなどの個人的費用を負担するのが通常であり、収容されている者は、親族である保護者と「生計を一にする」と考えられますから、扶養控除又は配偶者控除の対象とすることができます（基通２－47）。

なお、公的施設の負担金がない場合であっても、それのみをもって「生計を一にしない」と判断されるのではなく、その他の個人的費用を親族として専ら負担している場合であれば、「生計を一にしている」ものと判断されます。

ただし、扶養控除の対象となる控除対象扶養親族は、扶養親族のうち年齢16歳以上の者とされていますので、あなたの息子さんが16歳未満の場合は、扶養控除の対象になりません。

離婚後養育費を送金している子の扶養控除

【問13-80】　私は、妻と協議離婚し、妻は長男を引き取り実家に帰りましたが、長男の養育費は私が負担することになっており、毎月送金しています。この場合、長男は私の扶養親族となりますか。

なお、長男は現在18歳です。

【答】　控除対象配偶者又は扶養親族とは、納税者と「生計を一にする」ことが条件になっていますが、生計を一にするとは、必ずしも同一の家屋に起居していることのみをいうのではなく、勤務、修学、療養等の都合上妻子等の親族と別居している場合であっても、勤務、修学等の余暇には、妻子等の親族のもとで起居を共にすることを常例としている場合、又は、妻子等との親族間において常に生活費、学資金、療養費等の送金が行われている場合には、これらの親族は生計を一にするものとされています（基通2－47）。

したがって、あなたが離婚した妻のもとにいる長男の養育費の大部分を送金しているような場合には、あなたとその長男は「生計を一にしている」とみるのが相当ですから、長男はあなたの扶養親族に該当します。

（注）　長男は、離婚した妻の扶養親族にも該当することになりますが、扶養控除はあなたか離婚した妻のうちいずれか一方についてだけしか認められません（所令219）。

死亡した妻の母を扶養している場合の扶養控除

【問13-81】　私は、妻の母を扶養しており扶養控除を受けていました。
本年になって妻が死亡しましたが、その後も引き続いて妻の母を扶養しています。
この場合、義母について扶養控除を受けることができますか。
なお、義母には所得はありません。

【答】　扶養控除の対象となる扶養親族に該当するかどうかの判定を行う場合の親族とは、民法に規定する親族をいうこととされ、民法では、6親等内の血族及び3親等内の姻族が親族とされています（民法725）。
ところで、離婚によって婚姻関係を終了した場合には、姻族関係も自動的に終了しますが、死別の場合には、生存している配偶者が姻族関係を終了させる意思表示（届出）をしない限り、姻族関係は継続することとされています（戸籍法96）。
したがって、御質問の場合も、あなたが死亡した妻の母との姻族関係を終了させる意思表示（届出）をしていなければ、妻の母は1親等の姻族であり、扶養親族に該当しますので扶養控除が受けられます。

亡父の青色事業専従者であった母を扶養親族とすることの可否

【問13-82】　私の母は、父の経営する事業に従事していましたが、父が死亡したため事業を廃止し、現在は私と一緒に生活しています。
なお、令和6年の母の収入は青色事業専従者として支給された給与収入の60万円のみです。この場合、母を私の扶養親族とすることができるでしょうか。

【答】　配偶者控除又は扶養控除の対象となる控除対象配偶者及び扶養親族については、青色事業専従者給与の支払を受けている者や事業専従者控除の対象となる者は除かれることとされています（所法2①三十三、三十四。

【問10-93】参照)。

これは、同一生計内においては、事業を営む者の事業専従者となっている者は、他の居住者の控除対象配偶者や扶養親族とはならない旨を規定しているものです。

例えば、父の事業に専従し専従者給与の支払を受けていた娘が年の中途で結婚し、専業主婦となった場合には、その専従者給与を含む合計所得金額が48万円以下であり、父と夫が生計を別にしていれば、夫の控除対象配偶者とすることが認められるというわけです。

ところで、その者が居住者の控除対象配偶者又は扶養親族に該当するかどうかは、その年の12月31日の現況により行うこととされています(所法85③)。

御質問の場合、あなたのお父さんは年の中途で死亡されていますので、12月31日の現況では、あなたと生計を一にしていません。

したがって、あなたのお母さんの合計所得金額が48万円以下であれば、お母さんはあなたの扶養親族に該当することになります。

(注)　令和元年分以前は、下線部の「48万円以下」のところが「38万円以下」となります。

外国人女性と結婚した場合の控除対象配偶者の判定

【問13-83】　甲は、外国人女性と結婚し、婚姻届を市役所の戸籍係に提出していますが、その外国人女性は、日本に帰化が認められていないので戸籍は新たに作成されていません。

この場合、他の要件を満たしていれば、甲はその女性を控除対象配偶者とすることができますか。

【答】　日本に帰化していない外国人と結婚した場合には、相手国の領事館において、婚姻具備証明を受け、婚姻届出書とともに市区町村長に提出することにより、甲の戸籍の身分事項欄に婚姻の旨が登載され、民法上の婚姻の効力を生ずることになっています（戸籍法施行規則36②、民法739）。

したがって、御質問の外国人女性が所得要件など他の要件を満たしていれば、甲は、その者を控除対象配偶者とすることができます。

主婦のパートタイムによるアルバイト

【問13-84】　私はサラリーマンの妻ですが、令和６年２月から会社の事務員としてパートタイムで働いております。パートタイムによる収入があると夫の給与所得から配偶者控除を差し引けなくなるのでしょうか。また、私の所得税の課税関係について説明してください。

【答】　配偶者控除又は扶養控除の適用を受けられるいわゆる控除対象配偶者及び扶養親族とは、次に掲げる人をいいます。

(1) 控除対象配偶者とは、純損失の繰越控除や雑損失の繰越控除又は居住用財産の譲渡損失の繰越控除の規定を適用しないで計算した場合の総所得金額、申告分離課税の上場株式等に係る配当所得等の金額、分離課税の短期・長期譲渡所得の金額（特別控除額控除前の金額）、分離課税の一般株式等及び上場株式等に係る譲渡所得等の金額（繰越控除前の金額）、分離課税の先物取引に係る雑所得等の金額（繰越控除前の金額）、退職所得金額及び山林所得金額の合計額（以下「合計所得金額」といいます。）が1,000万円以下である居住者の配偶者で、居住者と生計を一にするもの（青色事業専従者に該当する者で専従者給与の支払を受けるもの及び白色申告者の事業専従者に該当するものは除きます。）のうち、合計所得金額が48万円以下の人をいいます（所法２①三十三、三十三の二）。

(2) 扶養親族とは、居住者の配偶者以外の親族並びに児童福祉法第27条第１項第３号の規定により里親に委託された児童及び老人福祉法第11条第１項第３号の規定により養護受託者に委託された老人で、その居住者と生計を一にするもの（青色事業専従者に該当する者で専従者給与の支払を受けるもの及び白色申告者の事業専従者に該当するものは除きます。）

のうち、合計所得金額が48万円以下である人をいい、控除対象扶養親族とは、扶養親族のうち、年齢が16歳以上の人をいいます（所法２①三十四、三十四の二）。

このように、妻や子供に所得があっても、合計所得金額が48万円以下である場合には、所得が全くない場合と同様に夫の所得から配偶者控除や扶養控除を差し引くことができることになっています。

そこで、あなたのパートタイムによる給与所得の金額が48万円以下であれば、あなたは、控除対象配偶者に該当し、あなたのご主人の所得から配偶者控除を差し引くことができます。

給与所得の金額48万円を給与収入金額に換算するには、所得税法別表第五によって逆算すればよいわけですから、これによりますと収入年額103万円が給与所得の金額48万円に該当します。

したがって、あなたのパートタイムによる給与収入が年額103万円以下であれば、ご主人の給与所得から配偶者控除を差し引くことができます。

なお、あなたの合計所得金額が133万円以下でご主人の所得が1,000万円以下であれば、配偶者控除の適用はありませんが、あなたの所得金額に応じて配偶者特別控除の適用があります。

次に、あなたの所得税の課税関係ですが、パートタイムによる給与収入が103万円を超えますと配偶者控除の適用がないことはもちろんですが、所得税が課される場合があります。

あなたに所得税が課されるかどうかは、あなたの支払に係る社会保険料控除額や生命保険料控除額及び基礎控除額その他の所得控除額があなたの給与所得の金額を超えるかどうかで判断することとなります。例えば、基礎控除額のみしか控除がないとしたならば、基礎控除額48万円を基としてこれを給与収入金額に換算すると、先のとおり103万円となり、結局年額103万円以下のパートタイムの給与収入金額であれば、あなた自身は所得税が課されないことになります。

（注）　下線部の「48万円以下」、「48万円」のところが、令和元年分以前はそ

れぞれ「38万円以下」、「38万円」となり、「133万円以下」のところが、平成30年分・令和元年分は「123万円以下」、平成29年分以前は「76万円未満」となります。

事業主を事業専従者の控除対象配偶者とすることの可否

【問13-85】　私は、青色申告をして工作機械の製造業を営んでいますが、主力としていた得意先が倒産しました。そこで債権の回収に努めましたが、令和６年中に600万円の貸倒損失が生じました。その結果、青色申告特別控除額控除後の事業所得の金額が30万円になりました。私にはこの事業所得以外の所得はありません。

私は妻に青色専従者給与（事業従事内容から適正額と認められています。）を300万円支給していますが、事業主である私が妻の控除対象配偶者として、配偶者控除の適用を受けることはできるでしょうか。

【答】　控除対象配偶者の要件は、合計所得金額が1,000万円以下の居住者の配偶者でその居住者と生計を一にしているもの（青色事業専従者に該当する者で専従者給与の支払を受けるもの及び白色申告者の事業専従者に該当するものは除きます。）のうち、合計所得金額が48万円以下である人をいいます（所法２①三十三、三十三の二）。

ところで、御質問のように、貸倒損失など災害等の偶発的要因によって所得が減少したような場合には、上記の要件に該当するものであれば、事業主であるあなたを青色事業専従者である奥さんの控除対象配偶者とすることができます。

なお、この場合、青色申告特別控除額控除後の金額が事業所得の金額とされていますので、控除対象配偶者又は扶養親族に該当するか否かを判定するときの所得要件は青色申告特別控除後の事業所得の金額30万円で判定すればよいこととなります（措法25の２①③）。

少額配当の一部銘柄の申告と配偶者控除

【問13-86】　私の妻には、令和６年中に次の配当収入（税込み）がありました（他には所得はありません。）。なお、これらの配当収入は、いずれも上場株式等以外の配当です。

銘柄	決　算	配当収入(税込み)
A	年１回	80,000円
B	年１回	40,000円
C	年１回	90,000円
D	年１回	80,000円
E	年１回	60,000円
F	年１回	90,000円
G	年１回	80,000円
合　　計		520,000円

妻が、上記の配当所得の全部を申告しますと、合計所得金額が48万円を超えることになり、控除対象配偶者の要件に該当しなくなりますので、妻はＢ銘柄の配当所得（40,000円）を除外した残りの配当所得（480,000円）について確定申告をし源泉徴収された税額の還付を受け、私は確定申告の際に妻を控除対象配偶者として配偶者控除の適用を受けたいと思いますが、このような選択をする申告ができますか。

また、年１回決算の法人からの中間配当についても同様に考えていいですか。

【答】　内国法人から支払を受けるべき配当等で、その法人から支払を受ける一定の上場株式等の配当等（金額の上限なし）や、上場株式等以外の配当等で一回に支払を受けるべき金額が10万円に配当計算期間の月数を掛け12で割った金額以下であるいわゆる少額配当については、確定申告の際にその上場株式等の配当や少額配当（以下「少額配当等」といいます。）を合計所得金額に含めないことができることとされています（措法８の５）。

また、確定申告における控除対象配偶者及び扶養親族に該当するかどうかの所得要件の判定に当たっては、確定申告をしたいわゆる少額配当に係る配当所得金額は合計所得金額に含めることとされますが、確定申告をしなかった少額配当に係る配当所得金額については、合計所得金額に含めないで判定することとされています。

ところで、御質問のように数銘柄の株式に係る配当等で少額配当に該当するものがある場合には、それぞれの少額配当について確定申告をするかどうかを選択することができます。

したがって、奥さんがＢ銘柄を除いて確定申告をすることにより、その合計所得金額は48万円以下となりますので、あなたは、奥さんを控除対象配偶者とすることができます。

なお、平成30年分以後は、あなたの合計所得金額が1,000万円以下であることを要します。

次に、中間配当の場合ですが、旧商法第293条の５第１項又は資産の流動化に関する法律第115条第１項に規定されているいわゆる中間配当は配当所得とされる「剰余金の配当」及び「利益の配当」に含まれますので、通常の少額配当の基準に該当すれば選択申告の適用があります。

なお、確定申告をした少額配当等に係る配当所得を事後に撤回したり、新たに少額配当等を追加するための修正申告や更正の請求をすることはできません（通則法19、23、措通８の５－１）。

株式に係る譲渡所得等の金額がある場合の合計所得金額（控除対象配偶者等の判定）

【問13-87】　私の妻の本年中の所得の内訳は、次のとおりでした。

・　株式の譲渡に係る譲渡所得（申告分離課税）……80万円

・　不動産所得の赤字……………………………………△42万円

この場合、妻の合計所得金額を38万円（80万円－42万円＝38万円）として、妻を私の控除対象配偶者とすることができますか。

【答】　分離課税の株式等に係る譲渡所得等の金額については、損益通算の対象外とされ、他の所得金額の計算上生じた損失の金額を分離課税の株式等に係る譲渡所得等の金額から控除することはできません。

また、株式等に係る譲渡所得等の金額の計算上生じた損失の金額は、生じなかったものとみなされます（措法37の10①）。

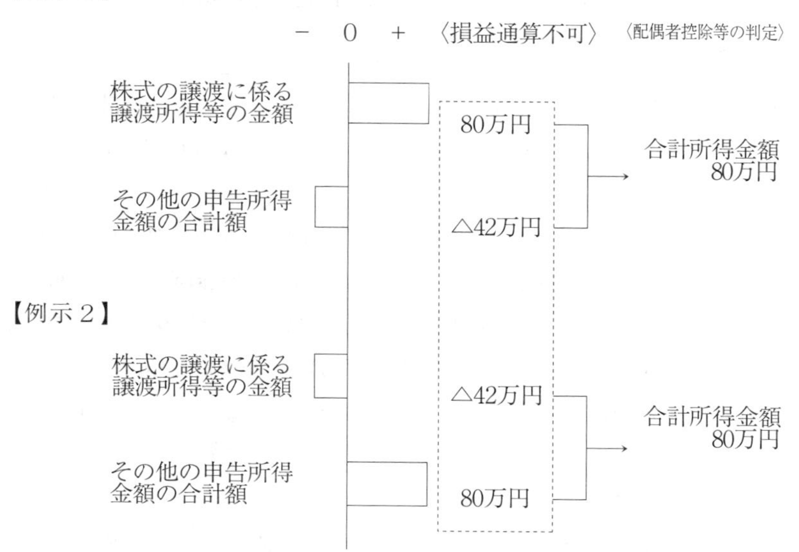

ところで、控除対象配偶者の所得要件は、合計所得金額が48万円以下で

あることとされています。奥さんの場合、株式の譲渡に係る譲渡所得等の金額80万円が合計所得金額ということになり（【例示１】参照）、あなたの控除対象配偶者とすることはできません。

なお、奥さんが青色申告者であれば、不動産所得の金額の計算上生じた損失の金額42万円についての純損失の繰越控除が認められます（所法70①）。

（注）　令和元年分以前は、下線部の「48万円以下」のところが「38万円以下」となります。

分離課税の土地建物等の譲渡所得のある親族

【問13-88】　母は、令和６年中にその所有する居宅を2,000万円で譲渡し、それによる譲渡所得は1,800万円になりましたが、居住用財産の特別控除の適用を受けることができましたので、譲渡所得はないことになりました。

この場合、生計を一にしている私の扶養控除の適用対象とすることができるでしょうか。

【答】　控除対象配偶者又は扶養親族については、その年の合計所得金額が48万円以下であることが要件の一つとされます（所法２①三十三、三十四）。

ここでいう、合計所得金額とは、総所得金額、申告分離課税の上場株式等に係る配当所得等の金額、分離課税の短期・長期譲渡所得の金額（特別控除額控除前の金額）、分離課税の一般株式等及び上場株式等に係る譲渡所得等の金額、分離課税の先物取引に係る雑所得等の金額、山林所得金額及び退職所得金額の合計額をいうことになっていますので、税額の計算をする上で、所得金額が０となれば、一見合計所得金額がない場合に該当するように見えます。

しかしながら、合計所得金額の計算上、上記の「分離課税の短期・長期譲渡所得の金額」は各種譲渡所得の特別控除を適用する前の金額（純損失又は雑損失の繰越控除の適用がある場合には、その適用前の金額とされます。）をいうことになっています（基通２－41(注)）。

したがって、御質問の居住用財産を譲渡され、居住用財産の特別控除の適用が受けられる場合であってもその特別控除額を控除する前の金額で扶養親族の所得要件を判定することとなります。

そうすると、あなたのお母さんの場合は、1,800万円となりますので扶養親族には当たらず扶養控除の適用はないことになります。

ただし、総合課税とされる譲渡所得について租税特別措置法上の特別控除の適用がある場合には、この特別控除のほか、所得税法上の特別控除の適用後の金額を譲渡所得金額として、総所得金額を計算することになりますので、結果としてこれらの特別控除を適用した後の金額（長期譲渡所得の場合は更に２分の１にします。）で判定することになります。

（注）　令和元年分以前は、下線部の「48万円以下」のところが「38万円以下」となります。

同居する70歳以上の者の扶養控除

【問13-89】　私は事業を営み、妻を青色事業専従者とし、子供２人と母親を扶養親族として確定申告を行っております。
　ところで、母親は、本年12月で70歳となりました。70歳以上の扶養親族の控除額は割増しされると聞きましたが本当でしょうか。
　なお、母親は、私の実母で、障害者ではありません。

【答】　扶養親族に該当する者（【問13-78】【問13-79】参照）が、年齢70歳以上であれば、「老人扶養親族」とされ、その扶養控除額は、一般の38万円に代えて、48万円となります（所法２①三十四の四、84①）。

また、この「老人扶養親族」に該当する者が、居住者又はその配偶者の直系尊属で、かつ、居住者とその配偶者とのいずれかと同居を常況としていれば、扶養控除額48万円に10万円を加算して、58万円を同居老親等の扶養控除額として控除することになっています（措法41の16①）。

したがって、御質問の場合の扶養控除額は、あなたとお母さんが同居の常況にあれば58万円となり、同居の常況になければ48万円となります。

なお、同居の常況にあるかどうかの判定及び年齢が70歳以上であるかどうかの判定は、その年の12月31日（年の中途で死亡した場合は、死亡の日）の現況により判定することとされていますが、同居されている期間が年末年始だけのような一時的な場合は、同居の常況にあるとは認められません（所法85）。

老人扶養親族と同居老親等又は同居特別障害者との適用関係

【問13-90】　昨年まで、私の母は特別障害者に該当するものとして所得控除の適用を受けていました。母は今年で70歳になりましたので、老人扶養親族として扶養控除の割増控除の適用を受けるとともに、併せて同居特別障害者の割増控除として障害者控除の適用を受けたいと考えていますが、できるでしょうか。

【答】　老人扶養親族とは、扶養親族のうちの年齢70歳以上の人をいいます（所法２①三十四の四）。したがって、あなたのお母さんは、老人扶養親族に該当し、同居老親等（【問13-89】参照）の割増扶養控除58万円（又は老人扶養控除48万円）を受けることができます（措法41の16①）。

ところで、同一生計配偶者又は扶養親族が特別障害者に該当し、かつ、その人が「居住者」若しくは「居住者の配偶者」又は「居住者と生計を一にするその他の親族」との同居を常況としているときには、その同居特別障害者に係る障害者控除の額は35万円加算されて75万円になります（所法79③）。

したがって、あなたの場合は、母親が特別障害者に該当し、かつ、あなたと同居を常況としているのであれば、同居特別障害者に係る障害者控除75万円と同居老親等に係る扶養控除58万円を併せて受けることができます。

なお、同居特別障害者に係る障害者控除の要件は、「居住者」、「その配偶者」又は「居住者と生計を一にするその他の親族」のいずれかとの「同居」とされていますが、同居老親等に係る扶養控除の場合は、「居住者」又は「その配偶者」との「同居」とされていますので、前者のほうが後者の場合より適用範囲が広いといえます。

夫が死亡した場合の配偶者控除と寡婦控除

【問13-91】　私は病気の夫を扶養しながら喫茶店を営んでいましたが、夫が本年10月に死亡しました。私は確定申告に際して配偶者控除と寡婦控除を受けることができますか。

なお、私の本年中の所得は事業所得の120万円のみで、再婚はしておらず、住民票の続柄に未届の夫又は未届の妻などの記載はありません。

【答】　夫があなたの控除対象配偶者に該当するかどうかの判定の時期は、その年の12月31日の現況によることになっていますが、その判定に係る人が既に死亡している場合は、死亡の時期で判定することになっています（所法85③）。

また、寡婦かどうかの判定は、12月31日の現況で判定することになっています（所法85①）。

したがって、夫は本年10月の死亡の時期に控除対象配偶者であり、また、あなたは、本年12月31日現在では既に夫と死別しており、再婚しておらず、住民票上にも未届の夫又は未届の妻などの記載はなく、また合計所得金額も500万円以下であるため、寡婦に該当することとなり、あなたは夫の配偶者控除と寡婦控除の両方を受けることができます。

（注）　寡婦控除については【問13-70】を参照。

扶養親族等の所属の変更

【問13-92】　夫婦ともそれぞれ所得があり、子供２人の扶養控除は所得の多い事業所得者である夫の所得から控除することとしています。

本年は貸倒損失が発生したために事業所得がわずかとなりましたので、妻（給与所得者）の所得から控除したいと考えています。

妻は扶養控除の適用をせずに12月末に会社で年末調整の適用を受け、納税は済んでいますが、確定申告の際に扶養親族の所属を変更することはできるのでしょうか。

なお、子供は２人とも16歳以上です。

【答】　生計を一にする家族の中に納税者が２人以上ある場合において、その同一生計配偶者又は扶養親族は、納税者の選択によりそのうちいずれか１人にのみ該当するものとされ、その選択は、

①　予定納税額の減額の承認申請書

②　確定申告書

③　給与所得者の扶養控除等申告書又は従たる給与についての扶養控除等申告書

④　公的年金等の受給者の扶養親族等申告書

⑤　給与所得者の配偶者控除等申告書（同一生計配偶者の場合）

に記載されたところにより適用することになっています（所令218①、219①)。また、いったんこれらの申告書等に記載した後において、納税者がこれと異なる記載をして上記の申告書等を提出することも認められています。

したがって、御質問の夫の扶養親族とする予定で、妻の給与所得に係る扶養控除等申告書に扶養親族の記載をせず提出していた場合であっても、その後の事情で扶養親族を夫の確定申告書を提出する際に除外し、妻の扶養親族として扶養控除の適用を変更することが認められます。

（注）　確定申告書には、修正申告書を含みません。

第14章　税額の計算

所得税の税率と速算表

> **【問14-1】** 所得税の税率は累進税率になっているそうですが、その税率と、税額の求め方を説明してください。

【答】 所得税は担税力の大きな人ほど多額の税額を負担し、担税力の小さな人ほど少額の税額を負担する応能負担の原則に最も適合した超過累進税率を採用し、居住者及び国内に事業所等の恒久的施設を有する非居住者に対する一般の場合の税額は次のように計算します。

(1) まず、課税総所得金額、課税山林所得金額又は課税退職所得金額を次の算式により計算します（所法89②）。

総所得金額 山林所得金額 退職所得金額	－所得控除の合計額＝	課税総所得金額 課税山林所得金額 課税退職所得金額

（注）1　所得控除は、まず総所得金額から差し引き、なお控除不足額があるときは、山林所得金額及び退職所得金額から順次差し引くことになっています（所法87②）。

2　課税所得金額に1,000円未満の端数の金額があれば、切り捨てることになっています（通則法118①）。

(2) 次に、課税総所得金額、課税山林所得金額又は課税退職所得金額にそれぞれ、次表の税率を適用して、それぞれの税額を計算します。

ただし、課税山林所得金額については、課税山林所得金額の５分の１相当額に次の表の税率を適用して算出される税額を５倍した税額（いわゆる５分５乗方式）とされます（所法89①）。

平成27年分以後の所得税の税率

課　税　所　得　金　額	税　率
195万円以下の金額	5％
195万円を超え330万円以下の金額	10
330万円を超え695万円以下の金額	20
695万円を超え900万円以下の金額	23
900万円を超え1,800万円以下の金額	33
1,800万円を超え4,000万円以下の金額	40
4,000万円を超える金額	45

(3) 実際に税額を計算する場合には、上記(2)の税率を各階級の課税所得金額に区分して適用することは相当複雑になりますので、下記の速算表をご利用ください。

平成27年分以後の所得税の速算表

課税総所得金額、調整所得金額又は課税退職所得金額		税率	控除額
から	まで		
千円 1	千円 1,949	％ 5	千円 ——
1,950	3,299	10	97.5
3,300	6,949	20	427.5
6,950	8,999	23	636
9,000	17,999	33	1,536
18,000	39,999	40	2,796
40,000	——	45	4,796

平成27年分以後の山林所得の所得税の速算表

課税山林所得金額		税率	控除額
から	まで		
千円 1	千円 9,749	％ 5	千円 ——
9,750	16,499	10	487.5
16,500	34,749	20	2,137.5
34,750	44,999	23	3,180
45,000	89,999	33	7,680
90,000	199,999	40	13,980
200,000	——	45	23,980

（注）　平成25年分から令和19年分までの各年分においては、上記により計算された所得税のほか復興特別所得税が課税されます。

復興特別所得税の計算は次によります。

基準所得税×2.1％＝復興特別所得税

権利金の授受と臨時所得の平均課税

【問14－2】　私が所有する土地にビルを建設するという条件で甲と賃貸借契約をしました。契約の内容は、契約期間が40年、借地権の対価としての権利金は500万円、地代年額240万円（必要経費25万円）となっています。

なお、その土地の時価は2,000万円と見積もられます。

このような場合、受け取った権利金は臨時所得として平均課税の適用を受けることにより一般に比べて有利な取扱いができると聞いていますが、私の場合もこれに該当するでしょうか。なお、私には他に所得はありません。

【答】　借地権の設定により受け取った対価については、資産の譲渡とみなされ譲渡所得等となる場合を除いて不動産所得となります（所法26、33①、所令79①②）。

また、臨時所得として平均課税の適用を受けられる所得とは、次に掲げるようなものとされています（所法２①二十四、所令８、措法28の４①、措令19②、措通28の４－52）。

(1) 職業野球の選手その他一定の人に専属して役務の提供をする人が、３年以上の期間、その人のために役務を提供し、又はそれ以外の人のために役務の提供をしないことを約することにより一時に受ける契約金で、その金額がその契約による役務の提供に対する報酬の年額の２倍に相当する金額以上であるものに係る所得

(2) 不動産、不動産の上に存する権利、船舶、航空機、採石権、鉱業権、漁業権又は工業所有権その他の技術に関する権利若しくは特別の技術による生産方式若しくはこれらに準ずるものを有する人が、３年以上の期間、他人にこれらの資産を使用させること（地上権、租鉱権その他その資産に係る権利を設定することを含みます。）を約することにより一時に受ける権利金、頭金その他の対価で、その金額がその契約によるこれ

らの資産の使用料の年額の２倍に相当する金額以上であるものに係る所得（譲渡所得又は分離課税の事業所得等に該当するものを除きます。）

(3) 一定の場所における業務の全部又は一部を休止し、転換し又は廃止することとなった人が、その休止、転換又は廃止によりその業務に係る３年以上の期間の不動産所得、事業所得又は雑所得の補償として受ける補償金に係る所得

(4) 業務の用に供する資産の全部又は一部につき鉱害その他の災害により被害を受けた人が、その被害を受けたことにより、その業務に係る３年以上の期間の不動産所得、事業所得又は雑所得の補償として受ける補償金に係る所得

(5) 次に掲げるもので、その金額の計算の基礎とされた期間が３年以上であるものに係る所得（基通２－37）

イ　不動産の貸付けに係る賃貸料で、その年中の総収入金額に全額が算入されるべきもの

ロ　不動産を使用させることにより、賃借人又は転借人（前借人を含みます。）から受ける名義書替料及び承諾料その他これらに類するもので、その賃貸人が受ける賃貸料の年額の２倍以上のもの

ハ　(2)に掲げる資産に係る損害賠償金その他これに類するもので不動産所得、事業所得又は雑所得に係る収入金額とされるもの

ニ　金銭債権の債務者から受ける債務不履行に基づく損害賠償金及び国税通則法第58条第１項又は地方税法第17条の４第１項に規定する還付加算金

ところで、御質問の場合、借地権の対価として受け取った権利金は、土地の時価の２分の１未満ですから譲渡所得には該当せず、不動産所得として課税されますが、契約期間が３年以上であり、かつ、地代年額の２倍以上ですので臨時所得に該当することになります。

次に、その臨時所得に平均課税の適用があるかどうかですが、これはその年分の変動所得（【問14-４】参照）の金額及び臨時所得の金額の合計額

（その年分の変動所得の金額が前年分及び前々年分の変動所得の金額の合計額の２分の１に相当する金額以下である場合には、その年分の臨時所得の金額）がその年分の総所得金額の20％以上であることが必要です。

したがって、御質問の場合、臨時所得の金額が総所得金額の20％以上となりますから平均課税の適用が受けられます。

｛5,000,000円＋（2,400,000円－250,000円）｝×20％＜5,000,000円

あなたの場合、平均課税を選択した場合の課税される総所得金額に係る所得税額は、次のとおりです（所法90①）。

なお、計算の便宜上、所得控除の総額を1,500,000円としましたので、課税総所得金額は、7,150,000円－1,500,000円＝5,650,000円となります。

① 課税総所得金額－(平均課税対象金額× $\frac{4}{5}$)＝調整所得金額

5,650,000円－5,000,000円× $\frac{4}{5}$ ＝1,650,000円

② 課税総所得金額－調整所得金額＝特別所得金額

5,650,000円－1,650,000円＝4,000,000円

③ 調整所得金額に対する税額――A

平成27年分以後の所得税の速算表（【問14-１】参照）より82,500円を求めます。

④ 調整所得金額に対する税額の割合（平均税率）

$\frac{82,500円}{1,650,000円}$ ＝0.05

⑤ 特別所得金額×平均税率＝特別所得金額に対する税額――B

4,000,000円×0.05＝200,000円

⑥ 課税総所得金額に対する税額

Ａ＋Ｂ＝82,500円＋200,000円＝282,500円

（参考）　平均課税をしない場合の課税総所得金額5,650,000円に対する税額は、5,650,000円×0.2－427,500円＝702,500円となります。

（注）１　「平均課税対象金額」とは、変動所得の金額（前年分又は前々年分に変動所得の金額がある場合には、その年分の変動所得の金額が前年分及び前々年分の変動所得の金額の合計額の２分の１に相当する金額を

超える場合のその超える部分の金額）と臨時所得の金額との合計額をいいます（所法90③）。

2　課税総所得金額が平均課税対象金額以下である場合には、その課税総所得金額の20％（５分の１）相当額が「調整所得金額」となります。

3　平均税率は、次の算式で求めます（所法90①②）。

$$\frac{\text{調整所得金額に対する税額}}{\text{調整所得金額}}=\text{平均税率（小数点以下３位以下切捨て）}$$

名義書換料又は承諾料の取扱い

【問14-３】　店舗の賃借人がその権利を他に売却した際に、家主がその賃借人から一定の名義書換料を受け取ることがあります。

この場合の名義書換料は、以後その建物を使用しない前の賃借人から受けるものなので、臨時所得に該当しないようですがいかがですか。

【答】　御質問のような名義書換料（又は承諾料）も、その転借人（権利の譲受人）の賃借期間が３年以上で、かつ、その契約に係る賃借料の年額の２倍以上の名義書換料であれば、臨時所得に該当することになっています。

本来、不動産の貸付けに伴う権利金等は、賃借する者が支払うのが通常ですが、御質問のように前の賃借人が立ち退く際に名義書換料として支払う金額も、前の賃借人が権利を転借人に譲渡して対価を受け取り、その対価の中から所得者に支払うものですから、転借人が直接所有者に名義書換料を払うのとその実質は変わらないことになります。

にもかかわらず、後者のみを臨時所得として扱い、前者つまり前の賃借人の支払う名義書換料等を臨時所得として扱わないのは不合理であるということになり、臨時所得に含まれることとされたものです。

なお、不動産の貸付けに伴い一時に受ける頭金、権利金、名義書換料、更新料、礼金等は、貸付期間に対応して収入金額を計上することは認められないので、全額がその年分の不動産所得の収入金額となります（所令８二、基通２－37⑵、昭48.11.6直所２－78）。

印税と変動所得の平均課税

【問14-４】 私は某大学の教授をしており、本年の所得は給与所得の金額700万円と著作権の使用料による所得が100万円、原稿の所得が80万円あります。このような場合、変動所得の平均課税を適用して確定申告をすることができますか。なお、著作権の使用料の所得と原稿の所得の合計は前年が150万円で前々年はありませんでした。

【答】 変動所得とは、次に掲げる所得となっています（所法２①二十三、所令７の２）。

(1) 漁獲又はのりの採取から生ずる所得

(2) はまち、まだい、ひらめ、かき、うなぎ、ほたて貝若しくは真珠（真珠貝を含む。）の養殖から生ずる所得

(3) 原稿又は作曲の報酬に係る所得

(4) 著作権の使用料に係る所得

上記(1)の漁獲には、こんぶ、わかめ、てんぐさ等の水産植物の採取又はこい等の水産動物の養殖は含まれません（基通２－30）。

また、「漁獲又はのりの採取から生ずる所得」及び「はまち、まだい、ひらめ、かき、うなぎ、ほたて貝若しくは真珠（真珠貝を含む。）の養殖から生ずる所得」とは、自己が捕獲、採取又は養殖をした水産動物又はのりをそのまま販売することにより生ずる所得をいいますが、自己が捕獲、採取又は養殖をした水産動物又はのりに切断、乾燥、冷凍、塩蔵等の簡易な加工を施して販売することにより生ずる所得も、これに含まれます（基通２－31）。

なお、「著作権の使用料に係る所得」には、著作権者以外の者が著作権者のために著作物の出版等による利用に関する代理若しくは媒介をし、又はその著作物を管理することにより受ける対価に係る所得は含まれないことになっています（基通２－32）。

したがって、御質問の場合の、著作権の使用料及び原稿の所得は変動所

得に該当します。そこで、変動所得について平均課税が適用されるのは、他に臨時所得がある場合を含めて次の条件に当てはまる場合に限ります。

① その年の変動所得の金額が前年分及び前々年分の変動所得の金額の合計額の２分の１を超える場合には、その年の変動所得及び臨時所得の金額の合計額が、総所得金額の20％以上であること

② その年の変動所得の金額が前年分及び前々年分の変動所得の金額の合計額の２分の１相当額以下である場合又は変動所得の金額がない場合には、その年の臨時所得の金額が総所得金額の20％以上であること

（注） 臨時所得については、【問14-２】を参照。

あなたの変動所得は、前記①の条件に該当しますから平均課税を適用することになります。

（注）１　平均課税の適用条件の計算

① 150万円（前年分の変動所得）× $\frac{1}{2}$ ＜180万円（本年の変動所得）

② 880万円（本年分の総所得金額）×20％＜180万円（本年の変動所得）

２　平均課税の計算については、【問14-２】を参照。

過年分において平均課税を選択していない場合の変動所得の金額

【問14-５】 本年は、弁護士業による事業所得のほか、まとまった原稿料収入がありますので、平均課税を適用したいと思っています。

ところで、昨年も一昨年も原稿料収入があり確定申告をしていますが平均課税の適用を受けていません。この場合本年の平均課税対象金額の計算上、前年分及び前々年分の変動所得の金額を零として計算して差し支えありませんか。

【答】 臨時所得、変動所得の平均課税による税額の計算は【問14-２】で述べたとおり、①課税総所得金額から平均課税対象金額の80％を控除した金額（平均課税対象金額が課税総所得金額より多い場合は、課税総所得金額の20％、以下「調整所得金額」といいます。）に税率を適用して計算し

た金額と、②課税総所得金額から調整所得金額を控除した金額に、①の平均税率を適用して計算した金額の合計額とされていますが、この平均課税対象金額とは、その年分の変動所得の金額から前年分及び前々年分の変動所得の金額の合計額の２分の１を控除した残額と、臨時所得の金額との合計額とされています（所法90③）。

ところで、変動所得の金額とは【問14-４】で述べたとおり、漁獲や原稿料等による所得とされ、平均課税の適用を受けたかどうかはその要件とされていません。

したがって、御質問のように前年分及び前々年分の変動所得について、平均課税の適用を受けていない場合においても、平均課税対象金額については、本年分の変動所得の金額から前年分及び前々年分の変動所得金額の合計額の２分の１を控除して計算する必要があります。

臨時所得の計算上控除する青色申告特別控除

【問14-６】　青色申告者ですが、今年は不動産所得のうちに臨時所得とされる権利金収入がありますので、臨時所得の平均課税の適用を受けることにしています。この場合、青色申告特別控除は臨時所得から控除しないで計算してもよいのですか。

【答】　青色申告者の不動産所得の金額は、青色申告特別控除後の金額とされますが、その不動産所得の金額には臨時所得に該当する権利金も当然含まれたところで計算されることになります（措法25の２）。

この場合、青色申告特別控除前の不動産所得を基として、次の区分によって臨時所得の金額を計算することになります。

(1)　青色申告特別控除額を控除する前の不動産所得の金額が、臨時所得の金額を超える場合

青色申告特別控除前の臨時所得の金額とそれ以外の不動産所得の金額の割合に応じて控除するものとされ、その不動産所得の金額の計算上控

除される青色申告特別控除額に、青色申告特別控除前の不動産所得の金額のうちに占める臨時所得の金額の割合を乗じて計算した金額を臨時所得の金額の計算上差し引いて平均課税を適用することになります（措通25の２－２）。

例えば、次のような場合、臨時所得は192万円となります。（青色申告特別控除が10万円の場合）

権利金収入200万円　　賃貸料収入100万円　　必要経費50万円

青色申告特別控除前の不動産所得の金額＝200万円＋100万円－50万円
＝250万円

臨時所得の金額＝200万円－（青色申告特別控除）10万円 × $\frac{200万円}{250万円}$ ＝192万円

(2)　青色申告特別控除額を控除する前の不動産所得の金額が、臨時所得の金額以下の場合

臨時所得の計算上、その不動産所得の金額から控除する青色申告特別控除額を差し引くことになります。

例えば、次のような場合は臨時所得の金額は92万円となります。（青色申告特別控除が10万円の場合）

権利金収入100万円　　賃貸料収入50万円　　必要経費142万円

青色申告特別控除前の不動産所得の金額＝100万円＋50万円－142万円
＝８万円

臨時所得の金額＝100万円－８万円＝92万円

第15章　税　額　控　除

第1節　配 当 控 除

配当控除の計算の基礎となる課税所得の範囲

【問15-1】　配当控除額を計算する場合に1,000万円を超える場合と以下の場合とで控除率が違っていますが、その基礎となる課税所得金額の範囲と、配当控除額の計算方法を説明してください。

【答】　配当控除は、法人の所得に対して課税される法人税が個人の株主の配当所得に対する所得税の前取りであるとする、いわゆる法人擬制説の立場にたって、法人と個人との二重課税による過重負担を調整する趣旨から設けられた税額控除の制度です。納税者は内国法人から受ける配当所得があるときは、一定の割合で計算した配当控除額を所得税額から控除することができます。

（注）　次の配当所得は配当控除の対象になりません。

（1）　外国法人から受ける利益の配当
（2）　基金利息
（3）　私募公社債等運用投資信託等の収益の分配による配当等
（4）　国外私募公社債等運用投資信託等の配当等
（5）　外国株価指数連動型特定株式投資信託の収益の分配による配当等
（6）　特定外貨建等証券投資信託の収益の分配による配当等
（7）　適格機関投資家私募による投資信託の収益の分配による配当等
（8）　特定目的信託の収益の分配による配当等
（9）　特定目的会社から受ける配当等
（10）　投資法人から受ける配当等
（11）　確定申告不要制度を選択したもの

(12)　上場株式等の配当等のうち申告分離課税の適用を受けるもの

配当控除額の計算に当たり、その計算の基礎となる課税所得金額には、課税総所得金額のほか、申告分離課税の上場株式等に係る課税配当所得等の金額、課税短期譲渡所得金額、課税長期譲渡所得金額、一般株式等に係る課税譲渡所得等の金額、上場株式等に係る課税譲渡所得等の金額及び先物取引に係る課税雑所得等の金額も含まれます（措法８の４③四、31③四、32④、37の10⑥六、37の11⑥、41の14②五）。

すなわち、配当控除額は、課税総所得金額、申告分離課税の上場株式等に係る課税配当所得、課税短期譲渡所得金額、課税長期譲渡所得金額、一般株式等に係る譲渡所得等の金額、上場株式等に係る課税譲渡所得等の金額及び先物取引に係る雑所得等の金額の合計額が1,000万円以下の場合は、剰余金の配当、利益の配当及び剰余金の分配（以下「利益の配当等」という。）に係る配当所得の金額の10％相当額と証券投資信託の収益の分配に係る配当所得の５％相当額の合計額を税額から差し引くことができます。

また、これらの金額の合計額が1,000万円を超える場合は、これらの金額のうち1,000万円を超える部分の配当所得の金額（この場合、証券投資信託の収益の分配に係る配当所得の金額、利益の配当等に係る配当所得の金額を順に上積みとして計算します。）の５％相当額（証券投資信託の収益の分配に係る配当所得の金額については2.5％）、それ以外の部分の配当所得の金額の10％相当額（証券投資信託の収益の分配に係る配当所得の金額については５％）の合計額を税額から控除することができます（所法92①、措法９）。

配当控除額の計算関係を図示すると、次のとおりです。

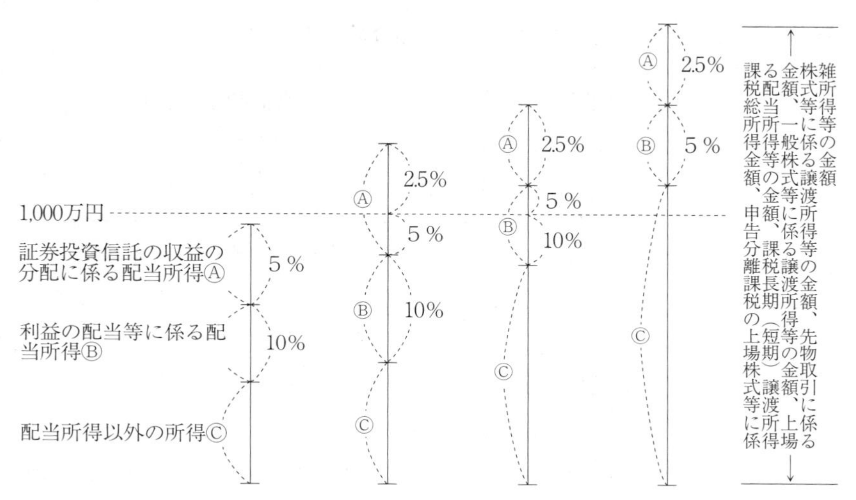

（注）1　課税総所得金額等の金額が1,000万円を超え、かつ、証券投資信託の収益の分配に係る配当所得のうちに一般外貨建等証券投資信託の収益の分配に係る配当所得がある場合に、総所得金額等の金額が、その上部から一般外貨建等証券投資信託の収益の分配に係る配当所得の金額、一般外貨建等証券投資信託以外の証券投資信託の収益の分配に係る配当所得の金額、剰余金の配当等に係る配当所得の金額、これらの配当所得以外の所得の金額の順に積み重ねられて構成されているものとし、一般外貨建等証券投資信託の収益の分配に係る配当所得に対する配当控除の率は、1,000万円以下の部分については、2.5％、1,000万円を超える部分については1.25％とされています（措法9④）。

2　平成28年1月1日以後、上場株式等の配当等の範囲に特定公社債等の利子等が追加されることに伴い、申告分離課税の上場株式等に係る配当所得等の金額は、その年中の上場株式等の配当等に係る利子所得の金額及び配当所得の金額の合計額とされます（措法8の4①）。

所得計算の上で配当所得がなくなった場合の配当控除

【問15-２】　配当所得の元本を取得するための負債利子を控除したところ配当所得がなくなった場合、又は損益通算をした結果、配当所得がなくなった場合でも配当控除はできますか。

【答】　配当控除額の計算の基礎となる配当所得の金額は、元本を取得するための負債の利子を控除した後の金額によって計算することになっています（所法92）。

したがって、負債の利子を控除したため配当所得の金額そのものが生じない場合については配当控除の適用はありません。

しかしながら、配当所得の金額が、他の事業所得の赤字などと損益通算をした場合や純損失又は雑損失の繰越控除をしたためになくなっても、総所得金額の計算の基礎となった配当所得の金額について計算された配当控除額は控除を受けることができます。

第２節　投資税額控除

事業所得に係る所得税の額の計算

【問15-３】　私は、青色申告書を提出する中小事業者に該当する個人事業者ですが、所定の特定機械装置を取得し、事業の用に供していますので、確定申告に当たって所得税額の特別控除を選択することとしました。

ところで、次のように不動産所得の金額の計算上損失があって損益通算が行われる場合、事業所得に係る所得税の額の計算はどのようにするのでしょうか。

事 業 所 得	400 万円	
不動産所得の損失	△200 万円	
雑　所　得	100 万円	
総　所　得	300 万円……	（税額20万円）

【答】　特定機械装置等を取得した場合の所得税額の特別控除の適用を受ける場合は、事業所得に係る所得税の額の100分の20相当額が、限度額となります（措法10の３③）。

この場合の事業所得に係る所得税の額の計算において、事業所得以外の各種所得に損失が生じて損益通算が行われるときは、黒字の金額だけであん分計算をすることとされています（措法10⑧四、措令５の３⑧）。

したがって、御質問の場合は、事業所得と雑所得だけで次のように計算すればよいこととなります。

$$20万円 \times \frac{400万円}{(400+100)万円} = 16万円 \left(\begin{array}{l}事業所得に係る\\所得税の額\end{array}\right)$$

$$16万円 \times \frac{20}{100} = 32{,}000円\ （税額控除限度額）$$

修正申告により税額が増加した場合

【問15-４】　私は、確定申告で中小事業者が機械等を取得した場合の所得税額の特別控除の適用を受けています。

ところが、その後の税務調査で申告漏れが分かり、修正申告をすることとなりました。

この場合、修正申告に係る所得税額を基に再計算した税額控除限度額によって税額控除ができるのでしょうか。

【答】　中小事業者が機械等を取得した場合の所得税額の特別控除の適用を受ける場合は、事業所得に係る所得税の額の100分の20相当額が、限度額とされ、その税額控除額は確定申告書、修正申告書又は更正の請求書に記載された特定機械装置等の取得価額を基礎として計算した金額に限ることとされています（措法10の３③、⑧）。

このことから、その後において、修正申告又は更正により所得税額が増加することにより税額控除限度額が異動した場合には、適正に計算された正当額まで当初申告時の控除額を増額することができます。

第３節　住宅借入金等特別控除

住宅借入金等特別控除制度の概要

【問15-５】 住宅借入金等特別控除制度とは、どのような内容でしょうか。

【答】 住宅借入金等特別控除とは、一定の要件に当てはまる住宅及びその住宅の敷地の用に供される土地等を取得等したり、一定の要件に当てはまる住宅の増改築等をして、引き続き居住の用に供している場合で、その取得又は増改築等のための借入金等を有するときは、入居した年以後一定の期間にわたり、各年分の所得税の額からその住宅借入金等の年末残高の合計額を基礎として計算した金額を、税額控除することができるというものです。

なお、認定長期優良住宅、認定低炭素住宅、ZEH水準省エネ住宅及び省エネ基準適合住宅（以下「認定住宅等」といいます。）の新築又は取得をした場合には、住宅借入金等の年末残高の限度額や控除率が割増しになる特例が設けられています（措法41～41の３の２、措令26～26の４、措規18の21～18の23の２の２）。

（注）１　認定長期優良住宅とは、長期優良住宅の普及の促進に関する法律（以下「長期優良住宅法」といいます。）第11条第１項に規定する認定長期優良住宅であることにつき一定の証明がされたものをいいます。

２　認定低炭素住宅とは、都市の低炭素化の促進に関する法律（以下「低炭素住宅法」といいます。）第２条第３項に規定する認定低炭素建物又は同法第16条の規定により低炭素建築物とみなされる同法第９条第１項に規定する特定建築物に該当する家屋であることにつき一定の証明がされたものをいいます。

３　ZEH水準省エネ住宅とは、上記１及び２に掲げる家屋以外の家屋で、エネルギーの使用の合理化に著しく資する住宅の用に供する家屋として国土交通大臣が財務大臣と協議して定める基準（評価方法基準のいわゆる断熱等性能等級５以上及びいわゆる一次エネルギー消費量等級

６以上）に適合するものであることにつき一定の証明がされたものをいいます（令和４年３月国土交通省告示第456号）。

4　省エネ基準適合住宅とは、上記１から３までに掲げる家屋以外の家屋で、エネルギーの使用の合理化に資する住宅の用に供する家屋として国土交通大臣が財務大臣と協議して定める基準（評価方法基準のいわゆる断熱等性能等級４以上及びいわゆる一次エネルギー消費量等級４以上）に適合するものであることにつき一定の証明がされたものをいいます（令和４年３月国土交通省告示第456号）。

(1)　控除期間及び控除率等

イ　一般の住宅借入金等特別控除

居住年	控除期間	住宅借入金等の 年末残高の限度額	控除率	各年の控除限度額
平成25年	10年間	2,000万円	1.0％	20万円

平成26年～令和７年12月

㋑　一般住宅（㋺以外の住宅）の場合

<table>
<tr><th>居住年</th><th>控除期間</th><th>借入限度額</th><th>控除率</th><th>各年の控除限度額</th></tr>
<tr><td>平成26年１月
～平成26年３月</td><td>10年</td><td>2,000万円</td><td>1.0％</td><td>20万円</td></tr>
<tr><td colspan="5">平成26年４月～令和元年９月30日</td></tr>
<tr><td>特定取得の場合</td><td rowspan="2">10年</td><td>4,000万円</td><td rowspan="2">1.0％</td><td>40万円</td></tr>
<tr><td>特定取得以外の場合</td><td>2,000万円</td><td>20万円</td></tr>
<tr><td colspan="5">令和元年10月１日～令和２年12月31日</td></tr>
<tr><td>特別特定取得の場合</td><td>13年</td><td>4,000万円</td><td rowspan="3">1.0％</td><td>【１～10年目】
40万円
【11～13年目】
次のいずれか少ない額
①年末残高等〔上限4,000万円〕×１％
②（住宅取得等対価の額－消費税額）〔上限4,000万円〕×２％÷３</td></tr>
<tr><td>特定取得の場合</td><td rowspan="2">10年</td><td>4,000万円</td><td>40万円</td></tr>
<tr><td>特定取得以外の場合</td><td>2,000万円</td><td>20万円</td></tr>
</table>

<table>
<tr><td colspan="5">令和３年１月１日～令和３年12月31日</td></tr>
<tr><td colspan="5">特別特定取得</td></tr>
<tr><td>特別特例取得又は特例特別特例取得の場合
契約期間
〈新築（注文住宅）〉
令和２年10月１日から令和３年９月30日まで
〈分譲住宅又は中古住宅の取得、増改築等〉
令和２年12月１日から令和３年11月30日まで</td><td rowspan="2">13年</td><td rowspan="2">4,000万円</td><td rowspan="4">1.0％</td><td rowspan="2">【１～10年目】
40万円
【11～13年目】
次のいずれか少ない額
①年末残高等〔上限4,000万円〕×１％
②（住宅取得等対価の額－消費税額）〔上限4,000万円〕×２％÷３</td></tr>
<tr><td>新型コロナウイルス感染症等の影響により、令和２年12月31日までに入居できなかった場合
契約期間
〈新築（注文住宅）〉
平成31年４月１日から令和２年９月30日まで
〈分譲住宅又は中古住宅の取得、増改築等〉
平成31年４月１日から令和２年11月30日まで</td></tr>
<tr><td>特定取得の場合</td><td rowspan="2">10年</td><td>4,000万円</td><td>40万円</td></tr>
<tr><td>特定取得以外の場合</td><td>2,000万円</td><td>20万円</td></tr>
</table>

<table>
<tr><td colspan="5">令和４年１月１日～令和５年12月31日</td></tr>
<tr><td>特別特例取得又は特例特別特例取得の場合
契約期間
〈新築（注文住宅）〉
令和２年10月１日から令和３年９月30日まで
〈分譲住宅又は中古住宅の取得、増改築等〉
令和２年12月１日から令和３年11月30日まで
入居日
令和４年１月１日から令和４年12月31日まで</td><td>13年</td><td>4,000万円</td><td>1.0％</td><td>【１～10年目】
40万円
【11～13年目】
次のいずれか少ない額
①年末残高等〔上限4,000万円〕×１％
②（住宅取得等対価の額－消費税額）〔上限4,000万円〕×２％÷３</td></tr>
<tr><td>新築等、買取再販住宅の取得</td><td>13年</td><td>3,000万円</td><td rowspan="3">0.7％</td><td>21万円</td></tr>
<tr><td>中古住宅の取得、増改築等</td><td rowspan="2">10年</td><td rowspan="2">2,000万円</td><td rowspan="2">14万円</td></tr>
<tr><td>令和６年１月１日～令和７年12月31日
※特定居住用家屋の新築等の場合には適用なし</td></tr>
</table>

ロ　認定長期優良住宅及び認定低炭素住宅の住宅借入金等特別控除

居住年	控除期間	住宅借入金等の年末残高の限度額	控除率	各年の控除限度額
平成25年	10年間	3,000万円	1.0％	30万円

平成26年～令和７年12月

㋺　認定住宅、ＺＥＨ水準省エネ住宅又は省エネ基準適合住宅の場合

<table>
<tr><td>居住年</td><td>控除期間</td><td>借入限度額</td><td>控除率</td><td>各年の控除限度額</td></tr>
<tr><td>平成26年１月
～平成26年３月</td><td>10年</td><td>3,000万円</td><td>1.0％</td><td>30万円</td></tr>
<tr><td colspan="5">平成26年４月～令和元年９月30日</td></tr>
<tr><td>特定取得の場合</td><td rowspan="2">10年</td><td>5,000万円</td><td rowspan="2">1.0％</td><td>50万円</td></tr>
<tr><td>特定取得以外の場合</td><td>3,000万円</td><td>30万円</td></tr>
</table>

<table>
<tr><td colspan="5">令和元年10月１日～令和２年12月31日</td></tr>
<tr><td>特別特定取得の場合</td><td>13年</td><td>5,000万円</td><td rowspan="3">1.0%</td><td>【１～10年目】
50万円
【11～13年目】
次のいずれか少ない額
①年末残高等〔上限5,000万円〕×１％
②（住宅取得等対価の額－消費税額）〔上限5,000万円〕×２％÷３</td></tr>
<tr><td>特定取得の場合</td><td rowspan="2">10年</td><td>5,000万円</td><td>50万円</td></tr>
<tr><td>特定取得以外の場合</td><td>3,000万円</td><td>30万円</td></tr>
<tr><td colspan="5">令和３年１月１日～令和３年12月31日</td></tr>
<tr><td colspan="5">特別特定取得</td></tr>
<tr><td>特別特例取得又は特例特別特例取得の場合
契約期間
〈新築（注文住宅）〉
令和２年10月１日から令和３年９月30日まで
〈分譲住宅又は中古住宅の取得、増改築等〉
令和２年12月１日から令和３年11月30日まで</td><td rowspan="2">13年</td><td rowspan="2">5,000万円</td><td rowspan="4">1.0%</td><td rowspan="2">【１～10年目】
50万円
【11～13年目】
次のいずれか少ない額
①年末残高等〔上限5,000万円〕×１％
②（住宅取得等対価の額－消費税額）〔上限5,000万円〕×２％÷３</td></tr>
<tr><td>新型コロナウイルス感染症等の影響により、令和２年12月31日までに入居できなかった場合
契約期間
〈新築（注文住宅）〉
平成31年４月１日から令和２年９月30日まで
〈分譲住宅又は中古住宅の取得、増改築等〉
平成31年４月１日から令和２年11月30日まで</td></tr>
<tr><td>特定取得の場合</td><td rowspan="2">10年</td><td>5,000万円</td><td>50万円</td></tr>
<tr><td>特定取得以外の場合</td><td>3,000万円</td><td>30万円</td></tr>
</table>

<table>
<tr><td colspan="6">令和４年１月１日～令和５年12月31日</td></tr>
<tr><td colspan="6">新築等・買取再販住宅の取得</td></tr>
<tr><td rowspan="2">認定住宅</td><td>特別特例取得又は特例特別特例取得の場合
契約期間
〈新築（注文住宅）〉
令和２年10月１日から令和３年９月30日まで
〈分譲住宅〉
令和２年12月１日から令和３年11月30日まで
入居日
令和４年１月１日から令和４年12月31日まで</td><td rowspan="4">13年</td><td rowspan="2">5,000万円</td><td>1.0%</td><td>【１～10年目】
50万円
【11～13年目】
次のいずれか少ない額
①年末残高等〔上限5,000万円〕×１％
②（住宅取得等対価の額－消費税額）〔上限5,000万円〕×２％÷３</td></tr>
<tr><td>特別特例取得又は特例特別特例取得以外の場合</td><td rowspan="3">0.7%</td><td>35万円</td></tr>
<tr><td colspan="2">ZEH水準
省エネ住宅</td><td>4,500万円</td><td>31.5万円</td></tr>
<tr><td colspan="2">省エネ基準
適合住宅</td><td>4,000万円</td><td>28万円</td></tr>
<tr><td colspan="6">中古住宅の取得</td></tr>
<tr><td colspan="2">特別特例取得又は特例特別特例取得の場合
契約期間
令和２年12月１日から令和３年11月30日まで
入居日
令和４年１月１日から令和４年12月31日まで</td><td>13年</td><td>5,000万円</td><td>1.0%</td><td>【１～10年目】
50万円
【11～13年目】
次のいずれか少ない額
①年末残高等〔上限5,000万円〕×１％
②（住宅取得等対価の額－消費税額）〔上限5,000万円〕×２％÷３</td></tr>
<tr><td colspan="2">特別特例取得又は特例特別特例取得以外の場合</td><td>10年</td><td>3,000万円</td><td>0.7%</td><td>21万円</td></tr>
</table>

<table>
<tr><td colspan="5">令和６年１月１日～令和７年12月31日</td></tr>
<tr><td colspan="5">新築等・買取再販住宅の取得</td></tr>
<tr><td>認定住宅</td><td rowspan="3">13年</td><td>4,500万円</td><td rowspan="4">0.7%</td><td>31.5万円</td></tr>
<tr><td>ZEH水準
省エネ住宅</td><td>3,500万円</td><td>24.5万円</td></tr>
<tr><td>省エネ基準
適合住宅</td><td rowspan="2">3,000万円</td><td rowspan="2">21万円</td></tr>
<tr><td>中古住宅の取得</td><td>10年</td></tr>
</table>

《適用関係》

認定長期優良住宅については、長期優良住宅法の施行日（平成21年６月４日）以後、認定低炭素住宅については、都市の低炭素化の促進に関する法律の施行の日（平成24年12月４日）以後、低炭素建築物とみなされる特定建築物に該当する家屋については、平成25年６月１日以後、居住の用に供した場合について適用されます。

また、ZEH水準省エネ住宅及び省エネ基準適合住宅については、令和４年１月１日以後に居住の用に供した場合について適用されます。

《用語の意義》

特定取得	住宅の取得等をした家屋の対価の額又は費用の額に含まれる消費税額等合計額（消費税及び地方消費税の合計額に相当する額をいいます。以下同じです。）の全額が、８％又は10%の税率により課されるべき消費税額等合計額である場合におけるその住宅の取得等をいいます（措法41⑤）。
特定取得以外	「特定取得以外の場合」における「特定取得以外」とは、住宅の取得等に係る消費税額等合計額のうちに、８％又は10%以外の税率により課された消費税額等合計額が含まれている場合が該当します。
特別特定取得	住宅の取得等をした家屋の対価の額又は費用の額に含まれる消費税額等合計額の全額が、10%の税率により課されるべき消費税額等である場合におけるその住宅の取得等をいいます（措法41⑯）。
特別特例取得	その住宅の取得等が「特別特定取得」に該当する場合で、当該住宅の取得等に係る契約が次の期間内に締結されているものをいいます（新型コロナ税特法６の２②、新型コロナ税特令４の２①）。 ・新築（注文住宅）の場合…令和２年10月１日から令和３年９月30日までの期間 ・分譲住宅、中古住宅の取得、増改築等の場合…令和２年12月１日から令和３年11月30日までの期間
特例特別特例取得	「特別特例取得」に該当する場合で、床面積が40㎡以上50㎡未満の住宅の取得等をいいます（新型コロナ税特法６の２④⑩、新型コロナ税特令４の２②⑭）。
住宅取得等対価の額	「住宅取得等対価の額」は、国又は地方公共団体から交付される補助金又は給付金その他これらに準ずるもの及び住宅取得等資金の贈与の額を控除せずに計算した金額をいいます。
新築等	「新築等・買取再販住宅の取得」における「新築等」とは、居住用家屋の新築又は居住用家屋で建築後使用されたことのないものをいいます（措法41①）。

買取再販住宅	「新築等・買取再販住宅の取得」における「買取再販住宅」とは、宅地建物取引業者が特定増改築等をした既存住宅を、その宅地建物取引業者の取得の日から２年以内に取得した場合の既存住宅（その取得の時点において、その既存住宅が新築された日から起算して10年を経過したものに限ります。）をいいます（措法41①）。
中古住宅	既存住宅のうち、買取再販住宅以外の既存住宅をいいます。 ・「既存住宅」とは、建築後使用されたことのある家屋で、次のいずれかに該当するものとして証明等がされたものをいいます（措令26③）。 ①　昭和57年１月１日以後に建築されたものであること ②　耐震基準に適合するものであること なお、入居年が令和３年以前である場合又は入居年が令和４年である場合かつ中古住宅の取得で特別特例取得又は特例特別特例取得に該当する場合は、耐震基準又は経過年数基準（耐火住宅25年、非耐火住宅20年）に適合するものに限ります（旧措法41①、新型コロナ税特法６の２①）。
認定住宅	認定長期優良住宅及び認定低炭素住宅をいいます。 ・「認定長期優良住宅」とは、長期優良住宅の普及の促進に関する法律に規定する認定長期優良住宅に該当するものとして証明がされたものをいいます（措法41⑩一）。 ・「認定低炭素住宅」とは、都市の低炭素化の促進に関する法律に規定する低炭素建築物に該当する家屋及び同法の規定により低炭素建築物とみなされる特定建築物に該当するものとして証明がされたものをいいます（措法41⑩二）
ZEH水準省エネ住宅（特定エネルギー消費性能向上住宅）	認定住宅以外の家屋でエネルギーの使用の合理化に著しく資する住宅の用に供する家屋（断熱等性能等級５以上及び一次エネルギー消費量等級６以上の家屋）に該当するものとして証明がされたものをいいます（措法41⑩三、措令26㉓）。
省エネ基準適合住宅（エネルギー消費性能向上住宅）	認定住宅及び特定エネルギー消費性能向上住宅以外の家屋で、エネルギーの使用の合理化に資する住宅の用に供する家屋（断熱等性能等級４以上及び一次エネルギー消費量等級４以上の家屋）に該当するものとして証明がされたものをいいます（措法41⑩四、措令26㉔）。
特定居住用家屋	認定住宅、ZEH水準省エネ住宅又は省エネ基準適合住宅のいずれにも該当しない家屋で、次のいずれにも該当しないものをいいます（措法41㉗）。 ・その家屋が令和５年12月31日以前に建築確認を受けているものであること ・その家屋が令和６年６月30日以前に建築されたものであること

ハ　特例対象個人に係る認定住宅、ZEH水準省エネ住宅又は省エネ基準適合住宅の住宅借入金等特別控除

住宅借入金等を有する場合の所得税額の特別控除について、次の措置が講じられました。

特例対象個人(注１)が、認定住宅等の新築若しくは認定住宅等で建築後使用されたことのないものの取得（以下「認定住宅等の新築等」といいます。）又は買取再販認定住宅等の取得(注２)をして令和６年１月１日から同年12月31日までの間に居住の用に供した場合の住宅借

入金等の年末残高の限度額（借入限度額）を次表のとおりとして所得税額の特別控除が適用できることとされました。

住宅の区分	借入限度額	
	特例対象個人	左記以外
認定住宅	5,000万円	4,500万円
ZEH水準省エネ住宅	4,500万円	3,500万円
省エネ基準適合住宅	4,000万円	3,000万円

（注１）「特例対象個人」とは、年齢40歳未満であって配偶者を有する者、年齢40歳以上であって年齢40歳未満の配偶者を有する者又は年齢19歳未満の扶養親族を有する者をいいます。

（注２）「買取再販認定住宅等の取得」とは、認定住宅等である既存住宅のうち宅地建物取引業者により一定の増改築等が行われたもののその宅地建物取引業者からの取得をいいます。

(2) 住宅借入金等特別控除の対象となる借入金又は債務

対象となる借入金又は債務は、住宅の取得等に要する資金並びにこれらの家屋とともに取得したその家屋の敷地（敷地の用に供される土地又はその土地の上に存する権利をいいます。）の取得のために借り入れた借入金又は債務で、契約において償還期間又は賦払期間が10年以上の割賦払の方法により支払うこととされているもの（利息に対応するものを除きます。）をいいます（措法41①、措令26⑧～⑲、措規18の21②～⑥）。

（注）次の(イ)から(ニ)に掲げる場合に該当するものは住宅借入金等特別控除の対象とはなりません（措法41㉓、措令26⑲㊱、措規18の21⑳㉑）。

(イ) 家屋の新築の日前に購入したその家屋の敷地の購入に係る借入金又は債務の年末残高のみがあり、その家屋の新築に係る借入金又は債務の年末残高がない場合

(ロ) 使用者又は事業主団体から、使用人である地位に基づいて貸付けを受けた借入金又は債務につき支払うべき利息がない場合又はその利息の利率が年0.2％（平成28年12月31日以前に居住の用に供する場合は１％）未満である場合

(ハ) 使用者又は事業主団体から、使用人である地位に基づいて借入金又は債務に係る利息に充てるために支払を受けた金額がその利息の額と同額である場合又はその利息の額から支払を受けた金額を控除した残

額を利息であると仮定して計算した利率が年0.2％（平成28年12月31日以前に居住の用に供する場合は１％）未満となる場合

(ニ)　使用者又は事業主団体から、使用人である地位に基づいて家屋又は敷地を時価の２分の１未満の価額で譲り受けた場合

(3)　適用除外

①　合計所得金額が2,000万円を超える年分（措法41①）

※１　特例特別特例取得の場合、特例居住用家屋又は特例認定住宅等の新築又は建築後使用されたことのないものの取得をした場合は「2,000万円」が「1,000万円」となります（措法41⑳㉑、新型コロナ税特法６の２④⑤）。

（注）　特例居住用家屋とは、床面積が40㎡以上50㎡未満で令和５年12月31日以前に建築基準法第６条第１項の規定による確認を受けた居住用家屋のことをいい、特例認定住宅等とは、特例居住用家屋に該当する家屋で認定長期優良住宅、認定低炭素住宅、ZEH水準省エネ住宅又は省エネ基準適合住宅のいずれかに該当するもののうち令和６年12月31日以前に建築基準法第６条第１項の規定による確認を受けたものをいい、令和４年１月１日以後に居住の用に供した場合に、住宅借入金等特別控除の適用対象となります。

２　居住用家屋等を「令和３年１月１日から令和４年12月31日までに」居住の用に供した場合又は住宅の取得等が特別特例取得に該当する場合には、「2,000万円」が「3,000万円」となります（新型コロナ税特法６の２①）。

②　取得等をした家屋に居住した年の前々年からその居住年の翌年以後３年以内（※）の間に、従前に居住していた住宅等を譲渡し、次のいずれかの規定の適用を受けている場合（措法41㉔㉕）。

※　令和２年３月31日以前に従前に居住していた住宅等を譲渡した場合は家屋に居住した年の翌年又は翌々年中にその譲渡が行われている場合に限ります。

㋑　居住用財産を譲渡した場合の長期譲渡所得の課税の特例（措法31

の３①）

㋺　居住用財産の譲渡所得の3,000万円特別控除（措法35①）

㋩　特定の居住用財産の買換え及び交換の場合の長期譲渡所得の課税の特例（措法36の２、36の５）

㊁　既成市街地等内にある土地等の中高層耐火建築物等の建設のための買換え及び交換の場合の譲渡所得の課税の特例（措法37の５）

③　居住用家屋等を居住の用に供した年分又はその翌年分の所得税について、認定長期優良住宅、認定低炭素住宅又はZEH水準省エネ住宅の新築等をした場合の所得税額の特別控除（措法41の19の４）の規定の適用を受けている場合（措法41㉖）

④　特定居住用家屋の新築又は建築後使用されたことのないものの取得をして、令和６年１月１日以後に居住の用に供した場合（措法41㉗）

(4)　住宅借入金等特別控除を受けるための手続等（措法41㊱、措規18の21⑧～⑩）

この住宅借入金等特別控除は、適用を受ける最初の年分は、確定申告書に、控除を受ける金額についての記載をするとともに、控除を受ける金額の計算明細書、住宅取得資金に係る借入金の年末残高等証明書及び新築住宅若しくは中古住宅又は増改築等についてその取得年月日や床面積、対価の額等を明らかにする書類その他一定の書類を提出しなければなりません。

給与所得者の場合は、その控除２年目からは、原則として年末調整の際に控除を受けることになります。

※　住宅取得資金に係る借入金の年末残高等証明書については、令和４年度の税制改正において、これまでの年末残高証明書を用いる「証明書方式」から住宅ローン債権者である金融機関等が税務署に「住宅取得資金に係る借入金等の年末残高等調書」を提出し、国税当局から納税者に住宅ローンの「年末残高情報」を提供する「調書方式」とする改正が行われています。

この改正は、法令上、居住年が令和５年１月１日以後である者が、令和６年１月１日以後に行う確定申告等について適用されますが、金融機関等におけるシステム改修等の対応の必要性から経過措置が設けられており、実務上は、この経過措置を全ての金融機関に適用するものと取り扱うこととし、令和６年１月１日以降に居住を開始した者について、対応が完了した金融機関等から、順次、調書方式に移行することとなっています。

そのため、令和６年１月以降に住宅に居住された方であっても、住宅ローンの債権者である金融機関等が、まだ調書方式に移行していない場合には、従来どおり、金融機関等から年末残高証明書の交付を受け、確定申告書に添付することになります。

住宅借入金等特別控除の控除額の特例

【問15-６】 平成19年改正で税源移譲実施の対応として創設された住宅借入金等特別控除の控除額の特例について、その概要を教えてください。

【答】 平成18年改正では、個人所得課税について、国・地方の三位一体改革の一環として、所得税から個人住民税への恒久措置として、３兆円規模の税源移譲が実施されました。

この税源移譲の実施に伴い、平成19年分以後の所得税（国税）の額が減少し、住宅借入金等特別控除の控除額が控除しきれなくなる場合があると考えられます。そのための対応として、従来の住宅借入金等特別控除の効果を確保する観点から、平成19年１月１日から平成20年12月31日までの間に住宅を居住の用に供した場合について、従来の住宅借入金等特別控除の控除額の特例が創設されました（措法41⑥）。

この特例は、通常の住宅借入金等特別控除（控除期間10年）との選択（控除期間15年）により適用することができます（（注）１）。

控除期間、住宅借入金等の年末残高の限度額、各年の控除率については、次の表のとおりです。

平成19年居住分

（住宅借入金等の年末残高の限度額 2,500万円）

区分 ＼ 項目		適用年 1～6年目	7～10年目	11～15年目	最高控除額計
現行特別控除	各年の控除率	1.0%	0.5%	－	200万円
	各年の最高控除額	25万円	12.5万円	－	
税源移譲対応特例	各年の控除率	0.6%		0.4%	200万円
	各年の最高控除額	15万円		10万円	

平成20年居住分

（住宅借入金等の年末残高の限度額 2,000万円）

区分 ＼ 項目		適用年 1～6年目	7～10年目	11～15年目	最高控除額計
特別控除	各年の控除率	1.0%	0.5%	－	160万円
	各年の最高控除額	20万円	10万円	－	
税源移譲対応特例	各年の控除率	0.6%		0.4%	160万円
	各年の最高控除額	12万円		8万円	

なお、この特例はあくまでも住宅借入金等特別控除の特例ですので、控除額の計算等を除けば、控除を受けるための要件、手続等は通常の住宅借入金等特別控除と同様の取扱いとなります（【問15-5～9】参照）。

（注）1　この特例の選択は、居住年の確定申告時における納税者の自由な選択に委ねられています。したがって、一度選択した控除期間及び控除率は、その翌年以後に変更することはできませんのでご留意ください。

2　この特例は、平成19年1月1日から平成20年12月31日までの間に住宅を自己の居住の用に供した場合の措置ですが、平成21年から令和7年までの間に自己の居住の用に供した場合については、住民税の所得割から一定額を控除する住民税の住宅借入金等特別控除制度が設けられています。

住宅借入金等特別控除を受けるための手続

【問15-7】 住宅借入金等特別控除の適用を受けたいと思いますが、確定申告書に添付しなければならない書類について説明してください。

【答】 住宅借入金等特別控除の適用を受けるためには、確定申告書に、控除を受ける金額についての記載をするとともに、控除を受ける金額の計算明細書、住宅取得資金に係る借入金の年末残高等証明書及び新築住宅若しくは中古住宅又は増改築等についてその取得年月日や床面積、対価の額等を明らかにする書類その他一定の書類を添付しなければならないこととされています（措法41、措令26、措規18の21）。

イ　共通して必要となる書類

㋑　（特定増改築等）住宅借入金等特別控除額の計算明細書

㋺　金融機関等から交付を受けた「住宅取得資金に係る借入金の年末残高等証明書」（２か所以上から交付を受けている場合は、そのすべての証明書）

（注）１　特定債権者に譲渡された住宅借入金等の場合には、実際にその住宅借入金等に係る債権の管理及び回収の業務を行っている当初借入先がその申請を受けて、住宅借入金等に係る年末残高等証明書の交付を行います。

２　令和５年１月１日以後に居住用家屋等を居住の用に供した場合には、原則として住宅借入金等に係る年末残高等証明書の添付は不要です。

ロ　家屋の新築又は新築家屋の購入に係る住宅借入金等のみについてこの控除を受ける場合

㋑　家屋の登記事項証明書、請負契約書、売買契約書などで、家屋の新築年月日又は購入年月日、家屋の新築工事の請負代金又は購入の対価の額及び家屋の床面積を明らかにする書類又はその写し

（注）１　家屋の取得等が特定取得、特別特定取得、特別特例取得又は特例特別特例取得に該当する場合は、その該当する事実を明らかにする書類が必要です。

２　適用申請書を提出した個人は、その旨を計算明細書に記載することにより、請負契約書等の写しの確定申告書への添付に代えることができます。

㋺　補助金等の額を証する書類や住宅取得等資金の額を証する書類の写し（平成23年６月30日以後に契約した家屋の取得等について適用を受ける場合）

㋩　令和６年又は令和７年に居住の用に供した場合には、次の区分に応じてそれぞれに掲げる書類

(ｲ)　特例居住用家屋に該当する場合は、建築基準法に規定する確認済証の写し又は検査済証の写し（令和５年12月31日以前に建築確認を受けたことを証するものに限ります）

(ﾛ)　上記（ｲ）以外の住宅の場合は、次に掲げるいずれかの書類

ⅰ　建築基準法に規定する確認済証の写し又は検査済証の写し（令和５年12月31日以前に建築確認を受けたことを証するものに限ります）

ⅱ　家屋の登記事項証明書（その家屋が令和６年６月30日以前に建築されたことを証するものに限ります）

※　特例居住用家屋とは、床面積が40㎡以上50㎡未満で令和５年12月31日以前に建築基準法第６条第１項の規定による建築確認を受けた居住用家屋をいいます。

ハ　家屋の新築又は新築家屋の購入及びその家屋とともに購入したその家屋の敷地の購入に係る住宅借入金等についてこの控除を受ける場合

㋑　ロに掲げる書類

㋺　敷地の登記事項証明書、売買契約書、敷地の分譲に係る契約書などで、敷地の購入年月日及び敷地の購入の対価の額を明らかにする書類又はその写し

㋩　敷地の購入に係る住宅借入金等が次の(ｲ)から(ﾊ)までのいずれかに該当するときには、それぞれに掲げる書類

(イ) 家屋の新築の日前２年以内に購入したその家屋の敷地の購入に係る住宅借入金等であるとき……次のⅰ又はⅱの別に応じて、それぞれに掲げる書類

ⅰ　金融機関、地方公共団体又は貸金業者から借り入れた借入金……家屋の登記事項証明書などで、家屋に抵当権が設定されていることを明らかにする書類（ロの書類により明らかにされている場合には不要）

ⅱ　上記ⅰ以外のもの……家屋の登記事項証明書などで、家屋に抵当権が設定されていることを明らかにする書類（ロの書類により明らかにされている場合には不要）又は貸付け若しくは譲渡の条件に従って一定期間内に家屋が建築されたことをその貸付けをした者若しくはその譲渡の対価に係る債権を有する者が確認した旨を証する書類

(ロ) 家屋の新築の日前に３か月以内の建築条件付きで購入したその家屋の敷地の購入に係る住宅借入金等であるとき……敷地の分譲に係る契約書の写しなどで、契約において３か月以内の建築条件が定められていることなどを明らかにする書類（ロの書類により明らかにされている場合は不要）

(ハ) 家屋の新築の日前に一定期間内の建築条件付きで購入したその家屋の敷地の購入に係る住宅借入金等であるとき……敷地の分譲に係る契約書の写しなどで、契約において一定期間内の建築条件が定められていることなどを明らかにする書類（ロの書類により明らかにされている場合は不要）

㊁　令和６年又は令和７年に居住の用に供した場合には、次の区分に応じたそれぞれの書類

(イ) 特例居住用家屋に該当する場合は、建築基準法に規定する確認済証の写し又は検査済証の写し（令和５年12月31日以前に建築確認を受けたことを証するものに限ります）

(ロ) 上記（イ）以外の住宅の場合は、次に掲げるいずれかの書類

i　建築基準法に規定する確認済証の写し又は検査済証の写し（令和５年12月31日以前に建築確認を受けたことを証するものに限ります）

ii　家屋の登記事項証明書（その家屋が令和６年６月30日以前に建築されたことを証するものに限ります）

ニ　認定住宅等（認定長期優良住宅、認定低炭素住宅、ZEH水準省エネ住宅及び省エネ基準適合住宅をいいます。）の新築等に係る住宅借入金等特別控除の特例を適用する場合

ロ又はハに該当する場合の書類に加え、次の区分に応じたそれぞれの書類

(一)　認定長期優良住宅について認定住宅等の新築等に係る住宅借入金等特別控除の特例を適用する場合

㋑　長期優良住宅建築等計画の認定通知書（計画の変更の認定を受けた場合は、変更認定通知書）の写し（認定計画実施者の地位の承継があった場合には、認定通知書及び地位の承継の承認通知書の写し）

※　長期優良住宅建築等計画の認定通知書の区分が既存である場合は、その認定通知書の写しのみが必要です（㋺は不要です）。

㋺　住宅用家屋証明書若しくはその写し又は認定長期優良住宅建築証明書

(二)　認定低炭素住宅のうち低炭素建築物について認定住宅等の新築等に係る住宅借入金等特別控除の特例を適用する場合

㋑　低炭素建築物新築等計画の認定通知書（計画の変更の認定を受けた場合は、変更認定通知書）の写し

（認定計画実施者の地位の承継があった場合には、認定通知書及び地位の承継の承認通知書の写し）

㋺　住宅用家屋証明書若しくはその写し又は認定低炭素住宅建築証明書

(三)　認定低炭素住宅のうち低炭素建築物とみなされる特定建築物につい

て認定住宅等の新築等に係る住宅借入金等特別控除の特例を適用する場合

特定建築物用の住宅用家屋証明書

(四)　ZEH水準省エネ住宅又は省エネ基準適合住宅について認定住宅等の新築等に係る住宅借入金等特別控除の特例を適用する場合

建築士等が発行した住宅省エネルギー性能証明書又は建設住宅性能評価書の写し

※　建築士等とは、一級建築士、二級建築士、木造建築士、指定確認検査機関、登録住宅性能評価機関又は住宅瑕疵担保責任保険法人をいいます。

ホ　中古住宅の購入に係る住宅借入金等のみについてこの控除を受ける場合（令和４年１月１日以後に居住の用に供する場合）

㋑　家屋の登記事項証明書

㋺　売買契約書などで、家屋の購入年月日及び家屋の購入の対価の額を明らかにする書類又はその写し

（注）　住宅借入金等のうち中古家屋と一括して購入したその家屋の敷地の購入に係る部分についてもこの控除を受ける場合には、敷地の購入年月日及び敷地の購入の対価の額を明らかにする書類又はその写しも必要です。

また、家屋の取得等が特定取得、特別特定取得、特別特例取得又は特例特別特例取得に該当する場合は、その該当する事実を明らかにする書類が必要です。

㋩　補助金等の額を証する書類や住宅取得等資金の額を証する書類の写し（平成23年６月30日以後に契約した家屋の取得等について適用を受ける場合）

㋥　その住宅借入金等が債務の承継に関する契約に基づく債務であるときは、その債務の承継に関する契約に係る契約書の写し

㋭　次の区分に応じたそれぞれの書類

(ｲ)　昭和57年１月１日以後に建築されたものである場合

登記事項証明書

(ロ) 昭和56年12月31日以前に建築されたものである場合

i　耐震基準を満たす既存住宅の場合は次のいずれかの書類

a　耐震基準適合証明書（その家屋の取得の日前２年以内にその証明のための家屋の調査が終了したものに限ります。）

b　建設住宅性能評価書の写し（その家屋の取得の日前２年以内に評価されたもので、耐震等級に係る評価が等級１、等級２又は等級３であるものに限ります。）

c　既存住宅売買瑕疵担保責任保険の保険付保証明書（住宅瑕疵担保責任法人が引受けを行う一定の保険契約であって、その家屋の取得の日前２年以内に締結したものに限ります。）

ii　要耐震改修住宅の場合

a　耐震改修に係る工事請負契約書の写し

b　への㋭及び㋬

へ　要耐震改修住宅の購入に係る住宅借入金等のみについてこの控除を受ける場合

㋑　家屋の登記事項証明書

㋺　売買契約書などで、家屋の購入年月日及び家屋の購入の対価の額を明らかにする書類又はその写し

（注）住宅借入金等のうち要耐震改修住宅と一括して購入したその家屋の敷地の購入に係る部分についてもこの控除を受ける場合には、敷地の購入年月日及び敷地の購入の対価の額を明らかにする書類又はその写しも必要です。

また、家屋の取得等が特定取得、特別特定取得、特別特例取得又は特例特別特例取得に該当する場合は、その該当する事実を明らかにする書類が必要です。

㋩　補助金等の額を証する書類や住宅取得等資金の額を証する書類の写し

㊁　耐震改修工事の請負契約書

㋭　要耐震改修住宅の取得の日までに耐震改修を行うことにつき一定の申請をしたことを証する次のいずれかの書類の写し

ⅰ　建築物の耐震改修計画の認定申請書

ⅱ　耐震基準適合証明申請書

ⅲ　建設住宅性能評価申請書

ⅳ　既存住宅売買瑕疵担保責任保険契約の申込書

㋬　入居前に耐震改修工事が完了したことを証する次のいずれかの書類

ⅰ　（㋭のⅰ又はⅱを提出する場合）耐震基準適合証明書

ⅱ　（㋭のⅲを提出する場合）建築住宅性能評価書の写し（耐震等級に係る評価が等級１、等級２又は等級３であるものに限ります。）

ⅲ　（㋭のⅳを提出する場合）既存住宅売買瑕疵担保責任保険契約が締結されていることを証する書類

ト　買取再販住宅の購入に係る住宅借入金等についてこの控除を受ける場合

ロ（㋩(イ)は除きます。）又はハ（㋥(イ)は除きます。）の書類に加え、次の書類

㋑　ホの㋭の書類

㋺　その住宅借入金等が債務の承継に関する契約に基づく債務であるときは、その債務の承継に関する契約に係る契約書の写し

㋩　増改築等工事証明書

※　一定の工事に該当する場合は、増改築等工事証明書に加え、既存住宅売買瑕疵担保責任保険の保険付保証明書が必要です。

（注）　買取再販認定住宅等の場合には、併せてニの書類も必要です。

チ　増改築等をした部分に係る住宅借入金等についてこの控除を受ける場合

㋑　家屋の登記事項証明書

㋺　請負契約書などで、増改築等をした年月日及び増改築等に要した費用の額を明らかにする書類又はその写し

㈧　補助金等の額を証する書類や住宅取得等資金の額を証する書類の写し

㈡　増築、改築、大規模の修繕及び大規模の模様替の工事に係る「建築確認済証」の写し若しくは「検査済証」の写し又は建築士、指定確認検査機関若しくは登録住宅性能評価機関から交付を受けた「増改築等工事証明書」（増築、改築、大規模修繕、大規模な模様替の工事以外の修繕改修工事については「増改築等工事証明書」に限ります。）

※　令和３年７月１日以後、登記事項証明書については、「（特定増改築等）住宅借入金等特別控除額の計算明細書」に「不動産番号の記載」又は登記事項証明書の写しの添付に代えることができます。

※　家屋の増改築等が特定取得、特別特定取得、特別特例取得又は特例特別特例取得に該当する場合にはその該当する事実を明らかにする書類

（注）　新型コロナウイルス感染症緊急経済対策における税制上の措置（次の①～③）により、住宅借入金等特別控除の適用を受ける方は、これらの書類に加え、それぞれ受ける措置に応じた書類を確定申告書に添付する必要があります（新型コロナ税特令４、新型コロナ税特規４）。

①　控除期間13年間の特例措置の適用を受ける場合

・入居時期に関する申告書兼証明書（控除期間13年間の特例措置用）

②　中古住宅の取得後に増改築等を行った場合

・入居時期に関する申告書兼証明書（既存住宅の取得後増改築等を行った場合用）

③　要耐震改修住宅の取得後に耐震改修を行った場合

・入居時期に関する申告書兼証明書（要耐震改修住宅の取得後耐震改修を行った場合用）

なお、適用要件等について、①については【問15-５】、②については【問15-24】を、③については次の〔参考〕を参照してください。

〔参考：要耐震改修住宅の取得後に耐震改修を行った場合について〕

新型コロナウイルス感染症等の影響により、要耐震改修住宅への入居が控除の適用要件である入居期限要件（取得の日から６か月以内）を満たさないこととなった場合でも、次の要件を満たすときは、その

適用を受けることができます（新型コロナ税特法６、新型コロナ税特令４）。

・一定の期日（※）までに、耐震改修の契約を締結していること

・耐震改修の終了後６か月以内に、要耐震改修住宅に入居していること

・令和３年12月31日までに要耐震改修住宅に入居していること

※　要耐震改修住宅の取得をした日から５か月を経過する日又は新型コロナ税特法の施行の日（令和２年４月30日）から２か月を経過する日のいずれか遅い日。

リ　子育て世帯等に対する住宅ローン税額控除の特例を受ける場合

ニ又はトを適用する場合について、子育て世帯等への特例を受ける場合の借入限度額の上乗せについては、ニ又はトの書類に加え、次の書類

㋑　住宅ローン税額控除の適用を受けようとする者は、確定申告書に控除を受ける金額の計算に関する明細書を添付しなければならないこととされています。

そのほかに、次の区分に応じ次に定める事項をその明細書に記載しなければならないこととされています（措法18の21⑦）。

①　その者が年齢40歳未満であって配偶者を有する特例対象個人である場合又はその者が年齢40歳以上であって年齢40歳未満の配偶者を有する特例対象個人である場合これらの配偶者の氏名、生年月日及び個人番号（個人番号を有しない者にあっては、氏名及び生年月日）並びにその配偶者が非居住者である場合には、その旨。

②　その者が年齢19歳未満の扶養親族を有する特例対象個人である場合

その対象扶養親族の氏名、生年月日、その特例対象個人との続柄及び個人番号（個人番号を有しない者にあっては、氏名、生年月日及びその特例対象個人との続柄）並びにその扶養親族が非居住者である場合には、その旨。

③　配偶者及び扶養親族の全てが令和６年12月31日の現況において非

居住者である場合（その者の令和６年分の年末調整において非居住者である配偶者若しくは扶養親族に係る配偶者控除、扶養控除の適用を受けている場合又は給与等若しくは公的年金等に係る源泉徴収票において非居住者である配偶者について親族である旨を証するものを提出等している場合を除きます。）

・次のいずれかの書類であって、配偶者又は扶養親族がその者の親族である旨を証するもの（その書類が外国語で作成されている場合には、その翻訳文を含みます。）

イ　戸籍の附票の写しその他の国又は地方公共団体が発行した書類及び旅券の写し

ロ　外国政府又は外国の地方公共団体が発行した書類（その配偶者又はその扶養親族の氏名、生年月日及び住所又は居所の記載があるものに限ります。）

・次のいずれかの書類であって、その者が令和６年においてその扶養親族の生活費又は教育費に充てるための支払いを必要の都度、その扶養親族に行ったことをあきらかにするもの（その書類が外国語で作成されている場合には、その翻訳文を含みます。）

イ　金融機関の書類又はその写しで、その金融機関が行う為替取引によって、居住者からその扶養親族に支払いをしたことを明らかにするもの

ロ　クレジットカード等購入あっせん業者の書類又はその写しで、クレジットカード等をその扶養親族が提示し又は通知して、特定の販売業者から商品若しくは権利を購入し、又は特定の役務提供事業者から有償で役務の提供を受けたことにより支払うこととなるその商品若しくは権利の代金又はその役務の対価に相当する額の金銭をその者から受領し、又は受領することとなることを明らかにするもの

ハ　資金決済に関する法律に規定する電子決済手段等取引業者（同

法の規定により電子決済手段等取引業者とみなされる者を含みます。）の書類又はその写しでその電子決済手段等取引業者がその者の依頼に基づいて行う電子決済手段の移転によってその者からその扶養親族に支払いをしたことを明らかにするもの

２年目以後の年分に係る添付書類

【問15-８】 私は、令和５年６月に住宅を取得し、住宅借入金等特別控除の適用を受けました。住宅借入金等特別控除は、10年間適用を受けられると聞きましたが２年目以後の手続は、どのように行えばよいのでしょうか。

【答】 住宅借入金等特別控除は10年間又は13年間適用を受けることができますが、２年目以後は、手続が簡略化され、確定申告又は年末調整の手続において次の書類を添付することで適用を受けることができます（措規18の21⑩、18の23③）。

⑴　確定申告書を提出して住宅借入金等特別控除を受ける場合

イ　住宅取得資金に係る借入金の年末残高等証明書

ロ　（特定増改築等）住宅借入金等特別控除額の計算明細書

⑵　給与所得者が年末調整によって住宅借入金等特別控除を受ける場合

確定申告をしてこの控除の適用を受けた給与所得者は、その確定申告をした年の翌年以後の各年分の所得税について、年末調整によってこの控除を適用することができます（措法41の２の２①）。

年末調整によってこの控除を適用しようとする場合は、次の書類を年末調整を受けるときまでに給与の支払者に提出する必要があります。

イ　給与所得者の（特定増改築等）住宅借入金等特別控除申告書及び年末調整のための（特定増改築等）住宅借入金等特別控除証明書

（注）　確定申告をしてこの控除を受けた場合、翌年以後の年分の「給与所得者の（特定増改築等）住宅借入金等特別控除申告書」及び確定申告によ

って住宅借入金等特別控除を受けた年の翌年分の「年末調整のための（特定増改築等）住宅借入金等特別控除証明書」が税務署から送付されます。なお、「（特定増改築等）住宅借入金等特別控除額の計算明細書」の「10　控除証明書の交付を要しない場合」欄を「要しない」とすることで、送付を受けないことも選択できます。

ロ　住宅取得資金に係る借入金の年末残高等証明書

※　令和５年１月１日以後に居住用家屋等を居住の用に供した場合には、原則として住宅取得資金に係る年末残高等証明書の添付は不要です。

住宅借入金等特別控除の対象となる家屋の新築、購入及び増改築等

【問15－９】　住宅借入金等特別控除の対象となる家屋の新築、購入及び増改築等とは、どのようなものをいうのでしょうか。

【答】　住宅借入金等特別控除の対象となる家屋の新築、購入及び増改築等とは、次の(1)から(4)までの区分に応じ、それぞれに掲げる要件を満たす家屋をいいます。なお、自己が所有し、かつ、自己の居住の用に供するもの（平成20年以前の増改築等については、自己が所有し、かつ、自己の居住の用に供している家屋が対象となります。）に限られ、自己の居住の用に供する家屋を２以上有している場合には、主として自己の居住の用に供する一の家屋に限られます（措法41①⑩⑳㉑㉒㉗㉟、措令26①③⑤⑳㉑㉒㉓㉔㉚㉜㉝㉞㉟㊲㊳、措規18の21①⑬⑭⑮⑯⑰⑱⑲㉗㉘㉙）。

(1)　家屋の新築及び購入

イ　床面積が50㎡以上であること

※　特例特別特例取得の場合、特例居住用家屋又は特例認定住宅等の場合の要件は、床面積が40㎡以上50㎡未満となります。

（注）　「特例居住用家屋」及び「特例認定住宅」については、【問15－５】を参照。

ロ　床面積の２分の１以上が専ら居住の用に供されるものであること

ハ　認定住宅等（認定長期優良住宅、認定低炭素住宅、ZEH水準省エ

ネ住宅及び省エネ基準適合住宅をいいます。）に係る特例の適用を受ける場合は認定住宅等であると証明されたものであること

※　令和６年又は令和７年に居住の用に供する場合には、特定居住用家屋については、住宅借入金等特別控除の適用対象となりません。

（注）特定居住用家屋については、【問15-５】を参照。

⑵ 買取再販住宅の購入

イ　床面積が⑴のイ及びロの要件を満たすものであること

ロ　宅地建物取引業者が既存住宅を取得し、一定の要件を満たす特定増改築等に係る工事を行った後の既存住宅について、宅地建物取引業者の取得の日から２年以内に取得していること

ハ　建築後使用されたことのある家屋で次のいずれかに該当すること

①　昭和57年１月１日以後に建築されたものであること

②　①以外の場合は、次のいずれかに該当すること

(ｲ)　取得の日前２年以内に、地震に対する安全上必要な構造方法に関する技術的基準に適合するものであると証明されたもの（耐震住宅）であること

(ﾛ)　要耐震改修住宅のうち、その取得の日までに耐震改修を行うことについて申請をし、かつ、居住の用に供した日までにその耐震改修により家屋が耐震基準に適合することにつき証明がされたものであること

⑶ 中古住宅の購入

イ　床面積が⑴のイ及びロの要件を満たすものであること

ロ　令和４年１月１日以後に居住の用に供した場合は、⑵のハの要件を満たすものであること

なお、令和３年12月31日までに居住の用に供した場合又は、令和４年１月１日以後に居住の用に供した場合で特別特例取得又は特例特別特例取得に該当する場合、耐火建築物については、その取得の日以前25年以内（耐火建築物以外の建築物については、その取得の日以前20

年以内）に建築されたものであること

（注）「耐火建築物」については、【問15-20】を参照。

(4) 要耐震改修住宅の購入

イ　床面積が(1)のイ及びロの要件を満たすものであること

ロ　建築後使用されたものであること（(2)に該当するもの以外のもの）

※　平成26年4月1日以後に上記イ及びロの要件を満たす住宅（要耐震改修住宅）を取得した場合において、その要耐震改修住宅の取得の日までに、その住宅の耐震改修を行うことにつき一定の申請をし、かつ、その要耐震改修住宅についてその居住の用に供する日までに耐震改修を行い、耐震基準に適合することとなったことにつき一定の証明がされたときは、その要耐震改修住宅を既存住宅とみなして、住宅借入金等特別控除の適用を受けることができることとされました。

(5) 増改築等工事

イ　その工事に要した費用の額が100万円を超えること

ロ　その工事に係る部分のうちに自己の居住の用以外の用に供する部分がある場合には、自己の居住の用に供する部分に係る工事に要した費用の額がその工事に要した費用の額の総額の2分の1以上であること

ハ　その工事をした後の家屋の床面積が50㎡以上であること

※　特例特別特例取得の場合の要件は、床面積が40㎡以上50㎡未満となります。

ニ　その工事をした後の家屋の床面積の2分の1以上が専ら居住の用に供されるものであること

ホ　次に掲げる増改築等であること

①　増築、改築、建築基準法に規定する大規模な修繕及び模様替の工事

②　マンションなどの区分所有する部分の床、階段又は壁などの過半部分について行う修繕又は模様替の工事

③　居室、調理室、浴室、便所等の一室の床又は壁の全部について行

う修繕又は模様替の工事

④　地震に対する安全性に係る基準に適合させるための修繕又は模様替の工事

⑤　高齢者等が自立した日常生活を営むのに必要な構造及び設備の基準に適合させるためのバリアフリー改修工事

⑥　エネルギーの使用の合理化に資する省エネ改修工事

転任命令等やむを得ない基因により居住の用に供しなくなった場合に再び居住の用に供した場合の再適用

【問15-10】　私は、令和２年６月に住宅を取得し、住宅借入金等特別控除の適用を受けていましたが、令和５年４月に勤務先から転任命令があり、家族とともに３年の予定で転居することになりました。３年後にはその住宅に再居住するつもりですが、この場合、住宅借入金等特別控除の適用はどうなるのでしょうか。

【答】　住宅の取得等をして住宅借入金等特別控除の適用を受けていた個人が、勤務先からの転任の命令に伴う転居その他これに準ずるやむを得ない事由に基因して当該控除を受けていた家屋を居住の用に供しなくなったことにより控除を受けられなくなった後、その家屋を再び居住の用に供した場合における住宅借入金等特別控除の適用については、居住年以後その適用年の各年のうち、その者がその家屋を再び居住の用に供した日の属する年（その年において、その家屋を賃貸の用に供していた場合には、その年の翌年）以後の各年（再び居住の用に供した日以後その年の12月31日まで引き続きその居住の用に供している年に限ります。）は、当該控除に係る適用年とみなされ、住宅借入金等特別控除の再適用を受けることができます。

住宅借入金等特別控除の再適用を受けるためには、次の要件をすべて満たしていることが必要となります（措法41㉘）。

(1) 家屋を居住の用に供しなくなった日の属する年の前年分以前において、住宅借入金等特別控除の適用を受けていた者であること

(2) 居住の用に供さなくなったことが、①給与等の支払をする者（勤務先）からの転任の命令に伴う転居、又は、②その他①に準ずるやむを得ない事由に基因していること

(3) 再び居住の用に供した日（以下「再居住の日」といいます。）が、居住年に応じた控除期間内であること

※　居住年及び控除期間については、【問15-5】参照。

(4) 再居住の日以後の各年においてその年の12月31日（その者が死亡した日の属する年又は家屋が災害により居住の用に供することができなくなった日の属する年にあっては、これらの日）まで引き続き居住の用に供していること

(5) 家屋を居住の用に供しなくなる日までに、次の届出書等を家屋の所在地を所轄する税務署長に提出していること（措法41㉙、措規18の21㉒㉓）

①　「転任の命令等により居住しないこととなる旨の届出書」

②　税務署長から「年末調整のための（特定増改築等）住宅借入金等特別控除証明書」及び「給与所得者の（特定増改築等）住宅借入金等特別控除申告書」の交付を受けている場合には、未使用分の当該証明書及び当該申告書

(6) 再適用を受ける最初の年分の確定申告書に、住宅借入金等特別控除を受ける金額についてその控除に関する記載があり、かつ、次の書類を添付して提出していること（措法41㉙、措規18の21㉔）

①　（特定増改築等）住宅借入金等特別控除額の計算明細書

②　金融機関等から交付を受けた「住宅取得資金に係る借入金の年末残高等証明書」

（注）1　平成27年分以前の申告では、この控除を受ける者の住民票の写し及び転任の命令その他これに準ずるやむを得ない事由が生ずる前において居住の用に供していたことを証する書類（当該事由が生ずる前にそ

の住宅を居住の用に供した日が記載されている住民票の写し等）も必要です。

2　居住年が令和５年以後である場合には、原則として「住宅取得資金に係る借入金の年末残高等証明書」の提出は不要です。

3　再居住の日の属する年において家屋を賃貸の用に供している場合には、再居住の日の属する年の翌年から再適用となりますのでご留意ください。

したがって、御質問の場合、あなたが再適用後引き続き居住の用に供していた場合は、令和８年から令和11年まで住宅借入金等特別控除の再適用を受けることができることになります。

転居した年の前年に住宅借入金等特別控除の適用を受けていなかった場合の再適用制度の取扱い

【問15-11】　私は令和４年に住宅を購入し住宅借入金等特別控除の適用を受けましたが、令和５年は譲渡所得があり合計所得金額が3,000万円を超えたため、住宅借入金等特別控除の適用がありませんでした。

令和６年４月に勤務先からの転勤命令があり家族とともに転居することになりましたが、将来、家屋に再居住した場合には、住宅借入金等特別控除の再適用を受けることができますか。

【答】　住宅借入金等特別控除の再適用は、「住宅借入金等特別控除の適用を受けていた個人」に限り認められることとされており、家屋を居住の用に供しなくなる日の属する年の前年まで、継続して住宅借入金等特別控除の適用を受けていることまで要件とはされていません（措法41㉘）。

したがって、あなたの場合は令和４年分に住宅借入金等特別控除の適用を受けておられますので、所得制限により令和５年分に当該控除の適用がなかったとしても、他の要件を満たしていれば、住宅借入金等特別控除の再適用が認められます。

新たに居住を開始した年の12月31日までに転任命令等やむを得ない事由により居住の用に供しなくなった場合に再び居住の用に供した場合の適用

【問15-12】　私は、本年７月に住宅を購入し転居しましたが、本年11月に勤務先から転任命令があり、家族とともに３年の予定で転居することになりました。３年後にはその住宅に再居住するつもりですが、この場合住宅借入金等特別控除の適用はどうなるのでしょうか。

【答】　住宅借入金等特別控除は、住宅（認定住宅を含みます。）の新築又は取得をした日又は増改築等をした日から６か月以内に入居し、かつ、その年の12月31日（その者が死亡した日の属する年又は災害により居住することができなくなった日の属する年にあっては、これらの日。以下同じ。）まで引き続き居住の用に供していることが要件とされています（措法41①）。

しかしながら平成21年１月１日以後にこれらの家屋に取得等の日から６か月以内に入居し、転任等やむを得ない事由（特定事由）により、その年の12月31日まで居住することができないこととなった場合には、その後、その事由が解消し、その家屋に再び入居した年（その年において、その家屋を賃貸の用に供していた場合には、その翌年）以後の各年において、12月31日まで引き続き居住の用に供しているなど一定の要件のもと住宅借入金等特別控除の適用を受けることができます（措法41㉛、平21改所法等附33①）。

なお、【問15-10】の再び居住の用に供した場合の再適用との違いは次表のとおりです。

	再び居住の用に供した場合の再適用	再び居住の用に供した場合の適用
転居の事由等	勤務先からの転任の命令に伴う転居、その他これに準ずるやむを得ない事由により、その家屋を居住の用に供しなくなったこと	
	平成15年４月１日以後その家屋を居住の用に供しなくなった場合	平成21年１月１日以後その家屋を居住の用に供しなくなった場合

その家屋を居住の用に供しなくなる日までに必要な手続等	次の書類をその家屋の所在地を所轄する税務署長に提出します（(注) 1）。 ・転任の命令等により居住しないこととなる旨の届出書 ・未使用分の「年末調整のための（特定増改築等）住宅借入金等特別控除証明書」及び「給与所得者の（特定増改築等）住宅借入金等特別控除申告書」（税務署長から交付を受けている場合のみ）	不要
再び居住の用に供した日の属する年以後再適用又は適用をする最初の年分の手続と必要な書類	次の書類を確定申告書に添付します（(注) 2）。 ・（特定増改築等）住宅借入金等特別控除額の計算明細書 ・住宅取得資金に係る借入金の年末残高等証明書	住宅借入金等特別控除に係る添付書類のほかに、次の書類を確定申告書に添付します（(注) 2）。 ・（特定増改築等）住宅借入金等特別控除額の計算明細書 ・特定事由によりその家屋を居住の用に供さなくなったことを明らかにする書類
再適用又は適用の制限	再び居住の用に供した日の属する年にその家屋を賃貸の用に供していた場合には、その年の翌年以後の適用年について再適用又は適用ができます。	

（注）1　家屋を居住の用に供しなくなる日までに届出書の提出がない場合であっても、その提出がなかったことについてやむを得ない事情があると認められるときは、その提出があった場合に限り、再び居住の用に供した場合の再適用ができます。

2　確定申告書又は添付書類の提出がない場合であっても、その提出がなったことについてやむを得ない事情があると認められるときには、その提出があった場合に限り、再び居住の用に供した場合の再適用又は再び居住の用に供した場合の適用ができます。

3　個人が平成25年1月1日以後に当初居住年に特定事由により転居した場合、その居住の用に供した年の12月31日までの間に再び居住の用に供した場合も、特例の適用が受けることができます。

4　居住年が令和5年以後である場合には、原則として「住宅取得資金に係る借入金の年末残高等証明書」の提出は不要です。

家屋を賃貸の用に供していた場合の取扱い

【問15-13】　転任命令等やむを得ない事由により転居し、再居住した場合の住宅借入金等特別控除の適用又は再適用は、再居住した年において家屋を賃貸の用に供していた場合には、再居住した年の翌年から適用されるとのことですが、次のような場合には、家屋を賃貸の用に供していた場合に該当するのでしょうか。

①　家屋を親族に無償で貸し付けた場合

②　自家用車の駐車スペースを貸し付けた場合

③　家屋の一部を物置として貸し付けた場合

④　当初居住の用に供したときから貸店舗併用住宅である場合

【答】　転任命令等やむを得ない事由により転居し、再居住した場合の住宅借入金等特別控除の適用又は再適用（【問15-10】、【問15-12】参照）制度は、再居住した年において家屋を賃貸の用に供していた場合には、再居住した年は適用又は再適用がなく、その翌年から認められることとなっています（措法41㉘㉛）。

ご質問の場合は、それぞれ次のように取り扱います。

①　「賃貸」とは、民法第601条に規定する「賃貸借」をいい、いわゆる「使用貸借」は含まれませんので、家屋の賃貸には該当しません。

②　土地の賃貸であり、家屋の賃貸には該当しません。

③　家屋の一部の貸付けではありますが賃貸には変わりありませんから、家屋の賃貸に該当します。

④　「これらの家屋を賃貸の用に供していた場合」の「これらの家屋」とは、住宅借入金等特別控除の対象となる家屋（居住用部分）をいいます。

したがって、これらの家屋の一部について自己の居住の用以外の用に供される部分（貸店舗部分）があった場合には、当該部分については、住宅借入金等特別控除の対象となりませんから、再居住した年において貸店舗として賃貸していても、「これらの家屋を賃貸の用に供していた場合」には該当せず、再居住した年から住宅借入金等特別控除の適用又は再適用を受けられますが、貸店舗併用住宅のうち住宅借入金等特別控除の適用を受けていた居住用部分を再居住した年に賃貸していた場合には、「これらの家屋の賃貸の用に供していた場合」に該当し、再居住した翌年以後住宅借入金等特別控除の適用を受けることになります。

敷地の先行購入に係る住宅借入金等の範囲

【問15-14】　私は、銀行からの借入金により、昨年11月に居住用の家屋を新築するために古家付きの土地を購入しました。

本年７月に家屋を新築し、現在その家屋に居住しています。

この場合、その土地に係る借入金は、住宅借入金等特別控除の対象となりますか。また、家屋を新築するに当たり、その古家を取り壊したのですが、この取壊し費用に係る借入金については、住宅借入金等特別控除の対象となりませんか。

【答】　家屋の新築の日前に購入したその家屋の敷地の購入に要する資金に充てるために借り入れた借入金又は購入の対価に係る債務で、住宅借入金等特別控除の対象となる住宅借入金等は、次の**表１**の(イ)から(ニ)までの場合に応じて**表２**に掲げる表のとおりです。

また、対象となる敷地の取得対価の額には、土盛りなどの費用の額のほか、土地等と一括して取得した古家などをその取得後おおむね１年以内に建物等の取壊しに着手するなど、その土地等の取得が当初からその建物等を取り壊して家屋を新築することが明らかであると認められる場合におけるその建物等の取壊し費用の額（発生資材がある場合には、その発生資材の価額を控除した残額）を含むこととされています（措通41－25）。

したがって、御質問の場合、家屋を新築するために取得した土地等に係る借入金であることが明らかであると認められますので、取壊し費用に係る借入金についてもその他の要件を満たすものであれば、住宅借入金等特別控除の適用対象となります。

表１［敷地の購入時期等のモデル］

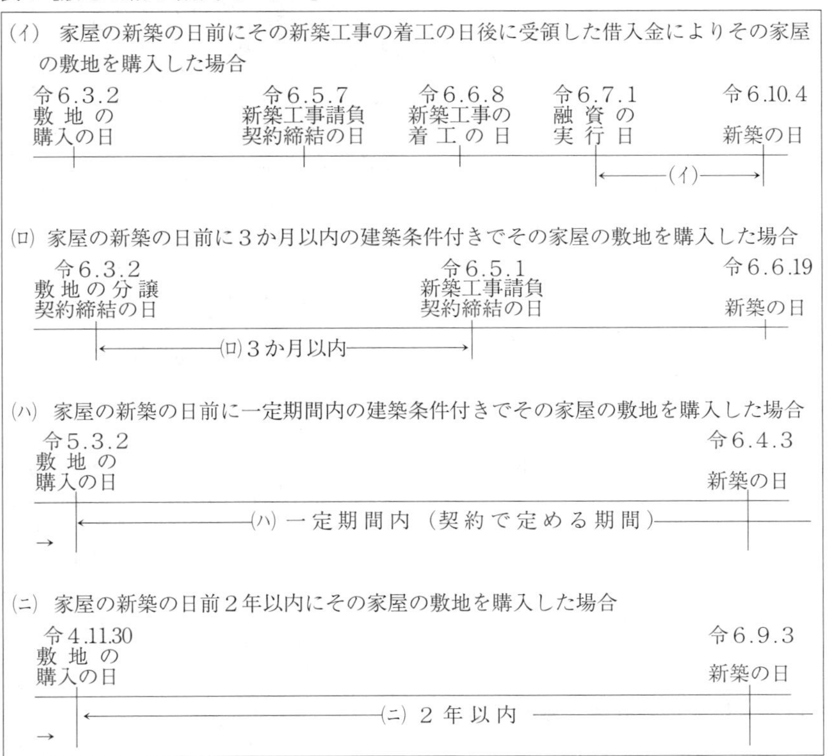

（注）【問15-14】の質問の年月とは関係ありません。

表２ ［表１の敷地の購入に係る住宅借入金等の概要］

<table>
<tr><th>区分</th><th>敷地の売主の範囲</th><th>種類</th><th>借入先又は債務の債権者</th><th>備考</th></tr>
<tr><td>(イ)</td><td>制限なし</td><td>借入金</td><td>独立行政法人住宅金融支援機構、沖縄振興開発金融公庫、独立行政法人福祉医療機構、独立行政法人北方領土問題対策協会、国家公務員共済組合、地方公務員共済組合、給与所得者の使用者など</td><td>特定の転貸融資に限るものがある。</td></tr>
<tr><td>(ロ)</td><td>宅地建物取引業者</td><td>借入金
（(イ)を除く）</td><td rowspan="2">金融機関、地方公共団体、貸金業者、国家公務員共済組合、地方公務員共済組合、国家公務員共済組合連合会、日本私立学校振興・共済事業団、農林漁業団体職員共済組合、エヌ・ティ・ティ厚生年金基金、公共福利厚生法人、給与所得者の使用者</td><td rowspan="3">(ロ)、(ハ)それぞれの一定の分譲契約による購入</td></tr>
<tr><td rowspan="2">(ハ)</td><td rowspan="2">独立行政法人都市再生機構、地方公共団体、地方住宅供給公社、土地開発公社</td><td>借入金
（(イ)を除く）</td></tr>
<tr><td>債務</td><td>敷地の売主</td></tr>
<tr><td rowspan="2">(ニ)</td><td>制限なし</td><td>借入金
（(イ)～(ハ)を除く）</td><td>(ロ)及び(ハ)の借入先の範囲と同じ</td><td rowspan="2">債権担保のための新築家屋に対する抵当権設定等の要件がある。</td></tr>
<tr><td>国家公務員共済組合、地方公務員共済組合、給与所得者の使用者</td><td>債務</td><td>敷地の売主</td></tr>
</table>

生計を一にする親族等からの取得

【問15-15】 私は、父母とともに父の所有する家屋で暮らしておりましたが、本年８月にこの家屋の所有権の一部を父から有償で譲り受け、父と共有にしました。

この取得資金は、銀行の住宅ローンですが、住宅借入金等特別控除を適用できるでしょうか。

なお、父母とは引き続き一緒に暮らしています。

【答】 贈与により取得した家屋は、住宅借入金等特別控除の適用対象から除かれていますが、贈与以外の原因により取得した場合であっても、次に掲げる者からの中古住宅の取得（その取得の時点で生計を一にし、かつ、その取得後も引き続き生計を一にする者からの取得に限ります。）については、住宅借入金等特別控除の適用対象外となります（措法41①、措令26②）。

① 当該取得者の親族（配偶者も含みます。）
② 当該取得者と婚姻の届出をしていないが、事実上婚姻関係と同様の事情にある者
③ ①及び②以外の者で、当該取得者から受ける金銭その他の資産によって生計を維持している者
④ ①から③までに掲げる者と生計を一にする親族

したがって、御質問の場合、取得の時において生計を一にする父親から中古住宅を取得し、かつ、その取得後も引き続き父親と生計を一にしているものと認められますので、住宅借入金等特別控除の適用はないことになります。

増改築等の工事の金額基準の判定

【問15-16】 住宅借入金等特別控除の対象となる増改築等には、その増改築の工事に要した費用の額が100万円を超えるものであることという要件があるそうですが、その家屋が店舗付住宅である場合や共有物件である場合は、金額基準の判定はどのようにすればよいのでしょうか。

【答】 増改築等の工事に要した費用の額が100万円を超えるかどうかの判定は、一の工事ごとに行うこととされています（措法41㉒、措令26㉝）。

したがって、その工事をした部分に店舗付住宅のように自己の居住用以外の部分がある場合や共有である場合であっても、自己の居住用以外の部分に係るもの又は自己以外の者の持分に係るものも含めたところのその一

の工事に要した費用の総額により判定することになります（措令26㉟）。

居住用部分の増改築等の費用の額が明らかでない場合

【問15-17】 店舗付住宅に増改築等を行いましたが、その費用の総額のうち居住用部分に係る費用の額がいくらであるのか分かりません。

このような場合、家屋の新築又は購入の場合と同様に、床面積比によりあん分計算して求めてよいのでしょうか。

【答】 店舗付住宅の増改築等の場合には、それに要した費用を居住用部分に係るものとそれ以外の部分に係るものとに区分することが必要となりますが、その費用の区分が困難な場合で、かつ、床面積割合により区分計算したとしても特に弊害がない（例えば、居住用部分に係る費用が、その増改築等に要した費用の額の２分の１以上である等）と認められるときは、床面積割合によりあん分計算することとして差し支えないと思われます（措令26㉟二、三）。

しかしながら、増改築等と併せて店舗専用の設備の取付け工事等を行った場合には、その部分の費用の額を除いたところの金額を基にして床面積割合によりあん分計算することになります。

定期借地権付建物を購入する場合

【問15-18】　私は、銀行からの借入金により、新築の定期借地権付建売住宅を購入し、令和６年３月から居住しています。

この住宅の購入価額、定期借地権の保証金及び銀行からの借入金は次のとおりですが、この場合、定期借地権の保証金の支払に充てることとなる借入金の部分についても住宅借入金等特別控除の対象となりますか。

家屋の購入価額	1,500万円
保証金（借地契約終了時に無利息で返還）	1,500万円
銀行からの借入金	2,000万円
定期借地権の設定期間	50年

【答】　住宅借入金等特別控除の適用対象となる住宅借入金等には、家屋の新築又は購入とともにする家屋の敷地の購入に要する資金に充てるための借入金又は購入の対価に係る債務が含まれます。

通常、定期借地権を設定する場合には、地主に対して権利金を支払う場合と、保証金や敷金などを支払う場合があります。

(1)　権利金を支払う場合

権利金は、定期借地権の取得の対価として支払うものですので、その支払に充てるために借り入れた借入金は、住宅借入金等特別控除の適用対象となります。

(2)　保証金等を支払う場合

保証金等は、地主に対する単なる預託金ですから、定期借地権の取得の対価とはいえませんので、保証金に係る借入金は住宅借入金等特別控除の対象とはなりません。

しかしながら、保証金の経済的効果からいえば、定期借地権の設定時における保証金等の額とその保証金等の設定時における返還請求権の価額との差額については、定期借地権の取得の対価に該当するものとしてその差額に係る借入金は、適用対象とすることができます。

したがって、御質問の場合は(2)に該当し、定期借地権の設定時における保証金の額とその保証金の設定時における返還請求権の価額との差額に相当する借入金は住宅借入金等特別控除の対象となります。

なお、御質問の場合、定期借地権の設定時期が定かではありませんが、入居された令和６年３月とすると、適用対象となる金額の具体的な計算は、次のとおりです。

（計算例）

（保証金等の額）15,000,000円 × ［残存年数50年に応じる年１％の複利現価率］0.608 ＝（返還請求権の額）9,120,000円

（保証金等の額）15,000,000円 － （返還請求権の価額）9,120,000円 ＝（適用対象金額）5,880,000円

（注）　残存年数50年に応じる複利現価率は、基準年利率を短期（３年未満)、中期（３年以上７年未満）及び長期（７年以上）に区分し、各月ごとに別に定めることとされました。（措通41－28、財産評価基本通達４－４、27－３)。

家屋の持分を有しない場合

【問15-19】　私と父は、二世帯住宅を建築するため、父が銀行から、私が地方公務員共済組合からの借入金により２世帯住宅を建築しました。

この場合、住宅借入金等特別控除額の計算はどのようになりますか。

土地の購入価額	4,000万円（父の単独所有）
土地の購入に係る借入金の年末残高	3,000万円（父の単独債務）
家屋の新築代金	2,000万円（子の単独所有）
家屋の新築に係る借入金の年末残高	2,000万円（子の単独債務）

【答】　住宅借入金等特別控除の適用対象となる借入金等の範囲には、家屋の新築又は購入とともにするその家屋の敷地の購入に要する資金に充てら

れるための借入金又は購入の対価に係る債務で一定のものが含まれます（措法41①）。

御質問の場合には、あなたが建築された二世帯住宅は、あなたの単独所有ですので、お父さんの土地の購入については、家屋の新築又は購入とともにする敷地の購入には当たらないこととなり、住宅借入金等特別控除の適用対象とはなりません。

なお、あなたの家屋の新築に係る借入金については、借入金の償還期間が10年以上であることなどの要件を満たしていれば、住宅借入金等特別控除の対象となります。

耐火建築物

【問15-20】　私は、令和３年５月に中古住宅（土地付き・築後18年）を3,000万円で取得しました。その取得のため銀行借入れを行いましたので、住宅借入金等特別控除を受けたいと思います。

私のように、中古住宅を居住の用に供した場合は、その家屋が耐火建築物であるときは、その取得の日以前25年以内に建築されたものであることという要件がありますが、耐火建築物とは具体的にどのようなものをいうのですか。

【答】　耐火建築物とは、登記簿に記録された家屋の構造のうち、建物の主たる部分の構成材料が石造、れんが造、コンクリートブロック造、鉄骨造（軽量鉄骨造は含みません。）、鉄筋コンクリート造又は鉄骨鉄筋コンクリート造のものをいいます（旧措規18の21①）。

なお、耐火建築物以外の建築物については、その取得の日以前20年以内に建築されたものであることとされています（【問15-９】参照）。

（注）１　取得した中古住宅が、地震に対する安全上必要な構造方法に関する技術的基準又はこれに準ずるもの（耐震基準）に適合するものである場合は、築後の経過年数は問われません（平成17年４月１日以後に取得したものに限ります。）。また、耐震基準に適合する建物とは、その

家屋の取得の日前２年以内に耐震基準適合証明書による証明のための家屋の調査が終了したもの、その家屋の取得の日前２年以内に建設住宅性能評価書により耐震等級（構造躯体の倒壊等防止）に係る評価が等級１、等級２又は等級３であると評価されたもの又は既存住宅売買瑕疵担保責任保険契約が締結されているもの（住宅瑕疵担保責任法人が引受けを行う一定の保険契約であって、その家屋の取得の日前２年以内に締結したものに限ります。）をいいます。

2　取得した中古住宅が耐震基準及び経過年数基準のいずれにも適合しない場合であっても、その取得の日までにその中古住宅に耐震改修を行うことにつき一定の申請をし、かつ、その中古住宅を居住の用に供する日までに耐震改修を行い、耐震基準に適合することとなったことにつき一定の証明がされたときは、住宅借入金等特別控除の適用を受けることができます（平成26年４月１日以後に取得したものに限ります。）

3　令和４年１月１日以後に中古住宅を居住の用に供した場合においては、上記のような経過年数基準（耐火建築物25年、非耐火建築物20年）は撤廃され、昭和57年１月１日以後に建築されたものであること、又は、上記１若しくは２の要件を満たす場合に住宅借入金等特別控除の適用を受けることができます。

太陽光発電システムと一体で取得した家屋の取得対価の額

【問15-21】　私は、このたび、地方公共団体から補助金を受け、太陽光発電システムを設置した居住用家屋を新築しました。

この居住用家屋の取得により、住宅借入金等特別控除の適用を受けようと思いますが、その計算の基礎となる「居住用家屋の取得の対価の額」は、受け取った補助金相当額を控除して計算するのでしょうか。

また、受け取った補助金は、申告する必要がありますか。

家屋の建築費	2,000万円	借入金	2,200万円
太陽光発電システム	400万円	補助金	100万円
		自己資金	100万円

【答】　固定資産の取得のために地方公共団体から受け取った補助金は、原

則として一時所得の収入金額になりますが（基通34－1(9)）、その年分の確定申告書を提出することにより、一時所得の収入金額に算入しないこともできます（所法42）。

ところで、住宅借入金等特別控除の計算上の「居住用家屋の取得対価等の額」とは、居住用家屋の取得等に係る請負代金若しくは取得の対価の額であり、その取得対価の額には、その家屋と一体として取得した当該家屋の電気設備、給排水設備、衛生設備及びガス設備等の附属設備の取得の対価の額も含まれるものとして取り扱われています（措通41－24(1)）。

したがって、家屋と一体で取得した太陽光システムについても居住用家屋の取得の対価の額に含まれるものと判断されます。

1　平成23年6月30日前に住宅の取得に係る契約を締結した場合

受け取った補助金を総収入金額に算入しない場合であっても、住宅借入金等特別控除の計算の基礎となる「居住用家屋の取得の対価の額」から控除する必要はありません。

したがって、御質問の場合は、2,400万円が居住用家屋の取得の対価の額となります。

なお、太陽光システムを譲渡する場合の取得費の計算に当たっては、補助金の額を控除する必要があります（所令90②一）。

2　平成23年6月30日以後に住宅の取得に係る契約を締結した場合

受け取った補助金は、住宅借入金等特別控除の計算の基礎となる「居住用家屋の取得の対価の額」から控除することとなります（措法41㉒、措令26⑥㉕、平23.6改所法等附40、41、平23.6改措令附15、措通41－26の2）。

したがって、御質問の場合は、2,300万円（2,400万円－100万円）が居住用家屋の取得の対価の額となります。

なお、太陽光システムを譲渡する場合の取得費の計算に当たっては、上記1の場合と同様です。

店舗併用住宅を新築した場合

【問15-22】　私は、本年６月に、次のとおり土地を購入し、店舗併用住宅を新築しました。

この場合、住宅借入金等特別控除の対象となる住宅借入金等の金額は、どのように計算されますか。

なお、土地の購入と新築工事は別々に行い、借入金についても別々に借り入れたものです。

(1)　家屋の総床面積　180㎡（１階店舗90㎡、２階住居90㎡）

家屋の新築代金　3,000万円

家屋の新築に係る借入金の年末残高　2,000万円

(2)　土地の面積　300㎡（うち120㎡は貸駐車場として使用）

土地の購入価額　6,000万円

土地の購入に係る借入金の年末残高　4,000万円

【答】　住宅借入金等特別控除は、居住用家屋及びその敷地の用に供する土地等の取得等に係る借入金等が対象とされています。

御質問の場合、借入金の償還期間が10年以上であるなど一定の要件を満たしている場合には、家屋に係る借入金とその敷地の用に供する土地の購入に係る借入金をそれぞれ次のとおり計算することになります（措通41－23、41－27)。

(1)　家屋の新築に係る借入金

〔家屋の新築代金〕〔家屋の新築に係る借入金の年末残高〕

3,000万円＞2,000万円

〔家屋の新築に係る借入金の年末残高〕〔家屋の居住用割合〕〔家屋の新築に係る借入金の年末残高のうち居住用部分の金額〕

2,000万円 × 50% ＝ 1,000万円

(2)　土地の購入に係る借入金

$$\underset{\text{〔土地の購入代金〕}}{6{,}000\text{万円}} > \underset{\text{〔土地の購入に係る借入金の年末残高〕}}{4{,}000\text{万円}}$$

$$\underset{\text{〔土地の購入に係る借入金の年末残高〕}}{4{,}000\text{万円}} \times \underset{\text{〔左のうち敷地分〕}}{\frac{300\text{m}^2 - 120\text{m}^2}{300\text{m}^2}} \times \underset{\text{〔家屋の居住用割合〕}}{50\%} = \underset{\text{〔土地の購入に係る借入金の年末残高のうち居住用部分の金額〕}}{1{,}200\text{万円}}$$

したがって、あなたの住宅借入金等特別控除の対象となる住宅借入金の額は(1)と(2)の合計額2,200万円となります。

増改築等の場合の住宅借入金等特別控除

【問15-23】　私は、本年６月に右図のような店舗付住宅を銀行からの借入れにより220万円かけて増築しました。増築費用のうち住宅部分は180万円であり、増築後の住宅部分の床面積は120㎡となりました。

この場合、住宅借入金等特別控除の対象となりますか。

	増築
住　宅 （100㎡）	20㎡ 180万円
店　舗 （50㎡）	10㎡ 40万円

【答】　住宅借入金等特別控除の対象となる増改築等とは、自己の所有している家屋について行う増築、改築、建築基準法上の大規模の修繕及び大規模の模様替の工事等（【問15-９】参照）で、次の要件を満たすものとされています。

① その工事に要した費用の額が100万円を超えること
② その工事に係る部分のうちに自己の居住の用以外の用に供する部分がある場合には、自己の居住の用に供する部分に係る工事に要した費用の額がその工事に要した費用の額の総額の２分の１以上であること
③ その工事をした後の家屋の床面積が50㎡以上であること
※ 特例特別特例取得の場合の要件は、床面積が40㎡以上50㎡未満となります。

④　その工事をした後の家屋の床面積の２分の１以上が専ら居住の用に供されるものであること

したがって、御質問の場合、工事費用は220万円でありそのうち住宅部分に係る工事費用は、180万円で総額の２分の１以上となっていることから上記①②の要件に該当していることとなります。

また、増築後の住宅部分の床面積は、建物全体の２分の１以上となっており、建物全体の床面積が180㎡で③④の要件にも該当していますので、あなたの場合、住宅借入金等特別控除の適用を受けられることになります。

居住開始前に行った増改築等に係る住宅借入金等特別控除の適用

【問15-24】　令和３年１月に、築30年の木造中古家屋を購入しました。先行き不透明な時代ですから、できるだけ安い住宅を購入したのですが、さすがに古い家屋ですので、改築が必要です。このため、購入した中古家屋を住宅ローンにより改築してから入居しようと考えています。住宅借入金等特別控除は、築年数が古い家屋には適用されないと聞きましたが、私の場合、住宅借入金等特別控除の適用はないのでしょうか。

なお、改築に時間がかかるため、令和３年10月に入居する予定です。

【答】　御質問のとおり、住宅借入金等特別控除は、令和３年12月31日までに居住の用に供する中古住宅については、耐震基準に適合するもの以外は、20年以内に建築されたもの（耐火建築物の場合は25年以内）に建築されたものであることが要件とされていました（旧措法41①、旧措令26②）。

したがって、あなたの場合、中古住宅の取得に係る金額については、住宅借入金等特別控除の適用はありませんが、増改築等に係る金額については、その増改築等が【問15-９】に該当するものであれば、適用を受けることができます。

また、増改築等に係る住宅借入金等特別控除は、中古住宅を取得してから６か月以内に入居する必要はなく、増改築等をしてから６か月以内に入居すれば、適用を受けることができます。

なお、耐震基準又は経過年数基準に適合していない中古住宅を取得した場合であっても、平成26年４月１日以後に取得した中古住宅（要耐震改修住宅）でその取得の日までに耐震改修を行うことについて申請をし、かつ、入居前にその申請に係る耐震改修を行うことで耐震基準に適合することとなる一定の中古住宅については、住宅借入金等特別控除の適用を受けることができます（措法41㉟）。

※　中古住宅を取得した後、その住宅に入居することなく増改築等工事を行った場合の住宅借入金等特別控除については、新型コロナウイルス感染症等の影響によって工事が遅延したことなどにより、その住宅への入居が控除の適用要件である入居期限要件（取得の日から６か月以内）を満たさないこととなった場合でも、次の要件を満たすときは、その適用を受けることができます（新型コロナ税特法６、新型コロナ税特令４）。

・一定の期日（注）までに、増改築等の契約を締結していること
・増改築等の終了後６か月以内に、中古住宅に入居していること
・令和３年12月31日までに中古住宅に入居していること

（注）　中古住宅の取得をした日から５か月を経過する日又は新型コロナ税特法の施行の日（令和２年４月30日）から２か月を経過する日のいずれか遅い日。

住宅借入金等特別控除の対象となる家屋の増改築等（バリアフリー改修工事）

【問15-25】　私は足を痛めてしまい車イスで生活をするようになりました。このため、家の中でも車イスで通行できるよう、バリアフリー改修工事を行おうと考えています。住宅借入金等特別控除の対象となる増改築等の範囲に該当するバリアフリー改修工事とは、具体的にどのような工事でしょうか。また、その工事が、住宅借入金等特別控除の対象となるかどうかはどのように確認すればよいでしょうか。

【答】　住宅借入金等特別控除の対象となる家屋の増改築等とは、【問15-9】で説明した工事をいい、「一定のバリアフリー改修工事」も、対象となります（措法41①㉒、措令26㉝五）。

この「一定のバリアフリー改修工事」とは、家屋について行う高齢者等が自立した日常生活を営むのに必要な構造及び設備の基準に適合させるための増築、改築、修繕又は模様替で次の①から⑧のいずれかに該当する工事（これらの工事が行われる構造又は設備と一体となって効用を果たす設備の取替え又は取付けに係る工事を含みます。）をいいます（平成19年国土交通省告示第407号、最終改正令和４年国土交通省告示第442号）。

①　通路又は出入口の拡幅
②　階段の設置又は勾配の緩和
③　浴室改良
④　便所改良
⑤　手すりの設置
⑥　屋内の段差の解消
⑦　出入口の戸を改良する工事
⑧　床表面の滑り止め化

この改修工事は、増改築等した家屋を平成19年４月１日以後に自己の居住の用に供した場合に適用されます。

なお、バリアフリー改修工事が住宅借入金等特別控除の適用を受けることができる改修工事であるかどうかについては、次のいずれかの機関等が発行する増改築等工事証明書により確認することとなります。

① 登録住宅性能評価機関

② 指定確認検査機関

③ 建築士事務所に所属する建築士

④ 住宅瑕疵担保責任保険法人

この増改築等工事証明書は確定申告書に添付します。

したがって、あなたが行うバリフリー改修工事が住宅借入金等特別工事の対象となるかについては、この増改築等工事証明書により確認します。

なお、この一定のバリアフリー改修工事を行った場合、①住宅借入金等特別控除のほか②特定増改築等住宅借入金等特別控除（令和３年12月31日までに居住の用に供する場合に限ります。）（【問15-42】参照）又は③住宅特定改修特別税額控除のいずれの適用要件も満たしているときは、これらのいずれか一つを選択して適用することになります（措法41①、41の３の２①、41の19の３①）。

住宅借入金等特別控除の対象となる家屋の増改築等（省エネ改修工事）

【問15-26】　私は、節電のため、窓や壁の断熱工事をしました。このような省エネ改修工事は住宅借入金等特別控除の対象となる増改築等に当たると聞きましたが、具体的にどのような工事が対象となるのか教えてください。

【答】　金融機関等から借り入れをして「一定の省エネ改修工事」を行った場合には、住宅借入金等特別控除の適用を受けることができます（措法41①㉒、措令26㉝六）。

この「一定の省エネ改修工事」とは、家屋について行うエネルギーの使用の合理化に資する修繕又は模様替で次の①から④のいずれかに該当する工事（これらの工事が行われる構造又は設備と一体となって効用を果たす設備の取替え又は取付けに係る工事を含みます。）をいいます（平成20年国土交通省告示第513号、最終改正令和４年国土交通省告示第443号）。

①　居室の全ての窓の改修工事

（①の工事と併せて行う②～④の工事）

②　床の断熱工事

③　天井の断熱工事

④　壁の断熱工事

で次の要件のすべてを満たすものです。

イ　改修した部位の省エネ性能がいずれも平成28年基準以上となること

ロ　改修後の住宅全体の断熱等性能等級が改修前から一段階相当以上上がると認められる工事内容であること

なお、対象となる省エネ改修工事は、地域によって異なりますので、詳細は、上記の国土交通省告示を参照してください。

適用に当たっては、次のいずれかの機関等が発行する増改築等工事証明書が必要となります。

①　登録住宅性能評価機関

②　指定確認検査機関

③　建築士事務所に所属する建築士

④　住宅瑕疵担保責任保険法人

なお、平成21年４月１日から平成27年12月31日までの間に居住の用に供する場合の省エネ改修工事は、要件が緩和され、上記ロの要件を満たさないものも対象となります（旧措令26㉖）。

また、この一定の省エネ改修工事を行った場合、①住宅借入金等特別控除のほか②特定増改築等住宅借入金等特別控除（令和３年12月31日までに居住の用に供する場合に限ります。）（【問15-41】参照）又は③住宅特定改修特別税額控除のいずれの適用要件も満たしているときは、これらのいずれか一つを選択して適用することになります（措法41①、41の３の２⑤、41の19の３②）。

住宅借入金等特別控除の適用除外

【問15-27】　私は、本年７月に従前から住んでいた家を譲渡し、その譲渡代金と銀行からの借入金とで、郊外に延床面積160㎡の二階建ての住宅を新築しました。入居は10月です。

　私は、従前の家を譲渡したことについて居住用財産の譲渡に係る3,000万円の特別控除の適用を受けたいと思うのですが、住宅借入金等特別控除の適用も受けられますか。

【答】　次のような場合には、住宅借入金等特別控除の適用はできないこととされています。

(1) 住宅の取得等又は増改築等をして居住の用に供した年若しくはその年の前年又は前々年分の所得税について、居住用財産を譲渡した場合の長期譲渡所得の課税の特例（措法31の３）、居住用財産の3,000万円の特別控除（措法35）、特定の居住用財産の買換え・交換の特例（措法36の２、36の５）、既成市街地等内にある土地等の中高層耐火建築物等の建設のための買換え・交換の特例（措法37の５）（以下この問において「譲渡所得の課税の特例」といいます。）の適用を受けている場合には、住宅借入金等特別控除の適用は受けられません（措法41㉔）。

(2) 住宅の取得等又は増改築等をして居住の用に供した者が次の期間においてその居住の用に供した新築住宅及び中古住宅若しくは増改築等をした住宅以外の資産、つまり、従前に住んでいた住宅（その敷地等を含みます。）を譲渡し、その譲渡につき、譲渡所得の課税の特例の適用を受けるときは、居住の用に供した年まで遡って住宅借入金等特別控除の適用を受けることができなくなります（措法41㉕）。

　したがって、御質問の場合、住宅借入金等特別控除の適用は受けられません。

イ　令和２年４月１日以後に譲渡した場合

　その居住の用に供した年とその前２年・後３年の計６年間

ロ　令和２年３月31日以前に譲渡した場合

　その居住の用に供した年とその前後２年ずつの計５年間

　なお、(2)に該当する場合は、既に控除を受けた住宅借入金等特別控除額に相当する税額を納付するため、その譲渡年の前３年以内の各年分（令和２年３月31日以前に従前住んでいた住宅等を譲渡する場合は前年分又は前々年分）の所得税についての修正申告書又は期限後申告書を提出しなければならないこととされています（措法41の３①）。

　この場合、修正申告書及び期限後申告書は、他の資産について譲渡所得の課税の特例の適用を受ける譲渡等を行った日の属する年分の確定申告期限までに所轄税務署長へ提出することとされています。

自己が居住しない新築家屋に係る住宅借入金等特別控除

【問15-28】　私は本年１月に長男が結婚したため床面積90㎡の家屋を銀行からの借入金で新築し、長男夫婦を居住させております。この場合に、住宅借入金等特別控除が認められますか。

【答】　あなたの場合、自己の居住の用に供する家屋を取得し、６か月以内に自己が居住するという要件を満たしていないため、住宅借入金等特別控除は認められません（措法41①）。

　また、仮に、あなたが新築した家屋を長男に贈与されその後長男が居住の用に供されたとしても、長男は住宅取得のための借入金を有しませんし、また、贈与により住宅を取得した場合には住宅借入金等特別控除は認められないことになっていますから、あなたの長男についてもこの控除は認められないことになります。

海外に単身赴任した者が帰国した場合の住宅借入金等特別控除

【問15-29】　私は平成28年１月に新築住宅を取得して、平成28年分から令和２年分までの期間について住宅借入金等特別控除の適用を受けていましたが、令和３年７月に３年間の予定で海外勤務となり、単身で赴任しておりました（妻子は引き続きこの住宅に住んでいました。）。

その後、令和６年８月に帰国し、再びこの住宅に住んでいますが、私は令和３年分以後の住宅借入金等特別控除の適用は受けられますか。

【答】　住宅借入金等特別控除は、居住者が対象住宅を取得等してその取得等の日から６か月以内に居住の用に供した日以後その年の12月31日まで引き続き居住の用に供することが一つの要件とされています（旧措法41①）。

しかしながら、単身赴任者等のように、本人が一時的にその住宅に住まなくなったような場合にこの控除を認めないのは適当でないことから、「その者が、転勤、転地療養その他のやむを得ない事情により、配偶者、扶養親族その他その者と生計を一にする親族と日常の起居を共にしないこととなった場合において、その家屋をこれらの親族が引き続きその居住の用に供しており、当該やむを得ない事情が解消した後はその者が共にその家屋に居住することとなると認められるときは、その者がその家屋を引き続き居住の用に供しているものとする。」とされています（措通41－２(1)）。

御質問の場合、まず、この制度は「居住者」に対する特例制度であり、その年の12月31日まで引き続き居住の用に供していることを要件としていますから、年末において「非居住者」に該当している年分（御質問の場合、令和３年分から令和５年分）については適用されません。

前述の通達の取扱いは本人の居住場所を問題としていませんので、海外勤務により外国で居住することになったとしても、同通達に掲げる要件を満たしていれば、その海外勤務期間も「引き続き居住の用に供している」として取り扱うことが相当であると考えられます。

したがって、本人が海外勤務により単身赴任をしている間、家族がその家屋を引き続き居住の用に供しており、海外勤務終了後、その家屋に家族とともに居住の用に供する場合には、それ以後の年分（御質問の場合、令和６年分以後）について、住宅借入金等特別控除の適用を受けることができます。

（注）　住宅借入金等特別控除等の次の項目について、居住者が満たすべき要件と同様の要件の下で、非居住者が平成28年４月１日以後住宅の取得等をする場合も適用できることとされました。

①　住宅借入金等を有する場合の所得税額の特別控除（措法41～41の３）

②　特定の増改築等に係る住宅借入金等を有する場合の所得税額の特別控除の控除額に係る特例（措法41の３の２）

③　既存住宅の耐震改修をした場合の所得税額の特別控除（措法41の19の２）

④　既存住宅に係る特定の改修工事をした場合の所得税額の特別控除（措法41の19の３）

⑤　認定住宅等の新築等をした場合の所得税額の特別控除（措法41の19の４）

等

居住用家屋を２以上有する場合の住宅借入金等特別控除

【問15-30】　私は、東京に家屋を有し居住していましたが、仕事の都合で大阪勤務となりました。

そこで、私は東京の家屋を譲渡する予定で、大阪において新築マンション（120㎡）を取得し居住の用に供しました。

ところが、東京の家屋は買主が見当たらず、引き続き妻と子供が居住し、私と別居生活をしております。

この場合、大阪で取得したマンションについて住宅借入金等特別控除が受けられますか。

なお、取得資金はＡ銀行からの住宅ローンを充てています。

【答】　居住用家屋を２以上有する場合の住宅借入金等特別控除の適用につ

いては、これらの家屋のうち、その者が主として居住の用に供すると認められる一の家屋に限るものとされています（措令26①）。

したがって、御質問の場合、東京の家屋を譲渡することが仲介業者等へその住宅の売却を依頼しているなどで明らかであるなど、大阪で取得した家屋が主として居住の用に供するものと認められる場合は、住宅借入金等特別控除が受けられることになります。

なお、東京の家屋を売却し、その譲渡所得について居住用財産の3,000万円の特別控除の特例等の適用を受ける場合には、遡って住宅借入金等特別控除は受けられなくなることもありますので注意してください（措法41㉕、41の３①）。

移転登記未了の分譲住宅に係る住宅借入金等特別控除

【問15-31】　新築住宅の分譲を受けて居住していますが、契約により代金完済時までは所有権の移転登記ができないこととなっている家屋については、居住を始めた年から住宅借入金等特別控除の適用を受けることはできますか。

分譲を受けた相手方は、勤務先ですが、不動産取得税その他の住宅に係る諸税はすべて、譲受人である居住者が負担しています。

なお、住宅借入金等特別控除を受けるために申告書に添付する登記事項証明書はこの場合どのようになりますか。

【答】　住宅の取得があったかどうかは、通常はその建物についての所有権の保存登記や移転登記が完了しているかどうかが重要な判断のポイントになり、そのために、申告書に登記事項証明書や売買契約書など、取得の事実を明らかにする書類又はその写しの添付を要することとされています。

しかしながら、契約により賦払金の完済時まで所有権の移転登記をしない特約があってやむを得ず登記未了となっている場合まで、登記未了の理由で取得の客観的立証がないと判断するのは取引の実態に沿わないこととなります。したがって、御質問のような実情の場合は、住宅の引渡しを受けた日に住宅を取得したものとして、住宅借入金等特別控除の規定が適用されます。

なお、この場合、登記事項証明書の添付がなくても、居住用家屋を取得したこと、その対価の額並びに床面積が明らかになる売買契約書又は請負契約書等を添付すれば、添付要件の不備としては取り扱われません（措法41㊱、措規18の21⑧）。

（注）　令和３年７月１日以後は、「（特定増改築等）住宅借入金等特別控除額の計算明細書」に不動産番号を記載することで、登記事項証明書の添付に代えることができます。

財産分与請求権に基づき取得した居住用家屋

【問15-32】　私は離婚をし、財産分与請求権に基づいて前夫から居住用家屋（ローン付）を取得しました。

＜内容＞

居住用家屋	築後２年６か月
家屋に係る債務	1,000万円
私とＡ銀行との金銭消費貸借	借入金　1,000 万円 償還期間　　20 年

この場合、私は住宅借入金等特別控除の適用を受けられますか。

【答】　住宅借入金等特別控除の対象から除かれる家屋の取得は、贈与によるもの及び生計を一にする親族等からの中古住宅の取得（【問15-15】参照）に限定されています（措法41①、措令26②）。

御質問の場合は、あなたの離婚に基づく財産分与請求権の行使により取得したものであり贈与による取得ではありません（したがって、前夫は譲渡所得の申告が必要となります。）。また、既に離婚していますから生計を一にする親族等からの中古住宅の取得にも該当しません。

したがって、その他の要件を満たしていれば、あなたは住宅借入金等特別控除の適用を受けられます。

共有者である夫が譲渡所得の課税の特例を受ける場合

【問15-33】　私は、本年３月に自己名義の居住用家屋を譲渡し、その譲渡代金と妻の預金などを元手に、同年４月、3,600万円の居住用家屋を私が４分の３、妻が４分の１の持分で取得しました。

取得資金の状況は次のとおりです。

○ 2,700万円（譲渡代金）

○ 900万円（100万円は妻の預金、800万円は甲銀行から妻名義による20年償還の借入れ）

私が、本年分の譲渡所得の申告に際し居住用財産の譲渡に係る特別控除の特例を適用した場合でも、妻は住宅借入金等特別控除の適用が受けられますか。

【答】　一定の要件を満たす居住用家屋に入居した者であっても、その居住の用に供した日の属する年又はその年の前年若しくは前々年、又はその年の翌年以後３年以内の各年（令和２年３月31日以前に従前住んでいた住宅等を譲渡した場合には「翌年又は翌々年」）の所得税について居住用財産の譲渡に係る3,000万円の特別控除などの適用を受けた場合には、住宅借入金等特別控除の適用は受けられません（措法41㉔㉕）。

御質問の場合は、あなた御自身には、住宅借入金等特別控除の適用対象となる借入金又は債務がありませんから、もともと住宅借入金等特別控除の適用がないわけですが、仮に適用対象となる借入金等を有している場合であっても、あなたが、本年分の所得税について居住用財産の譲渡に係る3,000万円の特別控除の適用を受けた場合には、上記の適用除外規定により、あなたは住宅借入金等特別控除の適用を受けることができません。

一方、奥さんについては、あなたと共有で居住用家屋を取得していますが、譲渡所得に関する特例の適用を受けていませんから、住宅借入金等特別控除に係る適用要件を満たしていれば、住宅借入金等特別控除の適用を受けることができます。

借入金の借換え等をした場合の住宅借入金等特別控除

【問15-34】　令和元年４月に床面積132㎡の住宅を新築して入居しました（新築費用1,200万円）。この住宅取得資金のうち、500万円はＡ銀行から借り入れて支払いました。

ところが、その後Ｂ銀行から低い利率で融資が受けられることになりましたので、Ａ銀行の借入金の残金を返済しようと思っていますが、借り換えた場合でも住宅借入金等特別控除は受けることができるでしょうか。

Ａ銀行及びＢ銀行の借入金の状況は次のとおりです。

	Ａ　銀　行	Ｂ　銀　行
借入金額	500万円	450万円
償還期間等	令和元年４月から15年間	令和６年10月１日から14年間
償還金額	毎月　55,000円	毎月　50,000円

【答】　住宅借入金等特別控除の適用対象となる新築住宅若しくは中古住宅の取得及び増改築等に係る借入金等の債務（以下「当初の債務」といいます。）の金額を有している場合において、他に有利な融資が受けられることになったときは、新たな融資先から借入れをして、当初の債務を消滅させる場合があります。

このように借換え等をした場合は、新たな債務は残っても住宅借入金等特別控除の適用対象となる当初の債務がなくなっているのですから、厳密にいえば、この新たな借入金は、当初の債務を消滅させるためのものであって、住宅を取得するために借り入れたものとはいえず、住宅借入金等特別控除の適用はないということになります。

しかしながら、新たな借入金が住宅借入金等特別控除の適用要件である償還期間が10年以上の割賦償還の方法により返済することとされている場合には、それまで住宅借入金等特別控除の適用除外にしてしまうのは、必ずしも妥当でないと考えられます。

そこで、このような場合でも新たな借入金が当初の債務を消滅させるためのものであることが明らかであり、かつ、その新たな借入金を住宅の用に供する家屋の取得等のための資金に充てるものとしたならば、住宅借入金等特別控除の対象となるときに限り、その新たな借入金の額を住宅借入金等特別控除の対象となる債務の金額に該当するものとして取り扱われることになっています（措通41－16）。

したがって、御質問の場合は住宅借入金等特別控除を受けることができます。

繰上返済等をした場合の住宅借入金等特別控除

【問15-35】　私は一昨年に新築住宅をローンで取得し住宅借入金等特別控除の適用を受けていますが、本年11月に翌年以後に返済することとされている借入金を全額繰り上げて返済しました。

このような場合、住宅借入金等特別控除の適用は認められるでしょうか。

【答】　借入金又は債務の金額に係る契約において、その年の翌年以後に返済等をすべきこととされている借入金又は債務の金額について、その年に繰り上げて返済した場合であっても、その年12月31日において借入金又は債務の金額の残高があるときは、住宅借入金等特別控除の適用が認められます。

しかしながら、繰上返済によりその借入金又は債務が住宅借入金等特別控除の適用要件である「割賦償還期間又は賦払期間が10年以上」という要件を満たさなくなるときは、その年については住宅借入金等特別控除の適用はないことになります（措通41－19）。

したがって、御質問の場合は借入金を全額繰上返済されたということですから、「割賦償還期間又は賦払期間が10年以上」という住宅借入金等特別控除の前提要件を欠くことになり、その年の住宅借入金等特別控除の適用はないこととなります。

なお、借入金又は債務の借換えをしたことにより繰上返済をした場合は、住宅借入金等特別控除の適用がある場合があります（前問参照）。

家屋を連帯債務と固有債務によって共有で取得した場合

【問15-36】　私は妻と共有（２分の１ずつ）で新築住宅を取得しましたが、その購入対価と資金出所は次のとおりとなっております。

○ 購入対価（住宅及びその敷地）…………5,000万円

○ 資金出所

借入金（A銀行）………………………3,000万円（連帯債務）

借入金（B銀行）………………………2,000万円（私 名 義）

この場合、私と妻の住宅借入金等特別控除の対象となる借入金は、それぞれいくらになりますか。

なお、私と妻は連帯債務の負担について、特段の契約は交わしていません。

【答】　連帯債務とは、一の債務を複数の債務者が負担すべきものであり、債務者間の内部契約により負担割合が決まることになりますが、その債務の具体的な利益を享受する債務者がある場合には、通常、享受する利益の割合に応じて負担すべき割合が決まるものと考えられ（当事者間の負担割合の定めがこれと異なるときは、贈与の問題が生じます。）、一方がこれを超えて負担したときは、他方に対する求償権が生ずることになります。

御質問の場合、あなたとあなたの奥さんがそれぞれ総額5,000万円の住

宅及びその敷地を共有持分割合２分の１で取得されていますので、共に2,500万円ずつ負担（5,000万円×1/2）することが相当です。そうしますと、あなたは、固有債務の2,000万円に加え、連帯債務のうち500万円の合計2,500万円、あなたの奥さんは、連帯債務3,000万円のうち2,500万円（3,000万円－500万円）を負担すべきこととなります。

したがって、住宅借入金等特別控除の額の計算の基礎となる借入金残高は、あなたがA銀行に対する連帯債務の残高の６分の１とB銀行からの借入金残高の合計額、あなたの奥さんがA銀行に対する連帯債務の残高の６分の５となります。

中古住宅を購入した場合の債務の承継

【問15-37】　私は本年１月に中古住宅を購入し、本年２月に入居しましたが、その家屋を購入する際に、前の所有者の家屋の取得に係る都市再生機構に対する債務を承継することになりました。

この場合の債務も、住宅借入金等特別控除の対象になるのでしょうか。

【答】　独立行政法人都市再生機構（平成16年７月１日前は都市基盤整備機構。以下同じ。）、地方住宅供給公社及び日本勤労者住宅協会を当事者とする中古住宅の取得の対価に係る債務の承継に関する契約に基づく賦払債務で、承継したその債務を賦払期間が10年以上の割賦払の方法によって返済することとされているものは、住宅借入金等特別控除の対象とされています（措法41①三、措令26⑭）。

したがって、御質問の場合の債務も、中古住宅の購入に際して、その家屋の前の所有者から承継した独立行政法人都市再生機構に対する債務の賦払期間が10年以上の場合には、住宅借入金等特別控除の対象とすることができます。

なお、この適用を受ける場合には、その債務の承継に関する契約書の写しを確定申告書に添付することが必要です（措規18の21⑧三ロ）。

住宅取得資金の贈与の特例を受けた場合の住宅借入金等特別控除の対象となる住宅借入金等の範囲

【問15-38】　私は、本年７月にマンションを2,300万円で購入しました。
　この購入資金については、父親から住宅取得資金の贈与を500万円受けたほか、銀行からの借入金が2,000万円あります。
　この場合の住宅借入金等特別控除の対象となる住宅借入金等の金額はどのようになるでしょうか。
　なお、私は、父親から贈与を受けた住宅取得資金について、租税特別措置法70条の３の贈与税額の計算の特例の適用を受けています。

【答】　住宅借入金等特別控除の対象となる住宅借入金等は、「住宅の取得等に要する資金に充てるため」のものに限られますので、御質問のように贈与を受けた住宅取得資金と住宅借入金を有する場合において、その合計額がマンションの取得対価の額を超える場合には、どららの資金がマンションの取得対価の額に充てられたかを判定する必要があります。

　その判定に当たっては、納税者が住宅取得資金の贈与税額の計算の特例の適用を受けている場合には、まず贈与を受けた住宅取得資金が家屋等の取得対価の額に充てられたものとして、住宅借入金等特別控除の対象となる住宅借入金等を計算することとされています（措法41①、措令26⑥）。

　したがって、あなたは住宅取得資金500万円について贈与税額の計算の特例を受けていますから、銀行からの住宅借入金2,000万円の全額を住宅借入金等特別控除の対象とすることはできず、マンションの取得対価の額（2,300万円）から贈与を受けた住宅取得資金（500万円）を差し引いた残額の1,800万円が、住宅借入金等特別控除の対象となる住宅借入金等に当たることになります。

居住用財産の買換え等の場合の譲渡損失の繰越控除と住宅借入金等特別控除の適用

【問15-39】　昨年11月に自宅を譲渡しましたが、最近の不況のため余り高額では売れず、赤字になりましたので、確定申告において居住用財産の買換え等の場合の譲渡損失の繰越控除の適用を受けるため損失申告書を提出しました。

また、本年４月に買換資産を借入金により購入することができましたので、５月に入居しました。

この場合、本年分の確定申告において、居住用財産の買換え等の場合の譲渡損失の繰越控除と住宅借入金等特別控除の両方の適用を受けることができますか。

【答】　譲渡資産の特定譲渡につき居住用財産の譲渡損失の金額が生じた場合は、譲渡資産について生じた譲渡損失について、(特定の)居住用財産の買換え等の場合の譲渡損失の繰越控除の特例の適用を受けることができます。また、買換資産に係る住宅借入金等については、住宅借入金等特別控除の適用も受けることができますので、御質問の場合には、重複して両方の適用を受けることができます（措法41の５）。

第４節　特定増改築等住宅借入金等特別控除

増改築等を行った場合の住宅借入金等特別控除等の適用関係

【問15-40】 特定増改築等工事（一定のバリアフリー改修工事、一定の省エネ改修工事及び一定の多世帯同居改修工事をいいます。）をした場合、住宅借入金等特別控除及び特定増改築等住宅借入金等特別控除の適用があると聞きましたが、その適用関係はどのようになりますか。

【答】 特定増改築等工事をした場合の住宅借入金等特別控除等の適用関係は次のとおりとなり、選択により適用することができます。

なお、各選択においては、それぞれの規定における要件を満たすものとします。

一定のバリアフリー改修工事及び一定の省エネ改修工事の内容は【問15-42】及び【問15-43】を参照してください。

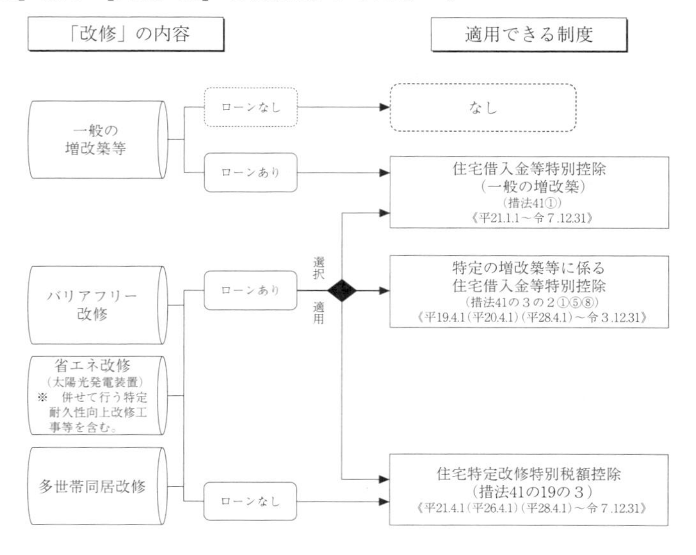

特定増改築等住宅借入金等特別控除の適用要件等

【問15-41】　私は、70歳になる両親と妻との４人で同居しております。

家屋が古く段差が多く、足腰が弱くなった両親の怪我が心配でしたので、令和３年３月、銀行から５年ローンで借入れをし、バリアフリー改修工事を行うことにしました。

また、この機会に、家屋全体を断熱する省エネ改修などの改築も行うこととしました。

なお、この改築工事のために、400万円を借り入れました。

このような工事を行った場合、償還期間が10年未満のローンであっても住宅借入金等特別控除を受けることができる場合があると聞きましたが、これはどのような制度ですか。

また、多世帯同居改修工事を行った場合の特例とは、どのような制度ですか。

【答】　御質問の場合、一定の要件を満たせば、次の２つの控除から１つを選択して受けることができます。

①　特定増改築等住宅借入金等特別控除（令和３年12月31日までに居住の用に供する場合に限ります。）（措法41の３の２）

②　住宅特定改修特別税額控除（措法41の19の３）

②は、【問15－44】でその要件等を説明していますので、ここでは、①の特定増改築等住宅借入金等特別控除の対象となる工事の要件等を説明することとします。

特定増改築等住宅借入金等特別控除は、一定の個人が、償還期間が５年以上の借入金又は債務により、その者が所有する家屋で居住の用に供するものについて、一定のバリアフリー改修工事や省エネ改修工事を含む増改築を行い、その増改築の日から６か月以内に居住の用に供した場合に、適用される制度です（措法41の３の２①⑤）。

また、多世帯同居改修工事に係る特例は、平成28年度の税制改正で創設された制度ですが、個人が、償還期間が５年以上の借入金又は債務により、その者が所有する家屋で、居住の用に供するものについて、一定の多世帯同居改修工事を含む増改築等を行い、その家屋を平成28年４月１日から令和３年12月31日までの間にその者の居住の用に供した（増改築等の日から６か月以内に自己の居住の用に供した場合に限ります。）場合に、適用される制度です（措法41の３の２⑧）。

なお、一定の省エネ改修工事と併せて特定耐久性向上改修工事を行う場合は、特定耐久性向上改修工事に要した費用の額も含めて、控除額を計算することができます（平成29年４月１日以後に増改築等をした部分を居住の用に供した場合に限ります。）。

※　「特定耐久性向上改修工事」とは、小屋裏、外壁、浴室、脱衣室、土台、軸組等、床下、基礎若しくは地盤に関する劣化対策工事又は給排水管若しくは給湯管に関する維持管理若しくは更新を容易にするための工事で、認定を受けた長期優良住宅建築等計画に基づくものであることなど一定の要件を満たすものをいいます。

※　中古住宅を取得した後、その住宅に入居することなく増改築等工事を行った場合の特定増改築等住宅借入金等特別控除については、新型コロナウイルス感染症等の影響によって工事が遅延したことなどにより、その住宅への入居が控除の適用要件である入居期限要件（取得の日から６か月以内）を満たさないこととなった場合でも、次の要件を満たすときは、その適用を受けることができます（新型コロナ税特法６、新型コロナ税特令４。【問15－24】参照。）。

・一定の期日（注）までに、増改築等の契約を締結していること
・増改築等の終了後６か月以内に、中古住宅に入居していること
・令和３年12月31日までに中古住宅に入居していること

（注）中古住宅の取得をした日から５か月を経過する日又は新型コロナ税特法の施行の日（令和２年４月30日）から２か月を経過する日のいずれか遅い日。

あなたが行う改修工事が適用対象であるかどうかや、その増改築工事の費用のうち、高齢者等居住改修工事の費用の額、断熱改修工事の費用の額、特定断熱改修工事の費用の額、特定多世帯同居改修工事の費用の額、特定耐久性向上改修工事等の費用の額は、建築士等が発行する「増改築等工事証明書」により確認することができます（昭和63年建設省告示第1274号、最終改正令和６年国土交通省告示第306号）。

あなたの場合は、別表のとおり特定個人に該当しますので、あなたが行ったバリアフリー工事と省エネ工事が高齢者等居住改修工事等、断熱改修工事等又は特定断熱改修工事等で「増改築等工事証明書」により適用を受けることができるものと証明されていれば、①高齢者等居住改修工事に係る特定増改築等住宅借入金等特別控除と②断熱改修工事等に係る特定増改築等住宅借入金等特別控除を受けることができます。

なお、特定増改築等住宅借入金等特別控除を適用して確定申告書を提出した場合には、その後において、更正の請求や修正申告により住宅特定改修特別税額控除に変更することはできませんのでご注意ください。

（注）令和４年１月１日以後に居住の用に供する場合には、特定増改築等住宅借入金等特別控除の適用はありません。

※　高齢者等居住改修工事、断熱改修工事、特定断熱改修工事及び特定多世帯同居改修工事の要件等は次ページの別表を確認してください。

【別表】主な適用要件等

	高齢者等居住改修工事等に係る特定増改築等住宅借入金等特別控除	断熱改修工事等に係る特定増改築等住宅借入金等特別控除	特定多世帯同居改修工事等に係る特定増改築等住宅借入金等特別控除
適用となる居住日	平成19年４月１日から令和３年12月31日までの間に居住の用に供した場合	平成20年４月１日から令和３年12月31日までの間に居住の用に供した場合	平成28年４月１日から令和３年12月31日までの間に居住の用に供した場合
控除期間	５年間		
控除を受けられる人の要件	・特定個人 次のいずれかに該当する個人（平成28年３月31日以前については、居住者に限ります。） ①　50歳以上である者 ②　介護保険法に規定する要介護認定を受けている者 ③　介護保険法に規定する要支援認定を受けている者 ④　所得税法に規定する障害者に該当する者 ⑤　②から④までのいずれかに該当する親族又は年齢が65歳以上である親族と同居を常況としている者	・個人	・個人

対象となる増改築等	①　高齢者等居住改修工事等 イ　通路又は出入り口の拡幅 ロ　階段の設置又は勾配の緩和 ハ　浴室改良 ニ　便所改良 ホ　手すりの設置 ヘ　屋内の段差の解消 ト　出入口の戸の改良 チ　床表面の滑り止め化 ②　高齢者等居住改修工事等と併せて行う一定の修繕・模様替えの工事	①　断熱改修工事等 次のイからニの工事で(A)及び(B)の要件を満たすもの イ　居室の全ての窓の改修工事 ロ　床の断熱工事 ハ　天井の断熱工事 ニ　壁の断熱工事 （ロからニについてはイと併せて行う工事に限ります。） (A)　改修部位の省エネ性能がいずれも平成28年基準以上となること (B)　改修後の住宅全体の断熱等性能等級が改修前から一段階相当以上上がると認められる工事内容であるもの ※　平成21年4月1日から平成27年12月31日までの間に居住の用に供した場合は、(B)の要件を満たさないものも断熱改修工事等の対象となります（平成20年国土交通省告示第513号（最終改正令和5年国土交	①　特定多世帯同居改修工事等 イ　調理室を増設する工事 ロ　浴室を増設する工事 ハ　便所を増設する工事 ニ　玄関を増設する工事 ※　工事後にいずれか2つ以上が複数になる場合に限ります。 ②　特定多世帯同居改修工事等と併せて行う一定の修繕・模様替えの工事等

対象となる増改築等	通省告示第1072号))。 ② 特定断熱改修工事等 イ 全ての居室の全ての窓の改修工事、又はその工事と併せて行う床の断熱工事、天井の断熱工事若しくは壁の断熱工事で、次の(イ)及び(ロ)の要件を満たすもの (イ) 改修部位の省エネ性能がいずれも平成28年基準以上となること (ロ) 改修後の住宅全体の断熱等性能等級が平成28年基準相当となると認められること ロ 居室の窓の改修工事、又はその工事と併せて行う床の断熱工事、天井の断熱工事若しくは壁の断熱工事で、次の(イ)及び(ロ)の要件を満たすもの (イ) 改修部位の省エネ性能がいずれも平成28年基準

対象となる増改築等		以上となること (ロ)　改修後の住宅全体の断熱等性能等級が現状から一段階以上上がり、改修後の住宅全体の省エネ性能について断熱等性能等級が等級４又は一次エネルギー消費量等級が等級４以上かつ断熱等性能等級が等級３となること ③　①又は②の工事と併せて行う一定の修繕・模様替えの工事	
増改築等の要件	・高齢者等居住改修工事に要した費用の額（補助金等の額を控除した金額）が50万円を超えること ※　平成22年１月１日から平成26年３月31日までの間に居住の用に供した場合、30万円を超えることが要件とされます。 (注)　平成23年６月30日以後に増改築等に係る契約を締結	・断熱改修工事等又は特定断熱改修工事等の費用の額（補助金等の額を控除した金額）が50万円を超えること ※　平成22年１月１日から平成26年３月31日までの間に居住の用に供した場合、30万円を超えることが要件とされます。 (注)　平成23年６月30日以後に増改築等に係る契約を締結している場合は、補助金等	・特定多世帯同居改修工事等に要した費用の額（補助金等の額を控除した金額）が50万円を超えること

<table>
<tr><td></td><td>している場合は、補助金等の額を控除した金額が30万円を超えること</td><td>の額を控除した金額が30万円を超えること</td><td></td></tr>
<tr><td>増改築等の要件</td><td colspan="3">・対象となる工事であることについて増改築等工事証明書により証明されていること
・増改築等の日から６か月以内に居住の用に供していること
・この特別控除を受ける年分の12月31日まで引き続き居住の用に供していること
・床面積の２分の１以上が専ら自己の居住の用に供されているものであること
・増改築等住宅借入金等を有していること
・自己の所有する家屋で自己の居住の用に供するものについて行う増改築等であること
・増改築等をした後の家屋の床面積が50㎡以上であること
・自己の居住の用に供される部分の工事費用の額が、増改築等の工事費用の総額の２分の１以上であること</td></tr>
<tr><td rowspan="2">増改築等住宅借入金等の要件</td><td colspan="3">・償還期間等が５年以上の割賦償還等の方法によるものであること
・住宅の増改築等に要する資金に充てるために借り入れたもの（その住宅の増改築等に係る家屋の敷地の用に供される土地等の取得に充てるために借り入れたものを含みます。）であること
※　家屋の敷地に係る借入金等については、住宅の増改築等に要する資金に充てるための借入金等を有している必要があります。
※　無利息又は著しく低い金利による利息であるものとなる場合の借入金等は含まれません。</td></tr>
<tr><td>※　独立行政法人住宅金融支援機構からの借入金で債務者の死亡時に一括償還による方法により支払うこととされているものを含みます。</td><td colspan="2"></td></tr>
</table>

控除が受けられない年分	①　合計所得金額が3,000万円を超える年分 ②　住宅の増改築等をした部分を居住の用に供しなくなった年以後の各年分（再び居住の用に供した日の属する年以後の各年分で特定増改築等住宅借入金等特別控除の適用を受けることができる年分を除きます。） ③　住宅の増改築等をした部分を居住の用に供した年分の所得税について、次に掲げるいずれかの特例を適用する場合やその居住年の前年分又は前々年分の所得税について次に掲げるいずれかの特例を適用している場合にはその居住年以後５年間の各年分 ・居住用財産を譲渡した場合の長期譲渡所得の課税の特例 ・居住用財産の譲渡所得の特別控除 ・特定の居住用財産の買換えの場合の長期譲渡所得の課税の特例 ・特定の居住用財産を交換した場合の長期譲渡所得の課税の特例 ・既成市街地等内にある土地等の中高層耐火建築物等の建設のための買換え及び交換の場合の譲渡所得の課税の特例 ④　居住年の翌年又は翌々年中（令和２年４月１日以後の譲渡の場合は、居住年の翌年以後３年内の各年中）にその住宅の増改築等をした家屋（これらの家屋の敷地を含みます。）以外の一定の資産を譲渡した場合において、その資産の譲渡につき③に掲げるいずれかの特例を適用するときは、その居住年以後５年間の各年分
他の制度との適用関係	・特定増改築等住宅借入金等特別控除と居住用財産の買換え等の場合の譲渡損失の損益通算及び繰越控除について、いずれの適用要件も満たしている場合には、重ねて適用できます。 ・高齢者等居住改修工事等、断熱改修工事等又は特定多世帯同居改修工事等について、住宅特定改修特別税額控除の適用を受ける場合は、それらの工事について特定増改築等住宅借入金等特別控除は適用できません。
添付書類（最初の年分）	イ　（特定増改築等）住宅借入金等特別控除額の計算明細書
	ロ　平成27年分以前の申告では、これらの控除を受ける者の住民票の写し（要介護認定若しくは要支援認定を受けている者、障害者に該当する者又は65歳以上の親族と同居している者の場合は、その同居する親族につ

<table>
<tr><td rowspan="7">添付書類（最初の年分）</td><td colspan="3">いても表示されているもの）</td></tr>
<tr><td colspan="3">ハ　住宅取得資金に係る借入金の年末残高等証明書</td></tr>
<tr><td colspan="3">ニ　家屋の登記事項証明書、請負契約書の写しなどで家屋の床面積、増改築等の年月日、及びその費用の額を明らかにする書類</td></tr>
<tr><td colspan="3">ホ　増改築等工事証明書</td></tr>
<tr><td colspan="3">ヘ　増改築等住宅借入金等に含まれる敷地の購入に係る住宅借入金等についてこの控除を適用する場合は、その敷地の登記事項証明書又はその敷地の分譲に係る契約書の写しなどで、その敷地の取得年月日及び取得価額などを明らかにする書類
※　住宅の増改築等の日前に取得した敷地の取得に要する資金に充てるための借入金等の場合は、家屋の登記事項証明書などで家屋に抵当権が設定されていることを明らかにする書類、敷地の分譲に係る契約書の写しなどで契約において一定の建築条件が定められていることなど明らかにする書類</td></tr>
<tr><td>ト　補助金等、居宅介護住宅改修費及び介護予防住宅改修費の額を明らかにする書類</td><td>平成23年６月30日前に増改築等に係る契約を締結している場合……不要
平成23年６月30日以後に増改築等に係る契約を締結している場合……補助金等の額を明らかにする書類</td><td>補助金等の額を明らかにする書類</td></tr>
</table>

添付書類（最初の年分）	チ　対象者（同居親族を含む）が要介護認定又は要支援認定を受けている者の場合は、介護保険の被保険者証の写し	不　要	同　左
添付書類（2年目以後の年分）	①　確定申告書を提出してこの控除を受ける場合 イ　住宅取得資金に係る借入金の年末残高等証明書 ロ　（特定増改築等）住宅借入金等特別控除額の計算明細書 ②　給与所得者が年末調整によってこの控除を受ける場合 イ　給与所得者の（特定増改築等）住宅借入金等特別控除申告書及び年末調整のための（特定増改築等）住宅借入金等特別控除証明書 ロ　住宅取得資金に係る借入金の年末残高等証明書		

（注）　上記表の添付書類（最初の年分）について、新型コロナウイルス感染症緊急経済対策における税制上の措置により住宅借入金等特別控除の適用を受ける方は、これらの書類に加えて次の書類を確定申告書に添付する必要があります（新型コロナ税特令4、新型コロナ税特規4）。

なお、適用要件等については【問15-41】を参照してください。

・入居時期に関する申告書兼証明書（既存住宅の取得後増改築等を行った場合用）

特定増改築等住宅借入金等特別控除額の計算（バリアフリー改修工事）

【問15-42】　私は、令和２年10月に、借入金により今住んでいる住宅にバリアフリー改修工事（高齢者等居住改修工事等）を行い、令和３年２月に入居しました。特定増改築等住宅借入金等特別控除の適用を受けようと考えていますが、控除額はどのように計算するのでしょうか。

・住宅の増改築等の費用の額（すべて居住用部分に係るもの）　1,400万円

　うち、バリアフリー改修工事等の費用の額　600万円

・住宅の増改築等に係る住宅借入金等の年末残高の合計額　1,300万円

・市からの補助金の額　100万円

・共有者　なし

　なお、控除の適用を受けるための要件は満たしています。

【答】　特定増改築等住宅借入金等特別控除の金額の計算は、次のとおり計算します。

1　平成26年４月１日から令和３年12月31日までの間に居住の用に供した場合の計算方法

〔控除額の計算〕

（特定増改築等住宅借入金等の年末残高の合計額(A)※（最高250万円））×２％＋（増改築等住宅借入金等の年末残高の合計額（最高1,000万円）－(A)）×１％＝特定増改築等住宅借入金等特別控除額（100円未満の端数切捨て）（最高12万5,000円）

※１　特定増改築等住宅借入金等の年末残高の合計額（A）とは、増改築等の住宅借入金等の年末残高の合計額のうち、バリアフリー改修工事に要した費用の額の合計額に相当する部分の金額をいいます。

※２　特定増改築等住宅借入金等の年末残高の合計額の限度額が250万円となるのは、住宅の増改築等が特定取得に該当する場合であり、それ

以外の場合の特定増改築等住宅借入金等の年末残高の合計額の限度額は200万円となります。

なお、「特定取得」とは、住宅の増改築等に係る費用の額に含まれる消費税額等（消費税額及び地方消費税額の合計額をいいます。）が、消費税率の引上げ後の８％又は10％の税率により課されるべき消費税額等である場合におけるその住宅の増改築等をいいます。

※３　バリアフリー改修工事を含む増改築等に関し補助金等の交付を受ける場合には、その補助金の額を控除します。

※４　バリアフリー改修工事等に要した費用の額は、増改築等工事証明書において確認することができます。

２　御質問の場合、あなたの特定増改築等住宅借入金等特別控除額の計算は次のようになります。

(1)　適用要件の判定

①　バリアフリー改修工事等の費用の額……600万円

②　市からの補助金の額……100万円

③　高齢者等居住改修工事等に要した費用の額（①－②）……500万円

〔判定〕

④　高齢者等居住改修工事等に要した費用の額500万円＞50万円

高齢者等居住改修工事等に要した費用の額が、50万円を超えているため適用を受けることができます。

(2)「特定増改築等住宅借入金等の年末残高の合計額(A)」の計算

⑤　自己の持分に係る高齢者等居住改修工事等に要した費用の額（③×１／１（持分））……500万円

⑥　特定増改築等住宅借入金等の年末残高の合計額(A)

住宅借入金等の年末残高の合計額1,300万円と⑤のいずれか少ない方の金額（最高250万円）……250万円

(3)　特定増改築等住宅借入金等特別控除額の計算

⑦　住宅借入金等の年末残高の合計額（最高1,000万円）……1,000万円

⑧　特定増改築等住宅借入金等特別控除額

⑥250万円×２％＋（⑦1,000万円－⑥250万円）×１％＝125,000円

したがって、あなたが受けることができる特定増改築等住宅借入金等特別控除額は、（限度額）125,000円となります。

（注）令和４年１月１日以後に居住の用に供する場合には、特定増改築等住宅借入金等特別控除の適用はありません。

【参考】

住宅の増改築等の費用の額：1,400万円

バリアフリー改修工事の費用の額① 600万円		左記以外の住宅の増改築等に係る工事に要した費用の額 800万円	

交付等を受けた補助金等の合計額② 100万円	特定増改築等住宅借入金等の年末残高の合計額③、④、⑤		左記以外の増改築等住宅借入金等の年末残高の合計額	
	250万円 ⑥	250万円	500万円	300万円
	控除率（２％）	控除率（１％）		

増改築等住宅借入金等の年末残高の合計額：1,300万円

特定増改築等住宅借入金等特別控除額の計算（省エネ改修工事）

【問15-43】 私は、令和２年10月に、借入金により今住んでいる住宅に省エネ改修工事（特定断熱改修工事）を行い、令和３年２月に入居しました。特定増改築等住宅借入金等特別控除の適用を受けようと考えていますが、控除額はどのように計算するのでしょうか。

・住宅の増改築等の費用の額（すべて居住用部分に係るもの）　900万円
　うち、省エネ改修工事等（特定断熱改修工事）の費用の額　200万円
・住宅の増改築等に係る住宅借入金等の年末残高の合計額　800万円
・市からの補助金の合計額　100万円
・共有者　なし
　なお、控除の適用を受けるための要件は満たしています。

【答】　特定増改築等住宅借入金等特別控除の金額の計算は、【問15-42】の控除額の計算のとおりですから、あなたの特定増改築等住宅借入金等特別控除額の計算は次のようになります。

(1)　適用要件の判定
　特定断熱改修工事等に要した費用の額
　100万円（200万円－100万円）＞50万円
　特定断熱改修工事等に要した費用の額が、50万円を超えているため適用を受けることができます。

(注) 1　平成23年６月30日以後に締結した特定断熱工事等に係る判定は、高齢者等住宅改修工事と同様に、国等からの補助金等を控除して判定します。
　2　特定断熱改修工事等と併せて特定耐久性向上改修工事等を行う場合は、特定耐久性向上改修工事等に要した費用の額も含まれます（平成29年４月１日以後に増改築等をした部分を居住の用に供した場合に限ります。)。
　※　「特定耐久性向上改修工事」とは、小屋裏、外壁、浴室、脱衣室、土台、軸組等、床下、基礎若しくは地盤に関する劣化対策工事又は給排水管若しくは給湯管に関する維持管理若しくは更新を容易にす

るための工事で、認定を受けた長期優良住宅建築等計画に基づくものであることなど一定の要件を満たすものをいいます。

(2)「特定増改築等住宅借入金等の年末残高の合計額(A)」の計算

①　自己の持分に係る特定断熱改修工事等に要した費用の額

100万円×１／１（持分）……100万円

②　特定増改築等住宅借入金等の年末残高の合計額(A)

住宅借入金等の年末残高の合計額800万円と①のいずれか少ない方の金額（最高250万円）……100万円

(3) 特定増改築等住宅借入金等特別控除額の計算

③　住宅借入金等の年末残高の合計額（最高1,000万円）……800万円

④　特定増改築等住宅借入金等特別控除額

②100万円×２％＋（③800万円－②100万円）×１％＝90,000円

【参考】

住宅の増改築等の費用の額：900万円

①特定断熱改修工事等の費用の額
200万円

左記以外の住宅の増改築等の費用の額
700万円

交付等を受けた補助金等の合計額
100万円

100万円

左記以外の住宅の増改築等
住宅借入金等の年末残高の合計額
700万円

控除率（２％）

控除率（１％）

特定増改築等住宅借入金等の年末残高の合計額 ②

増改築等住宅借入金等の年末残高の合計額：800万円 ③

したがって、あなたが受けることができる特定増改築等住宅借入金等特別控除額は、90,000円となります。

（注）　令和４年１月１日以後に居住の用に供する場合には、特定増改築等住宅借入金等特別控除の適用はありません。

第５節　住宅特定改修特別税額控除

住宅特定改修特別税額控除の適用要件等

【問15-44】　私は40歳の会社員ですが、地球温暖化の防止に少しでも貢献しようと考え、太陽光発電装置設置工事の補助金制度を利用して、約400万円の費用をかけて自宅の省エネ改修工事を行いました。

この工事のために数年前から貯金をしていたので、工事費用は借入金ではなく貯金から捻出しました。

自己資金で改修工事をした場合は、税金の控除がないと聞いたのですが、私の場合は税金の計算上何も控除されないのでしょうか。

【答】　御質問の場合、一定の要件を満たせば、次の住宅特定改修特別税額控除（措法41の19の３）の適用を受けることができるものと思われます。

住宅特定改修特別税額控除は、一定の個人が、別表の適用要件等を満たす①高齢者等居住改修工事等（バリアフリー改修工事）又は②一般断熱改修工事等（一般省エネ改修工事）を行い、平成26年４月１日から令和７年12月31日までの間に自己の居住の用に供した場合、③多世帯同居改修工事等を行い、平成28年４月１日から令和７年12月31日までの間に自己の居住の用に供した場合、④耐久性向上改修工事等（住宅耐震改修や一般省エネ改修工事と併せて行うものに限ります。）を行い、平成29年４月１日から令和７年12月31日までの間に自己の居住の用に供した場合に適用される制度で、借入金がない場合であっても適用を受けることができます。

なお、令和６年度税制改正により、子育て特例対象個人が、別表の適用要件等を満たす⑤子育て対応改修工事等を行い、令和６年４月１日から令和６年12月31日までの間に自己の居住の用に供した場合についても適用されることとなりました。

①ないし⑤のそれぞれの適用要件等は、別表のとおりです。

また、あなたが行う省エネ改修工事がこの制度の適用対象であるかどうかや、バリアフリー改修工事の費用の額、一般省エネ改修工事の費用の額、多世帯同居改修工事等の費用の額及び耐久性向上改修工事等の費用の額、子育て対応改修工事等の費用の額は、建築士等が発行する「増改築等工事証明書」により確認することができます（昭和63年建設省告示第1274号、最終改正令和６年国土交通省告示第306号）。

御質問の省エネ改修工事は、太陽光発電装置の設置工事を含む一般省エネ改修工事に該当するものと思われますので、「増改築等工事証明書」により適用を受けることができるものと証明されていれば、当該工事に係る借入金がなくても住宅特定改修特別税額控除を受けることができます。

なお、一般省エネ改修工事に係る住宅特定改修特別税額控除の計算は、次の算式により計算します。

〔控除額の計算〕

(1) 平成26年４月１日から令和３年12月31日までの間に居住の用に供した場合

住宅特定改修特別税額控除の控除額は、一般省エネ改修工事の標準的な費用の額（その額が控除対象限度額を超える場合には、控除対象限度額）※の10％です（算出された控除額のうち100円未満の端数金額は切り捨てます。）。

※　改修工事の費用に関し補助金等の交付を受ける場合には、その補助金等の額を控除します。

（注）　一般省エネ改修工事の控除対象限度額は、一般省エネ改修工事に要した費用の額に含まれる消費税額等（地方消費税を含みます。）のうちに、８％又は10％の税率により課されるべき消費税額等が含まれている場合には250万円（太陽光発電設備設置工事が含まれる場合は350万円）、それ以外の場合には、200万円（太陽光発電設備設置工事が含まれる場合は300万円）となります。

(2) 令和４年１月１日から令和７年12月31日までの間に居住の用に供した場合

Ａ×10％＋Ｂ×５％（Ａ又はＢのそれぞれに対して算出された控除額のうち100円未満の端数金額は切り捨てます。）

Ａ　一般省エネ改修工事の標準的な費用の額（工事の費用に関し補助金等の交付を受ける場合には、その補助金等の額を控除した後の金額。以下同じです。）（注）

（注）　250万円（太陽光発電設備設置工事が含まれる場合は350万円）を限度とします。

Ｂ　次の①、②のいずれか低い金額（1,000万円からＡの金額を控除した金額を限度）

①　次のイ及びロの合計額

イ　一般省エネ改修工事の標準的な費用の額のうち控除対象限度額（250万円（太陽光発電設備設置工事が含まれる場合は350万円））を超える部分の額

ロ　一般省エネ改修工事と併せて行う増築、改築その他の一定の工事に要した費用の額（補助金等の交付がある場合にはその補助金等の額を控除した後の金額）の合計額

②　一般省エネ改修工事の標準的な費用の額

（注）　「一般省エネ改修工事の標準的な費用の額」とは、一般省エネ改修工事の種類ごとに単位当たりの標準的な工事費用の額として定められた金額に、その一般省エネ改修工事を行った床面積等を乗じて計算した金額をいい、増改築等工事証明書において確認することができます。また、太陽光発電設備設置工事が含まれる場合には、増改築等工事証明書において証明されます。

※　一般省エネ改修工事に係る標準的な費用の額

標準断熱改修工事等

〈標準的な工事費用相当額〉（平成21年経済産業省国土交通省告示第４号、最終改正令和６年経済産業省国土交通省告示第４号）

以下の表の「工事の内容」に応じ、「単位あたりの金額」に「単位」及び「割合」を乗じたものの合計額です。

（令和元年12月31日までに居住する場合はカッコ内の額とする。）

省エネ改修工事の内容		単位あたりの金額（税込）	単位	割合
（令和３年12月31日までに居住の用に供した場合） **全ての**居室の**全て**の窓の断熱性を高める工事 （ガラス交換については、全ての居室の全ての窓の日射遮蔽性を高める工事を含む。）	ガラスの交換（１から８地域※1まで）	6,300円（6,400円）	家屋の床面積の合計（㎡）	1
	内窓の新設又は交換（１、２及び３地域）	11,300円（11,800円）		
	内窓の新設（４、５、６及び７地域）	8,100円（7,700円）		
	サッシ及びガラスの交換（1、2、3及び4地域）	19,000円（18,900円）		
	サッシ及びガラスの交換（5、6及び7地域）	15,000円（15,500円）		
居室の窓の断熱性を高める工事 （ガラス交換については、居室の窓の日射遮蔽性を高める工事を含む。） 【平成29年４月以降に居住の用に供した場合に限る】	ガラスの交換（１から８地域まで）	6,300円（6,400円）		「居室の窓のうち左の工事を行った窓の面積」を「全ての居室の全ての窓の面積」で除した割合
	内窓の新設又は交換（１、２及び３地域）	11,300円（11,800円）		
	内窓の新設（４、５、６及び７地域）	8,100円（7,700円）		
	サッシ及びガラスの交換（1、2、3及び4地域）	19,000円（18,900円）		
	サッシ及びガラスの交換（5、6及び7地域）	15,000円（15,500円）		
天井等の断熱性を高める工事（１から８地域まで）		2,700円（2,700円）		1
壁の断熱性を高める工事（１から８地域まで）		19,400円（19,300円）		
床等の断熱性を高める工事（１、２及び３地域）		5,800円（5,700円）		
床等の断熱性を高める工事（４、５、６及び７地域）		4,600円（4,700円）		
太陽熱利用冷温熱装置（冷暖房等及び給湯の用に供するもののうち、日本工業規格A4112に適合するもの）の設置工事		151,600円（140,000円）	集熱器面積（㎡）	
太陽熱利用冷温熱装置（給湯の用に供するもののうち、日本工業規格A4111に適合するもの）の設置工事		365,400円（391,400円）	件（台）	
潜熱回収型給湯器の設置工事		75,200円（98,400円） 令和５年１月１日以後に居住の用に供する場合は、49,700円		
ヒートポンプ式電気給湯器の設置工事		412,200円（393,200円）		
燃料電池コージェネレーションシステムの設置工事		1,057,200円（1,728,700円） 令和５年１月１日以後に居住の用に供する場合は、789,800円		
ガスエンジン給湯器の設置工事 令和５年１月１日以後に居住の用に供する場合は、削除		458,300円（478,600円）		
エアコンディショナーの設置工事		88,600円（91,200円）		

<table>
<tr><td rowspan="7">太陽光発電設備の設置工事</td><td colspan="2">太陽光発電設備の設置工事</td><td>425,500円（537,200円）</td><td rowspan="6">太陽電池モジュールの出力数（kW）</td><td rowspan="7">1</td></tr>
<tr><td rowspan="6">特殊工事※2</td><td>安全対策工事</td><td>37,600円（53,700円）</td></tr>
<tr><td>陸屋根防水基礎工事</td><td>44,000円（52,500円）
令和５年１月１日以後に居住の用に供する場合は、55,500円</td></tr>
<tr><td>積雪対策工事</td><td>27,800円（31,500円）</td></tr>
<tr><td>塩害対策工事</td><td>9,000円（10,500円）</td></tr>
<tr><td>幹線増強工事</td><td>106,800円（105,000円）</td><td>件</td></tr>
</table>

※１　地域区分については、平成28年国土交通省告示第265号別表第10をご確認ください。

※２　工事の内容については、平成21年経済産業省告示第68号をご確認ください。

（注）　地域区分は、概ね次のようにされています。なお、地域区分の改正は、平成25年10月から新省エネ基準における見直しを反映したものです。

１及び２地域（改正前：Ⅰ地域）北海道／３地域（Ⅱ地域）青森県、岩手県、秋田県／４地域（Ⅲ地域）宮城県、山形県、福島県、栃木県、新潟県、長野県／５地域（Ⅳ地域）１から４地域、７地域及び８地域以外（Ⅰから Ⅲ地域、Ⅴ地域及びⅥ地域以外）／７地域（Ⅴ地域）宮城県、鹿児島県／８地域（Ⅵ地域）沖縄県

※　**耐久性向上改修工事等に係る標準的費用額**（平成29年国土交通省告示第280号、最終改正令和4年国土交通省告示第727号）

耐久性向上改修工事等の内容	単位当たり標準額	工事内容ごとの単位
小屋裏の壁のうち屋外に面するものに換気口を取り付ける工事	20,900円	工事の箇所数
軒裏に換気口を取り付ける工事（軒裏に通気孔を有する天井板を取り付けるものを除きます。）	7,800円	工事の箇所数
軒裏に換気口を取り付ける工事のうち、軒裏に通気孔を有する天井板を取り付けるもの	5,900円	工事の施工面積（㎡）
小屋裏の頂部に排気口を取り付ける工事	47,400円	工事の箇所数
小屋裏の状態を確認するための点検口を天井又は小屋裏の壁に取り付ける工事	18,300円	工事の箇所数
外壁を通気構造等とする工事	14,200円	工事の施工面積（㎡）
浴室を日本工業規格Ａ4416に規定する浴室ユニット又はこれと同等の防水上有効な措置が講じられたものとする工事	896,900円	工事の箇所数
脱衣室の壁に耐水性を有する化粧合板その他の防水上有効な仕上材を取り付ける工事（壁にビニルクロスを取り付けるものを除きます。）	12,800円	工事の施工面積（㎡）
脱衣室の壁に耐水性を有する化粧合板その他の防水上有効な仕上材を取り付ける工事のうち、壁にビニルクロスを取り付けるもの	5,400円	工事の施工面積（㎡）
脱衣室の床に塩化ビニル製のシートその他の防水上有効な仕上材を取り付ける工事（床に耐水性を有するフローリングを取り付けるものを除きます。）	6,600円	工事の施工面積（㎡）

脱衣室の床に塩化ビニル製のシートその他の防水上有効な仕上材を取り付ける工事のうち、床に耐水性を有するフローリングを取り付けるもの	12,000円	工事の施工面積（㎡）
土台に防腐処理又は防蟻処理をする工事	2,100円	工事の施工面積（㎡）
土台に接する外壁の下端に水切りを取り付ける工事	2,400円	工事の施工長さ（㎡）
外壁の軸組等に防腐処理又は防蟻処理をする工事	2,100円	工事の施工面積（㎡）
床下をコンクリートで覆う工事	12,700円	工事の施工面積（㎡）
床下を厚さ0.1㎜以上の防湿フィルム又はこれと同等の防湿性を有する材料で覆う工事	1,300円	工事の施工面積（㎡）
床下の状態を確認するための点検口を床に取り付ける工事	27,800円	工事の箇所数
高さが400㎜以上の基礎が有する機能（土台又は外壁下端への軒先から流下する水のはね返りを防止するものに限ります。）を代替する雨どいを軒又は外壁に取り付ける工事	3,900円	工事の施工長さ（m）
防蟻に有効な土壌処理をする工事	3,100円	工事の施工面積（㎡）
地盤をコンクリートで覆う工事	12,700円	工事の施工面積（㎡）
給水管又は給湯管を維持管理上有効な位置に取り替える工事（共用の給水管を取り替えるものを除きます。）	9,500円	工事の施工長さ（m）
給水管又は給湯管を維持管理上有効な位置に取り替える工事のうち、共用の給水管を取り替えるもの	32,000円 令和5年1月1日以後に居住の用に供する場合は、22,600円	工事の施工長さ（m）
排水管を維持管理上又は更新上有効なもの及び位置に取り替える工事（共同住宅等の排水管を取り替えるものを除きます。）	9,800円	工事の施工長さ（m）
排水管を維持管理上又は更新上有効なもの及び位置に取り替える工事のうち、共同住宅等の排水管（専用の排水管を除きます。）を取り替えるもの	16,800円	工事の施工長さ（m）
排水管を維持管理上又は更新上有効なもの及び位置に取り替える工事のうち、共同住宅等の専用の排水管（施工前に他住戸等の専用部分に設置されているものを除きます。）を取り替えるもの	15,600円	工事の施工長さ（m）
排水管を維持管理上又は更新上有効なもの及び位置に取り替える工事のうち、共同住宅等の専用の排水管（施工前に他住戸等の専用部分に設置されているものに限ります。）を取り替えるもの	49,200円 令和5年1月1日以後に居住の用に供する場合は、176,000円	工事の施工長さ（m）
給水管、給湯管又は排水管の主要接合部等を点検し又は排水管を清掃するための開口を床、壁又は天井に設ける工事のうち、開口を床（共用部の床を除きます。）に設けるもの	25,000円	工事の箇所数
給水管、給湯管又は排水管の主要接合部等を点検し又は排水管を清掃するための開口を床、壁又は天井に設ける工事のうち、開口を壁又は天井（共用部の壁又は天井を除きます。）に設けるもの	17,700円	工事の箇所数
給水管、給湯管又は排水管の主要接合部等を点検し又は排水管を清掃するための開口を床、壁又は天井に設ける工事のうち、開口を共用部の床、壁又は天井に設けるもの	51,400円 令和5年1月1日以後に居住の用に供する場合は、132,300円	工事の箇所数

【別表】主な適用要件等

	高齢者等居住改修工事等に係る住宅特定改修特別税額控除	一般断熱改修工事等に係る住宅特定改修特別税額控除	多世帯同居改修工事等に係る住宅特定改修特別税額控除	耐久性向上改修工事等に係る住宅特定改修特別税額控除	子育て対応改修工事等に係る住宅特定改修特別税額控除
適用となる居住日	平成26年４月１日から令和７年12月31日までの間に居住の用に供した場合		平成28年４月１日から令和７年12月31日までの間に居住の用に供した場合	平成29年４月１日から令和７年12月31日までの間に居住の用に供した場合	令和６年４月１日から令和６年12月31日までの間に居住の用に供した場合
控除期間	居住年のみ				
控除を受けられる人の要件	・特定個人 次のいずれかに該当する個人 ①　50歳以上である者 ②　介護保険法に規定する要介護認定を受けている者 ③　介護保険法に規定する要支援認定を受けている者 ④　所得税法に規定する障害者に該当する者	・個人	・個人	・個人	・特例対象個人 次のいずれかに該当する個人 ①　40歳未満で配偶者を有する者 ②　40歳以上であって40歳未満の配偶者を有する者 ③　19歳未満の扶養親族を有する者

	⑤　②から④のいずれかに該当する親族又は年齢が65歳以上である親族と同居を常況としている者				
対象となる改修工事	・高齢者等居住改修工事等 イ　通路又は出入口の拡幅 ロ　階段の設置又は勾配の緩和 ハ　浴室改良 ニ　便所改良 ホ　手すりの設置 ヘ　屋内の段差の解消 ト　出入口の戸の改良 チ　床表面の滑り止め化	・一般断熱改修工事等 〈令和４年１月１日以後に居住の用に供する場合〉 ①　居室の窓の改修工事又はその工事と併せて行う床等の断熱工事、天井の断熱工事若しくは壁の断熱工事で、その改修部位の省エネ性能がいずれも平成28年基準以上となる工事 〈令和３年12月31日以前に居住の用に供する場合〉 次の②又は③に該当する工事	・多世帯同居改修工事等 イ　調理室を増設する工事 ロ　浴室を増設する工事 ハ　便所を増設する工事 ニ　玄関を増設する工事 ※　工事後にいずれか２つ以上が複数になる場合に限ります。	・小屋裏、外壁、浴室、脱衣室、土台、軸組等、床下、基礎若しくは地盤に関する劣化対策工事又は給排水管若しくは給湯管に関する維持管理若しくは更新を容易にするための工事	・子育対応改修工事 イ　住宅内における子どもの事故を防止するための工事 ロ　対面式キッチンへの交換工事 ハ　開口部の防犯性を高める工事 ニ　収納設備を増設する工事 ホ　開口部・界壁・床の防音性を高める工事 ヘ　間取り変更工事（一定のものに限る。）

対象となる改修工事		②　次のイからニの工事で改修部位の省エネ性能がいずれも平成28年基準以上となるもの イ　全ての居室の全ての窓の改修工事 ロ　床の断熱工事 ハ　天井の断熱工事 ニ　壁の断熱工事 （ロからニについてはイと併せて行う工事に限ります。） ③　居室の窓の改修工事、又はその工事と併せて行う床の断熱工事、天井の断熱工事若しくは壁の断熱工事で、その改修部位の省エネ性能がい			

対象となる改修工事	ずれも平成28年基準以上となり、また、改修後の住宅全体の断熱等性能等級が現状から一段階以上上がり、改修後の住宅全体の省エネ性能が断熱等性能等級4又は一次エネルギー消費量等級4以上かつ断熱等性能等級3となる工事 ④　①、②又は③のいずれかの工事が行われる構造又は設備と一体となって効用を果たす一定の太陽熱利用冷温熱装置などの設備の取替え又は取付けに係る工事。

		⑤　①、②又は③のいずれかの工事と併せて行う当該家屋と一体となって効用を果たす一定の太陽光発電装置などの設備の取替え又は取付けに係る工事			
改修工事の要件	・標準的な費用の額（補助金等の額を控除した金額）が50万円を超えること	・標準的な費用の額（補助金等の額を控除した金額）が50万円を超えること	・標準的な費用の額（補助金等の額を控除した金額）が50万円を超えること	・標準的な費用の額（補助金等の額を控除した金額）が50万円を超えること ・住宅耐震改修又は（及び）一般省エネ改修工事を併せて行うこと ・認定を受けた長期優良住宅建築計画に基づくものであること	・標準的な費用の額（補助金等の額を控除した金額）が50万円を超えること
	・対象となる工事であることについて増改築等工事証明書により証明されていること ・改修工事の日から６か月以内に居住の用に供していること ・床面積の２分の１以上が専ら自己の居住の用に供されるものであること				

改修工事の要件	・自己の所有する家屋で自己の居住の用に供するものについて行う改修工事であること ・改修工事をした後の家屋の床面積が50㎡以上であること ・自己の居住の用に供される部分の工事費用の額が、改修工事の総額の２分の１以上であること			
控除が受けられない年分	・合計所得金額が2,000万円を超える年分（令和５年分までは、合計所得金額が3,000万円を超える年分）			
	・前年以前３年内の各年分の所得税についてこの控除を適用している場合 ※　以下の場合を除きます。 ・前年分の所得税についてこの控除を受けた家屋と異なる家屋について、この控除を適用する場合 ・高齢者等居住改修工事等と一般断熱改修工事等の合計額についてこの控除を適用しようとする特定居住者（高齢者等居住改修工事等について介護保険法施行規則第76条第２項の規定の適用を受けた者に限ります。）が、その前年分に、高齢者等居住改修工事等のみについて適用をしている場合	・前年以前３年内の各年分の所得税についてこの控除を適用している場合 ※　各年分の所得税についてこの控除を受けた家屋と異なる家屋について、この控除を適用する場合を除く	同左	同左
他の制度との適用関係	高齢者等居住改修工事等、一般断熱改修工事等、多世帯同居改修工事等及び耐久性向上改修工事等について、住宅借入金等特別控除又は特定増改築等住宅借入金等特別控除（令和３年12月31日までに居住の用に供する場合に限ります。）の適用を受ける場合には、住宅特定改修特別税額控除は適用できません。			
添付書類	(1)　住宅特定改修特別税額控除額の計算明細書	(1)　住宅特定改修特別税額控除額の計算明細書	同左	同左

添付書類	(2)　増改築等工事証明書 (3)　家屋の登記事項証明書など家屋の床面積が50平方メートル以上であることを明らかにする書類 (4)　介護保険の被保険者証の写し（要介護認定者、要支援認定者又はこれらの親族と同居を常況としている者がバリアフリー改修工事を行った場合に限ります。）	(2)　増改築等工事証明書 (3)　家屋の登記事項証明書など家屋の床面積が50平方メートル以上であることを明らかにする書類	同左	同左

(注)１　令和３年７月１日以後、登記事項証明書については、「住宅特定改修特別税額控除額の計算明細書」に不動産番号を記載又は登記事項証明書の写しの添付に代えることができます。

２　平成27年分以前の申告では、これらの控除を受ける者の住民票の写し（高齢者等居住改修工事等に係る住宅特定改修特別税額控除を受ける者のうち、要介護認定若しくは要支援認定を受けている者、障害者に該当する者又は65歳以上の親族と同居している者の場合には、その同居する親族についても表示されているもの）も必要となります。

自己資金でバリアフリー改修工事（高齢者等居住改修工事等）をした場合の所得税の特別税額控除

【問15-45】　私は、令和６年２月に同居している80歳の母のために自己資金で今住んでいる家屋のバリアフリー改修工事（廊下の拡張、出入口幅の拡張、浴室の段差の解消工事）を行いました。

住宅特定改修特別税額控除の対象になると聞いているのですが、この控除の計算方法を教えてください。

・バリアフリー改修工事の費用の額	320万円
・バリアフリー改修工事に係る標準的な費用の額	2,896,300円
・バリアフリー工事と併せて行った改築工事費用	100万円

（内容）廊下の拡張工事　　8㎡
出入口幅の拡張工事　　7か所
浴室の段差の解消工事　　2㎡

・市からの補助金の額　　35万円

なお、控除の適用のためのその他の要件は満たしています。

【答】　御質問の場合、あなたの住宅特定改修特別税額控除額の計算は次のようになります（措法41の19の３①⑧）。

(1)　適用の判定

①　バリアフリー改修工事に係る標準的な費用の額……2,896,300円

②　補助金の額……35万円

③　①－②……2,546,300円

〔判定〕

③2,546,300円＞50万円

高齢者等居住改修工事等の費用の額が50万円を超えているため適用を受けることができます。

(注) 1　バリアフリー改修工事の費用に関し補助金等の交付を受ける場合には、その補助金等の額を控除して判定します。

2　「バリアフリー改修工事に係る標準的な費用の額」は、増改築等工事証明書において確認することができます。

(2) 住宅特定改修特別税額控除額

住宅特定改修特別税額控除の控除額は、次のとおりです。

A×10%＋B×５%（A又はBのそれぞれに対して算出された控除額のうち100円未満の端数金額は切り捨てます。）

A　バリアフリー改修工事の標準的な費用の額（工事の費用に関し補助金等の交付を受ける場合には、その補助金等の額を控除した後の金額。以下同じです。）（注）

（注）200万円を限度とします。

B　次の①、②のいずれか低い金額（1,000万円からAの金額を控除した金額を限度）

①　次のイ及びロの合計額

イ　バリアフリー改修工事の標準的な費用の額のうち控除対象限度額（200万円）を超える部分の額

ロ　バリアフリー改修工事と併せて行う増築、改築その他の一定の工事に要した費用の額（補助金等の交付がある場合にはその補助金等の額を控除した後の金額）の合計額

②　バリアフリー改修工事の標準的な費用の額

（注）　平成26年４月１日から令和３年12月31日までに居住の用に供した場合における住宅特定改修特別税額控除額は、A×10%（100円未満の端数金額は切り捨てます。）となります。なお、バリアフリー改修工事に係る標準的な費用の額の限度額200万円は、バリアフリー改修工事に要した費用の額に含まれる消費税額等（消費税額及び地方消費税額の合計額をいいます。以下同じです。）のうちに、消費税率８%又は10%の税率により課されるべき消費税額等が含まれている場合は200万円となり、それ以外の場合は、150万円となります。

住宅特定改修特別税額控除額の計算は、次のとおりとなります。

〔控除額の計算〕

あなたが受けることができる特定改修特別税額控除額は、次の①、②の

合計額277,300円です。

① A×10%部分＝200,000円

あなたが行ったバリアフリー改修工事の標準的な費用の額（補助金の額を控除した後の金額）は、2,546,300円で、控除対象限度額を超えるため、Aに相当する金額は控除対象限度額である2,000,000円になります。

したがって、A×10%部分は、2,000,000×10%＝200,000円になります。

② B×5%部分＝77,300円

Bに相当する金額は、次のイ、ロの合計額（1,546,300円）とハの金額（2,546,300円）のいずれか低い金額となりますので、1,546,300円です。

したがって、B×5%部分は、1,546,300×5%≒77,300円（100円未満の端数切捨て）になります。

イ　バリアフリー改修工事の標準的な費用の額のうち200万円を超える部分の額　2,546,300－2,000,000＝546,300円

ロ　バリアフリー改修工事と併せて行う増築、改築、その他の一定の工事に要した費用の額の合計額　1,000,000円

ハ　バリアフリー改修工事の標準的な費用の額　2,546,300円

〈参考〉バリアフリー改修工事に係る標準的な費用の額

改修工事等の種類		単位当たり標準額		単位
		令和元年12月31日以前	令和2年1月1日以後	
介助用の車いすで容易に移動するために通路又は出入口の幅を拡張する工事	通路の幅を拡張する工事	172,700円	166,100円	当該工事の施工面積（㎡）
	出入口の幅を拡張する工事	189,900円	189,200円	当該工事の箇所数

便所、浴室、脱衣室その他の居室及び玄関並びにこれらを結ぶ経路の床の段差を解消する工事（勝手口その他屋外に面する開口の出入口及び上がりかまち並びに浴室の出入口にあっては、段差を小さくする工事を含む。）	浴室の出入口の段差を解消するもの及び段差を小さくするもの（以下「浴室段差解消等工事」という。）	92,700円	96,000円	当該工事の施工面積（㎡）

特定個人の判定時期

【問15-46】　私は、令和６年12月に、自己資金で今住んでいる家屋のバリアフリー改修工事を計画していますが、バリアフリー改修工事については、50歳以上の特定個人であれば、住宅特定改修特別税額控除を受けることができると聞いています。

私は、現在49歳で、工事終了時（12月23日）には50歳になっていますが、住宅特定改修特別税額控除を受けることができるでしょうか。

なお、控除の適用を受けるためのその他の要件は、すべて満たしています。

【答】　住宅特定改修特別税額控除は、年齢が50歳以上などの一定の個人（以下「特定個人」といいます。）が、自己の居住の用に供する住宅について高齢者等居住改修工事等をして、平成26年４月１日から令和７年12月31日までの間に自己の居住の用に供した場合に、一定の要件の下に、その居住の用に供した日の属する年分の所得税の額から、一定の額を控除できるというものです（措法41の19の３①⑧）。

ところで、この特定個人とは、①50歳以上の者、②要介護又は要支援の認定を受けている者、③障害者である者、④親族のうち②若しくは③に該当する者又は65歳以上の者いずれかと同居を常況としている者をいい、この場合の50歳、65歳及び同居の判定は、いずれも居住年の12月31日（年の途中で死亡した場合には死亡の時）の現況により判断します。

したがって、あなたは、居住年の12月31日においては、50歳になっておられますので、住宅特定改修特別税額控除を適用することができます。

住宅特定改修特別税額控除の連年適用

【問15-47】　私は55歳の会社員ですが、令和４年５月に同居している80歳の母のために今住んでいる家屋の手すりの取付けや室内の段差の解消、出入口の拡張工事などのバリアフリー改修工事をし、住宅特定改修特別税額控除の適用を受けました。

そして、今年（令和６年）、浴室の改良や便所の改良など、前回やり残した部分のバリアフリー改修工事を行いました。

住宅特定改修特別税額控除は３年以内に適用を受けている場合は受けることができないと聞いたのですが、控除を受けることはできないでしょうか。

なお、控除の適用を受けるための他の要件は満たしています。

【答】　特定個人（前問参照）が、平成26年４月１日以後にバリアフリー改修工事（高齢者等居住改修工事等）をして居住の用に供する場合には、その年の前年以前３年内の各年分において、高齢者等居住改修工事等について住宅特定改修特別税額控除を適用したときは、原則としてその年分において適用することはできないこととされています（措法41の19の３⑮）。

ただし、次に掲げる場合には、その年分においても特定個人に係る住宅特定改修特別税額控除の適用を受けることができます（措法41の19の３⑮、措規19の11の３⑨）。

イ　前年以前３年内の各年分に適用を受けた居住用家屋と異なる家屋について、高齢者等居住改修工事等をした場合

ロ　高齢者等居住改修工事等についてこの控除を適用しようとする特定個人（高齢者等居住改修工事等について介護保険法施行規則第76条第

２項（介護の必要な程度が著しく高くなった場合の特例）の規定の適用を受けた方に限ります。）が、その前年以前３年内の各年分に、高齢者等居住改修工事等についてこの控除の特例を受けている場合

したがって、あなたの場合、今回（令和６年）、令和４年５月に高齢者等居住改修工事等を行い住宅特定改修特別税額控除の適用を受けておられる居住用家屋について、再度、高齢者等居住改修工事等を行ったとのことですので、前年以前３年内の各年分にこの特例の適用を受けている場合に該当するため、上記ロに該当しない限り、この特例の適用を受けることはできません。

第６節　住宅耐震改修特別控除

既存住宅の耐震改修をした場合の所得税額の特別控除制度の適用

> **【問15-48】** 既存住宅の耐震改修をした場合に所得税額の特別控除制度があると聞きましたが、その概要について教えてください。

【答】　近年の大地震の発生状況等を踏まえ、平成17年11月には建築物の耐震改修の促進に関する法律（以下「耐震改修促進法」といいます。）が改正されるなど、住宅の耐震化は地震防災対策上喫緊の課題とされています。このような状況のなか、税制においても、住宅耐震改修の促進策の一環として、既存住宅の耐震改修をした場合の所得税額の特別控除制度が創設されました（措法41の19の２①、措令26の28の４）。

この制度は、個人が平成26年４月１日から令和７年12月31日までの間に、昭和56年５月31日以前に建築された家屋について、新耐震基準（昭和56年６月１日以後の基準）を満たすための耐震改修をした場合に、一定の額を所得税額から控除できるというものです（措法41の19の２①、41の19の３⑧）。

また、住宅耐震改修工事と併せて耐久性向上改修工事を行った場合は、一定の額を所得税額から控除できます（措法41の19の３④⑧）。

この制度のポイントとしては、次の点が挙げられます。

①　当該家屋が申請者の居住の用に供する家屋（昭和56年５月31日以前に建築されたもの）で、現行の耐震基準（昭和56年６月１日以後の基準）に適合していないものであること

②　当該家屋について現行の耐震基準に適合させるための耐震改修を行ったこと

③　当該改修が平成26年４月１日から令和７年12月31日までの間に行われたものであること

本特例は、確定申告書に、本特例の特別控除額についての記載があり、かつ、次の書類の添付がある場合に適用されます（措法41の19の２②、措規19の11の２③）。

①　住宅耐震改修特別控除額の計算明細書

②　地方公共団体の長が発行した「住宅耐震改修証明書」又は建築士等が発行した「増改築等工事証明書」

③　住宅耐震改修をした家屋の登記事項証明書

④　住民票の写し

（注）１　地方公共団体の長が発行する「住宅耐震改修証明書」において、適用対象区域であることの証明のみがされた場合は、指定確認検査機関、建築士、登録住宅性能評価機関又は住宅瑕疵担保責任法人が発行する住宅耐震改修証明書も併せて必要となります。

２　平成28年分以後の所得税について、住民票の写しの添付は不要となります。

３　令和３年７月１日以後、登記事項証明書については、「住宅耐震改修特別控除額計算明細書」に不動産番号を記載することなどにより、その添付を省略することができます。

なお、この特別控除と住宅借入金等特別控除の、いずれの適用要件も満たしている場合には、この特別控除と住宅借入金等特別控除の両方について適用を受けることができます。一方で、住宅耐震改修について、この特別控除又は耐久性向上改修工事に係る住宅特定改修特別税額控除のいずれの適用要件も満たしている場合は、これらの控除のいずれか一つの選択適用となります。

〔控除額の計算〕

(1)　住宅耐震改修特別控除

Ａ×10％＋Ｂ×５％（Ａ又はＢのそれぞれに対して算出された控除額のうち100円未満の端数金額は切り捨てます。）

Ａ　住宅耐震改修に係る耐震工事の標準的な費用の額（工事の費用に関し補助金等の交付を受ける場合には、その補助金等の額を控除した後の金

額。以下同じです。)(注)

(注)　250万円を限度とします。

B　次の①、②のいずれか低い金額(1,000万円からAの金額を控除した金額を限度)

①　次のイ及びロの合計額

イ　住宅耐震改修に係る耐震工事の標準的な費用の額のうち控除対象限度額(250万円)を超える部分の額

ロ　住宅耐震改修に係る耐震工事と併せて行う増築、改築その他の一定の工事に要した費用の額(補助金等の交付がある場合にはその補助金等の額を控除した後の金額)の合計額

②　住宅耐震改修に係る耐震工事の標準的な費用の額

(注)1　住宅耐震改修に係る耐震工事の標準的な費用の額とは、住宅耐震改修に係る工事の種類ごとに単位当たりの標準的な工事費用の額として定められた金額に、その住宅耐震改修に係る工事を行った床面積等を乗じて計算した金額をいい、増改築等工事証明書又は住宅耐震改修証明書において確認することができます。

2　令和3年12月31日以前に住宅耐震改修をした場合における住宅耐震改修特別控除額は、A×10%となります。

なお、住宅耐震改修に係る耐震工事の標準的な費用の限度額は、住宅耐震改修に要した費用の額に含まれる消費税額等(地方消費税を含みます。)のうちに、8%又は10%の税率により課されるべき消費税額等が含まれている場合には250万円、それ以外の場合には、200万円となります。

(2)　耐久性向上改修工事(住宅特定改修特別税額控除)

A×10%+B×5%(A又はBのそれぞれに対して算出された控除額のうち100円未満の端数金額は切り捨てます。)

A　耐震改修工事の標準的な費用の額、一般省エネ改修工事の標準的な費用の額及び耐久性向上改修工事の標準的な費用の額の合計額(工事の費用に関し補助金等の交付を受ける場合には、その補助金等の額を控除した後の金額。以下同じです。)(注)

（注）　控除対象限度額は、住宅耐震改修と併せて耐久性向上改修工事をした場合は250万円、一般省エネ改修工事と併せて耐久性向上改修工事をした場合は250万円（太陽光発電設備設置工事が含まれる場合は350万円）、住宅耐震改修及び一般省エネ改修工事と併せて耐久性向上改修工事をした場合は500万円（太陽光発電設備設置工事が含まれる場合は600万円）です。

Ｂ　次の①、②のいずれか低い金額（1,000万円からＡの金額を控除した金額を限度）

①　次のイ及びロの合計額

イ　耐震改修工事の標準的な費用の額、一般省エネ改修工事の標準的な費用の額及び耐久性向上改修工事の標準的な費用の額の合計額のうち控除対象限度額を超える部分の額

ロ　耐震改修工事、一般省エネ改修工事及び耐久性向上改修工事と併せて行う増築、改築その他の一定の工事に要した費用の額（補助金等の交付がある場合にはその補助金等の額を控除した後の金額）の合計額

②　耐震改修工事の標準的な費用の額、一般省エネ改修工事の標準的な費用の額及び耐久性向上改修工事の標準的な費用の額の合計額

（注）１　耐久性向上改修工事の標準的な費用の額とは、耐久性向上改修工事の種類ごとに単位当たりの標準的な工事費用の額として定められた金額に、その耐久性向上改修工事を行った床面積等を乗じて計算した金額をいい、「耐震改修工事の標準的な費用の額」や「一般省エネ改修工事の標準的な費用の額」、「耐久性向上改修工事の標準的な費用の額」は、増改築等工事証明書において確認することができます。

また、太陽光発電設備設置工事が含まれる場合には、増改築等工事証明書においてその型式が証明されます。

２　令和３年12月31日以前に居住の用に供した場合の住宅特定改修特別税額控除額は、Ａ×10％となります。

第７節　認定住宅等新築等特別税額控除

自己資金で認定長期優良住宅を新築等した場合の所得税額の特別税額控除

【問15-49】　私の家が随分古くなったため、家を建て替えることにしました。どうせ立て替えるなら、200年住宅にしようと考えています。幸い、退職金がありますので、借金をせずに建てることができそうです。

ただ、住宅を建てた場合に受けることができる住宅ローン控除は、借入金がないと適用を受けることができないと聞きましたが、私の場合、税金の計算上、控除を受けることができないのでしょうか。

なお、建築予定の住宅は、建築面積が100㎡の鉄骨造の住宅です。

【答】　御質問のとおり、住宅借入金等特別控除は、住宅を建てるための住宅借入金等があることが前提ですから、あなたの場合は、適用を受けることはできません（措法41①）。

しかしながら、あなたが建てる家屋が、「認定長期優良住宅」で、その家屋に平成21年６月４日から令和７年12月31日までの間に入居した場合には、「認定住宅新築等特別税額控除」を受けることができます（措法41の19の４①）。

「認定長期優良住宅」とは、一般的には「200年住宅」と言われているものですが、具体的には、次の要件に該当するものをいいます。

①　認定長期優良住宅の新築又は建築後使用されたことのないものの取得の日から６か月以内に自己の居住の用に供していること

②　家屋の床面積（区分所有建物については、その区分所有部分の床面積）が50㎡以上であること

※　新築で令和６年末までに建築確認を受けた住宅の場合は、床面積40㎡以上（その取得者の合計所得金額1,000万円以下の場合に限る。）

③　家屋の床面積の２分の１以上が専ら自己の居住の用に供されるものであること

④　長期優良住宅の普及に関する法律第11条第１項に規定する長期優良住宅であることにつき一定の証明がされたものであること

この要件を満たすことについては、その家屋に係る次の証明書により確認します（措規18の21⑬、平成21年国土交通省告示第833号（最終改正令和６年国土交通省告示第310号））。

イ　長期優良住宅建築等計画の認定通知書の写し（長期優良住宅建築等計画の変更を受けた場合には、「変更認定通知書」、認定計画実施者の地位承継があった場合には、「認定通知書」及び「地位の承継の承認通知書」）

ロ　住宅用家屋証明書若しくはその写し又は認定長期優良住宅建築証明書

長期優良住宅建築等計画の認定通知書の区分が既存である場合は、その認定通知書の写しのみが必要です（ロは不要です）。

⑤　この税額控除を受ける年分の合計所得金額が2,000万円以下であること（令和５年分までは、合計所得金額が3,000万円以下であること）。

なお、あなたがこの税額控除の適用を受ける場合には、その認定長期優良住宅の新築等について、居住年以後10年間の各年において、住宅借入金等特別控除の適用を受けることはできませんのでご注意ください(措法41㉔)。

また、この税額控除は、住宅借入金等特別控除と異なり控除できる年分は、居住の用に供した年のみ（その年中に控除しきれない金額がある場合には、翌年に繰り越すことができます。）となります(措法41の19の４①②)。

〔控除額の計算〕

（認定住宅の構造及び設備に係る標準的な費用の額（最高650万円））×10％＝認定住宅新築等特別税額控除額（100円未満の端数切捨て）

(注)１　平成26年４月１日から令和７年12月31日までの間に居住の用に供し

た場合の認定長期優良住宅の構造及び設備に係る標準的な費用の額は、認定住宅の構造の区分にかかわらず、１㎡当たり定められた金額（45,300円（令和元年12月31日までは43,800円））にその認定住宅の床面積を乗じて計算した金額をいいます。（平21年国土交通省告示第385号（最終改正令和４年国交省告示448号））

2　平成26年４月１日から令和３年12月31日までに居住の用に供した場合における認定住宅の構造及び設備に係る標準的な費用の限度額は、認定住宅の新築等に係る対価の額に含まれる消費税額及び地方消費税額のうちに、８％又は10％の税率により課されるべき消費税額等が含まれている場合は650万円、それ以外の場合は500万円となります。

3　認定住宅等新築等特別税額控除の対象となる認定住宅等は次のとおりです（各住宅の詳細については、【問15-５】参照）。

①　認定長期優良住宅（平成21年６月４日から令和７年12月31日までの間に居住の用に供した場合）

②　認定低炭素住宅（平成26年４月１日から令和７年12月31日までの間に居住の用に供した場合）

③　ZEH水準省エネ住宅（令和４年１月１日から令和７年12月31日までの間に居住の用に供した場合）

第８節　外国税額控除

外国税額控除の計算

【問15-50】 外国に源泉のある所得に対して、その外国の法令により所得税に相当する税を納付した場合には、その納付した税額はすべて所得税額から控除することができますか。

【答】 外国税額控除は、国際的な二重課税を排除するために、居住者がその年の確定申告の基礎となった課税標準のうちに外国にその源泉がある所得につき、その外国の法令により所得税に相当する税を課せられた場合に、その外国に源泉のある所得に対応する税額を限度として、その外国所得税の額（以下「控除対象外国所得税の額」といいます。）をその確定申告に係る所得税（一定の場合には、所得税の額及び復興特別所得税の額）から控除しようとする制度をいいます（所法95）。

以下、外国税額控除のあらましを述べることにします。

(1) 外国所得税の範囲

外国の法令に基づき外国又はその地方公共団体により個人の所得を課税標準として課される税をいい、次に掲げる税も外国所得税に含まれることになります（所令221①、②）。

イ　超過所得税その他個人の所得の特定の部分を課税標準として課される税

ロ　個人の所得又はその特定の部分を課税標準として課される税の附加税

ハ　個人の所得を課税標準として課される税と同一の税目に属する税で、個人の特定の所得につき、徴税上の便宜のため所得に代えて収入金額その他これに準ずるものを課税標準として課されるもの

ニ　個人の特定の所得につき、所得を課税標準とする税に代え、個人の

収入金額その他これに準ずるものを課税標準として課される税

（注）　外国税額控除の対象となる外国所得税は、外国の法令に基づき外国又はその地方公共団体により個人の所得を課税標準として課税されるもの及びそれらに準ずるものをいいますが、次に掲げるようなものは外国税額控除の対象にはなりません（所法95①、所令221③、所令222の２）。

ただし、⑨は令和４年分以後の所得税について適用されます。

①　税を納付する人が、納付後、任意にその税額の還付を請求することができるもの

②　税を納付する人が、納付が猶予される期間を任意に定めることができるもの

③　複数の税率の中から納税者と外国当局等との合意により税率が決定された税（複数の税率のうち最も低い税率を上回る部分に限ります。）

④　加算税や延滞税などの附帯税に相当するもの

⑤　金融取引における仕組み取引などの通常行われる取引とは認められない不自然な取引に基因して生じた所得に対して課されたもの

⑥　出資の払戻し等、資本等取引に対して課されるもの

⑦　その年以前の非居住者期間に生じた所得に対するもの

⑧　租税条約により外国税額控除の適用がないとされたもの

⑨　他の者の所得の金額に相当する金額に対し、これを居住者の金額とみなして課されるもの

(2)　外国税額控除の額

次の算式で計算した金額を限度とします（所令222①、復興財確法13、14、復興所令３）。

$$\text{その年分の所得税額} \times \frac{\text{その年分の国外所得金額}}{\text{その年分の所得総額}} = \text{控除限度額}$$

（注）　上記の「国外所得金額」の意義については「国外源泉所得に係る所得についてのみ所得税を課するものとした場合に課税標準となるべき一定の金額」とすることとされました（所法95①）。

イ　外国所得税の額が所得税の控除限度額に満たない場合、外国税額控除の額は、外国所得税の額となります。

ロ　外国所得税の額が所得税の控除限度額を超える場合、外国税額控除の額は、所得税の控除限度額と、次の①又は②のいずれか少ない方の金額の合計額となります。

①　控除対象外国所得税の額から所得税の控除限度額を差し引いた残額

②　次の算式により計算した復興特別所得税の控除限度額

$$\text{復興特別所得税の控除限度額} = \text{その年分の復興特別所得税額} \times \frac{\text{その年分の国外所得金額}}{\text{その年分の所得総額}}$$

(3) 繰越控除限度額及び繰越外国所得税額による控除

その年の控除対象外国所得税の額が(2)により計算した控除限度額と地方税の控除限度額との合計額を超えることになる場合は、その年の前年以前３年内の各年の控除限度額のうちその年に繰り越される部分の金額（繰越控除限度額）があるときは、その繰越控除限度額を限度として、その超える部分の金額をその年分の所得税の額から差し引くことができます。(所法95②、所令224)。

なお、上記によってもなお控除しきれない控除対象外国所得税の額は、翌年以後３年間にわたって繰り越し、この３年内のいずれかの年において国税の控除余裕額が生じたときにおいて、その控除余裕額を限度として、その控除しきれない部分の金額を控除することができます（所法95③、所令225)。

（注）　地方税控除限度額の計算（所令223、地方税法施行令７の19③、48の９の２④)

国税の控除限度額×(12%《道府県民税》+18%《市町村民税》)
＝地方税控除限度額

(4) 外国税額控除を受けるための手続

外国税額控除を受けるためには、確定申告書、修正申告書又は更正請求書（以下「申告書等」といいます。）に控除を受ける金額とその計算に関する明細を記載した「外国税額控除に関する明細書」及び控除対象外国所得税の額を課されたことを証する書類などを添付する必要があります（所法95⑩）。

また、(2)で述べたような繰越控除限度額や繰越控除対象外国所得税額がある場合は、それらが生じた年のうち最も古い年以後の各年分の申告書等にその各年の控除限度額や納付することとなった控除対象外国所得税額を記載した書類を添付し、かつ、繰越控除限度額や繰越控除対象外国所得税の額による控除の適用を受けようとする年分の申告書等にこれらの控除を受ける金額などを記載した、「外国税額控除に関する明細書」及び控除対象外国所得税を課されたことを証する書類を添付する必要があります（所法95⑪）。

外国税額控除の控除限度額の計算

【問15-51】 今年は、外国税額控除の適用ができることになっています。ところで、外国税額控除の控除限度額は次の算式によって計算することとなっていますが、算式の「その年分の所得税の額」とは各種の税額控除を適用する前の金額をいうのですか、それとも適用後の金額をいうのですか。

$$\text{その年分の所得税の額} \times \frac{\text{その年分の国外所得金額}}{\text{その年分の所得総額}} = \text{控除限度額}$$

【答】 外国税額控除の控除限度額を計算する場合の「その年分の所得税の額」とは、外国税額控除を適用しないで計算したその年分の所得税の額をいうことになっています（所令222）。

しかしながら、この外国税額控除を適用する前の所得税額は、外国税額控除以外の各種税額控除の適用がある場合には、各種税額控除の適用前の税額とされるのか、適用後なのかにより違ってきます。

ところで、各種の税額控除等の順序については、次に掲げる順序により行うことになっています（措通41の19の４－４）。

①　肉用牛の売却による農業所得の免税（措法25①）

② 配当控除（所法92）

③ 試験研究を行った場合の所得税額の特別控除（措法10）

④ 中小事業者が機械等を取得した場合の所得税額の特別控除（措法10の３）

⑤ 地域経済牽引事業の促進区域内において特定事業用機械等を取得した場合の所得税額の特別控除（措法10の４）

⑥ 地方活力向上地域等において特定建物等を取得した場合の所得税額の特別控除（措法10の４の２）

⑦ 地方活力向上地域等において雇用者の数が増加した場合の所得税額の特別控除（措法10の５）

⑧ 特定中小事業者が特定経営力向上設備等を取得した場合の所得税額の特別控除（措法10の５の３）

⑨ 給与等の支給額が増加した場合の所得税額の特別控除（措法10の５の４）

⑩ 認定特定高度情報通信技術活用設備を取得した場合の所得税額の特別控除（措法10の５の５）

⑪ 事業適応設備を取得した場合等の所得税額の特別控除（措法10の５の６）

⑫ 住宅借入金等を有する場合の所得税額の特別控除（特定の増改築等に係る住宅借入金等を有する場合の所得税額の特別控除の控除額に係る特例を含みます。）（措法41、措法41の３の２）

⑬ 公益社団法人等に寄附をした場合の所得税額の特別控除（措法41の18の３）

⑭ 認定特定非営利法人等に寄附をした場合の所得税額の特別控除（措法41の18の２）

⑮ 政治活動に関する寄附をした場合の所得税額の特別控除（措法41の18）

⑯ 既存住宅の耐震改修をした場合の所得税額の特別控除（措法41の19の

2）

⑰　既存住宅に係る特定の改修工事をした場合の所得税額の特別控除（措法41の19の３）

⑱　認定住宅の新築等をした場合の所得税額の特別控除（措法41の19の４）

⑲　災害被害者に対する租税の減免、徴収猶予等に関する法律第２条の規定による所得税の額の軽減又は免除（災免法２）

⑳　所得税法第93条及び第165条の５の３の規定による分配時調整外国税相当額控除（所法93、165の５の３）

㉑　所得税法第95条及び第165条の６の規定による外国税額控除（所法95、165の６）

㉒　令和６年分における所得税額の特別控除（措法41の３の３）

したがって、外国税額控除を適用する前の所得税額とは、上記①から㉑までの税額控除等を適用した後の所得税の額ということになりますので、その金額を「その年分の所得税の額」として控除限度額を計算することになります。

その年分に納付した外国所得税がない場合の外国税額控除

【問15-52】　私は国内の商社に勤務するサラリーマンですが、昨年３月から11月までＢ国にある海外支店に短期間勤務しておりました。

ところが、本年３月にＢ国より所得税に相当する税金の課税通知を受けましたので、４月に納付しました。

この税金について、外国税額控除の適用はありますか。また、適用があるとしたら何年分についてですか。

なお、昨年の私の所得は商社からの給与所得のみで、年末調整により所得税額の納税は完了していますし、本年は海外勤務はありません。

【答】　外国税額控除は、居住者が「外国所得税を納付することとなる」各年において、その年において生じた国外源泉所得を基として計算した控除限度額を限度として適用される税額控除制度です（所法95①）。

この場合の「外国所得税を納付することとなる」各年とは、実務上、外国所得税の課税方式に応じそれぞれ次に掲げる日とされています。

(1) 申告納税方式による外国所得税

納税申告書を提出した日（その提出が法定申告期限前である場合には法定申告期限とし、更正又は決定に係る税額についてはその更正又は決定があった日）

(2) 賦課課税方式による外国所得税

賦課決定の通知のあった日（納期が分割されている場合には、それぞれ納付開始の日）

(3) 源泉徴収方式による外国所得税

その源泉徴収の対象となった利子、配当等の支払日

御質問の場合は、本年において課税通知及び納付が行われていますので、本年分において外国税額控除の適用を受けることとなりますが、本年については国外源泉所得が生じていないため控除限度額がありません。

しかしながら、昨年の３月から11月までのＢ国における勤務に係る給与については国外源泉所得に該当しますので、昨年分の控除限度額を計算して、これを控除余裕額として本年分に繰り越すための確定申告書を提出し（所法122②）、本年分において外国税額控除の適用を受けることができます（所法95②、所令224）。

（注）御質問の場合、控除限度額を計算するための国外源泉所得は、次により計算します（基通161－41参照）。

$$\text{その年の給与収入（A）} \times \frac{\text{国外勤務日数}}{\text{365日}} = \text{国外源泉所得の収入金額（B）}$$

$$\text{（A－給与所得控除）} \times \frac{B}{A} = \text{国外源泉所得}$$

外国所得税の額が減額された場合の外国税額控除の特例

【問15-53】　私は国内の商社に勤務するサラリーマンですが、海外支店に勤務していたことから、外国税額控除を適用して昨年分の確定申告書を提出しています。

ところが、本年になって、昨年に適用を受けた外国税額控除の計算の基となった外国所得税の額が減額されることとなりました。

この場合、外国税額控除の適用及び所得金額の計算はどのようになるのでしょうか。

【答】　外国税額控除の適用を受けた年の翌年以後７年内の各年において、その適用を受けた外国所得税の額が減額された場合、その減額されることになった日の属する年分（以下「減額に係る年」といいます。）における外国税額控除の適用及び所得金額の計算は、次のとおりとなります（所法44の３、95、所令226）。

(1)　減額に係る年において納付外国所得税の額がある場合

減額に係る年において納付することとなる外国所得税の額（以下「納付外国所得税額」といいます。）からその減額された外国所得税の額（以下「減額外国所得税額」といいます。）に相当する金額を控除し、その控除後の金額につき外国税額控除を適用します。

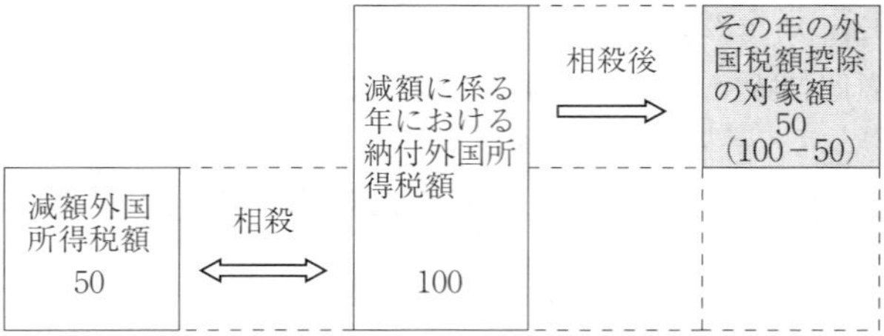

(2)　減額に係る年に納付外国所得税額がない場合又は納付外国所得税額が減額外国所得税額に満たない場合

減額に係る年の前年以前３年内の各年の繰越外国所得税額から控除し

ます。

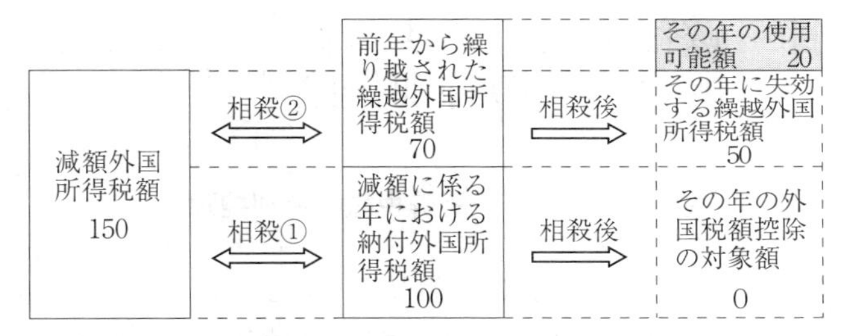

(3)　減額外国所得税額のうち上記(1)及び(2)の調整に充てられない部分の金額がある場合

その金額を、減額に係る年分の雑所得の金額の計算上、総収入金額に算入します。

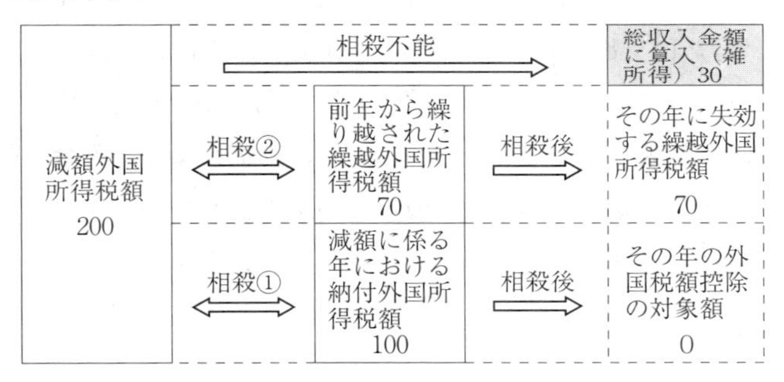

第９節　政治活動に関する寄附をした場合の所得税額の特別控除

政治活動に関する寄附をした場合の所得税額の特別控除

【問15-54】　私は、今年某政党に政治献金をしました。この政治献金については、寄附金控除の適用を受けるか、税額控除の適用を受けるか、いずれか有利なほうを選択できると聞きましたが、その概要を説明してください。

【答】　平成７年１月１日から令和11年12月31日までの期間（「指定期間」といいます。）に支出した政党又は政治資金団体（以下「政党等」といいます。）に対する政治活動に関する寄附金で、政治資金規正法の規定による報告書により報告されたものについては、選択により寄附金控除に代えて、次の算式で計算した金額（その年分の所得税額の25％が限度となります。）をその年分の所得税額から控除することができます（措法41の18①②）。

（算　式）

〔その年中に支出した政党等に対する政治活動に関する寄附金の額の合計額（注）1 － 2,000円（注）2〕×30％ ＝ 税額控除額〔100円未満の端数切捨て〕

（注）1　算式中の「その年中に支出した政党等に対する政治活動に関する寄附金の額の合計額」は、その年分の所得金額の合計額の40％に相当する金額が限度とされます。

ただし、寄附金控除や認定ＮＰＯ法人寄附金特別控除、公益社団法人等寄附金特別控除の適用を受ける特定寄附金の額がある場合で、その年中に支出した政党等に対する政治活動に関する寄附金の額の合計額にその特定寄附金の額の合計額を加算した金額がその年分の所得金額の合計額の40％に相当する金額を超えるときは、その40％に相当する金額からその特定寄附金の額の合計額を控除した残額とされます。

2　算式中の「2,000円」については、寄附金控除や認定ＮＰＯ法人寄附金特別控除及び公益社団法人等寄附金特別控除の適用を受ける特定寄附金の額がある場合には、「０（特定寄附金の額が2,000円以下の場合には2,000円からその特定寄附金の額の合計額を控除した金額）」とされます。

第16章　予　定　納　税

給与所得者に対する予定納税

> 【問16－１】　私は某製薬会社とその子会社の役員をして、それぞれ給与を得ており、この所得を合算したところによる令和５年分の確定申告書を令和６年３月13日に提出しましたが、６月15日に令和６年分の予定納税額の通知を受けました。給与所得については毎月源泉徴収されている場合でも予定納税はしなければならないのでしょうか。

【答】　所得税は、確定申告によって暦年中に生じた所得を計算して、その所得額に対する税額を自ら計算して納付する申告納税制度を建前としています。しかしながら、確定申告時にその年の所得税額の全部を納付することとしますと、納税者は一時に多額の納税資金が必要となり、納税が非常に困難になることがあります。

また、国家財政の面からみても歳入の平準化をはかることが望ましいところから、所得税では、前年分の所得について確定申告書を提出する義務があった人は、本年においても前年と同額の所得があるものとして、その予定した所得金額に基づいて計算した税額を７月（第１期分）と11月（第２期分）に予納しておくという制度をとっています（所法104)。

しかしながら、予定納税額は前年の所得金額に基づいて計算されますから、本年の所得税額が前年に比べて著しく変動するような場合もあり実情に即さないこともありますので、本年分の所得税額が前年分に比べて減少すると見込まれる場合には、その減少したところにより予納できるように「予定納税額の減額申請」の制度があります（【問16－４】【問16－５】参照)。

予定納税額は、原則として、次のように計算されます。

(1) その年の５月15日現在に確定している前年分の所得のうちに、山林所得や退職所得などの分離課税の所得や、譲渡所得、一時所得、雑所得、平均課税を選択した臨時所得が含まれているときは、これらの所得金額を除いたところの総所得金額を計算します。

(2) (1)の金額から、前年分の所得控除額を差し引きます。

(3) (2)の差引後の金額に対する税額（前年分において、災害減免法の規定の適用を受けている場合には、その適用がなかったものとして計算した金額とします。）を計算します。

(4) (3)の金額から、(1)の所得に源泉徴収の対象となる所得があるときには、その所得に対応する前年分の源泉徴収税額（(1)の前年分の所得のうちに、一時所得、雑所得又は雑所得に該当しない臨時所得がある場合、これらの所得に係る源泉徴収税額を除きます。）を差し引きます。

このようにして計算した(4)の予定納税基準額及び復興特別所得税相当額が15万円以上になる人は、予定納税が必要になります。税務署から、その年の６月15日までに、予定納税額が書面又はe-Taxによる通知で通知されます（令和６年分の所得税については、定額による所得税額の特別控除（いわゆる定額減税）が実施されることとなりましたので、予定納税額の通知では、定額減税に相当する予定納税特別控除額（本人分３万円）を差し引いて通知されます。）。

なお、予定納税額はその年の５月15日（特別農業所得者の場合は９月15日）において確定しているところにより計算されますが、５月16日から７月31日（特別農業者の場合は９月16日から11月30日）までの間に前年の所得税額が減少したため予定納税基準額及び復興特別所得税額相当額も減少する場合には、その減少した金額によることになっています（所法105、108）。

また、予定納税基準額及び復興特別所得税額が15万円未満の場合はないものとされます（所法104）。

したがって、あなたの場合は、前年分の確定申告書を提出する義務があったわけですから、上記の計算により算出された本年分の予定納税基準額及び復興特別所得税額相当額が15万円以上であれば、その３分の１に相当する金額をそれぞれ第１期及び第２期に納付しなければなりません（所法104）。

（注）平成25年分から令和19年分までの予定納税は、予定納税基準額及び復興特別所得税相当額（予定納税基準額に2.1％を乗じて計算した金額）の合計額が15万円以上である場合、所得税及び復興特別所得税の予定納税額を納付することとなります（復興財確法16）。
　したがって、予定納税基準額が149,000円である場合も予定納税額を納付することとなります。

予定納税通知書の到着が遅延した場合の減額申請

【問16-2】　私は洋品雑貨小売業を営んでいますが、令和６年７月７日に新築中の店舗が完成し移転しました。このため令和６年分の予定納税通知書は現在の所轄税務署から７月９日（発信日付は７月８日付です。）に届きました。ところで、１期分の減額申請は７月15日までにしなければならないと聞いておりますが、この場合においても、私は７月15日までに減額申請をしなければならないのでしょうか。

【答】　予定納税基準額は、５月15日の現況により計算し、６月15日（注）までに通知することになっています（所法105、106）。

しかしながら、都合でその通知が遅れ６月16日以降に発せられた場合には、税務署長がその通知書を発した日から起算して１か月を経過した日までに減額申請をすればよいことになっています（所法111③）。

したがって、あなたの場合は８月９日までに減額申請をすればよいことになります。

なお、このような場合でも、予定納税額は納付しなければなりませんが、通知書が発せられた日から起算して１か月を経過した日までは税務署長は未納の予定納税額について督促することはできないことになっています

（所法116）。

（注）　その年の６月15日において第１期に納付すべき予定納税額の納期限が国税通則法の規定により延長され、又は延長される見込みである場合には、その年の７月31日（当該納期限が延長された場合にはその延長後の納期限）の１月前の日までに通知されます。

なお、令和６年度の第１期に納付すべき予定納税額の納期限については、令和６年分所得税の定額減税の実施に伴い、令和６年９月30日に変更されています。

前年分の所得税が減額した場合の予定納税

【問16-３】　私は令和６年分の予定納税額の通知書を６月12日に受け取りましたが、７月７日付で前年分所得税の再調査決定書と本年分の予定納税額の訂正通知書が送られてきました。

訂正通知書の予定納税額は最初の予定納税額より少なくなっていますが、どちらで納付すればよいでしょうか。

【答】　予定納税基準額の計算の基準日は、その年の５月15日において確定している前年分の課税総所得金額に基づいて計算されることになっていますが、その年の５月16日から７月31日までの間のいずれかの日において、前年分の所得税について再調査の請求に対する決定又は審査請求の裁決等があり、その決定等の課税総所得金額に基づいて計算した予定納税基準額が、５月15日において確定した前年分の課税総所得金額に基づいて計算された予定納税基準額より少ないときは、その少ない予定納税基準額によることとなっています（所法105）。

したがって、あなたの場合７月７日付で送られてきた予定納税額の訂正通知書によって納税すればよいことになります。

予定納税の減額申請が承認される場合

【問16－４】 予定納税基準額の通知を受けましたが、４月に妻が入院し手術して多額の医療費がかかりました。この場合、減額申請すれば、予定納税額は減額されるでしょうか。

【答】 予定納税額の減額申請書の提出があった場合には、次に掲げるいずれかに該当するときは、税務署長は承認を与えなければならないことになっています（所法113②）。

(1) 申請に係る申告納税見積額の計算の基礎となる日までに生じた事業の全部若しくは一部の廃止、休止若しくは転換、失業、災害、盗難若しくは横領による損害を受けたり、又は医療費を支払ったりしたため、６月30日の現況において計算した申告納税見積額が予定納税基準額に満たなくなると認められるとき

(2) (1)に掲げるほか、申請に係る６月30日の現況において計算した申告納税見積額が予定納税基準額の70％に相当する金額以下になると認められるとき

したがって、あなたの場合は減額申請をすれば承認され、予定納税額を減額することができます。

なお、上記(2)の場合において、申告納税見積額が予定納税基準額の70％に相当する金額以下となると認められないようなときには承認は受けられませんが、婚姻、出生、生命保険への加入、特定寄附金の支出等による所得控除額の増加等のような簡明な原因によってその申告納税見積額が予定納税基準額に満たなくなると認められる場合には、承認が受けられることになっています（基通113－１）。

また、減額申請手続における申告納税見積額の計算は、その年の税制改正があった場合には、改正後の税法を基として計算します。

令和６年分の定額減税に係る予定納税の減額申請

【問16-５】　定額減税が実施されると聞きましたが、令和６年分の予定納税額については、定額減税額が控除された後の金額で通知されることになるのでしょうか。なお、私は定額減税の対象となる妻と子ども１人を扶養しています。

【答】　定額減税の実施に伴い、令和６年分における予定納税においては、第１期分の予定納税額から本人分のみに係る定額減税額となる３万円を控除した金額が通知されます。一方、令和６年分の合計所得金額の見積額が1,805万円以下の居住者の方で、同一生計配偶者や扶養親族（７月の減額申請の場合は令和６年６月30日の現況、11月の減額申請の場合は同年10月31日の現況で判定します。）がある方は、本人分３万円に加えて、同一生計配偶者１人につき３万円を予定納税額から控除して計算することができます。この控除の適用を受けようとする場合には、予定納税額の減額申請手続が必要となります。具体的には、「令和６年分所得税及び復興特別所得税の予定納税の減額申請書」に予定納税特別控除として、本人分と同一生計配偶者等の定額減税額（各１人につき３万円）を記載することとなります。

（注）　特別農業所得者の方の予定納税については、第２期分として１回のみ納付することとなっているところ、第２期分の予定納税額から本人分の定額減税額となる３万円を控除した金額が通知されます。

なお、令和６年分の予定納税についての納期並びに減額申請の期限は以下のとおり変更されています。

	変更前	変更後
第１期分の納期	令和６年７月31日	令和６年９月30日
第１期分の振替日	令和６年７月31日	令和６年９月30日
予定納税の減額申請の期限	令和６年７月16日	令和６年７月31日

※　第２期分の納期等の変更はありません。

第17章　確　定　申　告

年の中途で開業した場合の確定申告

【問17－１】　私は５月31日にＡ会社を退職し、６月１日より電気器具小売業を開業しましたが、５月31日までの給与については所得税が源泉徴収されていますので、６月１日以後の事業所得のみ確定申告すればよいのですか。

【答】　所得税は、毎年１月１日から12月31日までの１年間に得た所得とその所得に対する税金を自ら計算して確定申告し、納付するという申告納税制度を建前としています。

そして、確定申告書は、その年分の総所得金額、申告分離課税の上場株式等に係る配当所得等の金額、土地等に係る事業所得等の金額（土地等に係る事業所得等の分離課税の特例は、平成10年１月１日から令和８年３月31日まで適用が停止されています（措法28の４⑥）。）、分離課税の長期譲渡所得の金額及び短期譲渡所得の金額、分離課税の一般株式等及び上場株式等に係る譲渡所得等の金額、分離課税の先物取引に係る雑所得等の金額、退職所得金額並びに山林所得金額の合計額が雑損控除その他の所得控除の額の合計額を超える場合において、その超える金額を課税所得金額として計算した場合の所得税額が配当控除額と年末調整によって控除される住宅借入金等特別控除額との合計額を超えるときに、その年の翌年２月16日から３月15日（還付を受けるための申告は、その年の翌年１月１日から３月15日）までの間に提出しなければならないこととされていました（旧所法120①⑧、旧措法41の２の２⑦二）。

なお、令和４年１月１日以後に確定申告書の提出期限が到来する所得税については、所得税額が配当控除額と年末調整によって控除される住宅借入金等特別控除額との合計額を超える場合であっても、控除しきれなかった外国税額控除の額、源泉徴収税額又は予定納税額がある場合には確定申告書の提出を要しないこととされました（所法120①、122①）。

あなたの場合も、１月１日から５月31日までの給与所得の金額と６月１日から12月31日までの事業所得の金額及び退職所得金額（一般的に退職時に「退職所得の受給に関する申告書」を提出して所得税を源泉徴収された場合には原則として申告を要しませんが、確定申告書を提出する場合は、退職所得を含めて申告する必要があります。）の合計額が、あなたについて認められる所得控除の合計額を超えている場合で、申告義務があるときは、すべての所得について確定申告しなければなりません。

しかしながら、あなたが６月１日に開業した事業に係る事業所得の金額が20万円を下回ることとなった場合には、１月１日から５月31日までの給与所得の金額とその事業所得の金額の合計額があなたについて認められる所得控除の合計額を超える場合であっても確定申告をする必要はありません（所法121①一）。

なお、確定申告をする必要がなくなった場合でも、計算によれば、あなたの１月１日から５月31日までの給与について源泉徴収された所得税額について還付金が生ずることとなるときには、その還付を受けるための申告書を提出し、納め過ぎの所得税の還付を受けることができます（所法122）。

相続した株式の配当が少額配当に該当するかどうかの判定

【問17-２】　令和６年４月に死亡した父名義のＡ株式（年１回、３月決算）の配当金24万円（税込み）を受け取りました。これは、遺産分割の協議が整っていない関係で、Ａ株式の名義書替えを行っていないものですから、被相続人名義で支払われたものです。

この配当金は、遺産分割が確定していませんので分配をしていませんが、私を含めた各相続人（３人）の法定相続分は３分の１ずつですので、これを法定相続分で割ると、それぞれ８万円で10万円以下となり、いわゆる少額配当に該当しますので確定申告をしなくてもよいものなのでしょうか。

それとも、被相続人名義で支払われた配当金の総額で少額配当かどうかを、判定するのですか。

なお、Ａ株式の配当は、非上場株式等に係る配当です。

【答】　相続人が２人以上ある場合の相続財産は、遺産の分割が行われるまでは相続人の共有に属するものとされています（民法898）。

未分割の株式が被相続人の名義となっていても、相続人の共有に属するものとされますから、この配当金については、各相続人が共有者として、その持分に応じて支払を受けるべきものと解されます。

ところで、次の上場株式等の配当や一定の少額配当については、申告不要制度があり、申告をしなくてもかまいません。ただし、確定申告をすることによって源泉徴収税額の控除や還付を受けることもできます（措法８の５）。

イ　上場株式等の配当等の場合

配当等の金額の多寡にかかわらず確定申告を要しないことになっています（(注) １）。

ロ　上場株式等以外の配当等の場合

一回に支払を受ける配当金額が10万円に配当計算期間（(注) ２）の月

数をかけて12で割った金額以下である少額配当については、確定申告を要しないことになっています。

(注) 1　発行済株式等の３％以上を有する個人が支払を受ける配当等には「上場株式等」の配当等に係る確定申告不要制度（上記イ）の適用がありません。

2　・配当計算期間が１年を超える場合には、12月となります。
・配当計算期間に１月に満たない端数がある場合には、１月とします。

したがって、被相続人名義で支払われた配当金のあなたの持分は８万円ということですから、少額配当に該当するため申告する必要はありません。

給与所得の源泉徴収を受けていない者の確定申告書の提出義務

【問17-３】 私は外国商社の日本支店に勤務しています。当支店に勤務する日本国の居住者については、外国にある本店から直接本人に給与の支払が行われていますので所得税の源泉徴収がされていません。

このように、給与所得について源泉徴収されていない場合でもその年の所得がその商社からの給与と給与等以外の所得金額が20万円以下であれば、所得税の確定申告義務はないと考えてよいでしょうか。

【答】 あなたが確定申告の義務はないと考えられたのは、給与の支払が１か所からで、給与以外の所得が20万円以下の場合、確定申告は不要とされているところからだろうと思います。

確かに確定申告書の提出を要しない場合の一つとして、「その年分の利子所得の金額、配当所得の金額、不動産所得の金額、事業所得の金額、山林所得の金額、譲渡所得の金額、一時所得の金額及び雑所得の金額の合計額（以下「給与所得及び退職所得以外の所得金額」という。）が20万円以下であるとき。」と規定（所法121①一）されています。

しかしながら、この規定では「一の給与等の支払者から給与等の支払を受け」、かつ、「当該給与等の全部について……所得税の徴収をされた又はされるべき場合」が要件とされていますので、源泉徴収されない給与等については、所得税法第121条の規定の適用はありません。

したがって、御質問のように、国外から直接給与等の支払を受ける給与について所得税の源泉徴収は行われていない場合は、たとえ「給与所得及び退職所得以外の所得金額が20万円以下」であっても、すべての所得について確定申告をしなければならないことになります。

税金の還付請求申告書を提出できる期間

【問17-4】 私はサラリーマンですが、数年前、父の株式を８銘柄相続し、毎年35万円程度の配当金を受け取っています。

給与以外にはこの配当所得しかなく、それぞれの銘柄の配当金はいわゆる少額配当に当たるため、確定申告不要と考え申告はしていませんでした。

ところが、確定申告をすれば、配当所得について源泉徴収されている税金の還付が受けられると聞きましたので申告したいのですが、今から過去何年分まで申告することができますか。

【答】 所得税額の計算上控除しきれなかった外国税額控除額や給与所得、配当所得等の源泉徴収税額及び予定納税額がある場合は、確定申告書を提出することにより、還付を請求することができることになっています（所法122、138、139）。

この還付の請求権は、その請求をすることができる日から５年間行使しなければ、時効によって消滅することになっています（通則法74①）。

ここでいう５年は、申告のできることになった日から起算することになります。

したがって、御質問の場合、還付の請求のできる日は、その年の翌年１月１日となりますので、その日から５年間申告ができることになります。

割増償却の適用により20万円以下となった不動産所得

【問17-５】　給与所得者が給与所得の他に不動産所得を有する場合、その不動産所得の計算上、サービス付き高齢者向け優良賃貸住宅の割増償却を適用した結果、不動産所得が20万円以下となれば、その給与所得者は確定申告を要しませんか。

また、他の原因（例えば、住宅借入金等特別控除を適用するため）により確定申告をする場合にも、その不動産所得を申告しなければなりませんか。

【答】　１か所から年間2,000万円以下の給与の支払を受ける給与所得者は、その給与所得以外の所得金額が20万円以下であるときは、確定申告を要しないこととされていますが、この規定は、確定申告の手続を少額な所得については省略するという趣旨によるものであって、20万円以下の所得については、課税しないことを本来の趣旨とするものではありません（所法121①一）。

一方、サービス付き高齢者向け優良賃貸住宅の割増償却（注）は、確定申告書にその適用を受ける旨の記載（具体的には、申告書の「特例適用条文」欄に、「措法第14条第１項」と記載します。）があり、かつ、サービス付き高齢者向け優良賃貸住宅の償却費の額の計算に関する明細書の添付がある場合に限り、その適用が認められることとされています（旧措法14④）。

この場合、不動産所得の金額が20万円以下であるかどうかの計算は、確定申告書の提出又は確定申告書への記載若しくは明細書等の添付を要件として適用される特例等を適用しないで計算することになります（基通121－６）。

したがって、御質問の場合、当該割増償却の特例を適用しないで計算した結果、20万円を超えることになり、確定申告を要することになります。

仮に、当該割増償却の特例を適用しないで計算した金額が20万円以下となった場合で、例えば、住宅借入金等特別控除の適用を受けるために確定申告をするとした場合に、そのような20万円以下の所得をも申告しなければならないかどうかという問題ですが、はじめに述べましたように、確定申告を要しないとする所得税法第121条の趣旨は、20万円以下の所得には課税しないという意味ではありませんので、もし確定申告書を提出する場合には、当然その不動産所得も所得に加えなければなりません（所法121）。

（注）　サービス付き高齢者向け優良賃貸住宅の割増償却制度については、平成29年３月31日までに取得又は新築をした場合に適用されます。（平29改正所法附49③）

青色申告特別控除により20万円以下となった不動産所得

【問17-６】　私は地方公務員で、その給与（年間収入800万円）のほかに、青色申告の承認を受けている不動産所得があります。

今年の不動産所得の金額は、10万円の青色申告特別控除後で17万円となりますが確定申告しなければなりませんか。

なお、不動産所得の記帳については、簡易な方法により行っており、貸借対照表は作成しておりません。

【答】　給与所得及び退職所得以外の所得の金額が、給与所得者の確定申告不要の限度額の20万円以下であるかどうかは、確定申告書への記載を要件とする所得計算の特例を適用しないところにより判定することになっています（基通121－６）。

ところで、青色申告特別控除は所得計算の特例の一つですが、あなたが適用されるいわゆる10万円の青色申告特別控除は、青色申告書を提出することにつき承認を受けている人の、その承認を受けている年分に適用があることとされ、確定申告書への記載はその適用要件とされていません（措法25の２①。【問11-１】参照）。

したがって、御質問の場合には、サービス付き高齢者向け優良賃貸住宅の割増償却などの確定申告書への記載を要件とする所得計算の特例を適用されていない限り確定申告の必要はありません（前問参照）。

給与収入が2,000万円を超える人に20万円以下の不動産所得がある場合の確定申告

【問17-7】　私はＡ法人の営業部長をしており、給与所得の他に不動産所得が18万円あります。なお、給与収入は2,000万円を超えるため年末調整はされていません。ところで、給与所得者の場合、給与所得及び退職所得以外の年間所得が20万円以下であれば確定申告の必要はないそうですが、私の場合もこの18万円の不動産所得を含めないところで申告してもよいでしょうか。

【答】　１か所だけから給与の支払を受けている給与所得者は、その給与の総額が2,000万円以下で、しかも給与所得及び退職所得以外の所得の合計額が年間20万円以下であるときは、原則として、確定申告の必要はないこととされていますが、その年分の給与収入が2,000万円を超える人は、所得税法第121条第１項にいう確定申告を要しないこととされる給与所得者には該当しませんので、たとえ給与所得及び退職所得以外の所得、例えば不動産所得の金額が20万円以下であっても、その所得の金額を含めたところで確定申告をしなければなりません（所法121①一）。

御質問の場合も、あなたの給与所得に18万円の不動産所得を合算したところで確定申告をすることになります。

サラリーマンの確定申告不要とされる一時所得の金額

【問17-8】　私はサラリーマンで、1か所からの給与のみであり、年末調整を受けていますので、例年確定申告はしていません。

ところで、今年は私の生命保険が満期となり、満期返戻金を受け取りましたが、支払った保険料を差し引きますと80万円となります。

この場合、給与所得以外の所得が20万円以下であれば、確定申告は不要と聞いていますが、一時所得の金額は30万円となり20万円を超えますので、確定申告をしなければなりませんか。

【答】　1か所からの給与の支払を受ける給与所得者の給与年収が2,000万円以下の場合には、給与所得及び退職所得以外の所得金額が20万円以下であれば確定申告書の提出は不要となっています（所法121）。

この「給与所得及び退職所得以外の所得金額」とは、「利子所得の金額、配当所得の金額、不動産所得の金額、事業所得の金額、山林所得の金額、譲渡所得の金額、一時所得の金額及び雑所得の金額の合計額」と規定しています（所法121①）ので、一時所得の金額及び長期保有資産に係る譲渡所得の金額は、総所得金額を計算する前の金額、すなわち2分の1する前の金額で20万円以下かどうかを判定するように考えられますが、所得税基本通達121－6《給与所得及び退職所得又は公的年金等に係る雑所得以外の所得金額の計算》において「総所得金額、退職所得金額及び山林所得金額の合計額から、給与所得の金額及び退職所得の金額の合計額を控除した金額」を、給与所得及び退職所得以外の所得金額とすることとしています。したがって、総所得金額に算入される一時所得の金額及び総合課税の長期譲渡所得の金額は、それぞれ2分の1した後の金額となっています（所法22②）から、御質問の生命保険に係る一時所得の金額の場合も2分の1すれば15万円となりますので、他に所得がなければ確定申告をする必要はないことになります。

公的年金等に係る申告不要制度

【問17-９】　私は数年前から厚生年金をもらっていますが、シルバー人材センターで働いており、年間70万円程度の収入があります。ところで、年金所得者の場合、確定申告が不要になることがあると聞きました。私の場合は、申告不要となりますか。

なお、厚生年金の収入金額は300万円で、厚生年金とシルバー人材センターからの収入以外に、所得はありません。

【答】　その年分の公的年金等の収入金額が400万円以下（２つ以上受給している場合にはその合計額で判定し、その公的年金等の全部について所得税の源泉徴収がされた又はされるべき場合に限ります。）であり、かつ、その年分の公的年金等に係る雑所得以外の所得金額が20万円以下である場合には、その年分の所得税について確定申告書を提出することを要しないこととされています（所法121③）。

ところで、シルバー人材センターからの収入は、通常、雑所得となりますが、「家内労働者等の事業所得等の所得計算の特例」が適用されますので、所得の計算に当たっては、55万円を差し引いて計算することができます（措法27）。

したがって、あなたのシルバー人材センターからの収入に係る雑所得の金額は、15万円（70万円－55万円）となります（【問10-159】参照）。

また、厚生年金は公的年金等に該当するため、収入金額が300万円の場合、確定申告の必要はありません。

なお、この場合であっても、例えば、医療費控除などによる所得税の還付を受けるための申告書を提出することはできますが、シルバー人材センターからの収入に係る雑所得も所得に加えなければなりません（【問17-５】参照）。

ただし、公的年金等に係る雑所得以外の所得金額が20万円以下で所得税の確定申告書の提出を要しない場合であっても住民税の申告は必要になりますので、ご注意ください。

サラリーマンに譲渡所得がある場合の確定申告

【問17-10】　私はサラリーマンですが、本年転勤のため居宅を売却して転勤先で建売住宅を購入し現在住んでいます。

ところで、居住用財産の譲渡については、3,000万円の特別控除があるとのことで、差引きすれば譲渡所得はなくなりますが、この場合、特別控除の適用を受けるために確定申告をする必要がありますか。

また、土地収用法により、土地等が収用された場合の5,000万円特別控除については、確定申告の必要はないと聞いていますがどうですか。

【答】　居住用財産を譲渡した場合には、3,000万円の特別控除ができることになっていますが、これは、確定申告書への記載が要件とされていますから、分離課税の課税譲渡所得金額（特別控除後の金額）を含めた給与所得及び退職所得以外の所得が、20万円以下となった場合であっても、居住用財産の譲渡所得の特別控除の適用を受けるためには確定申告書を提出しなければなりません（所法121、措法35⑫）。

また、農地保有の合理化等のために農地等を譲渡した場合の800万円の特別控除（措法34の３）についても、居住用財産の特別控除と同様に確定申告書の記載を要件として適用されることになっていますので確定申告書の提出が必要となります（措法34の３③）。

しかしながら、次に掲げる譲渡に適用される特別控除については、特別控除の適用後の譲渡所得の金額で確定申告書の提出が必要かどうかを判定すればよいことになっていますので、特別控除後の譲渡所得の金額を含めた給与所得及び退職所得以外の所得金額が20万円以下であれば、確定申告書の提出を要しないこととなります。

(1) 土地収用法によって土地等が収用された場合の5,000万円特別控除（措

法33の４）

(2) 独立行政法人都市再生機構などが行う特定土地区画整理事業のために、土地等を譲渡した場合の2,000万円特別控除（措法34）

(3) 特定住宅地造成事業等のために土地等を譲渡した場合の1,500万円特別控除（措法34の２）

同族会社の役員等でその法人から給与のほか20万円以下の対価を得ている場合

【問17-11】　私は、同族会社であるＡ社の代表者で、Ａ社から給与900万円のほかに貸付金の利子20万円を受け取りました。

年収2,000万円以下の給与所得者の場合は、他の所得が20万円以下であれば、確定申告の必要はないと聞いていますが、私の場合も確定申告しなくて差し支えありませんか。

【答】　給与（１か所）の年収が2,000万円以下で、給与所得以外の所得が20万円以下であっても、次に掲げる人で、その同族会社から給与のほか、貸付金の利子又は不動産、動産、営業権その他の資産の使用料の支払を受けている人は、配当控除後の税額がある限り確定申告をしなければならないこととされています（控除しきれなかった外国税額控除の額、源泉徴収税額又は予定納税額がある場合を除きます。なお、この取扱いは確定申告書の提出期限が令和４年１月１日以後となる確定申告書に適用されます（所法120①、121①、所令262の２）。）。

① 同族会社である法人の役員

② 同族会社の役員の親族である人又はあった人

③ 同族会社の役員とまだ婚姻の届出をしないが事実上婚姻関係と同様の事情にある人又はあった人

④ 同族会社の役員から受ける金銭その他の資産によって生計を維持している人

したがって、御質問の場合には、同族会社の役員でその会社から給与のほかに、貸付金の利子の支払を受けていますので、給与以外の所得が20万円以下であっても、確定申告書を提出することが必要です。

なお、同族会社とは法人税法第２条第10号に規定する同族会社をいいます（所法157①一、所令262の２）。

同族会社の役員が受け取った配当金と確定申告の要否

【問17-12】　私は同族会社の役員で、同社から給与900万円のほか、配当金20万円の支払を受けました。

この場合、同族会社の役員である以上、給与以外の所得が20万円以下であっても、配当金について確定申告が必要でしょうか。

【答】　同族会社の役員で一定の場合には、給与以外の所得が少額であっても、所得税法第121条《確定所得申告を要しない場合》の規定の適用がないこととされています（前問参照）。この場合の同族会社の役員とは、その法人から給与のほかに、次の対価の支払を受けている人とされています（所令262の２）。

①　貸付金の利子

②　不動産、動産、営業権その他の資産をその法人の事業の用に供することによる対価

したがって、配当金は上記の貸付金の利子や資産の使用の対価には該当しませんので御質問のように、給与と配当以外にこれらの対価の支払がなければ、確定申告の義務はないこととなります。

日給で支払を受けている者の確定申告の要否

【問17-13】　日雇いで給与を受けているため、丙欄により所得税を源泉徴収されています。

１年の間に何か所も給与の支払先を移動しており、本年は３か所から給与を受けたことになります。

この場合は、２か所以上の給与を受けている者として確定申告をしなければならないのですか。

【答】　日々雇い入れられる者が、労働した日又は時間によって算定され、かつ、労働した日ごとに支払を受ける給与等（一の給与等の支払者から継続して２か月を超えて支払を受ける場合においてその２か月を超えて支払を受けるものを除きます。）は、その給与等の金額に応じ、所得税法別表第三の丙欄に掲げる税額を給与の支払者が徴収して納税することになっています（所法185①三、所令309）。

一方、確定申告書は一の給与等の支払者から給与等の支払を受け、その収入金額が2,000万円以下で、その全部について所得税が源泉徴収され、かつ、給与所得及び退職所得以外の所得が20万円以下の場合には提出する必要がないことになっていますので、御質問の丙欄適用給与が、１か所とみるのか、給与の支払者ごとに３か所とみるのかの問題になります。

取扱いとしては、一の給与等の支払者から給与等の支払を受ける場合とは、その年中の同一時点においては２以上の給与等の支払者から給与等の支払を受けることがない場合をいうものとされます（基通121－４）。

御質問の場合、３か所から給与を受けていることになっていますが、源泉徴収は丙欄の適用となっていますので、同一時点においては、何か所も重複して給与の支払を受けていることにはならないと思われます。

したがって、日額表丙欄適用の給与以外の所得がない限り、一の給与等の支払者から給与等の支払を受ける場合に該当し、確定申告書を提出する必要はありません。

なお、丙欄適用の給与等の場合には年末調整はされませんので、その年中に支払を受けた給与等が少なく、源泉徴収された所得税額がその年分の納付すべき税額より多い場合には還付のための確定申告書を提出することができることになります（所法122）。

退職所得の確定申告の要否

> **【問17-14】**　年の中途で退職したため、年末調整を受けていない給与に係る源泉所得税の還付を受けるため、確定申告をする場合に「退職所得の受給に関する申告書」を提出して源泉徴収されている退職所得も確定申告書に記載しなければなりませんか。

【答】　確定申告をする場合には、それが還付申告又は損失申告であっても、確定申告書にその年分の総所得金額のほか退職所得金額及び山林所得金額も記載することとされていますので、退職所得も確定申告書に記載して申告することが原則となっています（所法120①）。

しかしながら、退職手当等の受給に際し「退職所得の受給に関する申告書」を提出しているときは、退職所得について納付すべき所得税額が過不足なく源泉所得税として徴収されますので、退職所得についての確定申告を要しないこととされています（所法121②）。

したがって、給与について源泉徴収された所得税の還付を受けるために確定申告書を提出する場合においても、御質問のように退職所得の受給に際し「退職所得の受給に関する申告書」が提出されている場合は退職所得を確定申告書に記載する必要はありません。

ただし、所得控除額を他の所得から控除しきれないため、退職所得から控除する場合や、他の所得に係る所得税額から控除しきれない税額控除を退職所得に係る所得税額から控除する場合には、退職所得も記載して、源泉徴収された所得税の還付を受けることができます。

死亡した場合の確定申告

【問17-15】　鉄工業を営んでいた父が本年10月１日に死亡しました。私は父の事業を引き継いでいますが、父の確定申告はどのようにすればよいのでしょうか。

【答】　確定申告書を提出する義務のある人が、年の中途で死亡した場合には、死亡した人のその年の１月１日から死亡の時までの所得税について、相続人（包括受遺者を含みます。）は、相続開始のあったことを知った日の翌日から４か月を経過した日の前日（同日前に相続人が出国する場合には、その出国の時）までに死亡した人について、一般の確定申告書に準じた確定申告書（いわゆる準確定申告書）を死亡した人の死亡当時の納税地の所轄税務署長に提出しなければなりません（所法125①）。

この場合、相続人が２人以上あるときは、各相続人は民法第900条から第902条《法定相続分、代襲相続分、指定相続分》までの規定による相続分により按分した額の所得税を納める義務を承継することになります。

また、各相続人の相続によって得た財産が、按分された税額を超えるときは、その超える額を限度として他の相続人が按分された税額の納付責任を負います（通則法５②③）。

ただし、相続人が限定承認した場合には、その相続人について承継すべきものとして按分された税額が、相続によって得た財産を超えていても、その財産の限度においてのみ所得税を納付する責任を負います。

相続人が２人以上ある場合の準確定申告書は、各相続人が連署して提出することになっていますが、他の相続人の氏名を付記して各人が個別に提出することもできます。ただし、各相続人が個別に準確定申告書を提出する場合には、直ちに他の相続人に準確定申告書に記載した内容を通知しなければならないことになっています（所令263②③）。

なお、この準確定申告書には、各相続人の氏名及び住所、被相続人との続柄、相続分及び相続によって得た財産の価額、並びに限定承認した場合にはその旨等を記載することになっています（各相続人の氏名、住所などを記載するための、「死亡した者の所得税及び復興特別所得税の確定申告書付表（兼相続人の代表者指定届出書）」が税務署に用意されています。）（所規49）。

また、死亡した納税者について、確定申告義務がない場合でも、相続人は「還付を受けるための申告書」及び「確定損失申告書」を提出することができます（所法125②③）。

したがって、あなたは、死亡したお父さんに確定申告の義務があるときは翌年２月１日（本年10月１日の翌日から４か月を経過した日の前日）までに準確定申告書を死亡したお父さんの死亡当時の納税地の所轄税務署長に提出しなければなりません。

なお、「還付を受けるための申告書」については適宜の時期に、また、「確定損失申告書」については翌年２月１日までに提出すればよいことになります。

１月１日から２月15日までの間に出国する場合の確定申告

【問17-16】　甲私立大学の講師である私は、給与所得のほか不動産所得や原稿料などの雑所得があり毎年確定申告をしています。

ところで、私は、来年２月１日から２年間の予定でフランスの大学へ留学するよう大学から命じられました。

この場合、私の本年分の確定申告書はいつまでに提出すればよいのでしょうか。

【答】　確定申告により所得税を納める必要がある場合の申告期間は、その年の翌年２月16日から３月15日までとされています。

しかしながら、御質問のように、その年の翌年１月１日から２月15日までの間に出国する場合には、１月１日からその出国の時までに申告書を提出しなければなりません（所法126①）。また、その申告が損失申告となる場合には、上記の期間内に損失申告書を提出することができます（所法126②）。

なお、納税管理人を所轄税務署長に届け出ておれば、確定申告書は通常の確定申告期限までに提出すればよいことになります（通則法117）。

また、出国の年の１月１日から出国の日までの所得は、出国の時までに出国年分の準確定申告書を提出しなければなりません（所法127）。

国外転出時課税制度の概要

【問17-17】 多額の有価証券を所有している居住者については、日本を出国する際に所得税の申告が必要になる場合（国外転出時課税）があると聞きましたが、どのような制度ですか。

【答】 国外転出時課税制度とは、国外転出（国内に住所及び居所を有しないこととなることをいいます。）をする時点で１億円以上の有価証券や未決済の信用取引などの対象資産を所有等（所有又は契約の締結をいいます。）している一定の居住者について、国外転出の時点で対象資産の譲渡又は決済があったものとみなし、その対象資産の含み益に対して所得税を課税する制度で、平成27年７月１日以後に国外転出をする場合に適用されます（所法60の２①～③）。

国外転出時課税制度が適用される場合には、対象資産の種類等に応じて、国外転出をした年分の事業所得の金額、譲渡所得の金額又は雑所得の金額を計算し、所得税を申告・納付する必要がありますが、一定の要件を満たせば、税額の取消しや納税猶予の特例等の措置を受けることができます（所法60の２⑥、137の２）。

なお、国外転出時課税の対象となる対象資産とは、有価証券（株式や投資信託など）、匿名組合契約の出資の持分、未決済の信用取引・発行日取引及び未決済のデリバティブ取引（先物、オプション取引など）をいい、一定の居住者とは、次の(1)及び(2)のいずれにも該当する方をいいます

（所法60の２⑤）。

(1) 国外転出の時に所有等している対象資産の価額の合計額が１億円以上であること

(2) 原則として国外転出の日前10年以内において、国内在住期間が５年を超えていること

（注） 国内在住期間の判定に当たっては、出入国管理及び難民認定法別表第一の上欄の在留資格（外交、公用、教授、芸術、宗教、報道）で在留していた期間は、国内在住期間に含まれません（所令170③一）。

　また、平成27年６月30日まで同法別表第二の上欄の在留資格（永住者、日本人の配偶者等、永住者の配偶者等、定住者等）で在留している期間がある場合は、その期間は国内在住期間に含まれないこととされています（平27改所令附８②）。

国外転出時課税制度における対象資産の価額の判定時期

【問17-18】 国外転出時課税制度において、対象資産の価額の合計額が１億円以上となるかどうかについては、いつの時点の価額で判定するのでしょうか。

【答】 対象資産の価額の合計額が１億円以上となるかどうかについては、次の(1)又は(2)に掲げる区分に応じて、国外転出の時に国外転出をする方が所有等している対象資産の価額を基に判定します（所法60の２⑤）。

(1) 国外転出前に確定申告書を提出する場合

　国外転出予定日から起算して３か月前の日（同日後に取得又は契約締結したものはその取得又は契約締結の時）における①有価証券等の価額に相当する金額、②未決済信用取引等又は未決済デリバティブ取引を決済したものとみなして算出した利益の額又は損失の額に相当する金額の合計額（所法60の２①二、②二、③二）

(2) 国外転出後に確定申告書を提出する場合

　国外転出の時における①有価証券等の価額に相当する金額及び②未決

済信用取引等又は未決済デリバティブ取引を決済したものとみなして算出した利益の額又は損失の額に相当する金額の合計額（所法60の２①一、②一、③一）

国外転出時課税制度の適用がある場合の申告期限

> **【問17-19】**　９月に国外転出することになりましたが、国外転出時課税制度の適用がある場合、いつまでに申告が必要でしょうか。

【答】　御質問の場合、９月の国外転出の時までに、納税管理人の届出をするかどうかにより申告期限が異なることになります。

(1) 納税管理人の届出をして出国した場合

国外転出をした年分の確定申告期限までにその年の各種所得に国外転出時課税の適用による所得を含めて確定申告及び納税をする必要があります（所法60の２①一、②一、③一、120①、128）。

(2) 納税管理人の届出をしないで出国した場合

９月の国外転出の時までに、その年の１月１日から国外転出時までにおける各種所得について、国外転出時課税の適用による所得を含めて準確定申告及び納税をする必要があります（所法60の２①二、②二、③二、127①、130）。

転居した場合の確定申告書の提出先

> **【問17-20】**　私は昨年12月に甲市（甲税務署管内）に住所を移転しましたが、所得税の予定納税額は旧住所地の乙税務署に納付しています。
>
> この場合、確定申告書は、従来の乙税務署と甲税務署のどちらに提出すればよいでしょうか。

【答】　確定申告書の提出先は、原則としてその提出の際における所得税の納税地を所轄する税務署長に対して提出することになっています（通則法

21①)。

ここでいう納税地とは所得税法では、原則として住所地をいいますから、その他に居所又は事業所を有して、その居所又は事業所を納税地とする届出がない限り、あなたの納税地も、転居後の住所地に移動したことになります。

したがって、あなたの場合は、新住所地の甲税務署長に確定申告書を提出することになります。

なお、確定申告書に係る年分の１月１日以後に納税地に異動があった場合で、納税者が誤って旧納税地の所轄税務署長に確定申告書を提出したときは、旧納税地の所轄税務署長がその確定申告書を受理することによってその確定申告書は新納税地の所轄税務署長に対して提出されたものとみなされ（通則法21②)、更に、旧納税地の所轄税務署長は、その確定申告書を新納税地の所轄税務署長に送付するとともに、その納税者に対して、その旨を通知することとされています（通則法21③)。

法定申告期限内に２通の確定申告書を提出した場合

【問17-21】　私は、所得税の確定申告書を３月１日に提出しましたが、その後、計算誤りにより納付すべき所得税の額が過大であることを発見し、再度、確定申告書の提出期限である３月15日に確定申告書を提出しました。この場合、どちらの申告書による所得税額を納付すればよろしいでしょうか。

【答】　法定申告期限内に同一の納税者から確定申告書、還付を受けるための申告書及び確定損失申告書のうち種類を異にするもの、又は同種類の申告書が２以上提出された場合には、法定申告期限内にその納税者から特段の申出がない限り、その２以上の申告書のうち最後に提出された申告書をその納税者の申告書として取り扱うことになっています（基通120－４)。

この取扱いは、法定申告期限内においては、事務に支障のない限り、申告書の差替えを認める趣旨のものですから、先に提出された申告書に還付金が記載されており、かつ、その還付金が既に還付されているときは、この取扱いはされないことになっています（基通120－４(注)）。

したがって、あなたの場合は、３月15日に提出された確定申告書があなたの確定申告書として取り扱われますので、その申告書による所得税額を納付すればよいことになります。

確定申告書の撤回

【問17-22】　私はＡ社に勤務するサラリーマンですが貸家が１軒あり、その所得を計算したところ23万円となりましたので確定申告をしましたが、計算違いがあり不動産所得は18万円であることが分かりました。

この場合、確定申告義務はないこととなりますので、私が提出した確定申告書をないものとすることはできませんか。

【答】　御質問の確定申告書は、その内容に一部誤りがあるとしても確定申告書として有効であり、更に申告書に記載されたところによれば、給与所得以外の所得が20万円を超えていますので、確定申告書の提出がなかったことにすること（撤回）はできません。

したがって、確定申告期限から５年以内に更正の請求により、不動産所得の金額の計算誤りにより過大となっている申告納税額の減額を求めることとなります。

なお、給与所得以外の所得が20万円以下で、所得税法第121条に規定する確定申告を要しない者に該当する場合には、確定申告書を撤回したい旨の書類の提出により、撤回できることとされ、納付済みの税額がある場合は過誤納金として還付されます（基通121－２）。

なお、この場合、改めて確定申告書を提出するまでの間は、申告がなかったものとされます（基通121－２(注)１）。

収支内訳書の添付

【問17-23】 確定申告書に収支内訳書を添付しなければならない人はどのような人ですか。

また、収支内訳書にはどのような事項を記載すればよいのですか。

【答】　その年において、不動産所得、事業所得若しくは山林所得を生ずべき業務を行う者が、確定申告書を提出する場合（青色申告書は除かれます。）には、これらの所得の種類ごとに、次に掲げる項目の別に区分し、それぞれの金額を記載した収支内訳書を確定申告書に添付しなければなりません（所法120⑥、所規47の３①）。

(1) 総収入金額……商品、製品等の売上高（加工その他の役務の給付等売上と同様の性質を有する収入金額を含みます。）、農産物の売上高及び年末において有する農産物の収穫した時の価額の合計額、賃貸料、山林の伐採又は譲渡による売上高、家事消費の高並びにその他収入の別

(2) 必要経費……商品、製品等の売上原価、年初において有する農産物の棚卸高、雇人費、小作料、外注工賃、減価償却費、貸倒金、地代家賃、利子割引料及びその他の経費の別

なお、この場合の確定申告書には、次に掲げる申告に係るものも含まれます（所規47の３②）。

①　還付を受けるための申告（所法122③）

②　確定損失申告（所法123③）

③　年の中途で死亡した場合の確定申告（所法125④）

④　年の中途で出国する場合の確定申告（所法127④）

⑤　非居住者が行う確定申告（所法166）

（注）　その年において雑所得を生ずべき業務を行う居住者でその年の前々年分のその業務に係る収入金額が1,000万円を超えるものが、令和４年分以後の所得税に係る確定申告書を提出する場合には、その雑所得に係るその年中の総収入金額及び必要経費の内容を記載した書類を当該確定申告書に添付しなければならないこととされました（令２改所法等附７③）。

電子申告における第三者作成書類の添付省略

> **【問17-24】**　私は、令和６年分の所得税の確定申告書をe-Taxを利用して提出しようと考えていますが、e-Taxを利用して所得税の確定申告書を提出する場合に、「生命保険料控除の証明書」などの第三者作成書類の添付省略の制度について、概要を教えてください。

【答】　所得税の確定申告書の提出がe-Taxを使用して行われる場合において、次に掲げる書類（以下「第三者作成書類」といいます。）については、その記載内容を入力して送信することにより、これらの書類の税務署への提出又は提示を省略することができます。

なお、入力内容を確認するため、必要があるときは、原則として法定申告期限から５年間、税務署からこれらの書類の提示又は提出を求められることがあります。この求めに応じなかった場合は、これらの書類については、確定申告書に添付又は提示がなかったものとして取り扱われます（所法120⑤、国税関係法令に係る行政手続等における情報通信の技術の利用に関する省令５、平成31年国税庁告示10号（最終改正令和４年国税庁告示20号））。

（対象となる第三者作成書類）

・給与所得者の特定支出の控除の特例に係る支出の証明書
・個人の外国税額控除に係る証明書
・雑損控除の証明書
・医療費通知（医療費のお知らせ）（注１）
・医療費に係る使用証明書等（おむつ証明書など）
・セルフメディケーション税制に係る一定の取組を行ったことを明らかにする書類（注２）
・社会保険料控除の証明書
・小規模企業共済等掛金控除の証明書
・生命保険料控除の証明書

・地震保険料控除の証明書
・寄附金控除の証明書
・勤労学生控除の証明書
・住宅借入金等特別控除に係る借入金年末残高証明書（適用２年目以降のもの）
・特定増改築等住宅借入金等特別控除（バリアフリー改修工事）に係る借入金年末残高証明書（適用２年目以降のもの）
・特定増改築等住宅借入金等特別控除（省エネ改修工事等）に係る借入金年末残高証明書（適用２年目以降のもの）
・特定増改築等住宅借入金等特別控除（多世帯同居改修工事）に係る借入金年末残高証明書（適用２年目以降のもの）
・政党等寄附金特別控除の証明書
・認定NPO法人寄附金特別控除の証明書
・公益社団法人等寄附金特別控除の証明書
・特定震災指定寄附金特別控除の証明書

（注１）　令和３年分以降の所得税より、「医療費控除の明細書」に入力して送信することにより、税務署への提出又は提示を省略することができます。

（注２）　平成29年分以降の所得税において、「セルフメディケーション税制の明細書」に入力して送信することにより、税務署への提出又は提示を省略することができます。

（注３）　平成31年４月１日以後、次の書類については、申告書の提出の際に提出又は提示が不要となりました。

・給与所得、退職所得及び公的年金等の源泉徴収票
・オープン型の証券投資信託の収益の分配の支払通知書、配当等とみなされる金額の支払通知書、上場株式配当等の支払通知書
・特定口座年間取引報告書
・未成年者口座等につき契約不履行等事由が生じた場合の報告書
・特定割引債の償還金の支払通知書
・相続財産に係る譲渡所得の課税の特例における相続税額等を記載した書類

財産債務調書

【問17-25】　私は、今年2,000万円を超える所得があるため、確定申告の際には財産債務調書を提出しなければならないと聞きましたが、どのようなものですか。

【答】　平成27年度税制改正により、国外転出時課税制度（【問17-17】参照）が創設されましたが、この制度の実効性を担保し、所得税及び相続税の申告の適正公平な課税を確保する観点から、この改正に併せて、従前の財産債務の明細書の提出基準等が見直され、新たに「財産債務調書」として整備されました（国外送金法６の２①）。

内容を整理しますと、次表のようになります。

○財産債務調書の概要

	財産債務調書（平成28年１月１日以後提出）
根拠規定	内国税の適正な課税を確保するための国外送金等に係る調書の提出等に関する法律
提出基準（注）	①　退職所得を除く所得金額の合計額2,000万円超 かつ 総資産３億円以上または国外転出時課税の対象資産１億円以上 ②　その年の12月31日において、10億円以上の財産を有する居住者
提出期限	その年の翌年の６月30日
記載項目	財産・負債の区分、種類、数量及び価額、不動産や有価証券等の所在地・銘柄別等の詳細を時価（見積価額も可）で記載 ※　国外転出時課税の観点から、有価証券等については取得価額も併記。
インセンティブ	①　財産債務調書に記載がある部分については、過少（無）申告加算税を５％軽減（所得税・相続税） ②　財産債務調書の不提出・記載不備に係る部分については、過少（無）申告加算税を５％加重（所得税）
質問検査権	財産債務調書に関する質問検査権で確認
罰則	なし ※　国外財産調書については、不提出及び虚偽記載に係る罰則が設けられている。

（注）　令和２年分以後の財産債務調書については、相続の開始の日の属する年（以下「相続開始年」という。）の12月31日においてその価額の合計額が３億円以上の財産又は、その価額が１億円以上の国外転出特例対象財産を有する相続人は、相続開始年の年分の財産債務調書については、その相続又は遺贈により取得した財産又は債務を除外したところにより、提出することができることとされ、この場合の国外財産調書の提出義務については、財産債務の価額の合計額からその相続財産債務の価額の合計額を除外して判定することとされました。

なお、令和４年度税制改正において、令和５年分以後の財産債務調書の提出基準、提出期限などについて以下のとおり見直しが行われました。ただし、令和４年分以前の財産債務調書は従前どおりとなります。

1．提出基準の見直し

現行の財産債務調書の提出基準のほか、その年の12月31日において、総資産10億円以上の者が追加されます。

2．提出期限の見直し

財産債務調書の提出期限がその年の翌年の６月30日に後倒しされます。

FA6103

整理番号

令和　　年12月31日分　財産債務調書

提出用

平成二十八年十二月三十一日分以降用

財産債務を有する者	住所（又は事業所、事務所、居所など）	
	氏名	
	個人番号	電話番号（自宅・勤務先・携帯）　－　－

財産債務の区分	種類	用途	所在	数量	（上段は有価証券等の取得価額）財産の価額又は債務の金額	備考
					円 円	
国外財産調書に記載した国外財産の価額の合計額（うち国外転出特例対象財産の価額の合計額（　　　）円（合計表㉘へ））					合計表㉖へ	

財産の価額の合計額	合計表㉗へ	債務の金額の合計額	合計表㉝へ

（摘要）

（　　　）枚のうち１枚目

通信日付印（年月日）（　・　・　）

国外財産調書の提出制度

【問17-26】　私は、海外に不動産や預貯金を保有していますが、確定申告の際に書類の提出が必要になると聞きました。どのような場合にどのような書類を提出しなければならないのでしょうか。

【答】　居住者が、その年の12月31日においてその価額の合計額が5,000万円を超える国外財産を有する場合には、その財産の種類、数量及び価額その他必要な事項を記載した調書（以下「国外財産調書」といいます。）を、翌年の６月30日までに所轄税務署長に提出しなければならないこととされました（国外送金法５①）。

ここで、「国外財産」とは、「国外にある財産をいう」とされており、「国外にある」かどうかの判定については、基本的には財産の所在について定める相続税法第10条の規定によることとされています（国外送金法令10①）。

例えば、①「動産又は不動産」はその動産又は不動産の所在、②「預金、貯金又は積金」は、その預金、貯金又は積金の受入れをした営業所又は事業所の所在、③「有価証券」は、その有価証券を管理する口座が開設された金融商品取引業者等の営業所の所在地又は主たる事務所の所在となります。

また、国外財産の「価額」は、その年の12月31日における「時価」又は時価に準ずるものとして「見積価額」によることとされており、「邦貨換算」は、その年の12月31日における「外国為替の売買相場」によることとされています（国外送金法令10④⑤、国外送金法規則12⑤）。

したがって、あなたの国外における財産の合計額（時価又は見積価額）が12月31日現在において5,000万円を超える場合は、翌年の６月30日までに、国外財産調書を所轄税務署長に提出しなければなりません。

なお、国外財産調書に記載した国外財産については、その年分の所得金額が2,000万円を超える場合等に提出することとなっている財産債務調書への内容の記載は要しないこととされています（国外送金法６の２②）。

ところで、国外財産に係る所得税又は相続税について修正申告書若しくは期限後申告書又は更正若しくは決定（以下「修正申告等」といいます。）があった場合の過少申告加算税又は無申告加算税については、次の措置が設けられています。

(1)　国外財産調書の提出がある場合の過少申告加算税等の軽減

提出期限内に提出された国外財産調書に、その修正申告等の基因となる国外財産の記載があるときは、過少申告加算税又は無申告加算税の額は、通常課されるこれらの加算税額からその過少申告加算税又は無申告加算税の額の計算の基礎となるべき税額（その修正申告等の基因となる国外財産に係るものに限ります。以下(2)において同じ。）の５％に相当する金額を控除した金額とすることとされます（国外送金法６①）。

(2)　国外財産調書の提出がない場合等の過少申告加算税等の加重

国外財産調書の提出がないとき又は提出された国外財産調書にその修正申告等の基因となる国外財産についての記載がないとき（記載が不十分と認められるときを含みます。）は、過少申告加算税又は無申告加算税の額は、通常課されるこれらの加算税額に、その過少申告加算税又は無申告加算税の額の計算の基礎となるべき税額の５％に相当する金額を加算した金額とすることとされます（国外送金法６③）。

ただし、次のイ又はロの場合は、過少申告加算税等の加重措置は適用されません。

イ　その年の12月31日において相続国外財産を有する者（その価額の合計額が提出基準額を超える国外財産（相続国外財産を除く。）を有する者を除く。）の責めに帰すべき事由がなく提出期限内に国外財産調書の提出がない場合

ロ　その年の12月31日において相続国外財産を有する者の責めに帰すべき事由がなく国外財産調書に記載すべき相続国外財産についての記載がない場合（記載不備の場合を含む。）

また、国外財産調書に偽りの記載をして提出した場合又は正当な理由

がなく期限内に提出しなかった場合には、１年以下の懲役又は50万円以下の罰金が科されます（国外送金法９二）。

ただし、期限内に提出しなかった場合には、情状により、その刑を免除することができるものとされています（国外送金法10②）。

（注）　令和４年度税制改正において、令和５年分以後の国外財産調書の提出期限が、その年の翌年の６月30日に改められました。

復興特別所得税

【問17-27】　平成25年分の所得税から、東日本大震災からの財源に当てるため、所得税と併せて「復興特別所得税」が課税されると聞きましたが、何か特別な手続が必要ですか。

【答】　平成23年12月２日に「東日本大震災からの復興のための施策を実施するために必要な財源の確保に関する特別措置法」が公布され、「復興特別所得税」が創設されました。

個人の方で所得税を納める義務のある方が、所得税と併せて納める復興特別所得税は、平成25年から令和19年までの各年分の基準所得税額（下表参照）が、課税対象となります（復興財確法８①、９①、10一～三）。

区分		基準所得税額
居住者	非永住者以外の居住者	全ての所得に対する所得税額
	非永住者	国内源泉所得及び国外源泉所得のうち国内払のもの又は国内に送金されたものに対する所得税額
非居住者		国内源泉所得に対する所得税額

※　外国税額控除の適用がある居住者の方については、外国税額控除額を控除する前の所得税額となります。

復興特別所得税額は次の算式で求めることになります（復興財確法13）。

【算式】　復興特別所得税額＝基準所得税額×2.1％

なお、給与所得者の方は、平成25年１月１日以後に支払を受ける給与等から復興特別所得税が源泉徴収されます（復興財確法28①）。

また、所得税の予定納税をする方で、平成25年から令和19年までの各年分の所得税の予定納税基準額及びその予定納税基準額に100分の2.1を乗じた金額の合計額が15万円以上である方は、予定納税に併せて、復興特別所得税を国に納付しなければなりません（復興財確法16）。

【予定納税に係る計算のイメージ】

所得税の予定納税基準額＋所得税の予定納税基準額×2.1％　の計算により算出された額が15万円以上になる場合、予定納税が必要となります。

○　計算例１

149,000円（予定納税基準額）＋ 3,129円（予定納税基準額×2.1％）＝152,129円＞15万円 ⇒ 予定納税が必要です。

○　計算例２

140,000円（予定納税基準額）＋ 2,940円（予定納税基準額×2.1％）＝142,940円＜15万円 ⇒ 予定納税は必要ありません。

なお、所得税及び復興特別所得税はそれぞれ別々の税であり、併せて申告・納付することとなっていますが、所得税及び復興特別所得税の確定金額の端数計算については、所得税及び復興特別所得税の確定金額の合計額によって行うこととされていますから（復興財確法24②）、申告及び納付においても一枚の申告書に合計額を記載し、一枚の納付書を用い合計額を納付することとなりますので特別な手続は必要ありません。

災害により帳簿等を消失した場合

【問17-28】　私は受託加工業を営んでおり、毎年確定申告していますが、この度、失火により事業所に保管していた帳簿書類及び過去の申告書が消失してしまいました。

この場合申告すべき所得金額が不明であることから申告の必要はありませんか。

【答】　災害により納税者や関与税理士の方が帳簿書類や前年までの申告書の控えなどを消失してしまった場合、その後の申告を行うことが困難なケースがあります。

このようなケースでは可能な範囲で合理的な方法（取引の相手先や金融機関へ取引内容を照会するなどして帳簿書類を復元する等）により申告書等を作成していただくことになります。

また、納税者の方が申告書等を作成するに当たり、過去に提出した申告書等の内容を確認する場合には、税務署に提出されている申告書等を閲覧する「申告書等閲覧サービス」を利用することが可能です。

この「申告書等閲覧サービス」では、原則として申告書等のコピーの交付は行っていませんが、災害により申告書等や帳簿書類等が消失している場合には、り災証明書等により災害を受けた事実を確認した上で、申告書等の作成に必要な部分について、コピーの交付を行っています。

したがって、ご質問の場合、上記の方法により申告書等を作成して提出する必要があります（財務省設置法19、平17・3官総1-15、令４官公1-15「6」）。

第18章　記帳制度・記録保存制度

白色申告者の記帳制度の概要

【問18－1】　白色申告者を対象とした記帳・帳簿等保存制度について、その概要を説明してください。

【答】　不動産所得、事業所得若しくは山林所得を生ずべき業務を行う者は、前年及び前々年の確定申告の有無及び所得金額にかかわらず、帳簿を備え付けて、これらの所得を生ずべき業務に係るその年の取引でこれらの所得に係る総収入金額及び必要経費に関する事項を簡易な方法により記録し、かつ、その帳簿を７年間、その年においてこれらの業務に関して作成したその他の帳簿及びこれらの業務に関して作成し又は受領した書類については５年間保存しなければならないこととされています（所法232①、所規102、昭59.３.31大蔵省告示37）。

なお、不動産所得、事業所得又は山林所得を生ずべき業務を行う居住者が確定申告書を提出する場合には、これらの所得に係るその年中の総収入金額及び必要経費の内容を記載した書類（収支内訳書など）の添付が必要になります（所法120⑥）。

また、その所得に係る取引を記録した帳簿書類の保存がない場合（その所得に係る収入金額が300万円を超え、かつ、事業所得と認められる事実がある場合を除きます。）には、業務に係る雑所得に該当することに留意してください（基通35－２(注)、雑所得を有する者に係る収支内訳書の確定申告書への添付義務については【問６-100】参照）。

白色申告者の記帳内容

【問18-２】 私は、鉄工業を営む白色申告者です。白色申告者であっても不動産所得、事業所得若しくは山林所得を生ずべき業務を行う者は記帳をしなければならないと聞きましたが、どのような事項を、どのように記帳すればよいか説明してください。

【答】 記帳義務者が帳簿に記載しなければならない事項は、次の表のとおり、売上など総収入金額と仕入など必要経費に関する事項です（所規102、昭59.3.31大蔵省告示第37号別表）。

記　載　事　項	記　　載　　内　　容
(1) 売上に関する事項 ※ 売上には、加工その他の役務の給付等売上と同様の性質を有する収入金額及び家事消費等を含みます。	①取引の年月日、②売上先その他の相手方、③金額、④日々の売上の合計金額
(2) 雑収入など売上以外の収入に関する事項	①取引の年月日、②事由、③相手方、④金額
(3) 仕入に関する事項	①取引の年月日、②仕入先その他の相手方、③金額、④日々の仕入の合計額
(4) 仕入以外の費用に関する事項	雇人費、外注工賃、減価償却費、貸倒金、地代家賃、利子割引料及びその他の経費の項目に区分して、それぞれ、①取引の年月日、②事由、③支払先、④金額

帳簿の様式や種類については特に定めはありませんが、法令・告示で示されている記載事項が満たされていることが必要です。

なお、記帳は原則として所得の金額が正確に計算できるように、上記の記載内容を科目ごとに区分して整然と、かつ、明りょうに記録しなければなりませんが、保存している納品書控などによりその取引の内容が確認できるものについては、その日の合計金額だけの一括記載でもよいとする簡易な記帳方法が認められています。この場合、請求書や領収証などの原始証ひょう等の書類を的確に整理、保存する必要があることは言うまでもありません。

電子帳簿等保存制度の概要

【問18-３】「電子帳簿等保存制度」とは、どのような制度ですか。その概要を説明してください。

【答】　電子帳簿等保存制度とは、税法上保存等が必要な「帳簿」や「領収書・請求書・決算書など（国税関係書類）」を、紙ではなく電子データで保存することに関する制度をいい、以下の３つの制度に区分されています。

1　電子帳簿等保存

ご自身で最初から一貫してパソコン等で作成している帳簿や国税関係書類は、プリントアウトして保存するのではなく、電子データのまま保存ができます。例えば、会計ソフトで作成している仕訳帳やパソコンで作成した請求書の控え等が対象です。

なお、電子保存の開始について特別な手続きは必要ないため、令和４年１月１日以後は、任意のタイミングで始めることが可能ですが、帳簿の電子保存については、原則、課税期間の途中から適用することはできません。

また、一定の範囲の帳簿を「優良な電子帳簿」の要件を満たして電子データで保存している場合には、後からその電子帳簿に関連する過少申告が判明しても過少申告加算税が５%軽減される措置がありますが、この措置の適用を受けるためには、あらかじめ届出書を提出している必要があります（電子帳簿等保存の詳細については【問18－４】を参照。）。

2　スキャナ保存

決算関係書類を除く国税関係書類（取引先から受領した紙の領収書・請求書等）は、その書類自体を保存する代わりに、スマホやスキャナで読み取った電子データを保存することができます。

なお、スキャナ保存の開始について特別な手続きは必要ないため、令和４年１月１日以後は、任意のタイミングで始めることが可能ですが、スキャナ保存を始めた日より前に作成・受領した重要書類（過去分重要書類）をスキャナ保存する場合は、あらかじめ税務署に届出書を提出する必要があります（スキャナ保存の詳細については【問18－５】を参照。）。

３　電子取引データ保存

申告所得税に関して帳簿・書類の保存義務が課されている者（以下「保存義務者」といいます。）は、注文書・契約書・送り状・領収書・見積書・請求書などに相当する電子データをやりとりした場合には、その電子データ（電子取引データ）を保存しなければなりません（電子取引データ保存の詳細については【問18－６】を参照。）。

電子帳簿等保存制度

【問18-４】「電子帳簿等保存制度」のうち電子帳簿等保存の制度について、その概要を説明してください。

【答】　１　国税関係帳簿書類の電磁的記録による保存等の制度の概要

⑴　保存義務者は、国税関係帳簿の全部又は一部について、自己が最初の記録段階から一貫して電子計算機を使用して作成する場合には、一定の要件の下で、その電磁的記録の備付け及び保存をもってその帳簿の備付け及び保存に代えることができることとされています（電帳法４①）。

⑵　保存義務者は、国税関係書類の全部又は一部について、自己が一貫して電子計算機を使用して作成する場合には、一定の要件の下で、その電磁的記録の保存をもってその書類の保存に代えることができることとされています（電帳法４②）。

（注）１　「保存義務者」とは、国税に関する法律の規定により国税関係帳簿書類の保存をしなければならないこととされている者をいいます（電帳法２四）。

２　「電磁的記録」とは、電子的方式、磁気的方式その他の人の知覚によっては認識することができない方式で作られる記録であって、電子計算機による情報処理の用に供されるものをいいます（電帳法

２三)。具体的には、ハードディスク、コンパクトディスク、ＤＶＤ、磁気テープ等の記録媒体上に、情報として使用し得るものとして、情報が記録・保存された状態にあるものをいいます。

２　国税関係帳簿書類のＣＯＭによる保存等の制度の概要

(1)　保存義務者は、国税関係帳簿の全部又は一部について、自己が最初の記録段階から一貫して電子計算機を使用して作成する場合には、一定の要件の下で、その電磁的記録の備付け及びＣＯＭの保存をもってその帳簿の備付け及び保存に代えることができることとされています（電帳法５①)。

(2)　保存義務者は、国税関係書類の全部又は一部について、自己が一貫して電子計算機を使用して作成する場合には、一定の要件の下で、そのＣＯＭの保存をもってその書類の保存に代えることができることとされています（電帳法５②)。

(3)　国税関係帳簿書類の電磁的記録による備付け及び保存をもって書類の保存に代えている保存義務者は、一定の要件の下で、そのＣＯＭの保存をもってその電磁的記録の保存に代えることができることとされています（電帳法５③)。

(注)　「ＣＯＭ」とは、電子計算機を用いて電磁的記録を出力することにより作成するマイクロフィルムをいいます。電子帳簿保存法では、「電子計算機出力マイクロフィルム」という用語で定義されています（電帳法２六)。

３　電子帳簿保存時の要件

電磁的記録等による国税関係帳簿書類の保存等に当たっては、電子計算機処理システムの概要書等の備付け等の要件を満たす必要があります（電帳規２、３)。国税関係帳簿と国税関係書類では、それらの保存等を行う場合の要件の内容が異なり、国税関係帳簿についてはさらに、令和３年度の税制改正によって過少申告加算税の軽減措置の対象となる信頼性の高い帳簿である優良な電子帳簿（電帳規５）とそれ以外の帳簿（電帳規２、３）に区分されたことにより、それぞれ要件が異なっています。

一定の国税関係帳簿について、訂正・削除の履歴が残る等の「優良な電子帳簿」の要件を満たして備付け及び保存を行っている場合には、あらかじめ「国税関係帳簿の電磁的記録等による保存等に係る過少申告加算税の特例の適用を受ける旨の届出書」を提出することによって過少申告加算税が５％軽減される制度があります。

（参考）電子帳簿保存時の要件

○　電磁的記録等による保存等の要件の概要（電帳規第２、３、５）

【電子保存等及びCOM保存等】

要　件	電子保存等（注１）（電帳規２）			COM保存等（注2）（電帳規３）		
	優良帳簿（第5条）	優良以外の帳簿	書類	優良帳簿（第5条）	優良以外の帳簿	書類
電子計算機処理システムの概要書等の備付け（電帳規２②一）	○	○	○	○	○	○
見読可能装置の備付け等（電帳規２②二）	○	○	○	○	○	（※１）
ダウンロードの求めに応じること（電帳規２②三）	△ ※２	○ ※３	△ ※４	△ ※２	○ ※３	△ ※５
COMの作成過程等に関する書類の備付け（電帳規３①一）				○	○	○
COMの見読可能装置の備付け等（電帳規３①二）				○	○	○
電磁的記録の訂正・削除・追加の事実及び内容を確認することができる電子計算機処理システムの使用（電帳規５⑤一イ、二イ）	○			○		
帳簿間での記録事項の相互関連性の確保（電帳規５⑤一ロ、二イ）	○			○		
検索機能の確保（電帳規５⑤一ハ、二イ）	△ ※２			△ ※２		（※１）
索引簿の備付け（電帳規５⑤二ハ）				○		
COMへのインデックスの出力（電帳規５⑤一二）				○		
当初３年間における電磁的記録の並行保存又はCOMの記録事項の検索機能の確保（電帳規５⑤二ホ）				○ ※６		

(注) 1　「電子保存等」とは、①帳簿の電磁的記録による備付け及び保存又は②書類の電磁的記録による保存をいいます。

2　「COM保存等」とは、①帳簿の電磁的記録による備付け及びCOMによる保存又は②書類のCOMによる保存をいいます。

3　※1　当初3年間の電磁的記録の並行保存を行う場合の要件である。

※2　「ダウンロードの求め」に応じる場合には、検索機能のうち、範囲を指定して条件を設定できる機能及び二以上の任意の記録項目を組み合わせて条件を設定できる機能は不要となります。

※3　優良帳簿の要件を全て満たしている場合には「ダウンロードの求めに応じること」の要件は不要となります。

※4　検索機能の確保に相当する要件を満たしている場合には「ダウンロードの求めに応じること」の要件は不要となります。

※5　索引簿の備付け、COMへのインデックスの出力及び当初3年間における電磁的記録の並行保存又はCOMの記録事項の検索機能の確保に相当する要件を全て満たしている場合には「ダウンロードの求めに応じること」の要件は不要となります。

※6　検索機能については、ダウンロードの求めに応じれば、検索機能のうち、範囲を指定して条件を設定できる機能及び二以上の任意の記録項目を組み合わせて条件を設定できる機能は不要となります。

4　「優良帳簿」については、一定の場合に、あらかじめ、適用届出書を所轄税務署長等に提出したうえで、過少申告加算税の軽減措置の適用を受けることができます。

スキャナ保存制度

【問18-5】「電子帳簿等保存制度」のうちスキャナ保存の制度について、その概要及び要件を説明してください。

【答】　保存義務者は、棚卸表、貸借対照表及び損益計算書並びに計算、整理又は決算に関して作成されたその他の書類を除く国税関係書類の全部又は一部について、その国税関係書類に記載されている事項をスキャナにより、電磁的記録に記録する場合には、一定の要件の下で、その電磁的記録の保存をもって国税関係書類の保存に代えることができることとされています（電帳法４③、電帳規２④⑤）。

国税関係書類のスキャナ保存に当たっては、真実性や可視性を確保するための要件を満たす必要があります（電帳規２）。

（参考）国税関係書類のスキャナ保存の要件

要　件	重要書類（注1）	一般書類（注2）	過去分重要書類（注3）
入力期間の制限（書類の受領等後又は業務の処理に係る通常の期間を経過した後、速やかに入力）（規２⑥一イ、ロ）	○		
一定水準以上の解像度（200dpi以上）による読み取り（規２⑥二イ⑴）	○	○	○
カラー画像による読み取り（赤・緑・青それぞれ256階調（約1677万色）以上）（規２⑥二イ⑵）	○	※１	○
タイムスタンプの付与（規２⑥二ロ）	○ ※２	○ ※３	○ ※３
ヴァージョン管理（訂正又は削除の事実及び内容の確認等）（規２⑥二ハ）	○	○	○
スキャン文書と帳簿との相互関連性の保持（規２⑥三）	○		○
見読可能装置（14インチ以上のカラーディスプレイ、４ポイント文字の認識等）の備付け（規２⑥四）	○	※１	○
整然・明瞭出力（規２⑥四イ～ニ）	○	○	○
電子計算機処理システムの開発関係書類等の備付け（規２⑥六、同２②一）	○	○	○
検索機能の確保（規２⑥五）	○	○	○
その他			※４、 ※５

（注）１　決算関係書類以外の国税関係書類（一般書類を除きます。）をいう。

２　資金や物の流れに直結・連動しない書類として規則第２条第７項に規定する国税庁長官が定めるものをいう。

３　スキャナ保存制度により国税関係書類に係る電磁的記録の保存をもって当該国税関係書類の保存に代えている保存義務者であって、その当該国税関係書類の保存に代える日前に作成又は受領した重要書類をいう。

4　※1　一般書類の場合、カラー画像ではなくグレースケールでの保存可。

※2　入力事項を規則第2条第6項第1号イ又はロに掲げる方法により当該国税関係書類に係る記録事項を入力したことを確認することができる場合には、その確認をもってタイムスタンプの付与に代えることができる。

※3　当該国税関係書類に係る記録事項を入力したことを確認することができる場合には、タイムスタンプの付与に代えることができる。

※4　過去分重要書類については当該電磁的記録の保存に併せて、当該電磁的記録の作成及び保存に関する事務の手続を明らかにした書類（当該事務の責任者が定められているものに限られます。）の備付けが必要。

※5　過去分重要書類については所轄税務署長等宛に適用届出書の提出が必要。

5　令和6年1月1日前に保存する国税関係書類については、上記表の要件のほか「解像度及び階調情報の保存」、「大きさ情報の保存」及び「入力者等情報の確認」が必要。

電子取引データ保存制度

【問18-6】「電子帳簿等保存制度」のうち電子取引データ保存の制度について、その概要を説明してください。

【答】　所得税（源泉徴収に係る所得税を除きます。）及び法人税に係る保存義務者は、電子取引を行った場合には、一定の要件の下で、その電子取引の取引情報に係る電磁的記録を保存しなければならないこととされています（電帳法7）。

なお、令和5年12月31日までに行う電子取引については、保存すべき電子データをプリントアウトして保存し、税務調査等の際に提示・提出できるようにしていれば電子データの保存がなくても差し支えありませんでしたが、令和６年１月からは保存要件に従った電子データの保存が必要となりました（「宥恕措置」の廃止）。

ただし、令和６年１月以降においても、次のイ及びロの要件をいずれも満たしている場合には、改ざん防止や検索機能など保存時に満たすべき要件に沿った対応は不要となり、電子取引データを単に保存しておくことができることとされました（「猶予措置」の新設。電帳規４③）。

イ　保存時に満たすべき要件に従って電子取引データを保存することができなかったことについて、所轄税務署長が相当の理由があると認める場合

ロ　税務調査等の際に、電子取引データの「ダウンロードの求め」及びその電子取引データをプリントアウトした書面の提示・提出の求めにそれぞれ応じることができるようにしている場合

（注）「電子取引」とは、取引情報（取引に関して受領し、又は交付する注文書、契約書、送り状、領収書、見積書その他これらに準ずる書類に通常記載される事項をいいます。）の授受を電磁的方式により行う取引をいい（電帳法２五）、いわゆるＥＤＩ取引、インターネット等による取引、電子メールにより取引情報を授受する取引（添付ファイルによる場合を含みます。）、インターネット上にサイトを設け、そのサイトを通じて取引情報を授受する取引等が含まれます。

総収入金額報告書

【問18-７】　総収入金額報告書は、どのような者が提出しなければなりませんか。

また、その報告書にはどのような事項を記載するのですか。

【答】　総収入金額報告書の提出制度は、その年において不動産所得、事業所得又は山林所得を生ずべき業務を行う者（青色申告者も含みます。）で、その年の不動産所得、事業所得及び山林所得に係る総収入金額（非居住者については、国内源泉所得に係る総収入金額に限ります。）の合計額が

3,000万円を超えるものは、その年分の確定申告書を提出している場合を除き、その年の翌年３月15日までに総収入金額報告書を税務署長に提出しなければならないというものです（所法233）。

なお、この総収入金額報告書には、提出者の住所、氏名、個人番号とともに次の事項を記載すべきこととされています（所規103）。

①　その年中の不動産所得、事業所得又は山林所得に係る総収入金額の合計額及びその所得ごとの内訳

②　不動産所得、事業所得又は山林所得の基因となる資産若しくは事業の所在地又はこれらの所得の生ずる場所

③　その他参考となるべき事項

（注）　総収入金額報告書は、確定申告書を提出する場合を除き、その年の翌年３月15日までに提出することになりますが、この提出を忘れ、提出期限を徒過した場合であっても提出する必要があります。

第19章　修正申告、更正の請求

修正申告と更正の請求の相違

【問19-1】　確定申告書を提出した後に、税額等に変更が生じた場合には、修正申告又は更正の請求の取扱いがあると聞きましたが、その相違点について説明してください。

【答】　納税申告書を提出した納税者、又は更正・決定の処分を受けた納税者などが、その法定申告期限後に、その申告又は更正・決定に係る税額が過少であり、又は純損失等の金額若しくは還付金の額に相当する税額が過大である場合に行う変更の手続が修正申告です（通則法19①②）。

一方、納税申告書に係る税額が過大であり、又は純損失の金額若しくは還付金の額に相当する税額が過少である場合に、その変更を所轄の税務署長に請求する手続が更正の請求です（通則法23①）。

これらの変更は、税務署長が更正という処分を通じて行うこともできますが、納税者の側から行う手続として前者について修正申告が認められ、後者の申告に係る税額の変更について更正の請求の制度があるわけです。言い換えれば、修正申告は増額変更であり、更正の請求は減額変更についての手続ということができます。

なお、更正の請求書を提出する場合には次の書類を添付しなければなりません（通則令６②）。

①　課税標準である所得が過大であること、その他その理由の基礎となる事実が一定期間の取引に関するものである場合…その取引の記録等に基づいてその理由の基礎となる事実を証明する書類

②　①以外の場合…その事実を証明する書類があるときはその証明する書類

この修正申告と更正の請求との相違点は、次表のとおりです。

区　　分	修　正　申　告	更　正　の　請　求
できる人	納税申告書を提出した人及び更正又は決定を受けた人（相続人などを含みます。）	納税申告書を提出した人(相続人などを含みます。)
できる期間	納税申告書を提出した人又は決定を受けた人はその申告・決定について更正があるまで、更正を受けた人はその更正についての再更正があるまでの間	原則として、納税申告書に係る法定申告期限から５年以内 ※　確定申告の必要のない人が還付を受けるための申告をしている場合は、その提出した日から５年以内
できる場合	(1)　先の納税申告書の納付すべき税額に不足額があるとき (2)　先の納税申告書の純損失の金額が過大であるとき (3)　先の納税申告書に記載した還付金の額に相当する税額が過大であるとき (4)　先の納税申告書に納付すべき税額を記載しなかった場合に、その納付すべき税額があるとき (5)　更正決定通知書に記載された事項について次に該当するとき イ　税額に不足額があるとき ロ　純損失等の金額が過大であるとき ハ　還付金に相当する税額が過大であるとき ニ　納付すべき税額がない旨の更正を受けた場合に、納付すべき税額があるとき	申告書に記載した課税標準等若しくは税額等の計算が国税に関する法律の規定に従っていなかったこと又は当該計算に誤りがあったことにより (1)　納付すべき税額が過大であるとき (2)　純損失等の金額が過少であるとき又は当該申告書に純損失等の記載がなかったとき (3)　還付税額が過少であるとき、又は当該申告書に還付税額の記載がなかったとき

対象となる事項	先の申告又は更正若しくは決定に係る課税標準等又は税額等	先の申告に係る課税標準等又は税額等

修正申告による特例計算（租税特別措置法第26条）の選択

【問19-２】　私は内科医を開業しており、青色申告による収支計算で申告していましたが、会計係の誤りから一般診療収入の一部が申告漏れであることが分かり修正申告書を提出することになりました。

この場合、社会保険診療報酬について租税特別措置法による特例計算をしたほうが有利となりますので、修正申告に当たり特例計算の適用をしたいと思いますが認められるでしょうか。

【答】　医業又は歯科医業を営む個人が、健康保険法等による給付又は医療若しくは助産につき支払を受けるべき金額（社会保険診療報酬）がある場合に、その社会保険診療報酬の額が5,000万円以下で、かつ、医業又は歯科医業に係る収入金額が7,000万円以下であるときに限り、その年分の事業所得の金額の計算上、その給付又は医療若しくは助産に係る費用として必要経費に算入する金額は、所得税法の必要経費の規定にかかわらず、その支払を受けるべき金額に、その金額に応じて定められた率を乗じて計算（特例計算）した金額とすることができることとされています（措法26①）。

この特例計算は、原則として確定申告書にその適用により事業所得の金額を計算した旨の記載がない場合には適用しないと定められています（措法26③）。

あなたの場合には、確定申告書に記載がありませんので、修正申告書の計算について特例計算の適用はできず、確定申告に際して採用している収支計算の方法によることになります。

修正申告に対する更正の請求

【問19－３】 修正申告書を提出しましたが、その修正申告に誤りがあり過大申告であることが分かった場合にも、更正の請求書を提出することができますか。

【答】 国税通則法第23条《更正の請求》の規定によれば、個人が納税申告書を提出した場合において、その申告書に記載した課税標準等又は税額等（当該課税標準等又は税額等に関し、更正（又は再更正）があった場合には、当該更正（又は再更正）後の課税標準等又は税額等）の計算が所得税法の規定に従っていなかったこと、又はその計算に誤りがあったことにより、その申告書の提出により納付すべき税額が過大となったときは、原則としてその申告書に係る法定申告期限から５年以内に、更正の請求をすることができることとされています。

この場合、納税申告書には、所得税の期限内申告書のほか、修正申告書も含まれますから、修正申告書に記載した納付すべき所得税額が過大の場合にも更正の請求はできることとなります（通則法２①六、19①）。

この請求期間は、修正申告書の提出日に関係なく原則として法定申告期限から５年以内となります（通則法23①）。

外国税額控除の適用による更正の請求

【問19-４】 私は、昨年、米国に投資用マンションを購入し、不動産所得を得ています。

今年初めて、この不動産所得について確定申告をしましたが、うっかり、米国で課税された所得税について、外国税額控除を適用していませんでした。

この場合、更正の請求により外国税額控除の適用を受けることができますか。

また、外国税額控除額を少なく申告していた場合、更正の請求はできますか。

【答】 外国税額控除は、確定申告書に適用金額を記載した場合に限らず、修正申告や更正の請求によっても、適用が認められます。

また、控除される金額は、修正申告や更正の請求によって適用を受ける金額を増加させることができます（所法95⑩）。

したがって、御質問の場合、確定申告書に外国税額控除について記載していなかった場合や少ない金額で申告していた場合も、更正の請求により外国税額控除の適用を受け又は外国税額控除額を増加させることが認められることとなります。

なお、更正の請求書には、外国税額控除に関する明細書及び控除対象外国税額の額を課されたことを証する書類を添付する必要があります（所法95⑩）。

少額配当の申告を撤回する更正の請求

【問19-５】　少額配当の総額30万円について配当控除と源泉所得税の還付を受けるために、その配当所得を確定申告において総所得金額に算入して申告しました。ところが、その後よく検討したところ少額配当を申告することにより適用される税率が上がり、かえって不利になることが分かりました。この場合、総所得金額に少額配当を含めてした申告を撤回し、少額配当を除外するための更正の請求をすることは認められますか。

【答】　少額配当を総所得金額に算入して申告するかどうかは納税者の選択に任されており、その意思表示は確定申告で行われることになっています（措法８の５）。

ここでいったん少額配当を総所得金額に算入したところにより確定申告書を提出した個人が、後日、その意思表示を撤回する修正申告や更正の請求をすることを認めることは、法令に基づいて行った意思表示の変更を認めることになり、そのような意思表示の撤回を原因とする修正申告や更正の請求を認めることは、修正申告、更正の請求制度の本来の趣旨ではありません。

したがって、御質問の場合も、より高い税率による課税を避ける目的で意思表示の撤回をするための修正申告又は更正の請求をすることは、税法上容認されないところとなります（措通８の５－１）。

また、少額配当を総所得金額に含めないところで確定申告書を提出している場合において、その少額配当所得を除外したことについては既に提出された申告書の課税標準の計算が国税に関する法律の規定に従っていなかったこと又は当該計算に誤りがあったことにはなりませんので、更正の請求により総所得金額に含めることはできません（通則法23①）。

貸倒引当金の繰入れを撤回するための修正申告

【問19-6】 私は、青色申告者ですが、前年分の確定申告において、事業所得の計算上貸倒引当金（一括して評価する債権に係るもの）を適法に設定し、その繰入額を必要経費に算入して申告しました。

ところが、本年分の利益は相当高額になることが見込まれますので、毎年洗替えで翌年の総収入金額に算入することになっている貸倒引当金を前年分において繰り入れていないほうが有利になることは明らかです。

この場合、前年分の確定申告をしてから、まだ１年経っていませんので、今からでも修正申告により貸倒引当金の必要経費算入を自己否認したいのですが認められますか。

【答】 貸倒引当金（一括して評価する債権に係るもの）は、青色申告者に限り確定申告書に記載を要件として認められている特例ですが、その適用をするかどうかは納税者自身の選択に任されているものです（所法52②、④）。

しかしながら、いったんその適用を選択して確定申告をされますと、その選択されたところにより課税関係が確定することになります。

つまり、所得金額は、貸倒引当金の繰入額を必要経費に算入したところにより算出される額となることが確定することとなります。

また、納税者の選択により確定した課税関係は、法律の規定により変更が許されることになっているものでない限り、その変更は許されないものと解されます。

したがって、修正申告によって貸倒引当金の繰入額の必要経費算入を撤回することは、たとえ納付すべき税額が増加するものであっても認められないこととなります（通則法19①）。

廃業後に生じた貸倒損失

【問19-7】　私は、令和５年９月に鉄工業を廃業しました。廃業時に売掛金500万円が残っていましたが、そのうち400万円について、令和６年７月に売掛先の甲社が倒産したため回収不能となりました。

この場合の貸倒損失の金額400万円は、どのように取り扱われるのでしょうか。

なお、廃業した令和５年分及びその前年の令和４年分の申告した所得の内容は、次のとおりです。

令和５年分	事業所得の金額	100万円
	給与所得の金額	200万円
	総所得金額	300万円
令和４年分	事業所得の金額	200万円
	給与所得の金額	200万円
	総所得金額	400万円

【答】　不動産所得、事業所得又は山林所得を生ずべき事業を廃止した後において、その事業に係る費用又は損失でその事業を廃止しなかったとしたならば、その年分以後の各年分の各種の所得の金額の計算上必要経費に算入されるべき金額が生じた場合には、その事業を廃止した日の属する年分（同日の属する年においてこれらの所得に係る総収入金額がなかった場合には、当該総収入金額があった最近の年分）又はその前年分の所得金額の計算上、必要経費に算入することが認められています（所法63）。

この場合の過去の年分の所得金額の計算方法は、次のとおりです（所令179）。

①　その必要経費に算入されるべき金額が、次のイ又はロのいずれか低い金額以下である場合は、その金額の全部を事業を廃止した日の属する年分の必要経費に算入します。

イ　その必要経費に算入されるべき金額が生じた時の直前において確

定しているその事業を廃止した日の属する年分の総所得金額、土地等に係る事業所得等の金額、分離課税の短期・長期譲渡所得の金額、分離課税の上場株式等に係る配当所得等の金額、分離課税の一般株式等に係る譲渡所得等の金額、分離課税の上場株式等に係る譲渡所得等の金額、分離課税の先物取引に係る雑所得等の金額、山林所得の金額及び退職所得の金額の合計額

ロ　上記イの金額の計算の基礎とされる不動産所得の金額、事業所得の金額又は山林所得の金額

② その必要経費に算入されるべき金額が、上記①のイ又はロのうちいずれか低い金額を超える場合には、その必要経費に算入されるべき金額のうちいずれか低い金額に相当する部分の金額については、その事業を廃止した年分の必要経費に算入し、その超える部分の金額に相当する部分の金額については、次のイ又はロのいずれか低い金額を限度として、その年の前年分の必要経費に算入します。

イ　その必要経費に算入されるべき金額が生じた時の直前において確定している前年分の総所得金額、土地等に係る事業所得等の金額、分離課税の短期・長期譲渡所得の金額、分離課税の上場株式等に係る配当所得等の金額、分離課税の一般株式等に係る譲渡所得等の金額、分離課税の上場株式等に係る譲渡所得等の金額、分離課税の先物取引に係る雑所得等の金額、山林所得の金額及び退職所得の金額の合計額

ロ　上記イの金額の計算の基礎とされる不動産所得の金額、事業所得の金額又は山林所得の金額

したがって、あなたの場合、貸倒れとなった400万円は、まず令和５年分の事業所得の金額から100万円を差し引くことができ、令和５年分で控除しきれない300万円は、令和４年分の事業所得の金額200万円から差し引くことができます。また、残額100万円は、切り捨てられることになります。

なお、この特例の適用を受ける場合は、売掛金の貸倒れの事実が発生し

た日など必要経費に算入されるべき費用等が生じた日の翌日から２か月以内に更正の請求をする必要があります（所法152）。

（参考）

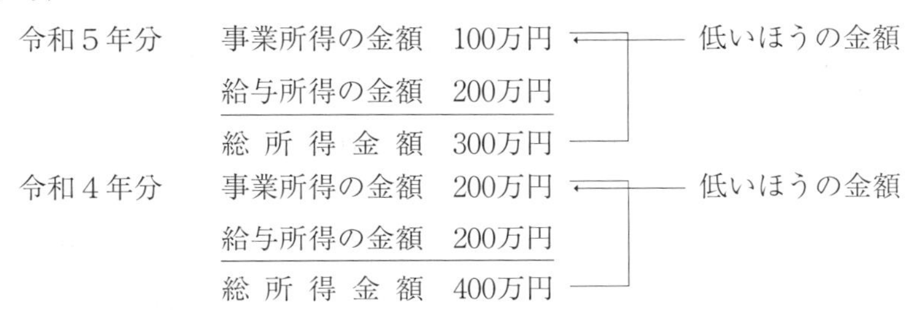

支給された賞与の返還による更正の請求

> **【問19-８】**　私の会社では最近の不況で今期1,000万円の欠損となることがはっきりしましたので、このたびの取締役会で既に受給済の前期の役員賞与を役員全員返還する旨決議されましたので返還しました。
>
> この返還した賞与は、この３月の確定申告の際、給与所得に含めて申告していますので返還の日から２か月以内に更正の請求ができませんか。

【答】　事業所得、不動産所得又は山林所得を生ずべき事業に係るものを除き、各年分の各種所得の計算の基礎とされた収入金額又は総収入金額の全部又は一部を回収することができなくなった場合、又は一定の事由によりその収入金額又は総収入金額の全部又は一部を返還することとなった場合には、回収不能等が生ずる直前に確定していた総所得金額等を限度として回収できないこととなった金額又は返還することとなった金額に対応する部分の金額は、その各種所得の金額の計算上なかったものとすることにされています（所法64①、所令180②）。

そして、確定申告書の提出後にこのような事態が生じた場合には、その事実の生じた日から２か月以内に更正の請求ができることとされています（所法152）。

また、各種所得の金額の計算上なかったものとされる、収入金額又は総収入金額を返還することとなった一定の事由とは、国家公務員退職手当法第２条の３第２項に規定する一般の退職手当の支払を受けた者が同法第15条第１項の規定による処分を受けたことその他これに類する事由とされています（所令180①）。

ところで、御質問の場合には、取締役会における役員相互の申合せにより返還したもので、法律の規定に基づくものではなく、法人が欠損になったことによる責任から役員の私財を提供するといった任意の寄附と変わるところがありませんから、この返還した賞与は、給与所得の計算上なかったものとはされず、更正の請求の対象となりません。

未払配当金を受領辞退した場合の更正の請求

【問19-９】　私は、Ｓ商事㈱の代表取締役です。令和５年８月末日（年１回６月末日決算）における株主総会の決議に基づき、配当金100万円の支払を受けることになっており、同５年分の所得税の確定申告書に当該未払配当金を含めて申告を行っていますが、その後業績が悪化し、支払うことができなくなり、令和６年９月10日配当金を未払のまま、Ｓ商事㈱はその源泉所得税及び復興特別所得税204,200円を納付しました。更にＳ商事㈱は整理状態に陥り、債権者集会の協議決定により、私は未払配当金の受領を辞退することとなりました。

この場合、令和５年分の未払配当金について更正の請求ができますか。できるとすれば、未払配当金について「回収できないこととなった金額」は、源泉徴収される前の100万円となりますか。それとも源泉徴収税額を差し引いた後の金額でしょうか。

【答】　会社の役員が、次に掲げるような特殊な事情の下において、一般債権者の損失を軽減するためその立場上やむなく、自己が役員となっている法人から受けるべき各種所得の収入金額に算入されるもので、未払となっているものの全部又は一部の受領を辞退した場合には、その辞退した金額が、回収不能となったものとしてその事実の生じた日から２か月以内に更正の請求ができることとされています（所法64①、152、基通64－２）。

①　当該法人が特別清算の開始の命令を受けたこと

②　当該法人が破産手続開始の決定を受けたこと

③　当該法人が再生手続開始の決定を受けたこと

④　当該法人が更正手続開始の決定を受けたこと

⑤　当該法人が事業不振のため会社整理の状態に陥り、債権者集会等の協議決定により債務の切捨てを行ったこと

したがって、御質問の場合も債権者集会の協議決定により、受領を辞退した日から２か月以内であれば、更正の請求ができることになります。

また、この場合の未払配当金の「回収できないこととなった金額」については、既に納付された源泉徴収税額を含むかどうかに問題のあるところですが、所得税法の規定により配当金の源泉所得税に係る納税義務は、その支払（所得税法第181条第２項に規定するみなし支払を含みます。）の時において成立、確定するものとされますから、配当金を支払う会社において、その源泉所得税額が徴収、納付されることによりその税額に相当する配当支払債務は、消滅することになります。

反対に、株主側からみますと、配当金を支払う会社に対して配当金の支払請求ができるのは、支払決議のあった配当金の金額から徴収、納付される源泉所得税相当額を控除した残額と解されます。

したがって、御質問の場合の「回収できないこととなった金額」は、この配当金が非上場株式によるものであれば、100万円の配当金額に係る源泉所得税及び復興特別所得税額204,200円を控除した残額795,800円となります（昭52.８.22直審３－91）。

なお、更正の請求に当たっては、当該配当所得の金額を204,200円、配当控除額をその204,200円に対応する金額、源泉徴収税額204,200円として所得税額の計算を行います。

還付請求申告書の修正申告と加算税

> **【問19-10】**　私は令和５年分の所得税について、令和６年４月27日に還付金額３万円の還付請求のための申告書を提出していましたが、その後の税務調査により、申告漏れが判明し、増差税額７万円（還付金の返納分３万円を含んでいます。）の修正申告書を提出しました。
> 　修正申告ですから、過少申告加算税が賦課されるのですか。

【答】　還付請求申告書について修正申告をした場合の増差税額については過少申告加算税が賦課されることとされています（通則法65①）。

しかしながら、還付請求申告書とは、正当に計算された場合に納付すべき税額のないものに限られることとされていますから、御質問の修正申告のように還付金の全額が取り消され、その上に納付税額が発生したような場合には、最初の申告書は還付請求申告書に該当しなかったことになります（通則令26）。

ところで、還付請求申告書には提出期限はありませんが、申告納税額がある場合の確定申告書は、法定申告期限（令和５年分は令和６年３月15日）までに提出することとされていますから、御質問の場合、令和６年３月16日以後に提出された還付金の額を記載した申告書は、期限後申告書として取り扱われます（通則法18②）。

したがって、御質問の修正申告書は期限後申告書に係る修正申告書となり、その増差税額７万円を基礎として無申告加算税が賦課されることとなります（通則法66①）。

租税特別措置法第26条の適用と更正の請求

【問19-11】 私は、租税特別措置法第26条（社会保険診療報酬の所得計算の特例）の規定を適用して事業所得の金額を計算して確定申告していました。ところが、実額により収支計算したところ、申告額が過大であることに気づきました。そこで、更正の請求をしたいと思いますができるでしょうか。

【答】 国税通則法第23条第１項で、更正の請求は、「国税に関する法律の規定に従っていなかったこと」又は「計算に誤りがあったこと」により、申告書に記載した税額が過大であるときにできるとされています。

ところで、租税特別措置法第26条の規定の適用を受ける者は、確定申告書にその旨を記載することになっており、適用を受ける場合は、所得税法の規定にかかわらず所定の率により算定した金額をもって、社会保険診療報酬に係る必要経費とみなすもので、仮に、確定申告書に同条の規定により事業所得の金額を計算した旨の記載がない場合には、原則として適用しないこととされています（措法26③）。

なお、租税特別措置法第26条の規定を適用して所定の率による金額を社会保険診療報酬に係る必要経費として所得を計算するか、あるいは同条の規定を適用せず実額計算の方法によるかは確定申告時の納税者の自由な選択にゆだねられています。

したがって、同条の規定により事業所得の金額を計算した旨を記載して確定申告をしている場合には、所得税法の規定にかかわらず、所定の率により算定した金額をもって必要経費とみなすものであり、仮に実際に要した経費の額が概算による控除額を超えるとしても、そのことは「国税の関する法律の規定に従っていなかったこと」又は「計算に誤りがあったこと」に当てはまらず、更正の請求は認められません（最判昭62.11.10）。

第20章　非居住者の課税

非居住者の課税範囲（国内源泉所得）

【問20－１】 非居住者については、国内源泉所得について課税されるということですが、国内源泉所得とは、どのような所得をいうのですか。

【答】　国内源泉所得は、次のとおりです（所法161）。

種　　　　類	内　　　　容
①　事業の所得（所法161①一）	非居住者が恒久的施設を通じて事業を行う場合において、当該恒久的施設が当該非居住者から独立して事業を行う事業者であるとしたならば、当該恒久的施設が果たす機能、当該恒久的施設において使用する資産、当該恒久的施設と当該非居住者の事業場等(注)との間の内部取引その他の状況を勘案して、恒久的施設に帰せられるべき所得 （注）　事業場の範囲（所令279） イ　所得税法第２条第１項第８号の４イ（定義）に規定する事業を行う一定の場所に相当するもの ロ　所得税法第２条第１項第８号の４ロに規定する建設若しくは据付けの工事又はこれらの指揮監督の役務の提供を行う場所に相当するもの ハ　所得税法第２条第１項第８号の４ハに規定する自己のために契約を締結する権限のある者に相当する者 ニ　イからハまでに掲げるものに準ずるもの
②　資産の所得（所法161①二、三）	国内にある資産の運用、保有又は譲渡により生ずる所得（⑦から⑮に該当するものを除く。） イ　国内にある資産の運用又は保有による所得（所令280） ロ　国内にある資産の譲渡による所得（所令281）

	（参考） ・　国内にある資産の判定基準（基通161-12） ・　資産の運用、保有により生ずる所得の範囲（基通161－14）
③　組合契約事業・利益の配分（所法161①四）	組合契約（民法667①）に基づいて行う事業から生ずる利益で当該組合契約に基づいて配分を受けるもの 組合契約には、投資事業有限責任組合契約、有限責任事業組合契約及び外国における類似の契約を含む（所令281の２）
④　土地等の譲渡による所得（所法161①五）	国内にある土地若しくは土地の上に存する権利又は建物及びその附属設備若しくは構築物の譲渡による対価 ただし、当該土地等の譲渡対価の額が１億円以下であり、かつ、当該土地等を自己又はその親族の居住の用に供するために譲り受けた個人から支払われるものを除く（所令281の３）。
⑤　人的役務提供事業の所得（所法161①六）	国内で次の人的役務の提供を主たる内容とする事業を行うことにより受ける当該役務提供の対価（所令282） イ　芸能人、職業運動家等の役務 ロ　弁護士、建築士その他の自由職業者の役務 ハ　科学技術、経営管理その他の専門的知識又は特別な技能を有する者の当該専門的知識等を活用して行う役務 （参考） ・　国内において行う事業が人的役務の提供を主たる内容とする事業であるかどうかの判定（基通161－20） ・　人的役務の提供を主たる内容とする事業の意義（基通161－21）
⑥　不動産の賃貸料等（所法161①七）	次の対価 イ　国内の不動産、不動産の上に存する権利、採石法の規定による採石権の貸付け（設定を含む。）等 ロ　居住者、内国法人に対する船舶、航空機の貸付け
⑦　利子等（所法161①八）	次のものの利子又は収益の分配 イ　日本の公債、内国法人の債券等 ロ　外国法人が発行する債券の利子のうち一定のもの

	ハ　国内の営業所に預入した預貯金 ニ　国内の営業所に信託された合同運用信託、公社債投資信託等
⑧　配当等（所法161①九）	イ　内国法人からの配当等 ロ　国内の営業所に信託された投資信託（公社債投資信託等を除く。）又は特定受益証券発行信託の収益の分配
⑨　貸付金利子（所法161①十）	国内で業務を行う者に対する当該業務に係る貸付金の利子
⑩　使用料等（所法161①十一）	国内で業務を行う者から受ける当該業務に係る次の使用料又は対価 イ　工業所有権、著作権等の使用料又は譲渡の対価 ロ　機械装置等の使用料
⑪　給与その他人的役務の提供に対する報酬、公的年金等、退職手当等（所法161①十二）	次の給与、報酬又は年金 イ　国内における勤務、その他の人的役務の提供（内国法人の役員として行う国外勤務等に含む。）に基因する給与その他の報酬 ロ　居住者であった期間における勤務、その他の人的役務の提供（内国法人の役員として非居住者であった期間に行った勤務等を含む。）に対応する公的年金等、退職手当等
⑫　事業の広告宣伝のための賞金（所法161①十三）	国内で行われる事業の広告宣伝のために賞として支払われる金品等（所令286）
⑬　生命保険契約に基づく年金等（所法161①十四）	国内の営業所等を通じて契約した生命保険契約等に係る年金（公的年金等に該当するものを除く。）
⑭　定期積金の給付補塡金等（所法161①十五）	定期積金・相互掛金の給付補塡金、抵当証券の利息、金投資口座の為替差益等、外貨投資口座の為替差益、一時払養老保険（保険期間又は共済期間が５年以下のもの及び５年を超えるもので５年以内に解約したもの）の保険差益
⑮　匿名組合契約等に基づく利益の分配（所法161①十六）（所令288）	国内において事業を行う者に対する出資につき、匿名組合契約に基づいて受ける利益の分配
⑯　その他の国内源泉所得（所法161①十七）	次に掲げるもの（所令289） イ　国内において行う業務又は国内にある資産に関し受ける保険金、補償金又は損害賠償金に係る所得

	ロ　国内にある資産の法人からの贈与により取得する所得 ハ　国内において発見された埋蔵物又は国内において拾得された遺失物に係る所得 ニ　国内において行う懸賞募集に基づいて懸賞として受ける金品その他の経済的な利益（旅行その他役務の提供を内容とするもので、金品との選択ができないものとされているものを除く。）に係る所得 ホ　ロからニまでに掲げるもののほか、国内においてした行為に伴い取得する一時所得 ヘ　イからホまでに掲げるもののほか、国内において行う業務又は国内にある資産に関し供与を受ける経済的な利益に係る所得

非居住者に対する課税の方法

【問20-２】　令和６年分の所得税について、非居住者に対する課税は、どのような方法で行われるのですか。

【答】　非居住者に対しては、国内源泉所得を対象として総合課税又は分離課税の方法により課税することとされています。

この場合において、非居住者が国内に恒久的施設を有しているかどうかなどの区分により、国内源泉所得のうち総合課税されるものと分離課税されるものとに次表のように区分されます（所法164、基通164－１）。

なお、租税条約に異なる定めがある場合には、その条約の適用を受ける者については、所得税法の規定にかかわらずその条約の定めるところによります（所法162。租税条約を締結している国については【問20-５】参照）。

例えば、スリランカ等では、租税条約に租税の軽減免除される税額を納付したものとみなし、外国税額控除を行う旨の定めがある場合には、所得税法の規定にかかわらず軽減免除された税額を外国税額に含める、いわゆるみなし外国税額控除制度があります。

非居住者に対する課税関係の概要（基通164－１）〔表５〕

<table>
<tr><td rowspan="3">非居住者の区分
所得の種類</td><td colspan="4">非居住者</td><td>（参考）
外国法人</td></tr>
<tr><td colspan="2">恒久的施設を有する者</td><td rowspan="2">恒久的施設を有しない者</td><td colspan="2" rowspan="2">所得税の源泉徴収</td></tr>
<tr><td>恒久的施設帰属所得</td><td>その他の所得</td></tr>
<tr><td rowspan="3">（事業所得）
①資産の運用・保有により生ずる所得
（⑦から⑮に該当するものを除く。）
②資産の譲渡により生ずる所得</td><td rowspan="3">【総合課税】</td><td colspan="2">【課税対象外】</td><td>無</td><td>無</td></tr>
<tr><td colspan="2" rowspan="2">【総合課税（一部）】</td><td>無</td><td>無</td></tr>
<tr><td>無</td><td>無</td></tr>
<tr><td>③組合契約事業利益の配分</td><td rowspan="4">【源泉徴収の上、総合課税】</td><td colspan="2">【課税対象外】</td><td>20%</td><td>20%</td></tr>
<tr><td>④土地等の譲渡による所得</td><td colspan="2" rowspan="3">【源泉徴収の上、総合課税】</td><td>10%</td><td>10%</td></tr>
<tr><td>⑤人的役務提供事業の所得</td><td>20%</td><td>20%</td></tr>
<tr><td>⑥不動産の賃貸料等</td><td>20%</td><td>20%</td></tr>
</table>

⑦利　子　等			15%	15%
⑧配　当　等			20%	20%
⑨貸　付　金　利　子			20%	20%
⑩使　用　料　等			20%	20%
⑪給与その他人的役務の提供に対する報酬、公的年金等、退職手当等		【源泉分離課税】	20%	－
⑫事業の広告宣伝のための賞金			20%	20%
⑬生命保険契約に基づく年金等			20%	20%
⑭定期積金の給付補塡金等			15%	15%
⑮匿名組合契約等に基づく利益の分配			20%	20%
⑯その他の国内源泉所得	【総合課税】	【総　合　課　税】	無	無

（注）1　恒久的施設帰属所得が、上記の表①から⑯までに掲げる国内源泉所得に重複して該当する場合があることに留意してください。

2　上記の表②資産の譲渡により生ずる所得のうち恒久的施設帰属所得に該当する所得以外のものについては、所令第281条第１項第１号から第８号までに掲げるもののみ課税されます。

3　措置法の規定により、上記の表において総合課税の対象とされる所得のうち一定のものについては、申告分離課税又は源泉分離課税の対象とされる場合があることに留意してください。

4　措置法の規定により、上記の表における源泉徴収税率のうち一定の所得に係るものについては、軽減又は免除される場合があることに留意してください。

非居住者に対する分離課税

【問20-３】　非居住者に対する分離課税方式とは、どのような方式ですか。

【答】　分離課税方式とは、支払を受けるべき国内源泉所得の金額（生命保険契約等に基づく年金等の特定のものは、所定の金額を控除した金額）を課税標準として、20.42％（利子等又は金融類似商品に係る収益等については、15.315％）の税率により税額を計算する方式をいいます（所法170、復興財確法28）。

この課税関係は、次の場合を除き支払者における源泉徴収により終了することになります。

(1) 給与等につき源泉徴収を受けない場合

給与又は報酬（所法161①十二イ又はハ）につき源泉徴収を受けない場合には、その給与又は報酬の額の20.42％の税額を翌年３月15日（同日前に居所を有しなくなる場合は、その有しないこととなる日）までに申告し、納税しなければなりません（所法172、復興財確法９、17）。

（注）給与又は報酬につき源泉徴収を受けない場合の例
① 芸能人、職業運動家が不特定多数の者から収受するもの
② 国外で支払われるもの

(2) 退職所得についての選択課税

退職手当等（所得税法第30条第１項に規定するものをいいます。）について20.42％の分離課税に代えて、非居住者期間中の勤務に対応する退職手当等も含めた退職手当等の総額を居住者として受けたものとみなして算出した退職所得金額を課税退職所得金額として、これに超過累進税率を適用して算出される税額により課税を受けることを選択することができます。

この選択をする場合には、退職手当等の額、退職所得についての選択課税を適用したところによる所得税の額等を税務署長に申告します。

退職手当等につき源泉徴収を受けているため、還付金を生ずることとなる場合は、翌年１月１日（同日前に退職手当等の総額が確定したときは、その確定した日）以後に申告することができます（所法171、173①、復興財確法９、17）。

（注）退職所得の計算の基礎となる勤続年数は、居住者期間中の勤務のほか非居住者期間中の勤務も含めたところにより計算します。

居住者と非居住者の双方の期間がある場合の課税方法

【問20-４】 居住者が賃貸住宅を残して年の中途で出国した場合、どのような申告をすればよいでしょうか。

【答】 居住者期間中の所得と非居住者期間中の総合課税の対象となる所得

（不動産の賃貸料等）の合計額を基礎として居住者と同様の方法により計算し、かつ、申告することになります（所法８、102、所令258①二）。

この場合、その年中に居住者から非居住者となって、あるいは、非居住者のままで出国したため所得税法第127条《年の中途で出国をする場合の確定申告》の規定（所得税法施行令第293条により準用される場合を含みます。）に基づき、出国の時までにその時の現況により確定申告しているときは、出国時の申告に係る所得も含めたところにより計算し、出国時の申告に係る申告納税額又は還付金額を控除又は加算して申告しなければなりません。

なお、所得控除等の適用に当たっては、次の点に留意してください。

(1) 雑損控除の対象となる損失額

居住者期間中の損失と非居住者期間中の国内にある資産に生じた損失に限られます。

(2) 医療費・社会保険料・小規模企業共済等掛金・生命保険料・地震保険料の各控除の対象となる金額

居住者期間中に支払ったものに限られます。

(3) 扶養親族等の判定の時期

居住者期間を有する非居住者については、次によります。

①　納税管理人の届出をして居住者でないこととなった場合

その年の12月31日

②　納税管理人の届出をしないで居住者でないこととなった場合

その居住者でないこととなる時

(4) 外国税額控除額の計算

非居住者期間中の所得はないものとして計算します。

租税条約を締結している国

【問20-5】　我が国が租税条約を締結している国には、どのような国がありますか。

【答】　我が国と令和6年9月1日現在、租税条約及び協定を締結し、発効している国は、次に掲げる92か国・地域があります。

（地域別・50音順）

欧州（33）	アイスランド、アイルランド、イギリス、イタリア、エストニア、オーストリア、オランダ、クロアチア、スイス、スウェーデン、スペイン、スロバキア、スロベニア、セルビア、チェコ、デンマーク、ドイツ、ノルウェー、ハンガリー、フィンランド、フランス、ブルガリア、ベルギー、ポーランド、ポルトガル、ラトビア、リトアニア、ルーマニア、ルクセンブルク、ガーンジー、ジャージー、マン島、リヒテンシュタイン
アジア・大洋州（20）	インド、インドネシア、オーストラリア、韓国、シンガポール、スリランカ、タイ、中国、ニュージーランド、パキスタン、バングラデシュ、フィジー、フィリピン、ブルネイ、ベトナム、香港、マレーシア、サモア、マカオ、台湾
ロシア・NIS諸国（12）	アゼルバイジャン、アルメニア、ウクライナ、ウズベキスタン、カザフスタン、キルギス、ジョージア、タジキスタン、トルクメニスタン、ベラルーシ、モルドバ、ロシア
中東（7）	アラブ首長国連邦、イスラエル、オマーン、カタール、クウェート、サウジアラビア、トルコ
北米・中南米（15）	アメリカ、ウルグアイ、エクアドル、カナダ、コロンビア、ジャマイカ、チリ、ブラジル、ペルー、メキシコ、ケイマン諸島、英領バージン諸島、パナマ、バハマ、バミューダ
アフリカ（4）	アルジェリア、エジプト、ザンビア、南アフリカ、モロッコ

（注）1　租税条約は、国際二重課税を回避又は排除し、経済の国際化に伴って、資本、技術、人的交流等の円滑化を図ることを目的としています。

2　租税に関する情報交換を主な目的とした条約を締結している国は、次の11か国があります（50音順）。

英領バージン諸島、ガーンジー、ケイマン諸島、サモア、ジャージー、

バハマ、バミューダ、パナマ、マカオ、マン島、リヒテンシュタイン

3　台湾については、公益財団法人交流協会（日本側）と亜東関係協会（台湾側）との間の民間取決めとその内容を日本国内で実施するための法令によって、全体として租税条約に相当する枠組みが構築されています。

非居住者に係る総合課税

【問20-６】　３年間の海外勤務となった私は、国内の居住用家屋を知人に貸すこととしました。この場合に発生する令和６年分の不動産所得はどのように申告すればよいのでしょうか。

【答】　非居住者期間に発生する不動産所得は、総合課税の方法により課税されます（所法165）。

総合課税を行う場合の課税標準及び所得税の額の計算並びに申告等については居住者に準じて行うことになります。この場合、所得控除及び税額控除については次のものに限られます。

(1) 雑損控除（国内にある資産について生じた損失に限ります（所令292①十三）。）

(2) 寄附金控除

（注）　対象となる寄附は、所得税法第78条第２項、第３項及び租税特別措置法第41条の18、第41条の18の２及び第41条の18の３に規定する特定寄附金に限られますから、外国、外国の地方公共団体、外国の公益法人等に対する寄附は、寄附金控除の対象となりません。

(3) 基礎控除

(4) 配当控除

（注）　税額控除については、租税特別措置法に定める特例により適用を受けることができるものもあります。

非居住者が国内の土地を譲渡した場合

【問20-7】 私は米国在住の友人（非居住者）の納税管理人となっています。

今年８月に、その友人は、国内に所有していた土地を事業用地として１億円で売却しました。

この土地の譲渡についての課税はどのようになりますか。

【答】 非居住者については、原則として、国内源泉所得に対してだけ課税することとされているところ（所法５②）、国内の土地の譲渡の対価については、その対価が１億円以下でその土地を自己又はその親族の居住の用に供するために譲り受けた個人から支払われるものを除き、恒久的施設を有するか否かにかかわらず、国内源泉所得となります（所法161①五、所令281の３）。

国内源泉所得に対する課税の方法には、総合課税による場合と、源泉徴収の上総合課税による場合と、源泉徴収のみで課税関係が終了する源泉分離課税による場合とがありますが、国内の土地の譲渡により生じる所得は、源泉徴収の上、総合課税とされています（所法161①五、164、212、213、基通164-１、【問20-２】参照）。

また、日米租税条約第13条《譲渡収益》においても、不動産の譲渡から生じる所得は、その不動産の所在する国で課税する旨規定されています。

したがって、御質問のように、非居住者である友人が日本国内で所有する土地を事業用地として譲渡した場合は、まずその譲渡の対価の支払の際、その対価の10.21％の税率で源泉徴収が行われ（所法212①、213①二、復興財確法28）、その後、その譲渡による所得について、土地の譲渡のあった翌年２月16日から３月15日までの期間内に確定申告することになります（所法164①二）。

なお、非居住者に係る譲渡所得の計算方法、税額の計算等については、居住者に準じて行うこととされていますので（所法165）、租税特別措置法の規定が適用され、分離譲渡所得として課税されることとなります。

非居住者の受けるみなし配当

【問20-８】 私の父は、単身で英国の子会社に２年間の予定で出向しています。

父は、甲社の株式５万株を保有していたため甲社の清算による分配金が送金されてきました。

父は、国内にアパートを持っていて不動産所得がありますが、清算分配金のうち「みなし配当」とされる部分については配当所得として不動産所得と合算して申告しなければなりませんか。

【答】 配当所得とは、法人（公益法人等及び人格のない社団等を除きます。）から受ける剰余金の配当、利益の配当、剰余金の分配（出資に係るものに限られます。）、金銭の分配、基金利息並びに投資信託（公社債投資信託及び公募公社債等運用投資信託を除きます。）及び特定受益証券発行信託の収益の分配に係る所得とされています（所法24①）。

また、合併、分割型分割、株式分配、資本の払戻し、法人の自己株式又は出資の取得、出資の消却、組織変更等を基因として交付を受ける金銭の額の一定部分について、利益の配当、剰余金の分配又は金銭の分配とみなされることとされています（所法25①②）。

ところで、あなたのお父さんは外国へ１年以上の予定で出向されておりますので、所得税法上では、出向の時から非居住者として取り扱われます（所令15①一）。非居住者が国内源泉所得である配当等を受ける場合には、非居住者の源泉分離課税の適用を受けます（所法164②、161①九）が、御質問のように配当所得とみなされる配当等についても同様の取扱いがされます。

したがって、あなたのお父さんは、総合課税の対象となる国内源泉の不動産所得のみを申告すればよいことになります（所法164①、161①七）。

非居住者が支給を受ける退職手当等（国内源泉所得）の選択課税

> **【問20-９】** 当社の従業員であったＫ氏は、昨年６月にニューヨーク支店へ転勤しましたが、本年９月に一身上の都合でアメリカに永住することとなり、当社を退職しました。
>
> 当社が支払う退職金は、居住者であった期間に対応する部分と、非居住者として勤務した期間に対応する部分とがありますので、所得税法第171条により居住者としての課税方式を選択させようと思いますがその場合、退職所得控除額の計算の基礎となる勤続年数はどのように計算すればよいのですか。

【答】 Ｋ氏のように、国内の事業所から国外の事業所に転勤し非居住者となった人が、そこで退職し、非居住者として退職手当等を収入した場合は、その退職手当等のうち居住者として勤務した期間（国内の事業所に勤務していた期間）に対応する部分については国内源泉所得に該当し、原則として20.42％の税率により分離課税することとされています（所法161①十二ハ、164②二、170、復興財確法９、17）。

しかしながら、居住者が特定役員に該当しない者に係る一般退職手当等の支払を受ける場合は、退職後の収入減少や老後の生活等の担税力の弱さを考慮して勤続年数に基づく退職所得控除額を控除し、その控除後の金額の２分の１を退職所得の金額とすることにより所得税の負担の軽減を図っています（所法30）。

そこで、非居住者に対しても国内勤務に基因して支払を受ける退職所得がある場合には、その担税力を考慮し、前述しました居住者期間中の勤務に対応する部分（国内源泉所得）の20.42％相当額の課税に代えて、その退職を事由としてその年中に支払を受ける退職手当等の総額（非居住者期間中、つまり、ニューヨーク支店勤務に対応する部分を含みます。）を基として、退職所得の金額を計算し、これに超過累進税率を適用して所得税を計算する方法を選択することができることとされています（所法171、復興財確法９、17)。

ところで、この場合に勤続年数は、居住者であった期間のみでもって計算すべきか、それとも非居住者として勤務した期間も含めるべきか疑問が生じますが、あくまでも居住者の退職所得の金額を計算する場合と同様に計算することになっていますので、勤続年数の計算は、非居住者期間中の退職金の支払われた国外支店勤務期間も含めて計算することになります。

なお、この退職所得の選択課税の適用を受けるためには、退職手当等の支払を受ける年の翌年１月１日（同日前にその退職手当等の総額が確定した場合には、その確定した日）以後に、所轄税務署長に対し、所定の事項を記載した申告書を提出することになっています（所法173①)。

非居住者の厚生年金脱退一時金に対する課税

【問20-10】　米国人であるＳ氏は、令和６年６月まで日本国内において勤務しており、その勤務期間中に厚生年金を支払っていたので、帰国後の今年、厚生年金脱退一時金の請求手続をして、厚生年金脱退一時金を受給しました。

この場合の日本における厚生年金脱退一時金の課税関係はどのようになりますか。

【答】　一般に厚生年金及び国民年金については、保険料を10年以上納付していれば、年金の受給資格を取得することになります。

しかしながら、在留期間が短い外国人の場合、厚生年金及び国民年金ともに年金の受給要件（10年以上の保険料納付）を満たさない場合が多く、保険料掛捨てとなるケースの救済措置として、平成７年４月から脱退一時金が支払われることになっています（厚生年金保険法附則29)。

実際の手続としては、帰国後２年以内に「脱退一時金請求書」を厚生労働省に送付することにより受給することになるので、実務上は非居住者に対する支払となります。

この厚生年金の脱退一時金は、「退職手当等とみなす一時金」となり（所法31①一）、国内源泉所得に該当するため、その支払の際に20.42％の税率により源泉徴収されることになります（所法164②、161①十二ハ、169、170、復興財確法９、17）。

ところで、非居住者に支払われる退職所得については、その年中に支払を受ける退職所得の総額を居住者として受けたものとみなして、居住者の場合と同様に税額を計算する「退職所得の選択課税」制度が設けられています（【問20-３】参照）。

御質問の場合、厚生年金脱退一時金の支払を受けた翌年１月１日（同日前にその年中の厚生年金脱退一時金の総額が確定したときには、その確定した日）以後に、税務署長に対し退職所得等の選択課税を適用して計算した申告書を提出し、源泉徴収された所得税の還付を受けることができます。

なお、この申告は通常の確定申告とは異なるものですので、次の点に注意する必要があります。

(1)　退職手当等の総額には、国外源泉所得となる退職手当等も合計します。
(2)　勤続年数は、非居住者期間も含めた全期間で計算します。
(3)　所得控除の適用はありません。

また、国民年金の脱退一時金は「退職手当等とみなす一時金」には該当しますが、所得税法第161条第１項第十二号ハに規定する国内源泉所得に該当しないため、源泉徴収の対象とはなりません。

そのため、確定申告を行うことになりますが、国民年金の脱退一時金は、最高でも509,400円（令和６年度分）しか支給されないため、他に退職手当等がなければ、退職所得控除未満となり、国民年金の脱退一時金のみで課税されることはありません。

居住者・非居住者の区分

【問20-11】　私は、当初２年間海外支店に勤務の予定で出国しましたが、仕事の関係で、10か月で国内勤務となり帰国しました。

この場合、私は居住者、非居住者どちらになるのでしょうか。

また、私の友人は、当初１年未満の予定で出国しましたが、仕事の都合で１年以上、海外支店に勤務することになりましたが、この場合はどうなるのでしょうか。

【答】　国内に住所を有する人又は現在まで引き続き１年以上居所を有する人を「居住者」といい、居住者以外の人を「非居住者」といいます（所法２①三、五）。

ところで、国内又は国外において事業を営み若しくは職業に従事するため、国内又は国外に居住することになった人は、その地における在留期間が契約などであらかじめ１年未満であることが明らかである場合を除いて、国内に住所を有する人又は国内に住所を有しない人と推定されます（所令14、15）。

したがって、あなたは、出国の日までは居住者、出国の日の翌日から帰国の日までは非居住者、帰国の日の翌日からは居住者となります。これを図で示すと次のようになります。

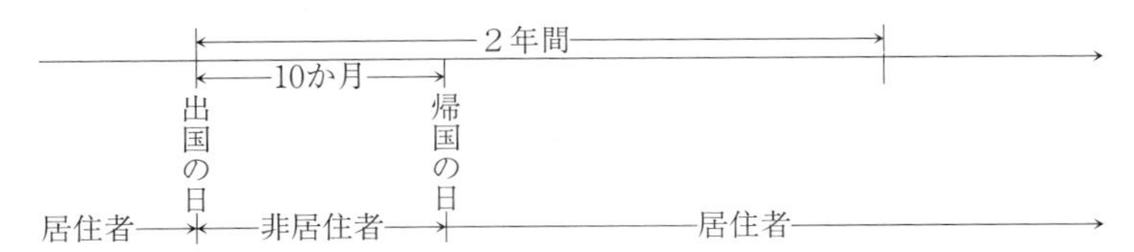

また、あなたの友人の場合は、海外での勤務期間が１年以上となることが明らかとなる日までは居住者、その明らかとなった日の翌日以後は非居住者となります。これを図で示すと次のようになります。

商社員の海外出向

【問20-12】　私は、Ａ物産㈱の海外事業部に勤務していましたが、本年６月人事異動でイタリア支社へ転勤を命じられました。任期は３年の予定です。

私は、毎年Ａ物産㈱からの給与と貸家から生ずる不動産所得を申告していましたが、本年分の申告はどのようにすればいいですか。

なお、従来から申告に際しては税理士に依頼していましたので、今度も所轄税務署長に対し、その税理士を納税管理人にする旨の届出をしています。

【答】　通常、海外勤務等で出国する場合は、所得税法上、出国後は非居住者となるため出国に際して確定申告書を所轄税務署長に提出し、出国した後（非居住者期間）は、一定の国内源泉所得について源泉徴収により所得税を納付することとされています（所法８、127）。

しかしながら、あなたの場合は、納税管理人の届出がありますので、出国に際して確定申告書の提出は必要がなく翌年３月15日、通常の法定申告期限までに、出国するまで（居住者期間）の全所得と出国した後（非居住者期間）の国内源泉所得である不動産所得について確定申告をすればよいこととなります。

また、不動産所得に係る賃借人が法人の場合には、賃借料を非居住者に支払う際、支払金額の20.42％の源泉徴収がされますが（所法212、213）、この所得は利子所得や配当所得のような分離課税とされるものではありませんから、他の総合課税の対象となる各種所得の金額と合算して申告していただき年税額を精算することになります。

出向先から帰国した者の確定申告

> **【問20-13】**　私は、３年間のアメリカ勤務を終え、本年４月に帰国し、本社営業部に勤めることになりました。
> 　私は、海外出向に際し、自宅を会社に借り上げてもらい毎月賃貸料を収受していました。
> 　本年分の申告はどのようにすればいいですか。

【答】　その年において個人が非永住者以外の居住者と非永住者又は非居住者の区分のうち２以上のものに該当した場合には、それぞれに該当する期間に応じて、それぞれの期間内の所得について所得税を課することとされています（所法８）。

したがって、あなたの場合、課税の対象となる所得は、帰国後（居住者の期間）のすべての所得と帰国前（非居住者の期間）の所得で総合課税とされる国内源泉所得（不動産所得）とを総合して申告することとなります。なお、非居住者の期間における海外での所得については、確定申告をする必要はありません（所法102、165、所令258）。

日本で受ける国外給与

> **【問20-14】**　フランス甲社の出向社員Ａは、令和３年４月から甲社の日本支社で技術指導員として勤務しております。
> 　Ａは、日本支社からの給料と本国からの給料とがありますが、本国からの給与も含めて確定申告をする必要がありますか。
> 　なお、Ａは日本国籍を有しておらず、また、過去に日本に居住していたこともありません。

【答】　Ａさんは、日本に令和３年４月から令和５年まで１年以上引き続いて居所を有しておりますので「居住者」として所得税法の適用を受けることとなりますが、日本国籍を有しておらず、また、来日して３年目であり、過去10年以内において、日本に住所又は居所を有していた期間は５年以内ですから、Ａさんは非永住者（所法２①四）として、国内源泉所得及び国外源泉所得で国内において支払われ、又は国外から送金されたものが課税されることとなります（所法７①二）。

事例の場合、本国からの給与については、日本支社での役務・労務の提供の対価として支払いを受けるものであり、国内源泉所得に該当します（所法161）。

また、本国からの給与について源泉徴収されていないとしても、その金額を含めて給与が２か所からあることとなりますので、確定申告をする必要があります。

非居住者の青色申告

【問20-15】　私の友人のＡさんは、本年６月から米国の子会社に５年間の予定で出向することとなりました。

Ａさんは、３年前から国内にアパートを所有し、不動産所得を得ていますので、給与所得と合算して青色申告をしていましたが、このたびの海外出向に当たって私を納税管理人として届出をし、本年分以後の確定申告を行うこととしています。

本年６月からＡさんは非居住者となりますが、不動産所得についての青色申告も含めて、本年分の確定申告はどうすればいいですか。

【答】　不動産所得、事業所得又は山林所得を生ずべき業務を行う居住者は、青色申告の承認申請書を所轄税務署長に提出し承認を受けることにより、青色申告をすることができることとされています（所法143）。

非居住者については、国内源泉所得のうち総合課税の対象となる所得について確定申告をすることとされていますが、不動産所得、事業所得又は山林所得を有する非居住者については、居住者についての青色申告の規定が準用されます（所法166）。

したがって、御質問の場合、Ａさんは不動産所得を生ずべき業務を国内において行う者に当たりますので、青色申告者として本年分の不動産所得の金額を申告することができることとなります。

第21章　青　色　申　告

青色申告者の備え付けるべき帳簿と保存期間

【問21－１】　青色申告をするには、一定の帳簿を備え付けて、きちんと記帳をしないと青色申告の取消しを受けるそうですが、どの程度の帳簿を備えればよいのですか。

また、帳簿書類は、保存しておく場所がありませんので、３年間程度で廃棄することは認められませんか。

【答】　青色申告者は、原則として正規の簿記の原則に従い複式簿記により記帳することになっています（所法148、所規56、57）。

ただし、一応の簿記の知識がなければ記帳できない複式簿記によらなくても、売上げや売掛けの帳簿など、商売上だれもが記帳している帳簿によって簡単に青色申告ができるように、財務大臣の指定する簡易簿記による方法も認められています（所規56、昭42.８.31大蔵省告示112号）。

この簡易簿記の場合行う業務の内容により異なりますが、標準的なものとしては、次に掲げる帳簿を備え付けることとなります。

①現金出納帳　②売掛帳　③買掛帳　④経費帳　⑤固定資産台帳

（注）　現金売上げ及び現金仕入れは①の現金出納帳に記入されますので売上帳と仕入帳の記帳が省略してあります。

次に、青色申告者の帳簿書類の保存については、まず、帳簿については帳簿の閉鎖日の属する年の翌年３月15日の翌日から起算して７年間、書類については、その作成又は受領の日の属する年の翌年３月15日の翌日から起算して７年間、ただし、現金預金取引等関係書類以外の証ひょう書類は５年間、これを住所地若しくは居所地又はその営む事務所、事業所その他これらに準ずるものの所在地に保存しなければならないことになっています（所規63①）。

なお、その年の前々年分の不動産所得の金額及び事業所得の金額の合計額が300万円以下のいわゆる小規模事業所得者の場合には、証ひょう書類はすべて５年間保存すればよいこととされています（所規63②）。

したがって、保存する場所がないという理由だけで、３年間で帳簿書類を廃棄することは認められません。

（注）　コンピュータ作成の帳簿書類については、一定の要件のもとに磁気テープや光ディスク（ＣＤ－Ｒ）などに記録した電磁的記録（電子データ）のままで保存することができます。また、帳簿、決算関係書類を除き、一定の要件のもとに手書きの書類などをスキャナで読み込み記録した電子データの保存をするスキャナ保存制度が導入されています。（【問18-5】参照）。

〈帳簿書類の保存期間〉

<table>
<tr><td>５年間保存すべきもの</td><td colspan="6">すべての青色申告者</td></tr>
<tr><td rowspan="2">７年間保存すべきもの</td><td colspan="3">その他の青色申告者</td><td rowspan="2"></td><td rowspan="2"></td><td rowspan="2"></td></tr>
<tr><td colspan="2">小規模事業所得者</td><td></td></tr>
<tr><td rowspan="3">青色申告者が備え付けるべき帳簿書類</td><td rowspan="2">帳簿
（所規63①一）</td><td rowspan="2">決算関係書類
（所規63①二）</td><td colspan="4">証ひょう書類（所規63①三）</td></tr>
<tr><td>①現金の収入・支出、預貯金の預入・引出しに際して作成された書類</td><td>②有価証券の取引に際して作成された書類</td><td>③棚卸資産の引渡し受入れに際して作成された書類以外のもの</td><td>④棚卸資産の引渡し受入れに際して作成された書類</td></tr>
<tr><td>現金出納帳
固定資産台帳
売掛帳
買掛帳
経費帳等</td><td>損益計算書
貸借対照表
棚卸表等</td><td>領収書
小切手控
預金通帳
借用証等</td><td>有価証券受渡計算書
社債申込書等</td><td>請求書
注文請負
契約書
見積書
仕入伝票等</td><td>納品書
送り状
貨物受領証
出入庫報告書
検収書等</td></tr>
</table>

２種類以上の所得があるときの青色申告

> **【問21−２】**　私は書籍小売業による事業所得があり、また、アパートの経営による不動産所得もあります。本年から事業所得のみ青色申告の承認を受け帳簿書類を備え記帳していきたいと思っていますが、認められますか。

【答】　青色申告書の提出の承認は、事業所得、不動産所得又は山林所得を生ずべき業務を行う場合について受けることができますが、いったんこの承認を受けた場合には、事業所得、不動産所得及び山林所得の全部について記帳しなければならないことになっています（所法143、148①）。

したがって、あなたの場合も事業所得についてだけ青色申告の承認を受け、不動産所得については従前どおり白色申告のままでおくことは認められないことになります。

そのためには、備付け帳簿の記録については、不動産所得の金額及び事業所得の金額が正確に計算できるように、それぞれの所得に係る資産、負債及び資本に影響を及ぼす一切の取引を正規の簿記の原則に従い、整然と、かつ、明りょうに記録する必要があります（所規57）。

年の中途開業の場合の青色申告の承認申請

> **【問21−３】**　私は給与所得のほかに、５年前に相続した貸家について不動産所得があります。本年、５月に定年退職となりましたので、その退職金を元に８月１日から洋菓子店を開業しました。
>
> ところで、青色申告の承認申請書は、新たな業務を開始する場合には、開始した日から２か月以内に提出すればよいとのことですが、私の場合、９月30日までに青色申告承認申請書を提出すれば、本年分から青色申告書で確定申告できますか。

【答】　青色申告の承認申請は、その年の３月15日までに業務に係る所得の種類等所定の事項を記載した「所得税の青色申告承認申請書」(以下「承認申請書」といいます。) を納税地の所轄税務署長に提出することとされています (所法144)。

また、その年１月16日以後、新たに不動産所得、事業所得又は山林所得を生ずべき業務を開始した場合には、その業務を開始した日から２か月以内に前述の承認申請書を提出すればよいことになっています (所法144かっこ書)。

ところで、御質問の場合は、洋菓子店という事業所得を生ずべき事業を８月１日から開始されたとしても、既に青色申告書により確定申告のできる不動産所得を生ずべき不動産の貸付業務を行っておられますので、前述の年の中途における新たな業務の開始をした場合には該当しないことになります。

つまり、その年３月15日までに「承認申請書」を提出すべきこととされますから、洋菓子店を開業した日から２か月以内に提出されても開業した年分については青色申告書による確定申告は認められません。

したがって、あなたの場合、翌年の３月15日までに開業した翌年分以後について青色申告をする旨記載をして「承認申請書」を提出すれば、開業した翌年分以後について、青色申告が認められることになります。

相続人が提出する青色申告の承認申請書

【問21-４】　青色申告者が年の中途で死亡し、相続人が事業を引き継いで記帳もそのまま続けていく場合、相続人は改めて青色申告の承認申請書を提出しなければ青色申告は認められませんか。

また、提出を要するとすれば、いつまでに提出すればよいのですか。

【答】　相続により事業を承継した相続人が青色申告の承認を受けるためには、その相続人にとっては新たな事業の開始となりますので、承継した事業の開始の日から２か月以内に青色申告の承認申請書を提出しなければなりません（所法144）。

しかしながら、相続による事業の承継は通常の事業開始とは事情が異なり、また準確定申告書の提出期限が相続開始の日から４か月以内とされているところから、既に青色申告の承認を受けている被相続人の事業を承継した場合に限り、その相続人に係る青色申告の承認申請書は、相続開始の日から４か月を経過する日（準確定申告書の提出期限）と青色申告の承認があったものとみなされる日とのいずれか早い日までに提出すればよいこととされています（基通144－１、所法147）。

具体的には、

① 被相続人の死亡がその年の１月１日から８月31日までの場合
死亡の日から４か月以内

② 被相続人の死亡がその年の９月１日から10月31日までの場合
その年の12月31日

③ 被相続人の死亡がその年の11月１日から12月31日までの場合
翌年２月15日

法人成り後に生じた不動産所得に対する青色申告の効力

【問21-5】 私は青色申告を続けてきましたが、本年５月31日に個人で営んでいた自動車修理業を廃業し、法人を設立しました。なお、個人で文化住宅を新築するとともに、自動車修理工場を法人に貸し付け、それぞれ６月１日より不動産収入があります。

この場合に、不動産所得について青色申告により申告したいと思いますが、業務を開始してから２か月以内に新たに青色申告の承認申請をしなければなりませんか。

【答】 青色申告の承認を受けていた所得に係る業務をすべて譲渡又は廃止（以下「廃止等」といいます。）した場合には、その青色申告の承認の効力はその年限りで失われることとなっています（所法151②）。

しかしながら、業務の廃止等によって、青色申告の承認が失効する時点は、その廃止した日ではなく、その廃止した年の翌年からとされていますから、その廃止した年の12月31日までは、青色申告の承認の効力は存続していることになります。

ところで青色申告の承認の効力は、既に不動産所得、事業所得又は山林所得のいずれか一の所得について青色申告の承認を受けているときに、これとは別の所得を生ずる業務の開始があった場合にはその所得にも及ぶことになりますから、改めて承認の申請をする必要はありません。

したがって、事業所得を生ずべき事業を廃止し、同年中に不動産所得を生ずべき業務を開始した御質問のような場合には、改めて不動産所得につき、青色申告の承認の申請をする必要がありません。

なお、廃止等のあった年の翌年になって、新たに青色申告のできる所得を生ずべき業務の開始があったときは、その所得につき青色申告を選択するためには、改めて青色申告の承認の申請を行う必要があります。

実質所得者課税と青色申告承認の効力

【問21-6】　妻の名義で青色申告がなされていたガソリンスタンド経営による所得が、実質所得者課税の原則に照らし夫の所得であることが明らかであるとして、既に妻の名義で行われてきた過年分の申告を夫の名義で申告し直すこととなりました。

夫は青色申告の承認申請を行っていませんが、妻が青色申告をしていた過年分の損失の金額は夫に帰属するものとしたわけですから、夫の所得から繰越控除することとして差し支えありませんか。

【答】　青色申告承認の効力は、その承認申請をした妻についてのみ生ずるものですから、御質問の場合のように、青色申告承認を受けていた妻に帰属するものとしていた所得（損失）が青色申告承認を受けていない夫に帰属することが判明した場合であっても、夫に青色申告者の特典を認めることはできません。

これは青色申告の承認の効力が承認申請者から他の者に承継されるものでないため、【問21－4】で述べたように、相続によって事業を承継した人についても改めて承認申請が必要とされていることからみても明らかです。

したがって、御質問のガソリンスタンド経営により生じた損失（純損失の金額）は、夫に帰属するのであれば、その夫が損失発生年分において青色申告者であった場合又はその損失が被災事業用資産に係る損失であった場合に限り、繰越控除の対象となり、そうでない場合は、繰越控除することは認められません（所法12、70、143）。

青色申告が取り消される場合

【問21－7】 私は青色申告の承認を受けていますが、どのような場合に、青色申告の承認が取り消されるのか説明してください。

【答】 青色申告をしようとするときは青色申告書提出の承認申請書を税務署長に提出し、承認を受けなければなりませんが、いったん承認を受けた場合でも、青色申告者が事業についての帳簿書類を法令で定めるところにより記帳していないときなど、次に掲げる事項に該当する場合は、税務署長はその事実のあった年分にさかのぼって承認を取り消すことができることになっています（所法150）。

(1) 不動産所得、事業所得及び山林所得についてそれぞれの帳簿書類を備え付け、その所得に係る日々の取引を正確、整然と、かつ、明りょうに記録されているとともに帳簿書類の保存が、納税者の住所地などに原則として７年間保存されることが必要ですが、それがなされていないとき

(2) (1)の帳簿書類の備付け、記録及び保存について税務署長の指示に従わなかったとき

(3) (1)の帳簿書類に取引の全体又は一部を隠ぺい又は仮装して記載し、その他その記載事項の全体について真実性を疑うに足りる相当の理由が

あるとき

なお、その取消しがあった場合には、取り消された年分以後の申告書は青色申告書として取り扱われないことになり、種々の青色申告の特典を受けることができなくなります。

新規開業と届出

【問21－８】 新規に事業を始める場合は、どのような手続（届出）が必要ですか。

【答】 諸申請には主として、次のようなものがあります。

諸申請の種類	内　　容	提 出 期 限	参　　考
開廃業の届出（所 法229、所規98）	事業の開始又は事業所等の開設、移転若しくは廃止があったことの届出（給与支払事務所等の開設等の届出を兼ねる場合を含みます。）	開廃業等の事実があった日から１か月以内	
青色申告の承認の申請（所法144、所 規55）	青色申告書を提出することの承認の申請	その年の３月15日 ただし、その年の１月16日以後新たに業務を開始した場合は、その業務を開始した日から２か月以内	
青色事業専従者給与に関する届出（所法57②、所規36の４①）	青色事業専従者の給与の金額等の届出又はその変更の届出	その年の３月15日（変更の届出にあっては、変更後遅延なく） ただし、その年の１月16日以後新たに事業を開始した場合は、その事業を開始した日から2月以内	

収入及び費用の帰属時期の特例の適用を受けることの届出（所令197①、所規40の２①）	小規模事業者の収入及び費用の帰属時期の特例（いわゆる現金主義による所得計算の特例）の適用を受けることの届出	適用を受けようとする年の３月15日 ただし、その年の１月16日以後新たに事業を開始した場合は、その事業を開始した日から２月以内	
棚卸資産の評価方法の選定の届出（所令100）	新たに事業を開始した場合等において棚卸資産の評価方法を選定したことの届出	確定申告期限	
減価償却資産の償却方法の選定の届出（所令123、所規28）	新たに事業を開始した場合等において減価償却資産の償却方法を選定したことの届出	確定申告期限	
給与支払事務所等の開設届出（所法230、所規99）	給与支払事務所等の開設移転若しくは廃止があったことの届出	給与支払事務所等の開設の事実があった日から１か月以内	
源泉所得税の納期の特例の承認に関する申請（所法216、217）	給与の支払を受ける人が常時10人未満の源泉徴収義務者が納税の手数を軽減するため、源泉所得税を年２回（７月10日、翌年１月20日）にまとめて納付する制度		承認の通知が到達した日以後その効力が生じ、その日以後に法定納期限が到来するものから適用

第22章　更正・決定と再調査の請求・審査請求

更正と決定の相違

> **【問22－１】**　税務署長の処分には更正と決定がありますが、どのように違いますか。また、これらの処分を受けた場合の相違するところを説明してください。

【答】　所得税は申告納税方式をとっており、その納税すべき税額は納税者の適法な申告により確定することを原則としています。

しかしながら、その申告に係る課税標準、税額等が税務署長の調査したところと異なるとき及びその申告がない場合には、税務署長は、課税の適正、公平を期する観点からその税額を正当なものに是正し、又はその納付すべき税額を確定する処分ができることとされています。これらの税務署長の処分で前者を更正、後者を決定といいます（通則法24、25）。

更正は、納税申告書が提出されている場合に行われる税務署長の処分であるのに対して、決定は、納税申告書を提出する義務があると認められる人が納税申告書を提出していない場合に行われる税務署長の処分であるという点が異なっています。また、更正と決定の効果の点から相違する事項をみると次のようなものがあります。

(1)　加算税は、更正の場合には原則として増差税額の10％が過少申告加算税として賦課決定されますが、決定又は決定後の更正の場合には、原則として増差税額の15％が無申告加算税として賦課決定されます（通則法65、66）。

なお、納税者が課税標準等又は税額等の計算の基礎となる事実の全部、又は一部を隠蔽、仮装した部分に賦課される重加算税についても更正の場合には35％、決定の場合には40％になります（通則法68）。

（注）　決定又は決定後に更正があった場合に課される無申告加算税又は重加算税については、次のとおり、加算税の加重措置が適用される場合があります。

1　令和６年１月１日以後に法定申告期限が到来するもの（令和５年分以降）については、納付すべき税額に対して、50万円までの部分は15パーセント、50万円を超え300万円までの部分は20パーセント、300万円を超える部分は30パーセントの割合を乗じて計算した金額になります。

2　令和６年１月１日以後に法定申告期限が到来するもの（令和５年分以降）について、税務調査等で帳簿の提示又は提出を求められた際、帳簿の提示等をしなかった場合および帳簿への売上金額の記載等が本来記載すべき金額の２分の１未満だった場合は、納付すべき税額に対して10パーセントの割合を乗じて計算した金額が、帳簿への売上金額の記載等が本来記載等すべき金額の３分の２未満だった場合は納付すべき税額に対して５パーセントの割合を乗じて計算した金額が、加算されます。

3　令和６年１月１日以後に法定申告期限が到来するもの（令和５年分以降）について、税務調査等により、決定があった場合において、その決定があった日の前日から起算して５年前の日までの間に、所得税について無申告加算税または重加算税が課されたことがある場合やその期限後申告書に係る年分の前年および前々年の所得税について無申告加算税もしくは無申告加算税に代えて課される重加算税が課されたことがあるときまたは課されるべきと認められるときには、納付すべき金額に、10パーセントの割合を乗じて計算した金額が、加算されます。

(2) 税務署長が更正や決定ができる期間については、原則として法定申告期限から５年（偽りその他不正の行為があった場合は７年）です（【問22-３】参照）（通則法70①⑤）。

青色申告者に対する更正

【問22-２】 税務署長が青色申告者に更正処分をする場合には、一定の手続上の条件があると聞いていますが、どのようなことか説明してください。

【答】 税務署長は青色申告書に係る年分の所得金額又は純損失の金額を更正する場合には、次に掲げる場合を除いて、その帳簿書類を調査し、その調査に基づいて所得の計算に誤りがあると認められた場合でなければ更正できないこととなっています（所法155①）。

(1) 不動産所得の金額、事業所得の金額及び山林所得の金額以外の各種の所得の金額の計算又は、損益通算及び損失の繰越控除の適用誤りがあって更正する場合

(2) その確定申告書及び添付された書類に記載された事項によれば、申告された不動産所得の金額、事業所得の金額及び山林所得の金額の計算が明らかに誤っている場合

　なお、更正する場合には更正通知書に上記(1)に該当する場合の他は具体的に更正の理由を付記しなければならないこととなっています（所法155②）。

　このように、青色申告者については確定申告書上の計算が誤っていたり、所得控除の計算誤り又は税率の適用誤りがあった場合以外は、帳簿書類の調査をしなければ税務署長は更正処分をすることはできず、更正に際して更正通知書に具体的な更正理由を附記しなければならないこととなっています。

　なお、白色申告者に対する理由附記は、「その記帳、帳簿等の保存状況に応じて理由を記載する（平成23年度税制改正大綱）。」とされており、一方、青色申告者に対する理由附記の趣旨及び程度は、法律上、青色申告書に係る更正処分は、慎重な手続が求められることにかんがみ、白色申告者に対する理由附記の程度より厳格な内容が求められます。（参考、最判昭38.5.31、最判昭60.4.23）

更正・決定の除斥期間

【問22−３】　税務署長が更正・決定をすることができる期間には制限があると聞いていますが、それは何年間でしょうか。説明してください。

【答】　税務署長が更正や決定をなし得る期間には制限があります。具体的には、次表に掲げる日以後は、原則として更正や決定を行うことはできないこととなっています（通則法70）。

<table>
<tr><th rowspan="2">処分の態様</th><th colspan="2">更正・決定のできる期間</th></tr>
<tr><th>原　　則</th><th>偽りその他不正の行為に基づくもの及び国外転出等に係る譲渡所得についてのもの</th></tr>
<tr><td>更正（増額、減額）又は決定</td><td>５年（通則法70①一）</td><td rowspan="2">７年
（通則法70⑤）</td></tr>
<tr><td>加算税の賦課決定</td><td>納税義務成立の日（法定申告期限経過の時）から５年（通則法70①三、通則法15②十四）</td></tr>
<tr><td>更正の除斥期間の終了する日前６月以内に提出された更正の請求に係る更正又はそれに伴う加算税の賦課決定</td><td>その更正の請求日から６月を経過する日（通則法70③）</td><td></td></tr>
<tr><td>更正の除斥期間の終了する日前３月以内にされた納税申告書の提出に伴う加算税の賦課決定</td><td>当該納税申告書の提出があった日から３月を経過する日（通則法70④）</td><td></td></tr>
</table>

（注）　更正又は決定の場合の起算日は、法定申告期限（還付請求申告書に係る更正は、申告書の提出日。還付請求申告書の提出がない場合にする決定又はその決定後の更正は、納付すべき税額があるとした場合の法定申告期限）の翌日です（通則法70①一かっこ書、通則令29）。

更正・決定に対する不服申立て

【問22-４】 更正・決定の処分の通知を受けた場合、その処分の内容について不服があるときは、どのような手続をすればよいでしょうか。

【答】 更正・決定の処分についての不服申立ては、処分があったことを知った日（処分に係る通知を受けた場合には、その受けた日）の翌日から起算して３か月以内に、国税不服審判所長に対する「審査請求」か、処分を行った税務署長等に対する「再調査の請求」のいずれかを選択して行うことができます（通則法75①一、77①）。

不服申立ては、不服の趣旨、理由等を書面により提出することが必要で、例えば、再調査の請求書には、次の事項を記載することとなっています（通則法81、124）。

① 再調査の請求に係る処分の内容

② 再調査の請求に係る処分があったことを知った年月日（当該処分に係る通知を受けた場合には、その受けた年月日）

③ 再調査の請求の趣旨及び理由

④ 再調査の請求の年月日

⑤ 再調査の請求人の氏名、住所又は居所及び個人番号（個人番号を有しない者にあっては、その氏名及び住所又は居所）

なお、更正等の処分があった後に納税地が異動したため、処分をした税務署長と再調査の請求をするときの納税地を所轄する税務署長とが異なる場合には、現在の納税地の所轄税務署長に対して再調査の請求をすることとなっています（通則法85①）。

この場合の再調査の請求書には、処分に係る税務署又は国税局の名称を付記することとなっています（通則法85②）。

再調査の請求に対する決定と審査請求

【問22-５】　私は税務署長から更正処分を受けたので再調査の請求をしましたが、再調査の請求に対する税務署長の決定はどのような種類がありますか。また、再調査の請求の決定について不服申立てができますか。

【答】　税務署長の処分に対して行った再調査の請求に対する決定は、却下、棄却並びに取消し及び変更の４種類に分かれていますので、以下それぞれについて説明します（通則法83）。

⑴　却　下

再調査の請求が決定の期間（原則として処分のあったことを知った日の翌日から起算して３か月以内）経過後にされたものであるときその他再調査の請求が不適法であるときは、実質的な内容の審理を行うことなく、形式的な審理だけで行われる決定です。

⑵　棄　却

再調査の請求が適法であるとして実質審理を行ったものについて、再調査の請求に理由があるかないかの判断を行い、再調査の請求に理由がないときに行われる決定です。

⑶　取消し

再調査の請求の内容について実質審理の結果、再調査の請求に理由があるときに行われる決定で、これには再調査の請求の一部のみに理由があるときは、それに対応する処分のみを取り消す一部取消しと、全部に理由があるときは、処分の全部を取り消す全部取消しとがあります。

⑷　変　更

これは取消しと同様に、再調査の請求に理由があるときに行われる決定で、例えば１年間の納税の猶予の申請がされ、税務署長は６か月の猶予を認めたので、その処分に対して再調査の請求がなされ、審理の結果10か月が適当であるとされることをいいます。

この変更には、再調査の請求に対する変更決定を４か月の猶予期間とするような、再調査の請求人にとって不利益になる処分変更をすることはできません。

再調査の請求についての決定になお不服がある場合には、再調査決定書の謄本の送達を受けた日の翌日から起算して１か月以内に国税不服審判所長に対して審査請求をすることができます（通則法75③、77②）。

なお、選択により、この再調査の請求をしないで、直接、国税不服審判所長に対する審査請求ができます（通則法75①一ロ）。（【問22-４】参照）。

第23章　災　害　減　免

災害減免法による所得税の軽減免除

【問23‐１】　私は、菓子小売業を営んでおり、事業所得の金額は、500万円でした。今年は火災で住宅と家財に損害を受けており、家財の一部は運び出しましたので助かりましたが、住宅は全焼であり、損害額はいずれも住宅と家財の価額の50％を超えています。

このような場合、災害減免法による軽減免除が受けられると聞きましたが、そのことについて説明してください。

【答】　災害によって住宅や家財に甚大な被害を受けた場合には、その被害を受けた年分の合計所得金額（総所得金額、退職所得金額、山林所得金額、分離課税の上場株式等に係る配当所得等の金額、分離課税の長期譲渡所得の金額又は短期譲渡所得の金額（分離課税の譲渡所得の金額は特別控除後の金額）、分離課税の株式等に係る譲渡所得等の金額及び分離課税の先物取引に係る雑所得等の金額の合計額。以下この章において同じ。）が1,000万円以下の人であるなど、次の要件のいずれにも該当するときは、所得税について災害被害者に対する租税の減免、徴収猶予等に関する法律（以下「災害減免法」といいます。）による所得税及び復興特別所得税の軽減免除が受けられることになっています（災免法２、災免令１、措令４の２⑧、20⑥、25の８⑰、26の23⑦）。

① 災害によって居住者又は居住者と生計を一にする配偶者その他の親族（分離課税の譲渡所得に係る特別控除前の合計所得金額が基礎控除の額以下である人に限ります。）が所有する住宅又は家財に被害を受けたこと

② 災害による損害額から保険金等で補塡された金額を控除した損害額が、

その住宅又は家財の価額の２分の１以上であること

③　その年分の合計所得金額が1,000万円以下であること

④　その災害による損失額について、所得税法による雑損控除の適用を受けないこと

（注）　雑損控除と災害減免法による軽減免除との双方の要件を満たしている場合には、納税者の選択により、有利な方を適用することができます。

また、災害減免法によって軽減又は免除される金額は、次表の左欄の合計所得金額の区分に応じ、それぞれ次表の右欄に掲げる金額になっています。

その年分の合計所得金額	減　　免　　額
イ　500万円以下	所得税の額の全額
ロ　500万円を超え750万円以下	所得税の額の２分の１
ハ　750万円を超え1,000万円以下	所得税の額の４分の１

したがって、あなたの場合も災害減免法による所得税及び復興特別所得税の軽減免除が受けられることになります。

この災害減免法の適用を受けるためには、確定申告書、修正申告書又は更正の請求書にこの適用を受ける旨、被害の状況及び損害金額を記載して、納税地の所轄税務署長に提出することが要件とされています（災免令２）。

なお、翌年３月の確定申告を待たなくても、予定納税額の減額承認申請手続と同様の手続により、災害を受けた年の中途で予定納税などの所得税の減額をしてもらうことができますが、この場合には、翌年３月の確定申告で税額の精算をする必要があります。

（注）　災害減免法の救済規定が適用される「災害」とは、次のようなものをいいます（災免法１、所法２①二十七、所令９）。

①　震災、風水害、冷害、雪害、干害、落雷、噴火その他の自然現象の異変による災害

②　火災、鉱害、火薬類の爆発、交通事故その他の人為による異常な災害

③　害虫、害獣その他の生物による異常な災害

この災害の範囲には、②のとおり、火災等の人為的災害で自己の意思によらないものをも含むこととされています。したがって、失火は災害の範囲に含まれますが、自己の放火は含まれないことになります（昭27直所１－101①）。

「住宅」及び「家財」の意義

【問23-２】　災害減免法の規定により所得税の軽減免除の制度が適用されるのは住宅又は家財に損害を受けたときとされていますが、この「住宅」又は「家財」には、別荘や生活に通常必要でないものは含まれないと思いますが、どのような範囲のものをいうのですか。

【答】　災害減免法による所得税の軽減又は免除の規定が適用される「住宅」及び「家財」の意義は、それぞれ次のようになっています。

(1)「住宅」の意義

「住宅」とは、居住者又は居住者と生計を一にする配偶者その他の親族（分離課税の譲渡所得に係る特別控除前の合計所得金額が基礎控除の額以下である人に限ります。以下同じ。）が所有しているもので、かつ、常時起居する家屋をいいます。

したがって、次のように取り扱われます（昭27直所１－101②）。

①　常時起居する家屋であれば、必ずしも生活の本拠であることは要しません。したがって、例えば、２か所以上の家屋に居住者又は居住者と生計を一にする配偶者その他の親族が常時起居しているときは、そのいずれもが「住宅」とされます。

②　現に起居している家屋であっても、常時起居しない別荘のようなものは「住宅」には該当しないこととされます。

③　常時起居している家屋に付属する倉庫、物置等の附属建物は、「住宅」に含まれます。

なお、１個の建物で起居の用と起居以外の用とに共用されている、い

わゆる「共用住宅」については、起居の用に供されている部分と起居以外の用に供されている部分とが棟を異にするなど、はっきりと区別されている場合には、その起居の用に供されている部分だけを「住宅」として取扱い、その他の場合にあっては、その建物の主要な部分が起居の用に供されているものであるときは「住宅」とし、主要な部分が起居以外の用に供されているものであるときは、住宅でないものとして取り扱います（昭27直所１－101③）。

(2)「家財」の意義

「家財」とは、居住者又は居住者と生計を一にする配偶者その他の親族が所有する日常生活に通常必要な家具、什器、衣服、書籍その他の家庭用動産をいいます。ただし、貴金属、書画、骨とう、美術工芸品等で１個又は１組の価額が30万円を超えるものなど生活に通常必要な程度を超えるものは、家財に含まれないこととされています（昭27直所１－101④）。

損害金額の判定

【問23-３】　火災によって住宅を全焼し、家財の一部をも消失してしまいました。それぞれの損害額は次のとおりですが、この場合、災害減免法による所得税の減免の適用を受けることができますか。なお、本年の所得は、不動産所得の金額のみで450万円となっています。

また、同一年中に２以上の災害があった場合の損害金額の判定の仕方についても教えてください。

	被災直前の価額（時　価）	被災直後の価額（時　価）	保険金で補塡された金額
住　　宅	1,600万円	0円	600万円
家　　財	140万円	60万円	50万円

【答】　災害による損害金額（保険金、損害賠償金等により補塡された金額

を除きます。以下同じ。）が住宅又は家財の価額の２分の１以上であるかどうかは、居住者又は居住者と生計を一にする配偶者その他の親族（分離課税の譲渡所得に係る特別控除前の合計所得金額が基礎控除の額以下である人に限ります。以下同じ。）の所有する住宅の全部又は家財の全部について、それぞれ各別に２分の１以上の損害を受けたかどうかで判定します。その結果、住宅又は家財のいずれかについて２分の１以上の損害を受けたことになる場合に、災害減免法による所得税及び復興特別所得税の減免を受けることができます（昭27直所１－101⑥）。

また、災害による損害金額が住宅又は家財の価額の２分の１以上であるかどうかは、一災害ごとに判定するのが原則ですが、その年中に数回にわたって被害を受け、その一災害ごとの損害金額が住宅又は家財の価額の２分の１に満たない場合であっても、その累積額が住宅又は家財の価額の２分の１以上になる場合にはその累積額が２分の１以上に達したときの災害によって、住宅又は家財の価額の２分の１以上の被害を受けたものとして取り扱ってもよいことになっています。

なお、この場合において、損害金額が２分の１以上であるかどうかの判定の基礎となる居住者又は居住者と生計を一にする配偶者その他の親族の所有する住宅又は家財の価額は、最初に被害を受けた時に所有していた住宅又は家財の価額により判定します（昭27直所１－101⑦）。

以上の場合の損害金額は、被災時における時価によって算出しますが、保険金や損害賠償金等で補填された金額がある場合には、その補填された金額を差し引いた後の金額が損害金額になります（昭27直所１－101⑧）。

御質問の場合には、次に掲げるとおり住宅の損害金額が被災直前の住宅の価額（時価）の２分の１以上になり、かつ、合計所得金額が1,000万円以下となっていますので、災害減免法による軽減免除の適用を受けることができます。

（住宅の場合）

差引損害金額＝被災直前の価額－被災直後の価額－保険金等で補塡され

た金額＝1,600万円－０円－600万円＝1,000万円……①

（家財の場合）

差引損害金額＝被災直前の価額－被災直後の価額－保険金等で補塡され

た金額＝140万円－60万円－50万円＝30万円……②

（住宅又は家財の損害金額が被災直前の価額の２分の１以上であるかどうかの判定）

住宅　差引損害額1,000万円①＞被災直前の価額（時価）1,600万円×$\frac{1}{2}$

家財　差引損害額　30万円②＜被災直前の価額（時価）140万円×$\frac{1}{2}$

災害被害者の源泉所得税の徴収猶予及び還付

【問23-４】　私は、サラリーマンですが、先日の集中豪雨によって、家屋や家財に相当の被害を受けました。このような場合、所定の手続をすれば、給与等に対する源泉所得税の徴収猶予や還付を受けることができるそうですが、どのような場合に受けられるのですか。

【答】　給与所得者等が災害（【問23-１】の（注）参照）による被害を受けた場合、その人の給与等又は公的年金等に対する源泉所得税及び復興特別所得税の徴収猶予や還付が受けられるかどうかは、その年分の合計所得金額の見積額や災害を受けた時期などに応じて異なっています。

(1)　災害減免法による徴収猶予や還付が受けられる場合

災害によって受けた住宅や家財の損害金額が住宅又は家財の価額（時価）の２分の１以上で、かつ、その年分の合計所得金額の見積額が1,000万円以下である場合には、次表に掲げるとおり源泉所得税及び復興特別所得税の徴収猶予や還付を受けることができます（災免法３②③、災免令３の２①～⑤）。

その年の合計所得金額の見積額	徴収猶予される金額	還付される金額
500万円以下の場合	災害を受けた日以後その年中に支払を受ける給与等又は公的年金等につき源泉徴収をされる所得税額及び復興特別所得税額	その年１月１日から災害を受けた日までの間に支払を受けた給与等又は公的年金等につき源泉徴収をされた所得税額及び復興特別所得税額
500万円を超え750万円以下の場合	①　６月30日以前に災害を受けた場合は、その災害のあった日から６か月を経過する日の前日までの間に支払を受ける給与等又は公的年金等につき源泉徴収をされる所得税額及び復興特別所得税額	な　し
	②　７月１日以後に災害を受けた場合は、その災害のあった日から、その年12月31日までの間に支払を受ける給与等又は公的年金等につき源泉徴収をされる所得税額及び復興特別所得税額	７月１日から災害のあった日までの間に支払を受けた給与等又は公的年金等につき源泉徴収をされた所得税額及び復興特別所得税額
	③　①又は②に代えて、この項を選択した場合は、災害を受けた日からその年の12月31日までの間に支払を受ける給与等又は公的年金等につき源泉徴収をされる所得税額及び復興特別所得税額の２分の１	その年１月１日から災害を受けた日までの間に支払を受けた給与等又は公的年金等につき源泉徴収をされた所得税額及び復興特別所得税額の２分の１
750万円を超え1,000万円以下の場合	災害を受けた日から３か月を経過する日の前日までの間に支払を受ける給与等又は公的年金等につき源泉徴収をされる所得税額及び復興特別所得税額 ただし、10月１日以後に災害を受けた場合は、その年の12月31日までの間に支払を受ける給与等又	な　し

	は公的年金等につき源泉徴収をされる所得税額及び復興特別所得税額	

（注）「500万円を超え750万円以下の場合」の①及び「750万円を超え1,000万円以下の場合」の徴収猶予の期間は、被害の状況等に照らし、その期間を税務署長が延長する必要があると認めた場合には、その期間が延長される場合があります（災免令３の２⑥）。

(2) 雑損控除の適用が受けられる場合の特例

災害による損害金額が住宅又は家財の価額の２分の１に達しない場合やその年分の合計所得金額が1,000万円を超える場合には、災害減免法による所得税及び復興特別所得税の軽減免除の適用を受けることはできませんが、所得税法による雑損控除の適用が受けられると見込まれる場合（【問13-１】参照）には、税務署長が承認した徴収猶予の開始の日からその承認を受けた年の12月31日までの間に支払を受けるべき給与等又は公的年金等のうち、次の算式によって計算した徴収猶予限度額までの徴収猶予を受けることができます（災免法３⑤、災免令９②）。

徴収猶予限度額 ＝ 雑損失の金額 ＋ その年分の給与所得控除額又は公的年金等控除額 ＋ ［障害者、寡婦（寡夫）、勤労学生、配偶者、配偶者特別、扶養控除の合計額］ ＋ 基礎控除額

（注）雑損失の金額とは、災害による損失額から原則として合計所得金額の10％を控除した金額をいいます（所法72）。

なお、損害金額が大きくて、災害を受けた年分の所得金額から雑損失の金額が控除しきれない場合には、翌年以降３年間に繰り越して各年分の所得金額から控除（【問12-19】参照）することになっています（所法２①二十六、71①）。

給与所得者等の徴収猶予及び還付を受けるための手続

【問23-５】 私は、Ａ社に勤務する会社員です。過日の集中豪雨による山崩れによって自宅が全壊しましたので、給与等に対する源泉所得税の徴収猶予と還付を受けようと思いますが、その手続を教えてください。

【答】 災害により損害を受けた給与所得者等が、災害減免法に基づく所得税及び復興特別所得税の軽減・免除や徴収猶予を受けようとするときは、その給与又は公的年金等の支払者を経由して、その支払者の所在地の所轄税務署長に、又は直接納税地の所轄税務署長に「源泉所得税及び復興特別所得税の徴収猶予承認申請書」又は同「還付申請書」を提出することによって、源泉所得税及び復興特別所得税の徴収猶予や還付を受けることができます。これを表にまとめますと、下記のとおりです（災免令４①③、５、10、昭27直所１－101㉙）。

徴収猶予、還付の内容	申請書の種類	申請書の提出先
(1)　災免法第３条第２項・第３項の規定による徴収猶予	「令和　年分源泉所得税及び復興特別所得税の徴収猶予・還付申請書（災免用）給与等・公的年金等・報酬等」	給与等又は公的年金等の支払者を経由して当該支払者の所在地の所轄税務署長（日雇給与を受ける者は直接納税地の所轄税務署長）
(2)　災免法第３条第２項・第３項の規定による徴収猶予と還付	同　　上	同　　上
(3)　災免法第３条第２項・第３項の規定による還付	同　　上	直接納税地の所轄税務署長
(4)　災免法第３条第５項の規定による徴収猶予（雑損失の繰越控除がある場合）	「繰越雑損失がある場合の源泉所得税の徴収猶予承認申請書」	直接納税地の所轄税務署長
(5)　災免法第３条第５項の規定による徴収猶予（雑損失の金額があると見積もられる場合）	「繰越雑損失がある場合の源泉所得税の徴収猶予承認申請書」に準ずる申請書	同　　上

なお、申請書の提出期限は別に定められていませんが、徴収猶予される源泉所得税及び復興特別所得税は、この申請書を給与又は公的年金の支払者に提出した後に支払を受ける給与等又は公的年金等に対する源泉所得税から適用されることになっています。

また、源泉徴収の段階で、この災害減免法による徴収猶予や還付を受けた人については、年末調整を行わず、確定申告書を提出することによって所得税額の精算を行うことになります（災免法３⑥）。

災害減免法による減免措置と雑損控除の選択適用

【問23-６】　毎月の給与について災害減免法の規定による源泉所得税及び復興特別所得税の徴収猶予を受けているサラリーマンです。先日、経理課の知人から聞いた話によりますと、災害減免法の規定による減免措置の適用を受けている人でも、確定申告の際に、所得税法の雑損控除の適用を受けたほうが有利であれば、雑損控除に切り替えて税額の精算をすることができるとのことですが、本当でしょうか。また、いずれを選択したほうが有利になるかについても、併せて教えてください。

【答】　毎月の給与について、災害減免法の規定により源泉所得税及び復興特別所得税の徴収猶予を受けていたり還付を受けている場合であっても、確定申告をする際に、災害減免法の適用に代えて所得税法の規定による雑損控除を適用するほうが納税者にとって有利となる場合には、災害減免法の減免措置に代えて雑損控除の適用を受けることができます。

これは給与所得者に限らず、事業所得者についても同様です。予定納税の時点で雑損控除あるいは災害減免法による減免措置のいずれかを受ける旨の減額申請を行い、そのいずれかの適用を受けている場合であっても、確定申告に際して、そのいずれの適用を受けるかは納税者本人の選択により自由に決めることができます（昭27直所１－101⑨）。

ただ、同一の災害による損害金額について、同一時点で雑損控除と災害減免法による減免措置とを併せて受ける重複適用や、一部分については雑損控除を受け、その他の部分については災害減免法による減免措置の適用を受けるといった選択方法は認められません。

したがって、被災時点において災害減免法による減免措置の適用を受けていた損害金額を確定申告に際して雑損控除に切り替えたり、これとは逆に雑損控除を災害減免法による減免措置の適用に切り替えることは差し支えありません。

なお、災害減免法による減免措置と雑損控除のいずれが有利となるかは、被災者の所得や保険金等による補填額、損害金額の多寡などによって異なりますが、その概略を示せば、おおむね次表のとおりです。

条件		災害減免法の救済	雑損控除による救済	有利・不利の判定
損害額の程度	所得金額			
合計所得金額以下	500万円以下	所得税の全額の免除	（損害額－合計所得金額×10%）と（損害額のうち、災害関連支出の金額－5万円）とのいずれか多いほうの額	災害減免法有利
	500万円～750万円	所得税の2分の1相当額の免除	同上	損害額が所得金額に近いほど雑損控除有利、損害額が少ないときは災害減免法有利
	750万円～1,000万円	所得税の4分の1相当額の免除	同上	同上
	1,000万円超	なし	同上	雑損控除有利
合計所得金額超	—	—	—	同上

第24章　東日本大震災の被災者等に係る臨時特例措置（所得税関係）

震災特例法のあらまし

【問24-1】 震災特例法に係る所得税の特例のあらましについて、その主なものを説明してください。

【答】 平成23年4月27日に「東日本大震災の被災者等に係る国税関係法律の臨時特例に関する法律」（以下本章中「特例法」といいます。）が公布、施行され、東日本大震災（以下本章中「大震災」といいます。）で被災された方などに対しては、次のような特例措置が設けられています。

(1) 災害減免法、雑損控除の特例

大震災により住宅や家財などに被害を受けられた方は、確定申告で①「災害減免法」による軽減免除の方法、②雑損控除の方法のどちらか有利な方法を選ぶことによって、所得税の全部又は一部を軽減することができます。

これらの方法による軽減免除については、本来、平成23年分の所得税について適用されますが、特例措置により、平成22年分の所得税について適用することを選択できます（特例法4）。

また、大震災により生じた損失の金額で、雑損控除を適用しても控除しきれない雑損失の金額は、翌年以後5年間繰り越すことができます（特例法5）。

（注） 大震災とは、平成23年3月11日に発生した東北地方太平洋沖地震及びこれに伴う原子力発電所の事故による災害をいいます。

【参考】
大震災により被害を受けた住宅家財等について個々に損害額を計算することが困難な場合には、「損失額の合理的な計算方法」により損害額を計算することができます。

(2)　被災事業用資産の損失の必要経費算入の特例

大震災により生じた店舗などの事業用資産の損失については、「(1)災害減免法、雑損控除の特例」と同様、特例措置により、平成22年分の事業所得等の必要経費に算入することを選択できます（特例法６。【問24-２】参照）。

(3)　その他の主な特例措置

さらに、以下のような特例も設けられています。

イ　震災関連寄附金を支出した場合の寄附金控除の特例又は所得税額の特別控除（特例法８）

ロ　財産形成住宅貯蓄契約等の要件に該当しない事実が生じた場合の課税の特例（特例法９の２）

ハ　被災代替船舶の特別償却（特例法11の２）等

ニ　被災者向け優良賃貸住宅の割増償却（旧特例法11の２）

ホ　被災した個人について債務処理計画が策定された場合の課税の特例（特例法11の３の３）

ヘ　特定の事業用資産の買換え等の場合の譲渡所得の課税の特例（特例法12）等

ト　住宅の取得等をした場合の所得税額の特別控除等の適用期間等に係る特例（特例法13）等

チ　住宅借入金等を有する場合の所得税額の特別控除の控除額に係る特例（特例法13の２）

東日本大震災により事業用資産や棚卸資産などに被害を受けた場合

【問24-２】　大震災により事業用資産や棚卸資産などに被害を受けた個人事業者の方を対象とする、被災事業用資産の損失に係る取扱い、純損失の繰越控除、被災代替船舶の特別償却などの税制上の措置について、そのあらましを説明してください。

【答】　大震災により事業用資産や棚卸資産などに被害を受けた個人事業者の方については、次のような税制上の措置があります。

1　被災事業用資産の損失に係る取扱い

平成23年分において、事業所得者等の有する棚卸資産、事業用資産等について東日本大震災により生じた損失（以下「事業用資産の震災損失」といいます。）については、その損失額を平成22年分の事業所得の金額等の計算上、必要経費に算入することができます（特例法６）。

この場合において、平成21年分から青色申告をしている方は、平成22年分の所得において純損失が生じたときは、事業用資産の震災損失も含めて、平成21年分の所得に繰り戻して所得税の還付請求をすることができます（所法140）。

2　純損失の繰越控除

事業用資産の震災損失を有する方の平成23年において生じた純損失の金額のうち、次に掲げるものについては、５年間繰り越すことができます（特例法７、特例令９、所法70）。

①　保有する事業用資産等に占める震災損失額の割合が10分の１以上である方

イ　青色申告の場合

平成23年分の純損失の金額

ロ　白色申告の場合

平成23年分の被災事業用資産の損失の金額と変動所得に係る損失の金額による純損失の金額

②　上記①以外の方

事業用資産の震災損失による純損失の金額

3　被災代替船舶の特別償却

平成23年３月11日から令和８年３月31日までの間に、大震災により滅失又は損壊した船舶に代わる一定の船舶の取得等をして事業の用に供した場合には、その取得価額に、次の区分ごとに、次の償却率を乗じた金額の特別償却ができます（特例法11の２）。

被災代替資産等の区分	取得等の時期		
	平成23年3月11日から平成28年3月31日まで	平成28年４月１日から令和５年３月31日まで	令和５年４月１日から令和８年３月31日まで
(1) 建物又は構築物	15%（18%）	10%（12%）	
(2) 機械及び装置	30%（36%）	20%（24%）	
(3) 船舶、航空機	30%（36%）	20%（24%）	20%（24%）

(注) 1　かっこ内は中小事業者（「常時使用する従業員の数が1,000人以下の個人」をいいます。）が取得等をする場合の償却率です。

2　平成28年４月１日以後に取得等する次の資産は、被災代替資産等には該当しません。

①非自航作業船

②航空機

③車両及び運搬具のうち、二輪の小型自動車、検査対象外軽自動車、小型特殊自動車及び原動機付自転車

3　令和５年４月１日以後に取得等する次の資産は、被災代替資産等に該当しません。

①　建物（その附属設備を含みます。以下同じです。）

②　構築物

③　機械及び装置

建物、構築物、機械及び装置について、やむを得ない事情により令和５年３月31日までに事業の用に供することができなかったことにつき証明がされた場合には、令和５年４月１日から令和７年３月31日までの間に事業の用に供したその対象資産は、従来どおり適用を受けることができる経過措置が設けられています（令５改所法等附61）。

4　特定の事業用資産の買換え等の場合の譲渡所得の課税の特例

①　制度の概要

平成23年３月11日から令和６年３月31日までの間（以下「対象期間」といいます。）に、事業の用に供している一定の資産（以下「譲渡資産」といいます。）を譲渡した場合において、原則としてその譲渡の日の属する年の12月31日までに、その譲渡資産に対応する一定の資産（以下「買換資産」といいます。）を取得し、その取得の日から１年以内にその買換資産をその個人の事業の用に供したとき、又は供する見込みであるときは、課税を繰り延べること（繰延割合100％）ができます。

なお、平成25年１月１日以後に行う相続事業用資産の譲渡については、相続事業用資産を有していた方の相続人が、対象期間内にその相続事業用資産の譲渡をした場合にも、同様の要件を満たすときは、課税を繰り延べることができます。

また、買換資産は、譲渡した年中に取得したもののほか、譲渡した年の前年中に取得して税務署長に届け出したものや、譲渡した年分の確定申告において、譲渡した年の翌年中に取得する見込みである旨の申告を行ったものについても、課税を繰り延べることができます（旧特例法12）。

	譲渡資産	買換資産 〔平成28年４月１日以後に譲渡資産の譲渡をして、同日以後に買換資産を取得した場合〕	買換資産 〔左欄以外の場合〕
①	被災区域である土地等又はこれらとともに譲渡する土地の上にある建物若しくは構築物（平成23年3月11日前に取得がされたものに限られます。）	次に掲げる資産 ①　大震災からの復興に向けた取組を重点的に推進する必要があると認められる一定の区域内にある土地等又は特定被災区域内にある事業の用に供される減価償却資産 ②　被災区域である土地等又はその土地の区域内にある事業の用に供される減価償却資産	国内にある土地等又は国内にある事業の用に供される減価償却資産
②	被災区域外の区域（国内に限ります。）にある土地等、建物又は構築物	被災区域である土地等又はその土地の区域内にある事業の用に供される減価償却資産	被災区域である土地等又はその土地の区域内にある事業の用に供される減価償却資産

（注）１　「被災区域」とは、大震災により滅失（通常の修繕によっては現状回復が困難な損壊を含みます。）をした建物等の敷地及びその建物等と一体的に事業の用に供される附属施設の用に供されていた土地の区域をいいます（旧特例法12①）。

２　対象期間内に、上記の表の譲渡資産とこれに対する買換資産との交換を行った場合などにおいても、前記と同様の要件の下、課税を繰り延べること（繰延割合100％）ができます。

②　譲渡所得の金額の計算

譲渡所得の金額の計算は、具体的には次のとおりとなります。

(イ)　譲渡資産の譲渡価額　≦　買換資産の取得価額　の場合

譲渡はなかったものとされます。

(ロ)　譲渡資産の譲渡価額　>　買換資産の取得価額　の場合

譲渡所得の金額　＝　収入金額　－　取得費等

※　収入金額　＝譲渡資産の譲渡価額（A）　－　買換資産の取得価額（B）

※　取得費等　＝（譲渡資産の取得費＋譲渡費用）×　$\frac{A-B}{A}$

大震災により居住できなくなった場合の住宅借入金等特別控除

【問24-３】　私は、大震災の２年前に住宅を取得し、住宅借入金等特別控除の適用を受けていましたが、大震災によってこの住宅が損壊し、居住できなくなりました。この住宅の取得のためのローンがまだ残っているのですが、住宅借入金等特別控除の適用はどのようになりますか。

また、新たに借入れをして住宅を購入した場合、その住宅についての住宅借入金等特別控除の適用はどのようになりますか。

【答】　現行制度では、災害により住宅借入金等特別控除の対象となっている家屋が居住の用に供することができなくなった方が新たに取得した家屋について住宅借入金等特別控除等の適用を受けた年以後の各年については、原則、その適用を受けることはできないこととされており、御質問の場合、残存期間については、住宅借入金等特別控除の適用を受けることはできないことになります（措法41㉜）。

しかしながら、特例法では、住宅借入金等特別控除の対象となっていた家屋が大震災によって被害を受けたことにより居住の用に供することができなくなった場合において、その家屋に係る借入金等を有するときは、10年間の控除期間のうちの残存期間についても住宅借入金等特別控除を受けることができることとされました（特例法13）。

また、大震災により所有していた居住用家屋が被害を受けたことにより居住することができなくなった方が、新たに借入金により住宅を再取得等した場合には、次の住宅借入金等控除額の特例が認められます（特例法13の２）。

○居住年ごとの借入限度額、控除率及び控除限度額対象額

（住宅の再取得等をした家屋が一般住宅である場合）

居住年	平成23年	平成24年	平成25年
借入限度額	4,000万円 （4,000万円）	4,000万円 （3,000万円）	3,000万円 （2,000万円）
控除率	1.2% （1.0%）	1.2% （1.0%）	1.2% （1.0%）
控除限度額対象額	48万円	48万円	36万円

居住年	平成26年１月～平成26年３月	平成26年４月～令和３年12月	令和４年１月～令和５年12月	令和６年１月～令和７年12月
借入限度額	3,000万円 （2,000万円）	5,000万円 （4,000万円又は2,000万円）	5,000万円 （3,000万円又は2,000万円）	4,500万円 （2,000万円）
控除率	1.2% （1.0%）	1.2% （1.0%）	0.9% （0.7%）	0.9% （0.7%）
控除限度額対象額	36万円	60万円	45万円	40.5万円

（注）１　表中のかっこ書きは、通常の一般住宅に係る住宅借入金等特別控除による借入限度額及び控除率です。

２　居住年が令和４年から令和７年である場合には、住宅の取得等が居住用の家屋の新築等又は買取再販住宅の取得に該当するものであるときに限ります。

（住宅の再取得等をした住宅が認定住宅等である場合）

居住年	平成23年	平成24年	平成25年
借入限度額	4,000万円 （5,000万円）	4,000万円 （4,000万円）	3,000万円 （3,000万円）
控除率	1.2% （1.2%）	1.2% （1.0%）	1.2% （1.0%）
控除限度額対象額	48万円	48万円	36万円

居住年	平成26年１月 ～平成26年３月	平成26年４月 ～令和３年12月	令和４年１月 ～令和５年12月	令和６年１月 ～令和７年12月
借入限度額	3,000万円 （3,000万円）	5,000万円 （5,000万円又は3,000万円）	5,000万円 （4,000万円～5,000万円）	4,500万円（注３） （3,000万円～4,500万円）
控除率	1.2% （1.0%）	1.2% （1.0%）	0.9% （0.7%）	0.9% （0.7%）
控除限度額対象額	36万円	60万円	45万円	40.5万円

（注）１　表中のかっこ書きは、通常の認定住宅に係る住宅借入金等特別控除による借入限度額及び控除率です。

２　居住年が令和４年から令和７年である場合には、住宅の取得等が認定住宅等の新築等又は買取再販認定住宅等の取得に該当するものであるときに限ります。

◯特例対象個人に係る借入限度額

３　特例対象個人である住宅被災者(※)が、認定住宅等の新築等又は買取再販認定住宅等の取得をして令和６年１月１日から同年12月31日までの間に居住の用に供した場合の再建住宅借入金等の年末残高の限度額（借入限度額）は、5,000万円となります。

※　「特例対象個人」とは、年齢40歳未満であって配偶者を有する者、年齢40歳以上であって年齢40歳未満の配偶者を有する者又は年齢19歳未満の扶養親族を有する者をいいます。

※　居住の用に供していた家屋が、東日本大震災によって被害を受けたことにより居住の用に供することができなくなった者をいいます。

したがって、御質問の場合の住宅取得等特別控除の適用については、それぞれの借入金等の金額を加えたところで計算した控除額を限度としてその適用を受けることができます。

受け取った義援金

【問24-４】 大震災で自宅が全壊したことから、10万円の義援金を受け取りました。雑損控除の申告をしたいと考えていますが、損害額の計算上この義援金の額を差し引かなければならないのでしょうか。

【答】 雑損控除の基となる損害額は、その資産の損害額から保険金や損害賠償金などで補塡される部分の金額を控除して計算することとされています（所法72①）。

ところで、御質問の義援金については、災害を受けたことに対する見舞金という性質のものであって、資産の損害を補塡する目的のものではありません。

したがって、あなたが受け取った義援金については、雑損控除の基となる損害額の計算上差し引く必要はありません。

巻末資料

令和６年度　税制改正事項の概要（所得税関係）

Ⅰ　所得税法等

改　正　事　項	改　　正　　内　　容
1　新たな公益信託制度の創設に伴う所得税法等の整備	(1)　公共法人等及び公益信託等に係る非課税について、適用対象となる公益信託が公益信託に関する法律の公益信託（以下「公益信託」という。）とされ、公益信託の信託財産につき生ずる所得（貸付信託の受益権の収益の分配に係るものにあっては、その受益権が信託財産に引き続き属していた期間に対応する部分に限る。）については、所得税を課さないこととされた（法11）。 (2)　贈与等の場合の譲渡所得等の特例について、対象となる資産の移転の事由に「公益信託の受託者である個人に対する贈与又は遺贈（その信託財産とするためのものに限る。）」が追加され、譲渡所得の基因となる資産等について公益信託の受託者に対する贈与又は遺贈があった場合には、受託者の主体の属性（個人・法人）にかかわらず、その贈与又は遺贈によるみなし譲渡課税を行うこととされた（法59）。 (3)　公益信託の委託者である居住者がその有する資産を信託した場合には、その資産を信託した時において、その委託者である居住者からその公益信託の受託者に対して贈与又は遺贈によりその資産の移転が行われたものとして取り扱うこととされ、公益信託に譲渡所得の基因となる資産等を信託した場合には、上記(2)のみなし譲渡課税が行われることが明確化された（法67の３）。 (4)　寄附金控除について、認定特定公益信託の信託財産とするために支出した金銭に代えて、公益信託の信託財産とするために支出したその公益信託に係る信託事務に関連する寄附金（出資に関する信託事務に充てられることが明らかなもの等を除く。）が、特定寄附金として寄附金控除の対象とされた（法78）。なお、改正前に特定寄附金とみなされていた認定特定公益信託の信託財産とするために支出した金銭については、引き続き寄附金控除の対象とする経過措置が講じられた。

	⑸　所得税を課さないこととされる相続、遺贈又は個人からの贈与により取得する財産等のうち個人からの贈与により取得する財産の範囲から、公益信託から給付を受けた財産に該当するものを除くこととされた（法９）。 ⑹　上記⑵の改正に伴い、みなし譲渡課税の対象となる事由を基準にその適用対象等が定められている措置（贈与等により取得した資産の取得費等）について、所要の整備が行われた（法60）。 《適用関係》上記⑴の改正は、公益信託法の施行の日以後に効力が生ずる公益信託（移行認可を受けた信託を含む。）について適用し、同日前に効力が生じた旧公益信託（移行認可を受けたものを除く。）については従前どおりとされる（令６改所法等附２）。 　上記⑵から⑹の改正は、公益信託法の施行の日から施行される（令６改所法等附１九）。
２　減価償却資産の範囲及び耐用年数の改正	⑴　減価償却資産の範囲に、無形固定資産として漁港水面施設運営権が追加された（令６）。 ⑵　鉱業権のうち、石油又は可燃性天然ガスに係る試掘権の耐用年数が６年（改正前：８年）に、アスファルトに係る試掘権の耐用年数が５年（改正前：８年）に、それぞれ短縮された（耐用年数省令１）。 《適用関係》上記⑴の改正は、令和６年４月１日から適用される（令６改所令附１）。 　上記⑵の改正は、令和７年分以後の所得税について適用され、令和６年分以前の所得税については従前どおりとされる（令６改耐用年数省令附則②）。
３　国又は地方公共団体が行う保育その他の子育てに対する助成事業等により支給される金品の非課税措置の改正	非課税とされる一定の業務又は施設の利用に要する費用に充てるため国等から支給される金品について、その対象となる施設の範囲に、児童福祉法に規定する親子関係形成支援事業に係る施設が追加された（規３の２）。 《適用時期》上記の改正は、令和６年分以後の所得税について適用され、令和５年分以前の所得税については従前どおりとされる（令６改所規附２）。

4　公共法人等及び公益信託等に係る非課税の改正	適用対象となる公社債等の管理の方法に、一定の社債につき金融商品取引業者（第一種金融商品取引業を行う者に限る。）又は登録金融機関にその社債の譲渡についての制限を付すこと等の要件を満たす保管の委託をする方法が追加された（令51の3）。 《適用時期》上記の改正は、公共法人等又は公益信託若しくは加入者保護信託が令和6年4月1日以後に支払を受けるべき社債の利子について適用される（令6改所令附2）。
5　国庫補助金等の総収入金額不算入制度の改正	対象となる国庫補助金等に、国立研究開発法人新エネルギー・産業技術総合開発機構法に基づく国立研究開発法人新エネルギー・産業技術総合開発機構の供給確保事業助成金及び独立行政法人エネルギー・金属鉱物資源機構法に基づく独立行政法人エネルギー・金属鉱物資源機構の供給確保事業助成金が追加された（令89）。 《適用時期》上記の改正は、令和6年分以後の所得税について適用することとされる（令6改所令附3）。
6　源泉徴収の対象とされる報酬・料金等の範囲の改正	源泉徴収制度及び支払調書の対象となる報酬・料金等の範囲に、社会保険診療報酬支払基金から支払われる流行初期医療の確保に要する費用が追加された（法204）。 《適用時期》上記の改正は、令和6年4月1日以後に支払うべき診療報酬について適用され、同日前に支払うべき診療報酬については従前どおりとされる（令6改所法等附4）。
7　本人確認書類の範囲の改正	国内に住所を有しない個人で個人番号を有するものに係る個人番号を証する書類の範囲に個人番号カードが追加されるとともに、その書類の範囲から還付された個人番号カードが除外された（規81の6）。 《適用時期》上記の改正は、令和6年5月27日から施行されている（租税特別措置法施行規則等の一部を改正する省令（令和6年財務省令第41号）附則1）。
8　オープン型証券投資信託収益の分配の支払通知書等の電子交付の特例の改正	(1)　国内においてオープン型の証券投資信託の収益の分配又は剰余金の配当等とみなされるものにつき支払をする者が、その支払を受ける者からのその支払に関する通知書の交付に代えて行うその通知書に記載すべき事項の電磁的方法による提供についての承諾を得ようとする場合において、その支払をする者が定める期限までにその承諾をしない旨の回答がないときはその承諾があったものとみなす旨の通知をし、その期限までにその支払を受ける者からその回答がなかったときは、その承諾を得たものとみなすこととされた（規92の3）。

	⑵　集団投資信託を引き受けた内国法人が、個人又は法人からのその支払の確定した集団投資信託の収益の分配に係る通知外国所得税の額等の書面による通知に代えて行うその書面に記載すべき事項の電磁的方法による提供についての承諾を得ようとする場合において、その内国法人が定める期限までにその承諾をしない旨の回答がないときはその承諾があったものとみなす旨の通知をし、その期限までにその個人又は法人からその回答がなかったときは、その承諾を得たものとみなすこととされた。 《適用関係》上記の改正は、上記⑴の支払をする者又は上記⑵の内国法人が令和６年４月１日以後に行う上記の通知について適用される（令６改所規附４）。
９　計算書等の書式の特例（改正後：計算書等の書式等の特例）の改正	⑴　適用対象に、障害者等の少額預金の利子所得等の非課税措置に関する申告書が追加された（規104）。 ⑵　国税庁長官は、適用対象となる書類の書式について所要の事項を付記し、又は一部の事項を削る場合には、併せてその用紙の大きさを別表に定める大きさ以外の大きさ（日本産業規格に適合するものに限る。）とすることができることとされた（規104）。 《適用関係》上記の改正は、令和８年９月１日から適用される（令６改所規附１三）。
10　支払調書等の提出の特例の改正	支払調書等のe-Tax等による提出義務制度について、この制度の対象となるかどうかの判定基準となるその年の前々年に提出すべきであった支払調書等の枚数が30枚以上（改正前：100枚以上）に引き下げられた（法228の４、措法42の２の２、国外送金法４）。 《適用時期》上記の改正は、令和９年１月１日以後に提出すべき調書等について適用され、同日前に提出すべき調書等については従前どおりとされる（令６改所法等附５、37、57）

Ⅱ　金融・証券税制

改　正　事　項	改　　正　　内　　容
1　特定の取締役等が受ける新株予約権の行使による株式の取得に係る経済的利益の非課税等の改正	(1)　権利行使価額の年間の限度額である1,200万円の判定について、特定新株予約権に係る付与決議の日において、その特定新株予約権に係る契約を締結した株式会社が、その設立の日以後の期間が５年未満のものである場合には権利行使価額を２で除して計算した金額とし、その設立の日以後の期間が５年以上20年未満であること等の要件を満たすものである場合には権利行使価額を３で除して計算した金額として、その判定を行うこととされた（措法29の２）。 (2)　適用対象となる新株予約権の行使により取得をする株式の管理の方法について、改正前の要件に代えて、「新株予約権の行使により交付をされるその株式会社の株式（譲渡制限株式に限る。）の管理に関する取決めに従い、その取得後直ちに、その株式会社により管理がされること」との要件を選択適用できることとされた（措法29の２）。 (3)　株式会社に提出する書面について、その書面の提出に代えて、電磁的方法によるその書面に記載すべき事項の提供を行うことができることとされた。また、その書面に記載すべき事項の提供を受けた株式会社は、各人別に整理し、その書面に記載すべき事項を記録した電磁的記録をその提供を受けた日の属する年の翌年から５年間保存しなければならないこととされた（措法29の２）。 (4)　付与会社等により管理がされている特定株式について、その管理に係る契約の解約又は終了等の事由によりその特定株式の全部又は一部の返還又は移転があった場合には、その返還又は移転があった特定株式については、その事由が生じた時に、その時における価額に相当する金額による譲渡があったものとみなして、株式等に係る譲渡所得等の課税の特例その他の所得税に関する法令の規定を適用すること等とされた（措法29の２）。 (5)　「特定新株予約権の付与に関する調書」及び「特定株式等の異動状況に関する調書」の記載事項の見直しが行われた（措規11の３）。 (6)　認定新規中小企業者等及び社外高度人材の要件の見直しが行われた。

	《適用関係》記(1)及び(2)の改正は、令和６年分以後の所得税について適用され、令和５年分以前の所得税については従前どおりとされる（令６改所法等附31①）。 上記(3)の改正は、令和６年４月１日以後に株式会社に対して行う電磁的方法による書面に記載すべき事項の提供について適用される（令６改所法等附31③）。 上記(4)及び(5)の改正は、令和６年４月１日以後について適用され、同日前であるものについては従前どおりとされる（令６改所法等附31④⑥、令６改措規附19）。
２　特定中小会社が発行した株式の取得に要した金額の控除等の改正	(1)　一定の新株予約権の行使により取得をした控除対象特定株式にあっては、その控除対象特定株式の取得に要した金額に、その新株予約権の取得に要した金額を含むこととされた（措法37の13、措令25の12）。 (2)　同一年中に複数銘柄の控除対象特定株式の取得をした場合において、特例の適用を受けた年の翌年以後の各年分におけるその控除対象特定株式に係る同一銘柄株式の取得価額又は取得費から控除する金額の計算方法が明確化された（措令25の12）。 (3)　都道府県知事等の確認をした旨を証する書類について、その特定株式が一定の新株予約権の行使により取得をしたものである場合には、その新株予約権と引換えに払い込むべき額及びその払い込んだ金額の記載があるものに限ること等とされた（措規18の15）。 (4)　適用対象に、居住者等が受益者となった一定の信託の財産として特定株式の取得をする方法が追加された。 《適用関係》上記(1)の改正は、個人が令和６年４月１日以後に払込みにより取得をする新株予約権の行使により取得をする特定株式について適用される（令６改措令附７①）。 上記(2)の改正は、個人が令和６年４月１日以後に払込みにより取得をする特定株式について適用され、個人が同日前に払込みにより取得をした特定株式については従前どおりとされる（令６改措令附７②）。
３　特定新規中小会社が発行した株式を取得した場合の課税の特例の改正	(1)　一定の新株予約権の行使により取得をした控除対象特定新規株式にあっては、その控除対象特定新規株式の取得に要した金額に、その新株予約権の取得に要した金額を含むこととされた（措令26の28の３）。

	⑵　都道府県知事等の確認をした旨を証する書類について、その特定新規株式が一定の新株予約権の行使により取得をしたものである場合には、その新株予約権と引換えに払い込むべき額及びその払い込んだ金額の記載があるものに限ること等とされた（措規19の11）。 ⑶　適用対象となる国家戦略特別区域法に規定する特定事業を行う株式会社により発行される株式の発行期限が令和８年３月31日まで２年延長された（措法41の19）。 ⑷　適用対象となる地域再生法に規定する特定地域再生事業を行う株式会社により発行される株式の発行期限が令和８年３月31日まで２年延長された（措法41の19）。 ⑸　特定新規中小会社の確認手続において必要な添付書類が一部削減された。 ⑹　適用対象に、居住者等が受益者となった一定の信託の財産として特定新規株式の取得をする方法が追加された。 《適用関係》上記⑴の改正は、個人が令和６年４月１日以後に払込みにより取得をする新株予約権の行使により取得をする特定新規株式について適用される（令６改措令附10①）。
４　上場株式配当等の支払通知書等の電子交付の特例の改正	⑴　国内において上場株式等の配当等又は特定割引債の償還金等の支払をする者が、その支払を受ける者からのその支払に関する通知書の交付に代えて行うその通知書に記載すべき事項の電磁的方法による提供についての承諾を得ようとする場合において、その支払をする者が定める期限までにその承諾をしない旨の回答がないときはその承諾があったものとみなす旨の通知をし、その期限までにその支払を受ける者からその回答がなかったときは、その承諾を得たものとみなすこととされた（措規４の４）。 ⑵　上場株式等の配当等の支払の取扱者が、個人又は内国法人若しくは外国法人からのその上場株式等の配当等に係る控除外国所得税相当額等の書面による通知に代えて行うその書面に記載すべき事項の電磁的方法による提供についての承諾を得ようとする場合において、その支払の取扱者が定める期限までにその承諾をしない旨の回答がないときはその承諾があったものとみなす旨の通知をし、その期限までにその個人又は内国法人若しくは外国法人からその回答がなかったときは、その承諾を得たものとみなすこととされた（措規５の２において準用する措規４の４）。

	⑶　金融商品取引業者等が、特定口座を開設した居住者等からの特定口座年間取引報告書の交付に代えて行うその報告書に記載すべき事項の電磁的方法による提供についての承諾を得ようとする場合において、その金融商品取引業者等が定める期限までにその承諾をしない旨の回答がないときはその承諾があったものとみなす旨の通知をし、その期限までにその居住者等からその回答がなかったときは、その承諾を得たものとみなすこととされた（措規18の13の５）。 《適用関係》上記の改正は、支払者等が令和６年４月１日以後に行う通知について適用される（令改措規附４、９①）。
５　非課税口座内の少額上場株式等に係る配当所得及び譲渡所得等の非課税措置の改正	⑴　受入期間内に受け入れた上場株式等の取得対価の額の合計額が240万円を超えないこと等の要件を満たすことにより特定非課税管理勘定に受け入れることができる上場株式等の範囲に、非課税口座内上場株式等について与えられた一定の新株予約権の行使により取得する上場株式等その他の一定のもので金銭の払込みにより取得するものが追加された（措法37の14、措令25の13）。 ⑵　非課税管理勘定又は特定非課税管理勘定に受け入れることができる非課税口座内上場株式等の分割等により取得する上場株式等の範囲から、非課税口座内上場株式等について与えられた一定の新株予約権の行使により取得する上場株式等その他の一定のものでその取得に金銭の払込みを要するものが除外された（措令25の13）。 ⑶　金融商品取引業者等の営業所の長は、勘定廃止通知書又は非課税口座廃止通知書の交付に代えて、電磁的方法による勘定廃止通知書の記載事項又は非課税口座廃止通知書の記載事項の提供ができることとされた（措法37の14）。 ⑷　非課税口座を開設し、又は開設していた居住者等は、勘定廃止通知書又は非課税口座廃止通知書を添付した非課税口座開設届出書の提出に代えて、勘定廃止通知書の記載事項若しくは非課税口座廃止通知書の記載事項の記載をした非課税口座開設届出書の提出又は非課税口座開設届出書の提出と併せて行われる電磁的方法による勘定廃止通知書の記載事項若しくは非課税口座廃止通知書の記載事項の提供等ができることとされた（措法37の14、措令25の13、措規18の15の３）。

	(5) 金融商品取引業者等の営業所に非課税口座を開設している居住者等は、勘定廃止通知書又は非課税口座廃止通知書の提出に代えて、電磁的方法による勘定廃止通知書の記載事項又は非課税口座廃止通知書の記載事項の提供等ができることとされた（措法37の14、措規18の15の３）。 (6) 非課税口座内上場株式等の配当等に係る金融商品取引業者等の要件について、非課税口座に国外において発行された株式のみの保管の委託がされ、かつ、その者がその株式に係る国外株式の配当等に係る一定の支払の取扱者に該当することその他の要件を満たす場合には、口座管理機関に該当することとの要件を満たす必要はないこととされた（措規５の５の２）。 (7) 勘定廃止通知書及び非課税口座廃止通知書並びに非課税口座年間取引報告書の記載事項が簡素化された（措規18の15の９）。 (8) 累積投資上場株式等の要件のうち上場株式投資信託の受益者に対する信託報酬等の金額の通知に係る要件が廃止されるとともに、公募株式投資信託の受益権については、特定非課税管理勘定においてその受益権が振替口座簿への記載等がされている期間を通じて、その特定非課税管理勘定に係る非課税口座が開設されている金融商品取引業者等が、その受益者に対して、その公募株式投資信託に係る信託報酬等の金額を通知することとされているもののみが、上記(1)の特定非課税管理勘定に受け入れることができる上場株式等に該当することとされた。 《適用関係》上記の改正は、令和６年４月１日以後について適用され、同日前については従前どおりとされる（令６改所法等附33、令６改措令附８、令６改措規附５、９）。
６　特定口座内保管上場株式等の譲渡等に係る所得計算等の特例の改正	上場株式等保管委託契約に基づき特定口座に受入れ可能な上場株式等の範囲に、次の上場株式等が追加された（措令25の10の２）。 (1) 金融商品取引業者等に特定口座を開設する居住者等がその金融商品取引業者等に開設されているその居住者等の非課税口座に係る非課税口座内上場株式等について与えられた一定の新株予約権の行使により取得する上場株式等その他の一定のものでその取得に金銭の払込みを要するものの全てを、その行使等の時に、その特定口座に係る振替口座簿に記載等をする方法により受け入れるもの

	(2) 居住者等が開設する非課税口座に係る非課税口座内上場株式等及びその非課税口座が開設されている金融商品取引業者等にその居住者等が開設する特定口座に係るその非課税口座内上場株式等と同一銘柄の特定口座内保管上場株式等について生じた株式の分割等の事由により取得する上場株式等（非課税口座に受け入れることができるもの及び特定口座に受け入れることができるものを除く。）で、その上場株式等のその特定口座への受入れを振替口座簿に記載等をする方法により行うもの 《適用関係》上記の改正は、令和6年4月1日以後に行使等又は受け入れる上場株式等について適用される（令6改措令附6）。

Ⅲ　土地・住宅税制

改　正　事　項	改　　正　　内　　容
1　住宅借入金等を有する場合の所得税額の特別控除制度（住宅ローン税額控除）等の改正	(1) 住宅借入金等を有する場合の所得税額の特別控除制度の改正（措法41、41の2の2） ① 個人で、年齢40歳未満であって配偶者を有する者、年齢40歳以上であって年齢40歳未満の配偶者を有する者又は年齢19歳未満の扶養親族を有する者（以下「特例対象個人」という。）が、認定住宅等の新築等又は買取再販認定住宅等の取得をし、かつ、その認定住宅等の新築等をした認定住宅等（認定住宅等とみなされる特例認定住宅等を含みます。）又は買取再販認定住宅等の取得をした家屋を令和6年1月1日から同年12月31日までの間に自己の居住の用に供した場合（その認定住宅等の新築等又は買取再販認定住宅等の取得をした日から6月以内に自己の居住の用に供した場合に限る。）において、認定住宅等の住宅ローン税額控除の特例を適用する場合の認定住宅等借入限度額を次のとおり上乗せされた金額とする特例が創設された。

居住用家屋の区分	認定住宅等借入限度額
認定住宅	5,000万円
特定エネルギー消費性能向上住宅	4,500万円
エネルギー消費性能向上住宅	4,000万円

② 小規模居住用家屋である認定住宅等で令和６年12月31日以前に建築確認を受けたもの（以下「特例認定住宅等」という。）の新築又は特例認定住宅等で建築後使用されたことのないものの取得についても、認定住宅等の住宅ローン税額控除の特例の適用ができることとされた。ただし、その者の控除期間のうち、その年分の所得税に係る合計所得金額が1,000万円を超える年については、適用しないこととされた。

③ 二以上の住宅の取得等に係る住宅借入金等の金額を有する場合の控除額の調整措置等について、所要の措置が講じられた。

(2) 東日本大震災の被災者等に係る住宅借入金等を有する場合の所得税額の特別控除の控除額に係る特例の改正（震災特例法13の２）

① 特例対象個人に該当する住宅被災者が、認定住宅等の新築等又は買取再販認定住宅等の取得をし、かつ、その認定住宅等の新築等をした認定住宅等（認定住宅等とみなされる特例認定住宅等を含む。）又は買取再販認定住宅等の取得をした家屋を令和６年１月１日から同年12月31日までの間に自己の居住の用に供した場合（その認定住宅等の新築等又は買取再販認定住宅等の取得をした日から６月以内に自己の居住の用に供した場合に限る。）において、東日本大震災の被災者等に係る住宅ローン税額控除の控除額に係る特例を適用する場合の借入限度額を次のとおり上乗せされた金額とする特例が創設された。

居住用家屋の区分	借入限度額
認定住宅	5,000万円
特定エネルギー消費性能向上住宅	
エネルギー消費性能向上住宅	

② 上記(1)②及び③と同様の措置を講ずることとされた。

《適用関係》記の改正は、特例対象個人等が令和６年１月１日以後に認定住宅等を居住の用に供する場合について適用される（措法41⑬㉑、震災税特法13の２③）。

2　既存住宅に係る特定の改修工事をした場合の所得税額の特別控除の改正	次の措置が講じられた上で、その適用期限が令和７年12月31日まで２年延長された（措法41の19の３）。 ⑴　子育て対応改修工事等に係る税額控除制度の創設 ①　特例対象個人が、その所有する居住用の家屋について子育て対応改修工事等をして、その居住用の家屋を令和６年４月１日から同年12月31日までの間に自己の居住の用に供した場合には、その特例対象個人の同年分の所得税の額から、子育て対応改修工事等に係る標準的費用額（補助金等の交付を受ける場合には、補助金等の額を控除した後の金額とし、その金額が250万円を超える場合には、250万円）の10％に相当する金額を控除することができることとされた。 ②　上記①の「子育て対応改修工事等」とは、国土交通大臣が財務大臣と協議して定める子育てに係る特例対象個人の負担を軽減するために家屋について行う増改築等でその増改築等に該当するものであることにつき増改築等工事証明書によって証明がされたものであり、その子育て対応改修工事等に係る標準的な工事費用相当額（補助金等の交付がある場合には、補助金等の額を控除した後の金額）が50万円を超えること等の要件を満たすものが本特例の対象とされる。 ⑵　合計所得金額要件の見直し 本特例の適用対象者の合計所得金額要件を2,000万円以下（改正前：3,000万円以下）に引き下げることとされた。 ⑶　エアコンディショナーの省エネルギー基準達成率の見直し 本特例の適用対象となる省エネ改修工事のうち省エネ設備の取替え又は取付け工事について、その工事の対象設備となるエアコンディショナーの省エネルギー基準達成率を107％以上（改正前：114％以上）に引き下げることとされた。 《適用関係》上記⑴改正は、改修工事をした家屋を令和６年４月１日以後に居住の用に供する場合について適用される（措法41の19の３⑦）。 上記⑵の改正は、対象高齢者等居住改修工事等、対象一般断熱改修工事等、対象多世帯同居改修工事等又は対象住宅耐震改修若しくは対象耐久性向上改修工事等をした家屋を令和６年１月１日以後にその者の居住の用に供する場合について適用され、これらの改修工事をした家屋を同日前にその者の居住の用に供した場合については従前どおりとされる（令６改所法等附35）。

3　収用等に伴い代替資産を取得した場合の課税の特例等の改正	適用対象に、土地収用法に規定する事業の施行者が行うその事業の施行に伴う漁港水面施設運営権の消滅により補償金を取得する場合及び漁港管理者が漁港及び漁場の整備等に関する法律の規定に基づき公益上やむを得ない必要が生じた場合に行う漁港水面施設運営権を取り消す処分に伴う資産の消滅等により補償金を取得するときが追加された（措法33）。 《適用関係》上記の改正は、令和６年４月１日から施行される（令６改所法等附１）。
4　特定土地区画整理事業等のために土地等を譲渡した場合の2,000万円特別控除の改正	(1)　適用対象に、古都保存法又は都市緑地法の規定により対象土地が都市緑化支援機構に買い取られる場合（一定の要件を満たす場合に限ります。）が追加された（措法34）。 (2)　適用対象から、都市緑地法の規定により土地等が緑地保全・緑化推進法人に買い取られる場合が除外された（措法34）。 《適用関係》上記(1)の改正は、都市緑地法等の一部を改正する法律（令和６年法律第40号。以下「都市緑地法等改正法」という。）の施行の日から施行される（令６改所法等附１十ロ）。 上記(2)の改正は、個人の有する土地等が都市緑地法等改正法の施行の日以後に買い取られる場合について適用され、個人の有する土地等が同日前に買い取られた場合については、従前どおりとされる（令６改所法等附32）。
5　特定住宅地造成事業等のために土地等を譲渡した場合の1,500万円特別控除の改正	適用対象となる特定の民間住宅地造成事業のために土地等が買い取られる場合について、その適用期限が令和８年12月31日まで３年延長された（措法34の２②三）。
6　特定の居住用財産の買換え及び交換の場合の長期譲渡所得の課税の特例の改正	適用期限が令和７年12月31日まで２年延長された（措法36の２①②、36の５）。
7　居住用財産の買換え等の場合の譲渡損失の損益通算及び繰越控除の改正	本特例の適用を受けようとする個人が買換資産に係る住宅借入金等の債権者に対し、住宅ローン税額控除制度における「住宅取得資金に係る借入金等の年末残高等調書制度」に係る適用申請書を提出している場合には、買換資産に係る住宅借入金等の残高証明書の納税地の所轄税務署長への提出及び確定申告書への添付を不要とした（措規18の25）上で、その適用期限が令和７年12月31日まで２年延長された（措法41の５）。

	《適用関係》上記の改正は、個人が令和６年１月１日以後に行う譲渡資産の特定譲渡について適用され、個人が同日前に行った譲渡資産の特定譲渡については従前どおりとされる（令６改措規附11）。
８　特定居住用財産の譲渡損失の損益通算及び繰越控除の改正	適用期限が令和７年12月31日まで２年延長された（措法41の５の２⑦一）。
９　特定居住用財産の譲渡損失の損益通算及び繰越控除の改正	適用期限が令和７年12月31日まで２年延長された（措法41の19の２①）。
10　認定住宅等の新築等をした場合の所得税額の特別控除の改正	本特例の適用対象者の合計所得金額要件が2,000万円以下（改正前：3,000万円以下）に引き下げられた上で、その適用期限が令和７年12月31日まで２年延長された（措法41の19の４）。 《適用関係》上記の改正は、個人が、認定住宅等の新築又は認定住宅等で建築後使用されたことのないものの取得をして、その認定住宅等を令和６年１月１日以後にその者の居住の用に供する場合について適用され、個人が、認定住宅等の新築又は認定住宅等で建築後使用されたことのないものの取得をして、その認定住宅等を同日前にその者の居住の用に供した場合については従前どおりとされる（令６改所法等附36）。
11　特定の事業用資産の買換え等の場合の譲渡所得の課税の特例（震災税特法）の廃止	適用期限（令和６年３月31日）の到来をもって廃止された（旧震災税特法12、旧震災税特令14、旧震災税特規４）。 《適用関係》上記の改正は、個人が令和６年４月１日前に行った譲渡資産の譲渡については従前どおりとされている（令６改所法等附58）。

Ⅳ　事業所得等に係る税制

改　正　事　項	改　　正　　内　　容
1　試験研究を行った場合の所得税額の特別控除制度の改正	(1)　試験研究費の額の範囲から、居住者が国外事業所等を通じて行う事業に係る費用の額が除外された（措法10）。 (2)　一般試験研究費の額に係る税額控除制度について、増減試験研究費割合が０に満たない場合の税額控除割合が次の年分の区分に応じそれぞれ次の割合とされるとともに、税額控除割合の下限が１％から０に引き下げられた（措法10）。 ①　令和９年から令和11年までの年分……8.5％から、その増減試験研究費割合が０に満たない場合のその満たない部分の割合に30分の8.5を乗じて計算した割合を減算した割合 ②　令和12年分及び令和13年分……8.5％から、その増減試験研究費割合が０に満たない場合のその満たない部分の割合に27.5分の8.5を乗じて計算した割合を減算した割合 ③　令和14年以後の年分……8.5％から、その増減試験研究費割合が０に満たない場合のその満たない部分の割合に25分の8.5を乗じて計算した割合を減算した割合 《適用関係》上記(1)の改正は、令和８年分以後の所得税について適用し、令和７年分以前の所得税については従前どおりとされる（令６改所法等附22②）。 上記(2)の改正は、令和９年分以後の所得税について適用され、令和８年分以前の所得税については従前どおりとされる（令６改所法等附22①）。
2　地域経済牽引事業の促進区域内において特定事業用機械等を取得した場合の特別償却又は所得税額の特別控除制度の改正	特別償却割合又は税額控除割合の引上げに係る措置の対象となる承認地域経済牽引事業が、地域の事業者に対して著しい経済的効果を及ぼすものである場合には、その対象となる機械装置及び器具備品の税額控除割合を６％とすることとされた（措法10の４）。 《適用関係》上記の改正は、個人が令和６年４月１日以後に取得又は製作若しくは建設をする特定事業用機械等について適用され、個人が同日前に取得又は製作若しくは建設をした特定事業用機械等については従前どおりとされる（令６改所法等附23）。

3　地方活力向上地域等において特定建物等を取得した場合の特別償却又は所得税額の特別控除制度の改正	次の見直しが行われた上、地方活力向上地域等特定業務施設整備計画の認定期限が令和８年３月31日まで２年延長された（措法10の４の２、措令５の５の３）。 (1)　特定建物等の範囲に、認定地方活力向上地域等特定業務施設整備計画に記載された特定業務児童福祉施設のうち特定業務施設の新設に併せて整備されるものに該当する建物等及び構築物が追加された。 (2)　中小事業者以外の個人の適用対象となる特定建物等の取得価額に係る要件が、3,500万円以上（改正前：2,500万円以上）に引き上げられた。 (3)　特別償却限度額及び税額控除限度額の計算の基礎となる特定建物等の取得価額の上限が、80億円とされた。 《適用関係》上記(1)の改正は、令和６年４月19日以後について適用され、同日前については従前どおりとされる（令６改所法等附24②）。 　上記(2)及び(3)の改正は、令和６年４月１日以後について適用され、同日前については従前どおりとされる（令６改所法等附24①、令６改措令附３）。
4　地方活力向上地域等において雇用者の数が増加した場合の所得税額の特別控除制度の改正	次の見直しが行われた上、地方活力向上地域等特定業務施設整備計画の認定期限が令和８年３月31日まで２年延長された（措法10の５）。 (1)　地方事業所特別基準雇用者数に係る措置について、地方事業所特別税額控除限度額の計算の基礎となる地方事業所特別基準雇用者数が、無期雇用かつフルタイムの雇用者の数に限ることとされた。 (2)　地方活力向上地域等特定業務施設整備計画が特定業務施設の新設に係るものである場合の適用年が、その特定業務施設を事業の用に供した日（改正前：計画の認定を受けた日）の属する年以後３年内の各年とされた。 (3)　適用要件のうち離職者に関する要件について、離職者がいないこととの要件を満たさなければならない年が本制度の適用を受けようとする年並びにその前年及び前々年（改正前：本制度の適用を受けようとする年及びその前年）とされた。 《適用関係》上記の改正は、令和６年４月１日以後について適用され、同日前については従前どおりとされる（令６改所法等附25）。

5　事給与等の支給額が増加した場合の所得税額の特別控除制度の改正

(1)　個人の継続雇用者給与等支給額が増加した場合に係る措置について、次の見直しが行われた上、その適用期限が令和９年まで３年延長された（措法10の５の４）。

①　税額控除割合の上乗せ措置について、適用年において次の要件を満たす場合には、原則の税額控除割合にそれぞれ次の割合を加算した割合を税額控除割合とし、適用年において次の要件のうち２以上の要件を満たす場合には、原則の税額控除割合にそれぞれの割合を合計した割合を加算した割合（最大で35%）を税額控除割合とする措置に見直されるとともに、原則の税額控除割合が10%（改正前：15%）とされた。

イ　継続雇用者給与等支給増加割合が４％以上であること……次の割合

(イ)　継続雇用者給与等支給増加割合が４％以上５％未満である場合……５％

(ロ)　継続雇用者給与等支給増加割合が５％以上７％未満である場合……10%

(ハ)　継続雇用者給与等支給増加割合が７％以上である場合……15%

ロ　次の要件の全てを満たすこと……５％

(イ)　その個人のその適用年の年分の事業所得の金額の計算上必要経費に算入される教育訓練費の額からその比較教育訓練費の額を控除した金額のその比較教育訓練費の額に対する割合が10%以上であること。

(ロ)　その個人のその適用年の年分の事業所得の金額の計算上必要経費に算入される教育訓練費の額のその個人の雇用者給与等支給額に対する割合が0.05%以上であること。

ハ　その適用年の12月31日において次の者のいずれかに該当すること……５％

(イ)　次世代育成支援対策推進法に規定する特例認定一般事業主

(ロ)　女性の職業生活における活躍の推進に関する法律に規定する特例認定一般事業主

②　本措置の適用を受けるための要件に、その年12月31日において、その個人の常時使用する従業員の数が2,000人を超える場合には、マルチステークホルダー方針を公表しなければならないこととする要件が追加された。

③　上記４(1)の見直しに伴い、地方活力向上地域等において雇用者の数が増加した場合の所得税額の特別控除制度の適用を受ける場合の控除対象雇用者給与等支給増加額の調整計算の見直しが行われた。

④　次の額の算定に際し、給与等に充てるため他の者から支払を受ける金額のうち役務の提供の対価として支払を受ける金額は、給与等の支給額から控除しないこととされた。

イ　継続雇用者給与等支給増加割合に関する要件の判定における継続雇用者給与等支給額及び継続雇用者比較給与等支給額

ロ　控除対象雇用者給与等支給増加額の算定の基礎となる雇用者給与等支給額及び比較雇用者給与等支給額

ハ　控除対象雇用者給与等支給増加額の上限となる調整雇用者給与等支給増加額の算定の基礎となる雇用者給与等支給額及び比較雇用者給与等支給額

(2)　青色申告書を提出する個人が、令和７年から令和９年までの各年において国内雇用者に対して給与等を支給する場合で、かつ、その年12月31日において特定個人に該当する場合において、その年において継続雇用者給与等支給増加割合が３％以上であるときは、その個人のその年の控除対象雇用者給与等支給増加額（その年において、地方活力向上地域等において雇用者の数が増加した場合の所得税額の特別控除制度の適用を受ける場合には、その適用による控除を受ける金額の計算の基礎となった者に対する給与等の支給額として計算した金額を控除した残額）に10％（その年において次の要件を満たす場合には、それぞれ次の割合を加算した割合とし、その年において次の要件のうち２以上の要件を満たす場合には、それぞれの割合を合計した割合を加算した割合とする。）を乗じて計算した金額の税額控除（税額控除額は、その年分の調整前事業所得税額の20％相当額が上限とされる。）ができる措置が追加された。

①　継続雇用者給与等支給増加割合が４％以上であること……15％

②　次の要件の全てを満たすこと……５％

イ　その個人のその年分の事業所得の金額の計算上必要経費に算入される教育訓練費の額からその比較教育訓練費の額を控除した金額のその比較教育訓練費の額に対する割合が10％以上であること。

ロ　その個人のその年分の事業所得の金額の計算上必要経費に算入される教育訓練費の額のその個人の雇用者給与等支給額に対する割合が0.05％以上であること。

③　次の要件のいずれかを満たすこと……５％

イ　その年12月31日において次世代育成支援対策推進法に規定する特例認定一般事業主に該当すること。

ロ　その年において女性の職業生活における活躍の推進に関する法律の認定を受けたこと（同法の女性労働者に対する職業生活に関する機会の提供及び雇用環境の整備の状況が特に良好な一定の場合に限る。）。

ハ　その年12月31日において女性の職業生活における活躍の推進に関する法律に規定する特例認定一般事業主に該当すること。

(3)　中小事業者の雇用者給与等支給額が増加した場合に係る措置について、次の見直しが行われた上、その適用期限が令和９年まで３年延長された。

①　税額控除割合の上乗せ措置について、適用年において次の要件を満たす場合には、15％にそれぞれ次の割合を加算した割合を税額控除割合とし、適用年において次の要件のうち２以上の要件を満たす場合には、15％にそれぞれの割合を合計した割合を加算した割合（最大で45％）を税額控除割合とする措置に見直された。

イ　雇用者給与等支給増加割合が2.5％以上であること……15％

ロ　次の要件の全てを満たすこと……10％

(イ)　その中小事業者のその適用年の年分の事業所得の金額の計算上必要経費に算入される教育訓練費の額からその比較教育訓練費の額を控除した金額のその比較教育訓練費の額に対する割合が５％以上であること。

(ロ)　その中小事業者のその適用年の年分の事業所得の金額の計算上必要経費に算入される教育訓練費の額のその中小事業者の雇用者給与等支給額に対する割合が0.05％以上であること。

ハ　次の要件のいずれかを満たすこと……５％

(イ)　その適用年において次世代育成支援対策推進法の認定を受けたこと（同法に規定する次世代育成支援対策の実施の状況が良好な一定の場合に限る。）。

	(ロ) その適用年の12月31日において次世代育成支援対策推進法に規定する特例認定一般事業主に該当すること。 (ハ) その適用年において女性の職業生活における活躍の推進に関する法律の認定を受けたこと（同法の女性労働者に対する職業生活に関する機会の提供及び雇用環境の整備の状況が良好な一定の場合に限る。）。 (ニ) その適用年の12月31日において女性の職業生活における活躍の推進に関する法律に規定する特例認定一般事業主に該当すること。 ② 上記(1)③及び④と同様の見直しが行われた。 (4) 青色申告書を提出する個人の各年においてその個人の雇用者給与等支給額がその比較雇用者給与等支給額を超える場合において、中小事業者の雇用者給与等支給額が増加した場合に係る措置（上記(3)の措置）による控除をしてもなお控除しきれない金額を有するときは、その控除しきれない金額につき５年間繰り越して税額控除（税額控除額は、上記(1)から(3)までの措置と合計してその年分の調整前事業所得税額の20%相当額が上限とされる。）ができる制度が創設された。 《適用関係》上記(1)①②④及び(3)①の改正は、令和７年分以後の所得税について適用され、令和６年分以前の所得税については従前どおりとされる（令６改所法等附26①）。 上記(1)③の改正は、令和７年分以後の所得税について適用され、令和６年分以前の所得税については、従来どおり適用できることとされる（令６改措令附４①②）。 上記(2)の措置は、令和７年分以後の所得税について適用される（措法10の５の４②）。 上記(4)の制度は、個人の令和７年分以後において生ずる控除しきれない金額について適用される（令６改所法等附26②）。
６ 事業適応設備を取得した場合等の特別償却又は所得税額の特別控除制度の改正	カーボンニュートラルに向けた投資促進税制について、次の見直しが行われた（措法10の５の６）。 (1) 本制度の対象となる個人が、青色申告書を提出する個人で産業競争力強化法等の一部を改正する等の法律の施行の日（令和３年８月２日）から令和８年３月31日までの間にされた産業競争力強化法の認定に係る同法に規定する認定事業適応事業者（その認定エネルギー利用環境負荷低減事業適応計画にその計画に従って行うエネルギー利用環境負荷低減事業適応のための措置として生産工程効率化等設備を導入する旨の記載があるものに限る。）であるものとされ、対象資産が、その認定を受けた日から同日以後３年を経過する日までの間

	に、取得等をして、その個人の事業の用に供した生産工程効率化等設備とされた。 (2) 税額控除割合が、次の区分に応じそれぞれ次のとおりとされた。 ① 中小事業者が事業の用に供した生産工程効率化等設備……次の生産工程効率化等設備の区分に応じそれぞれ次の割合 イ エネルギーの利用による環境への負荷の低減に著しく資する生産工程効率化等設備……14% ロ 上記イ以外の生産工程効率化等設備……10% ② 中小事業者以外の個人が事業の用に供した生産工程効率化等設備……次の生産工程効率化等設備の区分に応じそれぞれ次の割合 イ エネルギーの利用による環境への負荷の低減に特に著しく資する生産工程効率化等設備……10% ロ 上記イ以外の生産工程効率化等設備……５% (3) 対象資産について、次の見直しが行われた。 ① 対象資産である生産工程効率化等設備に、車両のうち、列車の走行に伴う二酸化炭素の排出量の削減に資する鉄道車両として国土交通大臣が定めるものが追加された。 ② 対象資産から次の資産が除外されました。 イ 生産工程効率化等設備のうち、広く一般に流通している照明設備及びエアコンディショナー（使用者の快適性を確保するために使用されるものに限る。 ロ 需要開拓商品生産設備 ③ 令和６年４月１日前に認定の申請がされた認定エネルギー利用環境負荷低減事業適応計画に記載された資産が除外された。 (4) 事業適応計画の認定要件のうち事業所等の炭素生産性に係る要件等の見直しが行われた。 《適用関係》上記(1)、(2)及び(3)②ロの改正は、令和６年４月１日以後について適用され、同日前については従前どおりとされる（令６改所法等附27①）。 上記(3)③の改正は、令和６年分以後の所得税について適用される（令６改所法等附27②）。

7　所得税の額から控除される特別控除額の特例の改正	特定税額控除制度の不適用措置について、次の見直しが行われた上、その適用期限が令和９年まで３年延長された（措法10の６）。 (1)　継続雇用者給与等支給額に係る要件について、次のいずれにも該当する場合には、その個人の継続雇用者給与等支給額からその継続雇用者比較給与等支給額を控除した金額のその継続雇用者比較給与等支給額に対する割合が１％以上であることとされた。 ①　その対象年の12月31日においてその個人の常時使用する従業員の数が2,000人を超える場合 ②　次のいずれかに該当する場合 イ　その対象年が事業を開始した日の属する年、相続又は包括遺贈により事業を承継した日の属する年及び事業の譲渡又は譲受けをした日の属する年のいずれにも該当しない場合であって、その対象年の前年分の事業所得の金額が０を超える一定の場合 ロ　その対象年が事業を開始した日の属する年、相続若しくは包括遺贈により事業を承継した日の属する年又は事業の譲渡若しくは譲受けをした日の属する年に該当する場合 (2)　国内設備投資額に係る要件について、上記(1)①及び②のいずれにも該当する場合には、国内設備投資額が償却費総額の40%（改正前：30%）相当額を超えることとされた。 (3)　継続雇用者給与等支給額に係る要件の判定上、継続雇用者給与等支給額及び継続雇用者比較給与等支給額の算定に際し、給与等に充てるため他の者から支払を受ける金額のうち役務の提供の対価として支払を受ける金額は、給与等の支給額から控除しないこととされた。 《適用関係》上記の改正は、令和７年分以後の所得税について適用され、令和６年分以前の所得税については従前どおりとされる（令６改所法等附28、26①）。
8　環境負荷低減事業活動用資産等の特別償却制度の改正	基盤確立事業用資産に係る措置について、次の見直しが行われた上、制度の適用期限が令和８年３月31日まで２年延長された（措法11の４）。 (1)　基盤確立事業用資産の適合基準に、専ら化学的に合成された肥料又は農薬に代替する生産資材を生産するために用いられる機械等及びその機械等と一体的に整備された建物等であることについて基盤確立事業実施計画に係る認定の際、確認が行われたものであることが追加された。

	(2) 個人が、その取得等をした機械等につき本措置の適用を受ける場合には、その機械等につき本措置の適用を受ける年分の確定申告書にその機械等が基盤確立事業用資産に該当するものであることを証する書類を添付しなければならないこととされた（措令６の２の２）。 《適用関係》上記(2)の改正は、個人が令和６年４月１日以後について適用される（令６改措令附５）。
9 生産方式革新事業活動用資産等の特別償却制度の創設	青色申告書を提出する個人でスマート農業法の認定生産方式革新事業者であるものが、同法の施行の日から令和９年３月31日までの間に、その認定生産方式革新事業者として行う生産方式革新事業活動の用に供するための認定生産方式革新実施計画に記載された設備等を構成する機械その他の減価償却資産のうち農作業の効率化等を通じた農業の生産性の向上に著しく資する一定のもの等（以下「生産方式革新事業活動用資産等」という。）の取得等をして、これをその個人のその生産方式革新事業活動等の用に供した場合には、その用に供した日の属する年において、その生産方式革新事業活動用資産等の区分に応じ次に定める額の特別償却ができる制度が創設された（措法11の５）。 (1) 認定生産方式革新実施計画に記載された生産方式革新事業活動の用に供する設備等を構成する機械装置、器具備品、建物等及び構築物……その取得価額の32%（建物等及び構築物については、16%）相当額 (2) 認定生産方式革新実施計画に記載された促進措置の用に供する設備等を構成する機械装置……その取得価額の25%相当額 《適用関係》上記の改正は、スマート農業法の施行の日から適用される（令６改所法等附１十四）。
10 特定地域における工業用機械等の特別償却制度の改正	(1) 過疎地域等に係る措置の適用期限が令和９年３月31日まで３年延長された（措法12、措令６の３）。 (2) 奄美群島に係る措置は、その適用期限（令和６年３月31日）の到来をもって廃止された。 《適用関係》上記(2)の改正は、個人が令和６年４月１日前に取得等をした産業振興機械等については従前どおりとされる（令６改所法等附29①）。
11 事業再編計画の認定を受けた場合の事業再編促進機械等の割増償却制度の廃止	制度が廃止された（旧措法13）。 《適用時期》上記の改正は、令和６年４月１日前については従前どおりとされる（令６改所法等附29②）。

12　輸出事業用資産の割増償却制度の改正	次の見直しが行われた上、その適用期限が令和８年３月31日まで２年延長された（措法13、措令６の５）。 (1)　対象資産から、開発研究の用に供される資産が除外された。 (2)　農林水産物等の生産の合理化等に関する要件のうち一定の交付金の交付を受けた資産でないこととの要件の見直しが行われた。 《適用関係》上記の改正は、令和６年４月１日以後について適用され、同日前については従前どおりとされる（令６改所法等附29③）。
13　倉庫用建物等の割増償却制度の改正	次の見直しが行われた上、その適用期限が令和８年３月31日まで２年延長された（措法15）。 (1)　対象資産について、次の見直しが行われた。 ①　到着時刻表示装置を有する倉庫用の建物等及び構築物について、貨物自動車運送事業者から到着時刻管理システムを通じて提供された貨物の搬入及び搬出をする数量に関する情報その他の情報を表示できる到着時刻表示装置を有するものに限ることとされた。 ②　対象資産から、特定搬出用自動運搬装置を有する貯蔵槽倉庫（到着時刻表示装置を有するものを除く。）用の建物等及び構築物が除外された。 (2)　本制度の適用を受けることができる年について、供用日以後５年以内の日の属する各年分のうちその適用を受けようとする倉庫用建物等が流通業務の省力化に特に資するものとして一定の要件を満たす特定流通業務施設であることにつき証明がされた年分に限ることとされた。 《適用関係》上記(2)の改正は、令和６年４月１日以後について適用され、同日前については従前どおりとされる（令６改所法等附29④）。
14　特別償却等に関する複数の規定の不適用措置の改正	個人の有する減価償却資産につきその年の前年以前の各年において租税特別措置法の規定による特別償却又は税額控除制度に係る規定のうちいずれか一の規定の適用を受けた場合には、その減価償却資産については、そのいずれか一の規定以外の租税特別措置法の規定による特別償却又は税額控除制度に係る規定は、適用しないこととされた（措法19）。 《適用時期》上記の改正は、令和７年分以後の所得税について適用される（令６改所法等附29⑥）。

15　特定の基金に対する負担金等の必要経費算入の特例の改正	独立行政法人中小企業基盤整備機構が行う中小企業倒産防止共済事業に係る措置について、個人の締結していた共済契約につき解除があった後共済契約を締結したその個人がその解除の日から同日以後２年を経過する日までの間にその共済契約について支出する掛金については、本特例を適用しないこととされた（措法28）。 《適用時期》上記の改正は、個人の締結していた共済契約につき令和６年10月１日以後に解除があった後、共済契約を締結したその個人がその共済契約について支出する掛金について適用される（令６改所法等附30）。
16　中小事業者の少額減価償却資産の取得価額の必要経費算入の特例の改正	適用期限が令和８年３月31日まで２年延長された（措法28の２）。 《適用時期》上記の改正は、令和６年４月１日から適用する（令６改所法等附１）。
17　特定復興産業集積区域において機械等を取得した場合の特別償却又は所得税額の特別控除制度の改正	適用期限が令和８年３月31日まで２年延長された上、令和７年４月１日から令和８年３月31日までの間に取得等をした特定機械装置等の特別償却限度額及び税額控除割合が次のとおりとされた（震災特例法10）。 (1)　特別償却限度額……その取得価額の45％（建物等及び構築物については、23％）相当額（改正前：その取得価額の50％（建物等及び構築物については、25％）相当額） (2)　税額控除割合……14％（建物等及び構築物については、７％）（改正前：15％（建物等及び構築物については、８％） 《適用関係》上記の改正は、令和６年４月１日から適用される（令６改所法等附１）。
18　特定復興産業集積区域において被災雇用者等を雇用した場合の所得税額の特別控除制度の改正	対象者指定の期限が令和８年３月31日まで２年延長された上、令和７年４月１日から令和８年３月31日までの間に認定地方公共団体の指定を受けた個人がその認定地方公共団体の作成したその認定を受けた復興推進計画に定められた特定復興産業集積区域内に所在する産業集積事業所に勤務する被災雇用者等に対して支給する給与等の額の税額控除割合が９％（改正前：10％）とされた（震災税特法10の３）。 《適用時期》上記の改正は、令和６年４月１日から適用される（令６改所法等附１）。

19　特定復興産業集積区域における開発研究用資産の特別償却等制度の改正	適用期限が令和８年３月31日まで２年延長された上、令和７年４月１日から令和８年３月31日までの間に取得等をした開発研究用資産の特別償却限度額が、その取得価額の30％（その個人が中小事業者である場合には、45％）相当額（改正前：その取得価額の34％（その個人が中小事業者である場合には、50％）相当額）とされた（震災税特法10の５）。 《適用時期》上記の改正は、令和６年４月１日から適用される（令６改所法等附１）。

Ⅴ　その他の租税特別措置等

改　正　事　項	改　正　内　容
1　令和６年分における所得税額の特別控除等の実施	(1)　令和６年分における所得税額の特別控除（措法41の３の３） ①　居住者の令和６年分の所得税については、その年分の所得税の額から、令和６年分特別税額控除額を控除することとされた。ただし、その者のその年の合計所得金額が1,805万円を超える場合には、控除できない。 ②　上記①の令和６年分特別税額控除額は、次の合計額とされる。 イ　３万円 ロ　居住者の一定の同一生計配偶者又は一定の扶養親族１人につき……３万円 (2)　令和６年分の所得税に係る予定納税に係る特別控除の額の控除等（措法41の３の４～41の３の６） ①　居住者の令和６年分の所得税に係る第１期納付分の予定納税額から、予定納税特別控除額を控除することとされた。 ②　上記①の予定納税特別控除額は、３万円とされる。 ③　一定の居住者の令和６年分の所得税につき予定納税額の減額の承認の申請により予定納税額から減額の承認に係る予定納税特別控除額の控除を受けることができることとされた。 ④　上記③の減額の承認に係る予定納税特別控除額は、上記(1)②の令和６年分特別税額控除額の見積額とされる。 (3)　令和６年６月以後に支払われる給与等に係る特別控除の額の控除等（措法41の３の７）

① 令和６年６月１日において給与等の支払者から主たる給与等の支払を受ける者である居住者の同日以後最初にその支払者から支払を受ける同年中の主たる給与等（年末調整の適用を受けるものを除く。）につき所得税法の規定により徴収すべき所得税の額は、その所得税の額に相当する金額から給与特別控除額の控除（その所得税の額に相当する金額が限度とされる。）をした金額に相当する金額とすることとされた。

② 給与特別控除額のうち上記①の控除をしてもなお控除しきれない部分の金額があるときは、その控除しきれない部分の金額を、上記①の最初に主たる給与等の支払を受けた日後にその支払者から支払を受ける令和６年中の主たる給与等（年末調整の適用を受けるものを除く。）につき所得税法の規定により徴収すべき所得税の額に相当する金額から順次控除（それぞれのその所得税の額に相当する金額が限度とされる。）をした金額に相当する金額をもって、それぞれのその主たる給与等につき所得税法の規定により徴収すべき所得税の額とすることとされた。

③ 上記①及び②の給与特別控除額は、次の合計額とされる。

イ ３万円

ロ 給与所得者の扶養控除等申告書に記載された一定の源泉控除対象配偶者で合計所得金額の見積額が48万円以下である者又は一定の控除対象扶養親族等１人につき……３万円

(4) 令和６年における年末調整に係る特別控除の額の控除等（措法41の３の８）

① 居住者の令和６年中に支払の確定した給与等における年末調整により計算した年税額は、その年税額に相当する金額から年末調整特別控除額を控除した金額に相当する金額とすることとされた。

② 上記①の年末調整特別控除額は、次の合計額とされる。

イ ３万円

ロ 給与所得者の配偶者控除等申告書に記載された一定の控除対象配偶者又は給与所得者の扶養控除等申告書に記載された一定の控除対象扶養親族等１人につき……３万円

(5) 令和６年６月以後に支払われる公的年金等に係る特別控除の額の控除等（措法41の３の９）

	①　公的年金等で一定のものの支払を受ける者である居住者の令和６年６月１日以後最初にその公的年金等の支払者から支払を受ける同年分の所得税に係るその公的年金等につき所得税法の規定により徴収すべき所得税の額は、その所得税の額に相当する金額から年金特別控除額の控除（その所得税の額に相当する金額が限度とされる。）をした金額に相当する金額とすることとされた。 ②　年金特別控除額のうち上記①の控除をしてもなお控除しきれない部分の金額があるときは、その控除しきれない部分の金額を、上記①の最初に公的年金等の支払を受けた日後にその支払者から支払を受ける令和６年分の所得税に係るその公的年金等につき所得税法の規定により徴収すべき所得税の額に相当する金額から順次控除（それぞれのその所得税の額に相当する金額が限度とされる。）をした金額に相当する金額をもって、それぞれのその公的年金等につき所得税法の規定により徴収すべき所得税の額とすることとされた。 ③　上記①及び②の年金特別控除額は、次の合計額とされる。 イ　３万円 ロ　公的年金等の受給者の扶養親族等申告書に記載された一定の源泉控除対象配偶者で合計所得金額の見積額が48万円以下である者又は一定の控除対象扶養親族等１人につき……３万円 《適用関係》上記の改正は、、令和６年６月１日から適用される（令６改所法等附１二）
２　新たな公益信託制度の創設に伴う租税特別措置法等の整備	(1)　国等に対して財産を寄附した場合の譲渡所得等の非課税について、次の措置が講じられた（法59、67の３、78ほか）。 ①　本非課税制度の対象となる公益法人等の範囲に、公益信託に関する法律の公益信託（以下「公益信託」という。）の受託者（非居住者又は外国法人に該当するものを除く。）が追加されるとともに、対象となる贈与又は遺贈の範囲について、公益信託の受託者（改正前から本非課税制度の対象となっている公益法人等に該当する法人を除く。）に対する贈与又は遺贈は公益信託の信託財産とするためのものに限る等の整備が行われた。

② 非課税承認要件である贈与者等の所得税等を不当に減少させる結果とならないことを満たすための条件について、その贈与又は遺贈が公益信託の信託財産とするためのものである場合における公益信託が満たすべき条件の整備が行われた。

③ 非課税承認の取消しにより公益信託の受託者に課税する場合において、その受託者が２以上あるときは、その主宰受託者を、贈与等を行った個人とみなして所得税を課することとする等、公益信託の受託者に課税がされる場合の取扱いの整備が行われた。

④ 特定贈与等を受けた公益信託の受託者（以下「当初受託者」といいます。）が、任務終了事由等により特定贈与等に係る財産等を新受託者等（以下「引継受託者」といいます。）に移転しようとする場合において、当初受託者が、新受託者の選任等の認可又は届出の日の前日までに、一定の事項を記載した書類を納税地の所轄税務署長を経由して国税庁長官に提出したときは、本非課税制度を継続して適用することができることとされた。

⑤ 特定贈与等を受けた公益信託（以下「当初公益信託」といいます。）の受託者が、公益信託の終了により特定贈与等に係る財産等を他の公益法人等に移転し、又は類似の公益事務をその目的とする他の公益信託の信託財産としようとする場合において、当初公益信託の受託者が、公益信託の終了の日の前日までに、一定の事項を記載した書類を納税地の所轄税務署長を経由して国税庁長官に提出したときは、本非課税制度を継続して適用することができることとされた。

⑥ 公益法人等が解散する場合及び公益法人等が公益法人認定法の公益認定の取消処分を受けた場合における非課税制度の継続の特例措置について、適用対象に、次に掲げる場合が追加された。

イ 特定贈与等を受けた公益法人等が、解散による残余財産の分配又は引渡しにより、特定贈与等に係る財産等を類似の公益事務をその目的とする公益信託の信託財産としようとする場合

ロ 当初法人が、公益法人認定法の定款の定めに従い、引継財産を類似の公益事務をその目的とする公益信託の信託財産としようとする場合

	⑦　他の公益法人等が特定贈与等を受けた公益法人等から資産の移転を受けた場合における非課税制度の継続の特例措置について、次の措置が講じられた。 イ　引継受託者が当初受託者の任務終了事由等により資産の移転を受けた場合において、引継受託者が、その移転を受けた資産が特定贈与等に係る財産等であることを知った日の翌日から２月を経過した日の前日までに、一定の書類を納税地の所轄税務署長を経由して国税庁長官に提出したときは、本非課税制度を継続して適用することができることとされた。 ロ　引継法人が当初法人から資産の贈与を受けた場合の措置について、適用対象に、類似の公益事務をその目的とする公益信託の受託者が当初法人から引継財産を公益信託の信託財産として受け入れた場合が追加された。 ⑧　非課税承認申請書の記載事項等について、上記①又は②の改正に伴う所要の整備が行われた。 (2)　特定寄附信託の利子所得の非課税措置等について、次の措置が講じられた（措令２の35ほか）。 ①　特定寄附信託の利子所得の非課税措置の対象となる対象特定寄附金の範囲について、一定の特定公益信託の信託財産とするために支出した金銭（旧所得税法の規定により特定寄附金とみなされたもの）に代えて、特定寄附金のうち公益信託の信託財産とするために支出した寄附金（所得税法第78条第２項第４号に掲げる特定寄附金）とされた。なお、一定の特定公益信託の信託財産とするために支出した金銭については、引き続き対象特定寄附金とする経過措置が講じられた。 ②　信託の計算書制度について、上記①の改正に伴う記載事項の整備が行われた。 (3)　公益信託の受託者である個人に対する贈与又は遺贈（その信託財産とするためのものに限る。）をみなし譲渡課税の対象となる事由に追加する改正が行われたことに伴い、租税特別措置法等の特例のうちみなし譲渡課税の対象となる事由を基準にその適用対象等が定められている措置について、所要の整備が行われた（措法29の２ほか）。 《適用関係》上記の改正は、公益信託法の施行の日から適用される（令６改所法等附１九、令６改措令附１三、令６改措規附１四）。

3　山林所得に係る森林計画特別控除制度の改正	適用期限が令和８年まで２年延長された（措法30の２）。
4　給付金等の非課税の改正	次の貸付けについて受けた債務免除により受ける経済的な利益の価額については、引き続き所得税を課さないこととされた（措規19の２）。 (1)　児童養護施設退所者等に対する自立支援資金貸付事業による貸付け (2)　児童扶養手当受給者等に対するひとり親家庭高等職業訓練促進資金貸付事業の住宅支援資金貸付け 《適用関係》上記の改正は、令和６年４月１日から適用される（令６改措規附１）。
5　政治活動に関する寄附をした場合の寄附金控除の特例又は所得税額の特別控除の改正	適用期限が令和11年12月31日まで５年延長された（措法41の18）。
6　公益社団法人等に寄附をした場合の所得税額の特別控除制度の改正	(1)　一定の要件を満たす学校法人等に係るいわゆるパブリック・サポート・テストの絶対値要件について、現行の要件に代えて、その実績判定期間を２年（原則：５年）とするとともに、寄附者数の要件を各事業年度（原則：年平均）100人以上とし、寄附金の額の要件を各事業年度（原則：年平均）30万円以上として判定できることとする特例措置が講じられた（措令26の28の２）。 (2)　国立大学法人、公立大学法人又は独立行政法人国立高等専門学校機構に対する寄附金のうち特例の対象となる寄附金の使途に係る要件について、その使途の対象となる各法人の行う事業の範囲に、次に掲げる事業が追加された（措令26の28の２）。 ①　個々の学生等の障害の状態に応じた合理的な配慮を提供するために必要な事業であって、障害のある学生等に対するもの ②　外国人留学生と日本人学生が共同生活を営む寄宿舎の寄宿料の減額を目的として寄宿舎の整備を行う場合における施設整備費等の一部を負担する事業であって、経済的理由により修学に困難がある学生等に対するもの 《適用関係》上記(1)の改正は、令和７年４月１日から適用される（令６改措令附１二、令６改措規附１二）。

Ⅵ　国税通則法等

改　正　事　項	改　　正　　内　　容
隠蔽し、又は仮装された事実に基づき更正請求書を提出していた場合の重加算税制度の整備	過少申告加算税又は無申告加算税に代えて課される重加算税の適用対象に、「隠蔽し、又は仮装された事実に基づき更正請求書を提出していた場合」が追加された。 《適用時期》上記の改正は、令和７年１月１日以後に法定申告期限等が到来する国税について適用される。

Ⅶ　令和５年度の改正事項のうち、令和６年分の所得税から適用される主なもの

改　正　事　項	改　　正　　内　　容
１　暗号資産の評価の方法の改正	暗号資産信用取引について、他の者から信用の供与を受けて行う暗号資産の売買をいうこととされた（令119の７）。 《適用時期》上記の改正は、令和６年分以後の所得税について適用され、令和５年分以前の所得税については従前どおりとされる（令５改所令附３）。
２　資金決済に関する法律の改正に伴う所得税法等の整備	資金決済に関する法律の一部改正に伴い、次の措置が講じられた。 ○　確定申告において国外居住親族に係る扶養控除等の適用を受けようとする場合における「確定申告書」又は年末調整における税額の過不足の額の計算上、国外居住親族等に係る扶養控除の額等に相当する金額の控除を受けようとする場合における「給与所得者の扶養控除等申告書」若しくは「給与所得者の配偶者控除等申告書」に添付等をすべき送金関係書類の範囲に、「電子決済手段等取引業者の書類又はその写しでその電子決済手段等取引業者が居住者の依頼に基づいて行う電子決済手段の移転によってその居住者からその国外居住親族等に支払をしたことを明らかにするもの」であって、「その年において生活費等に充てるための支払を行ったことを明らかにするもの」が追加された（規47の２、73の２、74の４）。 《適用関係》上記の改正は、令和６年分以後の所得税に係る確定申告書を提出する場合及び令和６年１月１日以後に支払を受けるべき給与等について提出する給与所得者の扶養控除等申告書及び給与所得者の配偶者控除等申告書について適用される（令５改所規附４、７）。

3　非課税口座内の少額上場株式等に係る配当所得及び譲渡所得等の非課税措置の改正	非課税口座年間取引報告書の記載事項が簡素化された。 《適用時期》上記の改正は、令和６年以後に開設されている非課税口座に係る報告書等について適用される（令５改措規附２③④）。

編者・執筆者等一覧

太　田　真　規
船　越　真　史
西　尾　維　子
藤　井　慧　子
村　上　由　起
小　西　弘　晃
助　野　昂　大

令和６年11月改訂 所得税実務問答集（しょとくぜいじつむもんどうしゅう）

2024年12月20日　発行

編　者　太田（おおた）　真規（まさき）

発行者　新木　敏克

発行所　公益財団法人 納税協会連合会

〒540-0012 大阪市中央区谷町１－５－４　電話（編集部）06(6135)4062

発売所　株式会社 清文社

大阪市北区天神橋２丁目北２－６（大和南森町ビル）
〒530-0041　電話 06(6135)4050　FAX 06(6135)4059
東京都文京区小石川１丁目３－25（小石川大国ビル）
〒112-0002　電話 03(4332)1375　FAX 03(4332)1376
URL https://www.skattsei.co.jp/

印刷：㈱広済堂ネクスト

■本書の内容に関するお問い合わせは編集部までFAX（06-6135-4063）又はメール（edit-w@skattsei.co.jp）でお願いします。
＊本書の追録情報等は、発売所（清文社）のホームページ（https://www.skattsei.co.jp）をご覧ください。

ISBN978-4-433-70314-1